7508704301
U0841183

中 国 民 间 组 织 年 志

《中国民间组织年志》编辑委员会　编

首 卷（上）

中国社会出版社

编辑委员会

目　　录

序

党的十六届四中全会从加强党的执政能力建设、构建社会主义和谐社会的战略高度，提出了“加强社会建设和管理，推进社会管理体制创新”的要求。这是摆在我们面前一个十分重要而又非常迫切的重大课题。

社会建设和管理是相互联系、相互促进的有机整体。所谓社会建设，就是动员和调整一切社会资源，发展社会事业，完善社会功能，构建全体人民各尽所能、各得其所而又和谐相处的社会环境。而社会管理，则主要表现为政府和社会组织为促进社会系统协调运转，对社会系统的组成部分、社会生活的不同领域以及社会发展的各个环节进行组织、协调、服务、监督和控制的过程。显然，要加强社会建设和管理，就不能不涉及到具有社会动员和社会整合中介功能，向社会提供公共物品的民间组织系统。利用社会组织尤其是民间组织植根于民间的优势，发挥它们在提供服务、反映诉求和规范行为等方面的作用，这是健全社会管理体制、有效配置社会资源、加快发展社会服务、多方满足社会需求的必要途径，也是加强社会协调，化解社会矛盾，促进社会和谐，维护社会稳定，推动社会文明进步的有效措施。

从上个世纪80年代开始，民间组织（国际上也称非营利组织、非政府组织），逐渐成了世界性的话题。在我国，改革开放促进了民间组织的迅速发展，截至2004年底，全国共有民间组织28.3万个。伴随着“小政府、大社会”格局的形成，民间组织的活动空间不断拓展，其在整个社会组织结构中所占的比重也愈来愈大，已成为社会建设和管理所不容忽视的重要内容，同时也是构建和谐社会的重要力量。

党中央、国务院历来十分重视民间组织管理工作，引导和支持民间组织在全面建设小康社会中发挥积极作用。1989年国务院颁布了《社会团体登记管理条例》，赋予民政部门登记管理社会团体的职能，因十年动乱而中断的社团登记管理工作得到恢复。1996年，中央专门研究了加强民间组织管理问题，决定民办非企业单位也由民政部门统一登记管理。1998年国务院正式颁布了《民办非企业单位登记管理暂行条例》和修订了《社会团体登记管理条例》，2004年又修订颁布了《基金会管理条例》，为我国民间组织管理工作规范化、法制化奠定了坚实的基础。各级民政部门认真贯彻党中央、国务院确定的培育发展与监督管理并重的民间组织管理方针，完善相关的规章政策，加强民间组织能力建设。经过正确引导和依法管理，各类民间组织已在社会诸多领域中发挥出积极作用。民间组织的发展，促进了社会主义市场经济体制的完善；推进了福利和公益事业的发展；繁荣了科技、文化和教育事业；增加了社会就业机会；扩大了对外开放和国际交流与合作。不仅愈来愈多地引起了社会的广泛关注，同时，也在不断地吸引着学术界研究者的目光。

《中国民间组织年志》是建国以来有关民间组织发展历史的首部记录。目前，尽管关于民间组织的研究机构和研究成果逐渐增多，但同其他学科相比，还甚显薄弱。特别是党的十六届四中全会明确提出："发挥社会行业组织和社会中介组织提供服务、反映诉求、规范行为的作用"。这对我国民间组织的发展和管理，提出了更高的要求。为了使我国民间组织在构建和谐社会中发挥更大作用，需要进一步落实科学发展观、全面提升民间组织的整体素质和管理服务水平。而推进民间组织事业的繁荣发展，总结经验，加强理论建设，则显得尤为重要。我希望这部《年志》的问世，对推动民间组织理论研究，使社会各界共同营造民间组织的理论研究氛围，创造更多的科研成果，能够起到参考和借鉴的作用。

李学举

2005年7月1日

前 言

眼前的这本《中国民间组织年志》，是关于中国民间组织和活动状况的第一本年志。所谓年志，应该是一年之志，也就是中国民间组织在某一年中各种相关情况的记录。但是，由于眼前的这本年志是第一本年志，所以它不仅有当年的内容，还有回顾中华人民共和国成立以来民间组织发展过程和相关的文献资料，有助于读者比较完整地了解中华人民共和国的民间组织发展过程。因此，眼前的这本年志是中国民间组织发展的产物和事实写照，是参加民间组织活动和关心民间组织建设的人们值得一读的书籍，也是管理民间组织和研究民间组织的人们值得利用的一种参考资料。在中国民间组织建设和民间组织研究中颇具意义。

民间组织这一概念，目前我国官方将之界定为包含三方面内容的民间非营利机构，即社会团体、基金会和民办非企业单位。而新中国建立以来，最早纳入国家行政管理的，仅仅是社会团体（以下简称为社团），所以它在本书当中占有较大比重，笔者也想就此发些议论。

社团是随着人们的社会活动和社会生活的丰富发展而产生发展起来的，中国的社团自古以来就有之，经过了古代、近代和当代三个大的发展阶段。

在1840年之前，中国的社团虽已达到相当的数量和规模，也有不少社团的组织体系已达到比较完整的程度，如行会和秘密结社之类的社团，但是在组织和活动方式上，在功能作用上，始终没有超越传统社团的范畴。

1840年之后到1949年之前，受在华外国人所设社团的影响和本国资本主义发展的带动，一些传统的社团除了在组织上进一步扩大和完善外，其他方面也逐渐向现代性方向转化；新生的具有现代性的社团也不断大量涌现。也就是说，自1840年之后尽管仍然有一些传统性社团存在，但是现代性社团已逐渐成为主体。这一时期的现代性社团是在资本主义的社会环境下产生和发展的，程度不同地带有资本主义的社会性质。如大多数社团以私有制和私人利益为基础，因而使其成员的私人利益追求性较强，社团成员利益维护的意识和功能较强，参政意识和作用大多限于经济方面，与政府的对抗性较大，组织的随意性较多。但是，值得特别注意的是，在这一时期中，1919—1949年是社会主义性现代社团的创始阶段，随着中国共产党的成立及其领导的革命斗争的展开，由中国共产党领导的和革命根据地内的社团逐渐产生和发展起来，它们具有较强的革命动员性质，为中华人民共和国成立以后社团的发展打下了基础。

1949年之后至今，社团的现代性进一步加强，而且随着中国的社会制度由资本主义转入社会主义，从而赋予社团以社会主义的性质。其主要特征是：社团的基础转向以公有制和公共利益为主；成员的国家和集体利益维护观念加强，而私人利益的追求相对弱化；社团的利益维护目标中个人成员的分量减少，国家和集体的分量增加；社团的参政地位有所提高，尤其以工会、青年团、妇联等的特殊法人社团为突出；社团与政府的对抗性基本消失，转而成为党和政府的参谋与助手；社团组织的随意性减弱。在这一时期中，1949年至1979年是社会主义性现代社团的初期发展阶段，一方面是在革命时期已经出现的社会主义性现代社团趋于完善，另一方面是一些资本主义性现代社团改造为社会主义性现代社团；但是，在“反右派斗争”和“文化大革命”期间社团的发展和活动一度停滞和受挫。1980年以后是社会主义性现代社团的繁荣发展阶段，不仅原有的社团得以恢复和进一步发展，而且随着改革开放政策的进展，各种社团大量涌现，使中国的社团呈现出一派欣欣向荣的面貌，并开始走上规范化发展的道路。中国社团这一发展过程中的经验教训是值得我们认真总结和记取的。

社会团体是人们在社会活动和社会生活中自愿结成的社会组织，也可称为民间组织。它介于国家的政府组织和人民的自然组织（如家庭、宗族、社区等）之间，是构建现代社会的一个中介环节，具有重要的社会整合功能，它的发展状况是社会发展程度的一个重要标志。从理论上来说，社会团体一般都应具有这样几种基本功能：

首先，社会团体是一种目标认同作用和社会动员作用体系，具有对其成员的思想和行动的导向功能。社团由分散的众多个人在某一共同目标下自愿结合而组成，从而通过组织整合而起到社会动员的作用。团体的普及率越高，构成面越宽，涵盖面越广，规模越大，成员越多，那么其所形成的认同面也就越大，社会整合范围越广，其所起到的社会动员作用也就越大。每一个团体都有明确的宗旨，要求全体加入者承认其宗旨，并为之工作。这就使得加入团体的人们，尽管各有各的私下打算，但对自己所加入的团体都有一定的宗旨认同，并不得不承担一定的义务，或为达到个人的目的而去尽团体的义务，从而使成员有了自觉维护团体利益的行为准则和自我约束力即社团自律，由此形成团体内部的统一思想和协作行动。这种统一和协作的过程也就是广大成员受团体宗旨引导和取得认同的结果。而且，每一个团体为着扩大自己的规模，都要向社会广泛地宣传自己的宗旨，力图使自己的宗旨获得更多更广泛的社会认同，动员更多的社会人士加入自己的组织。

其次，社会团体又是一种利益集团，它能把集团的总体利益和成员的个人利益融于一体，在带领成员努力实现总体利益的同时，也能保护、帮助和促进其成员实现个人利益，这也就是社团的维权功能。因此，团体特别是一些办得较为成功的团体，对成员具有较大的吸引力和号召力，能把许多利益相关的人士聚集到自己的旗帜之下。尤其是那些功利性和服务性较强的团体，由于它们的活动宗旨往往能直接给成员带来实际利益，因而在利益关系上对其成员具有更大的吸引力和号召力。

第三，社会团体也是一种互动作用体系，具有互相促进，共同提高的功能。团体往往由多种阶层和层次的人员组成，并有上层精英人物掌握领导权。这不同阶层和层次的人共处于一个团体之中，互相之间必然要发生程度不同的影响和协作。其结果必将是掌握领导权而又具有较高知识水平和较宽视野的上层精英人物去影响和带动较低层次的成员，使之改变乃至放弃原有的评判标准，从而提高思想认识水平，改善行为方式和扩大活动范围。团体的这种互动作用不仅发挥团体的内部，而且还可发挥于团体的外部。一般地说，团体与团体之间，往往存在着互相竞争、攀比和对抗关系，尤其是一些同类性团体显得更为突出。因此，当某一团体产生，或采用先进而有效的组织和活动方式时，往往会有同类的其他团体产生，或采用相似的组织和活动方式。这种团体内部和团体之间的互动作用，既有利于团体成员目标认同水平和行为水平的提高，也促进了团体的组织普及。

第四，社会团体还是一种社会中介组织，具有沟通社会与政府信息联系的中介功能。一般来说，社团都拥有广大的会员，大多又为法人社团，负有贯彻执行政府各项相关政策和法令的义务，也具有向政府反映社会各界要求的权利和能力。社团的这种组织及其所具有的义务和权利，使它能够起到上情下传和下情上达的辅助作用，成为联系社会各界与政府的中介。如政府可以通过社团向社会各界贯彻政策、法令和各种措施，并吸收社会各界的意见和建议；社会各界可以通过社团更好地接受政府的政策和法令的指导，并向政府提出意见和建议，乃至派出代表直接与政府有关部门协商和参与相关政策、法令的制订。社团的这种中介功能，有利于沟通政府与社会各界之间的信息联系，从而增强政府政策法令制定的科学性和执行的可行性；也能使社会各界在政府的正确指导下取得更快更好的发展，形成上下一致地为国家的现代化建设事业而共同奋斗的局面。

当前，随着我国社会主义现代化建设和市场经济建设的快速发展，社会结构趋于多元化，社团也迎来了蓬勃发展的大好时机，在党和国家的社团政策指导下，做好社团建设和管理工作，使之充分发挥功能作用，更好地促进社会整合，更好地为社会主义现代化建设服务，无疑是一件非常重要的事情。

对当前和今后的社会团体建设来说，总结社团发展过程的历史经验和教训是不可忽视的，这就需要有社团历史和现状的研究。对中国社团史的学术研究是由外国人开其首的。大约在19世纪末20世纪初，就有少量的西方人士在对中国社会作考察时，注意到了中国的社团组织，在社会调查的基础上作了一些初步的研究。当时的调查研究对象主要限于工商行会组织，有少量的调查报告和研究性论著问世。其中学术研究性较强的有：马高温的论文：《中国的行会、商会和贸易团体》(Macgowan, Chinese Gilds or Chambers of Commerce and Trades unions, Journal of the North China Branch of the Royal Asiatic Society, 1888—1889)，马士的专著《中国公行考》(H. B. Morse, The Gilds of China, 1909)。当时也正是西方国家的第一次社团史研究高潮兴起之后，这也可能是这些西方人士开始研究中国社团的一个国际学术背景。

中国人对中国社团史的研究大约兴起于20世纪初，到二三十年代有初步发展。研究范围主要集中于秘密会党和工商行会，研究的内容以社团的史实考察和现象陈述为主。当时的主要著作有：陶成章的《会党原始》、《教会原流考》（载《浙案纪略》，1916年版）；文宙的《中国新旧秘密结社》（载《东方杂志》，1927年8月）；全汉升的《中国行会制度史》（1934年版）。到40年代，会党史研究比较兴盛，出版了许多资料性和记述性的书籍。

中华人民共和国成立以后的前30年内，中国的社团史研究有所进展，但研究范围仍较窄，主要集中于某些秘密会党、少数革命团体和工商行会。研究的角度大多是从研究农民起义和资产阶级革命的组织状况出发的，尤其在太平天国起义、义和团运动和辛亥革命的研究中涉及较多，带有较多的政治革命史属性，而缺少社团史的特色。在研究的对象上，研究较多的是一些规模较大的秘密会党，地区性的会党和少数主要的革命团体则较少研究。在工商行会的研究上，主要的成果是整理出版了几种资料集，论著很少，且多从封建生产关系和经济制度的角度进行研究，很少有社团史的特色。

1980年以后，中国的社团史研究逐渐兴盛起来。就研究的范围而言，从原来的会党、行会和革命团体扩大到商会、农会、工会、商帮、同乡会、同业公会、各种经济团体、文化团体、教育团体、市民团体、少数民族团体等。就研究的程度而言，已从个别社团研究发展到某类社团的系统性、综合性研究。如蔡少卿的《中国近代会党史研究》（1987年版）；贾植芳的《中国现代文学社团流派》（1989年版）；朱英的《辛亥革命时期新式商人社团研究》（1991年版）；虞和平的《商会与中国早期现代化》（1993年版）；周育民和邵雍合著的《中国帮会史》（1993年版）；桑兵的《清末新知识界的社团与活动》（1995年版）；孙子梅的《南社研究》（2003年版）；朱英、马敏等合著的《近代中国同业公会研究与当代行业协会》（2004年版）；张剑的《科学社团在近代中国的命运——以中国科学社为中心》，均属此类著作。就研究的视角和方法而言，有些著作已具有较强的社团史特色。如在会党史研究中，已把会党作为一种社会组织和力量来分析，较多地论述了会党的形成、流变、组织结构及其社会功能和作用，也着意于探讨会党与当时当地社会的相互关系。在商会史研究中，已从一般的产生发展过程论述和官办或商办性质之争，进入到商会的社会属性、角色地位、组织结构、功能作用及其与政府之间的互动关系等深层问题。在行会史和同业公会史研究中，已开始探讨行会和同业公会的组织状况、与商会之间的组织关系、结构和功能的现代化过程，及其在中国早期现代化进程中所发挥的具体作用。

目前，中国的社团史研究，虽然在某些领域已达到相当深入的程度，但有待于进一步的深入和开拓。在研究方法上缺少相应新方法的运用，大多数论著仍采用传统的史学研究方法，以社团历史现象的陈述为主，不能充分显示出社团史的学科特色意义；在研究领域上还存在许多欠缺，如体育团体、农村社团、在华外国人社团、华侨社团、基金会等几乎没有研究，慈善团体、市民社团、少数民族社团等也很少研究，尤其是对改革开放以来新兴起的民办非企业单位的研究更显薄弱，尽管其作为民间组织的一个重要组成部分，近年来愈来愈受到社会的关注，但在其理论研究方面，与社团的研究相比，则很少有人涉足。

我相信《中国民间组织年志》的问世，也将对中国民间组织史研究的发展起到一定的促进作用。

我所以会写这一小篇文字充作这本年志的前言，只是由于我与这本年志的主编古俊贤先生曾经有过的合作关系。约10年之前，我应民政部社团司的邀请，参与了该司所直接指导的中国社团研究会编写的《中国社团发展史》（由当代中国出版社于2001年出版）的编撰，除了负责该书的文字编写和部分组稿工作之外，还为该书撰写了20万字左右的绪论和近代部分某些章节。此书编写完成以后，没能及时定稿和出版，后来由于主编古俊贤先生的努力才得以出版。此次，古俊贤先生又负责主编《中国民间组织年志》，约我写一前言，情意难却，勉从其命。这一篇名为“前言”的文字，只不过是我在读了这本年志书稿后的一个简单的感言，不妥之处敬请编者和广大读者批评指正。

虞和平

2005年5月16日

于中国社会科学院近代史研究所

亲切关怀

党的十六届四中全会明确提出：“发挥社会行业组织和社会中介组织提供服务、反映诉求、规范行为的作用”。

1964年12月，毛泽东主席接见参加全国科协会议的地质学家李四光等科技工作者。

1962年12月，国务院总理周恩来、副总理陆定一、全国人大常委会副委员长彭真等领导参加中华医学会新年联欢会。

1965年10月，中华医学会第一届全国妇产科学学术会议在北京召开，国务院总理周恩来接见全体代表并作重要讲话。

1986年7月8日，邓小平同志接见参加中国科协第三次代表大会的科技工作者。

1980年4月，法国医学代表团应中华医学会邀请访华并在北京和上海举行第一次中法医学日活动，邓小平同志接见代表团成员。

1980年8月，邓小平同志与中国企业联合会袁宝华、张彦宁同志亲切交谈。

1980年9月18日，邓小平等国家领导人出席由中国金属学会、煤炭学会等联合召开的"第一届国际矿山规划开发会议"开幕式。

1992年2月，邓小平同志南巡时在广州亲切接见广州潮人海外联谊会原会长蚁美厚先生。

1989年9月8日，中共中央总书记江泽民、国务院总理李鹏等党和国家领导人亲切接见中国计划生育协会二届四次全国理事会的全体代表。

1991年8月，中共中央总书记江泽民在吕东同志陪同下参观中国工经协会承办的展览会。

1993年4月25日，中共中央总书记江泽民参观由中国花卉协会举办的第三届中国花卉博览会。

2000年1月，中共中央总书记江泽民亲切接见中国企业联合会会长陈锦华。

2004年4月31日，中共中央总书记、国家主席胡锦涛在南京亲切接见中国商标协会副会长、全国劳模高德康同志。

2002年6月，时任国家副主席胡锦涛亲切接见中国烹饪协会常务理事刘敬贤，并观看厨艺表演。

1994年11月，时任中共中央政治局常委、书记处书记胡锦涛出席由中国国际科学与和平协会举办的“国际科学与和平周”开幕式。

1996年，时任中共中央政治局常委、书记处书记胡锦涛亲切接见应邀出席中南海座谈会的中国畜产品加工研究会会长周光宏教授。

1991 年 8 月，国务院总理李鹏、副总理邹家华在吕东同志陪同下参观中国工经协会承办的展览会。

1995 年 12 月 22 日，李鹏、温家宝、姜春云、宋平等党和国家领导人接见中国计划生育协会第四次全国会员代表大会全体代表。

2002年9月9日，国务院总理朱镕基接见参加在北京召开的“国际内部审计协会全球论坛”会议的国际内部审计师协会的代表。

2002年10月，国务院总理朱镕基与中国企业联合会代表亲切交谈。

1994年5月，国务院副总理朱镕基接见参加中国工合国际委员会会议的工合国际委员，鼓励探讨合作经济发展的道路。

1991年8月，时任上海市委书记吴邦国、吉林省省长王忠禹参观中国工经协会承办的展览会。

1996年11月，时任中央书记处书记温家宝出席中国国际科学和平促进会第八届“国际科学与和平周”开幕式。

1990年4月7日，党和国家领导同志在中南海怀仁堂亲切接见中国企业联合会、中国企业家协会的领导及企业界代表。

1991 年 8 月，中共中央政治局常委、中央书记处书记李瑞环参观中国工经协会承办的展览会。

2004 年 3 月 31 日，中共中央政治局常委、全国政协主席贾庆林参观由中国和平利用军工技术协会举办的展览会。

1999年5月29日，全国人大常委会副委员长姜春云在山东省宁津考察农村专业经济协会。

2004年6月15日，中共中央政治局委员、国务院副总理吴仪视察中国水利电力医学科学技术学会会员单位吉林电建公司职工医院。

1992年4月17日，原中顾委副主任薄一波、全国人大常委会副委员长严济慈、全国政协副主席程思远参加由中国东方文化研究会举办的中国首届丝绸之路节招待会。

1999年7月28日，全国政协副主席万国权率“全国政协爱老养老考察组”视察由云南省老年福利基金会举办的云南老年之家敬老院。

2002年1月，中华慈善总会召开第二次代表大会，全国人大常委会副委员长何鲁丽、许嘉璐参加会议。

2004年，全国人大常委会副委员长何鲁丽、外交部副部长乔宗淮、民政部副部长姜力、IPRA主席查尔斯·斯特莱敦先生出席由中国国际公共关系协会在北京举办的中国国际公共关系大会。

1995年4月，中央军委副主席刘华清出席中国和平利用军工技术协会第一届全国会员代表大会，并与会员代表亲切握手。

2004年12月10日，民政部在人民大会堂举行全国先进民间组织表彰大会。全国人大常委会副委员长司马义.艾买提、何鲁丽，全国政协副主席罗豪才、阿不来提.阿不都热西提，民政部部长李学举出席了会议，并为获奖代表颁奖。

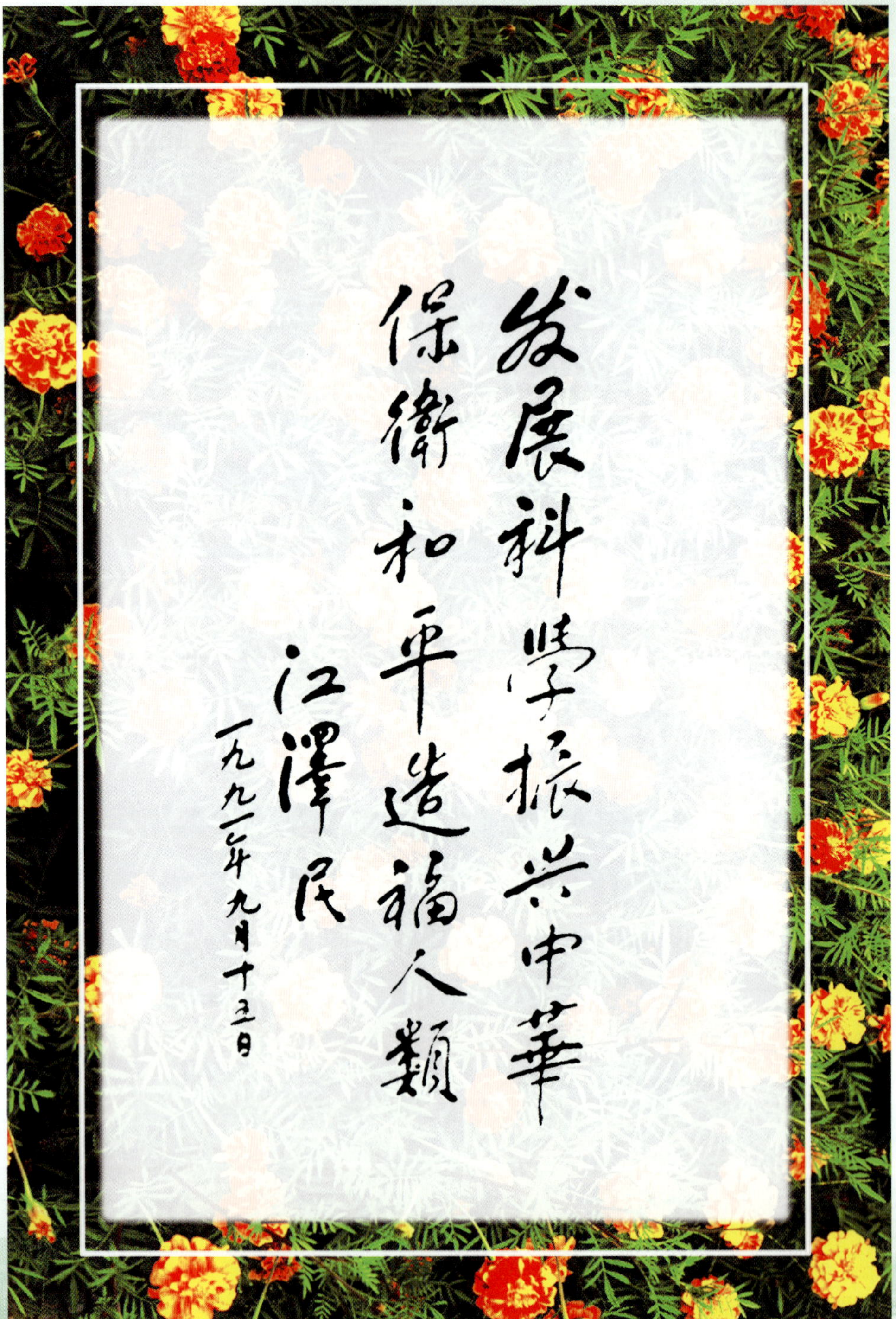

发展科学振兴中華
保衛和平造福人類
江澤民
一九九一年九月十三日

1991年9月13日，国家主席江泽民为中国国际和平促进会举办的“国际科学与和平周”活动题词。

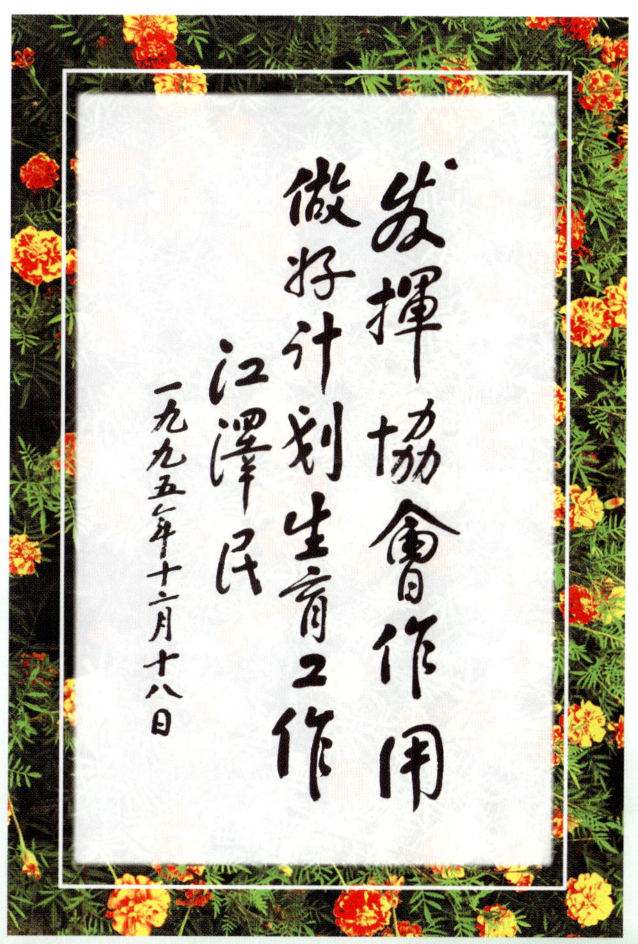

1995年12月18日，国家主席江泽民为中国计划生育协会第四次全国会员大会题词。

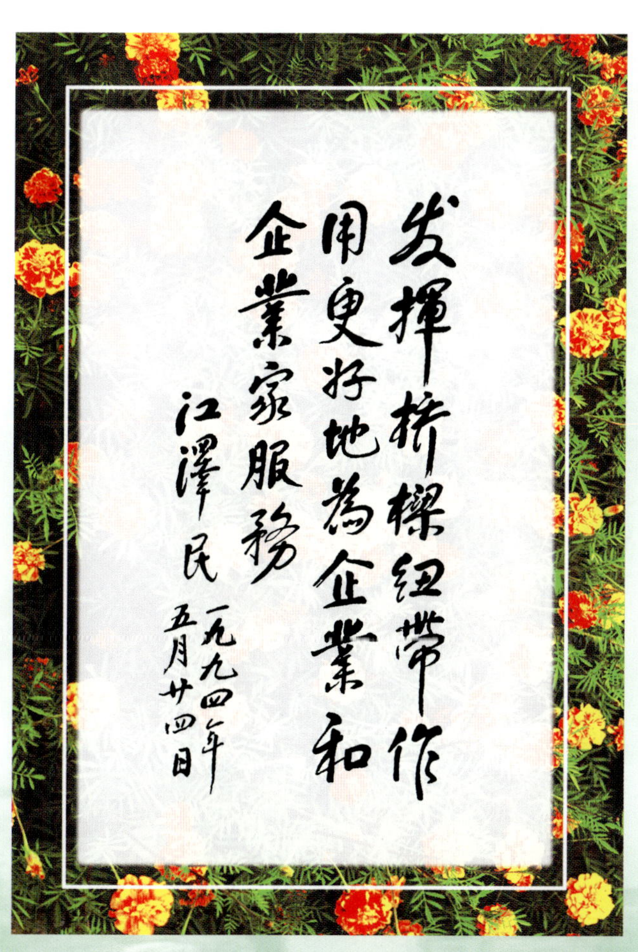

1994年5月24日，国家主席江泽民为中国企业联合会、中国企业家协会题词。

谨向中国工业经济联合会
新一届理事会的召开
表示热烈祝贺！

胡锦涛
十一月二十日

2003年11月20日，国家主席胡锦涛为中国工业经济联合会题词。

1951年8月，中华医学会在北京召开全国各地分会理事长会议，国家副主席董必武题词祝贺。

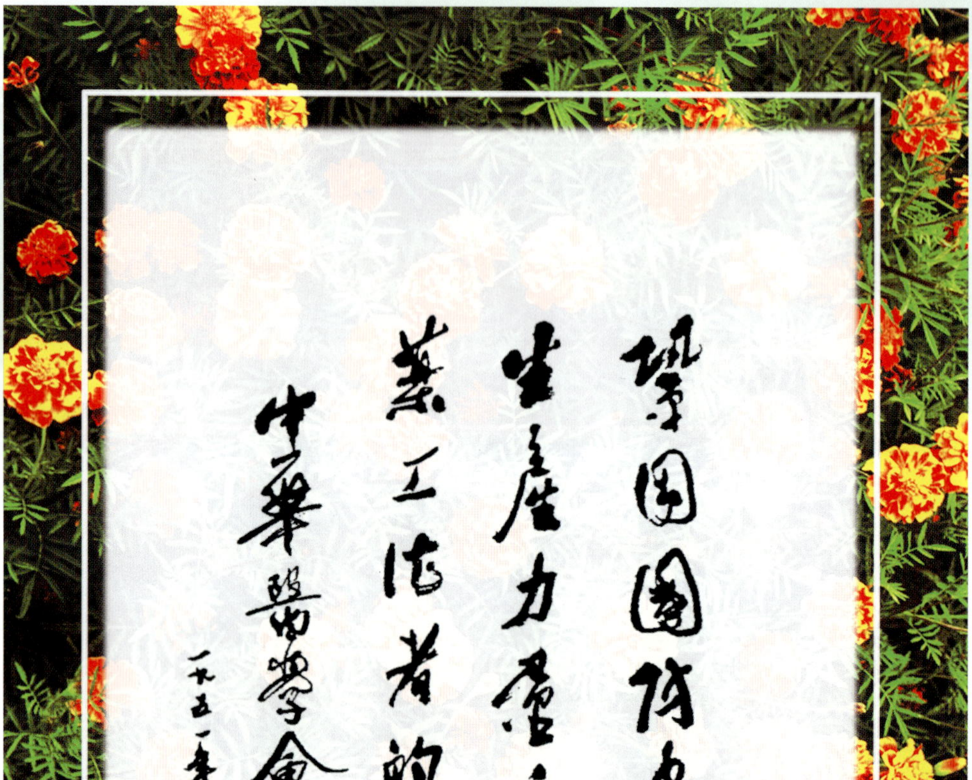

鞏固國防建設·提高生產力量·都需要醫藥工作者的努力。

中華醫學會

一九五一年八月七日於北京 郭沫若

1951年8月，中华医学会在北京召开全国各地分会理事长会议，全国人大常委会副委员长郭沫若题词祝贺。

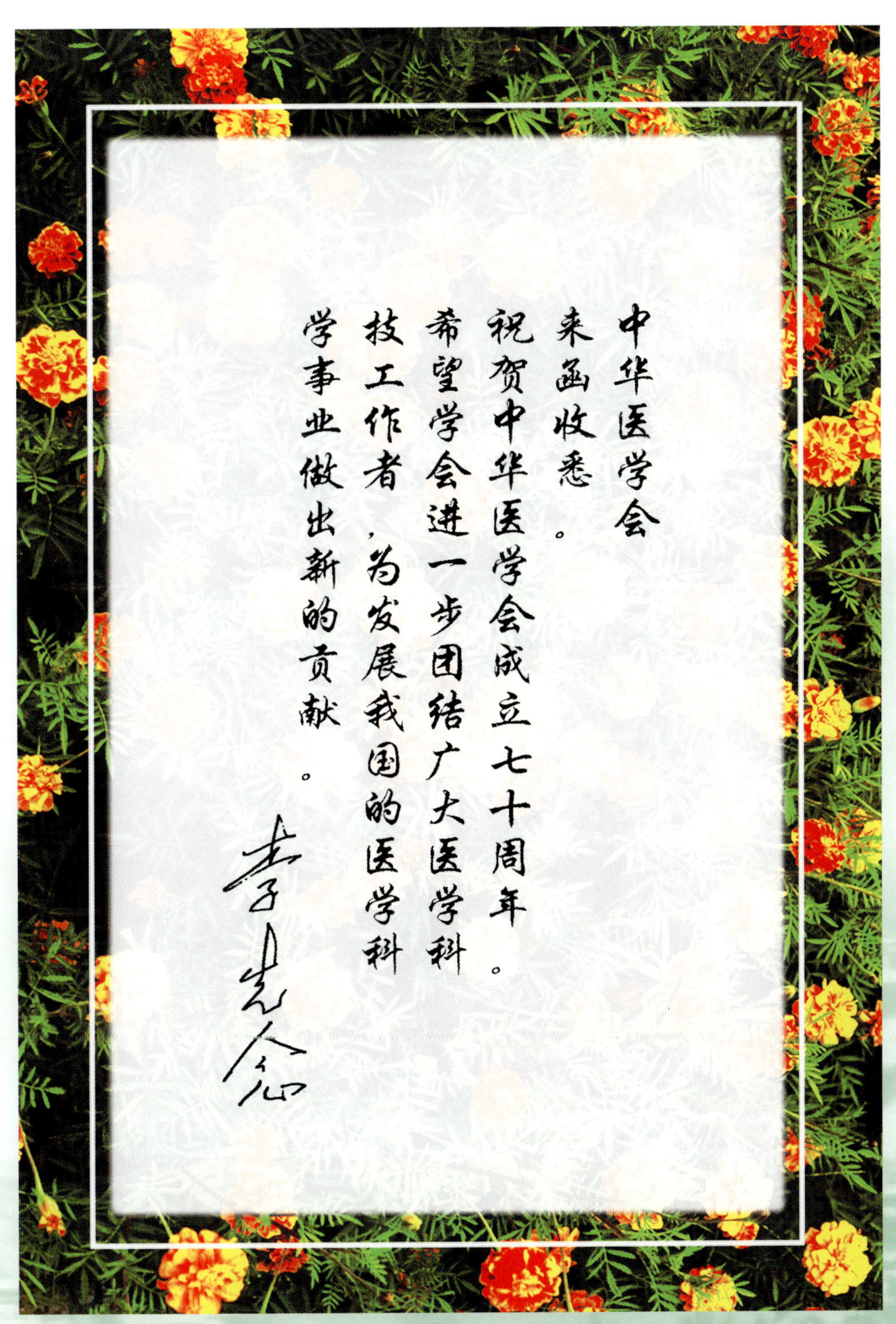
中华医学会
来函收悉。
祝贺中华医学会成立七十周年。
希望学会进一步团结广大医学科
技工作者，为发展我国的医学科
学事业做出新的贡献。
李先念

1985年6月，国家主席李先念为中华医学会致词。

继续努力
攻克癌症

为中国癌症研究
基金会十周年题
李鹏 一九九四年
三月

1994年3月，国务院总理李鹏为中国癌症研究基金会题词。

1995年10月，全国人大常委会委员长乔石为中华医学会成立80周年题词。

加强调查研究指导行业
协会工作为政府行业和
企业服务

朱镕基
一九九八年十一月四日

1998年11月4日，国务院总理朱镕基为中国工业经济联合会题词。

1998年3月，全国政协主席李瑞环同志为天津市慈善协会主办的《慈善》杂志题词。

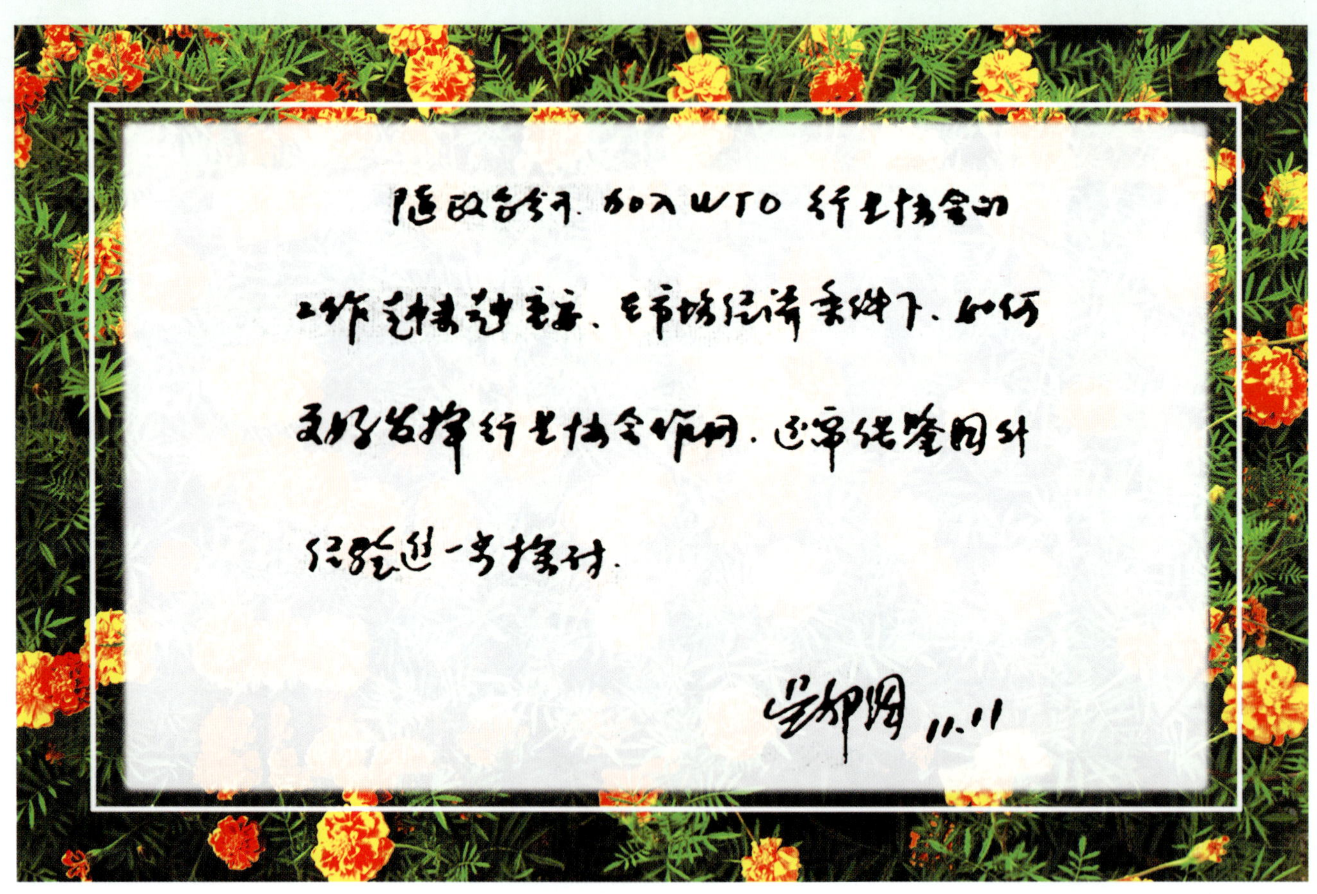

随政企分开、加入WTO，行业协会的工作变得越发重要。在市场经济条件下，如何更好发挥行业协会作用，还需借鉴国外经验进一步探讨。

吴邦国 11.11

2003年11月11日，全国人大常委会委员长吴邦国给中国工业经济联合会的批示。

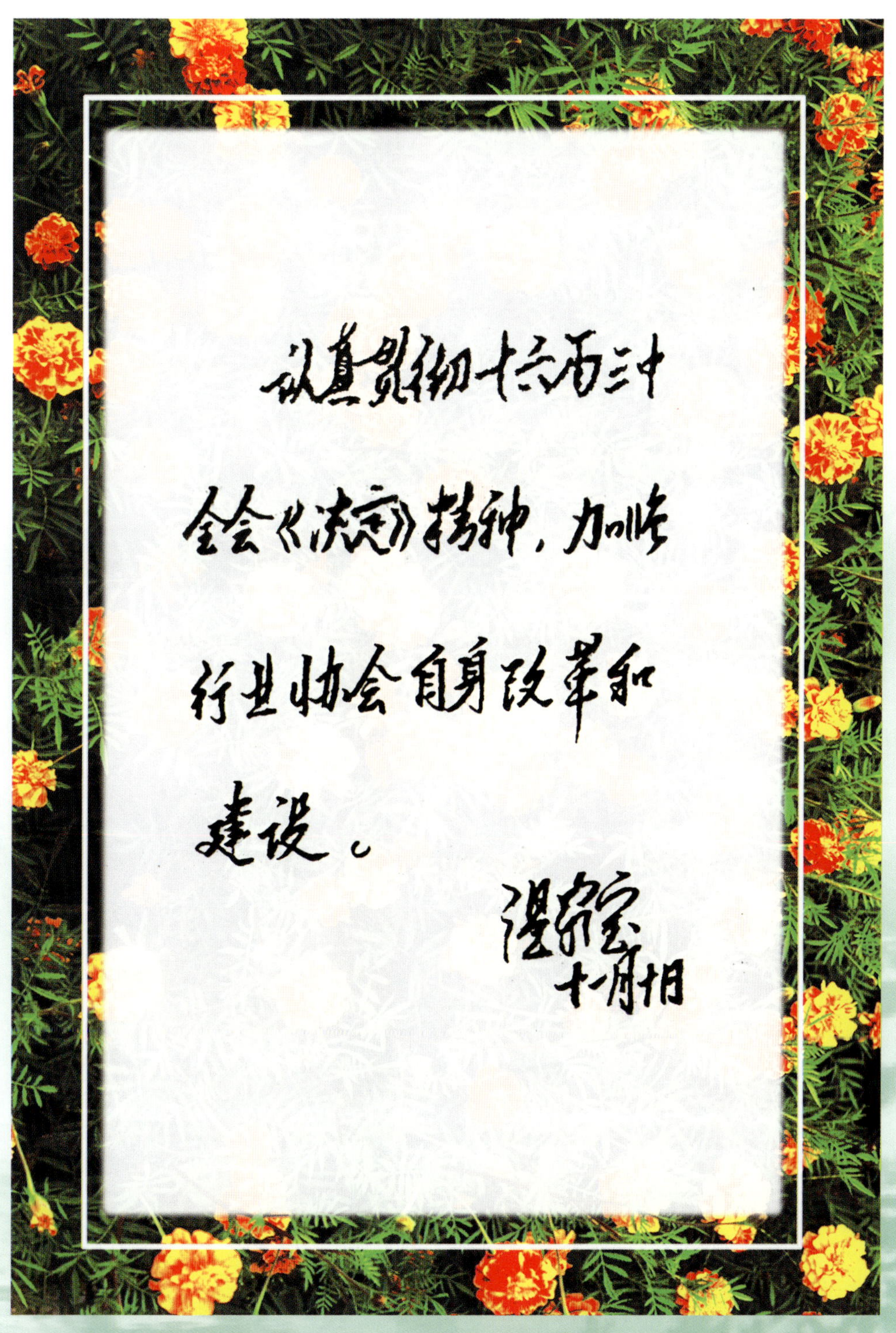

认真贯彻十六届三中全会《决定》精神，加快行业协会自身改革和建设。

温家宝
十一月十日

2003年11月10日，国务院总理温家宝给中国工业经济联合会的批示。

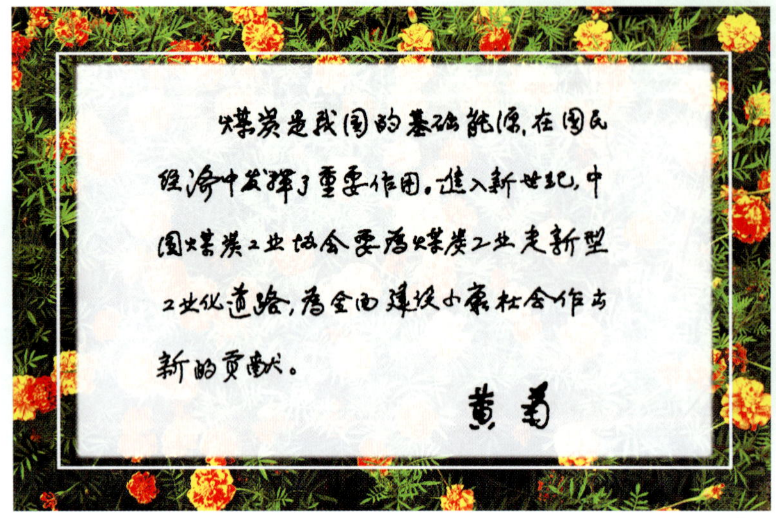

2003年12月，国务院副总理黄菊为中国煤炭工业协会题词。

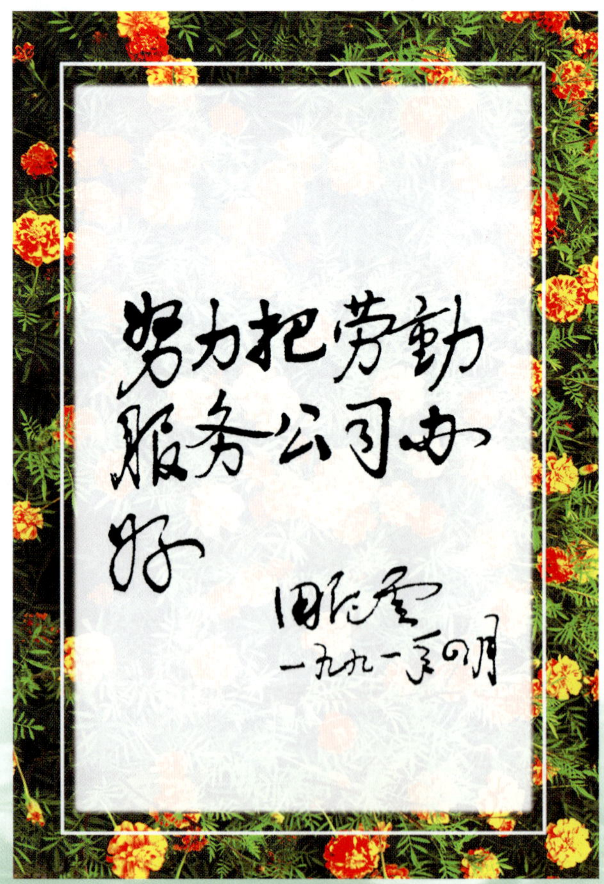

1991年4月，全国人大常委会副委员长田纪云在中国劳动就业服务企业协会成立时为劳动服务公司题词。

2001 年 2 月，全国人大常委会副委员长邹家华为中国和平利用军工技术协会题词。

1994年2月17日，国务院副总理李岚清为中国癌症研究基金会题词。

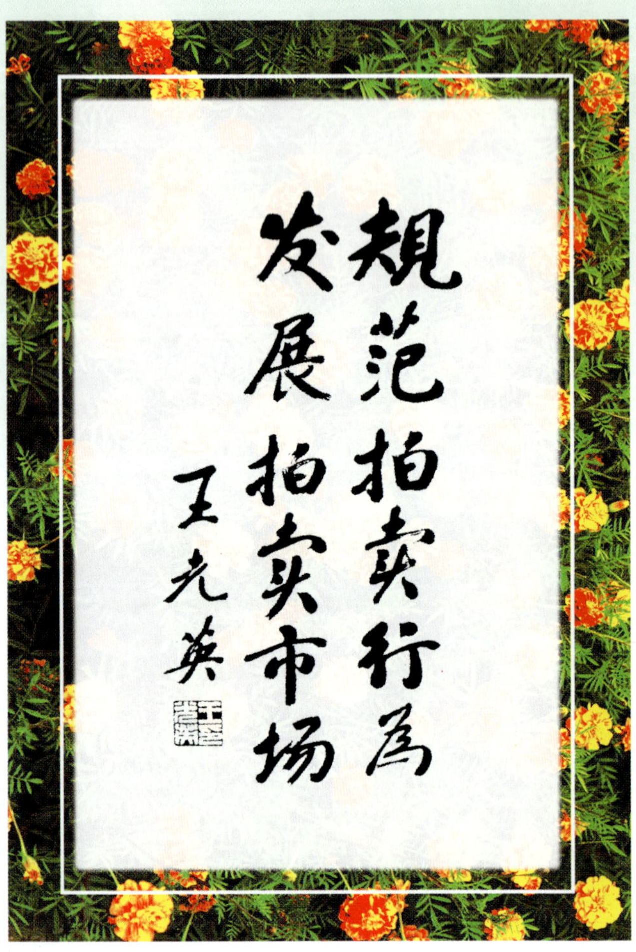

1996年11月，全国人大常委会副委员长王光英为中国拍卖行业协会题词。

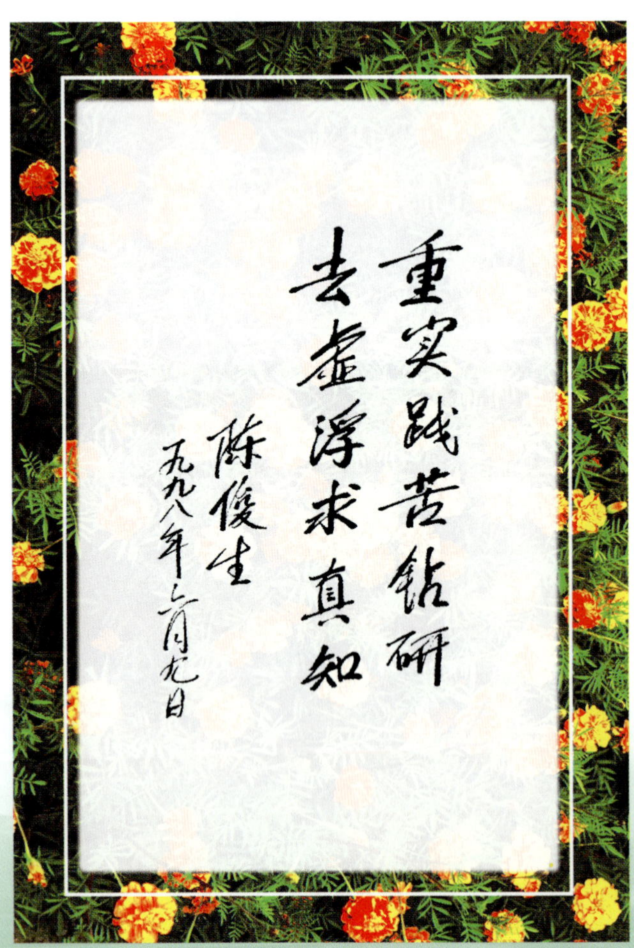

1998年6月，全国政协副主席陈俊生为中国行政管理学会第三次代表大会题词。

新中国民间组织发展历程

发展篇

新中国民间组织发展情况及其分析

1949年10月，新中国的成立，标志着我国的社会制度发生了根本变化。人民政权的建立，使广大劳动人民以国家主人的身份，开始享有以各种方式参与管理国家和社会事务的权利，民间组织即当时的社会团体也迈开了新的历史步伐。

回顾1949年建国以来到2004年，新中国民间组织的发展，大致经历了三个阶段。从1949年到1956年的初始发展阶段，这一阶段建立了青联、妇联、工商联、科协等大型的人民团体和大量学术性、文艺类社会团体；第二阶段从1957年到1978年的民间组织发展曲折期，这一阶段由于“文化大革命”的影响，已成立的社团几乎停止了活动，也几乎没有成立新的社团；第三阶段从1978年到至今的恢复发展和繁荣期，这一阶段为了适应改革开放的需求，社会团体大量涌现，特别是行业协会、民办非企业单位、基金会发展非常迅速。近年来，与前几个阶段相比，这一阶段的民间组织有了一些实质性的变化，民间组织在社会经济乃至政治领域中扮演了新的角色。

第一阶段：建国初期的民间组织
（1949年－1956年）

第一节　新中国民间组织的地位和历史使命

一、新中国民间组织产生的社会条件

社会团体是社会成员在从事物质文化活动中形成的非营利性社会组织，它们进行各种政治、经济、文化等方面的社会活动，是一种社会现象。因此，社会团体的产生和发展既以一定历史阶段的社会条件为基础，又要受其制约。

1949年10月1日，中华人民共和国的成立，宣告了帝国主义、封建主义、官僚资本主义在中国统治的彻底覆灭，标志着中国半殖民、半封建社会制度的结束和新的社会制度的诞生。中国的社会制度发生了根本变化。

1954年，第一届全国人民代表大会第一次会议，通过了第一部《中华人民共和国宪法》。宪法规定：“中华人民共和国是工人阶级领导的，以工农联盟为基础的人民民主国家。”“中华人民共和国的一切权力属于人民。人民行使权力的机关是全国人民代表大会和地方各级人民代表大会。”①。从而正式确立了人民作为国家主人的社会主义政治体制。

---

① 《中华人民共和国法规汇编（1954年9月—1955年6月）》法律出版社1956年版第7页

在建立社会主义政治体制的同时，中国共产党领导全国人民进行经济制度的根本变革。新中国建立后，中国共产党领导中国人民全面开展了没收官僚资本、建立国营经济、统一财政的工作。在农村，全面开展了土地改革运动，从而解放了社会生产力。迄后，中共中央按照毛泽东提议，提出了过渡时期的总路线，要在一个相当长的时期内，逐步实现国家工业化，并逐步实现国家对农业、手工业和资本主义工商业的社会主义改造。到1956年，基本完成了生产资料私有制的社会主义改造，确立了社会主义经济制度。同时，进行了第一个五年计划的经济建设工作，促进了国民经济的发展。到1957年，全国工农业总产值达到1241亿元，比1949年增长166.3%。[②]

中国社会政治、经济制度的根本变革，为新中国民间组织的发展创造了全新的社会条件，从而使社会团体在一定的历史时期内迅速发展和活跃起来。

首先，法律上规定了结社自由，成为新中国成立后社会团体得以大批建立和迅速发展的法律保障。1949年9月29日通过的《中国人民政治协商会议共同纲领》第五条明确规定："中华人民共和国人民有思想、言论、出版、集会、结社、通讯、人身、居住、迁徙、宗教信仰及示威游行的自由权。"[③] 1954年9月通过的《中华人民共和国宪法》规定："中华人民共和国公民有言论、出版、集会、结社、游行、示威的自由。"以后历次公布和修改的宪法都有类似的规定。这就从法律上对社会团体的地位给予了保障。

其次，符合人民利益的社会团体受到党和国家的热情关怀和支持。中华人民共和国的执政党是代表全中国人民利益的党，中华人民共和国是人民当家做主的国家，这是新中国成立后社会团体得以迅速发展和活跃起来的政治条件。各主要人民团体都是在中国共产党的直接领导、指导下建立起来的，而且在其成立和发展过程中，又得到党和国家的帮助和指导。各主要的全国性社会团体成立时，都有党和国家相关领导人到会或讲话，对其工作进行指导，有的并在其中担任一定的名誉职务。这些，都为社会团体的建立和发展创造了良好的政治条件。

第三，国民经济的恢复和发展，国家在活动经费上的支持，为社会团体的发展提供了物质保证。新中国建立后，中国共产党领导中国人民开展了医治战争创伤，恢复和发展国民经济的工作，在经济得到恢复和发展的基础上，对各种符合人民利益的社会团体给予了经费上的支持。1950年6月，中央人民政府委员会第八次会议通过，中央人民政府公布施行的《中华人民共和国工会法》明确规定：工会经费之来源除"工会会员按中华全国总工会章程之规定所缴之会费"、"工会举办文化、体育等事业的收入"外，"工厂、矿场、商店、农场、机关、学校等生产单位或行政单位的行政方面或资方，应按所雇职工（私营企业中资方代理人不在内）实际工资（包括货币部分、实物部分与伙食）总额的2%，按月拨交工会组织作为工会经费（其中实际工资总额为1.5%为职工文化教育费）"；而且规定：各级人民政府应给予"补助"。[④] 1951年4月9日，政务院财政经济委员会做出《关于企业、机关、学校的行政方面或资方依照工会法拨交工会经费的决定》，再次强调有关单位按《工会法》规定的比例"按月"拨给工会组织经费。[⑤] 1954年公布的《中华人民共和国宪法》在列举了公民"有言论、出版、集会、结社、游行示威的自由"权利后，规定："国家供给必需的物质上的便利，以保证公民享受这些自由。"在五六十年代，我国的绝大多数社会团体，都不同程度地得到了国家以各种形式给予的财政资助，这是社会团体得以存在和发展的基本经济条件。

第四，新中国建立后，文化教育事业的新发展，为社会团体的发展提供了较好的社会文化条

② 《中华人民共和国资料手册（1949—1985）》社会科学文献出版社1986年版第253页

③ 《人民日报》1949年9月30日

④ 《中央政法公报》十二、十三期合刊，1950年7月15日。

⑤ 《人民日报》1951年4月15日。

件。社会团体的产生和发展，是社会的政治、经济、科学文化和思想认识综合作用的结果，它不仅受政治、经济条件的制约，而且与社会文化环境、社会成员的文化素质有着密切关系。新中国建立后，在文化教育方面，进行了改造旧体制，建立新体制的工作。《中国人民政治协商会议共同纲领》第五章规定，中华人民共和国要采取发展新民主主义文化教育的政策。在贯彻执行这个政策的过程中，党和国家相继改造了半殖民地、半封建社会的旧教育、文化体制和科学研究机构，建立了新体制、新机构，并开展了各方面的文化教育工作和科学技术研究工作。文化教育和科学事业的发展，为社会团体的建立和发展创造了良好的社会文化环境，直接推动了科技文化方面社会团体的建立和发展。

二、新中国民间组织地位得到提高

新中国建立后，不仅为社会团体的建立和发展创造了较好的社会条件，而且使社会团体的地位得到了提高。

《中国人民政治协商会议共同纲领》及其后颁布的《中华人民共和国宪法》，宣布中华人民共和国公民有自由结社的权利，这就使社会团体在社会上取得了合法的地位。特别是有些社会团体代表参加了中国人民政治协商会议，具有了代表人民利益参与国家制定方针政策的政治地位。中国人民政治协商会议第一届第一次全体会议，共有代表662人，其中社团代表共16个单位，正式代表206人，候补代表29人，总计235人，约占代表总数的35.5%。这些团体包括中华全国总工会、各解放区农民团体、中华全国民主妇女联合会、中华全国民主青年联合会、中华全国学生联合会、全国工商界、上海各人民团体、中华全国文学艺术界联合会、中华全国第一次自然科学工作者代表大会筹备委员会、中华全国教育工作者代表大会筹备委员会、中华全国社会科学工作者代表会议筹备会、中华全国新闻工作者协会筹备委员会、自由职业界民主人士、国内少数民族⑥、国外华侨民主人士、宗教界民主人士。⑦ 这些社会团体的代表，代表全国各界人民参加全国政协第一届第一次会议，参与了中华人民共和国的创立，国家领导人的选举和各种大政方针的制定工作。这标志着社会团体在中华人民共和国的社会政治生活中具有参与决策的政治地位。同时，在全国各大区，各省、市、县、区没有召开人民代表大会的地方，当时以各级各界人民代表会议行使着地方人民代表大会的职权。在这些会议中，社会团体代表亦占有相当比例。⑧ 可见，社会团体在当时中国各级政权的建立过程中，都具有相当重要的地位和作用。

应该指出的是，结社自由只限于人民的范畴，具有较高政治地位的也只限于代表人民利益的社会团体。周恩来在作《中国人民政治协商会议共同纲领》起草经过和特点的报告时指出"'人民'是指工人阶级、农民阶级、小资产阶级、民族资产阶级，以及从反动阶级觉悟过来的某些爱国民主分子。而对官僚资产阶级在其财产被没收和地主阶级在其土地被分配以后，消极的是要严励镇压他们中间的反动活动，积极的是更多地强迫他们劳动，使他们改造成新人。在改变以前，他们不属于人民的范围，但仍然是中国的一个国民，暂时不给他们享受人民的权利，却需要使他们遵守国民的义务。"⑨ 他们没有结社的自由权。对于反革命性质的社会团体则给予取缔。

---

⑥ 在公布的名单中，少数民族代表列入人民团体，但中国新民主主义青年团代表则列入党派，二者名额相等，故不影响社团代表名额及所占比例。

⑦ 《人民日报》1949年9月22日。

⑧ 参见省、市、县"各界人民代表会议组织通则"、《大城市区各界人民代表会议组织通则》、内务部《省各界人民代表会议的一般情况和具体问题》，《中央政法公报》第1、21、24期。

⑨ 《人民日报》1949年9月26日。

由于社会团体在新中国具有了合法的和较高的地位，所以在中华人民共和国建立后相当一段时期内，社会团体的组织呈迅速发展趋势，而活动亦相当活跃。

三、新中国民间组织的历史使命

新中国的社团是中国共产党领导下的具有广泛的群众性的社会组织，它的历史使命是与中国共产党领导的中国革命和建设事业相一致的。《中国人民政治协商会议组织法》总则规定：作为统一战线性质组织的中国人民政治协商会议，“旨在经过各民主党派及人民团体的团结，去团结全中国各民主阶级、各民族，共同努力，实行新民主主义，反对帝国主义、封建主义及官僚资本主义，推翻国民党的反动统治，肃清公开的及暗藏的反革命残余力量，医治战争创伤，恢复并发展人民的经济事业及文化教育事业，巩固国防，并联合全世界上平等待我之民族及国家，以建设及巩固由工人阶级领导的以工农联盟为基础的人民民主专政的独立、民主、和平、统一及富强的中华人民共和国。”[10] 这既是中国人民政治协商会议的宗旨，也可以说是新中国社会团体的总的历史使命。具体地说，新中国社团的历史使命包括以下几个方面：

第一，代表人民参加政权建设，实现人民当家作主的权力。社团组织具有广泛的群众性，在社会上具有代表普遍的人民利益的意义。各社会团体的代表参加各级政协会议、各级各界人民代表会议或各级人民代表大会，参与各级政府成员的选举，施政方针的讨论、决定和对政府及政府工作人员的监督，实际上是代表各社会团体成员，即人民中的一部分参与国家事务管理，实现人民作为国家主人的权力。从工商界到工人、农民，从知识分子到文艺界、宗教界，从青年学生到一般青年、妇女，都有他们团体的代表，代表他们的利益参加政权建设，从而使中华人民共和国政权具有了极其广泛的社会基础，并得到迅速巩固和发展。

第二，教育和组织其成员，为革命和建设发挥积极的促进作用。新中国成立以后，我国先后开展了抗美援朝、土地改革、镇压反革命、“三反”“五反”和知识分子思想改造运动，继之又开展了农业、手工业和资本主义工商业的社会主义改造运动。在每一个运动过程中，各社会团体都召集本团体成员大会，发表宣言和号召，组织其成员积极投身到伟大的革命运动中去，从而造成了极大的政治声势，并使各项政治运动深入、普及到各个角落，使党和国家的方针、政策变成广大社会成员自觉的行动。

这一点还突出地表现在中国人民抗美援朝总会的活动中。该会是中国人民保卫世界和平反对美国侵略委员会的简称，1950 年 7 月，由各民主党派和各人民团体联合组织成立。这个群众团体的主要任务是动员全国各族各界人士参加或支援抗美援朝战争。1950 年 11 月，中国共产党和各民主党派发表联合宣言，表示“誓以全力拥护人民的正义要求，拥护全国人民在志愿基础上为着抗美援朝保家卫国而奋斗。”[11] 继而，该会发出“关于在全国普遍深入地开展抗美援朝，保家卫国运动的通知”，指出，要支持和领导全国各地爱国人民的抗美援朝，保家卫国运动，广泛地开展反对美国侵略的思想教育，使之普及和深入。并要求各地成立抗美援朝分会等组织。这一号召立即得到各社会团体的积极响应和支持。工会、妇联、青年团等各级各界团体纷纷发表宣言，成立机构，掀起了抗美援朝运动的高潮。全国文联第六次常委会决定成立抗美援朝宣传委员会，丁玲、李伯钊为正副主任委员，其任务是“推荐抗美援朝文艺作品，编小册子”，“组织文学家，艺术家作巡回讲演”，“组织各种座谈会，研究文艺作品”，推动抗美援朝运动的展开。[12] 北京市各界妇女成立了北京市妇女界抗美援朝保家卫国委

---

⑩ 《人民日报》1949 年 9 月 30 日。

⑪ 《人民日报》1950 年 11 月 5 日。

⑫ 《人民日报》1950 年 11 月 14 日。

员会，妇女联谊会组成了宣传、慰劳、运输、救护4个大队等候工作。⑬ 1951年6月2日，中国人民抗美援朝总会发出“关于推行爱国公约、捐献飞机大炮和优待烈属军属的号召”，又得到各地各界的纷纷响应。中央文学研究所立即发起了捐献“鲁迅号”飞机的活动，丁玲、周立波等人当场捐献稿费。总工会、妇联等人民团体也马上做出决定，响应这一号召。到6月29日，决定捐献、发起捐献的已有飞机1568架，大炮100门，高射炮33门，坦克7辆。全国妇联、文联、美协和北京市文联还联合举办抗美援朝书画义卖展，所得款项全部捐献给志愿军。由于有各人民团体的积极参加，抗美援朝的捐献活动迅速掀起了高潮。到1951年12月31日，抗美援朝总会已收到武器捐款5万多亿元，折合战斗机3349.7架，并有慰问金1828多亿元。⑭

此外，各人民团体还积极响应党和国家号召，动员青年积极参军参战，保卫祖国。1950年12月1日，政务院决定招收青年学生、青年工人参加各军事干部学校，加强国防力量。团中央、全国学联、全国总工会马上响应，号召团员和青年积极报名参加。

在其他政治活动中，也无不有社会团体的影响和活动参与。在“三反”“五反”运动中，北京市工商联于1952年1月8日召集各行业同业公会负责人召开紧急会议，动员有行贿行为的人坦白交待。到会的市工商联合会、各区办事处和135个行业公会正副主任委员、常务委员596人，有349人交待747件行贿行为。同月18日，中国店员工会委员会发出关于动员全国店员积极参加检举不法商人的一封信，号召全国店员积极参加“三反”“五反”运动。2月7日，上海市店员举行反行贿、反偷税漏税、反盗骗国家资财、反偷工减料和反盗窃国家经济情报代表会议，各区店员代表带来检举信48096封，当场会议收到23519封。⑮

第三，组织教育成员，积极开展新中国的经济建设和发展科学文化教育事业。中华人民共和国建立后，面对着的是旧中国百孔千疮的经济状况和十分落后的科学文化教育事业。因而，医治战争创伤，恢复和发展国民经济，建立和发展新中国的科学文化教育事业，既是党和国家的中心任务，也是各社会团体的历史使命。早在1949年4月召开的新民主主义青年团第一次全国代表大会上，任弼时代表中共中央作的政治报告中就指出：青年团不仅在学生青年中工作，还要在工人中开展工作，“提高青年工人的生产积极性……在学习技术和手艺中，在生产竞赛运动中，要能起到先锋带头作用。”朱德在会上的讲话中指示：“你们要善于引导广大青年团结在共青团的周围，要领导大家好好地学习，学习马克思列宁主义和毛泽东思想，学习文化、科学、生产、军事知识……要使新的一代青年都真正成为能文能武，样样精通的新中国建设人材。”⑯ 这些中央领导同志的讲话精神在青年团及其他青年团体中得到了贯彻执行。

廖承志在中华全国青年第一次代表大会上的报告指出：“在人民解放战争即将取得全国胜利之际，恢复和发展工农业生产日益成为中国人民和中国青年的重要任务。”提出：“要树立正确的劳动态度，加强劳动纪律，改进生产技术和管理，充分发挥青年在生产中的积极性和创造性，以便达到不断提高生产效率，改进产品质量，减低生产成本，加速产品流通之目的。”⑰

全国妇联主席蔡畅在全国民主妇联第三次执委扩大会上的报告也指出，要“以组织教育妇女参加工业和农业生产为各级妇联的中心任务”。⑱ 中华全国总工会也相继开展了加强劳动纪律，推行生

⑬ 《人民日报》1950年11月11日。
⑭ 《人民日报》1952年2月23日。
⑮ 《人民日报》1952年2月9日。
⑯ 《人民日报》1949年4月12日。
⑰ 《人民日报》1949年6月6日。
⑱ 《新华月报》1卷5期，1950年11月25日。

产技术革新、增产节约等活动，在生产建设中发挥了积极的推动作用。1953 年，中国国民经济恢复工作基本完成，开始进入有计划的经济建设和向社会主义过渡的时期。中华全国总工会第六届二次全体会议明确的规定："加强工会组织和广大职工群众的联系，以发动职工群众，保证完成和超额完成国家建设计划的各项指标，为压倒一切的中心任务。"⑲

《中国人民政治协商会议共同纲领》规定了实行"新民主主义的，即民族的、科学的、大众的文化"的政策。提出了培养国家建设人材，提高人民文化水平的任务，并规定："努力发展自然科学，以服务于工业、农业和国防建设。奖励科学的发现和发明，普及科学知识"的任务。由于当时中国刚刚从半殖民地半封建社会转变过来，90% 的工人、农民处于文盲半文盲的状态。所以，科学文化教育事业不仅面临着发展的问题，而且面临着如何使广大的社会成员扫除文盲，提高文化水平的问题。相比较起来，后者比前者更重要。而且要完成这样的任务，不仅是科学文化教育团体的任务，也是其他各种社会团体的任务。因此，社会团体在科学文化教育方面的使命就包含两个方面：一是建立新民主主义的科学文化教育体系，为建设新中国服务。《中华全国自然科学专门学会联合会暂行组织方案要点》规定，该会"以联合全国自然科学专门学会，推动学术研究，以促进新民主主义的经济建设、文化建设与国防建设为宗旨。"⑳ 二是科学、文化、教育工作者和各社会团体都要为科学文化教育的普及，提高人民群众的科学文化水平服务。因此，自然科学方面成立了科学普及协会，专门向广大人民群众普及科技知识。文化艺术界团体确定了文艺为工农兵基本群众服务的方针。工会、妇联、青年团等都把组织工人、妇女、青年学习科学文化知识，扫除文盲作为自己的重要任务之一，纷纷组织冬学、业余学校，进行扫除文盲和文化教育工作。

第四，发展人民团体，维护社会团体成员利益。新中国建立后，各种社团刚刚成立，其任务之一，就是发展自身的组织，扩大影响，以将社会成员最广泛地团结在自己的周围，以自身的团结"团结全中国各民主阶级"，为中国革命和建设而奋斗。建国后的几年内，各种社会团体的组织发展都很迅速，一些团体则是在其他社会团体的促进、帮助下建立的，如自然科学联合会下的各专业学会、协会，新民主主义青年团下的少年儿童队（后改为少年儿童先锋队）等。同时，一个社会团体的存在和发展不仅在于它的社会性功能的发挥，而且在于它能够保护自己成员的利益。这一方面，各社会团体，特别是工会、妇联等组织一直作为自身的使命之一。

第五，积极开展国际交往，扩大中国的国际影响，促进中外交流。新中国成立之初，受到西方资本主义国家的敌视，作为一个国家，在国际上的交往和影响受到严重限制。在一些体现党和国家的利益，而又不宜以党和国家名义出面的对外交往活动中，社会团体承担了积极开展国际交往，促进中外交流的使命。1949 年 7 月，廖承志、冯文彬等人带领中国民主青年代表团出席世界民主青年代表大会，并在会上被推选为世界青联理事。中国民主妇女代表团曾出席世界妇女代表大会。1951 年国庆时，全国总工会、青联、青年团、妇联、文联、中苏友协曾联合举行宴会，欢迎苏联、蒙古、匈牙利、民主德国、缅甸、越南等国人民友好观礼代表团。1952 年 4 月，中华全国总工会发出请柬，邀请几十个国家的工人团体来北京参加"五一"国际劳动节庆祝活动。

四、新中国民间组织发展的基本特征

建国初期我国民间组织发展的基本特征，是由当时的社会历史条件和国际国内的形势决定的。

中华人民共和国是中国历史上第一个真正由人民当家作主的政权。它的建立使中国的社会制度发

⑲ 《新华月报》1953 年 3 月号。

⑳ 1950 年 8 月 22 日科代会修正通过。

生了根本变化。在政治上，中华人民共和国政权是工人阶级领导的，以工农联盟为基础的，包括社会各革命阶级、阶层的广泛的统一战线的政权。在这个政权里，不仅工人、农民有普遍的选举权与被选举权，而且民族资产阶级、小资产阶级和各个阶层都有选举权和被选举权，他们的代表还参加到这个政权中担任一定的领导职务，这就使中华人民共和国政权获得了最广泛的社会基础。具有临时宪法性质的《中国人民政治协商会议共同纲领》和第一部《中华人民共和国宪法》都规定了人民具有广泛的民主权利，有集会、结社的自由。经济上，在国民经济恢复和发展的基础上，实现了国家对农业、手工业和资本主义工商业的社会主义改造，确立社会主义经济制度，基本上消灭了剥削制度。科学文化上，确定了发展新民主主义、社会主主义科学文化事业的方针。中国共产党和国家政权是全国人民意志和利益的根本代表者。这些使建国初期中国社会团体的建设发展建立在全新的社会历史条件下。

但中华人民共和国建立初期，新政权刚刚建立，政治上面临着清除帝国主义、封建主义、官僚资本主义残余势力及其影响，建设健全新的政权体系的艰巨任务。经济上土地革命和生产资料所有制的社会主义改造尚未完成，面对着经过长期战争破坏的百孔千疮的国民经济，百废待兴，百端待举。科学文化教育事业极端落后，迫切需要改造和发展。国际上，社会主义与西方资本主义两大阵营严重对立，帝国主义势力虎视眈眈，美国发动了旨在觊觎中国的侵朝战争。中国共产党和新建立的中华人民共和国国家政权面临着领导中国人民反对帝国主义侵略、发展同一切平等待我之民族、国家的友好交往，建设新中国的伟大的历史使命。

这些，决定了该时期中国社会团体发展建设的基本特征，概括有如下几点：

一是党和政府联系各阶级、阶层和不同职业群众的桥梁和纽带。

中华人民共和国建立后，中国共产党及其领导的国家政权，是全国绝大多数人民群众根本利益的代表者，党和国家所从事的一切活动都是代表最广泛的人民意志、根本利益的，这就使社会团体与中国共产党和国家政权的关系，同旧中国社会团体与统治阶级、国家政权的关系有了根本不同。它们协助党和国家向本团体成员及其所代表的阶级、阶层和集团宣传、传达党和国家的方针、政策和有关的法令、法规，领导、指导本团体成员及其所代表的群众贯彻执行党和政府的有关方针政策和法令、法规，使贯彻、执行这些方针、政策、法令、法规成为本团体成员及其所代表的群众的自觉行动。在协助党和政府组织广大社会成员进行新中国的政治、经济、文化建设方面起到了无可替代的作用。此外，这些社会团体代表本团体的群体利益，向党和国家反映人民群众的愿望、意见和建议，使党和国家适时、适当地进行调整，从而密切了党和国家与人民群众的联系，有利于带领全国人民一道更好地进行新中国的政治、经济、文化建设。例如：《中华人民共和国工会章程》规定："中国工会应代表工人群众积极地参加制定有关生产、劳动及工人的物质、文化生活等等法令，并坚决地支持和执行人民政府的一切政法令，使自已成为人民民主政权的坚强的社会支柱。"㉑ 新民主主义青年团的团章更明确地规定：它是"在中国共产党领导下"的民主青年的团体，是"党的助手和后备军"。《中华全国工商业联合会章程》规定：它的基本任务是"领导全国工商业者遵守共同纲领及人民政府的政策法令"；"指导全国私营工商业者在国家总的经济计划下，发展生产，改善经营；""代表全国私营工商业者的合法利益，向人民政府或有关机关反映意见，提出建议……。"㉒ 农民协会更是国家土地改革法和土改政策的具体执行者。正是由于社会团体与党和政府的新型的密切关系，所以各社会团体的建立和发展始终得到了党和政府的深切关怀和支持帮助。在各主要社会团体成立和召开全国代表大会时，党和国家的领导人都要亲自出席并讲话，对其工作进行指导，帮助解决建立、发展过程中出现的

㉑ 《新华月报》1953年5、6号合刊。

㉒ 《中央政法公报》1953年11、12月合刊。

有关问题。第一部《中华人民共和国宪法》在规定了公民有言论、出版、集会、结社、游行、示威的自由的同时，还规定“国家供给必需的物质上的便利，以保证公民享受这些自由。”建国初期，中国职工的工资收入很低，依靠会员的会费还很难维持社会团体的正常运转和开展各项活动，此时绝大多数社团都是靠国家拨款（包括各有关部门的行政拨款）来进行开支的。

二是具有法律上的合法地位。

新中国建立后，《中国人民政治协商会议共同纲领》和第一部《中华人民共和国宪法》都规定了公民结社的自由。政务院内务部还分别颁布了《社会团体登记暂行办法》及其《施行细则》，除了反革命团体外，绝大多数社会团体都具有了合法性。而且在全国政协和全国人民代表大会的代表中，还注意到各阶级、阶层代表的比例，从而使各社会团体成员的代表能够参政议政，使党和国家的大政方针更好地体现各阶级、各阶层人民的意志和利益。

三是广泛的群众性。

这一特征，一方面体现在社会团体的广泛性。各阶级、阶层、各不同职业，乃至各个系统都有自己的社团组织。如：工人阶级不仅有全国及各级工会，而且有各系统、各行业工会，个体商贩有自己的行业工会；农民有农民协会；宗教界有各自的宗教团体；青年、学生、妇女、少年儿童都有自己的组织；文化科学各个方面都有自己的团体，如自然科学联合会下有各专门学会，文艺界文联之下有作协、剧协、曲协、美协、音协等专业团体等等。另一方面，体现在各社团内部，都是除了被剥夺公民权的反革命分子、刑事犯罪分子外，所有的公民都不受财产、文化等各方面的限制，均可参加适合于自己的社团组织。这就使大多数社会成员都成为各不同团体的成员，使整个社会都处于有组织的状态，有利于组织、调动、发挥各阶级、各阶层、各不同社会成员在政治、经济、文化教育活动中的积极性。

四是民主集中制的组织原则。

人民代表大会制是新中国的根本政治制度。建国初期的社会团体都仿照这一制度，建立了自己的民主集中制制度。各社会团体不管哪一级组织，都以会员代表大会或会员大会为最高权力机关，以会员代表大会或会员大会选举产生的委员会、执行委员会、理事会为最高执行机关，并都明确规定了下级服从上级的组织原则。

五是较强的政治色彩和行政色彩。

这一特征体现在其组成上，即各社会团体的成立，都是在党和政府及政府有关部门的直接推动、指导下建立的。有些社会团体的成立是有计划的，按指标进行的。如：1949 年 12 月，全国总工会下达《近半年内建立 10 个全国产业总工会的通知》，要求在多长时间内建立起多少个，包括哪些系统的工会。妇联、农民协会、工商联的组织则都是由政务院通过或颁布等等。体现在组织上是许多社会团体列入了行政、事业编制，或挂靠到某一行政部门，社团的负责人有一些有政府机关行政领导兼职，或有行政领导任名誉职务，甚至许多社会团体由挂靠的政府有关部门实际指派负责人等等。体现在活动上，这一特征则更明显。在建国初期的各项政治活动中，都有社会团体参加。抗美援朝、“三反”“五反”、土改、生产资料的社会主义改造等政治运动中，党和政府发出号召或作出决定，社会团体马上响应，并组织发动本团体成员积极参加，发表宣言、号召、倡议，成立组织，将各项运动搞得轰轰烈烈。

应该指出的是，在建国初期，新中国处于除旧布新，百端待举的时期，这些政治运动由于在党和政府的领导下，有各社会团体的积极组织、发动、领导，起到了最广泛地动员广大人民群众的作用，从而使全社会各阶级、阶层人民全部行动起来，取得了各项运动的胜利，这是应该予以充分肯定的。但与此同时，由于偏重于政治运动，也使社会团体在体现本团体成员的特殊利益上，显得明显不足，各社会团体的独立性相对减弱。而且从后来的发展情况看，由于与政治运动关系过于密切，所以当政治上出现偏差时，社会团体也受到了严重影响和挫折。

第二节　建国初期社团的蓬勃发展

新中国建立后，为了对符合当时社会需要的民间组织合法权利给予保护，建立社会团体的新格局，使社团管理工作有法可依，1950 年 10 月 19 日，当时的政务院制定了《社会团体登记暂行办法》。该办法共 16 条，其中确立了社会团体的类别、登记的范围、筹备登记、成立登记的程序、原则、登记事项以及处罚等内容。该办法将社会团体分为人民群众团体、社会公益团体、文艺工作团体、学术研究团体、宗教团体和其他合乎人民政府法律组成的团体，并规定全国性的社会团体向内务部申请登记，地方性社会团体向当地政府申请登记，从此确定了社会团体分级登记管理体制，从而奠定了后来的民间组织管理模式。1951 年 3 月内务部根据政务院授权，制定了《社会团体登记暂行办法实施细则》，于此也开启了其后由民政部门作为民间组织登记管理专门机关的先河。依据上述两部法规，内务部和地方政府对人民群众团体（包括工会、工商联合会、妇女联合会和共青团等）、社会公益团体（如中国福利会和红十字会）、文艺工作团体（如文学艺术协会和戏剧协会）、学术研究团体（包括医药协会、社会科学工作者协会等）、宗教团体（如佛教、道教、基督教团体）进行了依法登记，确立了其法律地位。这一时期，中国的社会团体在原有规模上有较大的发展。据统计，从 1956 年到 1965 年“文化大革命”前，全国性社会团体由解放初期的 44 个增长到近 100 个；地方性社会团体发展到 6000 多个。

一、工人、农民、妇女和青年团体的大发展

1、工会组织的发展及其作用

1948 年 8 月召开的第六次全国劳动大会上决定恢复并正式成立中华全国总工会，大会通过了《中华全国总工会章程》，选举了中华全国总工会的执行委员会。1950 年 6 月，中央人民政府委员会第八次会议又通过了《中华人民共和国工会法》，由中央人民政府公布施行。《工会法》总则明确了工会组织的成员构成及其在国家政权下的法律地位，并规定了工会基层组织的组织原则，从而使全国各级各类工会组织统一在全国总工会的领导之下。《工会法》还对“工会经费”等方面进行了具体规定，这为工会组织的发展提供了经济上的保证。此外，中国共产党又派遣了很多优秀的党员干部从事工会工作，大大地加强了工会组织工作。”[23]

1953 年 5 月，中国工会第七次全国代表大会通过《中华人民共和国工会章程》。修改后的《章程》改变了工会以团体会员为基础的形式，规定：“凡以工资收入为自己生活资料之全部或主要来源的体力劳动者与脑力劳动者，承认本章程，均得加入工会为会员”。到 1957 年 12 月，全国已有会员 1630 万人。

国民经济恢复时期，工会的任务有了明确的转变，就是转到新中国的建设上来，转到提高人民的物质文化生活水平上来。

在全国开展的增产节约运动中，围绕增产节约的中心，各地各级工会组织了各种形式的竞赛，在竞赛中及时发现先进典型，推广先进技术和先进的生产经验，实行经济核算制，大大提高了劳动生产率。在反对行贿、反对偷税漏税、反对偷工减料、反对盗窃国家资财的“五反”运动中，工会组织动员广大会员同不法资本家和私人工商业者展开坚决斗争，取得了“五反”运动的决定性胜利。在这一过程中，工会组织发动工人群众开展各种形式的生产竞赛和劳动竞赛，对国民经济的恢复和发展

[23] 赖若愚在工会七大上《关于中国工会的工作报告》，《人民日报》1953 年 5 月 11 日。

起到了积极的促进作用。到 1952 年底，国民经济得到基本恢复和初步发展。1952 年工业总产值达 343.3 亿元,比 1949 年增长 144.9%；在工农业总产值中，工业比重由 30% 上升到 41.5%，主要工业产品的产量都超过了解放前的最高水平，交通运输业也得到了迅速恢复。

在经济建设恢复和发展的基础上，工人的物质文化生活水平也有很大提高，工人的利益也得到了保障。首先，国营企业工人的工资 1952 年比 1949 年增加了 60% 到 120%，私人企业的工人工资由于有工会组织出面维护工人阶级的利益，也得到了一定程度的提高。其次，工人劳动条件改善。1951 年，政务院颁布了劳动保险条例，在全国，百人以上的公私厂矿均已实行，百人以下的企业也签订了保险合同。再次，工人的居住条件也有了很大改善。1952 年，国家支付了 28600 余亿元，建了可供 100 万工人居住的宿舍。

此外，在工人中进行系统的政治、技术和文化教育，也是工会在这一时期重要任务。1949 年到 1953 年 5 月，工会组织对 146.4 万人进行了时事和共产党的政策教育;还协助企业行政建立了 16270 所业余文化补习学校,全国有 308.7 万工人参加了学习,扫除了 53.5 万个文盲;协助企业举办了各种业余技术学习班和技术研究会,全国参加业余技术学习的工人有 47.7 万人,脱产学习技术的工人有 5.6 万人;工会干部学校还培训了 10.7 万人干部,从工人中提拔为工程技术人员和管理人员共 12.4 万人。

工会对于工人的业余文化体育生活也十分重视。据统计，铁路产业工会有 30 万职工参加了各种体育小组；全国参加业余文艺小组的职工达 50 万人。如东北地区，到 1950 年 10 月，大部分的大厂矿都已经有了俱乐部和图书馆。

1952 年到 1953 年，中共中央制定并提出了党在过渡时期的总路线和第一个五年计划。随着这一新阶段的开始和第一个五年计划的制定，工会组织的任务也发生了一定变化。这一变化就是更加集中力量放在生产建设上。1953 年 5 月 3 日，赖若愚在工会七大的报告中不仅明确指出生产建设是工会组织的最重要任务，而且明确了完成这一任务的主要方法，是组织劳动竞赛，并将开展劳动竞赛与完成发展国民经济的第一个五年计划紧密结合。1953 年 7 月，中华全国总工会七届二次全会通过了《关于巩固劳动纪律的决议》，指出加强劳动纪律的具体办法是建立计划管理和责任制度，特别是建立工会工作的秩序。工会工作要减少强行占用职工的业余时间，保证职工充分得到休息，从而保证遵守劳动纪律。这些措施的逐步落实，提高了工人的生产积极性。1954 年，技术革新运动又成为劳动竞赛的主要内容，并因此而把劳动竞赛推进到一个新阶段。[24] 1955 年 8 月，中华全国总工会召开七届三次会议，发出了《为保证完成和超额完成发展国民经济的第一个五年计划告全国职工书》。在这个号召的推动下，这一年，全国职工提出 53 万多件发明，技术改进和合理化建议；同年内实施的有 23 万多件，仅其中的 62425 件，全年节约的价值即有 9000 多万元。[25] 1956 年，工会为了响应党中央提出的又多、又快、又好、又省地进行社会主义建设的号召，在全国范围内开展了规模空前的先进工作者运动。

这些不同内容，不同形式的劳动竞赛，不断把生产建设推向新的高潮。在全国人民的共同奋斗下，第一个五年计划的基本任务和主要指标均按时完成或超额完成。第一个五年计划的工业总产值在 1956 年完成了计划指标的 109.5%，1957 年的工业总产值将达到 1952 年的 230%。

此外，工会组织还深入教育和发动职工群众，积极参加对私人资本主义工商业的社会主义改造。在对工人群众进行政治思想、文化知识教育、改善职工的物质文化生活方面，工会也做了大量工作。1957 年，参加业余文化学习的职工有 500 多万人；职工的工资水平 1956 年比 1952 年提高了 37%；5

㉔ 《新华月报》1954 年 6 月号、1955 年 9 月号。

㉕ 《新华月报》1956 年 10 月号。

年内，国家用于劳动保护的拨款达2.9亿元；工会主办的疗养院床位有2.5万多张；基层单位的托儿所和哺乳室达8200个；国家共投资建筑职工住宅8000万平方米。1955年，还举行了第一届工人体育运动大会。

2、农会的组织发展和作用发挥

农民协会的迅速发展是与中国共产党领导的土地改革紧密联系在一起的。

在领导全面的民主革命过程中，中国共产党从一开始，就是把土地改革与农民的群众组织联系在一起的。《中国人民政治协商会共同纲领》规定："凡尚未实行土地改革的地区，必须发动农民群众，建立农民团体，经过清除土匪恶霸，减租减息和分配土地等项步骤，实现耕者有其田。"1950年6月30日，中央人民政府公布了的《中华人民共和国土地改革法》规定："乡村农民大会，农民代表会及其选出的农民协会委员会，区、县、省各级农民代表大会及其选出的农民协会委员会，为改革土地制度的合法执行机关。"刘少奇在全国政协一届二次会议上作的《关于土地改革问题的报告》中指出："农民协会应该成为土地改革队伍的主要组织形式和执行机关。各级农民代表大会、农民协会委员会和各级农民代表会议，应该成为土地改革中活动的中心。"通过农民协会来组织发动农民，是经过以前的实践证明行之有效的形式。河南省在1949年冬至1950年春的土改运动中，"从省至乡均已普遍建立了农民协会，召开了各级农代会，发动与组织了广大农民，农协组织有了很大发展，会员现（指1950年9月－引者）已达7617927人……"，并"召开了县、区、乡农代会一万余次，有70余万农民代表参加了会议，成为发动与组织群众开展减租运动的主要方式。"农民代表会议的常设机构，就是农民协会委员会㉖，到土地改革法公布前，仅中南、华东两区农民协会，已有约2400万会员。㉗

1950年7月14日，在土地改革法公布施行的两周后，政务院第41次政务会议通过了《农民协会组织通则》（以下简称《通则》），对农民协会的性质、任务、会员的组成及权利，组织方法等方面作了具体规定。《通则》的公布与施行，对农民协会组织的发展起到了重要的推动和保证作用。到1952年，"农民协会会员仅华东、中南、西南、西北4大行政区已达8800余万人，其中妇女约占30%左右，农会会员占农业人口总数的36.7%㉘。二是对农民协会组织进行了整顿和统一。停止了以前的贫农团活动，并且确定了农协组织中的阶级比例，雇农、贫农占农协组织领导成员的三分之二，中农占三分之一，即纯洁了农协组织，又保证团结了中农。三是使农民协会的组织活动走向规范化。各级农民协会如何组织、如何活动都有了明确规定；对于会员权力的规定，则保证了农民协会成员及其代表能够在各级农民协会及其代表会上充分发表意见，体现最广大农民的意志。这就保证了农民协会组织迅速发展和在土地改革中充分发挥执行机关的作用。

综观土地改革的全过程，农民协会作为执行机关，在土地改革中起了如下几方面的作用：

第一，将雇农、贫农、中农紧密地团结在自己的周围，成为土地改革运动的主体，完成了土地改革的任务，为发展经济，实现国家工业化开辟了道路。

第二，是实现农村反封建统一战线的组织形式。土地改革的阶级路线依靠贫雇农，团结中农，中立富农，打击地主，是通过农民协会组织来实现的。《农民协会组织通则》在保证了组织反封建的战斗性的同时，又规定富农在土改后可以加入农民协会，使其在政治上享有一定的权利，从而在中立富农，减少土地改革的反对力量上起到了扩大反封建统一战线的作用。

第三，最广泛、最充分地体现农民意志。由农民协会来执行划定阶级和没收、分配地主的土地和财

㉖ 《解放日报》1950年8月18日。

㉗ 刘少奇《关于土地改革问题的报告》。

㉘ 廖鲁言《三年来土地改革运动的伟大胜利》，《新华月报》1952年10月号。

产，就能够使土改的全过程最大限度地符合实际情况，做到公平合理，从而保证了土地改革的路线、方针、政策得到了全面落实和胜利。

第四，汇集广大农民的革命力量打击了封建地主阶级的反抗。使农民在政治上得到了锻炼，一大批农会积极分子在土改中成长起来，成为农村政权的干部，农村基层政权得到了改造和充实，加强和巩固了农村人民民主专政。

第五，在土地改革过程中，农会作为农村的群众组织，组织农民进行生产互助，调剂种肥，帮助政府发放农业贷款，对保证土改运动中的生产秩序，发展农业生产中起到了重要的作用。

此外，农民协会还协助政府举办农民夜校和冬学，开展农民的业余文化活动，对农村的教育文化事业发展起到了一定的促进作用。

到1952年9月，除新疆、西藏等部分少数民族聚居的地区外，大陆普遍进行了土地改革。在土地改革中获得经济利益的农民占农业人口的60－70%，全国有3亿农民得到了大约7亿亩土地，彻底消灭了农村的封建剥削制度，解放了农村生产力，使农业生产得到了迅速发展。而在这一伟大的社会变革中，农民协会完成了它团结广大农民，实现土地改革的伟大的历史使命，在农村人民民主政权普遍建立和改造后，农民协会逐渐停止了活动。

3、妇联的组织发展和作用发挥

新中国全国性妇女团体主要是中华全国民主妇女联合会（后改为中华全国妇女联合会）。1949年3月24日至4月3日，中国妇女第一次全国代表大会在北平怀仁堂开幕，来自西北、东北、华东、华北、中原与大解放区和国统区的女工、农村劳动妇女、科学专家、战斗英雄、长期从事妇女运动的领导者及其他方面的代表共411人，各党政军机关、人民团体的代表出席了大会。大会通过了《中华全国民主妇女联合会章程》，选举产生了民主妇联的领导机构。第一次全国代表大会推举何香凝为名誉主席，第二次全国代表大会推举宋庆龄、何香凝为名誉主席，两届妇联主席均为蔡畅。中华全国民主妇联的基层组织是各级各业妇女代表会议及选出的委员会。1950年9月，全国民主妇联第三次执行委员会扩大会议通过了《妇女代表会议组织通则》。

全国民主妇联成立后，迅速发展各级妇联组织，1950年，全国已有31个省、83个市、1287个县建立了民主妇联或其筹备委员会，联系妇女3000余万人㉙。到1953年第二次全国妇女代表大会召开时，“全国各省、市以及绝大多数县份均已成立了民主妇联。各兄弟民族区正在建立妇女组织。内蒙、新疆民主妇联都已建立，西藏则成立了西藏爱国妇女联谊会筹委会。”㉚1957年9月，在中国妇女第三次全国代表大会上，将中华全国民主妇女联合会改为中华人民共和国妇女联合会，各地民主妇联改为妇女联合会，并修改了章程。修改后的章程规定：不设常务委员会，而设主席团，在重大问题上实行集体领导，主席团下设书记处，负责处理日常工作；基层组织则是城市以街道为单位，农村以乡为单位建立妇联基层组织。

全国妇联成立后，通过其所属的各团体和各基层组织，迅速开展了团结教育妇女的工作。妇联发动和组织全国妇女积极参加了国家的政权建设、抗美援朝运动、“三反”“五反”运动、土改运动和对农业、手工业、资本主义工商业的社会主义改造运动。

其次，发动和组织妇女参加工农业生产，是妇联的中心工作之一。1953年以前，妇联的工作主要是组织农村妇女参加生产劳动。1953年后，发动组织妇女参加农业合作化运动和参与农业生产合作社的各项生产事业和生产管理。到1956年，约有1.2亿农户的妇女，“同男农民一起，参加了农业生产合

㉙ 《新华月报》1卷5期，1950年11月25日。

㉚ 邓颖超《四年来中国妇女运动的基本总结和今后任务》，《人民日报》1953年4月。

作社，从事农业、牧业、副业生产，妇女们的劳动热情空前高涨，劳动范围大大扩展。

妇女参加农业劳动，提高了她们在社会上的经济地位和政治地位。在全国75.6万个农业生产合作社中，有70～80%的社有女社长或女副社长，约计有50余万人，妇女担任社务委员及生产队长的，为数更多。在工业和手工业战线，妇女参加生产的人数也迅速增多，1956年底，有150余万女手工业者参加手工业生产合作组织，约占社（组）员总数的30%；工业战线女职工人数则由1952年的150余万人，增加到1956年的300余万。㉛

由于在政治、经济建设中的积极作用的日益发挥，妇女在国家社会生活中的地位得到了提高，参与了国家事务的管理。在1953年和1956年两届基层人民代表大会的选举中，妇女代表分别达到17%和20.3%，在第一次全国人民代表大会中有妇女代表148人，占代表总数的12%。国务院的正副部长、各省副省长及各地县长、市长、州长、区长中，都有许多由妇女担任。”全国各城市的居民委员会中，妇女干部占到干部总数的80%左右。全国还有1000多位女干部在各级法院中担任院长、庭长、审判员等工作。”

此外，全国妇联及各级妇联组织“与各有关团体密切配合，与社会热心人士团结合作”，开展妇女儿童福利工作和妇幼保健工作。到1951年10月，全国已改造旧产婆约10万人，建立了接生站和妇幼保健站1万余处，并建立了15700多处儿童福利机构，包括各种托儿组织、幼儿园、儿童救济机关。到1956年底，全国城市各种托儿机构约有26700多处，收托儿童125万余名，农村在农忙时收托儿童600余万人，“这对于发展母亲们的社会主义积极性，增进儿童身心健康，都起到了重大作用。”㉜

对广大妇女进行文化教育，提高妇女的文化水平，也是妇联的重要工作之一。随着社会的发展与妇联组织的努力，妇女的文化程度、受教育程度不断提高。1952年，西南区的大学、专科学校中女生占了全体学生的32%，中等学校中占38%，各地民校、识字班中，女学员占30%～50%。㉝到1956年，全国890万摆脱文盲状态的人员中，妇女约占一半。

民主妇联还代表全国妇女，在发展和巩固同苏联等社会主义各国妇女的团结，增进同亚、非各国和全世界爱好和平妇女的相互了解和友谊，支持国际妇女的和平运动，做出了很大努力。1949年到1953年，就和53个国家的妇女组织建立了联系。1953年至1957年，共接待60个国家的458位外宾，并派出了中国妇女自己的代表121位，赴13个国家进行了友好访问；并有145位代表，参加了16次不同规模不同性质的国际妇女集会；热烈响应并全力支持国际民主妇联提出的普遍裁减军备，完全禁止原子武器和热核武器，立即停止试验氢弹的正义号召。

4、青少年团体的组织发展及其作用

新中国青年的统一组织是中华全国民主青年联合会（后改为中华全国青年联合会）。1949年5月4日至11日，中华全国青年第一次代表大会在北平召开。会议通过了《中华全国民主青年联合总会简章》，选举产生了中华全国民主青年联合总会全国委员会，宣告了该组织的成立。中华全国民主青年联合总会采取团体会员制，当时参加该会的全国性青年团体有4个，即中国新民主主义青年团、中华全国学生联合会、中国基督教青年协会和中华基督教女青年协会。1953年，在第二次全国青年代表大会上，中华全国民主青年联合总会改为中华全国民主青年联合会，并通过了《中华全国民主青年联合会章程》。1958年4月，全国青年第三次代表大会上，又将中华全国民主青年联合会改为中华

㉛ 章蕴在全国妇女三大上的报告《勤俭建国，勤俭持家，为建设社会主义而奋斗》，《人民日报》1957年9月10日。

㉜ 前引章蕴报告

㉝ 前引邓颖超报告。

全国青年联合会。全国青联成立后，到1953年，先后建立的省市青联102个，[34] 并团结、教育全国青年在各项政治运动、经济建设和文化教育事业中发挥了积极的作用。

青少年团体的核心组织是中国新民主主义青年团。它成立于1949年。1949年4，中国新民主主义青年团第一次全国代表大会在北平召开，大会通了《中国新民主主义青年团团章》和《中国新民主主义青年团工作纲领》，选举产生了中国新民主主义青年团中央委员会。大会选举任弼时为团中央名誉主席，冯文彬为团中央书记。1953年，青年团组织已具有了全国规模，6月召开了中国新民主主义青年团第二次全国代表大会，修改了团章。团章对团员、团员的权利和义务、团的各级组织、团组织与党的关系及与各青少年团体的关系，都进行了明确的规定，从而使团的组织与活动走向规范化、制度化。[35] 1957年5月15日至25日，在中国新民主主义青年团第三次全国代表大会上，将中国新民主主义青年团改为中国共产主义青年团。团一大后，各地迅速开始了建立团组织。到1953年6月，中国新民主主义青年团已经拥有38万多个支部、900多万团员；到1957年5月，已有2300万团员，92万个基层组织。[36]

中国新民主主义青年团在发展组织的同时，又领导、带动了中国少年儿童组织的建立和发展。1949年10月13日，团中央扩大会议通过了《关于建立少年儿童队的决议》，并制定公布了《中国少年儿童队章程草案》。1952年12月，少年儿童队已有520万队员。1953年，青年团二大，将中国少年儿童队改为中国少年先锋队。1954年，青年团中央发布《中国少年先锋队队章》规定："中国少年先锋队是中国少年儿童自己的组织。它是中国共产党创立的。中国新民主主义青年团受中国共产党的委托来领导中国少年先锋队。"少先队以学校和少年儿童教养机关为单位建立组织，设大队、中队、小队，大队由青年团区工作委员会以上团委领导，并由团组织聘请优秀团员或优秀教师担任少先队辅导员，从而加强了少先队工作。1955年，已有少先队员1000万人，占初中和小学校中适合队龄少年儿童的26%。3月28日，团中央发出《关于积极发展少年先锋队组织的指示》，要求在一年内，城镇和工矿区的初中和小学，一般都应建队；农村的完全小学、中心小学全部建队，到1958年，全国的少先队员已达3500万人。

新中国的中华全国学生联合会是1949年3月，在中华全国学生第十四届代表大会上建立的。全国学联是以各级学生联合会和各学校学生会为团体会员。1951年7月，全国学生第十五届代表大会在北京举行，大会确定学运的任务是，在全国学生中普及与深入爱国主义的思想教育，提高学生的知识水平，注意锻炼身体，并加强各级学生联合会和各校学生会的工作。1955年8月，中华全国第十六届代表大会召开，又将会员限为高等学校的学生会，而不再包括中等学校的学生会。

青少年团体的作用主要体现在以下几点：

是团结、教育青少年，积极参加各项政治运动，执行党和政府的各项政策、法令，为完成民主革命和进行社会主义革命而奋斗。在青联、青年团等青少年团体的组织教育下，全国青年积极参加了解放战争和抗美援朝运动，积极参加了土地改革，"三反""五反"运动和对农业、手工业和资本主义工商业的社会主义改造运动。同时，配合党的中心任务，青年团和其他青年团体都在不同时期，对广大青年进行内容不同的思想政治教育，提高了青年的政治思想觉悟。

二是积极组织、发动青年参加工农业生产。1953年，中国开始进入第一个五年计划时期，团中央发动团员团结全体青年工人积极参加劳动竞赛，并组织教育青年加强劳动纪律，学习先进技术，青

[34] 《中国青年报》1953年2月24日。

[35] 《新华月报》1953年8号。

[36] 胡耀邦《团结全国青年建设社会主义的新中国》《人民日报》1957年5月16日。

年团体成为工业战线上的一支骨干力量。农业方面，青年团体积极动员、组织青年参加爱国增产运动和互助合作运动，以及后来的农业合作化运动，并协同其他团体大力推广农业科学技术知识，使农村青年团员和青年积极分子成为农业生产中的突击力量。

三是提高青年的文化科学水平和技术水平。仅 1956 年，各地团组织协助党和政府，在农村扫除了 530 万青年文盲。各地团组织协同有关部门建立了技术夜校、技术训练班、技术传授站和推广技术教学合同等教学组织形式，引导并鼓励青年提高科学文化水平。

此外，青少年团体还开展青少年体育活动和各种文化娱乐生活，为争取青少年各种基本的和特殊的生活福利方面做了相当的工作。

二、经济、科技、文化、外交及其他社团的改造、新建和发展

1、工商业联合会

工商业联合会是中华人民共和国的主要工商界社团，它是在对旧有商会、工业会和同业公会进行改组的基础上重新建立的。

1951 年 6 月 26 日，召开了北京市工商业联合会第一届会员代表大会，正式成立北京市工商业联合会。上海市工商界下，于 1949 年 8 月成立了上海市工商业联合会筹备会。其他主要工商业城市，也相继开始了工商业联合会的筹建工作。到 1953 年 10 月，全国已有工商业联合会“省级组织 28 个，中央直辖市组织 14 个，省辖市、专区辖市和县的组织 1913 个。同时，中央各直辖市、大部分省辖市及一部分县级的工商业联合会组织已经进行了改组，各大城市大部分已建立了区工商业联合会或分会……”㊲

在此基础上，1953 年 10 月 23 日至 11 月 12 日，召开了中华全国工商业联合会第一届会员代表大会，正式成立了中华全国工商业联合会。

“工商业联合会是各类工商业者联合组成的人民团体。”它的组织系统是“依照行政区域为范围，在市、县建立市、县工商业联合会；在省建立省工商业联合会，在全国设有中华全国工商业联合会”。其会员是，“市、县工商联以本市、县区域内国营、私营及公私合营之工商企业、合作社或合作联合社为会员；手工业、行商、摊贩得个别地或集体地加入市、县工商业联合会为会员”；省工商联“以县、省辖市及相当于县一级的工商业联合会、国营企业省级机构及省合作总社为会员；”全国工商联“以省、中央及大行政区直辖市及相当于省一级的工商业联合会、国营企业的全国总机构、全国合作社联合总社为会员“各级工商联的最高权力机关为其会员代表大会或代表会议。大会选出了陈叔通为主任委员、李烛尘等 13 人为副主任委员的执行委员会，并由执行委员互选出常务委员会处理日常会务。

全国工商联建立后，截至 1956 年 10 月止，该会直属组织中，有 21 个省、2 个自治区、3 个直辖市已正式成立了工商业联合会，有一个省建立了筹备委员会。在 157 个省辖市和 7 个盟辖市、自治区辖市、自治州辖市中，除个别区辖市外，都已建立了正式组织。在 2110 个县份中，已建立组织的共计 1928 个。在县工商联下，一般都按具体情况，设有分会、办事处或工商小组。部分地区的同业公会，已根据专业公司的组织系统，进行了调整和改组，进一步发挥了专业性作用。”“全国工商联和各级组织的专职工作人员已达 4 万人。”㊳

建国初期，在国家对于私人资本主义工商业，采取了利用、限制、改造的过程中，各地方及后来成立的全国工商联都配合党和政府，发挥了桥梁和纽带的作用：一是配合政府私人资本主义工商业的

㊲ 沙千里《中华全国工商业联合会筹备委员会工作报告》，《新华月报》1953 年 12 号。

㊳ 荣毅仁《中华全国工商业联合会第一届执行委员会三年来的工作报告》。

社会主义改造过程中，通过工商界团体的领导和组织工作，通过工商界团体成员的骨干带头作用，使党和国家的方针、政策、法令、法规更易于为广大的私人工商业者接受。同时，通过工商界团体将工商界人士的意见反映给党和政府，也有助于这一改造运动的顺利进行；二是发动工商界人士，积极参加“三反”“五反”运动，清除行贿、偷税漏税、盗骗国家财产、偷工减料和盗窃经济情报的“五毒”；三是推动工商界进行自我教育和自我改造。全国工商联筹委会组织工商界人士学习《中国人民政治协商会议共同纲领》，关于“三反”“五反”运动的文件和全国工商业联合会筹备代表会议的文件与决议，使私人工商业者“认识到中国民族资本主义在新民主主义社会中地位和作用”，澄清了“五反”运动中的混乱思想，增强了参加各种政治运动和经济建设的自觉性；四是指导私营工商业者改善生产管理，端正经营作风。到1953年9月底，全国工商联筹委会介绍国营工厂的增产节约、业务竞赛、生产竞赛、改进产品质量和加强财务管理等方面的先进经验124件，私人资本主义工商企业的管理水平和技术水平得到改善和提高，在国民经济中发挥了更大的作用。

此外，在代表工商业者向政府提出建议和议案，协调劳资关系方面，工商界团体也做了大量工作。

2、科技文化社团的发展和作用的发挥

（1）自然科学团体的建立及其作用

新中国成立最早的全国性自然科学技术团体是中华全国自然科学专门学会联合会和中华全国科学技术普及学会。它们是在党和国家的扶助下诞生的。

1950年8月18日至24日，中华全国自然科学工作者代表大会在北京清华大学召开。会议决定成立中华全国自然科学专门学会联合会（简称“科联”）和中华全国科学技术普及协会（简称“科普”）两个团体。大会推举吴玉章为两团体的名誉主席。

全国科联是党和政府领导下的自然科学各专门学会的联合组织，没有个人会员。1950年10月，全国科联一届一次常委会推选李四光为主席，侯德榜等4人为副主席，严济慈为秘书长。该会“以联合全国自然科学专门学会，从事学术研究，提高生产技术，以促进新民主主义的经济建设与文化建设为宗旨。”

全国科联成立后，对原有的各专门学会进行了整顿，重新登记会员，恢复活动，发展组织，并建立了新的学会组织。到1953年，自然科学方面，已有23个全国性团体进行了社团登记，其后，又有中国纺织工程学会、中国建筑学会、中国病理学会、中国畜牧兽医学会、中国土壤学会等团体成立，中国金属学会、中国水利学会建立了筹备机构。到1957年底，全国科联已有42个专门学会，35个地方分会，各专门学会分会758个，会员达92500人。

1950年到1952年，在组织、动员科技人员积极参加抗美援朝运动的同时，全国科联着手对全国科技人员的调查统计工作。1952年到1953年，重点在北京试办了科技人员专长调查，整理了6000余人的专长卡片，为后来中国科学院和政府部门举办全国性专长调查工作奠定了初步基础。并主编了《自然科学》月刊，作为全国性科学刊物。

1953年至1957年第一季度，共有39个学会举行了82次全国性会议，参加会议的科学工作者近万人，在论文报告会或专题讨论会上宣读的论文就有3000余篇。其中大多数是创造性的研究成果，对促进生产建设和发扬祖国科学遗产起到了一定作用。中国机械学会各地分会建立的电焊、切割、热加工等专业小组，围绕生产技术中存在的问题，举行操作表演、现场参观等活动，交流经验，大大提高了生产技术水平。中国气象学会讨论苏联平流动力理论研究工作，确定了我国气象工作的发展方向。中国地理学会在1954年初步提出了中国自然区域与经济区域划分的草案。这些都对提高科学研究水平，并运用科学解决国家建设中的问题，做出了突出贡献。在全国科联及其所属专门学会的组织下，各种学术期刊相继问世，成为科学研究活动的重要阵地。到1956年，各全国性学会出版了物理、天文、数学等学报21种，每期印数达6万册。此外，还有中华医学会编辑的医学杂志有16种，每期发行量超过20万册；工程技术和农业科学方面的杂志10种；并有“译报”和“文摘”12种，介绍外国的最新科技成果。全国科联和各专门学会还积极开展了国际性的学术交流。全国科联作为世界科学工作者协会的团体会员，多次参加世界科协的活动，李四光被选为世界科协副主席。1956年4月，世界科协在北京举行第十六次执行理事会和成立10周年纪念大会，16个国家的代表和观察员出席会议。自科联成立到1958年，各学会派遣出国参加学术会议的代表团40余起，有16个学会与4个国家的科学团体进行经常性的刊物交换，为国际学术交流做出了贡献。

科普协会发展极为迅速，到1956年，全国各省、市、自治区除西藏、台湾外都建立起科普协会的组织，市、县支会发展到1075个（其中47个是地区小组），会员工作组9865个。科普协会配合国家的经济建设和科学、文化、卫生事业的工作，利用各种形式的讲演会、座谈会、科学问题解答会等各种报告会，报刊、电台、通俗读物、资料、快报等传播媒介，举办科学博物馆、图书馆、展览会，编制科学电影、科学幻灯片等宣传机构和方式，广泛传播科学技术知识，从而大大提高了全民族的科学技术水平，并在各项建设中发挥了巨大作用。

党和国家对科普协会的工作极为重视，1953年4月，中共中央发出了《关于加强对科学技术普及协会工作领导的指示》，要求各地党委加强对科普工作的领导，帮助科普协会组织的发展，支持科学技术普及工作。此后，科学普及工作走上经常化的轨道。1954年，科普协会和总工会、团中央共同发出联合通知，号召工会、青年团各级组织和工人、团员、青年积极参加科学技术普及活动。

1952年开展的爱国卫生运动中，各地科普协会在3个月里进行了6000多次防疫宣传讲演，80多次展览会。1954年，长江、淮河流域发生水灾。湖南、湖北、江西等地的科普协会，广泛地组织了预防传染病、环境卫生以及度荒所需的营养知识的科普宣传，受到广大群众的热烈欢迎。1956年1月，中共中央发出了《关于知识分子问题的指示》，为科学技术的发展创造了良好的社会政治条件，促进了科学技术的发展。这一年，科普协会的会员从上年的3.8万人，增加到21万人。10月，科普协会同全国总工会召开了全国第一次职工科普工作积极分子大会，工业、农业、文化、解放军系统的1100多名科普积极分子参加了大会，推动了科技普及工作的展开。到1958年9月，科普协会共开展科普讲演7200多万次，举办了大小型科普展览17万次，放映电影、幻灯13万次，出版了全国性的通俗科学期刊6种、地方性通俗科学报刊32种，共出版文字资料29万余种，并开展了国际性科普组织的联络工作。

（2）文化体育团体的建立及发展

文化团体中最具代表性的是文艺界团体。1949年7月，中华全国文学艺术工作者代表大会在北京召开，700多名文艺界代表参加了大会，毛泽东、朱德、周恩来等到会看望代表并讲了话。会议决定成立中华全国文学艺术界联合会（简称“全国文联”），并通过了《中华全国文学艺术界联合会章程》，选举产生了全国文联领导机构。会议期间，各种文艺团体纷纷成立，有中华全国电影艺术工作者协会（1957年改称中国电影工作者联谊会，1960年改称中国电影工作者协会，后又改为中国电影家协会）、中华全国戏剧工作者协会（后改为中国戏剧家协会）、中华全国音乐工作者协会（后改为中国音乐家协会）、中华全国美术工作者协会（后改为中国美术家协会）、中华全国舞蹈工作者协会（后改为中国舞蹈艺术研究会，现为中国舞蹈家协会），1953年又成立了中国曲艺研究会（后改为中国曲艺家协会）。这些专业协会都吸收了大量会员，以全国文联为中心，按照全国文联规定的任务，从事各自领域的活动。

全国文联成立后，按照其宗旨和任务，组织文学艺术家开展了各种形式的文艺创作活动。一大批文学艺术家深入到抗美援朝、工厂、农村和“三反”“五反”斗争第一线，以土地改革、歌颂新中国和保卫世界和平的主题，涌现了一大批优秀的小说、诗歌、电影、戏剧和美术作品，并培养出一批工农出身的作家。新中国的文学艺术出现了新的生机和活力。

1956年，中共中央召开关于知识分子问题的会议，毛泽东提出了“百花齐放，百家争鸣”的方针，使文艺界更加活跃，出现了一片繁荣的景象。

在文艺界社会团体发展的同时，社会科学界和其他文教界的团体也开始出现并组织活动。从1949年6月到9月，社会科学界人士先后成立了中国新法学研究会筹备委员会、中国新哲学研究会筹备委员会、中国新经济学研究会筹备委员会和中国新政治学研究会筹备委员会。1949年7月，又成立了中华全国社会科学工作者代表会议筹备委员会。到1953年，先后有中国史学会、中国政治法律学会和中国金融学会成立，这些组织在开展社会科学研究方面，在一定时期内起到了组织、推动的作用。

文教方面的团体还有，1949年10月成立的中国文字改革协会，1951年成立的中华全国世界语协会，1953年成立的中国回民文化协进会，1954年成立的中华全国新闻工作者协会和1956年成立的中华全国扫除文盲协会。其中文字改革协会的宗旨是提倡中国文字改革，并研究和试验中国文字改革的方法，即以采用拉丁字母的拼音方案为主要研究目标。[39] 1952年2月，中国文字改革研究委员会成立，文字改革协会结束。中华全国扫除文盲协会主要是协助政府广泛地动员和组织知识分子、社会人士和一切识字的人参加扫除文盲的工作，动员和组织不识字的人接受识字教育；协助机关团体、工矿企业、农业生产合作社、城市街道等办理识字教育工作；协助人民政府进行识字教育的业务指导和师资培训工作及其他扫除文盲的各种工作。该会以陈毅为会长，在党和政府领导下，为全国扫除文盲工作做出了重大贡献。

体育团体的广泛建立，是该时期社会团体发展的一个突出表现。1952年6月，中华全国体育总会成立大会召开，各大行政区、解放军、中央有关机关、各人民团体代表和特邀体育界武术界著名人士、运动生理学家、战斗英雄、劳动模范等147人参加。大会通过了《中华全国体育总会章程》，推选朱德为名誉主席，选举马叙伦为主席。毛泽东为大会题词：“发展体育运动，增强人民体质。”中华全国体育总会在省、自治区、直辖市和各市、地、州、县设体育分会，在厂矿、机关、学校、农村各乡（人民公社）、城市街道等基层单位建立体育协会，中国人民解放军体育运动委员会作为它的团体会员。体育总会成立后，各项运动协会和各系统体育协会纷纷成立，到1957年，已有全国性的篮球、排球、网球、体操、足球、乒乓球、田径、羽毛球、武术、射击、举重、游泳、摔跤等专项运动协会和中央国防体育俱乐部、火车头体协、水电体协、前卫（公安系统）体协、银鹰（金融系统）体协、煤矿体协等系统性协会成立，各地方体育分会和基层体育协会也先后建立，大大推动了群众性体育事业的开展和体育运动水平的提高。

3、外交及归侨、侨眷社团

（1）外交社团建立与发展

建国之初，为了保卫中国的独立和主权不受侵犯，中国政府的外交政策主要是维护世界和平，并积极发展与苏联及与周边国家的友好外交关系。与此相适应建立了一些人民团体，其中最主要的团体是中国人民保卫世界和平大会和中国苏联友好协会。

中国人民保卫世界和平大会成立于1949年10月2日。大会选出以郭沫若为主席的中国人民保卫世界和平大会全国委员会，并发表了《中国人民保卫世界和平大会宣言》。

[39] 《人民日报》1949年10月11日。

1950年7月，针对美国侵略台湾、朝鲜的行为，中华全国总工会等11个人民团体代表开会，决定组织中国人民反对美国侵略台湾、朝鲜运动委员会，领导全国人民开展反对美国侵略的运动。10月，中国人民保卫世界和平大会全国委员会与中国人民反对美国侵略台湾、朝鲜运动委员会合并，组成中国人民保卫世界和平反对美国侵略委员会。中国人民保卫世界和平反对美国侵略委员会简称中国人民抗美援朝总会，以郭沫若为主席，彭真、陈叔通等人为副主席，下设秘书处、宣传部、组织部、联络部。

1949年7月，以宋庆龄为主任、周恩来等人为副主任的中国苏联友好协会（以下简称中苏友协）成立。1949年10月5日，中苏友好协会总会在北京召开成立大会。大会通过了《中苏友好协会章程》。大会选举刘少奇为总会会长，宋庆龄等7人为副会长，丁西林等197人为理事。中苏友协成立后，组织发展很快，到1950年10月，会员达300多万人，并有省、市分会37个，直属分会4600多个。[40] 到1952年2月，其会员已达2300多万，分会1300多个，支会6.2万多个，许多工厂、街道、农村也都建立了协会的基层组织。[41]

此外，1949年到1957年间成立的对外友好团体还有：1952年5月11日中国缅甸友好协会成立；1952年5月16日中国印度友好协会成立。这两个团体都是由我国文化学术界人士发起组织的，其宗旨是促进两国的友好关系和文化交流，加强联系与合作。

中国亚洲团结委员会，是1955年在新德里举行的亚洲会议后成立的。这次亚洲国家会议有16个国家各界代表人士200多人参加。会议决定设立亚洲团结委员会，进行亚洲各国之间的联络和推行会议的决议。并且由原来的亚洲国家会议各国筹备委员会负责设立各国的亚洲团结委员会，在各国宣传和贯彻会议决议。这次亚洲国家会议通过的决议包括反对大规模毁灭性武器，裁军，维持世界和平，反对在亚洲设立军事基地和缔结一切军事条约等内容。按照这个会议的要求，中国成立了以郭沫若为主席、茅盾等4人为副主席的中国亚洲团结委员会。

1956年9月，尼泊尔首相坦卡·普拉沙德·阿查里雅访问中国。为了推动中尼两国人民的友好交往，成立了以周建人为会长的中国尼泊尔友好协会。1957年9月，中国叙利亚友好协会成立。

（2）归侨、侨眷团体的发展和作用

中国共产党历来重视保护华侨、归侨和侨眷的各项权益。早在1940年9月，延安就成立了华侨团体—“延安华侨救国联合会”，后曾先后易名为“中国延安华侨联合会”、“中国解放区归国华侨联合会”等。新中国成立后，大批在国外学有专长的中国科学家、学者、优秀青年学生和爱国志士，怀着满腔热血和报效祖国的赤诚之心回到祖国，参加祖国的社会主义革命和建设事业。为了更好地团结归侨、侨眷和海外侨胞，加强他们之间的友谊和联系，在归国华侨比较集中的地方相继建立了归侨联谊团体。到1956年，广东、福建、北京等地已建立了七、八十个归侨团体。但这些团体都是地方性的、分散的，随着形势的发展，已经不能适应广泛团结华侨的需要。1956年10月5日至12日，第一次全国归国华侨代表大会在北京召开，会上正式成立了中华全国归国华侨联合会（简称：全国侨联）。全国政协副主席李济深、中共中央统战部部长李维汉、国务院内务部部长谢觉哉、华侨事务委员会主任何香凝先后在开幕式上致词，国务院副总理邓子恢出席了开幕式。大会选举陈嘉庚为主席（1961年陈嘉庚逝世后，庄希泉任全国侨联代主席），下设办公室、联络组、宣传组和服务部。会址设在北京。到“文化大革命”前夕，全国共有14个省、自治区和直辖市成立了省一级侨联组织，不少重点侨乡的市、县也先后成立了侨联组织。

---

[40] 《人民日报》1950年10月5日。

[41] 《人民日报》1952年2月13日。

各地归国华侨团体和全国侨联成立后，主要做了以下几个方面的工作：

一是积极宣传党和政府的各项政策、法令，团结广大侨胞积极参加各项政治运动。在国民经济恢复时期，各地华侨团体协助党和政府，对归侨、侨眷进行了很多关于土地改革、镇压反革命、抗美援朝等运动的宣传教育工作，使许多归侨、侨眷订立了爱国公约，并积极参加到各种政治运动中来。如：在抗美援朝运动中，福建省晋江县的归侨、侨眷自愿捐献了一架“华侨号”战斗机，支援抗美援朝斗争。昆明市的归侨、侨眷捐献了10多亿元，购买抗美援朝的飞机。北京、广州等其他各地的华侨团体也举行了类似的活动，支援抗美援朝战争。我国进入计划经济建设时期以后，各地华侨团体结合当时的形势，引导广大归侨、侨眷积极参加社会主义改造运动，鼓励他们走农业合作化的道路。同时，各地侨联还大力宣传贯彻党和国家的侨务政策，如：关于保护侨汇政策，关于解决“双重国籍”问题的政策等等，以争取和稳定侨心，推动侨务工作的开展。

二是协助和推动侨胞兴办侨乡文教、福利等公益事业。爱国爱乡是广大侨胞的光荣传统。在各级侨联的引导和协助下，各地归侨、侨眷开展了兴办文教、福利等公益事业的活动。从1956年开始，仅一年左右的时间，归侨、侨眷在侨乡兴办的侨校就达100多所，其中中学25所，小学100多所；有的侨乡兴建了文化宫、图书阅览室；还有的侨乡兴办了农田水利、修桥筑路、卫生等公益事业。

三是引导归侨、侨眷兴办生产事业。这一时期，各地出现了不少由归侨、侨眷集资兴办的生产事业，并且在侨联的领导、支持下取得了一定的成绩。福建省福清县侨联集资数十万元，创办了机耕农场，垦殖了近2000亩的土地。晋江地区侨联集资兴办了20多项生产事业。广东省台山县、佛山市侨联创办了缝纫、刺绣等生产合作社。这些生产实体的兴办对推进侨乡的经济发展起了一定的积极作用。

四是积极开展与国外华侨的联系工作。各地侨联和全国侨联积极与国外华侨建立联系，对国外侨胞反对侨居国的迫害和维护他们的正当权益的斗争给予声援和支持；积极接待与安置被迫回国的难侨，辅导华侨回国投资和华侨学生回国升学；帮助侨眷与国外亲人建立通讯联系，向国外侨胞介绍党和国家的侨务政策以及家乡的建设成就；与国外华侨团体交换报刊，从而促进了华侨的团结，增强了国外华侨对祖国的向心力。

五是代表归侨、侨眷的利益，积极向党和政府反映他们的意愿、建议和要求，密切了党和政府与广大侨胞的联系。

总之，侨联组织自创建之日起，就积极开展工作，为新中国的各项事业做出了应有的贡献，赢得了归侨、侨眷和国外侨胞的信赖，侨联的威信也日益提高。

4、公益和宗教社团

（1）社会公益团体的改建

社会公益类的团体以中国人民救济总会最有代表性。它的前身是中国解放区救济总会。1950年4月，成立了中国人民救济总会。该会的宗旨是“团结并领导全国从事救济福利事业之团体及个人，协助政府组织群众进行生产节约、劳动互助，以推进人民大众的救济福利事业。”[42] 围绕这一宗旨，救济总会迅速开展了改造旧有救济福利团体，救济灾民、贫民和鳏寡孤独、残疾人，改造游民、小偷、妓女、乞丐等工作。1950年，皖北、苏北、河北、河南等地发生水灾，救济总会会同有关人民团体成立了“皖北、苏北、河北、河南灾民寒衣劝募总会，发动了全国性的劝募运动。两个月中，”募集寒衣688万余套，约值人民币3500亿元”，使灾区同胞安全度过了严寒的冬天。对流落他乡的灾、难民，救济总会各地分会协助政府进行临时收容、紧急救济和遣送回乡生产的工作，1950年到1952年10月，达13万多人。

[42] 伍云甫《中国人救济总会两年半来的工作概况》。

除各地民政部门进行收容教养工作外，救济总会各地分会设立了98个收容教养机构，将游民、乞丐、妓女、小偷等大量收容进去，并施以相当的思想和文化教育，他们大都学会了各种生产技能，变成了爱劳动、能生产的新人。同时对残老孤儿进行了抚养。对贫病、贫婴、产妇、贫民和城市火灾、风灾等情况，各种救济分会办理贫民救济和临时救济，1950年到1952年，受益者有7万余人。在抗美援朝运动中，救济总会协同其他人民团体，组织了中国人民救济朝鲜难民委员会，组织了大批布匹、棉花、棉衣、毛毯、医药物资及救济粮运到朝鲜，以实际行动支援朝鲜人民的反侵略斗争。此外，一些分会还办了产院、诊所、托儿所、平民宿舍、劳动人民服务站、义仓等设施，为开展社会公益事业做出了贡献。

其次是中国红十字会，这个组织是由旧中国的红十字会于1950年8月改组后，成为中央人民政府领导下的人民卫生救护团体的。“其方针是根据‘预防为主’的卫生工作总方针，‘动员和组织人民实行自救助人’的救济福利方针，协助各级人民政府，面向人民大众，宣传并推广防疫卫生、医药及救济福利事业。其任务是：（1）团结群众，担任救护训练及宣传公共卫生。（2）推动卫生防疫工作，进行医疗服务。（3）办理灾害救助及救济性医药卫生工作。（4）在必要情形下，经中央人民政府批准担负国际性救助及医疗服务。其目的是协助政府医治战争创伤和消灭灾难，开展群众的卫生运动和救护运动，从而提高人民的卫生文化水平及健康水平，保证国家的经济建设。”㊸ 按照这个宗旨和任务，红十字会积极发展组织和开展工作，到1957年，已有省、自治区、直辖市红十字会和筹备组织17个，县、市红十字会136个，基层组织4000个，红十字卫生站约7000个。㊹ 在群众卫生运动中，红十字会员成为主力军。1956年，开封市爱国卫生运动和除四害的个人模范283人，红十字会员和卫生员占85%。红十字会员、卫生员都产生于群众之中，熟悉群众的语言、生活习惯和卫生状况，“组织他们进行卫生宣传，不但深入到每家每户，而且宣传起来容易，结合实际，能打动人心，也就容易为群众所接受”㊺

在防疫工作中能及时发现疫情，采取措施，并协助医疗机构工作，所以在卫生宣传、防疫防病中起到了重要作用。“北京市东不压桥门诊部，负责两个街道的医防工作，过去作预防注射时，由于人力不足，时间紧，注射率低，门诊医务人员负担重。自从该门诊部同这两个街的红十字组织在工作上挂上钩以后，在执行注射任务时，大夫只负责体格检查和技术指导，其宣传动员、消毒、注射、填写卡片等一系列的工作完全由会员、卫生员负责。”1956年作预防脑炎注射时，一个地段设4个注射站，两个半天就完成了任务。“至于其他的病源调查、疫地消毒、体格检查以及各种各样的群众卫生工作，红十字基层组织都可以协助医疗防疫机构进行，成为医疗机构的耳目手足。”㊻

其他社会公益、福利方面的社团，还有中国保卫儿童全国委员会（1951年11月成立）、中国盲人福利会（1953年7月成立）、中国福利会（1950年8月，由原中国福利基金会改造成立）、中国聋哑人福利会（1956年6月成立）等，在社会公益、福利事业中发挥了各自作用。

（2）宗教团体的整顿和改革

中华人民共和国成立后，对基督教、天主教、伊斯兰教、道教和佛教团体进行了整顿，并开展了宗教革改运动。

中国基督教三自爱国运动委员会是在基督教革新运动中建立起来的。1950年9月，吴耀宗等基

㊸ 李德全《新中国红十字会的工作方向与发展步骤》，《新华月报》3卷4期。
㊹ 伍云甫《加强红十字会工作，开展群众卫生活动》，《新华半月刊》1957年10号。
㊺ 伍云甫《加强红十字会工作，开展群众卫生活动》，《新华半月刊》1957年10号。
㊻ 伍云甫《加强红十字会工作，开展群众卫生活动》，《新华半月刊》1957年10号。

督教人士联名发表《中国基督教在新中国建设中努力的途径》宣言，号召全国基督教会和团体割断与帝国主义的联系，建立自治、自养、自传的教会。1954 年 7 月 22 日到 8 月 6 日，中国基督教 62 个教会和团体的代表召开了中国基督教全国会议，作出了“在反帝、爱国、爱教的共同目标下，促成基督教三自爱国运动。”

“拥护中华人民共和国宪法草案，与祖国人民一同为建设社会主义而努力……并提倡爱国守法、履行公民应尽的义务。”“号召全国基督徒，积极参加保卫世界和平运动，坚决反对美帝国主义侵占我国领土台湾。”“鼓励全国基督徒，继续认真进行爱国主义学习，肃清帝国主义残余影响，明辨是非，分清善恶，纯洁教会”的 4 项决议。㊼ 并成立了中国基督教三自爱国运动委员会。此外，基督教方面的全国性团体还有经过改组的中华基督教女青年会、中华基督教青年会，分别加入全国妇联和全国青联为团体会员。

与基督教团体的情况相类似，中国天主教友爱国会（后改为中国天主教爱国会）也是在反帝爱国运动中建立起来的。1950 年 11 月，广元县神父王良佐等 500 多位天主教徒发表宣言，主张割断与帝国主义的联系，建立“三自”精神的新教会，得到中国广大天主教徒的响应。经过长时间的斗争，各地天主教会基本上都按自治、自养、自传的原则进行了改组。在此基础上，1957 年 7 月 15 日至 8 月 2 日，来自全国 26 个省、市、自治区的 100 多个教区的代表 241 人（代表教徒 300 多万人），召开了中国天主教代表会议。会上，正式成立了中国天主教友爱国会，并通过了《中国天主教友爱国会章程》和《中国天主教友爱国运动情况和今后任务》的报告和一项决议。决议说，中国天主教会必须“实行独立自主，由中国神长教友自己来办，在不违反祖国利益和独立尊严的前提下同梵蒂冈教廷保持宗教的关系，在当信当行的教义教规上服从宗教。但必须彻底割断政治上、经济上和梵蒂冈教廷的关系，坚决反对梵蒂冈教廷利用宗教干涉我国内政、侵犯我国主权、破坏我们正义的反帝爱国运动的任何阴谋活动。”“我们从爱祖国爱教会的良知出发，衷心拥护中国共产党和人民政府，坚决走社会主义的道路。”㊽ 天主教团体的建立受到党和政府的重视，国务院秘书长习仲勋、国务院宗教事务局局长何成湘到会讲话。《人民日报》发表了社论，肯定“这次中国天主教代表会议开得好。它进一步提高了天主教人士的政治觉悟，确定了今后爱国爱教的努力方向。”㊾

1953 年至 1957 年，随着党和国家宗教信仰自由政策的贯彻落实，中国伊斯兰教协会、中国佛教协会、中国道教协会先后成立。这 3 个协会都是由各教代表会议决定成立的。其中伊斯兰教协会第一任主任是包尔汉。新成立的佛教协会会长是圆瑛，道教协会会长是岳崇岱。它们的宗旨是联系本教教徒，继承和发扬本教教义和传统，在人民政府领导下，热爱祖国，积极支持国家的社会主义建设，参加保卫世界和平运动，协助政府贯彻宗教自由政策。这 3 个团体成立后，为新中国宗教事业的发展做出了巨大努力，并在民族团结和国际交流方面做出了贡献。如佛教协会成立后，进行了许多搜集和整理佛典，以及佛教文物的保护工作，到 1955 年 8 月，已搜集图书 1.9 万多部，共 5.9 万多册，还有佛教文物 468 件，并把遗散在重庆、扬州等地的 3. 7 万多块经版集中起来。

佛教协会还同前来中国的 10 个国家的 11 个佛教代表团和许多个人代表举行了会谈，增进了了解和友谊，并应缅甸总理的邀请，组织中国佛教代表团访问了缅甸，与印度、日本等国的佛教界也建立了一定的联系。

㊼ 《新华月报》1954 年 9 月。

㊽ 《新华半月刊》1957 年 12 号。

㊾ 《人民日报》1957 年 8 月 3 日。

第二阶段：50年代末至1978年的民间组织（1957年－1978年）

第一节　“反右”斗争对民间组织的影响

一、反右扩大化对社团发展的影响

1949年到1957年，随着中国社会主义革命和社会主义建设事业的迅速发展，各种社会团体也不断发展，成为中国共产党和人民政府团结各界人民，共同进行社会主义革命和建设事业的桥梁和纽带，发挥着积极的作用。但是，由于国际国内政治形势的变化，1957年发生的反右斗争，使社会团体的发展受到了严重影响。

1956年，毛泽东在中共八届二中全会上宣布：“我们准备明年开展整风运动。整顿三风：一整主观主义，二整宗派主义，三整官僚主义。”1957年5月1日，《人民日报》公开发表了中共中央《关于整风运动的指示》，整风运动在全党逐渐展开。在整风运动中，各民主党派、无党派民主人士、人民群众响应党的号召，提出了大量的批评意见和建议。同时，极少数右派分子乘机散布反对共产党领导和反对社会制度的言论，掀起了一股反党反社会主义的思潮。针对这种情况，中共中央决定对右派分子的言论进行反击。6月8日，中共中央发出了毛泽东同志起草的《组织力量反击右派分子的猖狂进攻》的党内指示，《人民日报》发表了毛泽东撰写的社论《这是为什么?》，反右斗争正式开始。7月1日，毛泽东又为《人民日报》写了《文汇报的资产阶级方向应当批判》的社论，从而形成了全国性的政治运动。

在整风过程中，反右派斗争被严重地扩大化了，把一大批知识分子、爱国人士和党内干部错划为“右派分子”，造成了不幸的后果。6月8日以后，反右斗争首先在民主党派、工商界、新闻界和文艺界展开，各民主党派、全国工商联、全国文联、新闻界先后召开座谈会，批判右派分子的言论。“据统计，全国共划右派分子55万余人，其中相当多的人是学有专长的知识分子和有经营管理经验的工商业者。”

反右扩大化对社团发展造成了严重的影响。反右斗争中出现阶级斗争扩大化的倾向，造成了政治上的紧张气氛，知识分子和工商界社团的成员中的大部分经过社会主义改造的资本家的两面性被夸大。

二、社团发展的停滞

由于反右斗争的严重扩大化所造成的政治和社会心理上的深刻影响，反右斗争后，中国民间组织的发展基本处于停滞状态。具体表现：

一是社会团体组织基本没有增加，迅速发展的势头受到阻断。1949年到1957年，中国社会团体的数量一直呈上升趋势，全国性社团每年都有十几个乃至几十个的数量增加。1958年到1960年，除了外交方面成立了中国阿尔巴尼亚友协、中国保加利亚友协、中国匈牙利友协、中国越南友协、中国柬埔寨友协等11个与社会主义、民主主义国家的友好团体外，只成立了中国自行车协会、中国登山协会两个体育性团体，其余再无全国性社会团体成立。

二是各社会团体的组织成员基本上没有增加或只有少数与政治关系不大的社团增加了少数成员。已有社会团体的组织发展处于停滞状态。

三是社会团体活动的正常进展受到阻断，其活动基本处于停滞状态。如青年团 1957 年召开第三次全国代表大会后，按团章规定，应该在 4 年后即 1961 年召开全国代表大会，但一直迟至 1964 年，才召开了全国代表大会。中国工会在 1957 年召开八大后，直到 1978 年才召开了第九次全国代表大会。其他社团的活动也一度归于沉寂。

应该指出的是，在反右斗争后大多数社团发展处于停滞状态的同时，由于一些领导同志的关心和中国社会经济发展的需要，自然科学的主要团体全国科联和全国科普仍在活动。1958 年 9 月，这两个团体联合召开全国代表大会，合并组成中国科学技术协会，并选举产生了领导机构，原科联、科普的会员一律转为科协会员。中国科学技术协会成立后，积极开展技术革命的群众运动，在为工农业生产服务方面进行了大量工作。全国文联及其所属各团体“大跃进”中组织文艺工作者深入到工农业生产第一线，创作了大量的反映工农业生产的文艺作品。这些文艺作品中绝大多数是好的，鼓舞了人们积极向上的精神，推动了社会主义革命和建设事业。但也有相当一部分作品受“左”倾思想和浮夸风的影响，夸大阶级斗争和生产建设的成绩，成为文艺工作中的一种畸形现象。

第二节　60 年代初期的民间组织

一、民间组织短暂恢复发展的社会条件

反右斗争之后，在错误思想指导下，我国政治、经济、文化生活领域出现了严重的偏差。在政治上，由于反右斗争中把党内外许多人，特别是知识分子打成右派，人们不再敢提出不同意见。继而开展反右倾运动，使经历过反右斗争疾风暴雨的人们更不敢越雷池一步。经济上，由于全面开展了大跃进和人民公社化运动，大搞浮夸风和共产风，使国民经济遭到了严重损失。人民生活极度困难，连吃饭穿衣都成了大问题。社会生活各个方面都已到了非调整不可的程度。中共中央认识到问题的严重性，从 1960 年开始，在对国民经济实行“调整、巩固、充实、提高”方针的同时，对社会生活的各个方面进行调整。

一是调整党内外的政治生活。1961 年 5、6 月间的中央工作会议上，毛泽东规定了在党内实行不戴帽子、不抓辫子、不打棍子的“三不主义”。规定“今后在不脱产干部和社员群众中间，不许再开展反右倾或‘左’倾的斗争，禁止给他们带政治帽子。”1962 年 1、2 月召开的 7000 人大会上，毛泽东号召开出气会，并带头作了自我批评，承担责任。会后，由邓小平主持中央书记处会议，讨论通过了《关于加速进行党员、干部甄别平反的通知》，开始对在“拔白旗”、反右倾、整风、整社、民主革命补课运动中批判和处分错了的党员、干部进行认真地、迅速地甄别平反。到同年 8 月末，全国 23 个省、市、自治区对 365 万党员、干部进行甄别平反，促进了党内正常生活的恢复。对党外关系，主要是调整了与民主党派的关系。1959 年 9 月，毛泽东邀集各民主党派负责人进行座谈，宣布“知识分子大有进步，民主党派大有进步，工商界大有进步”，在党外不搞运动。这些调整成为 60 年代初社会团体恢复发展和活跃的政治基础。

二是调整了知识分子政策，重申知识分子是劳动人民的一部分。60 年代初，党开始提出解决几年来在执行知识分子政策方面出现的“左”倾错误问题。1962 年 2、3 月间，周恩来在出席全国科学技术工作会议和全国话剧、歌剧和儿童剧创作座谈会等会议上作的《关于知识分子问题的报告》，充分肯定了建国 12 年来我国知识界的根本转变和极大进步，指出，要把知识分子放在劳动者之中。为了调动广大知识分子的积极性，使中国的教育、科学、文艺事业走上正轨，1961 年到 1962 年，中共中央、国务院还正式批转、发布了《教育部直属高等学校暂行工作条例（草案）》（简称“高教 60 条”）、《关于自然科学研究机构当前工作的 14 条意见》（简称“科研 14 条”）和《关于当前文学艺术工作若干问题的意见（草案）》（简称“文艺 8 条”）。这 3 个文件纠正了过去对知识分子问题上的错误看法和政策，规定了科学界和文艺界要实行“百花齐放，百家争鸣”的方针，并制定了一系列措施，保证教育、科研事业的正常发展。在文艺界批评了以前出现的简单、粗暴的干涉、批评和限制；鼓励和提倡作家、艺术家深入生活，反映生活；正确地开展文艺批评，在文艺创作上不强求一律；培养优秀人才，奖励优秀创作；确定对作家、艺术家团结改造的方针等等。知识分子问题的正确解决和有关教育、科研、文艺工作条例的制定，促使社会团体的学术活动又重新开展起来。

三是为被错划和改造好的右派分子的大多数人摘掉帽子，使他们重新活跃起来。在反右斗争扩大化过程中，许多社会团体的各级负责人被划为右派分子。他们被划为右派，不仅使他们自身在政治、学术和社会活动中受到了严重束缚，大多数人失去了参加社团活动的权利，而且影响到社会团体的其他成员不敢积极参与社会团活动。1959 年 9 月，中共中央就发出了《关于摘掉确实悔改的右派帽子

的指示》，并分期分批地进行了摘帽工作。1961年9月和1962年9月，中央统战部先后两次召开了全国改造右派分子工作会议，到1964年，前后5次给30余万人摘掉了右派分子的帽子。摘掉他们的右派帽子，使他们重新回到社团活动中来，也使其他成员丢掉了思想包袱，成为促使社团活跃的一个组织条件。

二、社团的恢复发展和再度活跃

社会政治生活情况的改善与知识分子政策的调整，促使社会团体在60年代初一度出现了恢复发展和活跃局面，着主要体现在三个方面：

一是新社团的建立和社团数量有所增加。1960年以后，又开始建立一些新的社会团体，特别是自然科学方面的学术团体有较多的增加。全国性自然科学学会到1963年，由41个增加到46个，并建立了150多个专业委员会。各省、自治区、直辖市（除西藏、台湾外）的省一级学会组织增加到708个。1964年，又先后建立了中国造纸学会、中国航空学会，中国煤炭学会也从1962年开始筹建。社会科学方面，1964年成立了考古学会筹备会。文艺方面，1960年建立了中国摄影学会。体育方面，先后建立了围棋、象棋、射箭、航空、航海等方面的专业协会。外交方面，1963年由中国的19个人民团体共同决定成立了中国日本友好协会。

二是各社团成员人数有了增加。1963年，据25个省、自治区、直辖市科协初步统计，其所属学会会员已达到15.5万多人。中国共产主义青年团1964年召开了第九次全国代表大会后，积极培养和发展新团员，仅1965年1年，就发展新团员850万。[50] 其他社会团体成员的数量也有了明显增加。

三是社会团体的活动开始活跃。1960年7月22日到8月14日，中国文学艺术工作者第三次全国代表大会在北京召开，同时召开了文联所属的中国作家协会扩大理事会、中国戏剧家协会会员代表大会、中国音乐家协会会员代表大会、中国美术家协会会员代表大会、中国电影工作者联谊会会员代表大会、中国曲艺工作者协会扩大理事会、中国舞蹈艺术研究会会员代表大会、中国民间文艺研究会扩大理事会和中国摄影学会会员代表大会。中共中央宣传部部长陆定一代表中共中央和国务院向大会致祝词。他在祝词中明确指出：“我们的百花齐放、百家争鸣的政策，不但在理论上是完全正确的，在实际工作中也证明是完全正确的。”中宣部副部长周扬在大会上所作的报告中也批判了“只要政治方向的一致性而不要艺术风格的多样化，只许一花独放，不要百花齐放”的“教条主义”倾向。[51] 这次会议期间和会后，各种文艺团体纷纷举行各种形式的活动，促使文艺创作和文化事业有了新的发展。

中国科学技术协会及其所属各学术团体，自“科研14条”发布后，更加积极地开展活动。“党的正确政策使广大科技工作者受到鼓舞，科技战线呈现一片复苏景象。科协工作1961年以后全面展开。”[52]

1961年4月10日至23日，中国科技协会在北京召开了全国工作会议，全国性自然科学专门学会的代表，各省、市、自治区科协，8大城市科协，以及部分专区、市、县科协和工厂、农村基层科协的代表出席了会议。中宣部副部长周扬在讲话中重申了“百花齐放，百家争鸣”的政策，提出“要鼓励不同学科，不同学派，不同学术观点，共同发展，自由竞赛。根本目的是要使科学、文艺能更迅

---

[50] 《人民日报》1966年2月19日

[51] 《人民日报》1960年9月4日。

[52] 《中国科学技术协会简史》第58页。

速地发展起来，并达到新的更高的水平。”关于学会的任务，周扬认为主要有3条：一是基本任务是搞学术活动，交流学术经验，推广研究成果，讨论学术问题；二是科学家的自我学习、自我改造；三是国际学术交流。这就使学术团体从以前人人自危的政治运动中解脱出来，大胆地开展科学技术的研讨和普及活动。1962年到1963年，全国科协所属的全国性学会召开了140多次学术年会和专题学术讨论会，参加会议的科技人员2万多人。提交到全国性学术会议的论文23000多篇。在学术讨论会上，科技工作者提出了很多建议，解决了科研、生产中的一些重大问题。

在1962年7月召开的中国植物保护学会成立大会上，科学家们针对农作物病虫害严重，由66位专家教授联名提出“关于当前农作物病虫害防治工作的紧急建议”，由中国科协副主席范长江专程呈报在北戴河开会的聂荣臻副总理，并转呈毛泽东、周恩来。中共中央当即指示印发参加中共中央八届十中全会的代表，并决定将建议中的各点予以落实。为了加强农业科学技术的推广，中国科协及所属有关团体，一方面帮助农民组织科学实验小组，一方面大搞科技知识的展览、培训等活动。1964年，全国农村科学实验小组发展到40多万个，1965年增加到100多万个，参加人数达700万人。

科协还通过彩色挂图、画册、幻灯、通俗小册子等，大搞植保科技知识推广，到1964年底，全国科协组织、供应展品近800万套，挂图25万余套，小册子60余万册。这些展览从1962年到1964年，在农村巡进行，参观的观众超过1000万人次，培训骨干100多万人。中国科协及所属组织还积极参加和举办了国际学术交流活动。1964年8月，世界科协北京中心召开了北京科学讨论会，来自亚洲、非洲、拉丁美洲、大洋洲44个国家和地区的科学家367人参加了大会。会议交流了科学研究的成果和经验，探讨了争取和维护民族独立，发展民族经济、文化和科学事业，促进各国间科技合作等共同关心的问题。1966年，在北京召开了暑期物理讨论会，来自亚洲、非洲、拉丁美洲、大洋洲33个国家和一个地区性学术组织的科学家144人参加了大会。

其他社会团体的国际性交往也很活跃。1960年，中国人民对外文化协会邀请日本中国文化交流协会，中国人民救济总会邀请日本国民救援会分别于7月和7月中旬访问中国，两次双方都发布了促进两国友好交往和文化交流的共同声明。同年，中国亚非团结委员会、中国非洲人民友协、中国人民保卫世界和平委员会、中国人民外交学会、中国伊斯兰教协会等团体接待了桑给巴尔民族主义党代表团、塞拉勒窝内代表团、葡属安哥拉人民解放运动代表团、葡属几内亚非洲独立党代表团的访问，表示坚决支持非洲人民反对帝国产义、殖民主义和争取独立自由的正义斗争。10月，中国共青团中央、全国青联、全国学联接待了来自亚洲、非洲、拉丁美洲24个国家的青年和学生代表，表示中国人民对他们正义斗争的支持。中国人民保卫世界和平委员会、中国亚非团结委员会、中国人民对外文化协会、中华全国总工会、中华全国新闻工作者协会、全国妇联、中国人民外交学会、全国青联，还同日本阻止修改日美安全条约国民会议访华代表团等日本各界12个代表团发表了共同声明，表示反对缔结日美安全保障条约，共同为了加强中日两国人民的团结，保卫亚洲和世界和平而斗争。此外，各群众性、外交性团体，在60年代初还开展了许多国际友好交往和文化交流活动，促进了中外人民的了解、友谊和交流，在促进世界和平的过程中发挥了积极作用。

第三节　“文革”时期的民间组织

一、文化大革命与社团发展的中断

1966 年 5 月到 1976 年 10 月的“文化大革命”，“是一场由领导者错误发动，被反革命集团利用，给党、国家和各族人民带来严重灾难的内乱。”[53] 也使中国社会团体的发展受到了严重影响。

一是社会团体的组织全部中断活动。早在 1964 年 6 月，由于受极左思想的影响，而不能对民间组织作出全面、正确的判断，认为一些协会和他们所掌握的刊物的大多数（据说有少数几个是好的），15 年来，基本上（不是一切人）不执行党的政策，做官当老爷，不去接近工农兵，不去反映社会主义的革命和建设。最近几年，竟然跌到了修正主义的边缘。如不认真改造，势必在将来的某一天，要变成匈牙利裴多菲俱乐部那样的团体。[54] 到了 1966 年，更把整个文化艺术界、教育界、新闻界、学术界说成是贯穿着一条反革命修正主义路线，这些领域的团体自然也就成了“裴多菲俱乐部”那样的反革命组织，因而要打倒、打垮、解散、砸烂也就是必然的了。八届十一中全会后，全面“造反”展开，各级各类社会团体基本上都停止了活动。直到“四人帮”被粉碎后，才逐渐恢复了工作。

二是各种社会团体的负责人及其许多成员被打成了“走资派”、“资产阶级分子”、“牛鬼蛇神”、“反动学术权威”、“暗藏敌人”、“裴多菲俱乐部的反革命成员”等等，被揪斗、监禁、关押，甚至迫害致死。

三是全面进入阶级斗争运动中，各种学术、文艺、教育，甚至自然科学问题都用阶级斗争的标准去衡量，都成了资本主义复辟的活动，从而使科学、文化、教育事业出现全面荒芜，使社会团体的有关活动失去了应有的社会文化氛围。

应该指出的是，“文化大革命”中出现了红卫兵运动，各地各级成立了千千万万个红卫兵团体。但是，这些团体是在极端无政府主义的高潮中成立的，它们秉承错误的宗旨、组织混乱、所开展的“活动”多是“打、砸、抢”之类的灾难性破坏，是在严重的内乱中产生的一种非常规性的团体，是一种畸形的社会现象。社会团体应该是依据法律由社会成员自愿结成的群众性组织。红卫兵团体成立时期，中国的法律处于不起作用的状态，它们既非依法设立，又在组织上无任何规范，许多人是盲目地，甚至有的是被裹胁加入的，因而不属于正常社会团体的范畴。

二、社团受挫的教训及其不良后果

反右斗争扩大化与“文化大革命”的动乱，使中国社会团体的发展受到严重的挫折。深刻地反思这一历史过程，使我们认识到许多严重的教训和后果。

第一，民主生活和法律制度的严重破坏，使社会团体的地位和社会团体成员的权利失去了保障。社会团体是社会成员为了一定的目的，按照一定的原则自愿组织起来的。它依法成立后，就受到了法律的保障。社会团体成员依照法律，有向党和政府提出建议和意见、参政议政和组织各种政治、经济、学术、宗教和社会活动的权利。“文化大革命”中，法制受到严重破坏，社会团体及其成员也就

[53] 中共中央《关于建国以来党的若干历史问题的决议》。

[54] 《关于建国以来党的若干历史问题的决议注释本》359 页。

失去了受法律保护的地位和权利。一些人纠集起来，就可以砸烂党和政府的机构，社会团体更是在劫难逃。一些组织被砸烂了，一些组织是无声无息地消亡了。社会团体的组织全部瘫痪，社会团体的成员，特别是负责人和学术界知名人士，任意被抓、被关、被打，甚至折磨致死，根本没有任何法律保障，更遑谈民主权利。

第二，错误的知识分子政策，把学术问题硬混为政治问题，是社会团体受挫和窒息的一个重要原因。知识分子是工人阶级的一部分，在学术上要坚持百花齐放，百家争鸣的方针，这是中国共产党领导知识分子，发展科学技术、教育和文化事业的基本认识和根本方针，偏离了这个认识和根本方针，就会造成极大的悲剧。中国社会团体中有相当一部分是学术性、文化性团体，它们的成员，特别是领导人员都是相当层次的知识分子。因此，党的知识分子政策和科技文艺上的政策一出现偏差，就会使这些团体遭到严重的挫折或打击。反右斗争扩大化中，就曾把知识分子的大多数划入剥削阶级的范围，把许多学术上的争论当成资产阶级向党进攻的政治问题，进行批判。在错划的“右派分子”中，知识分子占了相当的比例，致使学术、文艺团体受到了打击。“文化大革命”开始后，又把学术界、教育界、新闻界、文化界说成是资产阶级修正主义路线统治着，几乎把这些领域里所有知名人士，学有专长，致力于科研、教育和文艺创作的人都打成“反动学术权威”、“资产阶级知识分子”、“修正主义黑线”人物，一律统统打倒，中国的科学技术、教育和文化事业的进程遭到严重阻断。

第三，偏离了经济建设的中心，大搞“阶级斗争为纲”，使社会团体失去了存在与活动的基础和方向。社会团体作为一定社会条件的产物，是以一定的社会经济发展为基础，并以围绕经济建设这个中心作为活动方向的。中华人民共和国建立后，我国的各类社会团体都为社会主义经济建设做出了突出的贡献。国民经济的恢复与发展又是这些社会团体赖以存在、发展的基础。“文化大革命”使我国的国民经济遭到了严重损失。当西方发达国家的经济飞速发展时，我国却正在进行“无产阶级专政下的继续革命”，进行扩大的阶级斗争，从而使社会团体失去了存在和发展的基础和活动的方向。

第三阶段：改革开放以来的民间组织（1978 年—至今）

从新中国成立到“文化大革命”结束 27 年的历史表明：社会团体的发展取决于三个基本因素：一是国家政治生活和社会生活的正常化程度；二是经济和科学文化的发展水平；三是结社法律的完备程度及其对公民结社和社团活动的调整力度。

1978 年 12 月召开的十一届三中全会，是建国以来党的历史上具有深远意义的伟大转折。确立了解放思想，实事求是，改革开放和集中精力搞经济建设的思想路线和政治路线。三中全会以后，从 1979 年到 1982 年间，有步骤地解决了建国以来的许多历史遗留问题和实际生活中出现的新问题，把在“文化大革命”中受到严重扰乱的各方面社会关系调整过来，进行了繁重的建设和改革工作，使我们国家在政治上和经济上都出现了很好的形势。广大人民群众摆脱了“左”的思想束缚，社会参与意识普遍提高，这就为社团组织的发展创造了条件。因此，从 70 年代末开始，我国的民间组织步入了逐渐繁荣的时期。

第一节　经济团体的涌现

我国的经济团体，在 1980 年以前为数不多。其根本原因是，长期以来坚持以阶级斗争为纲，未能集中精力搞经济建设。再加上在经济理论问题上受前苏联的影响，不认为社会主义的生产仍然是商品生产，不承认价值规律对生产的调节作用；在实践中又排斥市场调节，而实行高度集权的计划经济体制。在这种体制下，国家通过政府的专业经济部门，直接管理厂矿、企业和农村社队，依靠行政手段和指令性计划，把企业和社队的各种生产要素和各个再生产环节，全部置于国家的直接管理之下。久之，使企业和社队完全丧失了生产和经营的主动性、积极性和创造性。在这种情况下，政府不需要介于政府与企业之间的民间自律形式的中间管理环节；企业也无须面向市场，当然也就不可能存在通过中介组织去维护自身利益的愿望和要求。一方面政府不需要，另一方面企业无要求，自然也就不存在以行业协会为代表的各种经济团体产生的环境和条件。

为了使我国的经济建设能得到较快的发展，在党的十一届三中全会以后，对以往那种束缚生产力发展的、高度集权的计划经济体制进行了改革，探索一种计划与市场相合，并能同时发挥计划与市场两种调节手段之长的经济体制。1982 年召开的党的第十二次全国代表大会提出了“计划经济为主，市场调节为辅”的原则，肯定了市场调节是必要的和有益的，并把市场调节区分为指令性计划和指导性计划，指出许多产品和企业适宜于实行指导性计划。从此，开始了建立社会主义市场经济体制的实践。随着经济体制改革和政府转变职能的进程，我国的各种经济团体也随之发展起来。

一、行业协会的组建

行业协会，是商品经济发展到一定历史阶段的产物。不同国家对行业协会的界定有所不同。美国经济界人士认为：“行业协会是一些为达到共同目标而自愿组织起来的，同行业或商人的团体。”日本经济界人士认为：“行业协会是以增进共同利益为主要目的而组织起来的事业者的联合体。”而英国经济界人士则认为：“行业协会是由独立的经营单位所组成，是为保护和增进全体成员的合理合法的利益的组织。”在我国，目前经济界对行业协会也有不同的说法。但比较一致的看法是：“行业协会是同行业的企业和有关单位，为了维护自身的利益，而自愿组织的、不以营利为目的的社会经济团体。”

我国行业协会的组建和发展，大体经历了三个阶段。

1978 年至 1983 年为起步阶段。党的十二大以后，一些政府部门开始转变职能。同时一部分行业的企业也开始扩大自主生产经营权。这样，政府部门分离出的职能，有的转给企业，有的需要分给介于政府与企业之间的中介组织去承担；企业扩大自主权力，也需要中介组织来协调行业和自身的利益关系，这就使行业协会有了产生的土壤。国务院针对我国长期施以部门管理，缺乏行业管理的状况和经济体制改革的客观要求，在对外国行业团体进行考察的基础上，于 1983 年批准成立了中国包装技术协会和中国食品协会。这两个行业团体的成立，标志着我国的经济体制改革开始由计划经济体制步入社会主义市场经济体制；由长期的部门管理转向了行业管理。

1984 年至 1988 年，是我国行业协会的蓬勃发展时期。党的十二届三中全会进一步推动经济体制改革，通过了《中共中央关于经济体制改革的决定》，指出，改革是为了建立充满生机的社会主义经济体制；增强企业活力是经济体制改革的中心环节；改革现行的计划体制，要有步骤地适当缩小指令性计划的范围，适当扩大指导性计划的范围。1987 年，党的十三大又进一步提出：要建立计划与市场内在统一的体制。指出以指令性计划为主的直接管理方式，不能适应社会主义商品经济发展的要求；国家对企业的管理应逐步转向以间接管理为主；计划与市场的作用范围是覆盖全社会的；新的经济运行体制，总体上来说应当是“国家调节市场，市场引导企业”的机制。这些重要的论述，使社会主义经济建设的理论更深入了一步。与此相适应，我国城市的经济体制改革全面展开，政府权力继续下放，企业活力不断增强，企业与政府之间的纵向行政隶属关系弱化，企业之间、同行业之间的横向联系加强。再加上 1986 年省、市二级行政性公司的撤消和 1988 年中央国家机关机构改革，一大批地方性行业协会取代了二级公司，一些国家机关部委的专业司局在机构合并、人员精简后，也相应成立了若干行业协会。到 1988 年底，全国性的经济行业协会发展到 187 个，比 5 年前增长了 93.5 倍。地方性的经济类行业团体发展也很快。据上海市经委统计，1994 年全系统有 42 个工业行业协会，其中 1984 年至 1988 年间成立的有 29 个，约占 70%。浙江省萧山市 1990 年有各种经济社团 20 个，其中行业团体 16 个，大部分是 1988 年组建的。[55]

1990 年以后，是行业团体充实、提高的阶段。1992 年 1 月，邓小平南巡时发表了重要讲话，加快了改革开放的步伐。不久，党召开了第十四次全国代表大会。会议在总结我国 10 多年改革开放实践经验的基础上，明确提出在 20 世纪末初步建立起社会主义市场经济体制的宏伟任务。八届人大召开以后，政府的机构改革进一步加快，相继撤消了轻工、纺织两个工业部，分别成立中国轻工总会和中国纺织总会。国务院办公厅还专门发文，要求两总会“逐步办成真正的行业协会”。轻工、纺织总会的成立，表明我国的行业管理取得了重要突破。1994 年，党的十四届三中全会做出了《关于建立社会主义市场经济体制若干问题的决定》，勾画了市场经济体制的基本框架。《决定》进一步明确：“要发展市场中介组织，发挥其服务、沟通、公证、监督作用”，“发挥行业协会、商会等组织的作用。”在《决定》的推动下，我国的行业团体有了进一步发展。到 1996 年，全国性行业协会已有 246 个；地方性行业协会约 36 万个，覆盖了绝大部分中类以上的经济行业和近 30 万个企业。

从以上简述可以看出，我国的行业团体是伴随体制改革的步伐涌现、发展的。同时也不难看出，它所产生的条件与外国的行业协会有着很大的不同，因而带有自己的特点。一般地说，国外的行业协会是发自于同行业的企业为了协调利益关系，自下而上的、集聚而成的民间经济团体；而我国的行业

---

[55] 王颖等著：《社会中间层》，第 51 页表格。

团体多是随着政府职能的转变进程，自上而下的、行政性的推动产生的。国外政府与企业原则上是分开的，当政府需要与企业联系或对话的时，往往有赖于行业协会等中介组织；而我国行业协会则是从政企不分走向政企分开的过程中，派生的这样一种中介组织。在这种特殊国情下产生的行业协会，它的发展程度不仅取决于经济体制改革的深入程度，而且与政企分开的程度相联系。政企不分时，行业协会等中介组织是没有必要的；当政企若即若离的时候，则是可有可无的；在政企适度分开的时候，它是能适度发展的；在确立社会主义市场经济体制、建立现代企业制度的条件下，它将会成为行业自律的主角，并发挥重大的作用。

如中国化学制药工业协会，成立于1988年9月，现有会员单位291个，下设13个专业委员会和16个联络处。协会成立以来，注意发挥中介组织的功能，有针对性地开展调查研究，从1991年起，每年一个主题，特别是对大史克、西安杨森、上海施贵宝、无锡华瑞等中外合资企业的机构设置、生产指挥、品质管理、劳动管理的调研报告，有事实、有数据、有分析、有建议，受到企业和医药管理部门的欢迎。同时，协会还把推进科技进步、维护会员利益做为重点工作，坚持每年开好一次全国医药工业技术工作年会，研究新技术、新装备的应用，引进技术的消化吸收，产品结构的调整，市场趋势和市场开发，实施GMP等，深受会员单位好评。

总之，在政府转变职能，企业转换经营机制，逐步由部门管理转向行业管理的形势下，行业协会有了用武之地。行业协会存在的价值，取决于自身的工作和中介作用发挥的程度。事实证明，行业协会中介功能发挥的越好，政府就越需要，企业就越离不开，从而进一步推动行业团体的发展、健全和完善。

此外，还有一种经济类团体不能不提到，就是同业公会。这种组织并不是这一时期的新生事物。上个世纪50年代，我国各市县工商联都成立了同业公会组织。它们组织会员企业开展“同行议价”、“民主评税”、捐献飞机大炮支援抗美援朝等工作，在恢复国民经济、促进社会主义改造等方面发挥了积极的作用。1956年全行业公私合营，政府各部门组织了专业公司，把企业管理直接纳入了行政管理的轨道，实行“统购统销”、“统购包销”制度，同业公会因失去了存在的前提而消亡。1978年12月召开的十一届三中全会，确立了解放思想，实事求是，改革开放和集中精力搞经济建设的思想路线和政治路线。随着，社会改革的深入和商品经济的恢复发展，一些进行交流市场消息、研究市场变化的同业公会雏形（如神仙会、茶叙会）不断产生。1986年以来，在一些地方工商联的推动下，各地试办了同业公会。到1989年，各地陆续试点的同业公会已有100个，特别是在经济相对比较发达的浙江、福建、广州等地，发展十分迅速。这些组织经工商联筹组，由同行业企业自愿组成，不搞行政级别、没有编制和经费，是民间服务型的经济组织。同业公会与行业协会既有联系又有区别。从组织任务上说，两者性质基本相同。从组织形式看，行业协会是纵向的，按照行业系统建立的条条组织；同业公会则是按地区，即中心城市、区、县建立的区域性组织。从活动范围看，行业协会主要是工业系统，按产业部门在全国同行业内开展活动，并在省、市建立相应的行业组织；同业公会则是实行工商和工贸结合，在活跃地方经济中发挥作用不需要建立上下对口的全国性组织。这两种形式各有异同，在经济生活中起到了互相补充的作用。

二、农村经济团体的出现

除行业协会外，其它类型的经济团体如我国广大农村经济团体在改革开放中发展也很快。

我国的经济体制改革首先是从农村开始的。1979年9月，党的十一届四中全会通过了《中共中央关于加快农业发展若干问题的决定》，对我国的农业现状作了科学分析，并提出了一系列适合我国现阶段农业发展需要的方针政策。我国广大的农民在中央有关方针政策的指导下，创造了家庭联产承包责任制和统分结合的双层经营体制。这种家庭联产承包责任制和统分结合的双层经营体制，能灵活适应我国农业生产力发展的需要，它使农村面貌发生了前所未有的变化。在经济比较发达的地区，承包责任制促进了农村专业户的产生和协作化生产。这些专业户在追求生产科学化和维护自身利益的过程中，逐渐认识到组织专业团体的重要性，于是一大批农村专业经济协会，如辣椒协会、养兔协会、种子协会等应运而生。据调查，1990 年，山东省枣庄市农村有各种专业性经济团体 424 个，会员达 8.3 万多人。随着农村经济的发展，农村专业经济协会正由沿海地区向中西部地区扩展。这些农村专业经济协会，就其大多数来说，组织比较松散，成员和活动范围也仅限于本村，几乎都没有固定的经费来源，但却在推动农村经济发展方面发挥了很好的作用。

与此同时，我国的乡镇企业在改革开放以来也获得了飞速发展。它吸收了大量的农村剩余劳动力，已经成为我国农村经济的支柱和国民经济的重要组成部分。据统计，1992 年底，在乡镇企业中就业的职工已达 10,581 万人，占我国社会总劳动力的 17.8%，占农村劳动力的 24.2%。在乡镇企业最发达的苏南农村，90% 以上的农村劳动力被乡镇企业吸收。1992 年，乡镇集体工业产值已达国有工业产值的 79.1%。乡镇企业的发展，创造了“离土不离乡，进厂不进城”的农村工业化模式，是我国广大农民在改革中继家庭联产承包责任制后的又一创举。它的发展，突破了农村单纯搞农业经济和所有制结构单一化的传统模式，开辟了农林牧副渔全面发展、农工商综合经营的新格局。乡镇企业发展到一定规模以后，维护企业利益的愿望和要求便日益增强。1991 年成立的中国乡镇企业协会和以后相继组建的地方乡镇企业协会，正适应了乡镇企业的这一要求。

如中国乡镇企业协会，是全国知名乡镇企业法人代表自愿组成的团体。其宗旨是坚持以经济建设为中心，促进乡镇企业的物质文明与精神文明建设，为振兴农村经济服务。协会成立以来，适应社会主义市场经济的需要，多次组织乡镇企业与国外厂商的经贸洽谈和展览活动，为企业开拓国际市场创造了条件。他们脚踏实地为政府和企业服务，较好地发挥了中介组织的桥梁纽带作用。

由于乡镇企业涉及的领域比较广阔，既包括工业、商业、服务业，也包括建筑业、运输业、加工业等等。因此，许多乡镇企业还参加了一些行业协会，以得到更多的行业信息，面向市场，参与竞争，谋求发展。如江苏省无锡县洛社镇，位于沪宁线上，全镇人口 5.2 万，改革开放以来，经济有了很大发展，1990 年全镇完成工农业产值 5.2 亿元，实现利税近 1 亿元，其中大部分是镇属企业创造的。由于乡镇经济发展所带动，28 家镇属企业组织了 11 个行业性团体和一些科学团体，开展技术讲座、咨询服务和技术攻关活动，又进一步推动了全镇经济的发展。

相比较而言，乡镇的经济团体在规章制度、组织机构建设方面比农村的专业经济团体健全，其业务活动也比较经常。

第二节　学术团体的发展

学术团体，是指从事自然科学和社会科学某一领域或学科研究的社会团体。我国学术团体产生的历史久远，1919 年“五·四”时期曾出现过发展的高潮，后来便低落下去了。学术团体真正的、第二个发展高潮是在党的十一届三中全会以后，并一直持续至今，成为我国学术团体发展最快、成就最大、形势最好的时期。

一、自然科学学术团体的振兴

新中国成立前，我国的科技人员不超过 5 万人，其中专门从事科学研究工作的不到 500 人，专门的科学研究机构只有 30 多个。新中国成立以后，从 1949 年到 1989 年的 40 年间，尽管出现过某些挫折，但经过几十年的艰苦努力，我国培养出了一支960万人的科技队伍，其中有高级职称的约70万人；同时建立起了学科门类比较齐全的科学技术体系，独立科研机构发展到5200多个，企业和高等院校所属的科研机构5000多个，基本上具备了依靠自己的力量解决经济建设和国防建设中的重大问题的能力。与此相适应，我国自然科学学术性团体在经历了“文革”劫难之后，重新获得了恢复和发展。

自然科学学术团体的发展，主要得益于新时期党的正确的知识分子政策和科技政策。1978年3月，邓小平在全国科学大会上，重申了科学技术是生产力这个马克思主义的基本观点，并且指出：“28年来，我们的科学技术队伍，在毛泽东思想的哺育下，确有很大的进步。绝大多数科学技术人员热爱党、热爱社会主义，努力同工农兵相结合，满腔热情地对待自己从事的科学技术工作，做出了成绩。甚至在林彪、‘四人帮’那样迫害和摧残知识分子的时候，广大科学技术人员也没有动摇对党对社会主义的信任，在极端困难的条件下，仍然坚持科学技术工作。”“这样的队伍，不愧是我们工人阶级自己的又红又专的科学技术队伍！”[56] 1988年，邓小平进一步鲜明地提出“科学技术是生产力，而且是第一生产力”。这些论断，揭示了科学技术对当代生产力发展和社会经济发展第一位的变革作用，对我国社会主义现代化建设具有重要而深远的意义，对我国知识分子也是巨大的鼓舞。在这个大背景下，我国的自然科学学术团体的数量有了大幅度增长。以中国科学技术协会为例，到1990年，其所属全国性学会由1964年的44个，迅速发展到155个，增加了3.5倍多。除台湾省外，全国30个省、自治区、直辖市都建立了科协组织；在全国336个市（地）中建立科协组织333个；在全国2181个县（含县级市）中建立科协组织2098个。全国80%的乡镇建立了科协和科普协会4.5万多个；各种专业技术研究会近10万个。与此同时，厂矿科协也得到迅速发展，达8000多个。[57]

1991年5月，中国科学技术协会召开了第四次全国代表大会。江泽民在会上发表了重要讲话，他指出：“中国科学技术协会是中国共产党领导下的人民团体，是党和政府联系科技工作者的纽带和发展科技事业的助手。中国科协成立以来，做了大量卓有成效的工作，为促进我国社会主义物质文明和精神文明建设做出了重要贡献。”[58] 这次会议选举产生以朱光亚为主席，王连铮、叶叔华、庄逢甘、孙大涌、李振声、吴阶平、何康、张存浩、林兰英、周光召、高潮、高镇宁、强巴赤列、路甬祥为副主席和以周培源、严济慈、钱学森、钱三强为常务委员的领导机构。此后，中国科协技术协会，依照党中央、国务院的指示，继续高举爱国主义和社会主义的旗帜，坚持为科技进步、经济振兴、社会发展服务，继续在“两个文明”建设中发挥重要作用。如中国科协所属的中国药学会，创始于1907年，是我国最早的学术性团体之一。在“文化大革命”中被迫停止活动，1978年召开全国科学大会后恢复活动，是恢复活动最早的学术团体之一。该会多年来，特别是1990年以来，每年都召开一些全国性专业会议，对中西药结合、中成药分析、新抗生素临床及生产工艺等进行学术讨论，并取得了一批重要的研究成果，为促进我国传统药学和现代药学技术的发展，提高药学科技工作者的学术水平和人群众的健康水平的做出了贡献。又如，中华医学会，现有会员25万，下设62个专科学会，139个专业学组。随着卫生改革的不断深化，学会积极开展学术交流，围绕“八五”国家医药卫生科技攻关项目，在恶性肿瘤，心、脑、肺疾病，肝炎、性病、艾滋病等主要传染病和血吸虫病等主要地方病，遗传工程、细胞融合、酶技术等生物技术方面，组织专家学者研究、论证，并取得了较大进展。

此间，地方性自然科学学术团体发展也很快。据调查，1990年，浙江省科学技术协会所属会员

---

[56] 邓小平《在全国科学大会开幕式上的讲话》，1978年3月18日。

[57] 《中国科协发展战略研究》，2001年1月，第45页。

[58] 《江泽民在中国科技术协会第四次全国代表大会上讲话》，1991年5月23日。

单位已发展到108个。这些学术团体在研究解决工农业生产中的重大科技问题，繁荣科学文化事业等方面起到了积极作用。特别是省科协组织有关学术团体的专家，对秦山核电站防止核泄漏和核污染问题所作的论证和建议，受到国务院有关部门的高度重视。

二、社会科学学术团体的发展

新中国成立后，我们党非常重视对社会科学的研究，先后建立了考古、语言、近代史、哲学、经济文学、历史、少数民族语言等研究所，隶属于中国科学院。1955年6月，中国科学院成立哲学社会科学部，统辖以上各所。此间，也相应组建了中国史学会等社会团体。到1964年，地方性社会科学研究团体发展到近百个。粉碎“四人帮”以后，1977年正式成立了中国社会科学院。除原有的研究所外，又相继增设了马列主义毛泽东思想、工业经济、世界经济、新闻、日本、美国、西欧、东欧、拉丁美洲、少数民族文学等几十个研究所。党的十一届三中全会以后，中国社会科学院先后成立了中国中俄关系史研究会、中国美国史研究会、中国法国史研究会、中国社会学会、中国民族史学会、中国蒙古语文学会、中国现代外国哲学学会、中国宗教学会、中国逻辑学会等几十个学术团体。1980年后，根据经济体制改革的需要，又成立了中国成本研究会、中国生产力经济学研究会等团体。到1992年，中国社会科学院所属的各类学术性团体达到107个。与此同时，各省、自治区、直辖市的社会科学学术团体也得到迅速发展，总数亦达到数千个。这些学术团体云集了我国数十万社会科学工作者，深入调查研究，广泛开展学术交流活动，为我国的改革与发展做出了贡献。

此外，由各党政职能部门根据研究工作需要也发起成立了一些学术性团体。据1995年的不完全统计，中共中央宣传部主管有学术团体2个；中共中央统战部4个；全国总工会1个；共青团中央2个；全国妇联3个；外交部3个；国家计划委员会7个；国家经贸委1个；国家体改委4个；国家教委33个；国家科委11个；国防科工委4个；国家民委7个；公安部2个；民政部6个；监察部1个；司法部8个；财政部16个；人事部2个；劳动部6个；建设部6个；电力部1个；煤炭部3个；建设部6个；电力部1个；机械部2个；冶金部1个；水利部1个；农业部16个；林业部2个；国内贸易部7个；对外贸易经济合作部1个；文化部56个；广电部16个；卫生部7个；国家体委2个；国家计生委1个；人民银行9个；国家审计署5个；国家统计局8个；国家工商局1个；国家环保局1个；国家土管局1个；新闻出版署9个；海关总署1个；国家旅游局1个；轻工总会1个；国家建材局2个；国家医药局1个；国家中医药局8个；国家文物局7个；国家宗教局1个；国务院机关事务管理局1个；国家专利局1个；中国作协13个；中国文联11个；中国职工思想工作研究会22个；国务院侨办2个；供销总社2个；石化总公司1个；航空总公司2个；核工业总公司1个；兵器工业公司1个；共他部门15个。

到1996年底，我国登记注册的全国性学术团体共有658个，地方性学术团体近7.6万个，其中绝大多数是1980年以后成立的。它从一个侧面表明，我国实行改革开放的方针政策后所出现的“百家争鸣”的大好形势。

第三节　其他类型社团的出现

改革开放，开阔了人们的视野，激发了人们在物质、文化生活方面的多样性需求，同时也激发了人们对公益事业的热心。一些文化艺术团体、社会公益团体、体育卫生团体和其他类型的社团也就出现在社会的舞台上。

一、社会公益团体的崛起

这里所讲的社会公益团体，是指从事公众的公益事业、不以营利为目的的社会组织。一般地说，国外的社会公益团体所涉及的比较宽泛。在日本，人们又将社会公益团体称为公益法人。其民法典规定："从事祭祀、宗教、慈善、学术、技艺和其他公益事业的社团或财团，不以营利为目的，经主管机关批准，可成为法人。"我国的情况与日本不同。我们将学校、医院等相当数量的社会组织作为事业单位，而不把它们作为公益团体看待。所以，我国的社会公益团体相比较而言，其所涉及的面要窄。

新中国成立以后，我国政府在有限的资金内，不仅承担着大量社会事务，而且还兴办了各种社会公益事业。长时间的计划经济体制，政府包揽一切，使人们的思想观念上缺少依靠团体的力量去承担部分社会事务的意识，也难以从社会需要的角度去认识兴办公益团体的意义。

1978 年，党的十一届三中全会以后，在探索建立社会主义市场经济体制的过程中，随着政府职能的转变，一些属于微观层面的、政府一时难以顾及的社会事务，逐步分离出来，交给社会去做。于是，便陆续出现了一些社会公益团体。其中，发展比较快的是基金会。

基金会是指以资助推动公益事业发展为宗旨，向国内外社团和其他组织及个人募集资金，并对自愿捐赠的资金进行管理运用的非营利组织。

我国最早设立的基金会是 1981 年 7 月组建的中国儿童少年基金会。到 1996 年，全国性基金会已发展到 68 个，地方性基金会发展到 500 多个。这些基金会分布在文化教育，科学研究、体育卫生和社会福利等领域，从事着团体宗旨规定的社会公益事业。

在教育领域，各种教育基金会的建立，为发展基础教育，改善教学环境，救助失学儿童等方面起到了积极作用。例如，中国青少年发展基金会，1989 年 10 月率先实施以救助贫困地区失学少年重返校的"希望工程"，建立了第一个"救助贫困地区失学少年基金"，以资助因家庭贫困而失学的孩子重返校园，使他们重新获得受教育的权利。截止 1996 年 10 月，"希望工程"共接受捐款约 8 亿元，救助 130 万名贫困地区失学少年重视返校园，并投资建立 32600 所"希望小学"。又如四川省现有资助教育事业的基金会 18 个，其中职工自学成才奖励基金会，从成立至今已对 220 名优秀职工自学成才者进行了奖励，并表彰了读书自学活动先进集体 203 个，优胜组织者 117 名，促进了教育事业的发展。

在文化艺术领域，中国少数民族文化艺术基金会在 1992 年 1 月成立后，举办了"首届中国民族文化博览会"，"哈尔滨 94 皇台中华民族风情艺术节"、"纪念中国创建经济特区 15 周年书法绘画大展"和"在那遥远的地方——银都之夜、王洛宾艺术生涯 60 周年文艺晚会"，深受群众欢迎。江西省精神产品实现五个一创作基金会，在不长的时间内就投资 20 多万元资助和奖励优秀创作，不仅使创作工作名列全国第一，而且还有 3 个项目获奖，推动了内陆省区的文化事业。

在科学研究领域，中国癌症研究基金会，先后举办有关学术研讨会 51 次，并对内蒙古、广西、山西的癌症高发区进行调查研究和发现场的建设，取得了相当的临床研究成绩。中国麋鹿基金会在成功地进行了中英合作的麋鹿重引项目后，又合作推进了向中国重引野马和联合进行对中国西藏保护区的雪豹的研究项目，力争使更多的珍稀物种得到保护并回归大自然。

在推进社会福利方面，中国职工发展基金会开展的送温暖活动，资助困难职工，为职工群众和基层工会做了大量好事实事，深得职工群众好评。中国红十字基金会将接受企业家捐赠的医疗仪器，转赠给国内贫困地区和其他发展中国家，改善了他们的医疗条件，受到受援地区和国家的称赞。此外，基金会还在体育卫生、倡导良好的社会风尚、保护自然资源、维护社会稳定方面做出了特殊的贡献。因此，日益受到政府的关注和社会的支持。例如，中华见义勇为基金会，成立于 1993 年 5 月，其宗旨是奖励治安英雄，匡扶社会正义，为在斗争中牺牲、负伤人员提供抚恤和医疗，宣传见义勇为精神，资助重大活动。又如，四川省圣爱基金会成立于1994年6月，主要任务是：动员社会力量，筹集资金，为残障儿童的生活、学习、康复、训练、就业、养老等提供服务，至1995年6月，已接收残障儿童35名。

在改革开放不断深入的90年代，我国的慈善事业也有了较快的发展。1994年，中国慈善总会成立之后，地方性慈善团体在一年多的时间里就发展到59个，活动在全国25个省市，并与海外慈善团体建立了广泛的联系。各地慈善团体在社会各界和海外同胞的支持下，积极开展社会救助和社会福利事业，在解困救灾，安老助孤等方面做了大量工作，起到了社会保障的补充作用；组织的邻里互助活动，营造了和谐、友爱、团结、安定的社区环境。同时，我国广大农村陆续出现了一些村民互益互助性组织，如互助基金会、红白喜事理事会等。这些组织的资金虽然不多，但却帮助一些遇到困难的村民解决了不少实际问题。

二、文艺团体的兴旺

随着我国经济的发展，人民群众的物质生活水平不断提高，对文化艺术的需求也越来越迫切，各种文化艺术团体即随之发展兴旺起来，目前，文化部等主管的文艺类团体中，绝大多数是80年代以后组建的。这些团体涉及文化市场、文学艺术、文物图书、名人名著、广播电影、电视等许多方面和领域，其中相当一部分是适应改革开放后群众文化活动出现的新形势而成立的。以下简单介绍几例：

如中国农民书画研究会，成立于1991年12月。其宗旨是团结各族农民书画家和爱好者，推动农民书画创作，弘扬民族民间艺术传统和艺术精华，丰富农村文化生活，促进农村社会主义精神文明建设。主要任务是调查了解各族农民的书画活动情况，研究其现状及发展趋势，制定近期和长期发展规划，倡导反映农民高尚情操、农村生产生活气息和时代精神风貌的作品，评价农民书画作品和研究成果，组织国际农民书画交流等。现有个人会员2000余人。再如国际风筝联合会，由中国、美国、日本等国发起，于1989年4月成立。其宗旨是联络各国和地区的风筝爱好者，增进会员单位的交往与友谊，继承发展各国风筝的传统技艺，推动风筝活动的开展。主要任务是协助有关国家和地区制定发展风筝活动的规划，普及风筝活动的开展，组织风筝制作、放飞技术的交流活动，推广科研成果，征集整理有关资料，交流风筝活动信息等。现有团体会员15个国家和地区。

三、体育卫生团体的兴盛

改革开放以来，我国的体育卫生事业有了长足的进步，体育卫生团体也得到相应发展。

体育方面，现属国家体育总局主管的各项专业运动团体57个，体育科学研究和有关系统的体育团体30个，共计87个。此外，还有与体育运动有关的、大量的球迷协会，云集了成千上万的球类运动爱好者，推动着体育运动的发展。

如，中国轮滑协会，成立于1980年，同年加入国际轮滑联合会。其宗旨任务是根据国家的体育工作方针，团结轮滑工作者和爱好者，积极开展轮滑运动，推动轮滑运动的普及和技术水平的提高，加强同国际轮滑联合会和各国轮滑组织的合作，并按我国体育行政机关和国际组织的有关规定，组织活动。

中国残疾人体育协会，成立于1983年10月，1984年加入国际伤残人体育组织，包括国际盲人体育协会、国际脑麻痹人体育协会、远东南太洋地区残疾人运动联合会。1986年加入国际轮椅运动联合会。1989年加入国际残疾人奥林匹克运动会。其宗旨是在残疾人工作部门和社会各界的支持下，动员和组织各类残疾人参加体育锻炼，增进健康，提高运动技术水平，鼓起生活的勇气和信心。

再如，中国老年人体育协会，成立于1983年4月。其宗旨任务是按照国家体育工作和老龄工作的方针政策，在老龄工作，老干部工作和社会各界的支持下，发展老年人体育事业，举办全国性老年人体育比赛活动和参加国际体育竞赛，开展老年人体育交往。

卫生方面，由卫生部主管的团体41个；属中国科学技术协会主管的医药卫生团体16个；属国家医药管理局和国家中医药管理局主管的团体6个，共计78个，占全国性社会团总数的4.3%。地方性医药卫生团体约有8000个。其中近三分之一是改革开放以后成立的。如，中国中西医结合学会，成立于1981年11月。其宗旨是团结从事中西医结合的科技人员和医务工作者，开展学术研究，促进中西医科学技术的繁荣，提高人民的健康水平。主要任务是开展国内外学术交流，组织重点课题的研究，推广科研成果，反映会员的愿望和要求。现有个人会员2.7万余人。刊物有《中国中西医结全杂志》、《中国骨伤》。

除上面例举的社会公益、文化艺术、体育卫生团体外，有关部门还发起组建了一些新闻工作团体、对外友好团体等等，使我国的社团总数在1996年达到18多万个，比1964年增长30倍。其中经民政部登记的全国性社团1810个，包括688年学术性团体，416个行业性团体，525个专业性团体和181个联合性团体，吸收团体会员41万个，个人会员9000多万人。在地方县级以上民部门登记的约18万个社团中，有近7.4万个学术性团体,4.2万个行业性团体,5.1万个专业性团体和1万多个联合性团体。

在城市的街道和居委会以及乡镇的居委会和广阔的农村，以社团名义活动的组织数以百万计，它们当中的绝大多数一无章程，二无可靠的经费来源，三无固定的办公场所，不具备社团设立的基本条件，所以未将这些组织作为结社法律的调整对象。

第四节　社会转型期的民间组织

伴随着社会主义市场经济走向成熟而产生的社会转型，中国社会的多元化趋势为民间组织的发展提供了丰富的机会。以基层政权选举为代表的政治民主化正在稳步推进；自上而下的改革探索和自下而上的参与冲动，推动了中国的民间组织越来越多地介入到各种社会事务及其决策过程中，并在其中发挥越来越大的作用。同时，这也为民间组织的自身发展和变革带来了动力。

一、民间组织自主性的增强

根据民间组织产生的途径，本文将其区分两种类型的民间组织，即“自上而下民间组织”和“自下而上民间组织”。前者主要是指那些由政府扶植成立并直接或间接受到政府各种特殊的资助、支持以及控制或支配的民间组织，在它们开展活动和运营管理等许多方面，既得到来自政府的种种特殊照顾，又受到来自政府的支配和控制，它们主要的资源，包括资金、人才、信息等等，主要是通过自上而下的渠道获得的；后者主要是指那些由民间人士自发成立并自主开展活动的民间组织，它们通常与市民保持着密切的联系，其主要的资源，包括资金、信息、志愿者等等，主要是通过自下而上的渠道获得的，其中一部分来自普通民众，一部分来自国际社会的各种资助机构。

1、自上而下成立的民间组织自主性增强

上个世纪90年代中后期，中国自上而下的民间组织发生了新的变革。其中，变革幅度相对较大的是那些原本为了争取境外资助或便于与境外开展合作而由政府建立的民间组织。这些组织的领导人最初大多是政府的官员，领导人的职务也是由政府任命的。这些机构在成立之初往往是一套人马两块牌子，对外是民间组织的身份，对内则是政府机构的身份。随着与境外组织交流的日益频繁，民间组织的领导人获得对外交流与培训的机会日益增多，接触到许多国外的资助机构，并看到一些自下而上民间组织成功运作的范例，特别是组织在运作过程中逐渐产生了自己独立的利益。在“小政府、大社会”政策逐渐明晰化和政府机构改革不断深化以后，这些领导人开始对组织进行变革。由于这些机构在成立之时为了合作需要，大多在民政部门登记注册，有独立的法人资格，而且组织的资金来源不是政府拨款，因此很容易赢得组织独立的人事任免权、财权和决策权。再加上这些组织的领导人在国内外已经有了一定知名度，并且政府要依靠他们为地方争取到更多的资金援助，因此其做为民间组织的身份逐步由虚变实，而官方的身份便逐步由实到虚。

基金会是所有政府办民间组织中最具有独立基础和独立需求的组织。中国的基金会与发达国家的基金会并不完全相同，通常它们都是由政府自上而下建立的筹款机构，其资金来源较为广泛，既有政府间接的政策扶持，也有直接来源于公众、企业和境外的资金支持。同时，它们也利用募集的资金直接运作项目。由于资金方面的优势，基金会在财政方面对政府的依赖较小，因此在组织的项目活动和日常事务的决策方面有较大的自主性。然而，同样由于资金方面的原因，基金会的业务主管部门对基金会的控制相对也更严格一些。大多数基金会并没有人事自主权，组织的理事长、秘书长通常由业务主管部门委派，而组织的重大活动一般也需征得业务主管部门的同意。随着“小政府、大社会”政策逐渐明晰化，中国的基金会也有一定程度的变革，一些运作较好、资金较为充裕的基金会开始通过媒体的报道和扩大组织在国内外的知名度来谋求组织更大的自主性。

行业协会是近来变革呼声较高的一类民间组织。2002 年初，上海市提出了“要把推进政会分开作为发展、改革行业协会的重要切入点”、“政府有关职能部门要在机构、人事等方面与行业协会分开，行业协会办事机构不得与政府有关部门的工作机构合署。行业协会的领导经选举产生，一般由企业经营者担任。政府工作人员不得担任行业协会的领导职务”。而其他一些省市自治区也在积极探索行业协会的变革。改革的基本思路是实行政会分开，促进行业协会的自我服务、自我管理、自我发展。

中国自上而下产生的民间组织发生变革的原因主要有这样几个：

首先，变革的动力来自于政府自上而下的改革。长期以来，官办民间组织的机构臃肿、效率低下，相当一部分形同虚设，没有发挥任何实际的功效。为了扭转这种局面，同时也为了减轻政府的财政负担，政府在 20 世纪 90 年代初期提出了“政社分开”、“1985 年以后新建的各类社会组织均实行‘经费自筹、人员自聘、活动自定’”的方针。政府改革的方向十分明确，在此推动下，一些政府办民间组织开始探寻新的发展模式。

其次，实行社会主义市场经济和加入 WTO 也是政府办民间组织变革的又一推力。特别是入世以后与国际接轨的需要也推动了政府办民间组织自主性的增强。我国加入 WTO 后，对政府提出的是一种体制性的挑战。WTO 是以市场经济、公平贸易原则为基础的多边贸易体制，它用 WTO 的法律框架体系来约束成员国政府在经济活动中的行政职能和行政程序，政府只能做法律授权的事。因此，加入 WTO 以后，许多政府承担的管理和行政审批职能都要由行业协会等中介机构来履行，否则就有可能被视为行业保护。这一社会条件，为我国民间组织自主性作用的发挥提供了舞台。

这一时期，民间组织变革的原动力首先来自于政府职能的部分转移，组织职能变迁的结果是国家让渡了部分公共空间，这是政府办民间组织得以自主行动的基础；其次，实行市场经济以后，民间组织从社会、市场获取资源的可能性大幅度增加，这也吸引了部分有能力募集资金或通过服务收费的政府办民间组织的变革；最后，境外民间组织先进的管理模式与丰富的资源也是吸引政府办民间组织发生变革的原动力之一。

2、自下而上的民间组织大量涌现

上个世纪 90 年代中后期，中国民间组织一个显著的变化就是一批自下而上的自主性民间组织的兴起。

1992 年邓小平同志南巡谈话以后，中国开始全面推进社会主义市场经济体制的建立。在由计划经济向市场经济的转型过程中，政府特别是地方政府的财政重负，无力解决众多的社会问题，需要借助民间的力量提供更多的公共服务。随着社会主义市场经济体制的建立和改革的进一步深入，社会经济得到了飞速的发展，民间拥有的资源越来越多，民间自由活动的空间也越来越大；在这一时期，联合国体系增大对我国自下而上民间组织的资助力度外，发达国家的海外开发援助机构和国际金融组织也开始关注中国自下而上民间组织在援助项目中的作用，并为其提供了资金方面的支持；而中国高等教育的普及则为自下而上的民间组织提供了人才资源。

早期这些自下而上的民间组织主要集中在北京等地，活动领域集中在妇女、环保、扶贫等领域。而近年来，这类组织开始扩散到上海、天津、重庆等直辖市和河北、陕西、四川等许多省份的城市，甚至部分农村地区，活动领域也由传统的妇女、环保、扶贫等领域扩展到流动人口、艾滋病、法律援助、残障儿童、孤儿与罪犯子女的教养等各个领域。1989 年，全国民间组织只有 4446 家，2003 年底发展到 266612 家，年均增长 34%。其中，社会团体 14 年年均增长 28%，而民办非企业单位 2002 年复查登记时有 11212 家，2003 年已发展到 124491 家，增长很快。

二、民间组织能力和社会影响日益扩大

1、民间组织实力不断增强

这一时期中国民间组织的整体实力有了明显提高，具体表现在以下几个方面：

第一，由单一到多元。20 世纪 90 年代初，中国民间组织中运作得较为成功、有些实力与影响的组织可谓凤毛麟角。比较而言，中国青少年发展基金会算得上是自上而下、自下而上民间组织中的佼佼者。然而，1995 年之后，中国民间组织出现了群雄并起的局面。在自上而下的民间组织中，中国扶贫基金会、中国儿童少年基金会、中华慈善总会、中国人口福利基金会等组织迅速崛起，一些组织的年筹款额度已经由 1995 年前的不到 1000 万迅速增长到 5000 万以上；而自下而上的民间组织中一大批民间组织活跃于社会生活的各个领域。这种局面的形成与媒体的宣传和国内外成功民间组织的示范作用是分不开的。

第二，活动形式多样化。当前，民间组织之间沟通的形式主要有：会议的形式。例如妇女类民间组织每年举办一次全国性的性别与发展年会；另外学术研究机构也举办一些有关民间组织的会议，邀请各类民间组织参加。沙龙的形式。沙龙的形式也是各个民间组织进行交流的形式之一，例如成立于 1998 年 10 月的清华大学 NGO 研究中心，从 1998 年 10 月开始每月举办 2－3 次 NGO 学术沙龙，。网络形式，如基金会与非营利机构网络和清华大学的公益信息网为 NGO 提供了一个沟通与信息交流的平台等。

民间组织之间合作的形式主要有：一是同行之间的合作，二是跨领域民间组织之间的合作，三是自上而下民间组织与自下而上民间组织开展合作。例如，中华慈善总会与中国民促会等几家单位联合召开国际会议。例如，中国青少年发展基金会与“自然之友”合作的绿色学校项目等。

第三，组织能力不断提高。1995 年之后中国少数发展起来的民间组织，其组织能力的提高大致经过了两个阶段。第一阶段是从 1995 年后积极开展项目管理活动。第二阶段大约从 2000 年开始，民间组织由注重项目管理到注重组织的能力建设。近年来，中国针对民间组织管理人员的专业知识培训日益增多。既有长期的学位教育，也有短期的培训；既有大学举办的培训，也有一些中介机构举办的培训。这些新的动向意味着中国民间组织能力的提升和发展进入了一个新的阶段。此外，境外机构的推动对中国民间组织组织能力的提升也起到了一定的促进作用。近年来一些国际非政府公共部门和世界银行都非常关注中国民间组织的能力建设，并给予了大力资助。而中国民间组织之间的竞争，中国民间组织与某些境外民间组织之间的竞争也迫使一些民间组织不得不尽快提升组织的核心竞争能力。

第四，民间组织的领导人逐步年轻化。中国自下而上的民间组织中，领导人年龄普遍偏大，有的甚至在70岁左右，而30岁以下的领导人几乎没有。然而，近年来，中国涌现了一批非常年轻的民间组织领导人，他们具有较高的学历，年龄普遍在30岁以下，对这一事业充满热清，并富有创新与活力。这些新生代领导人有的以往在学生社团工作过，并或多或少参与过一些知名民间组织的活动。掌握较多的现代科学技术，特别是网络技术，有的甚至有社会工作专业的背景。

中国民间组织新生代的崛起与近年来中国学生社团的活跃是分不开的。这些学生社团不仅在校内开展活动，也参加一些知名民间组织开展的活动。这些学生通过参加民间组织的活动得到了锻炼、受到了熏陶，这为他们日后在民间组织从事管理工作奠定了基础。而近年来，中国就业形势的严峻也是一些年轻人选择民间组织事业的原因之一。

2、民间组织的社会影响日益扩大

1995年以前，中国人对民间组织的概念是非常陌生的，那时民间组织在社会上的影响极其有限，甚至学术界也鲜有人去研究。然而，1995年之后这一局面有了很大的改观。

首先，民间组织频频举办各类国际、国内会议，从宏观上营造民间组织发展的新环境。1999年7月清华大学首次举办“非营利部门与中国发展”国际会议后，中国每年举办的有关NGO的大型国际会议不下两次，而自上而下和自下而上民间组织举办的中小型国际会议或国内会议则不胜枚举。

2002年11月8日“民间组织发展和管理”上海国际研讨会隆重召开。会议吸引了240多位来自各地的国内民间组织行政管理干部、国内外专家学者、国内民间组织代表、国际组织代表参加。共收到来自美国、日本、澳大利亚、香港等国家和地区及国内应征论文110多篇。围绕民间组织法律比较、民间组织自律和他律、行业协会发展、民间组织制度创新等议题，中外专家做了专题演讲。此次会议，是第一次有中国政府主管部门组织，由中国政府官员、国外非营利组织杰出管理人士和著名非营利组织方面的专家学者参加的民间组织领域的国际研讨会。会议为我国与国际社会就民间组织及其管理问题，搭建了一个交流和对话的平台。

第二，通过各种渠道影响政府政策。近年来，民间组织对政府政策的影响有所增强。一些自上而下的民间组织通过业务主管部门，向有关政府部门提出建议，而一些自下而上的民间组织则往往通过媒体影响政府的政策。例如，1998年重庆市绿色志愿者联合会通过中央电视台对川西森林砍伐的报道，引起了中央高层的重视，最终使四川省紧急做出了全面禁伐天然林的决定。另外，自下而上民间组织影响政府决策的另一个途径是依靠组织领导人个人的身份和地位在每年的“两会”期间提出议案，或以民主党派的身份提出政策建议。目前，我国的一些政府部门也开始委托民间组织讨论相关的法律法规。

第三，通过媒体扩大民间组织的社会影响。在1995年之前，中国媒体对民间组织，特别是自下而上的民间组织报道较少，而1995年之后，媒体对民间组织的报道频率急剧增加。特别是一些发行量很大、很有影响的媒体频频报道民间组织及其开展的活动，《人民日报》甚至在头版头条对民间环保组织进行了报道。媒体对民间组织的报道对民间组织的帮助极大。一方面一些自下而上的民间组织通过媒体的频频报道而获得了社会合法性，获得了组织生存与发展所需要的志愿者资源、物资资源和其他资源；另一方面，媒体的报道为民间组织知识的普及和民间组织在中国的迅速扩展起到了推波助澜的作用。

第四，学术界和政府部门开始重视民间组织在社会经济发展中的作用与地位。1995 年之前，中国学术界对民间组织的研究相对较少，也没有专门研究机构和专门研究的学者。1995 年之后，不仅清华大学成立了专门的 NGO 研究所，北京大学、复旦大学、中山大学、中国人民大学也相继成立了类似的研究机构，NGO 也由冷门学科逐渐变成了热门学科，有关民间组织研究的书籍和论文也越来越丰富。而一些政府部门特别是在环保、扶贫、行业管理、社区建设等领域也开始重视民间组织的作用。

在民间组织方面，较早开展的研究主要有：社科院王颖等关于浙江萧山市社团的调研（1990 - 1993 年），英国学者 JudeHowell 等关于江苏南通市社团的调研（1991 - 1993 年），中科院康晓光关于希望工程的研究（1997 - 1999 年），社科院杨团关于天津鹤童老人院（1998 年）和上海罗山会馆（1999 - 2000 年）的评估研究，国家计委丁元竹关于志愿者组织的研究（1998 - 2000 年），日本国际交流中心（JCIE）毛受敏浩关于中国环境 NGO 的研究（1998 - 1999 年），中国发展简报 FongKu 和 NickYoung 关于在华外国 NGO 的调研（1998 - 1999 年）等。[59]

目前，中国国内关于民间组织研究的力量主要集中在北京。除了清华大学 NGO 研究中心以外，在中国社会科学院，1999 年底成立了社会政策研究中心，以该中心副主任扬团研究员为主，集中了一批研究者，主要以个案研究、评估研究为重点，在关于天津鹤童老人院、上海罗山会馆的评估研究、社区研究等方面发表了大量的论文和专著。在中国青少年发展基金会，几年前就成立了基金会研究委员会，以中国科学院研究员康晓光为主，以兼职形式将分散在北京大学、中国人民大学、中央党校等院所的研究人员集中起来，重点研究希望工程、市民社会以及相关的基础理论问题，1998 年他们以《第三部门研究丛书》为题出版了一套系列丛书。此外，北京师范大学 2000 年 4 月成立了社会发展与公共政策研究所，一批欧美留学归国的年轻学者开始在那里集中研究有关 NPO 和社会发展的问题。中国社团研究会组织国内有名的专家学者编撰的《中国社团发展史》，于 2001 年 11 月出版。

三、WTO 背景下行业协会的应对策略

中国加入 WTO 后，按照国际惯例和市场规则，民间组织将在很多领域取代政府与国际上一些组织和团体进行谈判和交涉，组织同行企业参与国际竞争。在 WTO 体制下，行业协会不仅可以承担许多国际贸易活动中必须但又不宜或难以由政府和单个企业直接承担的事务，而且在国家间的贸易争端和纠纷中可以发挥一种缓冲功能，帮助企业和政府利用 WTO 规则和争端解决机制，维护企业和国家的利益。

对外开放以来，我国出口产品在国外遭到反倾销的案件逐年增加，损失巨大。加入 WTO 后，在倾销与反倾销这个世界市场竞争的新角斗场中，贸易摩擦将会更激烈，行业协会在我国加入 WTO 后其中介职能将会得到进一步强化。2002 年 4 月，国家经贸委、国家统计局联合发出了《关于授予有关行业协会反倾销、反补贴、保障措施有关职能及委托有关工作的通知》，通知授予有关行业协会的职能有：负责协调本行业企业遭受国外反倾销、反补贴、保障措施调查的应诉工作；负责本行业产品出口价格的协调，维护出口秩序；参与本行业产业损害调查。委托有关行业协会的工作有：协助建立产业损害预警机制和进出口磋商机制，提出与本行业有关价格承诺的建议；收集、整理、研究本行业产品在国内外反倾销、反补贴、保障措施案例；报送应诉案件进展情况及最新动态；负责采集、分析和上报行业产品损害预警数据和动态情况；协助开展保护本行业安全的宣传、咨询及培训。

随着政府机构改革的不断深入和中国加入 WTO，社团组织的中介作用将更加重要，社团组织将

---

[59] 王名《中国的民间组织》2000 年

会承担下述一些新的中介职能：

（1）研究本行业及会员企业入世后面临的主要问题。

社团组织通过对问题的研究，向政府及会员企业、行业提出有关的建议和忠告，帮助政府了解和检查有关政策的合法性和加强宏观调控，提醒企业和行业加强对某些薄弱环节的注意，解决一些关键性问题。例如：

农业领域的各行业团体，面对WTO农业框架，在研究世界农产品市场、按国际市场需求积极引导农民种植新品种和组织出口、逐步减少成本投入、加快农产品流通体制改革进程、建立和完善科学的农业综合调控体系等方面都可以大有作为。

电信业的各行业团体，面对入世后外国电信资本进入中国市场的严峻挑战，从行业自身改革来说，可以在“政企分开，引入竞争”原则下，按照集约化经营的思路，研究电信政策的改革，研究管理体制的改革，积极推动行业重组，打破垄断，形成电信业大竞争的格局。从技术上说，面对外企所拥有的先进技术，可以积极推动新技术的应用，紧追世界电信业的先进水平。

加入WTO之后，我国文化产业发展将呈现出区域文化产业的竞争更加激烈、信息技术的迅猛发展带动文化产业结构的战略性调整、文化产业与其他产业资本和金融资本等新型产业融合、复合型高素质文化产业人才竞争日趋激烈等特点。此领域的社团可以在以下方面发挥自身的影响：构建既与WTO规则相适应又符合中国文化发展需要的产业政策系统；建立新的文化外贸制度，发展国际与国内两个市场；建立国家文化安全预警系统，加强文化安全立法；加强相关文化产业理论研究等。

与经济生活有直接关系的社会科学类的社团，可以在各自的相关领域发挥作用。例如，法学社团可以在经济法、国际商法、贸易仲裁等方面为我国的企业和外贸公司提供积极的帮助。人才学社团面对外国猎头公司的进入、外国大公司极度吸纳我国高科技和管理人才的挑战，可积极研究人才就业规律和应对政策，帮助有关方面致力于人才库的建立和运作。

哲学、历史学、文学、美术等方面的社团肩负双重担子。一方面，世界贸易自由的潮流将带来新一轮的外来文化冲击，相关社团可以在就如何科学正确地对待外来文化、在新形势下构建中华民族的文化做积极的探索。另一方面，文化也有现代化及其“接轨”的任务，因为任何一个学科，不仅具有民族性与本国特色，同时也应该具有世界性与相通的“文化语言”，这些社团可以在“接轨”问题的研究上做出自己的贡献。

（2）为企业开拓市场，尤其国际市场服务。

帮助行业内的企业开拓国际市场，扩大贸易是西方国家行业协会的重要任务。进入对方市场，无论是从举办展览开始，还是从组织考察市场开始，由行业协会组织同行业企业去进行将是事半功倍。日本企业到中国投标，一般都是行业组织进行内部协调后有备而来的。相比之下，目前我国的行业协会很多还只是停留在为企业扭亏增盈、内部改革、加强企业管理等方面。实际上这是企业自己的行为，不是行业中介组织的任务。行业协会的服务，应多做举办和参加国际展览，组织国际市场考察，为企业介绍合作伙伴，与国外行业协会建立合作关系，并组织企业进行国际研讨和交流，进行国际贸易中介服务等为企业开拓市场的服务工作。

（3）为提升行业的国际竞争力服务。

提升行业的国际竞争力，是发展中国家在国际市场竞争中的特殊任务。一是要掌握本行业国际市场信息、需求、资源、市场份额分配、技术水平、当地民族文化等等。要掌握已经占领的国际市场的外国企业的信息，组织国内本行业企业与国际同一行业进行对标，找出差距，让企业有针对性的缩小差距，提高竞争力，更广、更深地进入国际市场。二是要通过技术创新，提高行业技术水平。技术水平与知识产权是行业竞争力的关键。除了组织国内外同行企业进行技术交流外，行业协会还要成为联合攻关，企业与科研单位合作的中介。要组织企业制定与国际接轨的行业标准，用高标准引导企业提升竞争力。行业协会要有行业的认证机构，并与国外的认证机构建立固定关系，组织企业获得国外权威认证机构技术认证。三是要掌握WTO的各种规则，尤其是本行业国际贸易中的特殊规则，通过培训，使行业企业都能掌握这些规则，并协调和维护正常的竞争秩序。行业企业对外有序竞争，也是提升行业竞争力的重要手段。四是要不断研究行业的贸易政策，代表企业，向政府提出扩大市场份额的政策措施。

（4）研究行业的非关税壁垒，争取国际市场上的主动权。

世贸组织是一个制定国际贸易规则并致力于逐步消除国家之间贸易壁垒的组织。但是世界各国，包括最发达的国家，都在贸易保护主义的影响下，制定各种贸易壁垒，尤其是非关税壁垒。，针对这种形势，在国家制定通用的安全、环境等保护标准的同时，我国的行业协会也应该制定行业特殊的技术标准和技术规范；而且，行业协会要积极参与国际标准的制定，这是真正主动参与国际竞争和在国际竞争中真正取得主动权的重要环节。

（5）充分运用WTO争端解决机制，维护企业的合法权益。

从1979年至2001年，国外对我国反倾销立案将近500起，涉及30多个国家、4000多种产品，已给我国造成100多亿美元的损失，中国也因此成为国际上滥用反倾销手段进行贸易保护的最大受害者，国外反倾销也成为我国对外贸易发展的主要障碍之一。而同一时期我国针对国外产品的倾销所采取的反倾销案件的立案只有12起，已作出的裁决也只有7起，这方面的损失还无法估计。相比之下，我国的反倾销工作才刚刚开始。

无论反倾销的起诉还是应诉，单个企业的力量是单薄，必须组织起来。行业协会是行业企业的代表，必须担当这一重任，对于外国企业对我国的倾销行为，要组织起来进行反倾销起诉，对于外国企业对我国的反倾销起诉，要组织起来进行应诉，而且要及时地在进入反倾销起诉与应诉程序之前，进行协调，争取更大范围内保护我国企业的利益。由于倾销指的是以低于成本加合理费用、利润的价格在别国进行销售，所以，无论作为反倾销的起诉者或应诉者，行业协会都要掌握行业产品的成本构成和成本核算的信息和技巧，使自己的工作符合国际会计制度，经得起调查，这样才能打赢官司。

同时，行业协会要抓紧建立行业的预警机制，包括国内产品遭受国外产品进口冲击可能受到损害的监测，我国产品出口可能招致进口国采取反倾销、反补贴或保障措施的监测，尤其是对行业的重点产品以及重点国家、重点地区市场变化的监测、整理和分析，及时发布预警信息，实现行业保护工作的前置化，有效保护行业和企业的安全，代表企业向政府相关部门提出反倾销起诉。

（6）积极参与新一轮多边贸易谈判。

已经启动的新一轮多边贸易谈判，在某些领域，实质上是发展中国家与发达国家之间针锋相对的谈判，是发展中国家在世贸组织中、在世界贸易中争权利争地位的谈判。贸易谈判是政府之间的谈判，但能否接受对方提出的要求与条件，行业不同，产品不同，政府可以承诺的条件及向对方提出的要求可能是完全不同的。行业协会要在可以承受的条件与扩大出口要求方面，作为政府的后盾，从扩大出口与保护行业安全和企业合法权益的角度出发，积极参与谈判。

此外，行业协会应该管理或者争取管理市场准入，制定行业的严格的市场准入制度和市场准入标准。因为制定严格的市场准入制度和市场准入标准，可以使行业协会拥有这样的权利，即组织企业联合起来，运用经济办法制裁那些非法进入市场的不合格企业与产品，以保护合格企业、合格产品，从而也就保护了行业的利益。

综上所述，行业社团的进一步发展必须进行观念、制度、组织和职能的创新，这既有赖于政府部门的努力，把转变政府的运行方式作为矛盾的主要方面来解决，也有赖于行业协会的大胆改革和积极探索，下决心转变观念，由依赖政府、管理企业自觉转变到行业自律和为企业服务的轨道上来。

四、农村专业经济协会的崛起和发展

近年来，在我国广大农村，由农民自愿组织、自我管理、自行服务的新型民间组织——“农村专业经济协会”日益兴起。据不完全统计，全国已成立的各类农村专业经济协会达10万多个，涉及农、林、牧、副、渔等产业，涵盖农产品的生产、加工、销售和技术信息服务等诸多领域。农村专业经济协会以其瞄准市场、联接农商、受益农民的鲜明特性，深受广大农民的欢迎。农村专业经济协会为提高农民竞争能力，促进农村深化改革和农村经济体制创新发挥了重要作用，成为当前我国农村社会经济生活中的一支引人注目的新生力量。

党中央、国务院高度重视“三农”工作，把解决好农业、农村和农民问题作为全面建设小康社会的突出任务。从近几年的实践看，农村专业经济协会对农村发展的作用越来越明显，在推进全面建设小康社会的进程中，具有重要的作用。

1、农村专业经济协会是农民自发成立、自我服务的新型社会组织

改革开放以来，我国农村实行联产承包的经营体制，农民获得了生产经营的自主权，激发了生产积极性。但是，随着市场经济体制的逐步建立，我国农村这种千家万户分散的小生产方式，与竞争日益激烈的大市场的矛盾日益突出。约2亿左右农户由于各自分散经营，规模小、技术落后、信息不灵、抵御风险能力薄弱，在市场竞争中处于劣势。小生产的生产经营方式成为农业发展、农民增收的最大障碍。在这种情况下，一些地方从事同类产品生产经营的农户自愿联合组织起来，以增加成员收入为目的，在技术、信息、购销、加工、储运等环节实行自我管理、自我服务、自我发展。通过科技信息传递，提高农产品质量和产量；通过销售服务，提高农产品价值；通过加工服务，提高农产品的附加值。实践证明，农村专业经济协会使分散的生产经营者以一个整体进入市场，参与竞争，降低了生产成本，实现规模效益，提高了竞争力，满足了农民致富奔小康的强烈愿望，代表了农民的切身利益，解决了一家一户想办而办不成、办不好的事情，农村专业经济协会民办、民管、民受益，其作用是任何行政手段不能代替，是对农村社会组织和生产关系的创新，是真正属于农民自己的组织。如2004年广西全区农村专业经济协会农产品销售量达47亿元，会员年人均增收348元，还辐射带动了40万农户年人均增收136元。山东省一些地方农村专业经济协会吸纳的农户已达当地农户50%以上，如莱州市各类农村专业经济协会吸纳17万农户，转移农村劳动力25万人，农民人均收入达到4240元。

2、农村专业经济协会是推动农村经济发展的新途径

我国12亿多人口，8左右亿为农民，约为全国人口的68%，这是我国最大的国情。农业是国民经济的基础，没有农民的小康，就没有全国人民的小康。农村经济的发展和农民生活水平的提高，是我国全面建设小康社会，实现以人为本，全面、协调、可持续的发展的关键所在。党中央、国务院十分重视农业、农村和农民问题，以胡锦涛为总书记的新一届中央领导集体，提出了坚持以人为本，全面、协调、可持续的科学发展观，并强调按照“五个统筹”的要求推进改革和开放，要求把发展各类农村经济组织作为深化农村改革、不断完善农民增收体制和机制的重要措施。统筹城乡发展，很重要的一点就是要在市场经济体制框架下，寻找解决“三农”问题的有效办法。我国农业入市难，农民增收难，始终是困扰农村经济发展的核心难题。只有通过调整农业产业结构，优化生产要素，发展效益农业，提高农民的组织化和生产规模化程度，才能逐步把农业经济链做大，促进“三农”的发展。农村专业经济协会以农户为市场主体，把市场主体和市场需求联接起来，实现了农村经营体制的创新，对农村经济发展产生重要影响。据北京市的调查统计，有87%的农户认为加入协会增加了收

人，会员年收入增加500元以下的为15%；500－1000元的为30%；1000－2000元的为21%；2000元以上的为21%。农民一致赞扬成立协会是为农村办了一件好事，在完善农村社会化服务、增加农民收人、加快农村发展上大有作为，是农民致富、农业发展、农村繁荣的好形式。

3、农村专业经济协会是应对入世提高农产品国际竞争力的新举措

加人WTO使我国农业融入了世界市场体系，农业面临前所未有的机遇和挑战。如何适应新的形势，扩大农产品的国际市场占有份额，增加农民收人，提高农业国际竞争力对我国国民经济的全局至关重要。

目前，我国农业人口占世界农业人口的1/4左右，我国有许多重要大宗农产品，如粮食、棉花、蔬菜、水果等产量均居世界第一位，但农产品外贸总额仅占世界农产品外贸总额的3.5%，占全国外贸总量的1/10左右。我国加人WTO后，国外农产品及其制成品大量进人国内市场，竞争越来越激烈。随着入世协议的进一步实施，外国农业协会纷纷进入我国，这些协会以民间的身份为本国会员开拓市场，搜集和传送中国市场信息，代表农产品行业参加贸易谈判，制定本国贸易壁垒政策等，充当了国际贸易的领军人。

国际农产品贸易市场的通行规则是民间组织在前台，政府在很多方面不能直接参加和干预。我国农产品有劳动力价格低、资源多样化、空间范围广阔的优势，要与国外在竞争中保护我国农民的利益，抢占制高点，就必须与国际通行机制接轨，培养自己的民间组织，使它们走向国际贸易平台，代表和维护农民利益，参与国际市场竞争，从而把我国的农业市场做强、做大。近几年在农村专业经济协会产生较早、发育成熟的浙江、山东等地的一些农村专业经济协会，就成功地参与打破国际贸易壁垒、解决国际贸易争端的工作。由于以民间的身份平等地与国外农产品行业组织谈判，起到了政府所起不到的独特作用，如山东省青岛市农村专业经济协会的新产品远销世界30多个国家和地区；烟台莱西市石材行业协会举办的国际石材展览会，有26个国家和地区，3000多客商参加，贸易额25亿元。

4、农村专业经济协会是促进农村社会发展的新形式

实现农村全面发展，不仅需要生产规模和经营水平的提高，而且需要农村社会机制、社会观念及生活方式的全面提升。在这个意义上，农村专业经济协会不仅为农民进人市场提供了一个新渠道，为农村和农业的发展提供了一个新的市场主体，提高了农民的物质生活，也深刻地影响着农村的文化、社会乃至政治生活等各个方面。各地实践充分表明，农村专业经济协会通过各种活动，在广大农民中传播了科学技术，推广了民主意识，促进了农村就业，完善了农村社会化服务体系，使农民在自我服务。平等合作、相互帮助中提高了诚信意识、竞争意识和市场观念，对提高农民的整体素质，缩小城乡差距，推进农村民主建设都产生了深远的影响，对建立新型农村社会管理秩序，改善农村社会结构，推动农业科技、教育、文化等事业的进一步发展，维护社会稳定，巩固基层政权，促进农村精神文明建设和城乡协调发展具有重要意义。

在看到农村专业经济协会取得很大发展的同时，也应当看到，我国农村专业经济协会还处在发展的初始阶段，还受到很多矛盾和困难的制约。从协会的自身能力看：有的组织松散，规模偏小，凝聚力不强，活力不足；有的没有领头能人，缺少活动场所；有的没有建立必要的内部管理制度，决策由少数人做主，民主议事、民主决策的水平不高，自我管理、自我发展能力不强。从协会发展的外部条件看：立法工作滞后，现有法律制度不能很好地适应农民办协会的实际需求，扶持政策不完善、不统一；基层民政部门力量弱，人员、经费、手段不足，管理工作跟不上；有的地方存在认识不高，重视不够或行政色彩较浓，对协会行政干预过多。这些问题应引起重视，并采取切实有效措施加以解决。

五、民办非企业单位的蓬勃兴起

改革开放以来，随着社会主义市场经济体制的建立和完善，作为一种新的社会组织形式，我国的民办非企业单位蓬勃发展，在社会经济、文化、教育、体育、卫生、环保、社会福利等方面发挥着越来越重要的作用。民办非企业单位的迅速发展成为了90年代中期以来具有划时代性的事件。

民办非企业单位就是指企事业单位、社会团体、其他社会力量以及公民个人利用非国有资产举办的从事各类非营利性社会服务活动的社会组织。随着市场经济的迅猛发展，公民个人以及其他社会力量投资兴办学校、医疗机构、社会福利机构、研究机构等非营利性社会服务组织的积极性迅速高涨。据统计，目前全国各种形式的民办非企业单位总数达到12.4万多个。

（一）民办非企业单位的数量分析

1、1996年前民办非企业单位的情况

1996年前，我国民办非企业单位叫“民办事业单位”，主要是由编制部门进行登记管理。按照编制部门提供的情况，全国的民办非企业单位大概有70万家。1996年，中央从完善我国社会组织管理格局的角度出发，将“民办事业单位”改称为民办非企业单位，把民办非企业单位交由民政部门进行统一归口登记。民政部门摸底调研以后，认为70万家的数字可信。如山东省当时的摸底数字就有5万多家。

2、近年全国登记情况及其分布特点

从2000年开始，民政部门对民办非企业单位进行了复查登记工作。自2001年以来，民政部民间组织管理局对全国民办非企业单位的登记数字进行了三次统计，2001年年底为8万余家，2002年5月底为9.6万余家,2004年年底,已达到12.4万余家。在登记的12.4万个民办非企业单位中，其中教育类62776万个，卫生类26795万个，劳动类9037个，民政类7792个，科技类4522个，文化类2811个，体育类2682个，社会中介服务业1777个，法律服务业728个，其他5571个。可以看出，我国的民办非企业单位和世界上多数国家一样，是以教育、卫生类为主的发展模式。

3、摸底数字和登记数字差距较大的原因分析

摸底调研的70万家与目前登记的12.4万家，存在较大的差距。其原因主要有以下几个方面：一是在复查登记过程中，民政部门抱着慎重初战、严格要求的态度，制定了较为严格的审查标准，使一部分民办非企业单位暂时未被纳入此次复查登记的范畴；二是很长一段时间以来，国务院一直在研究制定关于农村卫生医疗机构改革的配套文件，在指导性意见未出台的情况下，民政部门暂时未将农村卫生医疗机构纳入民办非企业单位复查登记的范畴。据出台的《中共中央国务院关于进一步加强农村卫生工作的决定》的基本精神，乡以下的卫生医疗机构基本上按非营利组织对待，仅在沿海地区存在少量的营利性医疗机构，大量的农村卫生医疗机构将纳入民办非企业单位的登记范畴，要进行登记的农村卫生类民办非企业单位将会大大增加（根据卫生部提供的数字，全国共有48090个乡镇卫生院，设置医疗点的村有637084个）；三是由于定位不清及与教育部门尚未完全达成共识，全国的村办小学尚未纳入民办非企业单位的登记范畴，而这在当时调研的数字中，占了很大比例；四是1996年民办非企业单位摸底时的合伙律师事务所、社会团体办的报刊等，依据有关规定，已不再属于民办非企业单位的登记范畴。

4、全国实有民办非企业单位的数量估算

尽管目前民办非企业单位登记数字只有12.4万余家，但民办非企业单位的实际数量要远远大于这个数字。一个地区的发育程度与该地区的社会整体发展程度相关，特别是与该地区的经济发达程度、人口数量密切相关。因此，试以山东为标准，以经济发达程度和人口为主要参照系，以卫生类、教育类民办非企业单位的数量为主，做一简单的分析。

山东省是全国民办非企业单位登记数量最多的地区。主要原因是山东部分地区先行试点，对农村

卫生医疗机构和村办小学进行了登记。截至 2002 年 5 月，山东共登记民办非企业单位 2.9 万家,其中卫生类 1.3 万家,教育类 1.1 万家，两类登记数字之和占山东省登记总数的 80% 以上。

表一　　部分省市民办非企业单位登记数字与人口总数对比表

	总人口数(万人)	登记总数(个)	教育类(个)	卫生类(个)
全国	126583	96338	52315	24041
山东	9079	29147	11107	13689
广东	8642	6057	4831	50
江苏	7438	3781	2003	522
浙江	4677	7422	6169	212
辽宁	4238	2056	1294	62
福建	3471	1009	620	30
上海	1674	2426	1674	53
北京	1382	1070	891	3
天津	1001	1125	659	11

（注:①表中民办非企业单位的统计数字为截至 2002 年 5 月底的数字

②表中人口数据来源于国家统计局 2000 年第五次全国人口普查公报）

从一定意义上讲,广东、江苏、浙江、辽宁、福建、北京、上海、天津等地的社会经济发展水平与山东基本相同,处于同一层次。因此,它们的民办卫生医疗机构、民办学校的数量与人口的比例,也应该与山东基本一致。由此可知,广东和江苏两省人口与山东相差不多,登记数字应当可分别增加 2 – 3 万家;浙江、辽宁和福建三省人口数量相当于山东省的 1/2 或 1/3,其登记数字应可分别增加 1 – 2 万家;上海、北京和天津,由于农村人口较少,预计将分别增加 1000 家左右。保守估算,表一所列的 9 个属东部发达地区的省市,其民办非企业单位登记数字将总共增长 10 万家左右。

而属于西部经济不发达地区云南、贵州、宁夏、青海、新疆、西藏、陕西、甘肃等八个省、自治区,其现有的登记数字之和为 5298 个,预计待教育类和卫生类全部纳入民办非企业单位登记后,将至少增加 10000 个。

除去上述的 9 个东部经济发达地区和 8 个西部不发达地区,还剩下 14 个属于中部经济较发达地区的省市,若按每个省市平均增加 5000 家估算,则登记数字将上涨 7 万家。

因此,按照上述统计分析估算,社会上还存在应当进行登记的民办非企业单位近 20 万家,加上已登记的 10 万余家和其他暂未登记的民办非企业单位,特别是一些涉外民办非企业单位(如中外合作办学机构、中外合作医疗机构等),也将纳入民办非企业单位的登记管理,民办非企业单位发展空间将愈来愈大,数量也愈来愈多。总的看,我国的民办非企业单位应当在 30 – 40 万家。

（二）涉外民办非企业单位的现状

随着我国社会主义市场经济体制的不断完善和对外开放的扩大，特别是我国加入世贸组织后，要求进行民办非企业单位登记的各类涉外民办非企业单位越来越多。由于《民办非企业单位登记管理暂行条例》没有涉外民办非企业单位登记管理的相关规定，涉外民办非企业单位的登记管理工作无法可依。据对十余省市的调查，涉外民办非企业单位总体情况是数量不多，规模不大，发展不平衡。但它涉及的领域较宽，政策性较强，情况复杂，规范管理的协调难度较大。所以，要规范涉外民办非企业单位的登记管理，明确其合法地位，进一步促进其健康发展，制定涉外民办非企业单位登记管理的法律法规是当务之急。

1、涉外民办非企业单位的产生和发展

涉外民办非企业单位，是指举办者涉及外国人、外国非政府组织及其驻华机构的民办非企业单位。其涉外性质的界定是缘于举办者而并非其活动领域或资金来源。

涉外民办非企业单位是伴随我国经济体制改革的深入和社会对外开放的扩大而产生并逐渐发展起来的一种社会民间组织。80年代初期，党的工作重点转移到现代化经济建设，由计划经济逐步向有计划商品经济、向社会主义市场经济过渡。由于商品经济的发展，市场机制作用逐渐显现，企业需要寻求合理竞争，并希望获得进一步发展所必需的新产品、新技术的信息，于是一些为企业提供信息、咨询服务业务的民办非企业单位开始出现。到90年代后，党的十四大提出，我国经济体制改革的目标是建立社会市场经济体制，以利于进一步解放和发展社会生产力。伴随我国经济体制在理论上的这一历史性突破和社会对外开放的扩大，涉外民办非企业单位也进入了一个新阶段，特别是经济发展较快的东南沿海地区，一些涉外的民办非企业单位迅速出现。党的十五大进一步明确提出，坚持公有制为主体，多种所有制经济共同发展，是我国社会主义初级阶段的一项基本经济制度，要培育和发展社会中介组织。理论上的突破，改革开放的深入，社会主义市场经济体制的不断完善，为涉外民办非企业单位的发展创造了有利条件。

2、涉外民办非企业单位的分布及其作用

据对北京、上海、天津、重庆、浙江、广东、湖南、山东、吉林、福建等十多个省（自治区、直辖市）调研和从教育、文化、卫生等有关部委了解的情况看，涉外民办非企业单位的分布有如下两个特点。

一是从行业分析，涉外民办非企业单位主要分布在教育、文化、卫生领域，也有部分分布在民政、劳动、科技等领域。特别是教育类涉外民办非企业单位，数量最多，如北京有中外合作办学98所，上海有161所。近年来，在民政行业也兴办了一些涉外婚介机构和中外合作举办的养老院等。从地域上比较，涉外民办非企业单位主要分布在一些大中城市和对外开放较早、经济发展较快的东南沿海或其他一些延边地区。除北京、天津、上海、杭州、广州等大中城市的涉外民办非企业单位已具一定规模外，在深圳、大连、青岛以及吉林、福建、浙江、云南等省的一些地方，一些中外合作办学、办医、办社会福利等涉外民办非企业单位也正在迅速发展。

涉外民办非企业单位是社会主义市场经济发展的产物，随着社会主义市场经济体制的逐步完善，已经在社会生活中占居了其他社会组织难以替代的社会地位。在我国社会、经济、科技、文化发展以及对外交往中发挥了越来越重要的作用。一些涉外民办非企业单位带来了国外非政府组织中一些先进的运作理念和活动经验，在一定意义上，促进了我国民间组织的发育及成长。

涉外的民办学校、医院、科研和社会福利机构，对我国社会经济、公益事业、繁荣市场、活跃文化、方便群众生活、培养人才等方面起到了积极的作用。特别是近几年迅速发展起来的中外合作办学机构，采取对外交流与合作的形式，融入国外先进的教育理念、借鉴国外教学管理和教学方法、提高办学水平，探索各类人才培养途径，促进了我国教育事业的多元化发展。如上海市为了适应社会发展的需要，开展中

外合作办学,先后成立了中欧国际工商学院、上海大学悉尼工商学院、中国纺织大学拉萨尔服装学院,上海法语培训中心、上海浦东继续教育中心等教育机构,还与美国、日本、新加坡等国家合作建立了10多所中外合办的二级学院。在校就读的各类学生数万人。这不仅拓宽了上海教育筹集资金的渠道,而且还为上海引进了国外先进的办学模式,课程教材与管理经验,培养了一批擅长与国际竞争的经营管理人才,大大地满足了目前紧缺的一些专业和高层次的复合型、外向型人才。

涉外民办非企业单位的组织形式灵活超脱,他们同海外、国外的民间往来,扩大了民间国际交往渠道,在一定意义上增加了我国人民同世界各国人民的相互了解,加快了我国改革开放的步伐。特别是有些涉外民办非企业单位,积极参与环境保护的国际合作,参与不同国家文化、体育方面的交流以及留学生的互派等活动,对加强国际民间合作起到了积极的推动作用。

3、涉外民办非企业单位在发展中存在的主要问题

涉外民办非企业单位在其发展过程中,无论从自律机制或审批和登记管理工作,都还存在一些问题。

从涉外民办非企业单位自身来看,一些涉外民办非企业单位法律意识淡薄。不少涉外民办非企业单位未经批准,擅自成立并开展活动。部分涉外民办非企业单位超出规定的活动范围开展活动。许多涉外民办非企业单位自身管理薄弱,有的是管理和工作人员频繁更换,有的是内部财务管理漏洞百出。

从对涉外民办非企业单位的审批和登记管理工作来看,首先是法制不健全。有些单位根据社会和经济发展的实际,审批设立了相关的涉外民办非企业单位,一些部门还按照行业发展规划制定了一些规章,对规范涉外民办非企业单位的活动起到了一定的积极作用。但是,涉外民办非企业单位的审批和登记管理工作,整体而言,至今尚无成型或配套的法律法规,在一定程度上,限制了部分行业涉外民办非企业单位的发展。目前,除在教育行业国务院颁布了《中外合作办学条例》以外,其他行业基本上没有类似的法规。其次是管理体制不顺,政府部门之间缺乏协调,对涉外民办非企业单位的审批与管理工作严重脱节,没有形成统一归口登记管理,缺乏系统有效的科学管理体系。有些部门对所属行业涉外民办非企业单位自行审批,盲目发展。有的是只批不管或管理不规范,如有的涉外民办非企业单位的拿到了批准书,也活动了好几年,但在单位章程或双边合作协议都没有。

因此,规范涉外民办非企业单位的登记管理,明确其合法地位,进一步促进其健康发展,制定涉外民办非企业单位登记管理的法律法规是当务之急。

六、我国基金会发展现状[60]

最近20余年来,我国基金会基本上呈现不断发展的状态。基金会从事公益事业的范围涉及教育、科技、医药、卫生、艺术、扶贫、环保、保护弱势群体等领域,在募集社会资金、满足公益需要、启沃慈善意识、推动社会力量参与公益、促进社会协调发展等方面,发挥了不可忽视的作用,成为中国民间组织最具活力和能动性的部分之一。根据民政部门的统计,截至2004年初,我国实有基金会约1200个,其中全国性基金会共有83家。

(一)基金会的分类

改革开放后我国出现了二种不同类型的基金会,即所谓官办的国家基金会和民办的民间基金会这两种基金会类型。其根本区别在于基金的来源不同、管理体制不同及运作和工作模式不同,因而其在社会上所起的作用和所处的地位也不同。但是,所谓“官办”和“民办”是两种极端情况,官民之间有时相

---

[60] 商玉生,我国基金会的现状及体制分析,中国青基会通讯(内部刊物),2003,第8期
杨红良2004年《我国基金会制度研究》

互渗透、融合、补充。实际上,特别是在我国的社会转型和改革时期,官民之间的严格界线有时也很难划分,而且还存在官民之间的相互转换,特别是由官办向民办的转换过程。

1、民间基金会

民间基金会是按国务院《基金会管理办法》规范的一类社会团体,是对社会捐赠资产进行管理的非营利性民间公益机构。民间基金会在我国可以说是泊来品。在大陆解放后的30年间几乎处于空白阶段,改革开放政策为官方基金会,也为民间基金会的发展开启了大门。这些民间基金会形成了一个分布在中央和地方以及各个社会领域的社会公益组织,为中国的改革开放,市场经济体制建立以及政府体制改革,以及社会发展作出了自己的贡献。

由于中国的民间基金会产生于中国的政治、经济体制之下,是在中国法律和行政管理体制之下生存、发展的,因而决定中国民间基金会在管理体制上的特点,形成了不同类型和管理模式的民间基金会现状。

(1)官办民助型基金会

"官办"和"民助"以顺序可以不同组成官办民助型基金会和民助官办型基金会二种形式。这二种形式的基金会,都是官办,但程度不同。官办放在前面,更强调这基金会的官办性质、或者其官办色彩更浓厚;而把官办放在民助后面,是强调其官办的色彩比前者淡一些。

比如:宋庆龄基金会可列为官办民助基金会之典型。

首先其官办性质非常突出、明显。其建立本身就是相当程度的政府行为,属副部级单位,其行政事业经费仍然每年由国家财政拨款,其领导人是政府官员、是由政府任命的。工作人员是公务员待遇。这些同国家科学基金会并无多大差别。但该基金会要开展业务活动,其经费还是要靠社会上的资助和募集,包括从海外获得资助,因此"民助"也是该基金会不可缺少的部分。

另外一个例子是中华农业科教基金会,可以列为民助官办之列。之所以把民助居前是因为这个基金会的所有资金还是靠社会募捐或赞助得到的,利用这笔基金作为本金并加以运作,用其收益开展本会宗旨规定的活动。但这个基金会基本上是农业部下属的一个事业单位,是官办的民间基金会,基金会本身没有自主决策权利。1998年成立的中国戒毒基金会等,可许可以划此列。

(2)民办官助型基金会

这里所说的官助型的"民办"基金会,官助的程度各有不同,"民办"程度也有很大区别。所谓"民办",主要是指这些基金会的运作、管理及工作模式还是由基金会本身决定,基金会还是由民间在办;但其原始基金的全部、大部或一部分来自政府有关部门的一次性投入或者通过政府行政手段所进行的筹集。如中华文学基金会,中国京剧发展基金会等其原始本金是由国家一次性投入,但在成立之后的运作过程中,还是采用民间基金会模式运作的。

中华环境保护基金会可以划分为民办官助型基金会,该基金会的原始基金是由曲格平先生捐赠的,又在国内环保组织内通过行政手段募集基金,但该基金会本身的运作还是民办。

(3)"纯"民办基金会

说的中国民办基金会,并非排除官助,并不排除官方在经费上的支持。另外,由于中国的基金会管理体制决定任何基金会,包括民办和官办,都脱离不了"官方"的领导,即业务主管部门的领导。因而,这里民办的概念也是相对而言。严格来说,在中国并不存在所谓纯的民办基金会。这里所谓的纯民办基金会,主要是指从基金会的组建、基金来源渠道、基金会领导人产生及工作方式都是按民间基金会方式进行的,这些较少直接官方干预。

我国一些名人基金会是这种类型。如吴作人国际美术基金会、李可染艺术基金会、周培源基金会、吴阶平基金会等其原始基金的建立是由捐赠人捐赠或通过社会募集,而在其工作中,由独立的董事会或

（理事会）领导，其资助和工作方向是由捐赠人界定或理事会决定的。

中国青少年发展基金会，虽然有团中央的支持，但从其资金的筹集和工作模式上看，应该属于这类。

中国科技界最大的民间基金会——中国科学技术发展基金会是由科协创办的，由科协作为业务主管部门，但其经费来源是由会员单位汇集或社会募集的，基金会工作是独立进行的。也应属民办基金会。

振兴中华科学教育基金会是由海外华人投资设立的并按捐赠者意见开展工作，由独立的理事会领导，亦是这种类型。

另外，如南京爱德基金会、上海建国公益基金会等。

（4）公司型基金会

国外这种公司型基金会非常普遍，主要是因为国家政策对公司从事社会公益事业的支持，一方面满足日益增长的社会需求，另一方面也满足一些有善心回报社会的企业家的心愿。随着经济发展和国家政策的调整，我国公司型基金会会有一定的发展空间和机会。目前，我国正式注册为基金会的公司型基金会非常少。如北京国际艺苑美术基金会、香港光华公益基金会等。如按上述把基金会分为民办和官办两大类的区分法，公司型基金会当属民办基金会之列。

（5）名人基金会

以人名设立的基金会很多带有纪念性质或利用名人效应，如宋庆龄基金会，开始是以“纪念国家主席宋庆龄基金会”为名设立的，后来改为此名；又如孔子基金会、周培源基金会、吴阶平基金会、吴作人基金会等是以名人效应。其实所谓名人基金会的“名人”是相对的，名人有世界名人，有国家民族公认的名人，也有某一领域、某一行业、某一学科、某一方面、某一地区的名人，也有一些人出巨资设立以他个人名字命名的基金会，虽然本人名气不大，通过设立基金会而扬名，也不过份。所以名人基金会或人名基金会将是今后基金会发展中不可避免的现象，尤其在遗产税法等有关政策的引导下，这种基金会的设立是不可避免的，不仅不应该抑制，而且应该适当鼓励。关键是在管理上要作到该管的管好管住，不该管的不管，发挥基金会自身的作用，发挥社会中介和媒界的监督作用。当然，名人基金会也有官办、民办之分。

2、海外基金会

在中国境内活跃着一大批在海外注册的基金会，他们以各种方式活动着。如在中国境内设立代表处，以美国福特基金会为代表。美国福特基金会是美国排名第二的大型独立的私人基金会，在世界设有14个代表处，福特基金会中国代表处（由工商部门登记）是1988年设立的。其他在中国设立办事机构的，还有美国亚洲基金会、瑞典自然基金会等。

另外有一些在香港登记注册的基金会，其资助项目在境内开展，如香港求是基金会，何利何梁基金会，霍英东教育基金会，蒋震公益慈善基金会，光华公益基金会等。他们在国内有关部门或单位的合作下开展赞助和社会公益事业。还有一些海外基金会，对中国有项目资助，申请人可以直接同他们联系，提出申请。

从上述各类基金会的分析表明，我国基金会形态和状况呈现多样化。这是我国基金会事业在发展阶段不可避免的现象。

从社会发展趋势来看，有些基金会存在如何从官办到民办的转化和发展过程；这一过程的进展速度主要取决于政府政策的导向。正因如此，中国政府在以往基金会事业发展的实践上，以及在中国社会对发展基金会的需求和实际经济能力所做评估的基础上用《基金会管理条例》作出了新的调整，明确提出了“公募”和“非公募”两种类型的基金会。旨在鼓励民间资金积极参与基金会事业。在新的条例实施后，中国基金会的发展将大有前景。

（二）基金会存在的主要问题

1、数量偏少

我国的基金会在民间组织当中所占的比重相当小。根据民政部门的统计，截至2004年，我国实有社团数为14.2万多个，民办非企业单位12.4万多个，而基金会仅1200个。从基金会与人口数量的比例来看，我国的基金会数量就显得更少。比如，基金会组织发达的美国2000年已有各类基金会56600个。[61] 我国台湾地区2002年11月共有基金会3014个[62]。

2、资金不足

基金会拥有的可使用资金数量，直接决定了基金会公益能力的大小。从目前的情况看，我国基金会的资金拥有量一直处在与应办公益事业极不相称的状态。全国现有的基金会除了个别运转尚属理想外，资金缺乏已经是普遍现象。据2002年的不完全统计，当时80家全国性基金会基金拥有总量仅近30亿元人民币[63]。民政部对52家全国性基金会1999年6月末的资产状况进行了分析，发现48%的基金会的资产规模在人民币1000万元以下，38.5%的资产规模在1000万元到1亿元之间，只有13.5%的基金会资产规模超过1亿元。而地方性的基金会除了少数发达地区的外，基金更加贫乏，将近40%的地方性基金会的基金未能达到当时《基金会管理办法》规定设立基金会的资金底线210万元人民币的标准，如果按照新颁布的《条例》所制定的设立标准衡量，许多基金会拥有资产离原始基金底线的差距就更大了。如，据黑龙江省民政厅民间组织管理局有关领导2003年的介绍，当时黑龙江省的基金会中，能筹集到几十万资金的只是少数，大部分只能依靠注册资金维持。[64]

3、能力不强

我国的基金会在履行公益使命时往往不能适应社会化、制度化、国际化的要求，许多基金会面向社会独立筹资的能力有限，于是只能借助政府或上级部门的行政性指令募集到少量资金，在设计公益事业项目、开展公益资助方面，许多基金会的活动也只能停留在一般慈善性的水平上，而很少能在吃透社会问题根源的基础上，展开“科学的公益事业”。我国基金会能力不足的原因很多，而长期受政府的“呵护”，没有独立发展导致的基金会人员结构不合理和公益观念陈旧是主要原因。我国许多基金会是作为政府部门下设的事业单位存在的，所以其成员往往以从国家机关岗位上退下来的人员为主，不仅年龄偏大、学历偏低，而且职业的专业性也不强。这也导致了基金会职工队伍中行政化倾向普遍较强，公共管理和服务意识不够，开展公益活动中国际性、开放性程度不高等诸多弊病。

七、公益事业的重要力量——民间组织

随着市场竞争的进一步加剧，由利益调整造成的社会矛盾更加突出，在某些方面还会有激化的可能，比如下岗职工问题、贫困人群的生存问题、农业和农村问题等等。这些问题仅仅依靠政府来解决是远远不够的，因此，这为公益民间组织作用发挥提供了空间。这些公益组织广泛动员社会力量，调动社会各方面的积极性，包括与国外的非政府组织进行合作，以提供资金、技术和信息等方式，实施社会援助，帮助困难人群，缓解社会矛盾，在政府、企业和个人之间建立起沟通和对话机制，起到上令下传和下情上达的作用。本文只要对扶贫领域和环保领域的民间进行介绍。

（一）扶贫领域的民间组织

---

[61] 朱卫国，基金会管理条例评析，http：//www. inalaw. gov. cn，2004年4月1日

[62] 台湾基金会现状调查，http：//www. npo. org. cn，2004年4月25日

[63] 民政部副部长姜力就《条例》答问，http：//finance. sina. com. cn，2004年3月20日

[64] 中国基金会有望维新　管理无章可循导致目前困境，http：//finance. sina. com. cn，2003年8月31日

20世纪70年代末期，中国开始农村经济体制改革，并逐步推行市场经济和实施一系列扶贫计划。但在扶贫工作的初期，往往只强调政府的主宰作用，在如何鼓励和推动中国扶贫领域民间组织发展的政策方面，未能在一些重要扶贫文件中提及。直到1994年，随着中国社会主义市场经济体制的逐步确立，政府主导的扶贫功效逐步弱化的背景下，在“八．七扶贫攻坚计划”中提出要充分发挥中国扶贫基金会和其他各类民间组织扶贫团体的作用，积极开展同扶贫有关的国际组织、区域组织、政府和非政府组织的交流。在2001年出台的中国政府21世纪初的扶贫纲要强调了扶贫工作的长期性、艰巨性和复杂性，强调新世纪的扶贫要由政府主导，社会参与。该纲要第一次提出要积极创造条件，引导民间组织参与和执行政府扶贫开发项目，规范项目管理，创新扶贫模式，提升扶贫资源的使用效率。

早在80年代中期，一批新兴的民间组织开始从事扶贫活动。90年代中期以来，在“八·七扶贫攻坚计划”的推动下，国内各种类型的民间组织，如中国扶贫基金会、中国青少年发展基金会、中华慈善总会、中国民间组织合作促进会、中国人口福利基金会、中国光彩事业促进会、中国妇女发展基金会、中国儿童少年基金会、爱德基金会等进入扶贫领域。其中：

成立于1989年的中国扶贫基金会，以扶助乡村贫困人口摆脱贫困为宗旨。截止2000年，累计募集扶贫资金和物资5亿多元，其中2000年总收入为3206.9万元,全年扶贫项目总收入达5423.385万元,受益人口为6.5万余户计21.7万人。

成立于1994年的中华慈善总会，是一个面向城乡弱势群体并以扶贫济困为己任的综合性慈善机构。截止到2001年底，共募集到款物9.8亿元,其中善款5.4亿元,物资折合人民币4.4亿元。

成立于1995年的中国光彩事业促进会，以民营企业家为主，主要开展投资式扶贫来配合政府实施扶贫战略。截止到2000年，全国参与光彩事业项目的民营企业家超过3200人，实施项目3160个，到位资金逾141亿元，培训人员77万人，安排就业90万人，扶助231万贫困人口解决了温饱问题，捐资办学及实施其他公益事业达25亿元。

成立于1989年的中国青少年发展基金会，其主要项目为援助希望小学、救助失学儿童，从而也是一种教育扶贫事业。1989－2000年，累计接受海内外捐款19.397亿元，援建希望小学8355所，资助失学儿童230万人。

这些扶贫领域的非政府组织在资源动员、模式创新、扶贫到户、提高效率等方面创造了很多好的典型，如“希望工程”、“救灾扶贫”、“幸福工程”、“母婴平安120行动”、“贫困农户自立工程”、“春蕾计划”、“小额信贷扶贫项目”、“劳务输出扶贫项目”等等。这些组织帮助贫困人口提升他们的资产质量，建立最低水准的资产；帮助贫困人口建立保障体系，提升抗风险的能力；帮助贫困人口开发人力资源，提升他们对自身、家庭和社区的经营管理能力；在扶贫过程中改变救世主式的“施与”理念，特别注重扶贫对象的参与；关注妇女、儿童、少数民族、残疾人等特别脆弱群体的需求；注意在贫困社区资源开发过程中保护环境，注重持续发展；关注扶贫项目的管理，提高扶贫资源的使用效率等等。据不完全统计，在“八·七扶贫攻坚计划”期间，国家共投入扶贫资金1776.3亿元,民间组织共投入567亿元,全社会投入总计为2310.4亿元。按投资评价法计算,民间组织在1986－2000年的扶贫贡献率为24.6%。可以说，NGO为中国八·七扶贫攻坚的胜利立下了汗马功劳。

2001年10月国内外170多个民间组织250多名代表参加了中国NGO扶贫国际会议，会上发表了《中国NGO反贫困北京宣言》，号召民间组织行动起来为消除贫困而努力。在中国的市场经济实践中，随着改革开放的持续深化，以及随之而来的经济发展和社会结构变迁，随着政府对民间组织扶贫作用的肯定，和民间组织自身的改革与努力，其在缓解贫困方面将会承担越来越重的社会责任和发挥越来越大的作用。

（二）环境保护领域的民间组织

在上个世纪80年代初期以后的中国，环境问题越来越受到人们的注意，环境保护也成为一种社会性的运动。由于环境保护牵涉的领域很多，涉及到社会经济文化层面的广泛问题，而观念的、行为的、行政的、法律的等各方面的相关问题不可能由政府部门单独承担起来，这就给以环境保护为宗旨的民间组织以产生和发展的理由，并为它们提供了特定的活动空间。

据不完全统计，目前中国的环保社团有1600多个，其中全国性的环保社团有100多个。如中国环保产业学会、中国野生动物保护协会、中国环境科学学会、中国生态经济协会、中华环境保护基金会、中国生物多样性保护基金会、中国环境文化促进会、中国环境新闻工作者论坛等。由于财力、人力、舆论氛围和交流基础等方面的限制，以环保为宗旨的纯民间组织主要集中在北京。这些环保组织所开展的活动涉及到了环保事业在中国起步阶段所必须做的基础性的工作，具有鲜明的建设性和开创性，在社会上均引起积极的反响，确立了民间环保组织在整个社会环境保护运动中极端重要的位置。

中华环境保护基金会成立于1993年4月，是中国具有法人资格、非营利性的第一个专门从事环境保护事业的民间基金会。1992年6月在巴西里约热内卢召开的联合国环境与发展大会上，原全国人大环境与资源保护委员会主任委员曲格平教授获得了联合国环境大奖和十万美元奖金。获奖后，曲格平教授建议，以这笔奖金为基础成立中华环境保护基金会，促进中国环境保护事业的发展。他的这一建议得到了社会各界广泛的赞誉和支持。在党和国家有关领导和部门的支持下，中华环境保护基金会成立了。曲格平教授成为第一个捐款者并出任理事长，原全国人大常委会委员长万里先生、原国务院副总理兼外交部长黄华先生出任基金会的名誉理事长，国内外一些专家、学者和知名人士担任基金会的特别顾问。理事会由国内外著名人士、社会各界热心环境保护事业的代表和主要捐赠者组成。

中华环境保护基金会本着“取之于民，用之于民，造福人类”的原则广泛筹集资全。并将之用于奖励在环境保护工作中作出突出贡献的单位和个人，资助与环境保护有关的活动和项目，促进中外环境保护领域的交流与台作，推动中国环境保护事业的发展。基金会成立以后，开展了一系列活动，1993年，出资表彰和奖励了120名为环境保护事业作出显著成绩的先进工作者；1994年组织举办了青年环境论坛并表彰100名优秀环保企业家。1995年，组织举办了首次在中国召开的太平洋环境会议（第五届）；1995－1996年，在全国范围内进行“公民环境意识调查”。1996－1997年，组织了长江源区环境与生态考察；1998年组织召开的“长江源环境与生态保护国际研讨会”、“全国防治汽车排气污染研讨会”和“国外垃圾处理新技术报告会”等会议和与全国妇联等单位共同发出了提倡绿色消费人人参与“减卡救树环保行动”的倡议书等活动。1999年－2000年，举行了“消除白色污染，提倡绿色消费”系列宣传活动、“99中国环保大学生自行车万里行”活动、“99公民参与环保”宣传活动、组织召开了我国环保非政府组织与挪威环境大臣弗耶兰格女士和美国国家环保局局长卡罗布兰娜女士的座谈会、举办了“中美水处理技术研讨会”和中英“企业与中国环境”高级研讨班等国际会议。2001—2002年，组织了首届中华环境奖的评选和地球卫士的推荐工作，组织开展了“绿色版图工程”、“绿色使者”等环保公益活动，取得良好的社会效益。

八、社区民间组织的发展

随着社会主义市场经济体制的建立和行政管理体制改革的不断深入，政府职能回归、提高效率步伐逐步加快，民间组织在社会事务管理、社会公益事业，尤其是在社区建设方面的作用日益显现。社区民间组织就是应时、顺势、适机崛起并发挥作用的。

社区民间组织不等于在社区的民间组织。社区民间组织是指由社区组织或个人在社区范围内单独或联合举办的、在社区范围内开展活动的、满足社区居民不同需求的民间自发组织。自下而上自发形成是其基本的生成途径；产生于社区，服务于社区，活动于社区是其必要条件和基本要求；正式登记与备案管理是两种表现形式；自发性、群众性、区域性是其典型特征，作为区域性社会中介，充当社区居民与政府的桥梁是其产生和存在的理由。

（一）社团的社区化趋势日益显示

社团的社区化是指社会团体直接参与所在社区的社区服务和社区管理的趋势。社团的社区化既是世界各国民间组织发展的普遍规律，也是我国社区建设的要求所决定的。

从我国社区建设的要求看，社区建设就是一系列围绕着提高社区居民生活质量、促进社区民主、拓展公共空间而开展的活动。这些活动大致可分为社区服务和社区管理两个方面。无论是社区服务或社区管理，都离不开社团组织的参与。多年来的中国社区建设，对民间社团这个中介组织不够重视，致使其发展缓慢，数量少、规模小，志愿者人数少，而且有限的从事社区服务和社区管理的社团组织由于缺少政府投资、社会捐赠，导致资金短缺，人手缺乏，不得以向经济化、营利性转化，这必然使其职能变形走样，削弱了其在社区建设中的作用，进而影响了社区归属感、共同意识、互助精神和救助意识的形成，不利于社区的健康发展。目前我国正在进行社区公共服务领域的改革，上海浦东新区的罗山会馆即是社团与政府合作，生产社区公共服务产品的一种准市场的模式。[65]

鉴于社区公共服务设施效率低的问题，上海浦东新区社会发展局一直在探索社区公共服务设施的托管模式，探索一种新的社会公共财产的社会化管理机制。1995 年当一个新建的小区罗山街道的公建配套设施出现空置，社会发展局进行了一个大胆的体制性试验——将这个公建配套设施改建成一个由社会发展局直接管辖的社区公共设施。他们尝试将会馆建成一个当地居民进行社会交往、社会教育、文化娱乐、体育健身、享受公共福利服务的开放式的社区公共场所，并力求以罗山会馆为依托，形成一个有社区归属感的松散的会馆成员群体，使会馆成为当地居民人格养成的课堂、人伦实践的场所、人际交往的学校、社群合作的舞台。他们决定启动社会机制，寻找一个社会组织对其进行管理。他们把这个设施命名为罗山市民会馆，以示与功能单一且由政府或政府派出机构营运的社区服务中心的区别。为此社会发展局向社会发出信息，征招愿意管理的志愿机构。最后确定了上海市基督教青年会。之所以选定基督教青年会，是考虑到这是一个具有服务社会的、有志愿精神的传统的民间社会团体，该组织的管理水平和人员的专业素质相对较高。罗山会馆的建设过程中，采用了由社会发展局出土地和房屋，并承担改建的土建费用，浦东新区社会发展基金会运用社会捐款投资会馆的主要设施，青年会承担会馆管理的共建方式。

罗山市民会馆建设与管理的参与各方对机构运行模式的概括表述为“政府主导、各方协作、市民参与、社团管理”。政府主导体现在：在提出会馆共建设想、动员社会资源、参与投资创办、委托社团管理、扩大会馆规模、改善会馆管理的每一阶段、每一步骤，社会发展局作为社区建设的规划者、新方式的倡导者、各方关系的协调者，都起到了主导作用。各方协作体现在：社区的事情社区做，各方积极为会馆营运出力。社会发展局、罗山街道、基金会和青年会出资金、出设备、出人力共建会馆。青年会作为管理方，与社会发展局、基金会、街道办理处、居民委员会都建立了协作关系。市民参与体现在：市民参与会馆活动、享受会馆服务、并参与会馆的制度建设。参与会馆建设的主要途径是参与会馆的志愿者提供意见和建议，选派代表人进入管理委员会。社团管理是罗山模式的核心部分。最初会馆实行的是管委会制，即由参与会馆共建的各方派出代表成立一个会馆管理委员会，既管决策又管运营。后来发现管委会只能作为决策机构，具体的日常管理包括选择项目、制订收费标准必须由受托方独立管理。青年会于是进行了大胆的探索。他们采取委派会内骨干出任会馆馆长、财务

---

[65] 有关罗山会馆的资料主要来源于杨团：“社区公共服务设施托管的新模式”，载于《社会学研究》2001．3．

和项目经理，在形成团体领导的基础上进一步放权，实行馆长负责制。从而形成了管委会管大的决策、青年会管项目和财务监督、馆长负责日常事务的较为完整的一套运营管理模式。由此，青年会运用自己的人才和管理经验，依托罗山社区公共服务设施，创建了一个与母体有联系的独立的新社会组织——罗山会馆。

罗山市民会馆的试验突破了迄今为止中国境内设置和管理社区服务中心的一般模式，在设置的目标、项目选择、人员聘用、财务管理、运营机制等方面都与现行的做法有明显的区别。罗山会馆的试验的意义已经超出了社区服务中心的管理范畴，向政府委托非政府的社团组织经管社区及社会公共服务设施这一长远方向迈出了关键的一步，体现了中国民间社团组织参与社区服务和社区管理这一新的趋向。

当前，社区民间组织成为了加快城市化和社区建设过程中涌现出的新型组织形式。许多省区市把加强社区民间组织的培育发展，作为民间组织工作新的生长点探索。浙江、湖北、北京、辽宁、黑龙江、内蒙古等地组织力量对社区民间组织进行了全面的摸底调查，制订了社区民间组织发展规划，提出总体目标，重点扶持发展公益性社区民间组织，对符合登记条件的按规定予以登记，对暂不符合条件的予以备案。截止 2002 年底，浙江省已完成了 6790 个社区民间组织的登记和备案，较好地解决了长期以来社区民间组织法律地位不明确，处于无序发展的状况。青岛市从实际出发，重点抓了社区公益性组织的发展。2003 年该市市南区成立的公益协会承担了辖区内有关公益事业的组织和协调工作，较好的满足了社区成员多方面需求，增强了社区居民凝聚力。

可以预见，随着我国社区建设的进一步深入和社团组织对社区建设的参与，社区公共服务社会化改革的推广、公共意识的培育和公共空间的拓展，社团的社区化趋势将是不可逆转的。

（二）当前我国社区民间组织存在的问题

当前在我国社区建设的推进过程中，不少社团和带有社团意义的组织，如志愿者协会、社区工作者协会、科普协会、计生协会等，在居民自治、社区互助、社区文化和精神文明建设中发挥着重要作用。但是从总体看，我国社区建设中社团组织的发展环境还很不完善，作用发挥还很不充分。

长期以来，公众对社团的性质和内涵在认识上存在很大的片面性，常常简单地把社团归结为政治组织的范畴，而忽略了社团在推动经济、社会发展，尤其在服务领域中的功能和作用发挥。这种认识上的局限性，导致政府对社团的发展放不开手脚，常常更多地从加强控制的角度加以管理，缺少从培育发展的角度，给予有效以及正面的扶持。

与此同时，社区建设也习惯于依靠政府推动。在目前我国的社区建设和管理中，行政色彩仍较浓厚，在社区的各种大型活动和日常管理方面，行政主导特征明显。在我国社会主义初级阶段和社会转型时期，受传统体制的影响，再加上社会资源集中在政府系统，政府推动有利于在短期内迅速落实各项工作。但是，与此同时，政府在社区建设的各个领域和层次上的渗透，客观上抑制了社团组织作用的发挥，使得社区建设缺少主体，社区中各种社会组织的活动事实上都只是行政组织调配下的行为，与以人为本、从居民需求出发开展社区建设的宗旨难以吻合，不利于社区建设的自主性、个性化、多样化发展。

（三）培育发展社区民间组织的必要性

培育发展社区中的社团组织是我国社区建设中转变政府职能、发展社区民主、推进社区工作专业化、整合社区资源的需要，是满足居民日益增长的多样化个性化的物质和文化需求以及提高居民生活质量的需要，是推进我国社区建设更上一层楼的关键。

首先，没有社会中介组织的产生和具体运作，就不可能做到政事分离、政社分离，就难以形成“小政府，大社会”的管理格局。我国已经从过去“大政府，小市场”的管理模式，转变成依托市

场、企业运作、政府宏观调控的“小政府，大市场”的管理模式。在社会管理领域内，政府职能面临着转轨，面临着如何从摆脱具体事务操办，转变到注重宏观管理、法规制定和政策引导的境界。社区服务是一项崭新的开拓领域，又是一项内容十分丰富、需求变化层出不穷的新体系，如果没有一大批专业的社会中介组织来具体承担，而是由政府部门具体操办社区服务业，那么，实施政事分离、政社分离、政府职能转变的任务就相当困难。这既难以适应居民生活不同类型、不同层次的需求，也使政府行政管理机构越搞越大，使大社区的发展，变成大政府的管理。这与改革方向是背道而驰的。

其次，没有一大批社会中介组织的产生和具体运作，极容易使社区建设和社区服务由政府推动走向政府包办的运作格局。社区建设在起步发展时由政府大力引导和推动，是非常必要的，也是社区发展的必经阶段。但是，社区服务是一个需求内容、需求层次十分广阔的领域，组织、协调和满足社区服务供需关系的重任，只能是依赖社会中介组织的培育，即由一大批非营利性的社会组织去运作和操办。如何构造适应现代城市居民生活水平、生活质量和生活方式变化的各种需求服务体系，客观上已经越出街道和居委会的管理功能，需要注入新的运行机制。否则，把社区服务的建设等同于街道居委会的管理职能，只能使社区发展走入误区。政事分离、政社分离如同政企分离的意义一样，在市场需求领域内，由政府直接办企业、直接管企业，只能带来低效益、资源配置不合理和不能满足需求的弊端，在社区服务需求领域内，也面临着同样的问题。

再次，没有一大批社会中介组织的产生和具体运作，就不易形成社会工作的专业化与社会化相结合的运行格局。

社区工作和社区服务在国外被统称为社会工作专业，其影响力非常广阔，专业化程度和社会化程度都很高。而社会中介组织的蓬勃发展和具体运作在社区工作的社会化和专业化中起了至关重要的推动作用。我国社区建设和社区服务工作之所以还处于落后的地位，其中很重要的原因是缺乏社会中介组织的运行。这就导致社区工作长期处于街道居委会的半行政半封闭的运作状态，规模较小，社会影响较弱，专业化程度更无从谈起。所以，培育和造就社会中介组织，已成为社区建设朝着专业化和社会化方向发展的“重中之重”。比照一些社区建设成熟的发达国家和地区，我国的社区建设应尽快发展成为一项专业的社会工作，形成职业化、专业化的社工队伍，建立专门的社区工作机构，“以人为本”、“助人自助”，不断追求社区居民个性化多样化需求的高质量满足。而当前我国社区工作的重心更多地还停留在维护社会稳定、扶危济困的层面上，对于个性化多样化的深层次服务，无论在思想上、组织上、还是内容上准备得都很不充分。社团进社区，让更多的社团组织参与社区建设，尤其是专业社会工作机构的建立和社工组织的发展，将推动我国社会工作的社会化和专业化的发展。

第四，培育发展社区中的社团组织可以为居民参与社区社会生活提供一条畅通的渠道。长期以来，由于受自上而下的传统社会行政管理意识和制度的影响，以及“单位制”的分割，社区管理中政府主导的色彩明显，而居民参与发育不足。随着改革开放的推进，“单位人”转变为“社会人”，居民在社区生活中进行自我管理的能力和意识不断提高，扩大居民参与已经成为社区建设发展中面临的一项重要工作。居民参与需要一定的组织载体。社团进社区，尤其是志愿、自治性的社团组织的培育和发展，为扩大居民参与、推进社区管理民主化提供实现的途径。居民可以通过参加这些社团组织达到与政府部门的交流对话、参与社区决策的目的。

（四）当前培育发展社区民间组织的途径

既然社团进社区、充分发挥社团在社区建设中的作用成为新一轮我国社区建设迫切需要解决的现实课题，那么，如何采取相应的措施、提供法律保障，使社区民间组织发展和壮大、作用得到充分发挥？

首先，要坚持依法管理。从法律上保护社团在社区建设中的合法地位和作用的发挥，促进发展一批符合社区发展的新兴社团。对于社区建设中已经形成的具有社团意义、有能力自主开展活动的社会组织，要组织依法登记，使其在法律保护范围内合法发挥作用。引导发展与社区建设专业化、行业化分工相适应的社团，如社区服务协会、社区工作者协会、社区服务中心、社会募捐协会等，并在充分发展中形成联合和组合，促进社区建设发展的行业化、规范化。

其次，要切实制定有关政策，建立统一、规范、透明的政策体系。健全社会保障政策，把从事社区建设的民间组织，纳入统一的社会保障体系，改变他们游离于社会保障政策体系之外的被动局面，促进社团工作职业化发展，改善社团发展的用人环境。制定积极的财政政策，对各类从事社区建设的民间组织通过公共采购、建立专用基金等方式予以财政资助、补贴，使其得以正常运行。借鉴国外经验，制定切实可行的收费政策。对公益性、便民利民的非营利性组织，根据其不同的服务性质和服务对象，按照有偿服务、成本收费和减免收费等不同标准，建立一个多层次的收费体系，使社团活动在保障其福利性、公益性的同时，能够形成良性的自我发展机制。

管理篇

民间组织管理体制的历史沿革

第一节　社团管理体制的历史沿革

一、新中国成立初民间组织的管理工作

（一）新中国首部社团法规的颁布和施行

新中国建立后，为了建立社会团体的新格局，使社团管理工作有法可依，1950 年 9 月 29 日，中央人民政府政务院第 52 次政务会议通过公布了《社会团体登记暂行办法》（以下称《暂行办法》）。

《暂行办法》共 16 条。它规定：除“参加中国人民政治协商会议的各民主党派和人民团体”，“中央人民政府另有法令规定的团体”、“机关、学校、团体、部队内部经其负责人许可组织的团体”外，“凡社会团体均应依照本办法规定向人民政府申请登记”。具体办法是，“全国性的社会团体，应向中央人民政府内务部登记”，“地方性的社会团体，应向当地人民政府申请登记；由省（市）或大行政区人民政府批准，同时转呈直接上级政府备案。”“但县辖范围内，社会团体的批准权属于专署，专署批准后，应即转呈省人民政府备案。”各分设团体，除其总部登记外，其分设团体应按规定向所活动地区的人民政府办理登记或备案。社会团体申请登记时，应将名称、目的、地址、章程、活动地区及业务范围与计划、登记人及主要负责人的情况、组织情况及参加团体人员数目、附属机构的名称和各地方分设团体的名称、经济状况及经费来源等情况如实填写呈报。

为了使社团登记工作顺利进行，国家内务部于 1951 年 3 月 23 日公布了《社会团体登记暂行办法施行细则》（以下简称《施行细则》），对各类社会团体的范围、登记的有关事项进行了具体规定。它规定：“社会团体应该接受人民政府对工作上的指导，并协助人民政府进行经济、文化、国防等各项建设。”社会团体举行各种会议时，应先呈报该管人民政府备案，其工作计划、财政经济概况及事务进行状况等应呈报该管人民政府备查。“社会团体对外募捐，须呈请该管人民政府批准。”“社会团体活动，不得违反政府政策法令，亦不得逾越登记批准的业务范围及活动地区。”“社会团体解散时，应注销登记；改组时，应重新办理登记。”并规定：“自本细则公布之日起，主管社会团体登记的政府机关，应限令各旧有的社会团体，于一定期间内补行申请成立登记手续，逾期不办者，以自动解散论，抗不登记继续活动者，得由该管人民政府解散之，并给予该社会团体负责人以惩处。”其目的，是将社会团体的组织及活动，纳入法制化、规范化的轨道。

（二）新中国社团的登记和整顿工作

《暂行办法》及其《施行细则》公布后，内务部及时下发了《关于办理社会团体登记工作应注意事项的代电》，指示各地在办理社会团体登记手续时，“批准之原则应以政治面貌为主……必须分清情况，慎重处理；对已查明无政治问题，办理较好之进步团体，应尽先批准；对政治面貌不清者，应严令详报材料，待查明后处理，对有反动确证者，应立予解散，并依惩治反革命条例处理。……无政

治问题，但办理不善的组织或者不健全者，可依具体情况，视其可起作用及改进之程度等，批准或从缓批准”。各级政府立刻开始了社会团体的登记和整顿工作。按照当时社会团体的情况和《暂行办法》、《施行细则》的规定，对社会团体大致采取了三种办法：

办法一：对符合人民利益的团体进行依法登记和保护。

按照《暂行办法》及《施行细则》社会团体分为以下几类：人民群众团体：指从事广泛群众性社会活动的社会团体，如：工会、农民协会、工商业联合会、民主妇女联合会、民主青年联合会、学生联合会等；社会公益团体：指举办公益事业的社会团体，如：中国福利会、中国红十字会等；文艺工作团体；指从事文学、美术、戏剧、音乐等文艺工作的社会团体，如：文学艺术界联合会、戏剧工作者协会、美术工作者协会、音乐工作者协会等；学术研究团体：系指从事某种专门学术研究的社会团体，如：自然科学工作者协会、社会科学工作者协会、医学会等；宗教团体：系指从事宗教活动的社会团体，如：基督教、天主教、佛教等；其他合于人民政府法律组织而不包括在上述5款之内的社会团体。

其中，全国性的社会团体由内务部批准，并进行登记。据1951年到1953年《中央政法公报》公布的《中央人民政府内务部批准成立登记的全国性社会团体》名单，1950年批准成立并予以登记的有：中华全国自然科学专门学会联合会、中华全国科学技术普及协会、中国金融协会、中华全国世界语协会4个学术性团体；1951年批准成立并予以登记的有：中华护士学会、中华社会科学各研究会联合办事处等25个学术性和人民群众团体等社会团体；1952年到1953年有：中国机械工程学会、中国佛教协会、中国回民文化协进会、中国盲人福利会等8个学术性、宗教性、群众性等社会团体。[66]从内务部档案看，1951年为社团登记的高峰，共有50多个全国性社会团体申请登记，其中以自然科学方面的团体占绝大多数，包括土壤学会、昆虫学会、动物学会、植物病理学会、蚕丝学会、窑业学会等专业性很强的学术性团体。这些团体得到批准给予登记，受到法律保护。

办法二：对旧中国社会团体进行整顿和改造。

对旧中国社会团体进行整顿和改造，这主要是一些宗教性和公益性社团。

1、宗教革新运动

宗教性社团的改造是从基督教开始的。1950年9月23日，《人民日报》发表了《中国基督教在新中国建设中努力的途径》宣言，在这个宣言上有全国基督教徒1527位负责人的签名，从此开始了基督教革新运动。这个运动的中心是“割断教会与帝国主义的联系，肃清帝国主义在中国基督教会的影响，实行自治、自养、自传（通称“三自”－引者），以达到革新中国基督教的目标。”[67] 运动发起后，受到基督教人士的热烈响应，到12月31日，在宣言上签名的已有78596名。[68] 在这个革新运动开始阶段的10月18日到25日，中华全国基督教协进会第十四届年会在上海举行，选出了新的执行委员会，以吴高梓为会长。会议主要讨论了革新问题，提出了5年建成“三自”运动促进委员会，号召基督教徒：“以实际行动拥护人民政府实施土地改革，努力学习新时代知识和响应劝募寒衣救济灾民运动。”[69] 1950年12月29日，政务院召开了第65次政务会议，通过了郭沫若副总理《关于处理接受美国津贴的文化教育救济机关及宗教团体的方针的报告》和《接受外国津贴及外资经营之文化教育机关及宗教团体登记条例》。《报告》和《条例》规定：“政府应计划并协助人民使现有接受美国津贴的文化教育救济机关和宗教团体实行完全自办。”“接受美国津贴之中国宗教团体，应使之

---

[66] 《中央政法公报》第28、41期，1953年5、6月合刊，1953年11、12月合刊。

[67] 《新华月报》3卷3期。

[68] 《新华月报》4卷4期。

[69] 《人民日报》1950年11月2日。

改变为中国教徒完全自办的团体，政府对于他们的自治自养自传运动应予以鼓励。”[70] 接受外国津贴及外资经营之文化教育救济机关及宗教团体一律向各省（市）人民政府登记。这就使宗教革新运动更加高涨起来。

1951 年 4 月 25 日，21 个全国性基督教团体发表《中国基督教各教会各团体代表联合宣言》，重申“三自”革新主张。7 月 24 日，政国院公布《对于接受美国津贴的基督教团体处理办法》，规定：“中国各基督教教会及团体，应与美国差会及大部分由美国经费支持之其他非美国的差会，立即断绝关系。在中国之上述差会应立即停止活动。”“已经实行自养之基督教教会和团体原来所办之社会服务事业如医疗机关、福利机关等，其经费能自给者，可继续办理，但须组织董事会，保证实行政府法令。”[71] 这就使原来依附于外国帝国主义的基督教团体脱离了外国控制，使其纳入到执行政府法令的轨道上来。

基督教革新运动开始后，天主教也开始了“三自”革新运动，各地纷纷成立天主教革新委员会，肃清把持教会的帝国主义分子，表示拥护人民政府和共同纲领，决心“为建设自由幸福的新中国而贡献我们的一切。”[72]

基督教和天主教宗教团体的改造在新中国刚刚成立时具有特殊的意义。据郭沫若在政务院第 65 次政务会议上的报告，“美国教士在中国直接办理的基督教西差会有 58 个，占在华西差会总数 113 个的半数，受这些美国差会津贴的中国基督教会约有 15 个。此外还有各种教会的联合组织和青年团体、出版团体和救济团体等等。属于美国系统或和美国有关的天主教修会有六、七个，在全国 123 个主教区中间，有 13 个主教区的主教是美国人。”“全国解放之初，百废待举，政府对上述这些文化教育救济机关和宗教团体，期望他们能恪守政府法令，所以未予处理，容许他们暂时接受美国津贴。但是美帝国主义却仍然不断地企图利用这些机关和团体暗中进行其反动的宣传和活动……，中国人民抗美援朝运动广泛展开之际，美帝国主义分子这种破坏活动更加活跃起来。”[73] 因此，对这些教会及宗教团体进行整顿和改造，清除帝国主义的控制和影响，就成为当时基督教和天主教革新运动的主要内容，并在革新运动的基础上，成立了新的宗教团体。1954 年 7 月 22 日至 8 月 6 日，中国基督教全国会议在北京举行，会议总结了四年来中国基督教自治、自养、自传和反帝爱国运动的成就，通过了关于拥护中华人民共和国宪法草案的决议和遣责美帝国主义侵略中国破坏和平的决议，成立了中国基督教三自爱国运动委员会。[74]

2、旧有公益性、学术性社团的整顿和改造

对于一些公益性、学术性的旧有社会团体也进行了整顿和改造，使其确定了新的方向和目标，获得了新发展。

1951 年 5 月 3 日，中国人民救济总会秘书长伍云甫，在全国城市救济福利工作会上作了《关于旧有社会救济福利团体的团结改造问题》的报告，指出，对原有的社会救济福利团体中的大部分应视为“应该团结改造和可以团结改造的，并在团结改造之后能够发挥其积极作用。”[75] 报告对旧有的救济福利团体的几种类型进行了分析，对哈尔滨市合并旧的救济福利团体，成立社会事业协会和上海市“把私立救济福利团体团结在当地政府或救济分会的周围，使他们在组织上具有一定的独立性，

[70] 《新华月报》3 卷 3 期。
[71] 《新华月报》4 卷 4 期。
[72] 《人民日报》1951 年 9 月 18 日。
[73] 《新华月报》3 卷 3 期。
[74] 《新华月报》1954 年 9 月号。
[75] 《中央政法公报》37 期，1951 年 11 月 30 日。

在当地政府或救济分会的统一的方针政策领导下，办理当地的救济福利事业”的做法给予了肯定，并指出了对几种类型的社会救济福利团体团结改造的具体办法。

公益性社会团体改造较突出的是中国红十字总会。该会最初的名称是万国红十字会上海支会，1907年改为大清红十字会，辛亥革命后改为中国红十字会。在旧中国，它在“组织上是历受封建军阀政客官僚反动阶级的把持与控制”，脱离了为群众服务的轨道，而且事业的范围“越来越小、愈做愈困难了。抗战前原有分会512个，到抗战胜利后加上一些新设的分会，仅有193个，而到1950年8月总会改组后至现在仍与总会有联系的仅89个。”[76] 1950年在卫生部和中国人民救济总会主持下，对其进行改组。改组后的《中国红十字会会章》规定：“它是在中央人民政府领导下的人民卫生救护团体。其方针是根据‘预防为主’的卫生工作总方针，及‘动员和组织人民实行自救助人’的救济福利方针，协助人民政府，面向人民大众，宣传并推广防疫、卫生、医药及救济福利事业。”[77] 改组后的中国红十字总会由卫生部部长李德全为会长，迅速领导各地分会进行了改组。到1952年底，改组了北京、天津、上海等51个分会，并新建了2个分会，在医药卫生防病治病和救护等方面，都取得了重大进展。据统计，改组后的两年中，共诊病299万多人，接生近2万人，并训练了中级助产、护理等技术人员422人，初级卫生人员1547人，培训妇幼保健员4867人，训练急救员8215人，成立急救站191处，救治了28000多人，并为抗美援朝组织了国际医防服务大队7个，共66人。[78]

当时国内的救济团体有国际性的9个，国内地方性的则不计其数，如武汉有善堂152处，上海有孤贫儿童收容教养机构30多个；会馆则更多，武汉有68处，北京有400处。对这些团体“除了对反动的、名存实亡的和假冒伪善的团体予以处理外，一般的斟酌情况予以团结改造，并通过各种适当的组织形式，使它们在统一领导下积级地参加当地的救济福利事业，发挥其为人民服务的自觉性与积极性。总计在中国人民救济总会的领导下，各地分会已将800多个旧的救济福利团体组织或联系起来了。”[79]

学术性社会团体的改造以中华医学会为例，该会在当时已是一个有40多年历史的学术团体，但在旧中国，学会只有35个地方分会，会员4000人。1952年12月，中华医学会召开了第九届全国会员代表大会，进行了改组，使其组织有了迅速发展，到1956年，地方分会比以前增加了8个，会员达到15059人，并陆续成立了14个分科学会，出了16种杂志，订户达到21万户以上。

办法三：坚决取缔反动性质的社会团体。

新中国成立后，为了巩固人民民主专政的国家政权，结合社团登记和镇压反革命运动，对具有反动性质的社会团体进行了坚决取缔。

当时在大陆的反动社团大致包括两种：一种是帝国主义在华开办或由其控制的从事反动活动的团体；另一种是国内反动分子主办的反动会道门。前者如“圣母军”，又称“圣母御侍团”、“圣母慈爱祈祷会”，这个国际性反革命组织在建国后，不仅进行反革命宣传，还组织斗殴、暗杀等活动，已不再是一个宗教性团体。1951年7月13日，天津市军管会发出布告，予以取缔。各地也先后对这个反动的团体进行了取缔。反动会道门最具代表性的是一贯道。这个会道门，不仅具有浓厚的封建性，而且有着强烈的反革命色彩。他们散布各种谣言，歪曲政府的政策，扰乱人心，挑拨农民同政府的关系，破坏粮食统购统销政策和农业互助合作运动，勒索农民钱财，谋害农民生命，制造封建迷信活动，摧残妇女儿童。1949年1月，华北人民政府颁布告予以取缔。1950年1月到11月，山西省计有734个村的8万多群众自动退道，政府拘押了133个职业会首，没收了反动文件、印信及其非法财产。

---

[76] 《新华月报》3卷4期。

[77] 《新华月报》3卷4期。

[78] 李德全《中国红十字会改组两年来的工作》，《新华月报》1952年10月号。

[79] 伍云甫《中国人民救济总会两年半来的工作概况》，《新华月报》1952年10月号84《人民日报》1950年11月28日。

841951 年，人民政府又明令对各种反动会道门进行取缔。各地政府对这些反动会道门都进行了取缔，对首恶分子进行了法办。

除此之外，对其他明显反动的社会团体也给予了取缔。如重庆市军管会于 1950 年解散了晏阳初的“中华平民教育促进会”。

二、改革开放时期的社团管理

（一）20 世纪 80 年代社团存在的主要问题

从 70 年代末开始，我国实行了改革开放的方针政策，人民群众的社会参与意识普遍增强，结社热情空前高涨，各种类型的社团组织如雨后春笋迅速增长，很快就形成了一个初具规模的社团组织体系。社团组织在短时间内大量涌现，而且呈现迅猛发展的态势，与我国政治生活正常化所营造的宽松社会环境以及改革开放所带来的社会需求有直接关系，但同时也有结社法规不完备、管理工作跟不上等负面影响。从结社法律上说，那时可遵循的只有 1950 年的《办法》和《细则》。其中《办法》第 9 条规定：“全国性的社会团体，应向中央人民政府内务部申请登记”；第 10 条规定：“地方性的社会团体，应向当地人民政府申请登记；由省（市）或大行政区人民政府批准，同时转呈直接上级政府备案。但县辖范围内，社会团体的批准权属于专署，专署批准后，应即转呈人民政府备案。”这些规定在当时是可行的。但到了 80 年代，仍然把社团的审批权集中在专署（地、市）以上，显然就不适宜了。从社团登记机关上看，《办法》规定，内务部是全国性社团的审批机关。但 1969 年，内务部被撤销，其职能分别转给了财政部和公安部等几个部门，由于这些部门任务繁重，几乎顾及不到民政工作，全国性社团也就没有了法定的登记机关。

1978 年，中央决定重新组建民政部。在全国五届一次人代会上，任命程子华为民政部部长。民政部成立后，首要任务是恢复各级民政部门的工作，同时承担全国县级直接选举的任务。以后，虽然民政部门的其它职能得以陆续恢复，但是由于种种原因，直到 1988 年民政部社团管理司成立之前，民政部门管理社团的工作实际上处于中断状态。因此造成社团的审批权限开始分散，不仅党政工作部门审批社团，而且社团也审批社团。再加上部门之间职责不清，作法各异，致使同一性质的社团多家审批的现象时有发生，造成社团的重复设置。还有的“学会批学会”，“协会批协会”，一直批到“第五代”，造成社团叠床架屋。很明显，无章可循，权限不清，政出多门，多头审批也是导致社团数量增长过快的重要原因。

从社团的情况分析，存在的问题也不少。

1、分类过细，层次偏多

社团的组建，分类过细，层次偏多的现象比较普遍。有些经济行业团体的设立，不是以国家有关部门公布的国民经济分类中类以上的标准设置，而是趋于小类，至使社团增多。有些学术性团体不是按学科设立，往往巧立名目，重复设置，如有的地方已经有了计算机学会，又批准了微机学会；已经有了包装技术协会，又成立了包装装璜协会。凡此种种，不仅社团名称相近、相似，而且业务也必然交叉重复。在文化艺术领域，社团重复设置，层次过多的情况较为严重。此外，同一性质的社团又分为所谓一级、二级、三级，甚至四级、五级等多层组织，也是社团陡然增多的原因。社团过多、过乱所造成的直接后果是一些企事业单位参加社团多，交纳会费多，负担增重。如某省的电力公司，参加各种学会、协会、研究会等团体 42 个，仅公司的管理处就参加了全国性、全省性和所在地区的各类团体 14 个。又如某省农机行业的一个工厂，共参加社团 85 个，按层次分，全国性团体 49 个，全省性团体 17 个，所在市区的团体 19 个，年支出会费 26 万多元。再如有个化妆品厂，是个只有 400 名职工的小厂，厂长一个人兼任 25 个社团职务，年交会费 3 万多元。而这些会费只能在企业留利中支出，影响了职工利益，厂长经理们也叫苦不迭。

2、组织形式集中，干部兼职过多

由于历史的原因，我国社团的审批权一度分散，而社团的组织形式却是集中的。主要表现为，相当数量的社团组建靠政府机关，机构设置、人员配备、活动方式套用行政办法，有的还套用行政级别，分为部级、厅局级、处级和科级团体，并配备相应级别的管理干部。据了解，陕西省的291个全省性社团中，有28个列入行政事业编制，配备工作人员275名，年拨专项事业费70多万元。黑龙江省1983年只有2个社团列入行政事业编制，工作人员12人，到1987年发展到20个列编，配备工作人员121人，增加10倍。此外，党政领导同志在社团中兼任务过多。以浙江省为例，在441个全省性团体中，由党政领导同志兼任主要负责人的有310个，占70%，其中省领导兼职的104个，占24%；厅局领导兼职的206个，占46%。有的党政领导身兼几个、甚至十几个社团的职务，社会活动应接不暇，本职工作难以顾及。社团组织形式的高度集中和领导干部兼职过多，使社团难以形成主体意识，组织缺乏活力，活动往往不能产生预期的效益。

3、内部混乱，有名无实

社团的自我管理能力是衡量社团内部组织建设和制度建设的综合标准。有的社团，内部管理混乱，制度不健全，少数人说了算；还有的社团参加人员混杂，经费来源不正当，财务帐目不清，档案资料残缺不全，出版刊物杂乱。有些社团名称很大，但有名无实。有的县市和乡镇组建的社团，也冠以“国际”、“全国”、“中华”的头衔，显然其名称与活动地域不相符。有的社团既找不到办公地点，也找不到联系人。有的社团成立后，开展活动少，工作质量差，被群众称之“一年热，二年凉，成不成立没两样。”还有的社团本身就是一无经费，二无章程，三无人员，四无活动的“四无”组织，空有其名。

4、私自结社，违法活动

群众自发组织起来的，未经有关部门批准成立的社团数量很大，其中一些社团的人员结构和活动情况比较复杂。据了解，在一些城市成立“振兴家乡经济联谊会”一类的组织很盛行，有的省多达上千个。这些组织一无章程，二无宗旨，十分松散，一年搞上几次活动，也多为游山玩水，吃吃喝喝。一些“同乡会”也是如此，参加者热衷于以籍会友，以封建方式广织社会关系网。有的以成立“基金会”，举办“博览会”的形式搞经济诈骗活动等等。

社团存在的这些问题不解决，引起党中央和国务院的高度重视。1984年，中共中央、国务院下发了《关于严格控制成立全国性组织的通知》，国家体改委根据《通知》精神制定了相应的规定，针对社团存在的问题进行政策性调整。调整取得了一定成效。与此同时，广东、北京等省市制定了地方性社团法规，对当地人民群众的结社活动进行法律规范，在局部收到明显效果。但是，从全局上看，社团“多头审批”和擅自成立的状况并没有改变。很明显，要从根本上解决问题，就必须制定新的结社法规，建立新的、配套的社团管理体制。

（二）社团登记管理条例的制定

1987年，国务院将结社立法的工作正式委托给民政部。民政部遂即成立了“结社法起草小组”，开始调查了解社团的情况，征求有关部门和社团对结社立法的意见和要求。在深入调查研究，广泛听取意见的基础上，起草了《中华人民共和国结社法》。后经法学专家、历史学家和社会学家几次讨论，对结社立法所涉及的重大问题的认识未能取得一致。鉴于这种情况，民政部部长办公会议果断决定，建议国务院先起草程序性法规，待时机成熟后再起草实体法。1988年国务院机构改革时，再次明确将社团管理的职能交给民政部，并批准设立社团管理司，从而加快了结社立法的步伐。在一年的时间里，《社会团体登记管理条例》（以下简称《条例》），九易其稿，多次修改，于1989年10月经国务院正式发布施行。

《条例》在1950年《办法》的基础上，总结我国近40年公民结社和社团管理的经验后制定的，其法律依据是，我国宪法第35条规定："中华人民共和国公民有言论、出版、集会、结社、游行、示威的自由。"第51条规定："中华人民共和国公民在行使自由和权利的时候，不得损害国家的、社会的、集体的利益和其他公民合法的自由和权利"。这是制定条例的主要法律依据，它从保障与限制两个方面，构筑了条例的基本框架。当然，这里所说的保障是对公民正当行使结社自由权利和社团依据其登记章程开展活动的保障。同时对一些人滥用结社自由和一些违法活动的行为也要进行限制，规定社团的法律责任，使违法社团及其负责人承担不利的法律后果，也是十分必要的。从一定意义上说，没有对违法社团的限制，也就无所谓对公民结社自由权利的保障。《条例》自始至终贯穿了保障与限制相统一的原则，是符合宪法规定的。制定条例的政策依据是1982年以来，党中央和国务院下发的关于社团组织的一系列文件。其中关于全国性社团的活动范围，必须具备的条件，申报和审批程序，复查、备案和新闻报道等政策规定以及基金会管理办法、外国商会管理办法等，为制定条例提供了重要的政策依据。此外，在制定条例的过程中，还注意研究了几十个国家和地区有关结社方面的法规，吸收了其中一些有益的成份，从而使条例更为完备。《条例》作为我国第二部结社法规，对于指导新形势下的公民结社和社团活动，改变以往那种多头审批和政出多门的状况，依法加强社团管理具有十分重要的意义。

（三）《条例》的基本内容

《条例》共六章32条。第一章总则，有6条。第1条讲的是立法指导思想，从"两个保障、一个管理、一个发挥"的角度，阐明了制定条例的目的，即"为保障公民的结社自由，保障社会团体的合法权益，加强对社会团体的管理，发挥社会团体在社会主义建设中的积极作用，制定本条例。"第2条讲条例的适用范围，凡是在中国境内组织的非营利性团体，都应依照条例的规定进行登记。但是，法律、行政法规另有规定的除外。第3条和第4条讲社团活动应遵循的原则。因为本条例的调整对象是非营利性团体，这类团体有个十分突出的特点，就是所有参加社团的人员不得瓜分社团收益，同时也不返还财产。这种规定性本身决定了社团的性质，也就决定了社团不得从事以营利为目的经营性活动。第5条讲社团的法律保障。第6条以法律的形式明确了社团的登记管理机关是县级以上各级民政部门。这对于理顺社团管理体制具有深远意义。同时，第6条还明确了业务主管部门的职责，也就是民政部门依法对社团进行登记管理，有关业务主管部门对社团进行业务指导和日常管理，从而确立了符合我国国情的双重管理体制。

第二章管辖，共有2条。第7条讲的是社团登记管理的层次，确立了"分级登记，分级管理"的原则。考虑到有些社团的办事机构所在地与登记管理机关不在同一行政区域的实际情况，《条例》第8条规定了委托管理的内容，以便于管理和方便社团。

第三章成立登记，共有10条。分别从社团成立条件、提交的材料、登记管理机关的审批程序以及社团登记证书的发放和使用等方面作了详细、具体的规定。其中第15条还规定了社团的诉权，申请人对登记管理机关不予核准登记不服的，允许向上一登记管理机关申请复议。这样规定一可以敦促登记管理机关增强责任心，严格依法办事，把社团的审批和管理工作置于人民群众的监督之下，有利于克服官僚主义，密切政府同人民群众的关系；二能更好地保障人民群众充分行使结社自由的权利，保障社团的合法权益。

第四章变更登记、注销登记，共有4条。主要讲变更登记的项目，社团自行解散进行注销登记时提交的有关证明材料和其它有关事项。

第五章监督管理，共有6条。其中第23条讲登记管理机关的三项职责；第25条讲对违法社团处罚的种类和依据；第28条讲社团对各级民政部门作出的处罚决定不服的，其法定代表人和负责人可以申请复议，对复议决定仍不服的，可依照行政诉讼法的有关规定，向当地人民法院提起诉讼。

第六章附则，共有4条。主要讲在《条例》施行前成立的社团，尚未进行登记的，应在一年内到民政部门申请登记。已经登记的，应当办理换证手续。关于非中国公民和在境外的中国公民在中国境内组织社团的问题，由于情况比较复杂，也缺乏这方面的实践经验，须再作调查，为以后立法积累素材。

总之，《条例》作为程序性法规，是总结了新中国成立以来，特别是改革开放以来公民结社和社团的活动的基本经验，对其中已经成形的东西加以法律化的结果，适应了当时的要求。

（四）条例的贯彻执行

《条例》的公布，确实为我国公民的结社和社团活动提供了法律依据。但在当时的历史条件下，贯彻执行条例，还存在很多困难和问题。第一，除少数省市有社团管理机构外，大多数省、自治区、直辖市的民政部门还没有专门机构和人员去承担社团管理的职能。第二，在民政部门内部，存在承担社团管理职责的具体困难，而且越往下问题越突出。第三，相当数量的群众以前不知道我国社团管理曾有《办法》，现在又不知道怎样运作。第四，由于与《条例》配套的单行法规和相关政策不完善，使实际工作中遇到的许多问题难以解决。再加上财、物紧张，一些矛盾和困难比较突出。《条例》的贯彻正是在这样的背景下开始的。

1、解决主要矛盾，做好基础工作

针对贯彻《条例》所面临的困难和问题，民政部在全面分析形势的基础上，对贯彻《条例》进行了认真地部署。

①广泛宣传

1989年11月，民政部主管部长范宝俊在关于贯彻《条例》的几点意见中强调，社团管理是一项政治性、政策性很强的工作，各级民政部门要充分认识自己的职责，适应新形势发展的要求，严格依照《条例》办事，正确地执行《条例》所规定的各项任务，为开展全面的社团管理工作创造条件。他要求：一是要准确理解《条例》的内容。各级民政部门要认真学习《条例》，深刻领会《条例》的精神，在依法登记管理社团的同时，应注意把握政策界限，依法确定社团的登记范围，正确理解相同、相似社团的含义，准确贯彻《条例》。二是要大力宣传《条例》，扩大社会影响。要利用广播、电视、报刊、杂志等媒体，宣传《条例》，扩大影响，使更多的群众懂得成立社团应具备的条件和登记审批程序，使社团认识到开展活动的原则，不从事以营利为目的的经营活动和其他违法活动。三是要深入实际，调查研究。各级民政部门对本地区的社团情况，分类进行系统调查，摸清底数。对于存在的问题，要分析、研究，及时上报，尽可能的为完善《条例》，制定相关政策提供依据。四是要主动与业务主管部门配合。各级民政部门要主动与社团的业务主管部门联系，听取他们的意见，充分发挥他们在社团管理中的作用。五是要培训业务骨干，造就一批社团管理人才。要有计划地开展培训工作，争取在较短时间内，培训出一批德才兼备的社团管理干部。六是加强自身建设，坚持原则，秉公执法。民政部门要抓紧自身的建设，提高社团管理人员的业务水平，更要提高政治素质，严格依法办事，不徇私情，秉公执法。

与此同时，民政部还撰写了一批宣传《条例》的稿件，分别在人民日报、中央人民广播电台等刊载和播出。并事先发出通知，要求各地阅读和收听。相当数量的社团业务主管部门、社团和人民群众看到了有关文件，收听了广播，加深了印象。一些对《条例》精神理解好地区，分别采取印制图片，开动宣传车的方法，广为宣传，收效甚大。

②建立健全社团管理机构

民政部与人事部共同商榷，下达了关于贯彻《条例》的通知，要求地方各级民政部门，依所承担的任务，本着精减的原则，建立健全社团管理机构，配备相应的人员。但由于地方各自的情况不同，机构设置，人员编制的落实存在很大差异。有的省市党委政府非常重视，不仅将社团管理处升格为办公室，配备了数十名专职干部，还增设了与社团管理有关的中介机构，同时保证了经费和硬件的提供，为承担社团管理工作提供了保证。

③开展业务培训

从1990年2月开始，民政部先后举办了二期社团管理干部培训班，重点对省、自治区、直辖市的社团管理处负责人和骨干进行了业务培训，提高他们的执法水平。同时，有条件的地方，也举办了培训班，培养了一批骨干，为贯彻《条例》创造了条件。

2、对社团进行复查登记

1989年，国务院颁布了《社会团体登记管理条例》（现已失效），对社会团体规定了登记管理机关和业务主管单位双重管理的制度。同时规定："登记管理机关对社会团体实行年度检查制度。"据此，作为社会团体的登记管理机关，民政部和地方各级民政部门开始承担起了对社会团体的登记管理以及对社会团体进行年度检查的职责。

鉴于当时我国社会团体数量众多、质量参差不齐和分散在各个部门的情况，为了摸清底数、统一归口管理，从1990年开始，民政部和地方各级民政部门开始了对社会团体的清理整顿和复查登记工作。1990—1992年，民政部门主要是对社会团体进行复查登记。

1990年7月，民政部在广州召开了复查登记社团工作座谈会，15个省、自治区、直辖市和计划单列市主管社团工作的民政厅（局）长和社团管理处（室）的负责人参加了会议。座谈会上各地代表相互通报了1989年10月国务院发布《条例》以来开展社团工作的情况，听取了浙江省金华市和江苏省无锡市复查登记社团的经验介绍，并着重研究了贯彻国办发32号文件的问题。会议达成几点共识，并对社团复查登记和今后的管理工作有着重要的指导意义。

会议认为，社团复查登记的工作是我国政治生活中的一件大事。复查登记社团工作是加强社团管理的重要措施，与贯彻执行《条例》是一致的。复查登记社团的目的是保障公民正当行使结社自由的权利；依法确认社团的法律地位；限制和制止那些不符合公民结社原则的非法社团的行为，维护社团的合法权益。社团复查登记，不是不要成立社团，更不是否定社团的积极作用，而是通过复查登记，引导和促进社团沿着社会主义方向健康发展。

会议认为，在具体操作中，各级民政部门要注意掌握政策，严格依法办事。《条例》是我国目前社团管理工作的基本法律规范，也是做好社团复查登记工作的重要法律依据。国办发［1990］32号文件，提出了复查登记社团的基本原则和内容，明确了复查登记社团的方法步骤和时间安排，是做好社团复查登记工作的重要政策依据。各级社团管理干部在工作实践中，要结合本地区的实际情况，注意区分合法社团与非法社团的界限；区别正当从事咨询服务所取得的合法收入与从事以营利为目的的违法经营活动的界限；划清长期宣扬资产阶级自由化与个别方面有过激言行的界限。对那些政治方向不对头，内部管理混乱，重复设置和给基层、企业、群众造成沉重负担的社团，该撤销的销，该合并的合并，该取缔的取缔。对撤销、合并的社团，要事先考虑可能给社会带来的影响以及人员、设备、财产的去向，做好善后工作，以免引起大的波动。

会议认为，社团复查登记工作必须加强对这项工作的领导。各级民政部门要主动向当地党政领导汇报情况，争取他们的重视。同时，还要精心地设计出复查登记的具体实施方案取得党政领导的支持。根据实际需要和可能，积极向政府建议，成立临时的复查登记社团领导小组，或者由主要领导同志亲自抓这项工作，以便理顺关系，解决实际问题。各级民政部门的领导同志要关心这项工作的开展，在干部配备和其他物质条件保证上，给予足够的重视，以保证工作的顺利进行。同时，还要主动地与有关业务主管部门取得联系，争取理解、支持和配合，充分发挥他们在复查登记和日常管理社团工作中的作用。

会议强调，要不断加强社团管理机关的自身建设，要加快组织建设的步伐。各地要重视地、县两级的机构设置和人员配备问题，要加强社团管理干部队伍的思想建设，要在工作实践中不断拓宽的视野，加强对政治学、社会学和行政管理学等理论的学习，从理论与实践的结合上不断提高管理水平和工作能力。这次会议以后，社团复查登记工作基本上在全国范围展开。

1991 年 3 月，民政部在郑州又召开了 9 省区社团工作会议，社团复查登记的实施情况进行了了解和检查，并就工作中所遇到的问题进行讨论。会议提出了社团管理的 4 条原则，统一了对一些具体的政策界限的认识，推动了社团复查登记工作的深入开展。

例如天津市从 1991 年 4 月开始，对社团进行复查登记，历时 9 个月，基本上完成了任务。到 1991 年年底，全市共核准登记社团 1939 个，其中全市性社团 449 个；区县性社团 1490 个。不予登记的社团 43 个，自行解散社团 283 个，合并 72 个。二级团体改作专业委员会或分会的 700 个。对 5 个未经登记、擅自以社团名义开展活动的非法社团进行了查处。同时审批新建社团 542 个，其中全市性社团 134 个，区县性社团 408 个。通过复查登记，摸清了全市社团的底数，明确了登记管理机关、业务主管部门和社团三者之间的关系和职责，确立了合法社团的法律地位，扭转了过去那种“多头审批”的状态，扩大了民政部门的社会影响，为今后实施有效的的社团管理提供了依据，奠定了基础。

1992 年，社会团体清理整顿工作基本结束，民政部及地方各级民政部门开始了对社会团体年度检查工作，由于是条例颁布后第一次年度检查，因此各地都在探索，一边工作一边总结经验。1996 年，民政部颁布了《社会团体年度检查暂行办法》。并进行了 94、96 两年度的年检工作。1997 年，民政部及地方各级民政部门针对社会团体发展不平衡现象，再次开展对社会团体进行梳理，1997—2000 年间，社会团体年度检查工作再度以对社会团体的清理整顿工作为其主要内容。

3、制定相应政策，实施规范管理

在贯彻条例的过程中，针对各地遇到的一些事关全局的重要问题，民政部会同有关部门和地方社团登记管理机关，反复研究，制定了一批政策，社团管理步入规范化轨道。

社团印章管理暂行规定

1991 年 1 月，民政部、公安部为加强社团印章的管理工作，改变以往社团印章尺寸、样式、制作和管理使用比较混乱的状况，制定了《社会团体印章管理的暂行规定》，就印章的名称、枚数、文字、字体、规格、样式、管理、缴销等作了具体的规定。

关于开立银行帐户的通知

1990 年 9 月，民政部、中国人民银行下发了《关于社会团体开立银行帐户有关问题的通知》。《通知》规定：经社团登记管理机关登记的社团，方可凭民政部门发给的社团登记证书填制开户申请书，经银行审查同意后办理开户手续；社团申请开立银行帐户的名称及预留银行的印鉴，必须与社团登记证书上的社团全称一致；社团申请变更帐户名称，应交验民政部门变更登记注册的新证书；4 社团需迁移帐户，应出具迁出银行的证明；社团注销登记或被撤销解散，应及时到开户银行办理销户手续；社团的银行帐户不准出租、出借或转让给其他单位或个人使用。

关于社团复查登记有关问题的通知

1991 年 4 月，民政部针对社团复查登记和复查登记工作中遇到的一些主要问题下发通知，就复查登记的范围、分支机构的设立、办事处的登记与管理、乡镇以下社团的登记问题作了政策解释。

关于社团编制问题的暂行规定

1991 年 6 月，中央组织部、民政部、人事部、财政部、劳动部，根据国家有关政策，对全国性社团使用社团编制以及有关问题作出规定，正式将社团编制纳入国家的编制序列。

关于部门领导同志不兼任社团领导职务的通知

1994 年 4 月，国务院办公厅依据政社分开的原则，为加快政府职能的转变，更好地发挥社团的独立作用，作出了部门领导同志不再兼任社团领导职务的规定。

关于社团开展经营活动有关问题的通知

1995 年 7 月，民政部和国家工商局就社团开展经营活动的问题作出规定，明确具有法人资格的社团（除基金会外）可以开展符合团体宗旨的经营性活动，从而为社团的生存和发展创造了条件。

制定社团年度检查暂行办法

1996 年 5 月，民政部依据《条例》的有关规定，制定了《社会团体年度检查暂行办法》，对社团年检的内容、程序、应提交的材料及年检合格或不合格的标准作出规定。

4、其他社团单行法规的制定

在《社会团体登记管理条例》出台前，国家为加强对基金会的管理，保护外国商会的合法权益，先后制定了《基金会管理办法》和《外国商会管理暂行规定》两部社团单行法规，对基金会和外国商会进行调整。

①基金会管理办法

《基金会管理办法》于 1988 年 9 月经国务院发布施行，是一部规范基金会活动的程序性法规。这部法规共有 14 条。它规定了基金会的宗旨、设立条件、基金的管理与使用原则、基金的增殖途径、筹集资金的原则，所得捐赠资金和物资的资助办法、建立基金会的程序、管理机关及其管理权限等。

《基金会管理办法》施行后，对遏制基金会的随意设立，制止乱集资起到很好的作用。但由于当时条件的限制，《基金会管理办法》也存在对注册基金数额要求过低和登记管理机关不一致问题，以及在社会主义市场经济体制下，扶植社会公益、慈善组织健康发展的问题等。

②外国商会管理暂行规定

《外国商会管理暂行规定》于 1989 年 6 月 14 日经国务院发布，同年 7 月 1 日起施行。这是新中国成立以来，第一部调整涉外社团的行政法规。制定这部法规的目的是：促进国际贸易和经济技术交流；加强对外国商会的管理；保障外国商会在华的合法权益。其主要内容是：规定了外国商会的性质、宗旨、义务、成立条件、组织机构及名称、登记管理机关、审批登记程序、开展活动的原则、变更注销登记程序和处罚方式等。

《外国商会管理暂行规定》的制定与实施，对规范外国社团在华的活动行为，保障外国商会在华的合法权益，增进国际经济交流与合作起到了积极作用。

此外，民政部和有关部门还就宗教团体的登记问题，社会科学团体、自然科学团体、文化艺术团体、职工思想政治工作团体等委托管理的问题以及贸促会、对外友协登记问题等等，作了规定。据不完全统计，到 1996 年 9 月，由民政部出台的政策达 37 项。在此期间，地方也根据自己的实际情况，制定了一些政策，有的地区还建立了社团活动报告制度、联络员制度等。有了这些政策和措施，弥补了《条例》的不足，使社团管理有了标准和依据，以此推动社团管理逐步走向法律化、制度化、规范化。

5、对违规社团的处罚工作

贯彻执行《条例》对违规社团进行查处，也是民政部门管理工作中的重要内容，全国企事业住宅研究会未经政府批准于 1987 年 7 月擅自成立，并在活动中违犯了我国有关法律、法规，损害了国家的利益。依据《条例》，1990 年民政部首开罚单，发出了关于解散“全国企事业住宅研究会”的命令。此后，为促进《条例》的贯彻执行，民政部于 1991 年分别命令解散了中国现代诗歌学会、中华炎黄协会，1994 年解散了国际气功科学联合会。1995 年还对中国经济信息报刊协会、华夏文化促进会、中国人才研究会、新华信息传播网络工作者协会发出了书面警告。

6、全国社团管理工作座谈会的召开

1995年9月19日－22日，全国社团管理工作座谈会在兰州召开，民政部副部长徐瑞新自始自终参加了会议，并做了总结讲话。各省、市、自治区和计划单列市管理机关的负责人出席会议。就新时期的管理工作，徐瑞新副部长指出，要进一步认识社团管理工作的重要性，明确职责，加强管理。所谓管理决不是把社团管死，而是为社团服务，通过服务引导社团健康发展，从而更好地发挥社团的积极作用，促进经济发展，有利于社会稳定。

三、首次全国社团管理工作会议的召开

1992年9月16日至19日，民政部在北京召开了首次全国社团管理工作会议。出席会议的有国务委员陈俊生，民政部部长崔乃夫，副部长阎明复、多吉才让、范宝俊、陈虹。各省、自治区、直辖市和计划单列市主管社团工作的民政厅局长和社团管理处室的处长、主任参加了会议。

会议主要是总结民政部门接受社团管理工作4年来的基本情况，根据邓小平南巡谈话和中央政治局全体会议精神，确立社团管理工作为经济建设和社会稳定服务的思想，分析研究改革开放新形势下依法管理社团的目标和措施，明确今后一个时期的主要任务，把我国的社团建设和管理工作推向一个新的发展阶段。

（一）社团管理工作取得的主要成绩

会议认为，3年来，在各级党委和政府的领导下，民政部门认真履行职责，严格依法办事，积极探索，勇于开拓，使我国的社团管理工作取得了重大进展。

第一，建立了一支初具规模的社团管理干部队伍。各级民政部门受领社团管理工作后，在调查研究的基础上，主动向当地党委政府汇报所了解的社团情况，取得党政领导的支持，相继解决了一些机构设置和人员编制问题。到1992年，全国30个省、自治区、直辖市都设置了社团管理处室，配备社团管理干部217人；270个地市、直辖市辖区和近700个县市也建立了社团管理机构，分别调配专职或兼职社团管理干部605人和726人，形成了一支初具规模的社团管理干部队伍。尽管这支队伍与所承担的工作还不相适应，但为新的社团管理体制的形成和发展打下了基础。

第二，新的社团管理体制基本确立。各级民政部门以《条例》为依据，通过细致的工作，基本上理顺了社团管理机关、业务主管部门和社团三者之间的关系。在已经设立社团管理机构的地方，社团的登记程序基本确立，“多头审批”社团的状况明显改变；社团登记管理机关和业务主管部门各自的职责基本明确；具有中国特色的社团双重管理体制初步形成，为有效实施社团管理提供了保证。

第三，进一步完善了社团管理法规，制定了相应的配套政策。《条例》作为程序性法规，虽然在一些基本问题上有原则规定，但是不可能规范到所的有具体问题。在实际操作中，需要针对具体问题，制定相应的政策加以补充和完善。民政部依据《条例》确立的原则，先后制定了多项政策，基本上适应了开展工作的要求。同时还就涉及结社活动和社团管理的重大理论问题进行了多次研讨和论证，参与了一些社团单行法规的修定。与此同时，地方性的结社立法工作也有了新进展。

第四，基本上完成了社团的复查登记任务。根据《条例》规定和国务院的布置，从1990年6月开始，各地相继开展了社团的复查登记工作。经过各级民政部门的努力，成效显著。全国性社团原有1600多个，经确认登记1200多个；20多万个地方性团体，经确认登记18万多个。在复查登记中，对120个有严重违法行为的社团进行了查处。维护了人民群众的利益，提高了公民的法律意识，使社团活动初步纳入法制轨道。同时还在社团管理理论和制度方面进行了有益的探索。

（二）社团管理的任务

会议指出，今后社团管理工作总的指导思想是进一步保障广大人民群众正当行使结社自由的权利，充分发挥社会团体的积极作用，依法加强社团管理，为改革开放和发展经济服务。通过各级民政部门的共同努力，达到法规配套，机制完备，制度健全，运转协调，能够有效地调控各层各类社团的现代化科学管理目标。

1、加强法制建设，完善社团法规，制定配套政策

加快结社立法的步伐，并制定相应的配套政策，以指导公民结社和社团活动。近期的任务是，各级民政部门可根据党中央、国务院的有关政策，在调查研究和试点的基础上，与有关部门协作，尽快制定一批既有利于社团生存和发展，又有利于实施社团管理的具体政策。民政部准备出台的政策有：关于社团开展外事活动的政策；关于社团财务管理的规定；关于社团收取会费的规定；关于社团行政复议的工作程序；关于社团违法处罚的暂行规定；关于社团档案管理办法等。这些政策，将为社团的生存和发展，依法加强社团管理提供政策依据。

2、理顺关系，发挥整体功能

理顺社团管理机关、业务主管部门和社会团体三者之间的关系，以建立合理的社团管理运行机制发挥整体效能，实现积极调控。从总体上讲，社团管理的主要作用在于：保护社团的合法权益，规范和制约社团活动和行为，对社团发展趋势进行导向等等。民政部门的主要职责是：拟就社团法规、政策，正确引导社团的发展方向；办理社团的成立、变更、注销登记；审核社团编制；参与社团的重大活动，了解社团情况；对社团进行年检查，依法监督检查社团活动；处罚违法社团；受理社团的行政复议案件；建立健全各类社团的档案管理和统计制度；总结社团开展活动的经验，表彰先进社团等。从全局上、宏观上依法管理、指导、协调社团的发展和运行。业务主管部门的主要职责是：对社团的成立、变更、注销登记进行审查并出具审查文件；向社团传达业务领域内的有关方针政策，对社团进行业务指导；引导和督促社团为本行业、本学科的发展服务；加强社团的思想建设和组织建设，把好政治方向；协助民政部门对违法违纪社团进行查处；帮助注销登记的社团清理债权债务并出具债务完结证明；协调同一业务领域内社团的关系等。使民政部门与业务主管部门既有分工，又要协作，保证社团管理工作落到实处。当然，社团作为国家和社会事务的重要参与力量，对社团管理机关和业务主管部门同样具有民主监督功能，也应及时向管理机关提出批评建议，以保证社团管理工作稳健发展。

3、增强社团活力，发挥社团积极作用

一些社团之所以缺乏生机与活力，既有外因，也有内因。一方面，由于社团管理政策不配套，社团缺少筹集经费的渠道，因而在生存与发展上存在许多困难；另一方面，社团内部运行机制不健全，许多社团无专职工作人员，缺乏民主决策制度等，影响了社团作用的发挥。为增强社团活力，要采取有力措施，制定相应政策，帮助社团搞好内部制度建设，切实解决社团的实际困难，引导社团为本地区经济建设服务，发挥社团在社会主义精神文明建设中的作用。

4、加强社团管理机关的建设

要抓好思想建设、组织建设和业务建设，解决社团管理工作所需的人、财、物问题。

（三）会议的作用和影响

首先，会议正确评价了前几年的工作。民政部门正式接受社团管理工作，是1988年国务院“三定方案”明确了民政部的工作职能以后。在这4年中，民政部门从制定社团管理法规政策开始，经清理整顿、复查登记，使社团工作初步纳入法制轨道。特别是复查登记工作，是实施管理的一个基础工程，只有完成了这一工程，管理工作才能得以为继。尤其在与各业务主管部门协商撤并一些交叉重复设置的社团工作中，克服了很多困难，付出了艰苦的努力，取得了有目共睹的成绩。

其次，充分肯定了社团的作用。社团是我国社会结构的重要组成部分，是社会事务的重要载体。随着改革的深化，政府职能的转变，“小政府、大社会”格局的形成，社团的的活动领域将日益扩大，社会作用将日益提高。

最后，进一步认识了加强社团管理的意义。社团管理工作是政府的一项重要职能，运用法律、法规对公民结社和社团活动作出规范是社团管理的主要手段。民政部门要树立社团管理工作服从于和服务于党的总任务和总目标的思想，一方面依法保障社团的合法权益，充分发挥他们的积极作用；另一方面也要避免滥设社团。民政部门要代表政府严格把关，不符合条例规定的社团坚决不予登记，也不应该再搞一些工作内容重复的社团。同时，要对滥用结社权利和社团的违法行为进行限制，使社团沿着正确的方向健康发展，从而为改革开放创造良好的社会环境。

这次会议的不足是，在社团管理机关的机构设置、人员编制、管理手段问题没有能够得到较好地解决，以至会议之后，在一些地方出现了管理机构不是扩大加强而是撤销、合并、缩小的情况。同时，对有关政策制定滞后的问题以及社会主义市场经济体制建立过程中的社团管理和社团工作问题也没有来得及深入研究。尽管如此，首次全国社团管理工作会议的召开，标志着我国的公民结社和社团的活动又重新纳入了法制管理的轨道。因此在社会上产生了比较大的影响。

四、新条例的制定和实施

（一）新条例的制定

从1989年10月《社会团体登记管理条例》公布施行，到1992年9月全国首次社团管理工作会议召开这段时间，主要工作是建立健全社团管理机构，对社团进行复查登记，制定相应的配套政策，在社会上确立民政部门的执法地位。

此后，社会团体的发展再度呈现上升的趋势。从1993年到1996年6月，全国性社团由1992年的1200多个，发展到1876个，以每年近200个的速度增长。与此同时，地方性社团发展也很快，由1992年的近15万个，增加到近18万个。这段时间社团出现快速发展，固然与政府机构改革，市场范围扩大有关系，但也有社团管理体制不顺的问题。这种情况引起党中央的高度重视，专门召开会议，并做出了加强民间组织管理的重要决策。据此，在大量调查研究和多次论证的基础上，对1989年的《条例》进行了修改和完善。新的《社会团体登记管理条例》（以下简称新《条例》）于1998年10月，经国务院颁布施行。

1998年10月颁布的新《条例》，是在总结以往社团管理经验的基础上产生的，它与1989年9月公布的《条例》相比，具有规定明确、职责清楚、便于操作、严格管理的特点。其中主要是：

1、进一步明确了社团设立的条件

新《条例》第十条规定，成立社团须“有50个以上的个人会员或者30个以上的单位会员；个人会员、单位会员混合组成的，会员总数不得少于50个”；并要求有相应的组织机构，专职工作人员；“有合法的资产和经费来源，全国性的社会团体有10万元以上活动资金，地方性的社会团体和跨行政区域的社会团体有3万元以上的活动资金。”这些具体规定是以前没有的，它有利于保证社团正常活动，便于和管理机关操作。

2、进一步明确了双重管理体制

社团的双重管理体制，在1989年的《条例》中得以确认，但规定得不具体，社团管理机关与业务主管单位的职责不明确，致使出现把关不严，管理松散的现象。这次《条例》作了明确规定。登记管理机关的职责是：“负责社会团体的成立、变更、注销的登记或者备案；对社会团体实施年度检查；对社会团体违反本条例的问题进行监督检查，对社会团体违反本条例的行为给予行政处罚。”业务主管单位的职责是："负责社会团体筹备申请、成立登记、变更登记、注销登记前的审查；监督、指导社会团体遵守宪法、法律、法规和国家政策，依据其章程开展活动；负责社会团体年度检查的初审；协助登记管理机关和其他有关部门查处社会团体的违法行为；会同有关机关指导社会团体的结算事宜。"这样规定，有助于强化双重管理体制，使社团管理机关与业务主管单位职责明确，各司其职，互相配合。

3、明确了对违法社团的处罚尺度

新《条例》的罚则规定明确具体，不仅有利于对社团的监督，同时也有利于对违法社团或社团违规行为的处罚操作。

（二）*新条例的贯彻*

1998 年 11 月，为贯彻新《条例》，国务院召了全国民间组织管理工作会议。会议研究了民间组织管理工作中存在的问题，提出了对民间组织实行"培育发展与监督管理并举"的方针。党的十五大报告也明确提出要培育和发展社会中介组织，并将此作为促进经济体制和政治体制改革的一项措施。会议还对当前和今后一个时期的民间组织管理工作做出全面部署。有关会议的详细内容，本文将在第二次全国民间组织管理工作会议部分做详细表述。

同时，民政部门还对 1996 年年底以前成立的社会团体依据新《条例》规定进行了换证登记。

1999 年 10 月，党中央就加强民间组只管理工作再次进行了研究。同年 12 月，民政部在北京召开了"加强民间组织管理工作会议"。参加会议的有各省、自治区、直辖市、中央部委的有关领导和民政部门的负责人。这次会议，充分肯定了我国社团管理工作取得的成绩，指出了当前社团及社团管理工作中存在的问题，深刻阐述了加强社团管理工作的重要性，并明确了今后我国社团管理工作的目标、基本思路和主要任务。"概括地说，新时期我国社团管理工作，要坚定不移地贯彻党中央、国务院关于加强社团管理工作的方针政策，面向 21 世纪发展主题，服从和服务于社会主义市场经济体制的建立和完善，坚持培育发展和监督管理并重的方针，建立和完善我国社团组织法制化管理体系，把工作重心转移到提高社团整体质量上来，充分发挥其在社会主义两个文明建设中的积极作用，为促进国民经济的发展和社会政治的稳定服务"。[80] 经过合理引导，使社会团体在数量、种类、结构、布局等方面更符合社会的实际要求，使社会团体与经济和社会协调发展，共同促进。

依据新条例的规定和国家的有关方针政策，到 2000 年底，经民政部重新换证登记的社团约 1500 多个；地方民政部门重新登记的社团约 13 多万个，虽然在数量上较 1996 年有所减少，但从整体看，社团的结构更加优化，布局更加合理，质量均有提高。

在这里需要提到的是，"法轮功"邪教组织，曾擅自以"中国法轮大法研究会"的名誉，未履行登记，而以社团的面貌，在社会上活动，1999 年 4 月 25 日被民政部明令取缔。实际上，"法轮功"组织以其歪理邪说蛊惑人心，动荡社会，并对其练习者进行精神控制，制造了一系列骇人听闻的事件，则充分表现了其反人类、反社会的邪教本质。由于邪教对于社会造成的危害是普遍的，因而为世界各国所不容。但同时，作为反人类、反社会的邪教，它早已超出了社团的范畴。

五、加强民间组织管理维护社会稳定工作会议的召开

1998 年 11 月，加强民间组织管理维护社会稳定工作会议在北京召开。国务院专门召开民间组织管理工作会议还属首次。会议期间，中共中央政治局常委尉健行出席会议并做了重要讲话；中共中央政治局委员、国务委员罗干到会，从社会稳定的角度，阐述了加强民间组织管理工作的重要意义；国务委员司马义·艾买提参加接见并在会上讲话；民政部部长多吉才让做了工作报告，对我国民间组织

[80] 徐瑞新：《在深圳市民间组织管理工作会议上的讲话》2001 年 2 月 20 日。

管理工作进行了回顾和总结，提出了今后一个时期我国民间组织管理工作的目标、任务和措施。会议研究了民间组织管理工作中存在的问题，提出了对民间组织实行“培育发展与监督管理并举”的方针。会议还对当前和今后一个时期的民间组织管理工作做出全面部署。中央、国家机关各部委、办、局负责人，全国人大、全国政协机关负责人，最高人民法院、最高人民检察院有关负责人，解放军总政治部有关负责人，各省、自治区、直辖市人民政府有关负责人和民政厅（局）长等出席了会议。北京、广东等省（市）和建设部、国家机械局等单位还就民间组织管理工作进行了经验交流。

（一）社团管理工作取得历史性进展

会议认为，社团管理工作取得了历史性进展。1989年《社会团体登记管理条例》颁布以来，通过普法教育和实践，公民依法结社意识普遍增强。登记管理机关和业务主管单位认真贯彻执行党中央、国务院关于社团管理的方针政策，逐步完善以登记管理、日常管理和监督管理为主要内容的行政管理制度，并依法履行管理职责，相互协调配合，精心培育社会团体，努力为社会团体服务，使广大社会团体发挥了积极作用。政策法规体系逐步完善，初步形成了以3个法规、50余个政策规章和地方配套法规组成的社团管理政策法规体系。充实了管理力量，省、自治区、直辖市普遍建立了社团登记管理机构，配备了专职工作人员，初步形成了一支社团管理干部队伍。加强了执法力度，强化了年度检查，开展了两次清理整顿，依法查处了一批非法组织和违法社团，促进了社团建设，维护了社会稳定。

民办非企业单位管理工作开始启动。在没有现成经验的情况下，许多部门积极探索，取得初步成果，积累了一定的管理经验。中央决定对民办非企业单位由民政部门实行统一登记管理后，在有关部门的积极配合下，民政部门广泛开展调查研究工作，掌握了民办非企业单位的基本情况，为依法统一管理民办非企业单位做了准备。

（二）我国民间组织管理工作的基本思路、原则与目标

会议指出，今后一个时期我国民间组织管理工作的基本思路是：抓住机遇，迎接挑战，以邓小平理论为指导，深入贯彻党的十五大精神，精心培育民间组织，建立和完善我国民间组织的法律法规体系、行政管理体系、社会监督体系和自律机制，加强民间组织管理，提高现代化、规范化管理水平，充分发挥民间组织在社会主义物质文明和精神文明建设中的积极作用，进一步促进民间组织健康发展。

民间组织管理工作要坚持以下原则：

坚持依法管理的原则；坚持统一登记管理的原则；坚持双重负责、分级管理的原则；坚持稳步发展的原则。

会议指出，今后五年，民间组织管理的目标是：建立较为完备并且符合国情的民间组织管理政策法规体系，普及民间组织管理法律法规知识，把民间组织管理工作全面纳入法制化轨道；建立办事高效、运转协调、行为规范、管理和服务相结合的行政管理体系，加强行政管理队伍建设，使行政管理水平有较大提高；培育和发展一批布局合理、结构优化、能够充分发挥作用的中介性民间组织，推动经济体制和政治体制改革，满足人们社会生活的需求；普遍建立民间组织自律机制，确保民间组织自我管理、自我监督、自我发展；建立各有关部门各司其职、紧密配合的打击非法民间组织的综合治理机制，及时有效查处非法组织和民间组织的违法行为，保证社会秩序井然，政治局势稳定。

（三）今后五年我国民间组织管理工作的主要任务

1、统一思想，提高对加强民间组织管理工作重大意义的认识。

会议指出，党的十五大给民间组织的发展和管理提出了新的要求。不仅要在数量上增加，而且要在质量上提高。要提高民间组织的整体质量，就必须加强管理。发展与管理要有机结合起来要发展就离不开管理，管理的目的是为了更好地促进发展。要很好地把握这一辩证关系，使民间组织管理工作跃上一个新台阶。

民间组织是群众的结合体，在社会的发展中举足轻重。管理得好，引导得好，它的积极作用就会得到充分发挥；反之，则可能带来消极甚至破坏的作用。这方面，历史上既有成功的经验，也有失败的教训。改革开放以来，我国绝大多数民间组织拥护党的路线、方针、政策，坚持四项基本原则，以中华民族的崛起和振兴为己任，做了大量卓有成效的工作，为促进经济发展，推动社会进步作出了重要贡献。这是主流，必须充分肯定。但与此同时，也应当看到，确有极少数民间组织偏离了发展方向，个别的甚至已经成为敌对势力对我进行渗透、破坏、颠覆活动的工具和阵地。我们既不能因此而否定民间组织的主流，因噎废食，也不能对少数害群之马放松警惕，姑息养奸；既要认识到培育和发展民间组织的重要性，又要认识到加强管理的迫切性，从而自觉地做到两手抓、两手都要硬，全面履行民间组织管理的职能。

2、认真贯彻执行新颁布的两个条例，完善民间组织管理工作的法律法规体系。

各地各部门要采取多种措施，掀起学习、宣传、贯彻两个条例的热潮。民间组织管理干部尤其是领导干部要带头学习，深刻领会两个条例的精神实质，提高对抓好民间组织管理工作重大意义的认识；要有计划地对各级民间组织登记管理机关的干部和民间组织负责人普遍进行一次条例知识的培训，加强对学习条例的指导；督促社会团体依照新条例重新修订章程，对审定合格的社会团体发证书；尽快依法启动民办非企业单位统一登记管理工作。

以两个条例颁布为契机，继续扩大立法成果。要抓紧制定与两个条例配套的实施细则和单行法规，抓紧起草外国人在华社会团体和港澳台同胞在内地社会团体登记管理办法。要加强政策指导，根据客观情况变化，及时调整和制定相应的政策措施。各地也要结合实际情况，制定地方性配套政策法规。

要把立法与普法、执法结合起来。利用各种有效形式，广泛深入开展民间组织管理的法律法规教育，不断提高广大群众依法建立民间组织的自觉性。随着政府职能的转变，今后行政机关的执法任务日益繁重。各部门要增强执法责任感，加大执法力度，抓好执法检查，提高执法水平。

3、落实双重管理体制，建立健全我国民间组织行政管理体系。

民间组织管理工作是一项社会系统工程。目前从总体上看，我国民间组织发展不平衡，自律性较差，管理手段不足。实践表明，民间组织仅靠业务主管单位，或仅靠登记管理机关，都是管不好的。

中央在决定对民间组织采取双重负责管理体制的同时，对登记管理机关和业务主管单位的职责作了明确分工。登记管理机关主要负责社会团体和民办非企业单位的登记审批，研究制定有关政策，负责对社会团体和民办非企业单位的活动进行指导和检查监督，依法查处违法行为。业务主管单位对所管辖的社会团体和民办非企业单位的申请登记、思想政治工作、党的建设、财务活动、人事管理、政策研讨、对外交往、接受资助工作负有领导责任。新颁布的两个条例也作了相应具体的规定。概括地说，业务主管单位侧重日常业务管理，登记管理机关主要进行宏观管理和执法监督。这一体制是我国社会主义初级阶段民间组织管理的重大举措，是现阶段我国民间组织管理工作的核心内容。各部门一定要深刻理解双重管理体制的重大意义，各负其责，密切配合，形成合力，真正发挥管理效力。

双重管理贵在落实。当前要认真做好各类民间组织的业务主管单位的认定工作。尤其是下一阶段省、自治区、直辖市政府机构改革，民间组织的业务主管单位不能有空档。登记管理机关和业务主管单位要共同配合，根据新条例，制定各行业、各部门所管辖的民间组织的管理规章制度。建立业务主管单位与登记管理机关联络员制度和联席会议制度，经常沟通情况，加强合作，协调管理。

各级行政管理机关要转变职能，改进工作风。要加强民间组织的宏观指导和前瞻性研究，分析新情况，总结新经验，把工作重心转移到制订政策法规上来。可尝试将登记管理的一些具体的微观事务交给社会中介组织去做，切实发挥社会中介组织的作用，提高行政管理机关的管理效能。

4、一手抓培育发展，一手抓监督管理，确保我国民间组织健康发展。

各地各部门要统筹各类民间组织发展规划，将其纳入国民经济和社会发展计划，使民间组织在数量、种类、结构、布局等方面符合当地社会的实际要求，避免盲目发展。要对民间组织实行分类指导，因地制宜地培育社会中介组织，着力发展那些能自主协调、自律管理的行业协会组织。适时发展与当地经济建设和人民群众生活密切相关的民间组织，使公益性、福利性民间组织在城乡社会化服务体系中发挥更大作用。在这方面要大胆探索，走出新路子。

下大力气解决影响民间组织发展的问题。有关部门要尽快研究制定民间组织的人事、工资、组织、税收、财务、社会保障等管理办法，给予有力的政策扶持，帮助民间组织排忧解难，为其健康发展创造良好的外部环境，保证民间组织持续发展。

建立以章程为核心的内部管理制度，促进民间组织自律机制的形成。要完善章程审核制度，帮助民间组织进行内部改革，督促民间组织按章程自我约束管理，使民间组织能很好地适应社会主义市场经济体制的要求和政府机构改革的需要，承担政府委托或转移的职能，做到自主、自律、自强，发挥更大的作用。继续完善民间组织年度检查制度。尽快制订社会团休组织通则，使内部管理有章可循。要认真贯彻中共中央办公厅、国务院办公厅《关于党政机关领导干部不兼任社会团体领导职务的通知》(中办发〔1998〕17 号)，实现政社分开。

探索建立社会监督体系。民间组织有义务主动将政策法规贯彻执行、接受使用捐赠等情况向社会公布，自觉接受社会监督。新闻单位要表扬先进民间组织，同时也要依法对民间组织的行为进行舆论监督，对典型违法违纪案件予以揭露和跟踪报道，发挥舆论的威力。有关管理机构要运用现代化的手段，建立民间组织的发展指标体系、评估体系和监督管理系统。

把依法查处非法民间组织、打击违法活动作为重要任务来抓。要防患于未然，认真研究敌对分子的图谋，及时采取相应对策，不给敌对分子可乘之机。在党委和政府的统一领导下，公安、安全、民政等部门协同作战，形成监控网络和快速反应能力。对敌对分子的破坏活动，要依法打击，力争消除在萌芽阶段，除恶务尽，决不手软。在斗争中，既要旗帜鲜明，又要讲究策略，正确处理各种矛盾。

5、加强领导，保证民间组织正确的政治方向。

民间组织能否健康发展，关键在于领导。各级政府不但要把发展民间组织作为构筑“小政府、大社会”格局的一个重要手段和内容，而且要让其成为推动当地经济社会发展一个新的增长点，列入议事日程，全面规划，统筹安排，综合协调，经常研究并切实解决民间组织发展和管理过程中出现的新问题。要转变观念，改进工作方式，对民间组织要积极培育，热情服务，悉心指导。要结合政府机构改革和职能转变，认真研究哪些政府职能可以转移或委托的职能的实现方式，使民间组织尽快成为政府的有力助手。

加强领导的一个重要方面，就是要重视民间组织中的党组织建设，保证民间组织正确的政治方向，使其不偏离四项基本原则，保证党和国家的各项方针政策在民间组织中贯彻执行。各有关部门要将民间组织的党组织建设作为重要工作内容，按照中组部、民政部《关于在社会团体中建立党组织有关问题的通知》(组通字〔1998〕6 号)，切实抓好民间组织中党组织的建设，把符合条件的业务骨干培养吸收到党组织中来，把思想政治工作延伸到民间组织中去，教育民间组织内的党员自觉遵守党的纪律，认真贯彻党的路线、方针、政策，在重大原则问题上立场坚定，支持民间组织的正确决定，充分发挥党员的先锋模范作用和基层党组织的战斗堡垒作用。在民间组织中建立党的基层组织是一个新课题，各地应积极研究，不断探索有效方法。

6、加强行政管理机关自身建设，建立一支高素质专业化的民间组织管理队伍。

依法对民间组织进行管理是一项政府行为。我国民间组织数量大，种类多，涉及面广，情况复杂，特别是民办非企业单位统一登记管理工作刚刚起步，民间组织管理工作任务繁重，政治性强，责任重大，迫切需要加强民间组织管理力量。各地各部门要不失时机地抓住机构改革的机遇，充分考虑民间组织管理的特殊性，坚决按照中办发 22 号文件的要求，采取切实可行的措施，加强登记管理机关的机构建设，核定编制，充实人员，核拨必要的业务经费，配置必要的设备，特别是现代化办公设备。各地各级民间组织的业务主管单位要有职能、有岗位、有专人。要按照专业化管理的要求，选派政治强、素质好、作风正的优秀干部充实民间组织管理队伍，并保持队伍的相对稳定。要加强干部队伍的政治思想和业务建设。经常开展政治学习和业务培训，教育广大干部遵守职业道德，清正廉洁，防止滥用权力，不断提高干部的思想水平、管理水平和服务水平。

积极开展理论研究和宣传工作。要深入研究民间组织在社会主义初级阶段的地位和作用，探索社会主义市场经济体制下民间组织的管理方式，探索民间组织发展的内在规律，逐步形成与我国国情相适应的民间组织管理理论体系。要利用各种宣传媒体，宣传党中央、国务院对民间组织管理的方针政策政策，介绍民间组织管理的典型经验，形成全社会关心支持民间组织健康发展的氛围。

六、我国首部《公益事业捐赠法》颁布

在我国现行的有关民间组织的法律体系中，1999 年 8 月颁布的《公益事业捐赠法》格外引人注意。它是我国颁布的第一部直接规范捐赠行为、涉及有关优惠政策的社会捐赠法规。对民间组织开展的公益活动及其发展具有积极的推动作用。该法明确了要鼓励对包括民间组织在内的社会公益事业的社会捐赠，规范捐赠和受赠行为，保护捐赠人、受赠人和受益人的合法权益，促进公益事业的发展。根据该法第 2427 条的有关规定：公司、其它企业、自然人和个体工商户捐赠财产用于公益事业，将依照法律、行政法规的规定享受企业所得税或个人所得税方面的优惠；境外向公益性社会团体和公益性非营利的事业单位捐赠的用于公益事业的物资，依照法律、行政法规的规定减征或者免征进口关税和进口环节的增值税。

七、近年来我国民间组织管理工作的新成果

（一）法制建设获得突破性进展

立法工作是民间组织管理工作重点之一。近年来，我国民间组织的立法工作取得了突破性的进展。

2004 年 3 月 8 日《基金会管理条例》颁布，并于 6 月 1 日正式实施。《社会团体登记管理条例》与《民办非企业单位登记管理暂行条例》修订工作进展顺利。

在配合修订三个条例的同时，全面加强政策规章建设。为了适应民间组织发展和管理工作的新形势，民政部在深入开展调研，广泛听取地方登记管理机关、有关民间组织意见的基础上，单独或与有关部门共同制订出台了一批民间组织登记管理的政策性规章、文件。例如，经过多次协商，民政部与财政部共同制订了《关于调整社会团体会费政策等有关问题的通知》，取消了延续 11 年不变的社团会费标准，解决了长期困扰社团发展的瓶颈性问题；与国家发展和改革委员会、财政部协商，及时下发了《国家发改委、财政部关于社会团体分支（代表）机构登记收费标准等有关问题的通知》，为地方社会团体分支（代表）机构复查登记工作顺利完成解决了一大政策性难题；配合财政部制订的《非营利组织会计制度》今年出台；经多次协商，以部名义与国务院台湾事务办公室联合制订和下发《台湾同胞投资企业协会管理暂行办法》；以部名义下发了《关于加强基层农村专业经济协会培育发展和登记管理工作指导意见》，较好地解决了当前农村专业经济协会培育发展中的一些政策性障碍；下发了《关于民办非企业单位名称管理暂行规定有关问题的通知》，解决了“暂行规定”中某些条款与《社会力量办学条例》等有关行政法规、规章中的条款不够衔接的问题；出台了《关于异地商会

登记有关问题的意见》，确立了异地商会登记工作应坚持“登记在省、试点先行”的原则，明确指出异地商会应由单位会员组成，不吸收个人会员，对规范发展异地商会起到了较好的指导作用。

各地建章立制工作成绩也很突出。青海、河南、山西、湖北、黑龙江、西藏、宁夏、新疆兵团等地制订政策解决了民间组织票据使用和税收政策问题；天津、云南和大连出台办法解决了民间组织专职工作人员参加社会保险的有关问题等等。通过上述规章和政策的制订与完善，加大了对有关民间组织的扶持力度，进一步规范了民间组织登记管理工作，解决了当前民间组织专职工作人员的部分后顾之忧，对促进民间组织健康、有序发展起到了良好作用。

（二）培育发展工作取得显著成效

培育发展行业协会、商会等社会中介组织是中央根据建立和完善社会主义市场经济体制做出的重要战略部署。2003 年 5 月 27 日，在国务院召开的第十一次全国民政工作会议上，朱镕基明确指出，要坚持培育发展和监督管理并重的方针，把培育发展的重点，放在真正按照市场经济要求建立的行业中介组织、社会公益和服务性的民间组织上来。10 月党的十六届三中全会通过的《中共中央关于完善社会主义市场经济体制若干问题的决定》提出：“积极发展独立公正、规范运作的专业化市场中介服务机构，按市场化原则规范和发展各类行业协会、商会等自律性组织。”

2004 年 9 月 19 日，党的十六届四中全会通过的《中共中央关于加强党的执政能力建设的决定》明确提出：”发挥社团、行业组织和社会中介组织提供服务、反映诉求、规范行为的作用，形成社会管理和社会服务的合力。”

各级民政部门抓住机遇，全力推进培育发展工作。许多省区市的党委和政府领导专门听取民政部门专题工作汇报，并给予有力指导。培育工作纳入了各级民政部门议事日程，主要领导同志亲自抓落实。各地结合实际，研究制订民间组织发展规划，科学调整民间组织结构，加大整合力度，使民间组织在种类、布局等方面，不断适应经济社会发展的要求。

一是重点培育发展了行业协会。针对我国入世后迫切需要行业协会发挥作用的实际情况，民政部与国家发改委、国资委等部门多次协商行业协会的培育发展问题，并组成调研组，赴广东、浙江、江苏、福建等省市，对行业协会发展模式、作用及存在的问题进行了广泛深入的调研，初步形成了一些指导性意见。北京、上海、广东、浙江、福建、黑龙江等省市在调研的基础上，出台了发展行业协会的地方性法规、政府令等文件，加大了扶持力度。江苏、湖北、河北、重庆、海南、青岛、深圳、宁波、大连也正在制订相关培育扶持的政策。同时，各地利用登记管理手段，优化行业协会结构，重点扶持帮助优势行业、重点行业、新兴行业和与国际经济接轨密切相关的行业协会。目前，行业协会发展呈现出良好态势，特别是具有广泛代表性和自下而上建立的行业协会逐步得到发展，行业协会在反倾销、维护市场秩序等领域发挥的作用日趋显著，在行业和社会的影响越来越大。

二是积极扶持农村专业经济协会。各地坚持边登记、边规范、边发展的原则，大力推进农村专业经济协会的发展，促进了农业和农村经济结构的调整，提高了农产品质量和竞争力，增加了农民收入，受到农民的普遍欢迎。2003 年民政部下发《关于加强基层农村专业经济协会培育发展和登记管理工作指导意见》后，各地采取了多种措施，认真加以贯彻。湖南、四川、吉林、江西、新疆、新疆兵团、青岛、宁波等地出台相关政策，在坚持《社会团体登记管理条例》基本精神的基础上，从实际出发，适当放宽农村专业经济协会的登记条件，简化登记程序，从资金、技术、人才等方面予以扶持，赋予必要的职能和手段。在此基础上，浙江、山东、广西、贵州等省市还抓了跟踪调查，召开现场经验交流会，充分发挥典型导向作用，有力的促进了农村专业经济协会的健康发展。

2004 年 9 月 8 日 –11 日全国发展农村专业经济协会会议在山东召开，民政部部长李学举在开幕式上，对做好农村专业经济协会发展工作提出了明确要求。李学举指出：今后一个时期，农村专业经济协会不但要注意规范登记、加强管理，更重要的是加快培育发展。中农办、国务院研究室、农业部、中国科协、团中央和全国供销总社应邀参加了会议，并作专题发言。12 个省市民政厅局和农村专业经济协会在会上介绍各自的做法与经验。代表还对山东省发展农村专业经济协会情况进行实地考察。这次会议对各级民政部门提高认识，开拓思路，为今后进一步推动农村专业经济协会的发展打下好的基础。

三是探索培育社区民间组织。社区民间组织是在加快城市化和社区建设过程中涌现出的新型组织形式。许多省区市把加强社区民间组织的培育发展，作为民间组织工作新的生长点探索。浙江、湖北、北京、辽宁、黑龙江、内蒙古等地组织力量对社区民间组织进行了全面的摸底调查，制订了社区民间组织发展规划，提出总体目标，重点扶持发展公益性社区民间组织，对符合登记条件的按规定予以登记，对暂不符合条件的予以备案。截止 2003 年底，浙江省已完成了 6790 个社区民间组织的登记和备案，较好地解决了长期以来社区民间组织法律地位不明确，处于无序发展的状况。青岛市从实际出发，重点抓了社区公益性组织的发展。该市市南区成立的公益协会承担了辖区内有关公益事业的组织和协调工作，较好的满足了社区成员多方面需求，增强了社区居民凝聚力。

四是树立典型宣传表彰。为鼓励和引导民间组织发挥积极作用，2003 年民政部对在防治“非典”斗争中发挥突出作用的 48 个全国性社团和 2 个民办非企业单位予以了表彰。李学举部长、姜力副部长在表彰仪式上亲自颁奖。中央电视台、人民日报都加以报道，社会反响强烈。北京、天津、安徽、湖南等地也开展了对先进民间组织集体及个人的表彰活动，极大地鼓舞了广大民间组织的士气，向社会公众展示了民间组织的风采，正面宣传了民间组织在经济建设和社会发展中不可忽视的作用。

2004 年 12 月 10 日民政部隆重召开全国先进民间组织表彰大会，向 500 多家民间组织授予“全国先进民间组织”的荣誉称号，这是建国以来全国范围内对民间组织的首次表彰活动，也是民间组织发展史上的一件盛事。全国人大、全国政协的领导同志亲自出席了大会，接见与会代表并给先进单位发奖，中央国家机关有关部门的负责同志也出席了会议。这次会议充分体现了党和国家对民间组织的高度重视，是对民间组织显著成绩和积极作用的充分肯定，也是推动民间组织持续、健康发展的一项重要举措。

2004 年 12 月 9 日至 11 日全国行业协会成就汇报展览会在北京展览馆隆重举行。本次展览会由民政部、发改委和国资委三家共同主办，教育部、科技部等 28 家业务主管单位和各省、自治区、直辖市民政厅（局），计划单列市民政局，新疆生产建设兵团民政局协办。展览会吸引了广大行业协会的积极参与，受到了社会各界的广泛关注，共有来自 456 家行业协会参展，其中全国性行业协会 229 个、来自 33 个业务主管单位，地方行业协会 227 个、来自 30 个省级民政厅（局），展览占地面积约 20000 平方米。展览会围绕“展示、促进、发展、成就”的主题，全面系统地展示改革开放以来我国行业协会的发展历程和经验成就，探讨新形势下行业协会的发展方向，进行全方位和多层次的交流与合作。参加本届展览会的行业协会，都是多年来在各自的行业为国家的经济体制改革，为社会发展和进步做出显著成就的协会，不少协会还在 12 月 10 日在人民大会堂召开的全国先进民间组织表彰大会上受到表彰。这次展会为广大行业协会提供了交流经验、展示风采、加强合作的平台，堪称是一次规模空前的盛会。

（三）民间组织的监督管理全面加强

加强对民间组织的监督管理是中央和国家赋予各级民政部门的基本职责，也是维护社会稳定的重要保证。在完成民办非企业单位复查登记和社团清理整顿工作后，2003 年各地按照民政部统一部署，调整工作思路，努力转变重登记轻管理的状况，强化管理职能，创新管理制度，完善管理措施，充实管理力量，针对当前民间组织出现的违法问题和非法民间组织的活动，将监督管理与提高民间组织自律结合，年度检查与日常管理结合，内部自律与行政监督、社会监督结合，全面加强了监督管理工作。

一是管理制度、措施不断完善。为了确保管理工作落到实处，各地登记管理机关、业务主管单位、公安、安全等有关部门密切配合，建立了联系制度，及时沟通有关情况，有些省市还制订了紧急突发事件处置方案。上海和青岛初步建成了民间组织预警网络。上海市基本形成了覆盖全市，纵向以登记管理机关为主、业务主管单位和有关部门协同配合、民间组织积极参与，集“预警、服务、管理、协调”四位一体的网络架构。在实施管理工作中，广东等很多省市组织举办了执法培训，颁发执法证件，抽调骨干力量充实执法队伍。辽宁、甘肃在全省范围内组织开展了民间组织登记管理执法检查，进一步提高了行政执法工作水平。

二是日常管理不断加强，社会监督机制日益形成。各地坚持依法行政，公开行政，严格执法。2001 年，社团的年度检查工作的主要内容是根据新《条例》的规定对社会团体进行重新登记，凡符合条件重新登记的即视为年度检查合格。2002 年，又进行了对社团分支机构的复查登记。2003 年，民政部在日常监督和年检工作中，依法对 63 个长期不按条例要求办理重新登记的社会团体做出取消重新登记资格的决定，对 13 个有违纪行为的社团定为年检不合格，对中国行为法学会等三个社团擅自设立分支机构等行为分别予以行政处罚。并结合处罚工作实践，起草并完善了行政处罚规范。据统计，2003 年全国共撤销各种违法社团 3630 个，撤销各种违法民办非企业单位 3240 个。广东、青海、安徽、云南、厦门等省市在查处过程中，将典型案例、执法结果及时在新闻媒体予以公布，充分发挥新闻舆论的监督作用，起到了教育、警示和震慑的作用。2004 年在完成社团的清理整顿和分支机构的复查登记工作后，为改变过去重登记轻管理的现象，将相关工作文件在“中国民间组织网”上进行公布，并一改往年年检报告书长篇文字总结的形式，改为简单、实际、有针对性的填空形式，即大大方便了社团，又方便了管理机关的管理。

三是坚决打击非法民间组织，维护稳定大局。对于非法民间组织活动，各地做到发现一起，查处一起，决不手软。据初步统计，2003 年全国共取缔非法社团约 1860 个，取缔非法民办非企业单位约 4055 个。北京重拳出击，全年共查处了 51 件非法民间组织活动案件。广东共查处 30 多个未经批准擅自以社团、民办非企业单位名义活动的非法民间组织。浙江省依法查处了”浙江邮政附加费研究会“、“上虞市谢氏文化研究会”、丽水市基层民间“维权组织”等非法民间组织，将不稳定因素消除在萌芽状态，为社会政治稳定和经济发展做出了贡献。

（四）设立了专门的管理机构

1988 年民政部设立了社团管理司，专司全国性及跨省（市）自治区社团的登记管理及地方业务指导，此后，地方各省（市）自治区民政部门先后设立了社团处（办公室）等专门机构。1997 年，民办非企业单位纳入登记范围。民政部曾一度将该机构更名为“社会团体和民办非企业登记管理司”。1998 年中央政府机构改革后，又改名为“民间组织管理局”，地方各省机构改革后，也进行仿效，大部分省市的管理机关多称为民间组织管理局，个别地方有其他称谓，如北京的管理机关称北京市社会团体管理办公室，上海的登记管理机关称上海市社会团体管理局。近年来，由于民间组织管理工作关系国家的发展和稳定大局，不少省市将该管理机构升格为副（厅）局级机构，如北京、天津、上海、山东省。民政部负责民间组织登记管理的司局第一任负责人是刘宝琦，第二任为吴忠泽，第三任为李本公，现任民政部民间组织管理局局长为孙伟林。

（五）信息宣传和交流工作取得新进展。

2002 年，全国民间组织管理工作实现了建立“一报”、“一刊”、“一网站”的目标，填补了长期以来管理工作没有全国性专门宣传阵地的空白，为做好新时期的信息宣传和社会监督工作构筑了新的平台。尤其是中国民间组织政府网站的正式开通，进一步丰富了管理信息，既有政策咨询、信息发

布、经验交流等内容，又包括了网上办公、社会监督等多种功能，为民间组织的培育发展和监督管理搭起了更快捷更广阔的交流平台。各地在宣传和信息化建设方面也取得了可喜的成绩，很多省区市已创办了民间组织管理刊物或简报。“北京市社会团体网上行政审批系统”已经开通，市级社会团体的“筹备、成立、年检、注销”等所有的登记管理事项，均可通过网络进行。上海、广东、山东、陕西等地在信息化建设方面也取得了较快进展。民间组织信息宣传工组取得的可喜局面对于沟通联系，加强民间组织管理产生了重要影响。

培训工作开始纳入制度化、规范化的轨道。民政部民间组织服务中心举办了两期全国性社会团体秘书长培训，有200多位社团负责人参加，并计划逐步完善，形成秘书长和专职工作人员岗前培训制度。各地也有计划的开展民间组织负责人和管理干部培训工作，学习相关法律和业务知识。目前大部分省区市都已举办了培训活动，有些已完成了省地两级社团负责人培训工作。安徽、广东、湖北、湖南和深圳采取专题讲座、召开研讨会、现场经验交流会等多种形式，对管理干部普遍进行了轮训。通过培训，提升了社团负责人的法律意识，促进了社团自身建设，提高了社团整体素质，受到社团的普遍欢迎。同时，也进一步提高了管理干部业务能力和行政执法水平。

此外，由各地民间组织登记管理机构负责人发起的全国部分城市民间组织管理信息会议，为各地管理机关搭建了一个交流的平台。第一次会议于1999年召开，由20个包括中央直属市、计划单列市和部分省（区）省会城市的民间组织登记管理机构负责人发起。会议以“轮流做东”的方式，每年一度地开展工作研讨与信息交流。到目前，已由当初的20个城市发展到24个城市。自1991年在昆明召开首次会议到2004年在上海召开，共召开了14次。这种自发的、非行政命令形式的工作会议，既是我国民间组织管理工作者积极敬业的精神的表现，同时也对推动我国民间组织管理工作发挥了重要作用。

民间组织统计工作进一步得到规范。按照统一布置，2003年开展了全国、省、地、县四级民间组织上百项数据统计工作。在此基础上，部民间组织管理局与部财务司共同研究建立了民间组织台帐，并通过部文件形式进一步完善和规范了统计内容，使民间组织统计工作形成制度，纳入信息化、规范化轨道，为及时了解和掌握全国民间组织发展情况，进行科学决策，奠定了良好基础，同时也较好的解决了多年来因统计口径不一而导致各方统计结果不一致的问题。

第二节　民办非企业单位管理体制的历史沿革

一、民办非企业单位法制化之路

1、立法背景：

在1996年前我国民办非企业单位称民办事业单位，一直没有建立统一登记管理制度，其法律地位也不明确，一些单位自行审批设立民办非企业单位，致使有的地方民办非企业单位盲目发展；有的业务主管单位管理职责不落实，批而不管，放任自流。因此，很有必要通过立法规范民办非企业单位的登记管理，促进民办非企业单位的健康发展。

民办非企业单位是中共中央办公厅、国务院办公厅《关于加强社会团体和民办非企业单位管理工作的通知》（中办发〔1996〕22号）文件中提出的。中央为了对社会组织进行分类管理，将原民办事业单位改为民办非企业单位，列入民间组织，归由民政部登记管理。《通知》指出，我国对民办非企业单位的管理，实行业务主管单位与登记管理机关双重负责的管理体制。业务主管单位对所属民办非企业单位的申请登记、思想政治工作、党的建设、财务活动人事管理、召开研讨会和对外交往等重要活动安排、接受资助等事项负领导责任，在这些方面出了问题由业务主管单位负责。登记管理机关是国务院民政部门和县级以上地方人民政府民政部门，履行着国务院赋予的民间组织登记管理职能，是执法主体，主要负责民办非企业单位的登记审批工作，研究制定有关政策规定并组织实施，负责对民办非企业单位的活动进行指导和检查监督，依法查处违法行为。

2、《民办非企业单位登记管理暂行条例》的颁布

1998年10月25日国务院发布了《民办非企业单位登记管理暂行条例》。该条例对民办非企业单位作了界定，民办非企业单位指企事业单位、社会团体、其他社会力量以及公民个人利用非国有资产举办的从事各类非营利性社会服务活动的社会组织。民办非企业单位是实体型组织，主要分布在我国教育、科技、文化、卫生等领域，集中了大量的专业技术力量，在为人民群众提供各类专业性服务，在促进社会主义物质文明、精神文明建设的过程中发挥着重要作用。

《条例》确立了民办非企业单位的组织特征和法律地位；规定了对民办非企业单位实行登记管理机关与业务主管单位双重管理体制和分级登记管理体制，同时明确了登记管理机关与业务主管单位各自的职责；完善了登记条件和登记程序；保障了民办非企业单位的合法权益；规范了民办非企业单位的基本行为，强化了以章程为核心的自我管理机制；明确了违规行为的处罚措施。此外，条例对登记管理机关和业务主管单位的行为约束与监督也提出了具体要求。

《条例》是新时期我国民办非企业单位管理的重要法规。它的颁布实施，有助于民办非企业单位自身行为的规范，健全了内部管理制度；有助于政府对民办非企业单位进行正确引导，加强管理；有助于其依法开展活动。总之，《条例》的颁布实施对推动我国民办非企业单位的健康发展起到十分重要的作用。

3、关于民办非企业单位的界定

为了进一步贯彻《条例》，1998年11月召开的加强民间组织管理维护社会稳定工作会议上，徐瑞新作了《关于民间组织管理工作几个主要问题的说明》就关于民办非企业单位的界定及与其他社会组织的区别做了详细的说明。

民办非企业单位有五个基本特征：1. 民间性。即民办非企业单位不是由国家机关投资举办或组建的，资金来源也没有政府财政性拨款；2. 非营利性。它不从事产品生产和流通及为流通而提供的系列服务，而是从社会需要出发，为社会文化、教育、科技、卫生等公益事业方面提供服务，追求的是社会效益，不以营利为主要目的。因此它具有明显的非企业特点；3. 社会性。它不是各种社会组织的内设机构或附属机构，而是面向社会开展服务活动的实体；4. 独立性。它的人事、业务等问题由单位自己决定，业务自主，人员自聘，且不需经编制部门核定行政或事业编制；5. 实体性。它是由固定专业、固定场所和固定人员构成的一个单位实体。

民办非企业单位与事业单位的区分主要在于举办主体和资金来源。凡是由国家机关举办，或者其他组织利用国有资产举办的，从事教育、科技、文化、卫生等活动的社会服务组织，叫事业单位；民办非企业单位则是由企业事业单位、社会团体和其他社会力量，以及公民个人利用非国有资产举办的，从事非营利性社会服务活动的社会组织。

民办非企业单位与企业的区别，主要是在于是否从事营利性经营活动。企业进行营利性经营活动，以追求最大利润为目的，利益可以分配，财产可以转让、出售。民办非企业单位则不能从事营利性经营活动，开展活动所得的合法收入不得在会员中分配，必须用于章程规定的业务活动，注销登记时，财产不能转让、私分。

民办非企业单位与社团同属于民间组织，但它们之间也有区别。社团是由会员集合而成的群众组织，按照会员共同意愿，根据其章程开展活动。民办非企业单位不实行会员制，它是由固定人员、固定专业、向社会提供服务的实体。

二、启动了民办非企业单位复查登记工作

2000年初，民政部确定了有代表性的山东省青岛市、浙江省温州市、广东省深圳市、吉林省梅河口市和上海长宁区为部的试点，各省、自治区、直辖市分别选择了1－2个地区为省的试点，全国共计60余个市县。

各地党委、政府对试点工作高度重视，加强领导，周密部署，把试点工作当作贯彻中央决策、讲政治的大事来抓。各试点单位抓紧制定复查登记方案，召开动员会议，做出具体工作部署。通过广播、电视、报纸等形式进行广泛法制宣传。本着积极、稳妥、逐步推进的原则，调整加强复查登记工作力量，对当地民办非企业单位情况进行不留死角的调查。在大量调查研究，初步掌握民办非企业单位数量、活动领域、发挥作用状况等情况的基础上，进行了复查登记工作。

试点期间，民政部与科技部、国家体育总局、卫生部、文化部制发了双边文件，就有关民办非企业单位登记管理问题做出具体规定。各地也积极与有关业务主管单位合作，着手制订人事、税务、财会等方面的政策规定，加大了复查登记工作的力度。

由于各地党委和政府的重视，有关部门的密切配合，民政部门的积极努力，确保了民办非企业单位复查登记试点工作进度和质量，取得了有益的经验。截至2001年底，全国共登记民办非企业单位8万多个，我国的民办非企业单位初步纳入了法制管理轨道。

三、民办非企业单位的年检工作

民办非企业单位年检，是指登记管理机关依法按年度对民办非企业单位的登记事项变动及开展活动等情况进行审查，确认其是否具备继续活动资格的法定制度。由于年检具有时间固定、集中、检查面广、检查内容全等特点，因此具有其他监督管理方式不可替代的作用，是监督民办非企业单位依法办理登记注册，依法开展活动，维护社会主义市场经济秩序的重要手段和措施。

复查登记工作开展以来，全国各地陆续进行了民办非企业单位的年检工作，2002年度的年检工作到目前已全部结束。

（一）年检工作的现状

民办非企业单位的年检工作是从2002年开始的。在民政部制定的《民办非企业单位年度检查暂行办法（征求意见稿）》（以下简称《年检办法》）和《民办非企业单位年度检查报告书》（以下简称《年检报告书》）的基础上，很多地方结合当地实际，相继制定了本地区的年检办法，为年检工作提供了政策依据。

1、各地年检工作的主要作法和特色

（1）联合年检

联合年检解决了民办非企业单位在年检时间、内容、程序等方面，与有关业务主管单位的相关许可证年检相矛盾或重复的问题，简化了年检手续，提高了行政效率，方便了民办非企业单位。一些省市的年检工作自始至终与业务主管单位共同进行，不但加大了年检工作的力度，同时也减少了双重检查带来的重复工作环节。如青岛市对教育类民办非企业单位的年检工作与教育部门同步进行，统一公告，统一年检，统一执法。他们还与教育部门联合制定了年检报告书，将年检内容合二为一，减少了中间环节，受到欢迎。联合年检既体现了齐抓共管，又保证了部门之间责任明确，不出现交叉，相互配合，有力地促进了民办非企业单位年检工作的顺利进行。

（2）现场办公

现场办公是一种行之有效的年检手段，能够就地发现问题，就地指出问题，就地督促改正，避免了年检走过场。登记管理机关在书面审查的基础上，通过实地检查发现问题。工作人员亲临民办非企

业单位办公场所，了解办公条件，查看有关资料、审验财务收支状况。通过现场办公，掌握了民办非企业单位的真实状况，也从中发现了一些亟待解决的具体问题。如在年检实地检查中，及时指出有些单位存在的民办非企业单位标牌与单位名称不符、没有悬挂登记证书、无固定的办公场所，财务管理不规范，增设内设机构未办理变更登记手续，擅自增加业务范围等问题，并提出整改意见。实行现场办公，不但有利于登记管理机关掌握真实情况，把握主动性，而且有效地转变了机关作风，提高了年检效率，为民办非企业单位提供了方便。

（3）加强联席会议制度

年检中，民政部门充分发挥各业务主管单位的作用，召开联席会议，就年检内容及工作安排等征求业务主管单位的意见，赢得各业务主管单位对年检工作的支持，相互配合、协调工作。为确保年检工作的顺利完成，起到了积极作用。

（4）严格进行财务检查

财务检查是年检的重要内容之一，也是发现问题和解决问题必不可少的重要环节，是确保年检质量的有效手段。登记管理机关抽调有关人员组成财务检查组，到民办非企业单位采取听汇报、查账目的方法，对财务进行严格检查。通过检查，较好地掌握了民办非企业单位的经费收支状况及存在的问题。特别是对账目设置不规范，支出随意性较大，白条下账等问题及时给予纠正。个别单位不按财务规定设置会计、出纳，只有一名财务人员。有的没有专职财会人员，只是简单记流水账，不符合财务规定，如不去查账，单看上报的年检材料和财务报表难以发现账目中存在的问题。针对上述问题，登记管理机关在年检中当场指出，并提出解决问题的办法，指导民办非企业单位进一步加强了财务管理。

（5）加强培训，促进交流

登记管理机关采取不同形式对民办非企业单位的负责人进行培训，主要是学习有关民间组织的方针、政策，重点学习有关年检的内容。通过培训，使民办非企业单位的负责人提高了对年检重要意义的认识，明确了具体要求和步骤，从而使年检材料报送及时，减少错项、漏报等现象。一些省市还积极组织民办非企业单位之间进行观摩交流，促进相互合作。通过民办非企业单位之间的横向观摩交流，及时发现和收集民办非企业单位建设中好的经验和做法，丰富了年检的内涵，开创了“资源共享、携手共进”的局面。

2、年检中暴露出的主要问题

第一，民办非企业单位发展时间短、规模小、实力弱，生存不稳定。从整体上看，民办非企业单位既不像事业单位有编制和固定经费，也不像社团有较大的社会影响，更不像企业具有较强的经济实力。许多民办非企业单位都是兼职人员、退休人员居多，活动困难且不规范，许多单位由于无法生存，在年检中纷纷要求注销登记，增加了管理工作的难度。如，天津市在此次年检中，注销或同意办理注销的民办非企业单位就达66个。

第二，缺乏规范的民办非企业单位财务管理制度，增加了审计工作的难度。在审计过程中，有的单位净资产低于开办资金，有的单位财务管理混乱，有的规模小的个体养老机构、幼儿园等，未设立银行账号、财务无账、现金支付，有的个别单位甚至存在着抽逃资金和非法集资的现象。由于民办非企业单位不享有任何税收优惠政策，导致部分单位采取“合理避税”的办法，以求生存发展。

第三，年检过程收费过多。民办非企业单位年检中，银行开证明、业务主管单位初审、会计师事务所审计及年检公告等均要收费，这一系列费用增加了民办非企业单位的负担，使一些发展规模较小的单位难以承受。

四、我国民办非企业单位的其他法规和规章

1996 年中央决定对民办非企业单位由民政部门实行统一登记管理后，为了适应民间组织发展和管理工作的新形势，在有关部门的积极配合下，民政部在深入开展调研，广泛听取地方登记管理机关、有关民办非企业单位意见的基础上，单独或与有关部门共同制订出台了一批民办非企业单位登记管理的政策性规章、文件。

其中有关规章：如体育类民办非企业单位登记审查与管理暂行办法（国家体育总局、中华人民共和国民政部令第 5 号）；教育类民办非企业单位登记办法（试行）；职业培训类民办非企业单位登记办法（试行）；科技类民办非企业单位登记审查与管理暂行办法；民办非企业单位印章管理规定（民政部、公安部令第 20 号）

规范性文件有：关于社会团体和民办非企业单位专职人员社会保险问题的通知；民政部、中国人民银行关于民办非企业单位开立银行账户有关问题的通知（民发〔1999〕65 号）；民政部办公厅转发财政部关于对明确民办非企业单位财务管理制度等问题的函的通知（民办函〔1999〕114 号）；民政部关于印发民办非企业单位名称管理暂行规定的通知（民发〔1999〕129 号）；民政部办公厅转发《国家计委、财政部关于核定民办非企业单位登记收费标准有关问题的通知》的通知（民办函〔1999〕130 号）；民政部关于印发《关于开展民办非企业单位复查登记工作意见》的通知（民发〔1999〕133 号）；文化部、民政部关于印发《文化类民办非企业单位登记审查管理暂行办法》的通知（文人发〔2000〕60 号）；民政部关于做好民办非企业单位登记管理试点工作的通知）民发（2000）91 号）；民政部、教育部关于印发《教育类民办非企业单位登记办法》（试行）的通知（民发〔2001〕306 号）；民政部关于《民办非企业单位名称管理暂行规定》有关问题的通知（民函（2003）152 号）；民政部关于对中外合作办学机构登记有关问题的通知（民函〔2003〕263 号）。

第三节　基金会管理体制的历史沿革

一、基金会法制化历程

1999 年前，对基金会的登记管理的依据是 1988 年颁布的《基金会管理办法》，实行的是业务主管单位、人民银行和民政部门三方负责的管理体制，即业务主管单位同意、人民银行审查批准，民政部门登记注册。

1998 年政府机构改革后，根据朱镕基的指示，1999 年人民银行退出管理体系，基金会由民政部门统一归口登记。10 多年来，《基金会管理办法》对于规范基金会的行为，促进基金会健康发展起到了重要作用。但是，这个办法不够完善，对基金会的组织形式、内部决策程序、财务会计制度、资产使用管理、社会监督机制等许多环节上未做规定。随着改革开放的深入和市场经济体制的不断完善，解决基金会法律制度的缺失，为基金会的发展提供制度保障已尤为必要。为了解决这些问题，民政部和国务院法制办共同修订《基金会管理办法》。多次召开座谈会和专题研讨会，征求有关部门、方面、专家和学者的意见，并借鉴其他国家基金会管理的有益经验，做了大量的论证和修改工作。2004 年 3 月 8 日，温家宝总理签署第 400 号国务院令，正式颁布了《基金会管理条例》，并将于 2004 年 6 月 1 日起正式实施。。这是我国关于基金会的第二部行政法规。

二、《基金会管理条例》的重大意义

《基金会管理条例》的颁布，为加强基金会管理，促进我国公益事业的发展提供了法律保障，丰富了我国民间组织的法律法规体系，是坚持以人为本，不断满足人民群众多方面需求的重大举措。

《基金会管理条例》的贯彻实施，对于推动民政工作体制和机制的创新，贯彻落实科学发展观，推动经济社会全面、协调、可持续发展具有深远的意义。

（一）做好基金会登记管理工作是我国经济社会进入新的发展阶段的客观要求。

目前，我国经济持续快速发展，市场经济体制逐步建立和完善。2003 年，国内生产总值已达 11 万亿元，人均 GDP 超过了 1000 美元，我国进人了现代化建设的新的发展阶段。这个阶段是我国经济结构、社会结构发生深刻变化，社会利益关系不断调整，经济社会发展充满机遇，面临风险的关键期，也是具有鲜明公益性特征的基金会发展的机遇期。

一是由于经济快速发展，人民群众的生活水平稳步提高。中产阶层逐步扩大，富人群体的数量和获得的财富增多，富裕起来的群体有条件和能力把一部分资产捐赠出来，回报社会，奉献社会公益事业，为公益事业的发展提供了物质基础。二是我国已形成了社会财富占有多元化的格局，多种所有制经济的相互促进和共同发展，引发各种股份制经济、合作经济、民营经济的迅速增加。据统计，2003 年非国有企业营业收人已占企业营业收人总数的 65.86%。外资经济发展迅速，2003 年底全球 500 家最大的跨国公司已有 400 多家来华投资，全国累计批准外商投资企业 46 万多家，吸收外商直接投资 5015 亿元。目前，我国社会经济所有制的多形式，就业方式和分配方式的多样性，形成了社会资源和社会财富占有的多元化，为基金会的社会化创造了条件。三是各项社会事业在取得巨大进步的同时，出现了新的矛盾和问题，如城乡差距、区域差别扩大，就业和社会保障压力增加，教育、卫生、文化等社会事业发展滞后，经济发展同生态环境、自然资源的矛盾加剧等，特别是经济转轨和社会转型带来的失业人员增多，社会弱势群体的数量增多，贫富差别进一步拉大。国际上通用的衡量社会贫富差距的基尼系数，我国为 0. 417，已临近警戒线。社会发展滞后于经济发展的诸多问题需要统筹解决，使我国社会公益事业的发展面临很大的空间。四是随着社会的发展进步，人民群众的民主意识和道德水平提高，参与公共管理的愿望增强，追求人的全面发展，尊重人的生存、健康、安全需要滩护社会公平、正义的社会风气进一步弘扬，更加关注人文氛围、生态环境和社会公正。公益事业的发展面临良好的社会环境。

基金会以公益为目的，引导社会组织和个人自愿地把一部分财富和收人捐赠出来，用于保护环境、发展科教文卫、扶贫济困、帮残助弱等社会公益事业，满足各阶层群众参与公共管理、服务公共事务、发挥个人能力的意愿，体现社会关爱精神，推动人与自然、经济与社会、城市与农村、富裕与贫困等不同领域、地域、群体之间的协调发展。在我国处于经济社会发展的关键时期，培育发展各类基金会，使这些基金会吸纳社会各界人士，汇聚民间资金，在社会各领域里开展广泛的公益活动，能够程度不同地解决社会问题，缓解社会矛盾，增强社会凝聚力，能够更好地体现社会公平与公正，弘扬中华民族的传统美德，推进精神文明建设。

（二）做好基金会的登记管理工作是政府转变职能的客观要求。

随着市场经济体制的逐步完善，我国社会行政管理适应全面建设小康社会的新形势和依法治国的进程，不断推进政府职能转变，深化行政管理体制改革。政府更加注重履行经济调节、市场监管、社会管理和公共服务的职能，逐步构建与经济社会和人的全面发展相适应的社会管理体制。温家宝总理在今年政府工作报告中指出；要进一步把不该由政府管的事交给企业、社会组织和中介机构，更大程度地发挥市场在资源配置中的基础性作用。最近，国务院制定了《全面推进依法行政实施纲要》，提出要推进政企分开，政事分开，实行政府公共管理职能与政府履行出资人职能分开。凡是公民、法人和其它组织能够自主解决的市场竞争机制能够调节的，行业组织或者中介机构通过自律能够解决的事项，除法律另有规定的外，行政机关不要通过行政管理去解决，要加强对行业组织和中介机构的引导和规范。政府行政管理体制改革的深化必然促进公共服务的社会化。

我国公益事业领域广阔，空间巨大，任务繁重。各级政府财力和机构编制有限，没有能力也不应该包揽一切社会事务。因此，一方面要发挥政府在发展社会公益事业中的主导作用，加大国家财力的投入，进一步做好规划、组织和调控；另一方面，要调动群众和社会的作用，把一部分公益职能分解给民间组织，引导非政府领域对公益事业的广泛参与，为社会公众提供自主参与、自我管理的空间和途径，这是加快解决社会发展滞后问题的重要措施。国外许多国家都是在经济发展处于转折时期，注意发挥民间组织的社会助动器作用，着手制定政策，推动各种基金会的大力发展，以此保持政府和民间组织、社会各阶层利益群体的和谐互动，形成国家和社会、政府和公众共同的合力。因此，政府要通过政策扶持、舆论引导、依法管理等措施，调动社会慈善的活力和资源，营造有利于民间组织和个人投入公益事业，有利于基金会发展的环境，培育和发展一批实力雄厚、运作规范的基金会。使他们自主吸纳社会资源，自主组织赈灾扶贫、助残育孤、社会救助以及文化教育、环境保护等各项社会公益活动，担负起维护社会公平，保护社会弱势群体，和谐社会各阶层关系的作用，成为政府的得力助手。

（三）做好基金会的登记管理工作是促进民间组织发展的客观要求。

近年来，我国的民间组织稳步发展，在经济社会发展中的作用越来越明显，社会团体、民办非企业单位、基金会这三种类型的民间组织都已形成一定规模。截止目前，在各级民政部门登记的社会团体13万多个，民办非企业单位12万多个，基金会近1200家，在民政部登记的全国性基金会有80家。全国性基金会的总资产约30亿元，规模较大的基金会资产达几亿元。基金会用于社会公益的支出约40亿元。一些基金会活跃在扶贫、救灾、科技、文化、卫生、医疗、环保、社会福利、社区、老年等领域，面向基层，心系群众，服务宗旨明确，致力于各种社会问题的解决，为推动社会进步发挥了积极的作用。但总体上看，我国基金会仍处在起步阶段，数量不多，规模不大，在社会生活中的作用还不够显著。与国外一些运作成熟、管理规范的基金会比较，还有相当的差距。有的基金会不会募集和运作资金，只是筹了一笔钱，挂了一块牌。有的基金会自律机制不健全，缺乏严格的财务管理，成了个别组织和个人的小金库。基金会的现状，反映了我国民间组织发展的总体水平，基金会存在的这些问题有的是基金会所特有的，但相当一部分是当前民间组织的共性问题，如行政色彩较浓，专业和专职人员缺乏，自律机制不健全等。尽管近些年来坚持培育发展与监督管理并重的方针，不断适应民间组织发展的新要求，研究出台了一系列相关政策措施，努力为民间组织创造良好的发展环境。但是，民间组织的发展管理仍然面临不少困难和问题，需要根据社会的发展进步，解放思想，不断推进民间组织发展和管理机制创新，提高民间组织的整体素质。基金会是民间组织中最能体现社会关爱精神、自身运作最复杂、公众关注度强、社会期望值高的一类组织。以贯彻实施《基金会管理条例》为契机，以基金会为样板，认真研究，精心引导，培养典型，通过抓好基金会的建设和管理，认识和把握民间组织发展规律，解决相关的政策问题，突破难点，创造更加有利于民间组织发展的社会环境，以此带动整个民间组织建设和管理水平的提高，更好地发挥民间组织在社会主义现代化新的发展阶段的积极作用。

三、《基金会管理条例》的重大变革

《基金会管理条例》共设为七章四十八条，分别规定了基金会登记管理的总原则，基金会的设立、变更和注销登记，基金会的组织机构，基金会财产的管理和使用，政府和社会对基金会的监督管理，基金会的法律责任等。与《基金会管理办法》相比，内容更加丰富，体系更加完整，可以说是对基金会登记管理法规的一次重新起草。《条例》贯穿了重培育发展，以规范管理促进基金会健康发展的指导原则。在这一指导原则下，体现了八个方面的重点内容：

一是进一步明确基金会的公益性质，确保公益目的的实现。

公益性是基金会的本质特征，公益是基金会设立的唯一目的。保障基金会的公益性，是《条例》的根本任务。基金会的基金来源于社会，服务于社会，为了实现这个目的，《条例》作了诸多的政策规定。如将基金会定义为‘利用自然人、法人或者其他组织捐赠的财产，以从事公益事业为目的，按照本条例的规定成立的非营利性法人”，这就明确了基金会的公益性质，使基金会与其他管理信托投资基金、以营利为目的的基金管理组织以及其他民间互益组织区别开来。基金会的公益性质决定了其财产必须用于公益目的，也必须受到保护。《条例》规定”基金会的财产及其他收入受法律保护，住何单位和个人不得私分、侵占、挪用。”“基金会注销后的剩余财产应当按照章程的规定用于公益目的；无法按照章程规定处理的，由登记管理机关组织捐赠给与该基金会性质、宗旨相同的社会公益组织，并向社会公告。”

公益目的的实现还需要一系列具体措施来保障，如基金会章程必须明确基金会的公益性质，不得规定使特定自然人、法人或者其他组织受益的内容；基金会必须建立完善内部管理机制，要受到严格的监管，特别是受到公众监督；基金会的运作必须公开透明，尤其是财务状况必须公开。对此，《条例》一一作了规范。

二是实施分类管理，广泛动员社会力量参与公益事业。

《条例》将基金会分为“公募基金会”，即面向公众募捐的基金会，和“非公募基金会”，即不得面向公众募捐的基金会两类，增设了非公募基金会这个新种类。允许以企业和个人的名义命名非公募基金会；对于用私人财产设立的非公募基金会，允许捐赠人的亲属可以在限定的比例内在理事会担任职务。根据国外的经验，非公募基金会是一种引导个人和组织的财产流向社会，特别是流向弱势人群的有效形式，也是社会财富实现再分配的一种途径，可以最大限度地调动企业和个人的捐赠积极性，吸引更多的社会资源从事公益事业，使公益事业的资金来源更加多渠道。个人或企业捐赠财产，建立非公募基金会，在为社会公益事业做贡献的同时，也可以由于良好的社会形象带来更多的经济效益。因此，《条例》对于非公募基金会，采取扶持鼓励的政策，在基金会的名称、登记条件、资金使用等方面的规定相对比较宽松。为了规范面向公众开展的募捐活动，保护爱心资源，减轻公众负担，维护社会平稳安定，《条例》对公募基金会的行为管理相对严格。对两类基金会在设立标准、成员构成、公益支出比例等方面作出不同的规定，体现了区别政策。

三是适应改革开放的新形势，将涉外基金会纳入国内基金会管理的法律范围。

近年来，特别是我国加入世贸组织后，在华外国人结社和境外非政府组织进入境内开展活动的要求明显增多，但涉外民间组织登记管理没有相应的法律法规，各级登记管理机关一直采取不承认、不接触、不取缔的做法。但有不少未经登记的组织已自行开展活动，在我国境内开展活动的涉外民间组织的数量不断上升，活动日趋活跃。据统计，仅云南省就有近40个外国和港澳台民间组织在活动，其中不少是基金会。这些组织活动频繁，且长期脱离政府监管，既不利于他们充分地表现对中国的公益爱心，也不利于规范他们的行为，确保国家的安全和稳定。这次修订的《基金会管理条例》适应了涉外民间组织管理的新形势，将涉外基金会纳人国内民间组织管理法律框架，依法进行登记管理。《条例》对基金会的设立主体没有做国别、境内外限制。允许外国人和港澳台居民在华设立基金会，允许境外基金会在中国内地设立代表机构，鼓励境外资金进人境内开展公益活动。既解决了涉外基金会的设立和管理问题，为我国公益事业的发展争取更多的外部支持，也为下一步修订出台《社会团体登记管理条例》和《民办非企业单位登记管理暂行条例》，确定涉外民间组织的设立和管理问题作了政策和实践探索。

《条例》作出允许涉外基金会在中国内地开展符合中国公益事业性质活动的规定，体现了国际惯例，有利于扩大对外交流和合作，有利于利用更多的公益资源地有利于借鉴国际成熟的公益组织管理和运作经验，促进我国公益组织自身能力和管理水平的提高。《条例》将境外基金会在华活动的管理纳入国内民间组织的管理框架，规定境外基金会代表机构应当从事符合中国公益事业性质的公益活动。境外基金会对其在中国内地代表机构的民事行为，依照中国法律承担民事责任。考虑到我国是发展中国家，公益负担重，募捐资源有限，境外基金会代表机构不得在中国境内组织募捐、接受捐赠。

四是对基金保值、增值的方式做了开放性规定。

基金会的保值增值，是基金会运作的重点。规定得过严，基金会缺乏活力；规定得过松，基金会保值增值风险增高。原《基金会管理办法》对基金会资金的运作做了限制规定，以达到基金保值增值的目的。如“基金会不得经营管理企业”；“基金会可以将资金存入金融机构收取利息，也可以购买债券、股票等有价证券，但购买某个企业的股票额不得超过该企业股票总额的20%”。《中国人民银行关于进一步加强基金会管理的通知》规定：“基金会基金的保值及增值必须委托金融机构进行”。但这些规定在实践中没有达到预期目的。是否经营企业以及拥有某个企业股票额的多少，与基金会的公益目的并不矛盾，也不反映基金运作风险的大小。基金会的情况千差万别，具体保值增值规定很难适应每个基金会。《基金会管理条例》按国际惯例制定规则，不对基金会的保值增值行为做具体要求，只做了原则的、开放性规定，力图通过社会监督、内部监督来解决对基金会投资行为的约束，同时增加了“失误赔偿”的条款。规定因决策不当致使基金会财产损失的，参加决策的理事应当承担相应的赔偿责任，以保障基金会对投资行为慎重行事。

五是鼓励基金会多募钱，多做公益，形成良性循环机制。

基金会募集资金、运作资金的能力是保证其生存和发展的关键。基金会只能募钱有招，生财有道，用钱有效，才能有源源不断的财源，才能充满活力，最大限度地实现公益目的。目前，不少基金会不会募捐，很少开展有影响的公益活动，因缺乏活力而逐渐萎缩。成功的基金会应是过路财神，边募钱，边用钱，募得多，用得多，取得良好的社会效益，树立起形象，形成良性循环。为了逐步实现这个目标，《条例》从制度上作了规定，将基金会每年的公益支出作为衡量基金会是否完成了公益任务的重要标准，规定公募基金会每年用于从事章程规定的公益事业支出，不得低于上一年总收入的70%；非公募基金会每年用于从事章程现定的公益事业支出，不得低于上一年基金余额的8%；不按规定完成公益事业支出额度的，将被处罚直至撤销。这就意味着，只徒有虚名，不务公益之实的基金会不再有存在的法规依据。

六是建立规范的内部自律机制。

良好的自律机制是基金会存在和发展的内在动力。针对目前一些基金会内部现范不够，自律机制不健全的状况，《条例》要求基金会建立以章程为核心的各项自律制度，并从公益法人组织机构的特点出发，专门设立了基金会“组织机构”一章，明确规定了理事会是基金会的决策机构，规范了埋事会的组成和议事决策程序，监事的设置和职能，制定了防止基金会内部人员与基金会公益宗旨发生利益冲突行为的规则，通过限制在基金会领取报酬的理事数量，规定监事和未在基金会担任专职工作的理事不得从基金会获取报酬，基金会的法定代表人不得同时担任其他组织的法定代表人等，引导基金会建立自律机制，规范基金会的行为。

七是确立了公开、透明的原则，进一步完善监督管理机制。

基金会作为担负神圣使命的公益组织，享受优惠的税收政策，掌握社会公益资源，公众关注程度高，社会责任大，其活动是否规范关系到爱心资源的保护，关系到基金会的信誉和公益事业的发展，必须在自律的基础上接受各方面的监督，保持较高的社会公信度，这就需要从法规上建立完善的政府监督和社会监督机制。《条例》在这方面作了多项规定。明确了“基金会依照章程从事公益活动，应当遵循公开、透明的原则”，并从政府监督和社会监督等方面做了相应的规定。明确了登记管理机关和业务主管单位登记、日常监督和年检等方面各自的职责，规定了各类非法活动的详细情形和相应的法律责任。同时规定基金会要接受年度检查，要接受税务、会计主管部门依法实施的税务监督和会计监督；基金会在通过登记管理机关的年度检查之后，要将年度工作报告在登记管理机关指定的媒体上公布，接受社会的查询、监督；公募基金会组织募捐，应当向社会公布募得资金后拟开展的公益活动和资金的详细使用计划；基金会处理剩余财产应当向社会公示等。

八是明确了税收优惠原则，加大了税收监管力度。

利用税收手段扶持和监管基金会，对基金会及其捐赠人实行税收优惠是各国通行的做法。减税、免税措施构成基金会和其他组织发展的重要政策环境。为了鼓励公益事业的发展，我国已陆续出台了一些税收优惠政策，对于公益事业的发展起到了促进作用，但还不系统，散见在多个相关文件中，在实施过程中也遇到了一些实际问题。《条例》规定“基金会及捐赠人、受益人可以依照法律、行政法规的规定享受税收优惠”规定了税收优惠的大原则，表明基金会、捐赠人、受益人三方面都能够依照法现享受到税收优惠、至于税收优惠的具体办法，财政部、国家税务总局正在研究制定。在享受税收优惠的同时，基金会要依法办理税务登记、接受税务部门的监督，对有违法行为的基金会，税务机关还可以要求补交违法行为存续期间享受的税收减免。要通过税收政策，鼓励基金会的发展，加强对基金会的监管。

四、《基金会管理条例》的贯彻落实

2004 年 4 月 5 日民政部在广州召开全国贯彻《基金会管理条例》工作会议。民政部副部长姜力就如何做好《基金会管理条例》的贯彻实施工作做了要求：

一是搞好宣传和培训工作。2004 年 3 月 19 日，在《条例》发布的第二天，国务院新闻办即召开中外记者新闻发布会，民政部介绍了《条例》的基本情况，就社会所关心的问题回答了记者的提问，确立了宣传基调。下一步民政部还将和国务院法制办共同编写《条例》释义，研究出台配套政策。各级民政部门要以此为基础，结合本地的实际，进行宣传和培训。

要利用广播、电视、网站、报纸、期刊等媒体，宣传基金会的意义和作用，提高公众对基金会的认知度，普及基金会知识。要举办专题讲座，进行知识问答，编撰教材、书籍等，对有志投身公益事业的集团、民营企业、跨国公司和个人要有针对性的引导，对贡献突出的要大力表彰和宣传。要调动学术界对公益组织、第三部门的研究，发挥专家、学者的作用，对基金会的发展问题展开研究和讨论。通过多种形式，创造催生基金会的舆论环境，激发关心公益、奉献爱心的社会潜力，形成举办基金会光荣、投身公益事业可敬的社会氛围。同时，要把对基金会的宣传舆论和监督舆论结合起来，使人们了解基金会，关心、爱护、监督基金会。

要搞好对《条例》的学习和培训。《条例》是一部专业性很强的法规，涉及多方面的知识，学习不深，理解不透，就执行不好。首先是民政部门的领导干部和从事民间组织管理工作的同志要学好。深刻领会《条例》的基本精神，逐条把握具体条款，熟悉登记管理工作的基本程序。同时还要学习行政许可法、经济法、民法等法律法规和其他相关知识。其次是组织对业务主管单位的有关同志和基金会负责人、专职工作人员的学习培训。可以采取座谈会、研讨会、培训班等形式，使他们熟悉、理解《条例》，提高依法办基金会的思想认识，掌握基本规则。已登记的基金会应该在参加学习培训后再换发新登记证书。

二是要在《条例》实施之前，做好各项登记准备工作。《条例》将在 6 月 1 日正式实施，登记工作要按时启动，必须在此之前做好各项准备。民政部将就基金会的名称管理、设立基金的验资程序、登记审批过程中的内部协调机制、办法等做出具体规定，还将制定基金会章程范本、年检报告书、申

请表格并统一印刷基金会登记证书等。各地地基金会审批过程中要严格执行《条例》和有关规定，按照《条例》和《行政许可证》的要求，建立登记工作的规范标准，体现合法、公开、公正、便民的要求，把不断总结登记工作的经验，完善登记制度，保证登记管理工作的顺利进行。由于前几年对基金会登记基本处于停止状态，启动登记工作后可能有一个申请高峰，各地要提高效率，坚持标准，认真审核，严格把关，依《条例》规定进行登记。在做好工作准备的同时，各级民政部门还要做好组织人员的准备，把会外语、懂资金运作的的干部调整到登记管理岗位。要加快民间组织信息管理系统建设，为基金会提供快速、便捷、规范的服务。在执行《条例》过程中，会遇到新的情况和新的问题，不要随意变通，要认真加以研究，提出意见和建议并及时上报部里，以便研究确定。

三是要慎重稳妥地做好现在有基金会登记证书的换发工作。按照《条例》规定，已履行过登记手续的基金会，要在2004年6月1日至2005年2月1日之间换发登记证书。对已登记过的基金会，要区分情况，分别处理：对符合规定的，尽快办理以证换证；对活动正常，因原始基金数额达不到标准的，允许换发证书，但需要在规定的期限内补足基金；对活动不正常、存在若干问题的，要限期整改；对基本不再具备设立条件和存在较严重问题的基金会要依《条例》的有关规定处理；对未经登记，已在社会开展活动的基金会和境外基金会代表机构，不要按照换发证书的方式处理，要根据《条例》规定的条件和程序办理设立登记手续；以前地方越权登记的基金会，其登记无效。就现有基金会的审核及换发证书工作，民政部还将制定具体工作方案下发。

四是要探索建立基金会自律制度和行业互律机制。基金会汇集公共资金，承担实现捐赠人爱心意愿的社会责任，必须做到自身运作规范，决策、运转监督机制完善，对国家、社会、捐赠人和受益人负责，否则将有可能发生与公益性完全相悖的问题。

各级民政部门要引导、帮助基金会搞好自身建设，坚持权利制约、决策透明、渎职追究原则。建立依法制定章程、严格遵守章程、维护章程权威的行为规范，完善财产管理和使用、理事会的决策、监事的职责行使、工作人员的录用和奖惩等制度。

要逐步建立起以行业自律为目的的基金会行业组织，形成同行之间的监督互律。依靠行业组织制定并监督实施基金会从业人员的道德规范，制定并监督实施包括资金筹措、项目管理、运作成本、内部管理等评估体系，逐步形成基金会相互监督、合理竞争、共同发展的机制。

五是要加强基金会的外部监管，尽快探索建立完善的监督管理体系。改变“重登记，疏管理”，加强政府监管、社会监督，建立和健全基金会外部监管体系是贯彻实施好《基金会管理条例》的重要措施。

首先要强化登记管理机关的监督管理，完善管理制度和措施，加大管理力度，丰富管理手段。要以保障基金会的公益性、非营利性和规范性作为登记管理机关的最终目标，着重检查基金会的财务状况、开展公益活动情况、遵守财税法规情况和内部制度建设情况等。既要利用好年检的作用，通过年检，了解情况，发现问题，指导整改；又要加强即时监管，及时掌握基金会的活动情况，依法查处非法基金会和基金会违法行为。这里还要强调登记管理机关对基金会的管理要进一步树立服务就是管理的思想，坚持以正面宣传、表彰先进、推广经验、提供服务为主要工作方式，对极少数违法违纪的基金会进行查处是辅助手段，不能主辅倒置。

要发挥业务主管单位、税务部门和会计、审计机构对基金会的监管作用。要将双重管理体制落实到位，进一步理顺关系，促进业务主管单位切实行使好管理职能，使他们对基金会的管理制度化、规范化，民政部门要与业务主管单位建立分工明确、配合默契的互动机制。要贯彻好财政部即将出台的《非营利组织会计制度》，统一基金会的财务管理，支持会计主管部门对基金会执行国家会计制度和财务管理情况进行监督管理的职责。要与税务部门共同研究解决基金会的税收优惠，协助税务部门对基金会纳税和享受税收优惠的监督管理。要建立与外交、公安、安全以及港、澳、台管理部门协调配合的机制，搞好对在华外国人设立的基金会和境外基金会代表机构的监督管理，确保国家安全和社会稳定。

要探索建立完善的社会监督机制。加大基金会的社会开放度，使基金会的设立和运作公开、透明，扩大社会参与。要建立政策和制度，促进基金会定期向社会公布自己的资金募集、资金增值收益、捐赠项目等信息和数据，主动接受社会的检查、监督。

登记管理机关要公布对基金会年度检查的情况；基金会的行业组织要公布对基金会的评估结果，树立基金会的品牌。通过各方面的共同努力，逐步形成一个社会有权监督、便于监督、监督有效的机制。各级民政部门要利用好自身的网站、报纸、刊物，为基金会及时传递信息，使社会公众了解情况、参与监督，为捐赠人选择廉洁有效、运作规范的基金会搭建平台。

民间组织发展规模统计资料

（1999年—2003年）

1999年社会团体管理工作情况(一)

单位:个

地　　区	(一)上年末实有社团数	(二)本年批准登记社团数						(三)本年注、撤消社团数	
		总　　数	1.学术性社团	2.行业性社团	3.专业性社团	4.联合性社团	5.基金会社团	总　　数	撤消社团数
全国	162887	9190	2160	3588	2257	1108	77	35236	12187
北京市	2049	125	12	46	61	6		318	52
天津市	1078	21	1	8	9	3		239	41
河北省	6443	370	79	159	88	41	3	1526	526
山西省	3277	219	48	104	43	24		795	465
内蒙古自治区	2852	159	23	59	44	31	2	484	1
辽宁省	6997	410	126	143	98	42	1	967	631
其中:大连市	937	41	8	17	14	2		108	68
吉林省	3936	143	48	48	24	19	4	432	166
黑龙江省	4827	450	147	167	85	49	2	1818	1199
上海市	2941	143	55	6	64	17	1	443	6
江苏省	12547	706	149	293	199	63	2	1909	477
浙江省	11624	832	197	267	245	116	7	1525	240
其中:宁波市	1193	52	2	27	15	8		56	15
安徽省	5401	401	81	192	80	41	7	1279	376
福建省	8766	304	65	129	36	69	5	3557	897
其中:厦门市	7731	9	2	3	1	3		87	56
江西省	4407	226	52	83	47	43	1	676	387
山东省	10600	792	212	250	267	61	2	2095	299
其中:青岛市	1066	47	12	11	22	2		104	19
河南省	9008	369	71	145	88	57	8	2817	1121
湖北省	6436	512	112	224	128	46	2	1170	450
湖南省	6978	464	134	188	75	65	2	1281	657
广东省	9783	351	70	154	76	50	1	1718	649
其中:深圳市	877	24	6	4	11	3		203	105
广西壮族自治区	4760	190	47	67	59	17		1613	554
海南省	898	52	9	22	19	1	1	119	73
重庆市	4248	379	96	136	117	30		1408	533
四川省	12734	582	134	218	109	113	8	2936	1034
贵州省	2935	93	21	43	21	8		676	231
云南省	5210	305	66	142	61	35	1	1359	332
西藏自治区	74	27	7	10	4	3	3	6	1
陕西省	4564	202	31	101	53	13	4	839	312
甘肃省	2737	85	15	43	18	7	2	320	79
青海省	950	34	2	12		20		48	7
宁夏回族自治区	935	80	7	53	7	7	6	83	20
新疆维吾尔自治区	2892	164	43	76	32	11	2	780	371
其中:建设兵团	296	30	3	22	2	3		60	30

1999 年社会团体管理工作情况（二）

单位：个

地　　区	（四）年末实有社团数	按活动区域分		按性质分					（五）社团负责人（人）	
		省级社团	地级社团	学术性社团	行业性社团	专业性社团	联合性社团	基金会社团	总　　数	女性（人）
全国	136841	19759	50322	42588	40529	34704	17219	1801	475966	59897
北京市	1856	1069	550	485	347	777	214	33	7268	1323
天津市	860	1	712	210	181	327	142		2493	485
河北省	5287	795	1632	1339	1962	1306	627	53	8338	1188
山西省	2701	624	1012	754	945	717	276	9	7710	758
内蒙古自治区	2527	519	971	982	678	559	286	22	5708	990
辽宁省	6440	698	3207	2226	1870	1529	779	36	18557	3282
其中：大连市	870		502	239	223	326	73	9		
吉林省	3647	550	1453	1428	1192	722	294	11	8574	2248
黑龙江省	3459	579	1438	1311	1141	684	297	26	10090	1689
上海市	2641	991	1431	795	858	438	491	59	11440	1734
江苏省	11344	814	3744	3339	3539	2946	1479	41	48901	5568
浙江省	10931	821	3258	3180	3424	2396	1846	85	47344	4998
其中：宁波市	1189		318	384	254	386	165			
安徽省	4523	626	2082	1667	964	1149	708	35	12217	1592
福建省	5513	691	1874	1730	1177	1371	1121	114	20998	1554
其中：厦门市	695		475	199	106	125	235	30		
江西省	3957	563	1326	1555	1038	922	432	10	14067	1174
山东省	9297	1062	3830	2508	2982	2967	820	20	39750	4252
其中：青岛市	1009		574	223	320	386	78	2		
河南省	6560	826	2597	1730	2149	1662	489	530	27550	3095
湖北省	5778	732	2072	1964	1494	1606	670	44	21309	2407
湖南省	6161	658	2665	2162	2013	1378	550	58	20677	3249
广东省	8416	910	4121	2389	1803	2463	1596	165	39183	4315
其中：深圳市	698		516	172	98	252	142	34		
广西壮族自治区	3337	645	1344	1114	1021	820	359	23	8267	993
海南省	831	511	188	316	253	148	102	12	2285	252
重庆市	3219	879	398	907	1134	716	462		11395	1661
四川省	10380	1084	2691	3155	2962	2695	1392	176	34375	5523
贵州省	2352	562	680	769	659	725	195	4	7829	775
云南省	4156	2	1325	1208	1233	1112	561	42	11148	1089
西藏自治区	95	6	77	13	29	21	22	10	110	22
陕西省	3927	628	1319	1271	1131	1077	374	74	12711	2053
甘肃省	2502	604	823	773	729	780	193	27	6694	447
青海省	936	368	281	405	365	125	34	7	1123	266
宁夏回族自治区	932	443	172	173	404	136	210	9	3123	147
新疆维吾尔自治区	2276	498	1049	730	852	430	198	66	3609	497
其中：建设兵团	266	47	201	93	69	77	18	9		

1999年民办非企业单位及涉外社会团体管理工作情况

单位：个

地　区	民办非企业单位管理							涉外社团管理						
	(一)上年末实有单位数	(二)本年批准登记单位数	(三)本年注、撤消单位		(四)年末实有单位数	(五)民办非企业单位负责人		(一)上年末实有涉外社团数	(二)本年批准登记涉外社团数	(三)本年注、撤消涉外社团数		(四)年末实有涉外社团数	(五)社团负责人(人)	
			总数	撤消单位数		总数	女性(人)			总数	撤消涉外社团数		总数	女性(人)
全国	3489	2460	48	3	5901	8715	1638	68	0	1	0	67	284	31
北京市								39		1		38	144	20
天津市														
河北省		23			23									
山西省														
内蒙古自治区														
辽宁省														
其中:大连市														
吉林省	1758	973	28		2703	3457	748							
黑龙江省														
上海市														
江苏省														
浙江省		1			1	1								
其中:宁波市														
安徽省	471				471	447	43							
福建省								10				10	35	5
其中:厦门市								2				2		
江西省	550	47	19	3	578	1237	41							
山东省								4				4	10	1
其中:青岛市														
河南省													60	
湖北省		558	1		557	1914	627							
湖南省		5			5	12	2							
广东省		1			1	1								
其中:深圳市														
广西壮族自治区								1				1	4	
海南省	46				46			1				1	1	
重庆市														
四川省		2			2	4	1							
贵州省														
云南省	111	102			213	280	47	4				4	19	2
西藏自治区								9				9	9	3
陕西省	376	648			1024	1084	23							
甘肃省														
青海省														
宁夏回族自治区	177	99			276	276	106							
新疆维吾尔自治区		1			1	2								
其中:建设兵团														

2000 年社会团体管理工作情况(一)

单位:个

地　区	上年末实有社团数	本年批准登记社团数						本年注、撤消社团数	
		总　数	学术性社团	行业性社团	专业性社团	联合性社团	基金会社团	总　数	撤消社团数
全国	136841	9858	2305	3711	2409	1333	100	17459	5890
北京	1856	219	34	73	100	11	1	92	59
天津	860	851	223	234	217	151	26	20	8
河北	5287	322	56	161	78	27		490	209
山西	2701	245	42	95	71	37		360	198
内蒙古	2527	133	30	49	31	23		273	77
辽宁	6440	218	41	102	57	16	2	646	265
其中:大连	870	42	4	22	13	3		153	62
吉林	3647	207	65	70	57	14	1	226	166
黑龙江	3459	423	166	101	78	47	31	1046	698
上海	2641	114	10	20	62	22		235	22
江苏	11344	527	69	244	144	63	7	1385	480
浙江	10931	858	198	297	217	146		1986	434
其中:宁波	1189	86	15	55	10	6		143	60
安徽	4523	299	73	124	69	33		654	123
福建	5513	778	230	256	156	136		517	131
其中:厦门	695	43	6	8	10	19		167	6
江西	3957	214	44	91	53	25	1	274	137
山东	9297	564	118	234	156	54	2	1371	420
其中:青岛	1009	43	12	6	18	7		161	75
河南	6560	407	101	197	74	31	4	984	428
湖北	5778	391	96	130	113	51	1	550	143
湖南	6161	373	126	155	59	31	2	638	310
广东	8416	502	96	200	121	85		1243	342
其中:深圳	698	38	3	10	9	16		115	57
广西	3337	254	62	96	40	55	1	544	85
海南	831	92	12	49	16	14	1	174	42
重庆	3219	248	72	78	65	31	2	794	83
四川	10380	504	95	199	107	103		971	395
贵州	2352	130	38	60	17	15		229	40
云南	4156	267	47	123	67	29	1	515	175
西藏	95	160	13	56	56	21	14	5	5
陕西	3927	166	43	69	42	10	2	453	121
甘肃	2502	120	43	53	16	8		152	65
青海	936	52	8	19	2	23		51	14
宁夏	922	45	13	27	2	2	1	217	170
新疆	2276	175	41	49	66	19		364	45
其中:建设兵团	266	37	12	19	4	2		26	1

2000年社会团体管理工作情况(二)

单位:个

地区	年末实有社团数	按活动区域分		按性质类别分					社团负责人	
		省级社团	地级社团	学术性社团	行业性社团	专业性社团	联合性社团	基金会社团	总数	女性
全国	130768	20756	53791	40152	36605	34849	16361	1273	454314	61214
民政部本级	1528									
北京	1983	1127	709	500	417	780	242	44	8007	1339
天津	1691	813	761	421	439	515	291	25	7300	700
河北	5119	828	1594	1313	1923	1198	656	29	11092	1415
山西	2586	652	910	620	995	642	319	10	8655	2235
内蒙古	2387	521	957	855	622	586	274	50	6369	1217
辽宁	6012	708	3012	2058	1830	1344	743	37	19374	3648
其中:大连	759		426	224	170	282	73	10	1274	219
吉林	3628	520	1415	1398	1214	716	288	12	9176	1688
黑龙江	2836	501	1086	1110	635	741	324	26	9661	1503
上海	2520	963	1337	717	279	1044	422	58	10170	1369
江苏	10486	831	3169	3165	3368	2621	1284	48	35157	4246
浙江	9803	829	2945	2667	1856	3602	1595	83	43855	5173
其中:宁波	1132		301	348	273	361	150		3089	393
安徽	4168	613	1945	1508	1135	1004	492	29	12269	1413
福建	5774	798	1654	1921	1408	1174	1223	48	22237	1953
其中:厦门	571		68	178	98	75	211	9	1601	463
江西	3897	576	1275	1516	962	907	504	8	11793	972
山东	8490	1100	3591	2292	2819	2669	691	19	38529	4059
其中:青岛	891		574	219	269	335	68		4610	531
河南	5983	724	2432	1669	2114	1466	431	303	25475	2595
湖北	5619	753	2194	1835	1720	1326	697	41	20895	2437
湖南	5896	667	2482	1997	2011	1303	530	55	18859	3706
广东	7675	813	3810	2237	1749	2124	1468	97	31607	3557
其中:深圳	621		437	140	235	75	171		2162	439
广西	3047	528	1332	1090	754	796	395	12	9688	1713
海南	749	498	78	245	227	149	116	12	3292	732
重庆	2673	704	874	834	634	809	394	2	7796	1322
四川	9913	987	8926	2955	2999	2468	1443	48	33383	6081
贵州	2253	531	633	742	607	710	190	4	7353	724
云南	3908	598	1098	1176	1142	1026	529	35	10823	1501
西藏	250	150	92	93	66	56	21	14	251	9
陕西	3640	643	1148	1165	1067	989	343	76	12057	1852
甘肃	2470	614	953	809	730	704	205	22	7169	507
青海	937	364	199	384	357	129	55	12	2097	384
宁夏	760	347	182	178	222	295	55	10	2472	151
新疆	2087	455	998	682	304	956	141	4	7453	1013
其中:建设兵团	277	84	189	109	100	49	15	4	1020	231

2000年民办非企业单位

单位:个、人

地区	上年末实有单位数	本年批准登记单位数	本年注、撤消单位数		年末实有单位数	民办非企业单位负责人	
			总数	撤消单位数		总数	女性
全国	4508	18622	474	443	22654	31926	7275
北京	2				2		
天津		34			34	78	36
河北		114			114	325	105
山西		4643			4643	4781	391
内蒙古	545	395			940	917	136
辽宁		50			50	58	15
其中:大连		403			403	468	286
吉林							
黑龙江	224	41			265	293	106
上海		2771	10		2761	4412	319
江苏		441			441	501	179
浙江		180			180	235	87
其中:宁波	1	1387			1388	1622	1071
安徽							
福建	1039				1039	1223	433
其中:厦门							
江西							
山东	578	1625	18		2185	4293	714
其中:青岛		1541			1541	2227	691
河南		692			692	847	335
湖北		107			107	314	101
湖南	557	1125	1		1681	1836	355
广东		920			920	1861	261
其中:深圳		1967			1967	3309	1479
广西		431			431	698	259
海南		59			59	62	31
重庆	46				46		
四川							
贵州	2	8			10	43	5
云南		695			695	1763	231
西藏	213	21	84	82	150	162	58
陕西							
甘肃	1024	78	360	360	740	850	76
青海							
宁夏		2			2	2	
新疆	276	15			291	291	109
其中:建设兵团	1		1	1			

2001年社会团体管理工作情况(一)

单位:个

地区	上年末实有社团数		本年批准登记社团数							本年注、撤消社团数		
	总数	外国商会及港澳台社团	总数	专业性社团	行业性社团	学术性社团	联合性社团	基金会社团	外国商会及港澳台社团	总数	撤消社团数	外国商会及港澳台社团
全国	129993	73	9202	2720	3673	1566	1185	51	7	10339	5615	16
中央级	1528	11	235	231					4	76		
北京	2017	34	166	75	47	18	21	5		41	32	
天津	1691		64	27	15	7	15			96	17	
河北	5119	1	355	103	155	54	42	1		488	383	
山西	2586	2	211	59	94	27	30	1		137	90	
内蒙古	2387		154	37	69	26	20	2		307	194	
辽宁	6012	13	410	127	133	97	51	2		1001	815	13
其中:大连	759	13	53	21	15	10	7			153	119	13
吉林	3628		176	52	75	26	18	5		227	166	
黑龙江	2836		319	97	109	77	34	2		627	434	
上海	2520		92	42	13	16	18	3		73	35	
江苏	10486		663	208	305	88	60	2		761	370	
浙江	9803		740	258	294	83	99	6		805	187	
其中:宁波	1132		87	24	41	11	11			16	1	
安徽	4168		248	53	92	75	24	4		265	114	
福建	5774	1	494	95	165	110	121	1	2	607	173	
其中:厦门	571		13		4	3	6			17	13	
江西	3897		324	82	138	54	49	1		210	102	
山东	8494	4	471	182	177	70	42			813	356	3
其中:青岛	891		65	30	17	8	10			69	35	
河南	5983		353	72	191	62	26	2		344	242	
湖北	5619		491	141	210	87	53			465	238	
湖南	5896		476	96	248	88	42	2		386	227	
广东	6862	7	476	103	188	69	116			435	218	
其中:深圳	621		46	10	10	9	17			5	1	
广西	3047		183	51	72	28	32			254	109	
海南	749		63	27	15	10	9	1	1	17	1	
重庆	2673		137	22	76	25	14			446	207	
四川	9913		754	245	279	135	95			505	361	
贵州	2253		96	18	43	24	11			126	39	
云南	3908		251	62	126	38	22	3		178	118	
西藏	250		16	2	12	1		1		7	6	
陕西	3640		194	44	77	45	28			404	258	
甘肃	2470		156	34	70	27	23	2		54	33	
青海	937		63	15	36	6	5	1		60	14	
宁夏	760		102	18	58	11	12	3		31	25	
新疆	2087		269	42	91	82	53	1		93	51	
其中:新疆兵团	277		24	1	5	4	13	1		16	3	

2001 年社会团体管理工作情况(二)

单位:个

地区	年末实有社团数									社团负责人	
	总数	省级社团	地级社团	专业性社团	行业性社团	学术性社团	联合性社团	基金会社团	外国商会及港澳台社团	总数	女性
全国	128856	19540	50633	36076	37123	37882	16558	1153	64	433182	56981
中央级	1687			1672					15	5061	562
北京	2142	1176	942	835	465	510	250	48	34	8750	1383
天津	1659	787	714	442	414	460	318	25		6392	1149
河北	4986	654	1818	1331	1736	1223	666	29	1	9217	1096
山西	2660	626	982	689	1061	578	326	4	2	8184	909
内蒙古	2234	445	941	605	654	637	311	27		5616	1083
辽宁	5421	635	3050	1201	1676	1800	670	74		15872	2899
其中:大连	659		362	227	182	190	50	10		1939	190
吉林	3577	494	1476	741	1194	1318	310	14		7793	1393
黑龙江	2528	582	1281	742	629	854	276	27		8663	1354
上海	2539	973	1500	1028	237	729	485	60		4977	770
江苏	10388	855	3698	2953	2946	3190	1249	50		34465	3457
浙江	9738	833	2981	3567	2060	2560	1435	116		41822	5141
其中:宁波	1203		439	361	327	355	154	6		3051	421
安徽	4151	611	1770	1044	1105	1468	528	6		12128	2191
福建	5661	707	2106	1176	1296	1857	1290	39	3	21913	1716
其中:厦门	567		478	85	76	186	215	5		2295	99
江西	4011	577	1567	984	1178	1285	553	11		11928	1283
山东	8152	1108	3617	2811	2410	2179	732	19	1	36771	3967
其中:青岛	887		558	347	156	254	130			4577	527
河南	5992	733	2531	1331	2196	1781	457	227		252812	902
湖北	5645	729	2079	1387	1748	1772	706	32		21926	2100
湖南	5986	719	2576	1339	2113	1920	565	49		19451	3968
广东	6903		3882	1760	1932	1887	1317		7	24511	3067
其中:深圳	662		556	92	240	149	181			2280	497
广西	2976	526	1310	743	774	1010	434	15		12382	2079
海南	795	530	102	163	250	244	125	12	1	1330	116
重庆	2364	587	862	647	657	737	321	2		6889	1403
四川	10162	872	3024	2470	2817	3085	1724	66		38112	5865
贵州	2223	537	692	724	590	734	171	4		6642	589
云南	3981	610	1313	935	1364	1112	514	56		11213	1567
西藏	259	154	105	64	69	80	31	15		259	34
陕西	3430	608	1103	913	1064	1090	298	65		8765	711
甘肃	2572	632	960	678	1009	670	189	26		5543	508
青海	940	362	332	190	443	234	63	10		3278	541
宁夏	831	375	211	128	464	172	54	13		1209	149
新疆	2263	503	1108	783	572	706	190	12		6839	1029
其中:新疆兵团	285	74	206	38	86	117	39	5		1428	310

2001 年民办非企业单位

单位:个、人

地　区	上年末实有单位数	本年批准登记单位数	本年注、撤消单位数		年末实有单位数	民办非企业单位负责人	
			总　数	撤消单位数		总　数	女　性
全国	22539	68552	8957	1398	82134	100597	35659
中央级	2	4			6	8	1
北京	34	853			887	1700	747
天津	114	766			880	1939	567
河北	4643	3065	3681	31	4027	4413	1014
山西	940	783	377	371	1346	2070	388
内蒙古	50	333	1		382	504	180
辽宁	403	1112	71		1444	1559	919
其中:大连		109	1		108	109	52
吉林	45	1313	5	5	1353	1410	744
黑龙江	2761	1894	967	526	3688	2343	1021
上海	441	1645	20		2066	2355	728
江苏	180	3357	22		3515	4170	1546
浙江	1388	5322	29	3	6681	7604	5120
其中:宁波		1098			1098	1104	779
安徽	1039	657	656		1040	1109	317
福建		277			277	431	119
其中:厦门		14			14	118	5
江西	1007	1585	127		2465	3393	1210
山东	1541	22637	156	16	24022	27407	6905
其中:青岛	692	439	36	16	1095	1109	395
河南	107	2388			2495	4208	1195
湖北	1681	1877	550	286	3008	3875	988
湖南	920	694	15	1	1599	2820	649
广东	1967	3910	59	18	5818	7443	3543
其中:深圳	431	245	3	3	673	1309	403
广西	59	1923	4	2	1978	4548	1352
海南	46	172	46		172	172	84
重庆		626			626	1091	330
四川	10	7866	1		7875	9555	4424
贵州	695	350	353		692	734	284
云南	695	405	653	47	447	478	262
西藏							
陕西	740	1198	447		1491	1568	630
甘肃	740	1114	546		1308	1163	252
青海		156			156	160	58
宁夏	291	80	171	92	200	177	27
新疆		190			190	190	55
其中:新疆兵团		5			5	5	1

2002 年社会团体管理工作情况(一)

单位:个

地区	上年末实有社团数		本年批准登记社团数							本年注、撤消社团数		
	总数	外国商会及港澳台社团	总数	专业性社团	行业性社团	学术性社团	联合性社团	基金会社团	外国商会及港澳台社团	总数	撤消社团数	外国商会及港澳台社团
全国	129676	29	11523	3118	5147	1813	1381	60	4	7859	4126	
中央级	1687	15	25	25								
北京	2142		172	78	57	20	16	1		58	27	
天津	1659		106	39	25	13	29			85	14	
河北	4986	1	423	110	215	62	35	1		209	126	
山西	2660	2	329	73	154	48	51	2	1	215	165	
内蒙古	2234		220	56	74	51	36	3		147	88	
辽宁	5421		501	120	238	81	60	2		396	208	
吉林	3577		262	78	115	35	31	3		272	210	
黑龙江	2528		433	90	184	111	39	9		143	105	
上海	2539		137	85	12	13	27			26	5	
江苏	10388		1064	386	439	147	85	7		672	319	
浙江	9738		968	333	382	118	133	2		533	198	
安徽	4151		359	107	141	64	45	2		231	76	
福建	5661	1	410	79	155	73	100	3		346	102	
江西	4011		438	132	131	121	53	1		249	184	
山东	8152	1	667	178	345	81	63			411	246	
河南	5992		475	99	272	72	31	1		324	248	
湖北	5645		610	222	249	96	39	4		320	143	
湖南	5986		493	92	243	100	55	2	1	420	265	
广东	7723	8	627	153	260	94	117	1	2	714	259	
广西	2976		264	44	124	38	58			275	125	
海南	795		110	16	68	12	14			79	59	
重庆	2364		330	58	174	45	51	2		58	11	
四川	10162		720	186	376	56	102			795	405	
贵州	2223		135	32	79	18	6			246	84	
云南	3981	1	339	57	163	90	26	3		204	148	
西藏	259		10	1	4	2		3		3	3	
陕西	3430		239	65	101	48	22	3		175	132	
甘肃	2572		243	48	150	32	13			24	12	
青海	940		89	17	58	12	2			70	38	
宁夏	831		83	10	57	2	11	3		17	15	
新疆	2263		242	49	102	58	31	2		142	106	

2002年社会团体管理工作情况(二)

单位:个

地区	年末实有社团数									社团负责人	
	总数	省级社团	地级社团	专业性社团	行业性社团	学术性社团	联合性社团	基金会社团	外国商会及港澳台社团	总数	女性
全国	133340	20069	52386	37638	39149	37968	17284	1268	33	454795	60818
中央级	1712			1697					15	5500	570
北京	2256	1206	1050	888	500	540	280	48		8659	1330
天津	1680	764	792	482	238	501	437	22		8696	1719
河北	5200	619	1957	1474	1646	1260	701	118	1	10116	1173
山西	2774	648	993	734	1010	618	398	11	3	8994	1796
内蒙古	2307	471	1005	571	681	708	325	22		6196	1127
辽宁	5526	503	3061	1291	1697	1796	699	43		16932	2981
吉林	3567	505	1513	761	1239	1256	294	17		8555	1491
黑龙江	2818	623	1343	741	821	924	296	36		10776	1740
上海	2650	998	1581	1097	211	727	558	57		4495	677
江苏	10780	855	3989	3209	3275	3069	1172	55		38673	3996
浙江	10173	844	3286	3704	2271	2636	1471	91		42326	5252
安徽	4279	646	1739	1120	1136	1443	565	15		14188	2312
福建	5725	725	2041	1191	1214	1947	1342	30	1	24189	1989
江西	4200	575	1514	962	1305	1358	549	26		11601	1196
山东	8408	1105	3674	2926	2534	2144	784	19	1	34645	4061
河南	6143	758	2706	1433	2441	1637	436	196		25848	2387
湖北	5935	754	2265	1513	1897	1764	725	36		20611	2011
湖南	6059	684	2486	1507	1907	1912	691	41	1	24239	4456
广东	7636	845	3723	1865	2121	2166	1377	97	10	27967	2922
广西	2965	521	1334	685	848	918	505	9		12686	2965
海南	826		103	165	282	250	117	12		3307	155
重庆	2636	635	954	710	797	747	369	13		6924	1089
四川	10087	870	3103	2515	2954	2887	1695	36		38325	6819
贵州	2112	531	642	677	592	695	144	4		6445	562
云南	4116	617	1303	909	1532	1128	487	59	1	8986	857
西藏	266	159	107	58	85	79	26	18		266	40
陕西	3494	639	1175	918	1136	1061	305	74		8316	790
甘肃	2791	651	1026	685	1186	699	196	25		5834	469
青海	959	366	486	220	483	197	51	8		3309	470
宁夏	897	400	207	173	476	172	62	14		1356	160
新疆	2363	552	1228	757	634	729	227	16		5835	1256

2002年民办非企业单位

单位:个、人

地　区	上年末实有单位数	本年批准登记单位数	本年注、撤消单位数		年末实有单位数	民办非企业单位负责人	
			总　数	撤消单位数		总　数	女性
全国	82089	36986	7863	2418	111212	144067	51230
中央级	6	2			8	8	1
北京	887	428	9	1	1306	1944	725
天津	880	336	1		1215	2627	799
河北	4027	1072	438	182	4661	5036	1258
山西	1346	779	490	13	1635	2013	394
内蒙古	382	677	33	16	1026	1275	359
辽宁	1444	2399	192	90	3651	8730	3625
吉林	1353	1720	157	81	2916	3075	1626
黑龙江	3688	1135	1278	1209	3545	3786	1678
上海	2066	913	31	9	2948	3059	963
江苏	3515	1680	580	16	4615	5870	2115
浙江	6681	1778	267	8	8192	10071	6251
安徽	1040	408	241		1207	1078	368
福建	277	473	40		710	835	328
江西	2465	862	486	25	2841	3143	1243
山东	24022	9740	1276	178	32486	37793	9818
河南	2495	2406	155	98	4746	6716	1570
湖北	3008	1115	290	37	3833	4814	1451
湖南	1599	1217	204	196	2612	4584	1576
广东	5818	1332	464	58	6686	8322	4081
广西	1978	465	88	15	2355	4750	1579
海南	172	204	1	1	375	439	205
重庆	626	386	137	2	875	1118	451
四川	7875	1720	544	120	9051	13586	5667
贵州	692	327	73	3	946	1357	408
云南	540	421	8	3	953	1003	452
西藏		19			19	19	8
陕西	1491	1321	163	2	2649	3439	1045
甘肃	1308	603	204	55	1707	1761	369
青海	156	97	5		248	454	224
宁夏	200	79	5		274	171	71
新疆	52	872	3		921	1191	522

2003 年社区服务与民间组织管理情况

年　　份	城镇社区服务设施数(个)	城镇便民、利民网点(个)	社区服务中心(个)	社会团体及基金会(个)	民办非企业单位(个)
1978					
1979					
1980					
1981					
1982					
1983					
1984					
1985					
1986					
1987					
1988	69699			4446	
1989	71357			4544	
1990	84757			10855	
1991	89918			82814	
1992	112171			154502	
1993	89235	169503	3711	167506	
1994	94645	204229	4034	174060	
1995	110795	234024	4380	180583	
1996	127254	259201	5055	184821	
1997	133253	307226	5113	181318	
1998	148042	345075	6154	165600	
1999	157339	405740	7623	136841	5901
2000	181444	451567	6444	130768	22654
2001	195579	539544	6179	128856	82134
2002	198845	622986	7898	133357	111212
2003	196425	668418	7520	142121	124491I

2003 年社会团体及基金会

单位:个

地区	本年末实有社团及基金会		按活动区域分				按性质分				
	总数	本年批准登记社团及基金会	中央级社团及基金会	省级社团及基金会	地级社团及基金会	县级社团及基金会	专业性社团	行业性社团	学术性社团	联合性社团	港澳台社团
全国	142121	16406	1736	21030	48731	70624	40325	41722	37401	19640	32
中央级	1736	24	1736				1721				
北京	2448	243		1244		1204	979	631	472	321	
天津	1748	100		795		953	470	214	503	536	
河北	5557	609		609	2105	2843	1693	1891	1305	636	
山西	3406	734		673	1274	1459	926	1156	714	519	2
内蒙古	2376	285		434	950	992	636	689	671	329	
辽宁	5795	523		543	3118	2134	1557	1612	1730	879	
吉林	3723	344		505	1478	1740	767	1337	1244	307	
黑龙江	3234	626		661	1594	979	922	1055	860	360	
上海	2774	164		1035		1739	1266	179	709	584	
江苏	11243	1031		843	3928	6472	3704	3127	2980	1211	5
浙江	10549	909		830	3393	6326	2958	2489	2623	1692	1
安徽	4644	499		655	1972	2017	1253	1200	1450	702	
福建	6212	636		753	2025	3434	1260	1457	2003	1408	8
江西	4297	274		592	1457	2248	1010	1334	1225	668	2
山东	9095	1351		1080	3612	4403	2983	3076	2027	939	
河南	5899	823		818	2743	2338	1232	2274	1667	561	3
湖北	6460	802		734	2363	3363	1785	2036	1772	774	2
湖南	6273	644		698	2535	3040	1609	1954	1799	651	
广东	8060	857		860	3774	3426	2124	1791	2178	1757	9
广西	4391	1545		537	1490	2364	10191	771	906	573	
海南	889	92		531	104	254	247	225	264	138	
重庆	2801	290		689		2112	662	964	761	407	
四川	10535	1136		880	3076	6579	2733	2856	2786	1996	
贵州	2341	355		553	672	1116	717	832	628	145	
云南	4256	380		634	1248	2374	1006	1476	1155	532	
西藏	266	10		157	109		62	76	82	31	
陕西	3557	239		645	1232	1680	970	1114	1055	337	
甘肃	3173	441		671	1000	1502	822	1404	700	194	
青海	972	136		376	277	319	195	427	248	93	
宁夏	848			420	120	308	212	299	192	128	
新疆	2563	303		575	1082	906	825	776	692	232	

续表

单位：个

地区	按性质分		基金会	本年注、撤销、取缔社团总数	撤销社团数	外国商会及港澳台社团	社团负责人		应建立党组织的社会团体	
	外国商会	其他					总数	女性	总数	已建立党组织的社会团体
全国	15	2032	954	7490	3630		517943	61661	29391	13140
中央级	15						5593	573		
北京			45	51	31		19544	3468	758	459
天津			25	32	13		8737	1577	221	104
河北			32	252	150		11970	1247	2115	1681
山西		78	11	102	82		9351	1762	450	94
内蒙古		28	23	269	127		7491	1181	969	255
辽宁		6	11	254	144		20255	4262	1406	751
吉林		50	18	188	99		5842	701	497	170
黑龙江		17	20	210	168		11275	1923	257	153
上海		36		40	18		4519	655	2450	1546
江苏		135	81	568	287		39993	4571	1749	417
浙江		705	81	533	77		48370	4729	2200	1537
安徽		21	18	134	49		15839	2303	888	198
福建		40	36	149	59		20343	1416	341	175
江西		20	38	177	115		11267	1247	381	94
山东		50	20	664	295		38712	5066	1479	691
河南		119	43	1067	543		23446	1987	1574	278
湖北		54	37	306	206		21369	2501	2054	901
湖南		221	39	430	298		23565	3852	1267	622
广东		89	112	433	315		25676	2786	698	127
广西		114	8	141	46		16767	3504	473	274
海南		4	11	29	7		4072	123	107	63
重庆		5	2	85	10		8273	1275	385	39
四川		126	38	688	128		71958	3501	2595	1187
贵州		15	4	126	21		7425	647	555	230
云南		34	53	113	65		9956	1450	733	364
西藏			15	10	10		251	34	28	3
陕西		12	69	176	77		7485	885	743	286
甘肃		25	28	59	52		6188	617	593	176
青海		6	3	52	36		3065	593	401	94
宁夏		1	16	49	37		3498	168	104	22
新疆		21	17	103	65		5848	1057	920	149

2003 年民办非企业单位

单位：个

地区	本年末实有民办非企业单位		按性质分类			按隶属行业分类					
	总数	本年批准登记单位	法人	合伙	个体	教育	卫生	文化	科技	体育	劳动
全国	124491	24726	56633	6075	61783	62776	26795	2811	4522	2682	9037
中央级	14	6	14								
北京	1682	416	1002	51	629	1300	20	21	89	55	121
天津	1472	324	1312	8	152	824	31	22	17	98	225
河北	5307	1037	1474	431	3402	1568	2423	112	257	109	444
山西	1854	392	902	104	848	903	234	69	243	73	128
内蒙古	1791	837	559	83	1149	666	692	52	78	13	124
辽宁	4766	1329	1919	156	2691	2772	248	120	107	103	638
吉林	2589	437	817	47	1725	1220	104	174	140	31	234
黑龙江	3541	1005	1043	172	2326	2090	130	32	235	99	465
上海	3592	690	3420	45	127	2148	77	50	29	80	385
江苏	5852	1412	3318	295	2239	2735	772	167	161	206	466
浙江	9279	1621	2456	646	6177	7511	298	127	443	117	367
安徽	1899	841	813	212	874	848	326	75	167	54	205
福建	1084	456	532	103	449	656	34	47	37	50	98
江西	3109	532	725	423	1961	1889	651	45	51	76	122
山东	33384	4110	19549	1068	12767	10286	13705	610	1329	511	958
河南	5166	1033	1680	314	3172	1801	1589	175	280	243	505
湖北	4158	782	1953	310	1895	1720	673	138	125	199	565
湖南	2865	1056	1533	286	1046	1742	293	81	50	59	241
广东	8020	2058	3570	271	4179	6235	32	92	122	121	989
广西	2728	501	914	243	1571	2134	28	65	33	53	275
海南	505	174	163	25	317	373	72	11	10		23
重庆	1218	384	479	60	679	884	10	21	15	33	197
四川	9822	1248	1987	296	7539	6243	2132	172	108	97	660
贵州	912	150	215	112	585	517	185	45	26	20	30
云南	1175	341	367	67	741	850	10	34	56	42	54
西藏	4		4			4					
陕西	3058	651	1494	108	1456	1241	1103	107	131	46	216
甘肃	1754	357	1141	75	538	508	743	41	139	18	120
青海	339	118	241	7	91	138	67	25	3	9	33
宁夏	250	23	150	8	92	103	7	19	7	14	29
新疆	1302	405	887	49	366	867	106	62	34	53	120

续表

单位：个

地区	按隶属行业分类				本年注、撤销、取缔单位		民办非企业单位负责人		应建立党组织的民办非企业单位	
	民政	社会中介服务业	法律服务业	其他	总数	撤销单位	总数	女性	总数	已建立党组织的民办非企业单位
全国	7792	1777	728	5571	11295	3240	165557	58491	16713	8470
中央级	14						52	20		
北京	38	2	3	33	40	5	3246	1334	336	102
天津	197	8	2	48	67	24	3243	1062	362	109
河北	181	105	19	89	391	165	6200	1458	728	220
山西	37	35	21	111	173	108	2728	487	212	65
内蒙古	55	44	2	65	152	13	1743	630	330	83
辽宁	510	106	21	141	214	69	10714	3919	293	118
吉林	326	130	72	158	764	318	2790	1394	89	16
黑龙江	463	2	2	23	1009	186	3928	1768	311	187
上海	561	25	2	235	46	10	3612	1283	3866	2982
江苏	841	167	7	330	175	60	8346	2776	588	265
浙江	169	16	18	213	534	279	12845	7531	773	381
安徽	108	56	14	46	224	4	2295	618	412	94
福建	28	7		127	22	1	1549	620	68	19
江西	66	39	4	166	264	172	3133	1235	474	261
山东	2291	495	424	2775	3212	324	39098	10620	2214	1362
河南	316	79	6	172	613	219	8205	1945	324	173
湖北	511	74	21	132	302	89	5265	1689	1537	814
湖南	85	112	17	185	803	471	5639	1665	534	250
广东	283	18	1	127	724	173	9587	4738	841	373
广西	83	15		42	101	23	6217	1983	185	120
海南	7	4		5	44		653	267	66	54
重庆	24	3	4	27	36	1	2130	831	132	28
四川	261	84	12	53	477	194	11743	5387	1145	187
贵州	64	12	3	10	184	105	1239	415	119	33
云南	69	20	5	35	36	18	1194	546	94	19
西藏					15	15	4			
陕西	43	25	19	127	242	84	3357	806	265	92
甘肃	80	58	22	25	310	80	2249	492	185	2
青海	21	11	5	27	50	5	604	250	58	18
宁夏	26	17	1	27	47	17	406	78	27	1
新疆	34	8	1	17	24	8	1543	644	145	42

民间组织概览篇
（2004年）

领导重要讲话

李学举部长在全国贯彻《基金会管理条例》工作会议上的讲话

（2004 年 4 月 5 日）

同志们：

《基金会管理条例》已经国务院正式发布了。这是我国民间组织法制建设的一个重大成果，也是我国民间组织管理工作的一件大事。这次部里把大家请到广东来，目的是认真学习这部法规，精心做好基金会登记管理工作，进一步提高我国民间组织管理工作的整体水平。

1988 年国务院颁布的《基金会管理办法》，第一次将基金会纳入法制管理的轨道，对规范基金会的行为，推动基金会的发展，起到了重要作用。根据情况的变化要求，从 2000 年开始，经过三年多时间，民政部和国务院法制办修订完成了《基金会管理条例》。该条例充分体现了党中央、国务院关于加强民间组织管理工作的方针，进一步明确了基金会的非营利性质，重新规范了基金会的设立标准、内部组织结构、财产管理使用和活动运作方式。新条例的颁布，将有力地促进我国公益事业的发展，为做好基金会登记管理工作，促进基金会的健康发展，提供了坚实有力的法律基础。新条例的实施，也将丰富民间组织管理工作的内容，同时也会带来一些未知的问题。因此，一定要学习好、领会好、宣传好、贯彻好新条例。

姜力同志将就贯彻落实《基金会管理条例》提出具体要求，本公同志将部署今年民间组织管理工作。希望大家认真贯彻落实，并以此带动整个民间组织管理工作的发展。下面我就进一步做好民间组织管理工作，谈几点意见，供大家参考。

一、分析认清形势，充分认识民间组织的社会作用

上世纪中叶至今，民间组织在世界各地有了很大的发展。改革开放以来，我国民间组织发展也很快，不仅数量大，而且种类多。目前我国社会团体已有 13．3 万个，基金会 1200 个，民办非企业单位 11．1 万个，涉及经济、文化、教育、卫生、社会福利等领域。不论是外国还是我国民间组织的发展历史都告诉我们，民间组织是社会发展与进步的产物，反过来又进一步推动社会进步与发展。

党中央、国务院十分重视民间组织的发展与管理工作，制定了一系列方针政策，为民间组织的发展指明了方向。近年来，我们通过规范制度、培育发展和监督管理等手段，确保了民间组织的健康发展，在经济和社会发展中，发挥了越来越大的作用，已成为党和政府联系人民群众的桥梁和纽带，起到了其它组织难以替代的作用，其独特的社会功能正在被人们所认识。但也要清醒看到，我国民间组织在发展的过程中还存在一些问题，如有的民间组织能力建设差，不能发挥应有的作用；有的民间组

织自律建设差，出现违法违纪违章的现象；有的民间组织行政色彩浓，出现行政化倾向等等。对此我们要高度重视并客观地加以分析。解决这些问题，要坚持培育发展与监督管理并重的方针，一方面要努力创造良好的发展环境，为其健康发展、充分发挥作用，提供条件和支持。另一方面，要依法加强管理，坚决追究、处置、纠正违法、违规、违章行为。这是一个问题的两个方面，缺一不可。目的只有一个，就是把民间组织管理好，引导好，发展好。

当前我国进入了一个新的发展时期。民间组织的发展有了新的历史机遇，民间组织的管理有了新要求。经济成分多样化、利益主体多样化和社会生活方式多样化，必然导致社会组织的多样化；社会主义市场经济的不断完善和我国加入 WTO，各类行业协会、商会等组织的作用将会越来越大；政府进一步履行社会管理和公共服务职能，市场在资源配置中的基础性作用不断加大，社会中介组织将大有可为；社会财富的增多、公民合法财产的法律保护和中华民族优良传统的发扬光大，将使公益组织迎来一个大的发展机遇；群众民主意识的增强、基层自治功能的扩大和社区服务需求的增加，将使基层民间组织拥有更大的发展空间；现代科技、信息的飞速发展，将给民间组织发挥作用提供更为有力的支持。我们要充分认识新时期民间组织的地位和作用，正确把握民间组织的发展趋势，调动民间组织的积极性，发挥民间组织的独特性，使民间组织成为一种经济和社会发展的推进力，成为促进社会稳定和进步的重要力量。

二、坚持科学发展观，搞好民间组织发展与管理工作

党的十六届三中全会提出了以人为本，全面、协调、可持续发展的科学发展观。这一科学的发展观，蕴含着深远的理性思考，彰显着鲜明的时代特征，体现了对人类社会发展客观规律的深刻认识，是全面建设小康社会和实现现代化的根本指针，也是做好民政工作的思想指导。科学发展观的核心和本质是以人为本。以人为本，就是要把人民的利益作为一切工作的出发点和落脚点，不断满足人们多方面需求和实现人的全面发展。民政工作主要是围绕人民群众而展开的，概括起来就是维护民利、解决民生、落实民权。这是民政工作的主线，是民政工作“为民”的具体内容。

民间组织的发展与管理工作，要与科学的发展观相适应，要在树立和落实科学发展观中发挥作用。比如，群众有心声，可以通过民间组织去表达；群众有困难，可以通过民间组织去帮助；群众利益受侵害，可以通过民间组织去维权。概括起来，就是在维护民利、解决民生、落实民权方面，民间组织是大有作为的。我们要善于通过民间组织这个层面，依法保障人民群众的基本生活权益和民主政治权利。民间组织发展与管理工作落实以民为本，对公民权益来讲，就要依法维护宪法赋予公民的基本权利。民间组织发展与管理工作既有促进经济社会发展的一面，也有依法保障人民群众的生活权益和民主政治权利的一面。依法保障和实现公民的基本权利，不但可以提高公民参与国家和社会事务管理的积极性，而且可以有力推动人的素质的全面提升，促进社会的进步与发展。所以在民间组织发展与管理工作中要落实党的为人民服务的根本宗旨，实践“三个代表”重要思想，坚持立党为公、执政为民。对民间组织发展来讲，就要把发展的重点放在有利于“五个统筹”和保护民间组织的积极性。

三、树立新观念，创新民间组织管理工作

近些年，我国民间组织管理工作有了很大进展。重要原因是更新观念、改革创新。随着经济体制和政治体制改革的不断深入，民间组织管理工作遇到了许多新情况、新问题，可以预料，随着民间组织的发展，民间组织管理工作难度会越来越大，改革创新的难度也会更大。这就需要我们要不断解放思想，转变观念，坚持实事求是、与时俱进，不断调整工作思路，不断探索符合民间组织发展规律、有利于发挥民间组织优势的发展路子。

在创新民间组织管理工作上，要树立大局观念。民间组织是我国经济、社会和政治的有机组成部分，在国家发展的大格局中，具有越来越重要的地位。古今中外的历史告诉我们，民间组织是把双刃剑，管理好了，就能促进经济和社会的发展，管理不好，就会影响经济社会的发展，甚至破坏社会政治的稳定。因此，做好这项工作，具有很强的经济和政治意义。各级民政部门领导对此要有清醒的认识。要把全面贯彻落实党中央、国务院关于加强民间组织管理工作的方针落到实处。无论是思考问题还是做出决策，都必须与党和政府的全局工作联系起来，站在全局的高度把握好民间组织管理工作。要坚持做到对上负责与对下负责的统一，对中央负责与对地方、部门负责的统一，对党和政府负责与对人民群众负责的统一。

要树立法制观念。法律具有极大的权威性，任何人必须无条件遵从，任何权力都要受到法律的约束，在法律面前人人平等。民间组织的工作依据是法律、法规、规章，各级民间组织管理干部必须进一步树立法制观念，提高依法决策、行政、管理、办事的能力和水平。在具体工作中，要把握好立法、执法和监督几个关键环节。当前，要根据形势和工作发展的要求，不断完善民间组织管理的政策法规，加强各项政策法规的配套衔接。要加大行政执法的力度，做到公开、公平、公正，有法必依，违法必究，执法必严，树立法律权威。

要树立发展观念。从 2002 年起，社团开始了恢复性增长，民办非企业单位的发展速度也很快。随着《基金会管理条例》的实施，估计未来一段时间基金会将会出现发展高潮。随着社会主义市场经济体制的发展，会带来民间组织数量的增加，这是不以人们意志为转移的。但我们也要清醒的看到，我国民间组织整体质量还不高。讲发展，首先必须是有序的、依法的，要在宏观调控下进行，切不可超越当地经济和社会发展实际。由于不同地区经济和社会发展状况各异，工作基础不一，地域之间、城乡之间的民间组织的发展程度不同，社团、基金会和民办非企业单位因类型不同，在管理方式上也有所不同。所以，我们要根据不同的情况，制订不同的政策，找到最有针对性的解决方案，实施分类指导。我们讲发展，包含质量的提高，提高质量才是目的、根本。所以任何时候我们都要注重民间组织的发展质量。提高质量要“外”与“内”相结合。所谓“外”，就是行政管理。所谓“内”，就是自我约束、自我管理、自我发展。过去我们在行政管理方面做了很多工作，效果很好，今后仍然不能放松。但是，光有外部作用力是不够的，还要注意提高民间组织自身素质。要帮助民间组织建立以章程为核心的内部管理制度，包括行政管理、人事管理、财务管理、印章管理等，使民间组织有能力承担起自己的社会责任，提升自身的公信力，为社会提供优质高效的公共服务。我们讲发展，还要把握重点。当前我们要加快培育发展市场经济急需的、群众受益的民间组织，如行业协会、农村专业经济协会、社区民间组织和公益性民间组织等。这项工作，可能会遇到一些法律上的问题，也会有操作上的困难。但只要是符合社会、经济发展需要的，看准了就可以探索、实践。在行业协会和商会培育发展方面，凡条件成熟的地方，可以先行地方立法的探索或制订规范化文件。农村专业经济协会培育发展工作，可按照民政部的要求，适当放宽准入标准，在发展中逐步加以规范。社区民间组织和公益性民间组织的培育发展没有现成的经验，各地可以结合当地实际，充分利用现有条件，创造性地开展工作。

要树立协调观念。民间组织管理工作是一项社会系统工程，必须有相关部门的通力合作和社会力量的大力支持，因此，做好协调工作非常重要。要加强上下沟通，经常地、实事求是地向党委、政府领导汇报工作，当好参谋、助手；要协调好业务主管单位，我国目前民间组织管理工作实行的是双重负责的体制，登记管理机关和业务主管单位各自在管理工作中负有责任，我们要与业务主管单位多沟通、多协调，密切合作，共同做好管理工作；要加强与有关职能部门的联系，民间组织管理工作的许多政策法规涉及有关职能部门，要积极主动地与相关部门沟通信息，争取他们的理解和支持；要注意上下配合，民政部民间组织管理局要注重研究、制定政策法规和宏观规划；省级民政厅（局）要结合省情，研究配套政策和落实措施；地市以下的民政部门要狠抓政策的落实，充分发挥各级民政部门的主动性和创造性；要加大社会参与，在制订政策法规以及做出重大决策时，要有民间组织代表参加，发挥专家学者以及民间组织中的能人的作用，对一些重大问题，联合专家、学者攻关，也可以搞项目合作开发，充分利用好社会资源。

四、切实履行职能，进一步加强自身建设

民政部门负责民间组织登记管理工作，既要对党中央、国务院负责，也要对民间组织、社会和民政部门自身负责。做好这项工作，固然有许多因素，但重要的是民政部门自己首先要重视起来。近几年，各地民间组织管理力量得到一定程度的加强，但仍与民间组织管理工作的形势发展不相适应。越往基层，民间组织管理力量越薄弱的现象越突出。中央对这个问题已有规定，中办发〔1996〕22 号文件和〔1999〕34 号文件写得很清楚，希望各地民政部门按照中央的要求，切实将民间组织管理工作摆上重要位置，经常听取工作汇报并予以指导，选派政治强、素质高、作风正的同志充实这个岗位，保证必要的工作经费，切实帮助解决工作中存在的实际困难和问题。

加强自身建设，要积极培养和建立一支专业化的管理干部队伍。民间组织管理工作是一门专业学科，涉及面广，知识面宽，理论性、政策性和政治性很强。相对其它民政业务，从事这方面工作的干部熟悉业务需要更长时间，培养一个这方面的专才不容易。因此，我们要在吸引人才的同时，根据工作的实际需要，保持民间组织管理业务骨干的相对稳定，使他们有足够的时间去学习业务，了解历史，思考问题，改革探索。要重视民间组织管理干部的思想作风建设。要注重学习政治理论和业务知识，努力培养一支政治坚定、业务精通、作风优良的专家型干部队伍。要大力加强民间组织管理工作信息化建设。要进一步把民间组织管理工作信息化作为新形势下转变政府职能、提高民间组织管理和服务水平的重要手段。按照“数字民政”工程的要求，千方百计地筹措资金，更新设备，科学开发系统软件，积极筹备实施民间组织法人数据库项目，扩大电子政务的覆盖范围，提升办公自动化水平。

近年来，我国的民间组织管理工作取得了很大成绩，政策法规体系、行政管理体系、社会监督体系和民间组织自律机制正在不断完善。这些成就的取得，是与大家辛勤工作分不开的。在此，我代表民政部向你们并通过你们向全国民间组织管理战线的同志们，致以衷心的感谢和崇高的敬意！民间组织发展前景广阔，民间组织管理工作任重道远。让我们紧密团结在以胡锦涛同志为总书记的党中央周围，以邓小平理论和“三个代表”重要思想为指导，坚持科学的发展观，开拓进取，扎实工作，共同开创民间组织管理工作新局面。

民政部部长李学举
在全国发展农村专业经济协会会议上的讲话摘要

（2004 年 9 月 8 日）

农村专业经济协会是我国经济社会发展到一定阶段的必然产物。上一个世纪九十年代以来，伴随着我国社会主义市场经济的发展、农村改革的逐步深入和对外开放的不断扩大，一些地区的农民为适应生产商品化、经营市场化的要求，为提高农业生产的竞争力和抵御市场风险的能力，根据生产发展的需要，自愿组成了种类繁多的农村经济、科技等组织。进入二十一世纪以后，比较多地涌现了以会员制为主体，以非营利为目的，民间组织特征比较明显的各类农村专业经济协会。民政部门高度尊重农民群众的首创精神，主动顺应农民群众参与经济社会事务管理的美好愿望，从履行职能出发，审时度势，抓住机遇，及时把各类农村专业经济协会纳人了民间组织培育发展范畴，于 2003 年制订了《关于加强农村专业经济协会培育发展和登记管理工作的指导意见》，适当降低了准入条件，放宽了发展范围，简化了登记程序，各地也结合实际，积极采取培育措施，有力促进了农村专业经济协会的发展。目前，全国有农村专业经济协会 10 万个，涉及农、林、牧、渔等产品的种植、养殖和加工，并扩展到农村流通运输、销售、信息服务等诸多领域，给农村经济社会的发展注入了一股新的活力，已成为振兴农村经济、为农民生产服务的一支重要力量。应该看到，农村专业经济协会近几年虽有一定的发展，但总体上讲还处于起步阶段，无论是数量还是质量，都远远不能适应农村经济社会发展的需要。因此，今后一个时期，农村专业经济协会不但要注意规范登记、加强管理，更重要的是加快培育发展。通过加快培育发展，使我国农村专业经济协会规模更强大，种类更丰富，结构更优化，布局更合理，作用更明显，促进我国农村全面、协调、可持续发展。

做好发展工作，要特别注意以下三个问题：

第一，要提高认识。农村专业经济协会是为农业生产、销售和技术推广提供服务，实行自我管理、民主决策、互助合作的公益性民间组织。它在农民与政府、农民与市场、农民与农民之间建起了沟通的桥梁、联系的纽带、服务的平台，能够加强农业生产经营领域的协作合作，能够推广农业先进科技成果的应用，能够提高广大农民的收入，能够促进农村经济结构的调整、农村社会化服务体系的完善和农业的专业化、产业化、现代化，推动农村精神文明建设和维护农村社会稳定。各级民政部门要从贯彻“三个代表”重要思想、落实科学发展观的高度，着眼于新世纪新阶段党和国家发展的全局，充分认识到加快培育发展农村专业经济协会，是深化农村各项改革的客观需要，是实现广大农民参与经济社会事务管理美好愿望的有效途经，对促进经济与社会协调发展、城市与农村协调发展和人的全面发展具有重要意义，切实增强做好培育发展农村专业经济协会的责任感和紧迫性，切实加强领导和指导，把培育发展农村专业经济协会摆上议事日程，认真研究制订农村专业经济协会专项发展计划和实施方案，建立健全扶持农村专业经济协会发展的各项政策和落实措施，丰富发展的内涵，拓宽发展的思路，破解发展的难题，壮大发展的实力，努力使农村专业经济协会适应我国农村经济社会发展的需要，切实把农民的生产积极性保护好、发挥好、引导好，切实把农民的切身利益实现好、维护好、发展好。

第二，要精心培育。农村专业经济协会在我国是一个新生事物，是农民群众自发组织起来的，主要分布在农村基层，大多比较稚嫩，规模小、资金少、人才缺，技术水平还不高，信息不很灵，条件比较简陋。介于这个实际情况，目前的农村专业经济协会尤其需要政府的精心培育。一是要注意引导。帮助农村专业经济协会按照民间组织的运作方式开展活动，保持民间性、民主性、自愿性、独立性和非营利性，实行自我管理、自我决策、自我发展，以生产、加工、营销和技术推广为纽带，服务会员、服务社会，切实做到民办、民管、民受益。二是要放宽准入条件。农村专业经济协会一般规模小，经费来源有限，会员也受地域的影响。各地要在现有的基础上，继续放宽范围，简化程序，降低门槛，拓展培育的思路，条件基本具备就及时发展，对有较好发展前景但暂时达不到条件的，民政部门可以实行“批准备案制”，先把其纳入培育发展的范围。三是要加大扶持。培育农村专业经济协会涉及面广，民政部门要按照“政府主导、部门协作、社会参与”的工作机制，充分发挥政府部门的职能作用，加强与有关部门的协商和配合，争取方方面面的支持，加快研究制订发展农村专业经济协会的扶持政策，为扶持农村专业经济协会发展提供配套、明确的政策依据，鼓励协会兴办经济实体，增强协会发展实力。对于农村确实需要成立而经费困难的农村专业经济协会，民政部门给予真心实意地关怀和大力支持，积极向党委政府建议，帮助他们度过难关。新生事物的成长总需要一个过程，切忌急于求成，不能求全责备，需要的是耐心、关爱和呵护，需要细致周到的服务，民政部门要强化服务意识，寓管理于服务之中，努力为协会提供调查服务、巡回服务、上门服务、电话咨询服务、网络信息服务，方便协会、方便当事人，千方百计解决协会培育发展中的难题，为协会开展工作创造有利条件。

第三，要加强指导。民间组织的生命力在于作用的发挥，农村专业经济协会长久的发展动力是真正发挥作用。许多农村基层自治组织“统”不了、政府部门“包”不了、单家独户“办”不了的事情，农村专业经济协会可以发挥重要作用。民政部门加强指导，主要是引导农村专业经济协会提高自身能力，真正发挥应有作用。一是维权作用。维护本行业权益是农村专业经济协会作为民间组织的最基本的职能，各类农村专业经济协会是本行业根本利益的代表，是为行业的整体利益服务的。农村专业经济协会通过合法渠道向政府反映大多数会员的意见，确保政府的决策更适合行业的发展，不会损害行业的利益，尤其在参与国际市场竞争、解决贸易争端等方面，要充分发挥维权作用。二是服务作用。为广大农民提供生产、经营和技术推广服务，是农村专业经济协会又一项基本职能。农村专业经济协会自身也要强化服务观念，不断提高服务水平，正确指导农民选择有市场潜力和发展前景的农产品进行生产经营，实现产业化，取得规模效应，促进农村产业结构的调整；协会要通过多种形式进行招商引资，筹集生产资金，举行展销、营销、促销等活动，促进农产品市场的流通；协会要组织技术培训，开展技术指导，普及有关科技知识，促进农业科技水平的提高；协会还要抓扶贫济困，帮助困难农户发家致富，促进农村的共同富裕。三是桥梁纽带作用。农村专业经济协会是会员连接政府、市场和社会的中介，是会员利益的真正代表，协会既要把会员的意见和要求及时反映给政府，也要把政府的方针政策、市场的需求信息和社会的要求反馈给会员，从中寻求共解、达成共识，实现双方甚至多方之间的互动互助，互进互赢，共同发展。四是自律作用。农村专业经济协会要教育和监督会员遵守国家法律、法规和政策，建立以章程为核心的内部规范管理制度，遵守行规行约，严肃行业纪律，形成良好的自律机制，协调行业内部各会员之间的利益关系，平息纷争，化解矛盾，抑制不当行为，保护合法经营，对破坏行业秩序者予以行业惩治，严重违规违法者可建议政府行政部门给予行政处罚，维护公平竞争。

培育发展农村专业经济协会是民政工作服务大局的重要工作，是民间组织管理工作新的增长点，艰巨而复杂。在培育发展的过程中，要注意以下几点：一是注重数量和质量统一。没有一定的数量就构不成规模，形不成辐射力、影响力；没有一定的质量就谈不上真正发挥作用，就会自生自灭。因此，农村专业经济协会的培育发展要注重数量和质量统一，布局合理、种类丰富、结构优化、规模壮大，提升能力，发挥作用。二是尊重自愿和自主。农村专业经济协会是公益性民间组织，具有自愿性、自主性，必须坚持民办、民管、民受益，按照符合民间组织特点和规律的方式来引导，实行志愿参与、自主决策、自我服务、自我管理，不能建“官办”协会，不能有行政化倾向，不能搞行政化组合，政府不能对其发号施令。三是坚持非营利性。非营利性是农村专业经济协会的基本属性，在培育发展中必须严格区分和把握协会同企业、公司、农村经济合作组织之间的界限，不能以发展农村专业经济协会为由，将纯经济性实体、营利性组织协会化。同时，我们鼓励农村专业经济协会开展创收，但必须有前提，这个前提就是非营利性，绝不能偏离非营利性而使协会组织实体化、企业化。凡是营利性特征比较明显的协会组织，可以通过做工作，转变为经济实体，到工商部门进行注册。四是因地制宜，不搞一刀切。农村专业经济协会只有依托当地的专业基地和支柱产业，才能得到生存、发展和壮大。因此，各地在培育发展农村专业经济协会的过程中，要从促进当地农业产业结构调整，发展特色效益农业、优化农业品种品质和布局的总体目标出发，坚持因地制宜，坚持多样性，不用一个版本、一个标准、一个模式去规范所有的协会。凡是农民欢迎的，实际管用的，都要放手让农民自由自主地发展，在发展中总结经验、调整布局，做到有序发展，避免强求统一、拔苗助长、一切照搬、一哄而起的做法。五是典型示范，龙头带动。发展农村专业经济协会是一种组织创新和制度创新，培育发展工作没有现成的路子可走，需要深入开展调查研究，认真总结和推广培育发展的好经验，积极探索和寻找培育发展的好做法，大力宣传和表彰培育发展的好典型，力求趟出一条培育发展的好路子。在协会的具体组建上，要发挥龙头、能人的带头作用，以专业大户为核心，按照一个能人开发一项技术、组建一个协会、辐射一批群众、带动一个产业的思路组建。总之，要加快培育发展一批规模大、机制活、市场竞争力强、具有示范导向的农村专业经济协会，形成强的辐射力、大的影响力，促进我国农村经济社会发展。

民政部部长李学举
在全国先进民间组织表彰大会上的讲话

（2004 年 12 月 10 日）

同志们：

在全党全国人民认真贯彻落实党的十六届四中全会精神，推进全面建设小康社会的新形势下，民政部隆重召开全国先进民间组织表彰大会，向 500 多家民间组织授予“全国先进民间组织”的荣誉称号，这是建国以来全国范围内对民间组织的首次表彰活动，也是民间组织发展史上的一件盛事。全国人大、全国政协的领导同志亲自出席了今天的大会，接见与会代表并给先进单位发奖，中央国家机关有关部门的负责同志也出席了会议。这次会议体现了党和国家对民间组织的高度重视，是对民间组织显著成绩和积极作用的充分肯定，也是推动民间组织持续、健康发展的一项重要举措。在此，我代表民政部向受到表彰的全国先进民间组织，表示热烈的祝贺！向所有辛勤工作在民间组织战线上的同志们，表示亲切的慰问！向民间组织各业务主管单位以及国务院有关部门所付出的努力，表示诚挚的谢意！向出席今天会议的各位领导和同志们以及所有关心支持民间组织的社会各界人士，表示衷心的感谢和崇高的敬意！希望受到表彰的全国先进民间组织珍惜荣誉，再接再厉，在今后的工作中取得更大的成绩！希望广大民间组织学先进、赶先进，充分发挥各自的特点和优势，在社会主义现代化建设中建功立业，做出更大贡献。

改革开放以来，我国民间组织稳步发展，整体质量明显提高。目前，全国各类民间组织已发展到 26 万多个，其中社会团体 14．2 万多个，基金会 1200 多个，民办非企业单位 12．4 万多个。民间组织已经遍布全国城乡，涉及社会生活各个领域，初步形成了门类齐全、层次不同、覆盖广泛的民间组织体系。在这些民间组织之中，有的切实履行政府赋予的部分微观和行业协调管理的职能，维护企业权益，建立从业规范，促进公平竞争，加强行业自律，解决贸易纠纷，促进了生产的发展和技术进步，也为政府机构改革和职能转变创造了条件；有的集中了一批优秀的专家学者、专业技术人员和管理人员，充分利用自身优势，在繁荣文化，发展教育，保护生态，推动科技进步，促进体育卫生事业方面奉献聪明才智，建功立业，促进了各项社会事业的发展；有的乐善好施，扶贫济困，助残敬老，积极参与社会福利和灾害救援，维护困难群众和弱势群体的合法权益，弘扬中华民族的传统美德，推进了各类社会公益事业的发展；有的深入基层社区，开展形式多样的群众活动，广泛了解群众的要求和愿望，积极向党和政府提出意见与建议，调解社会矛盾，促进人际和谐，密切了党群干群关系，推动了民主法制建设；有的采取多样化的手段和灵活的机制，利用社会资源，扩大社会服务领域，拓展了就业和再就业渠道，适应了人民群众日益增长的不同层次的物质文化需求；有的活跃在农村经济领域，开展技术服务和产供销服务，帮助农民增产致富，维护农民利益，促进了“三农”问题的解决；有的在政府指导下积极开展境外民间合作与交流，引进港澳台和国外资金、技术、管理经验，开展经济与文化交流，在港澳台事务和一些国际事务中发挥了不可替代的作用。实践证明，民间组织已经成为党和政府联系人民群众的桥梁和纽带，成为推进经济发展、社会进步和人的全面发展的不可缺少的重要力量，对全面建设小康社会、推动社会主义物质文明、政治文明、精神文明协调发展产生了积极的作用和深远的影响。

党和政府历来十分重视民间组织的发展和管理工作，支持、引导民间组织在社会主义现代化建设中发挥积极作用，特别是近年来，党中央、国务院从完善政策法规体系、健全管理体制、积极培育发展和加强监督管理等方面采取了一系列重要举措，不仅为民间组织的发展指明了方向，而且有力地促进了民间组织的管理和发展；各级民政部门、业务主管单位和有关部门，各司其职，通力协作，认真贯彻落实民间组织的各项政策法规，推动了民间组织的稳步发展。我国民间组织所取得的成绩，是党中央、国务院高度重视的结果，是各级民政部门、业务主管部门和有关部门通力协作、共同配合的结果，也是广大民间组织扎实工作、努力奋斗的结果。

在看到民间组织取得成绩的同时，我们也应该清楚地认识到，当前我国民间组织总体上仍处于发展的初级阶段，还面临着许多困难和问题，发展和规范民间组织仍然是一项长期而艰巨的任务。

当前，我们国家进入了全面建设小康社会，加快推进社会主义现代化建设的新阶段，这为民间组织的发展带来了新的机遇。随着行政管理体制改革的深入，“小政府，大社会”格局的出现，政府正向“有限政府”、“责任政府”、“法治政府”转变，政府不可能也没有必要对社会事务进行全方位的直接的管理，群众性、社会性、公益性、服务性的微观社会职能，应该也可能从政府职能中分离出来。随着经济体制改革的深入和市场经济体制的逐步完善，原来由企业自行管理的社会公共事务被逐步剥离出来，“单位人”变成了“社会人”，而伴随经济成分、组织形式、就业方式、生活方式多样化以及城市化进程加快，客观上对社会服务和社会管理提出了新要求。随着公民民主法制意识的增强，扩大公民有序的政治参与，加强社会建设和社会管理，构建社会主义和谐社会，对民间组织提出了更高的要求。随着我国进入人均国内生产总值从1000美元向3000美元的跨跃，我们既面临“黄金发展期”，也面临“矛盾凸显期”，如何正确反映和兼顾不同方面群众的利益，缓解社会矛盾，维护社会稳定，需要民间组织发挥调节器、稳定器的积极作用。随着世界多极化、经济全球化，特别是我国加入世界贸易组织后，如何妥善处理好对外交往和经贸合作，保护国内市场和企业的利益，参与有关国际事务和国际规则的制定，也为发展民间组织提供了新的机遇。

民间组织作为与政府、企业并列的第三部门，作为基本社会组织重要形式之一，具有人才、技术、信息和体制等方面的优势，在科技教育、文化卫生、扶贫开发、环境保护、法律援助、社会福利、行业管理、社区建设、体育保健、农村专业经济等领域具有很强的能量储备，调动他们的积极性，发挥他们的积极作用，是广泛调动一切积极因素，不断增强全社会创造活力的重要方面。

总之，重视民间组织的发展，发挥民间组织作用，提高民间组织在经济社会发展中的地位，是发展社会主义市场经济、民主政治、先进文化和构筑和谐社会的客观需要，是巩固党的执政基础、加强党的执政能力的必然要求，也是全面建设小康社会、维护国家长治久安的重要保证。

党中央对民间组织的改革与发展寄予希望，提出了明确的要求。党的十六届三中全会指出：“按照市场化的原则，规范和发展行业协会、商会等自律组织。”党的十六届四中全会指出：“发挥社团、行业组织和社会中介组织提供服务、反映诉求、规范行为的作用，形成社会管理和社会服务的合力。”“加强和改进对各类社会组织的管理和监督。”当前和今后一个时期，民间组织工作要以邓小平理论和“三个代表”重要思想为指导，认真贯彻落实党中央、国务院关于民间组织工作的一系列方针政策和相关法律法规，坚持培育发展与管理监督并重的方针，以民间组织服务经济社会发展为核心，以提高民间组织能力建设为重点，建立与我国经济社会发展水平相适应，布局合理、结构优化、作用明显的民间组织发展体系以及法制健全、管理规范、分级负责的民间组织管理体系。要重点培育发展行业协会、公益性民间组织、农村专业经济协会、社区民间组织，支持和引导科、教、文、卫、体以及随着人民生活水平的提高逐渐涌现的新型群众组织。在培育发展民间组织、保护他们合法权益的同时，要加强对民间组织的管理和监督，加大对违法、违纪民间组织依法查处的力度，促进民间组织的健康发展。

希望各级各类民间组织要以服务国家、服务社会、服务人民为己任，加强自身建设，努力做优做强，不断提升综合能力。要增强遵纪守法意识，自觉遵守各项法律法规和规章制度，主动接受业务主管单位和登记管理机关的指导与监督。要建立健全以章程为核心的各项规章制度，健全会员大会或会员代表大会、理事会、监事会制度，推进民主选举、民主决策、民主管理和民主监督，完善法人治理结构。要加强民间组织能力建设，提高理事会的核心领导能力，逐步推行秘书长培训合格上岗制度，加强民间组织与政府、企业和其他社会组织的相互信赖与合作，建立各具特色的信息披露制度，不断提高民间组织的社会公信力。要加强民间组织的队伍建设，加强人才培养和人员培训，建立规范的用人制度，加强党组织建设，逐步建立一支爱岗敬业、有奉献精神、素质较高的专业化队伍，使民间组织真正成为社会主义现代化建设事业的一支生力军。

希望各级民政部门站在实践“三个代表”重要思想的高度，认真做好民间组织的培育发展与监督管理工作。要与业务主管单位密切配合，各司其职，共同做好工作。民政部门作为登记管理机关，要重点履行好登记管理、年度检查和处罚监督等管理职责；业务主管单位要根据党中央、国务院的要求，履行好相应监督管理职责，包括民间组织登记前的审查，开展活动的监督、指导，年度检查的初审，协助查处违法行为，会同有关机关指导社会团体的清算事宜等等。要加强登记管理机关和业务主管单位的自身建设，规范执法行为，推进政务公开，完善信息网络，依法维护民间组织合法权益，提高行政效率和依法行政水平。要根据管理工作的实际情况，增加管理人员，充实管理力量，加强队伍建设，提高管理服务水平。要建立起民间组织的评估体系，通过明确可比的评估指标和完善的评估体系以及与之配套的奖惩制度，加强对民间组织的激励和监督。

希望地方各级政府要加强对民间组织工作的领导，运用经济、法律、舆论及必要的行政手段，将民间组织纳入国民经济和社会发展总体规划，并努力在经济、教育、科学、卫生、文化、民政、体育、环境、人口等事业规划中突出民间组织的内容，确保民间组织与经济社会发展同步。要进一步转变政府职能，将应由社会组织承担的社会管理和公共服务职能转移出去，为民间组织发展拓展必要的空间。要协调有关部门，通过购买服务等方式，建立政府对民间组织的资助机制，进一步完善税收、工资、人事、社会保障政策，为民间组织健康发展提供良好的条件。要进一步健全民间组织法规政策体系，完善双重管理体制，建立政府统一领导、登记管理机关、业务主管单位和有关部门各负其责的管理体制，形成推进民间组织的整体合力。

同志们，我国民间组织的发展和管理工作已进入了一个新的历史时期。面对新的形势，我们肩负光荣而艰巨的任务。让我们在以胡锦涛为总书记的党中央领导下，高举邓小平理论和“三个代表”重要思想伟大旗帜，认真落实党的十六届三中、四中全会精神，同心协力，开拓进取，推动引导民间组织健康发展，为全面建设小康社会，推进社会主义现代化做出新的更大贡献！

以科学发展观为指导，认真做好《基金会管理条例》的贯彻实施工作

——民政部副部长姜力在全国贯彻《基金会管理条例》工作会议上的讲话

（2004 年 4 月 5 日）

同志们：

这次会议是民政部召开的第一个关于基金会管理工作的会议。刚才，广东省李容根副省长作了热情洋溢的讲话，从推动全省经济和社会发展的高度，分析和阐述了民间组织的重要作用，使我们深受启发和鼓舞。学举部长对这次会议非常重视，亲自参加会议，并对做好基金会及民间组织管理工作作了重要讲话，深刻分析了民间组织面临的发展环境和历史机遇，对坚持以人为本、更新观念，提高民间组织管理工作的整体水平，为改革发展的大局服务提出了明确的要求。我们要认真学习，深刻领会，切实贯彻到民间组织管理的实际工作中。下面，我就《基金会管理条例》的贯彻实施工作讲三点意见。

一、从科学发展观的高度，充分认识做好《基金会管理条例》贯彻实施的重要意义

《基金会管理条例》在《基金会管理办法》的基础上，总结十多年来我国基金会发展的实践经验，根据经济社会发展变化的新形势，充分听取各方面的意见、建议和要求，数易其稿，经过三年多的反复研究论证，民政部和国务院法制办修订完成了《基金会管理条例》，经国务院常务会议讨论通过，温家宝总理于今年 3 月 8 日签发颁布，并将于 6 月 1 日起正式实施。《基金会管理条例》的颁布，为加强基金会管理，促进我国公益事业的发展提供了法律保障，丰富了我国民间组织的法律法规体系，是坚持以人为本，不断满足人民群众多方面需求的重大举措。《基金会管理条例》的贯彻实施，对于推动民政工作体制和机制的创新，贯彻落实科学发展观，推动经济社会全面、协调、可持续发展具有深远的意义。

（一）做好基金会登记管理工作是我国经济社会进入新的发展阶段的客观要求

目前，我国经济持续快速发展，市场经济体制逐步建立和完善。2003 年，国内生产总值已达 11 万亿元，人均 GDP 超过了 1000 美元，我国进入了现代化建设的新的发展阶段。这个阶段是我国经济结构、社会结构发生深刻变化，社会利益关系不断调整，经济社会发展充满机遇，面临风险的关键期，也是具有鲜明公益性特征的基金会发展的机遇期。

一是由于经济快速发展，人民群众的生活水平稳步提高。中产阶层逐步扩大，富人群体的数量和获得的财富增多，富裕起来的群体有条件和能力把一部分资产捐赠出来，回报社会，奉献社会公益事业，为公益事业的发展提供了物质基础。二是我国已形成了社会财富占有多元化的格局，多种所有制经济的相互促进和共同发展，引发各种股份制经济、合作经济、民营经济的迅速增加。据统计，2003 年非国有企业营业收入已占企业营业收入总数的 65．86%。外资经济发展迅速，2003 年底全球 500

家最大的跨国公司已有400多家来华投资，全国累计批准外商投资企业46万多家，吸收外商直接投资5015亿元。目前，我国社会经济所有制的多形式，就业方式和分配方式的多样性，形成了社会资源和社会财富占有的多元化，为基金会的社会化创造了条件。三是各项社会事业在取得巨大进步的同时，出现了新的矛盾和问题，如城乡差距、区域差别扩大，就业和社会保障压力增加，教育、卫生、文化等社会事业发展滞后，经济发展同生态环境、自然资源的矛盾加剧等，特别是经济转轨和社会转型带来的失业人员增多，社会弱势群体的数量增多，贫富差别进一步拉大。国际上通用的衡量社会贫富差距的基尼系数，我国为0．417，已临近警戒线。社会发展滞后于经济发展的诸多问题需要统筹解决，使我国社会公益事业的发展面临很大的空间。四是随着社会的发展进步，人民群众的民主意识和道德水平提高，参与公共管理的愿望增强，追求人的全面发展，尊重人的生存、健康、安全需要，维护社会公平、正义的社会风气进一步弘扬，更加关注人文氛围、生态环境和社会公正。公益事业的发展面临良好的社会环境。

基金会以公益为目的，引导社会组织和个人自愿地把一部分财富和收入捐赠出来，用于保护环境、发展科教文卫、扶贫济困、帮残助弱等社会公益事业，满足各阶层群众参与公共管理、服务公共事务、发挥个人能力的意愿，体现社会关爱精神，推动人与自然、经济与社会、城市与农村、富裕与贫困等不同领域、地域、群体之间的协调发展。在我国处于经济社会发展的关键时期，采取切实措施，培育发展各类基金会，使这些基金会吸纳社会各界人士，汇聚民间资金，在社会各领域里开展广泛的公益活动，能够程度不同地解决社会问题，缓解社会矛盾，增强社会凝聚力，能够更好地体现社会公平与公正，弘扬中华民族的传统美德，推进精神文明建设。

（二）做好基金会的登记管理工作是政府转变职能的客观要求

随着市场经济体制的逐步完善，我国社会行政管理适应全面建设小康社会的新形势和依法治国的进程，不断推进政府职能转变，深化行政管理体制改革。政府更加注重履行经济调节、市场监管、社会管理和公共服务的职能，逐步构建与经济社会和人的全面发展相适应的社会管理体制。温家宝总理在今年政府工作报告中指出，要进一步把不该由政府管的事交给企业、社会组织和中介机构，更大程度地发挥市场在资源配置中的基础性作用。最近，国务院制定了《全面推进依法行政实施纲要》，提出要推进政企分开，政事分开，实行政府公共管理职能与政府履行出资人职能分开。凡是公民、法人和其它组织能够自主解决的，市场竞争机制能够调节的，行业组织或者中介机构通过自律能够解决的事项，除法律另有规定的外，行政机关不要通过行政管理去解决，要加强对行业组织和中介机构的引导和规范。政府行政管理体制改革的深化必然促进公共服务的社会化。

我国公益事业领域广阔，空间巨大，任务繁重。建立起与经济发展水平相适应的、能够满足广大人民群众多方面需求的公益事业，需要巨大的财力投入。但各级政府财力和机构编制有限，没有能力也不应该包揽一切社会事务。我们一方面要发挥政府在发展社会公益事业中的主导作用，加大国家财力的投入，进一步做好规划、组织和调控；另一方面，要调动群众和社会的作用，把一部分公益职能分解给社会团体，引导非政府领域对公益事业的广泛参与，为社会公众提供自主参与、自我管理的空间和途径，这是加快解决社会发展滞后问题的重要措施。国外许多国家都是在经济发展处于转折时期，注意发挥民间组织的社会助动器作用，着手制定政策，推动各种基金会的大力发展，以此保持政府和民间组织、社会各阶层利益群体的和谐互动，形成国家和社会、政府和公众共同的合力。因此，政府要通过政策扶持、舆论引导、依法管理等措施，调动社会慈善的活力和资源，营造有利于民间组织和个人投入公益事业，有利于基金会发展的环境，培育和发展一批实力雄厚、运作规范的基金会。

使他们自主吸纳社会资源，自主组织赈灾扶贫、助残育孤、社会救助以及文化教育、环境保护等各项社会公益活动，担负起维护社会公平，保护社会弱势群体，和谐社会各阶层关系的作用，成为政府的得力助手。

（三）做好基金会的登记管理工作是促进民间组织发展的客观要求

近年来，我国的民间组织稳步发展，在经济社会发展中的作用越来越明显，社会团体、民办非企业单位、基金会这三种类型的民间组织都已形成一定规模。截止目前，在各级民政部门登记的社会团体13万多个，民办非企业单位12万多个，基金会近1200家，在民政部登记的全国性基金会有80家。全国性基金会的总资产约30亿元，规模较大的基金会资产达几亿元。基金会用于社会公益的支出约40亿元。一些基金会活跃在扶贫、救灾、科技、文化、卫生、医疗、环保、社会福利、社区、老年等领域，面向基层，心系群众，服务宗旨明确，致力于各种社会问题的解决，为推动社会进步发挥了积极的作用。但总体上看，我国基金会仍处在起步阶段，数量不多，规模不大，在社会生活中的作用还不够显著。与国外一些运作成熟、管理规范的基金会比较，还有相当的差距。有的基金会不会募集和运作资金，只是筹了一笔钱，挂了一块牌。有的基金会自律机制不健全，缺乏严格的财务管理，成了个别组织和个人的小金库。基金会的现状，反映了我国民间组织发展的总体水平，基金会存在的这些问题有的是基金会所特有的，但相当一部分是当前民间组织的共性问题，如行政色彩较浓，专业和专职人员缺乏，自律机制不健全等。尽管近些年来我们坚持培育发展与监督管理并重的方针，不断适应民间组织发展的新要求，研究出台了一系列相关政策措施，努力为民间组织创造良好的发展环境。但是，民间组织的发展管理仍然面临不少困难和问题，需要我们根据社会的发展进步，以邓小平理论和“三个代表”重要思想为指导，解放思想，加强指导，不断推进民间组织发展和管理机制创新，提高民间组织的整体素质。基金会是民间组织中最能体现社会关爱精神、自身运作最复杂、公众关注度强、社会期望值高的一类组织。我们要以贯彻实施《基金会管理条例》为契机，以基金会为样板，认真研究，精心引导，培养典型，通过抓好基金会的建设和管理，认识和把握民间组织发展规律，解决相关的政策问题，突破难点，创造更加有利于民间组织发展的社会环境，以此带动整个民间组织建设和管理水平的提高，更好地发挥民间组织在社会主义现代化新的发展阶段的积极作用。

二、认真学习，深刻领会《基金会管理条例》的基本精神

3月8日，温家宝总理签署第400号国务院令，正式颁布了《基金会管理条例》。这是关于基金会的第二部行政法规。在此之前，基金会是按照1988年国务院颁布的《基金会管理办法》进行登记管理的。10多年来，《基金会管理办法》对于规范基金会的行为，促进基金会健康发展起到了重要作用。但是，这个办法不够完善，对基金会的组织形式、内部决策程序、财务会计制度、资产使用管理、社会监督机制等许多环节上未做规定。随着改革开放的深入和市场经济体制的不断完善，解决基金会法律制度的缺失，为基金会的发展提供制度保障已尤为必要。为了解决这些问题，民政部和国务院法制办共同修订《基金会管理办法》。多次召开座谈会和专题研讨会，征求有关部门、方面、专家和学者的意见，并借鉴其他国家基金会管理的有益经验，做了大量的论证和修改工作，形成了《基金会管理条例》。

《基金会管理条例》共设为七章四十八条，分别规定了基金会登记管理的总原则，基金会的设立、变更和注销登记，基金会的组织机构，基金会财产的管理和使用，政府和社会对基金会的监督管理，基金会的法律责任等。与《基金会管理办法》相比，内容更加丰富，体系更加完整，可以说是对基金会登记管理法规的一次重新起草。为了贯彻实施好《基金会管理条例》，作为登记管理机关的民政部门，要全面理解、掌握《条例》基本精神，吃透立法原意。《条例》贯穿了重培育发展，以规范管理促进基金会健康发展的指导原则。在这一指导原则下，体现了八个方面的重点内容：

一是进一步明确基金会的公益性质，确保公益目的的实现。公益性是基金会的本质特征，公益是基金会设立的唯一目的。保障基金会的公益性，是《条例》的根本任务。公益组织的受益对象为不特定的个人和群体，任何个人或群体只要符合其宗旨和业务范围要求，都可接受其资助。基金会的基金来源于社会，服务于社会，为了实现这个目的，《条例》作了诸多的政策规定。如将基金会定义为"利用自然人、法人或者其他组织捐赠的财产，以从事公益事业为目的，按照本条例的规定成立的非营利性法人"，这就明确了基金会的公益性质，使基金会与其他管理信托投资基金、以营利为目的的基金管理组织以及其他民间互益组织区别开来。基金会的公益性质决定了其财产必须用于公益目的，也必须受到保护。《条例》规定"基金会的财产及其他收入受法律保护，任何单位和个人不得私分、侵占、挪用。""基金会注销后的剩余财产应当按照章程的规定用于公益目的；无法按照章程规定处理的，由登记管理机关组织捐赠给与该基金会性质、宗旨相同的社会公益组织，并向社会公告。"

公益目的的实现还需要一系列具体措施来保障，如基金会章程必须明确基金会的公益性质，不得规定使特定自然人、法人或者其他组织受益的内容；基金会必须建立完善内部管理机制，要受到严格的监管，特别是受到公众监督；基金会的运作必须公开透明，尤其是财务状况必须公开。对此，《条例》一一作了规范。

二是实施分类管理，广泛动员社会力量参与公益事业。目前我们已登记的基金会大都是面向社会公开募捐的基金会，即公募基金会。由于现阶段，我国普通群众收入水平还不高，大多数企业和其他社会组织的捐赠资源有限。为了不过多地增加企业和个人的负担，对公募基金会要合理布局，有效控制。同时，鉴于一些富裕起来的企业和个人有意愿拿出自己的财产和资金用于公益事业，又希望自主决定公益实施，保证捐赠意愿的实现，对此国家应当予以鼓励，需采取相应的对策，满足他们的愿望。因此《条例》将基金会分为"公募基金会"，即面向公众募捐的基金会，和"非公募基金会"，即不得面向公众募捐的基金会两类，增设了非公募基金会这个新种类。允许以企业和个人的名义命名非公募基金会；对于用私人财产设立的非公募基金会，允许捐赠人的亲属可以在限定的比例内在理事会担任职务。根据国外的经验，非公募基金会是一种引导个人和组织的财产流向社会，特别是流向弱势人群的有效形式，也是社会财富实现再分配的一种途径，可以最大限度地调动企业和个人的捐赠积极性，吸引更多的社会资源从事公益事业，使公益事业的资金来源更加多渠道。个人或企业捐赠财产，建立非公募基金会，在为社会公益事业做贡献的同时，也可以由于良好的社会形象带来更多的经济效益。对于非公募基金会，我们采取扶持鼓励的政策，在基金会的名称、登记条件、资金使用等方面的规定相对比较宽松。为了规范面向公众开展的募捐活动，保护爱心资源，减轻公众负担，维护社会平稳安定，对公募基金会的行为管理相对严格。对两类基金会在设立标准、成员构成、公益支出比例等方面作出不同的规定，体现了区别政策。

三是适应改革开放的新形势，将涉外基金会纳入国内基金会管理的法律范围。近年来，特别是我国加入世贸组织后，在华外国人结社和境外非政府组织进入境内开展活动的要求明显增多，但涉外民间组织登记管理没有相应的法律法规，各级登记管理机关一直采取不承认、不接触、不取缔的做法。但有不少未经登记的组织已自行开展活动，在我境内开展活动的涉外民间组织的数量不断上升，活动日趋活跃。据统计，仅云南省就有近40个外国和港澳台民间组织在活动，其中不少是基金会。这些组织活动频繁，且长期脱离政府监管，既不利于他们充分地表现对中国的公益爱心，也不利于规范他们的行为，确保国家的安全和稳定。依法加强对涉外民间组织的登记管理，是扩大对外开放、全面贯彻依法治国方略、维护社会稳定亟待解决的问题，因此，对涉外民间组织立法已是一项紧迫的任务。这次修订的《基金会管理条例》适应了涉外民间组织管理的新形势，将涉外基金会纳入国内民间组织管理法律框架，依法进行登记管理。《条例》对基金会的设立主体没有做国别、境内外限制。允许外国人和港澳台居民在华设立基金会，允许境外基金会在中国内地设立代表机构，鼓励境外资金进入境内开展公益活动。既解决了涉外基金会的设立和管理问题，为我国公益事业的发展争取更多的外部支持，也为下一步修订出台《社会团体登记管理条例》和《民办非企业单位登记管理暂行条例》，确定涉外民间组织的设立和管理问题作了政策和实践探索。

《条例》作出允许涉外基金会在中国内地开展符合中国公益事业性质活动的规定，体现了国际惯例，有利于扩大对外交流和合作，有利于利用更多的公益资源，也有利于借鉴国际成熟的公益组织管理和运作经验，促进我国公益组织自身能力和管理水平的提高。《条例》将境外基金会在华活动的管理纳入国内民间组织的管理框架，规定境外基金会代表机构应当从事符合中国公益事业性质的公益活动。境外基金会对其在中国内地代表机构的民事行为，依照中国法律承担民事责任。考虑到我国是发展中国家，公益负担重，募捐资源有限，境外基金会代表机构不得在中国境内组织募捐、接受捐赠。

四是对基金保值、增值的方式做了开放性规定。基金会的保值增值，是基金会运作的重点。规定得过严，基金会缺乏活力；规定得过松，基金会保值增值风险增高，这是一个两难的问题。原《基金会管理办法》对基金会资金的运作做了限制规定，以达到基金保值增值的目的。如“基金会不得经营管理企业”；“基金会可以将资金存入金融机构收取利息，也可以购买债券、股票等有价证券，但购买某个企业的股票额不得超过该企业股票总额的20%”。《中国人民银行关于进一步加强基金会管理的通知》规定：“基金会基金的保值及增值必须委托金融机构进行”。但这些规定在实践中没有达到预期目的。是否经营企业以及拥有某个企业股票额的多少，与基金会的公益目的并不矛盾，也不反映基金运作风险的大小。基金会的情况千差万别，具体保值增值规定很难适应每个基金会。《基金会管理条例》按国际惯例制定规则，不对基金会的保值增值行为做具体要求，只做了原则的、开放性规定，力图通过社会监督、内部监督来解决对基金会投资行为的约束，同时增加了“失误赔偿”的条款。规定因决策不当致使基金会财产损失的，参加决策的理事应当承担相应的赔偿责任，以保障基金会对投资行为慎重行事。

五是鼓励基金会多募钱，多做公益，形成良性循环机制。基金会作为从事社会公益活动的非营利组织，为了造福社会，必须有充足的可持续的资金支持。基金会募集资金、运作资金的能力是保证其生存和发展的关键。基金会只能募钱有招，生财有道，用钱有效，才能有源源不断的财源，才能充满活力，最大限度地实现公益目的。目前，不少基金会不会募捐，很少开展有影响的公益活动，因缺乏活力而逐渐萎缩。成功的基金会应是过路财神，边募钱，边用钱，募得多，用得多，取得良好的社会效益，树立起形象，形成良性循环。为了逐步实现这个目标，《条例》从制度上作了规定，将基金会每年的公益支出作为衡量基金会是否完成了公益任务的重要标准，规定公募基金会每年用于从事章程规定的公益事业支出，不得低于上一年总收入的70%；非公募基金会每年用于从事章程规定的公益事业支出，不得低于上一年基金余额的8%；不按规定完成公益事业支出额度的，将被处罚直至撤销。这就意味着，基金会如果募集资金不多，逐年按照要求完成公益事业支出数额，加上办公经费和工作人员的工资福利支出，原始基金数额就会逐年减少，到了一定的限度，就会被注销。只徒有虚名，不务公益之实的基金会不再有存在的法规依据。

六是建立规范的内部自律机制。良好的自律机制是基金会存在和发展的内在动力。针对目前一些基金会内部规范不够，自律机制不健全的状况，《条例》要求基金会建立以章程为核心的各项自律制度，并从公益法人组织机构的特点出发，专门设立了基金会“组织机构”一章，明确规定了理事会是基金会的决策机构，规范了理事会的组成和议事决策程序，监事的设置和职能，制定了防止基金会内部人员与基金会公益宗旨发生利益冲突行为的规则，通过限制在基金会领取报酬的理事数量，规定监事和未在基金会担任专职工作的理事不得从基金会获取报酬，基金会的法定代表人不得同时担任其他组织的法定代表人等，引导基金会建立自律机制，规范基金会的行为。

七是确立了公开、透明的原则，进一步完善监督管理机制。基金会作为担负神圣使命的公益组织，享受优惠的税收政策，掌握社会公益资源，公众关注程度高，社会责任大，其活动是否规范关系到爱心资源的保护，关系到基金会的信誉和公益事业的发展，必须在自律的基础上接受各方面的监督，保持较高的社会公信度，这就需要从法规上建立完善的政府监督和社会监督机制。《条例》在这方面作了多项规定。明确了“基金会依照章程从事公益活动，应当遵循公开、透明的原则”，并从政府监督和社会监督等方面做了相应的规定。明确了登记管理机关和业务主管单位登记、日常监督和年检等方面各自的职责，规定了各类非法活动的详细情形和相应的法律责任。同时规定基金会要接受年度检查，要接受税务、会计主管部门依法实施的税务监督和会计监督；基金会在通过登记管理机关的年度检查之后，要将年度工作报告在登记管理机关指定的媒体上公布，接受社会的查询、监督；公募基金会组织募捐，应当向社会公布募得资金后拟开展的公益活动和资金的详细使用计划；基金会处理剩余财产应当向社会公示等。

八是明确了税收优惠原则，加大了税收监管力度。利用税收手段扶持和监管基金会，对基金会及其捐赠人实行税收优惠是各国通行的做法。减税、免税措施构成基金会和其他组织发展的重要政策环境。我国在这方面还处于探索阶段。为了鼓励公益事业的发展，我国已陆续出台了一些税收优惠政策，对于公益事业的发展起到了促进作用，但还不系统，散见在多个相关文件中，在实施过程中也遇到了一些实际问题。这次《条例》规定“基金会及捐赠人、受益人可以依照法律、行政法规的规定享受税收优惠”规定了税收优惠的大原则，表明基金会、捐赠人、受益人三方面都能够依照法规享受到税收优惠。至于税收优惠的具体办法，财政部、国家税务总局正在研究制定。在享受税收优惠的同时，基金会要依法办理税务登记、接受税务部门的监督，对有违法行为的基金会，税务机关还可以要求补交违法行为存续期间享受的税收减免。要通过税收政策，鼓励基金会的发展，加强对基金会的监管。

总之，《基金会管理条例》作为我国基金会登记管理的重要法规，确定了基金会的基本性质和权利、义务，以及基金会登记管理的基本原则，涵盖了基金会登记和管理的各个方面，这是今后一个时期我国基金会发展和管理的重要法律法规文件，各级民政部门要在认真学习《条例》的基础上，深刻地领会和把握，准确地贯彻到实际工作中。

三、周密部署，依法做好基金会的登记管理工作

从现在到6月1日新《条例》的正式实施仅有近两个月的时间，各级民政部门要提到主要议事日程，针对本省实际，高度重视，周密研究部署，认真做好各项准备工作：

一是要搞好宣传和培训。3月19日《条例》发布的第二天，国务院新闻办即召开中外记者新闻发布会，民政部介绍了《条例》的基本情况，就社会所关心的问题回答了记者提问，确立了宣传基调。下一步民政部还将和国务院法制办共同编写《条例》释义，研究出台配套政策。各级民政部门要以此为基础，结合本地的实际，进行宣传和培训。

要利用广播、电视、网站、报纸、期刊等媒体，宣传基金会的意义和作用，提高公众对基金会的认知度，普及基金会知识。要举办专题讲座，进行知识问答，编撰教材、书籍等，对有志投身公益事业的集团、民营企业、跨国公司和个人要有针对性的引导，对贡献突出的要大力表彰和宣传。要调动学术界对公益组织、第三部门研究的积极性，发挥专家、学者的作用，对基金会的发展问题展开研究和讨论。通过多种形式，创造催生基金会的舆论环境，激发关心公益、奉献爱心的社会潜力，形成举办基金会光荣、投身公益事业可敬的社会氛围。同时，要把对基金会的宣传舆论和监督舆论结合起来，使人们了解基金会，关心、爱护、监督基金会。

要搞好对《条例》的学习和培训。《条例》是一部专业性很强的法规，涉及多方面的知识，学习不深，理解不透，就执行不好。首先是民政部门的领导干部和从事民间组织管理工作的同志要学好。深刻领会《条例》的基本精神，逐条把握具体条款，熟悉登记管理工作的基本程序。同时还要学习行政许可法、经济法、民法等法律法规和其他相关知识。其次是组织对业务主管单位的有关同志和基金会负责人、专职工作人员的学习培训。可以采取座谈会、研讨会、培训班等形式，使他们熟悉、理解《条例》，提高依法办基金会的思想认识，掌握基本规则。已登记的基金会应该在参加学习培训后再换发新登记证书。

二是要在《条例》实施之前，做好各项登记准备工作。《条例》将在6月1正式实施，登记工作要按时启动，我们必须在此之前做好各项准备。民政部将就基金会的名称管理、设立基金的验资程序、登记审批过程中的内部协调机制、年检办法等做出具体规定，还将制定基金会章程范本、年检报告书、申请表格并统一印制基金会登记证书等。在这次会上，大家可以就以上事项进行讨论，提出意见，我们将在会后制定出台。各地在基金会审批过程中要严格执行《条例》和有关规定，按照《条例》和《行政许可法》的要求，建立登记工作的规范标准，体现合法、公开、公正、便民的要求，要不断总结登记工作的经验，完善登记制度，保证登记管理工作的顺利进行。由于前几年对基金会登记基本处于停止状态，启动登记工作后可能有一个申请高峰，各地要提高工作效率，坚持标准，认真审核，严格把关，依《条例》规定进行登记。在做好工作准备的同时，各级民政部门还要做好组织人员的准备，把会外语、懂资金运作的干部调整到登记管理岗位。要加快民间组织信息管理系统建设，为基金会提供快速、便捷、规范的服务。在执行《条例》过程中，会遇到新的情况和新的问题，不要随意变通，要认真加以研究，提出意见和建议并及时上报部里，以便研究确定。

三是要慎重稳妥地做好现有基金会登记证书的换发工作。按照《条例》规定，已履行过登记手续的基金会，要在2004年6月1日至2005年2月1日之间换发登记证书。对已登记过的基金会，我们要区分情况，分别处理：对符合规定的，尽快办理以证换证；对活动正常，因原始基金数额达不到标准的，允许换发证书，但需要在规定的期限内补足基金；对活动不正常、存在若干问题的，要限期整改；对基本不再具备设立条件和存在较严重问题的基金会要依《条例》的有关规定处理；对未经登记，已在社会开展活动的基金会和境外基金会代表机构，不要按照换发证书的方式处理，要根据《条例》规定的条件和程序办理设立登记手续；以前地方越权登记的基金会，其登记无效。就现有基金会的审核及换发证书工作，民政部还将制定具体工作方案下发。

四是要探索建立基金会自律制度和行业互律机制。基金会汇集公共资金，承担实现捐赠人爱心意愿的社会责任，必须做到自身运作规范，决策、运转监督机制完善，对国家、社会、捐赠人和受益人负责，否则将有可能发生与公益性完全相悖的问题。各级民政部门要引导、帮助基金会搞好自身建设，坚持权利制约、决策透明、渎职追究原则。建立依法制定章程、严格遵守章程、维护章程权威的行为规范，完善财产管理和使用、理事会的决策、监事的职责行使、工作人员的录用和奖惩等制度。

要逐步建立起以行业自律为目的的基金会行业组织，形成同行之间的监督互律。依靠行业组织制定并监督实施基金会从业人员的道德规范，制定并监督实施包括资金筹措、项目管理、运作成本、内部管理等评估体系，逐步形成基金会相互监督、合理竞争、共同发展的机制。

五是要加强基金会的外部监管，尽快探索建立完善的监督管理体系。改变“重登记，疏管理”，加强政府监管、社会监督，建立和健全基金会外部监管体系是贯彻实施好《基金会管理条例》的重要措施。

首先要强化登记管理机关的监督管理，完善管理制度和措施，加大管理力度，丰富管理手段。要以保障基金会的公益性、非营利性和规范性作为登记管理机关的最终目标，着重检查基金会的财务状况、开展公益活动情况、遵守财税法规情况和内部制度建设情况等。既要利用好年检的作用，通过年检，了解情况，发现问题，指导整改；又要加强即时监管，及时掌握基金会的活动情况，依法查处非法基金会和基金会违法行为。这里还要强调登记管理机关对基金会的管理要进一步树立服务就是管理的思想，坚持以正面宣传、表彰先进、推广经验、提供服务为主要工作方式，对极少数违法违纪的基金会进行查处是辅助手段，不能主辅倒置。

要发挥业务主管单位、税务部门和会计、审计机构对基金会的监管作用。要将双重管理体制落实到位，进一步理顺关系，促进业务主管单位切实行使好管理职能，使他们对基金会的管理制度化、规范化，民政部门要与业务主管单位建立分工明确、配合默契的互动机制。要贯彻好财政部即将出台的《非营利组织会计制度》，统一基金会的财务管理，支持会计主管部门对基金会执行国家会计制度和财务管理情况进行监督管理的职责。要与税务部门共同研究解决基金会的税收优惠，协助税务部门对基金会纳税和享受税收优惠的监督管理。要建立与外交、公安、安全以及港、澳、台管理部门协调配合的机制，搞好对在华外国人设立的基金会和境外基金会代表机构的监督管理，确保国家安全和社会稳定。

要探索建立完善的社会监督机制。加大基金会的社会开放度，使基金会的设立和运作公开、透明，扩大社会参与。要建立政策和制度，促进基金会定期向社会公布自己的资金募集、资金增值收益、捐赠项目等信息和数据，主动接受社会的检查、监督。登记管理机关要公布对基金会年度检查的情况；基金会的行业组织要公布对基金会的评估结果，树立基金会的品牌。通过各方面的共同努力，逐步形成一个社会有权监督、便于监督、监督有效的机制。各级民政部门要利用好自身的网站、报纸、刊物，为基金会及时传递信息，使社会公众了解情况、参与监督，为捐赠人选择廉洁有效、运作规范的基金会搭建平台。

同志们，基金会是造福人民、有益社会的阳光事业。实施以人为本，全面、协调、可持续发展的战略决策，全面建设小康社会的战略措施，为我国基金会的发展创造了良好的社会环境和历史机遇。我们要认清形势，坚定信心，服务大局，努力工作，认真贯彻实施好《条例》，激发广大群众参与公益事业的热情，开创民间组织管理工作的新局面，为充分发挥基金会的积极作用，推动社会主义物质文明、政治文明和精神文明的共同进步做出应有的贡献。

民政部副部长姜力在江西省培育发展农村专业经济协会工作经验交流会上的讲话

（2004 年 6 月 7 日）

同志们：

很高兴有机会来参加江西省培育发展农村专业经济协会工作经验交流会。这次会议是江西省全面贯彻全国民政会议精神，总结经验，深入研究部署农村专业经济协会管理工作的会议。省委、省政府对这次会议十分重视，熊盛文省长助理亲自参加会议，省委农工部负责同志，省委政研室、省农业厅和赣州市政府有关负责同志和各市政府分管民政工作的秘书长和民政局的主要负责同志也参加了会议。这次会议还邀请了 16 个农村专业经济协会的会长。因此，这是一次全方位的、各有关部门共商江西农村专业经济协会发展的重要会议。在此，我代表民政部向会议的召开表示热烈的祝贺。

江西省民政工作在省委、省政府的正确领导下，在有关部门的支持和配合下取得了很大的进展。各级民政部门紧密围绕党和政府的中心工作，在民政工作领域不断扩展、工作任务不断增加的情况下，辛勤努力，扎实工作，在自然灾害救助、优抚安置、最低生活保障、社会福利、城市区划、民间组织管理等方面的工作都取得了可喜的成绩。有些方面的工作列入了全国的优先行列。我代表民政部对辛勤工作在江西各级民政战线上的广大民政干部表示亲切的慰问。

近年来，江西各级民间组织的登记管理机关认真贯彻党中央、国务院提出的培育发展和监督管理并重的基本方针，以服务全省中心工作为主要目标，在抓思想认识、抓队伍建设、抓理论研究、抓协调配合、抓法制建设等方面做了很多工作，也取得了可喜的成果。省民政厅对培育发展农村专业经济协会认识明确、行动迅速，确定了 16 个示范点，并精心指导、着力培育、认真研究解决政策问题，对推动这项工作起到了很好的作用。刚才，罗筱玉厅长对全省农村专业经济协会培育发展工作进行了全面总结，对今后一个时期的工作进行了具体的部署。她的报告思路清晰，分析透彻，任务明确，措施有力，完全符合民政部的要求，也有鲜明的江西地方特色。熊盛文省长助理还要代表省政府作重要讲话。会议介绍的典型经验将从不同角度反映江西省各地农村专业经济协会的特点，这将对全省培育发展农村专业经济协会起到很好的示范作用。我相信，这次会议将会引起各级党委、政府和民政部门对农村专业经济协会的高度重视，推动江西全省范围内各级各类农村专业经济协会的不断涌现，促进农村、农业、农民工作的进一步发展。

当前，我们国家正处在经济快速发展、全面建设小康社会的重要历史发展阶段，政府职能转变和机构改革不断深入。党中央、国务院提出了统筹社会和经济协调发展、统筹城市和农村协调发展等五个统筹的战略目标，高度重视“三农”工作。党的十六届三中全会提出了坚持以人为本，树立全面、协调、可持续的发展观。这一科学的发展观，是我们党以邓小平理论和“三个代表”重要思想为指导，在建设中国特色社会主义的新的实践中得出的重要结论，也标志着党对执政规律、社会主义建设规律和人类社会发展规律的认识达到了新高度。5 月 28 日，中央政治局专门召开会议研究健全和完善农村村务公开和民主管理制度。会议要求在经济上保障农民的经济利益，在政治上尊重农民的民主权利，把坚持党的领导和人民当家作主以及依法治国有机统一于农村社会主义民主实践中。坚持科学的发展观，维护广大农民的经济利益和民主权利，就要积极保护农民发展生产力，创新生产关系的积极性，不断满足他们生产生活和参与管理的新需求。

农村专业经济协会是随着我国社会主义市场经济的建立和完善、农村改革不断深入而逐步发展、日渐活跃的农村民间社会团体，是由农民根据生产发展需要自愿组织起来，为农业生产、销售和技术推广提供服务的公益性组织。农村专业经济协会是社会主义市场经济条件下沟通和联系市场与农民的纽带，是使农民从个体经营到统一经营、规模经营，摆脱信息闭塞，技术落后，走向市场，走出县界、市界、省界，乃至走向全国、走向世界的桥梁。因此，农村专业经济协会是农村改革和经济发展到一定阶段的必然产物。它在引导农民自我组织、自我管理、自我服务，推动农村生产力的发展上正起着重要的、不可替代的作用。各级民政部门要从贯彻落实科学的发展观的高度，从贯彻落实中央政治局会议精神的高度，把培育发展农村专业经济协会作为民政工作的重要任务，充分发挥民间组织登记管理机关的职能作用，把这项工作管理好、组织好，切实抓出成效。

近年来，江西省各级民政部门从贯彻落实党的“十六大”精神、践行“三个代表”重要思想的高度，充分认识发展农村专业经济协会的重要意义，坚持培育发展和监督管理并重的方针，大胆探索，采取了不少切实可行的措施，促进农村专业经济协会的有序发展。省里确定的 16 个示范点，就起到了示范作用，初步积累了一些经验。为更加规范农村专业经济协会的登记管理与培育发展，去年民政部专门下发了《关于加强农村专业经济协会培育发展和登记管理工作的指导意见》，对登记的范围、登记的条件、登记的程序以及业务主管单位的确定等都作了原则规定。在这方面，各地民政部门也做了很多很好的探索。民政部还将会同有关部门，进一步研究推动农村专业经济协会发展的政策和法规问题。各级民政部门也要提高认识，加强领导，主动争取当地党委、政府的重视，结合本地实际，制定切实可行的政策，加大对农村专业经济协会的培育力度，有组织、有计划地做好培育发展工作。

昨天，我们参观了樟树市和信丰县的两个农村专业经济协会，晚上，还召开了有关民政部门的同志和协会会长参加的座谈会。大家对促进农村专业经济协会的发展提出了很多很好的建议，包括如何进一步在法律上确定农村专业经济协会的法人地位，如何发挥民政部门登记管理机关的作用，如何协调好与有关业务部门的关系，共同促进协会的发展，以及如何加强协会自身能力建设等问题，反映了江西省各级民政部门认真培育农村专业经济协会这一新生事物，在实践中探索了工作经验，并正在进行深入的研究和思考。我们对农村专业经济协会培育发展要组织、有计划、有步骤的进行，要按照边发展、边规范、边登记的原则，做到成熟 个、登记 个、规范 个。培育发展农村专业经济协会是一项系统的工程，做好这项工作需要有关部门切实承担起各自不同的责任，共同发挥合力。民政部门要充分发挥民间组织登记管理机关的作用，主动与党委农工部、政府改革与发展、农业、林业部门和科技、工、青、妇团体加强联系和协调，形成培育发展农村专业经济协会的合力，共同培育发展一批适应市场经济需要、对当地经济发展有影响的农村专业经济协会。

民政部门在这项工作中要着重发挥好以下四个方面的作用。一是要加强政策研究，为农村专业经济协会的发展创造良好的政策环境。民政部门作为登记管理机关要注重对农村专业经济协会的政策研究和宏观管理，解决好协会的发展的政策障碍，要加强调查研究和政策理论研究，及时研究协会发展中遇到的新情况、新问题，为农村专业经济协会的发展办实事、办好事。二是要积极协调有关部门，形成农村专业经济协会发展的合力。民政部门要发挥综合协调作用，协调有关部门，争取地方各级政府的高度重视和大力支持，形成齐抓共管的局面。三是要认真总结经验，推广典型。对组织机构健全、活动规范、作用明显的农村专业经济协会要认真总结经验，抓好典型宣传工作，发挥其示范作用，推进农村专业经济协会整体水平的提高。通过总结经验，宣传典型，表彰先进，推动农村专业经济协会的发展。四是要对农村专业经济协会的运作机制给予指导，帮助协会建立起自我管理、自我发展、自我完善的运作机制。要指导和支持农村专业经济协会建立以章程为核心的内部管理制度，建立健全自律机制、民主决策机制，实行民主管理，做到民办、民管、民受益。

我们要看到随着我国社会主义市场经济的不断完善和政府机构改革的不断深入，特别是我国加入WTO之后，各类行业协会、商会等民间组织越来越活跃，对经济和社会的发展发挥的作用更加突出。今年3月8日，国务院常务会议通过了《基金会管理条例》，从6月1日开始实施。条例的实施将会吸引更多企事业单位和个人从事公益事业，这是公益性民间组织发展的良好机遇，会使我国公益性民间组织有一个较大的发展。

随着公民民主意识的增强，基层民间组织发展很快。目前，社区、农村的民间组织不断增多，发挥的作用日益明显。“三农”工作的加强和农村经济的不断发展，使广大农民走合作经营的意识增强，各类农村专业经济协会将得到更大的发展。各级民政部门要充分认识新时期民间组织的地位和作用，正确把握民间组织的发展趋势，根据发展变化的新形势，做好民间组织管理工作。要在当地党委、政府的领导下，按照中央的要求，采取切实可行的措施，加强民间组织登记管理机关建设，在人员、经费等方面加大力度，以适应民间组织日益发展的需要。要把对民间组织的培育发展和加强监督管理列入民政工作的重要议事日程，全面规划，统筹安排，综合协调，经常研究并切实解决民间组织发展和管理中出现的新情况、新问题，要转变观念，改进工作方式，对民间组织要热情服务，悉心指导，寓管理于服务之中，做到依法管理，不断提高管理水平和服务水平。

同志们，江西的民间组织管理工作面临良好的发展环境，省委、省政府对民间组织管理工作和民政工作高度重视，希望大家以科学的发展观为指导，认真践行“三个代表”重要思想，积极进取，大胆创新，按照省民政厅的要求，不断推动全省农村专业经济协会在现有的基础上有新的发展，以带动全省民间组织管理工作和民政工作整体水平的提高，使全省的民政工作为服务全省工作大局，为实现老区的跨越式发展做出新的应有的贡献。

以民为本　服务“三农”
积极推动农村专业经济协会的发展

——民政部副部长姜力在全国发展农村专业经济协会会议上的讲话

（2004 年 9 月 9 日）

同志们：

今天民政部在这里召开全国发展农村专业经济协会会议，目的是总结工作经验，统一思想，明确任务，进一步做好农村专业经济协会的发展工作。民政部对这次会议非常重视，李学举部长在开幕式上做了重要讲话，对做好农村专业经济协会发展工作提出了明确要求，各级民政部门要认真学习，深刻体会，抓好贯彻落实。中农办、国务院研究室、农业部、中国科协、团中央和全国代销总社对这次会议非常支持，应邀参加会议，并作专题发言。有 12 个省市民政厅局和农村专业经济协会在会上介绍各自的做法与经验。大家还将对山东省发展农村专业经济协会情况进行实地考察。相信这次会议对各级民政部门提高认识，开拓思路，为今后进一步推动农村专业经济协会的发展打下好的基础。下面我讲三个问题。

一、我国农村专业经济协会发展势头喜人

近几年，在我国广大农村，一种由农民自愿组织、自我管理、自行服务的新型民间组织“农村专业经济协会”日益兴起。据不完全统计，全国已成立的各类农村专业经济协会达 10 万多个，涉及农、林、牧、副、渔等产业，涵盖农产品的生产、加工、销售和技术信息服务等诸多领域。农村专业经济协会以其瞄准市场、联接农商、受益农民的鲜明特性，深受广大农民的欢迎。农村专业经济协会为提高农民竞争能力，促进农村深化改革和农村经济体制创新发挥了重要作用，成为当前我国农村社会经济生活中的一支引人注目的新生力量。

各级民政部门作为社会团体的登记管理机关，一直关注农村专业经济协会的发展，对这种土生土长的民间组织给予了热情的关心和扶持。2002 年民政部派出调查组对农村专业经济协会的发展状况进行了较深入的调查，在调查中明显感到，农村专业经济协会为调整农业产业结构，提高农业集约化和产业化水平，增加农民收入创造了一种途径，是联接农民由小生产通向大市场的桥梁，提出了扶持和发展农村专业经济协会的思路和建议上报国务院。调查报告得到国务院的重视，温家宝总理亲自作了批示，给我们做好农村专业经济协会登记管理工作以很大的鼓舞。在多次深入调研和总结各地经验的基础上，2003 年民政部制定了《关于加强农村专业经济协会培育发展和登记管理工作的指导意见》，明确了登记原则、规范制度和扶持发展的方针，确定了登记范围，提出要简化登记条件和程序，及时赋予农村专业经济协会合法地位。要求各级民政部门解放思想，因势利导，大胆探索，保护农村专业经济协会的合法权益和农民的办会积极性，把农村专业经济协会培育好、发展好、管理好，体现民政工作维护民利、解决民生、落实民权的宗旨。

各省市民政部门在党委政府的领导和相关部门的配合下，认真履行职责，结合当地实际，采取多种措施，积极培育农村专业经济协会的发展，成效十分明显。

（一）调查研究，为农村专业经济协会发展提供政策支持

为了了解掌握农村专业经济协会的实际情况和活动特点，一些民政部门的负责同志亲自带队深入到县、乡、村进行调查，了解情况，研究制定工作思路。有的采取问卷的方式进行普查统计，有的会同农业、水产、畜牧等部门组成调研组，实地了解农村专业经济协会活动状况。上海、陕西、江西、河南、辽宁、青海、广东、宁波等省市都对农村专业经济协会发展情况进行了广泛调查，获得大量第一手资料。民政部门主动汇报反映，提出扶持意见，得到党委和政府的高度重视。安徽省委、省政府把发展农村专业经济协会列入今年省委常委会工作要点和省政府年度工作目标考核内容。湖南省委、省政府下发文件将发展农村专业经济协会作为重要工作任务。山东省政府召开了发展农村专业经济协会会议。江苏省政府出台文件把农产品行业协会作为推进产业化经营的主体之一。吉林全省9个市、州普遍召开了发展农村专业经济协会工作会议，各乡（镇）都成立了领导小组，由分管乡（镇）长担任组长。山西省一些地方建立了三级农村专业经济协会的议事协调机构。湖北省许多市州县民政局加强了登记管理机构，配备了专职人员。全国有浙江、甘肃、贵州、黑龙江等15个省市区出台了工作指导意见，为农村专业经济协会的发展提供了有力的政策保障。

（二）积极培育，为农村专业经济协会发展提供典型示范

农村专业经济协会作为一种新型的组织形式，在我国这样区域发展不平衡、农业专业化程度薄弱、农村人口文化素质不高的农村发展，存在许多限制性因素，培育发展和登记管理没有现成经验，许多地方采取试点先行，典型引路的措施。湖南省民政部门确立了126个试点单位。广西民政厅选择了100个组织机构健全、活动规范、作用明显的农村专业经济协会作为示范单位，带动了全区农村专业经济协会的发展。江西、贵州省民政厅在取得试点成效后，及时召开现场会，在全省铺开农村专业经济协会发展工作。山东省民政厅在试点基础上提出到2004年底前，全面完成现有农村专业经济协会的登记和备案工作，2005年底基本建立全面覆盖地域和行业的农村专业经济协会体系，重点培育300个有实力、有活力、有影响力的示范协会，目前全省已登记协会5000个。不少省民政厅出台了农村专业经济协会示范点建设实施意见，制定了协会章程范本。吉林省每个市（州）培育了10个典型，每个县（市、区）抓3－5个典型，对培育发展农村专业经济协会的先进单位和农村专业经济协会模范单位进行表彰，受表彰的先进个人享受市、州级劳模待遇。湖北省开展了全省农村专业经济协会“50强”评比表彰活动，树立了典型，引起了各地对农村专业经济协会的广泛关注。

（三）帮助指导，促进农村专业经济协会的自身发展

为了培养农村专业经济协会自我管理、自求发展，使其成为遵守章程、坚持活动、按照会员需求独立发挥作用的法人组织，各级民政部门按照“边培育、边发展、边规范”的方针，成熟一个，登记一个，及时给予农村专业经济协会合法地位，积极帮助农村专业经济协会建立以章程为核心的内部管理制度，按照社团通行规则，建立自律机制、民主决策制度，实行民主管理。北京市民政局聘请专家、学者，为农村专业经济协会出谋划策。一些省市通过对协会秘书长和会员进行培训、进行协会负责人竞争选举等方式，帮助农村专业经济协会提高自身素质。广西民政厅根据区内农村专业经济协会小、散、弱的状况，组织成立了农村专业经济协会联合会，增强了全区农村专业经济协会的整体实力。

各地因地制宜，根据农村专业经济协会发展实际，以市场需求为导向，宜村则村，宜乡则乡，有什么市场就成立什么协会，有什么能人就举办什么协会，如一品一会、一村一会、一业一会、一个龙头产业一会等。农村专业经济协会在类型上既有技术推广型的，也有经营合作型的；既有生产服务型

的，也有销售、经营中介型的，充分体现了不拘一格、灵活多样的特点。在农村经济发展较快，专业化、产业化程度较高的地区，农村专业经济协会开始向网络化、区域化方向发展。

（四）加强协调，为农村专业经济协会的发展创造良好环境

农村专业经济协会的发展涉及多方面，必须依靠各有关部门共同配合。目前，发展农村经济组织已引起有关部门的高度重视，形成了齐抓共管的局面。党委农村工作部门和农业、林业、畜牧、水利、供销社等部门与组织，都根据各自的职能积极推动农村经济组织的发展。科协和共青团组织长期培育的技术推广和生产生活服务型等组织在农村有广泛的基础。各级民政部门认真履行登记管理机构的职能，主动与有关部门建立联系，加强合作，共同推动。不少省市县的民政部门与党委政研室、政府农村工作部门建立了工作联系机制，会同财政、农业、科协等部门研究制定对农村专业经济协会的贷款、税收优惠等扶持政策。目前全国农村专业经济协会发展的可喜形势，是党中央、国务院高度重视的结果，是各有关部门合力推进的结果。实践表明，农村专业经济协会和农村专业经济实体作为农村经济组织的两翼，相互配合，相互促进，共同推动农村经济的发展和社会进步。

据不完全统计，目前全国各级民政部门已注册登记专业经济协会1万多个。这些协会作为全国农村专业经济协会的骨干和示范，分布于全国各省区市，以组织健全、贴近农民、作用明显的生机勃勃的形象，活跃在农村县、乡、村诸多领域，对在更大范围推动各类专业经济协会的发展起到带动作用。农村专业经济协会的逐步发展和日趋活跃，为农村、农业发展和农民生活带来了重要而深刻的影响。一是优化了农村产业结构，降低了农产品生产销售交易成本，提高了农产品的竞争力；二是起到了沟通产、供、销三方需求的中介作用，增强了农户适应市场经济的能力，推动了农村社会化服务体系的完善和农民进入市场的组织化程度；三是促进了农业科技成果的推广和应用；四是提高了农民的素质，培养了民主意识、法制意识、维权意识和诚信意识，培养了一大批农村优秀人才；五是农民增加了收入，得到了实惠，拓展了增收的渠道，增强了发展的后劲；六是促进了农村精神文明建设，维护了农村的稳定。

回顾近年来各级民政部门培育发展农村专业经济协会的工作实践，我们深刻体会到：只要以与时俱进的态度对待改革实践中出现的新生事物，研究发现新生事物的发展规律，因势利导，就会找到民政工作的新的增长点；只要紧紧围绕党和政府的中心工作，自觉贴近“三农”，服务“三农”，就会找到民政工作直接为经济建设服务的落脚点；只要尊重群众的创造精神，努力满足群众的客观要求，就会实现民政工作以人为本的科学发展观；只要开阔思路，长袖善舞，主动与有关部门进行协调配合，就会形成推动工作的合力；只要尊重基层，因地制宜，实事求是，就会根据地区、群体、发展的差异，创造灵活多样的工作模式。

在看到农村专业经济协会取得很大发展的同时，我们也应当看到，我国农村专业经济协会还处在发展的初始阶段，还受到很多矛盾和困难的制约。从协会的自身能力看：有的组织松散，规模偏小，凝聚力不强，活力不足；有的没有领头能人，缺少活动场所；有的没有建立必要的内部管理制度，决策由少数人做主，民主议事、民主决策的水平不高，自我管理、自我发展能力不强。从协会发展的外部条件看：立法工作滞后，现有法律制度不能很好地适应农民办协会的实际需求，扶持政策不完善、不统一；基层民政部门力量弱，人员、经费、手段不足，管理工作跟不上；有的地方存在认识不高，重视不够或行政色彩较浓，对协会行政干预过多。这些问题要引起我们的重视，采取切实有效措施加以解决。

二、农村专业经济协会对农村经济社会发展具有不可低估的作用

党中央、国务院高度重视“三农”工作，把解决好农业、农村和农民问题作为全面建设小康社

会的突出任务。从近几年的实践看，农村专业经济协会对农村发展的作用越来越明显，在推进全面建设小康社会的进程中，具有重要的作用。

（一）农村专业经济协会是农民自发成立、自我服务的新型社会组织

改革开放以来，我国农村实行联产承包的经营体制，农民获得了生产经营的自主权，激发了生产积极性。但是，随着市场经济体制的逐步建立，我国农村这种千家万户分散的小生产方式，与竞争日益激烈的大市场的矛盾日益突出。约2亿左右农户由于各自分散经营，规模小、技术落后、信息不灵、抵御风险能力薄弱，在市场竞争中处于劣势。小生产的生产经营方式成为农业发展、农民增收的最大障碍。在这种情况下，一些地方从事同类产品生产经营的农户自愿联合组织起来，以增加成员收入为目的，在技术、信息、购销、加工、储运等环节实行自我管理、自我服务、自我发展。通过科技信息传递，提高农产品质量和产量；通过销售服务，提高农产品价值；通过加工服务，提高农产品的附加值。实践证明，农村专业经济协会使分散的生产经营者以一个整体进入市场，参与竞争，降低了生产成本，实现规模效益，提高了竞争力，满足了农民致富奔小康的强烈愿望，代表了农民的切身利益，解决了一家一户想办而办不成、办不好的事情，农村专业经济协会民办、民管、民受益，其作用任何行政手段不能代替，是对农村社会组织和生产关系的创新，是真正属于农民自己的组织。正像有的农民说的“协会是技术的老师，经营的帮手，生产的顾问”，使农民眼界宽了，路子广了，技术多了。如广西全区农村专业经济协会今年农产品销售量达47亿元，会员年人均增收348元，还辐射带动了40万农户年人均增收136元。山东省一些地方农村专业经济协会吸纳的农户已达当地农户50%以上，如莱州市各类农村专业经济协会吸纳17万农户，转移农村劳动力25万人，农民人均收入达到4240元。

（二）农村专业经济协会是推动农村经济发展的新途径

我国12亿多人口，8亿左右为农民，约为全国人口的68%，这是我国最大的国情。农业是国民经济的基础，没有农民的小康，就没有全国人民的小康。农村经济的发展和农民生活水平的提高，是我国全面建设小康社会，实现以人为本，全面、协调、可持续的发展的关键所在。党中央、国务院十分重视农业、农村和农民问题，以胡锦涛为总书记的新一届中央领导集体，从党和国家事业发展的全局出发，提出了坚持以人为本，全面、协调、可持续的科学发展观，并强调按照“五个统筹”的要求推进改革和开放，要求把发展各类农村经济组织作为深化农村改革、不断完善农民增收体制和机制的重要措施。统筹城乡发展，很重要的一点就是要在市场经济体制框架下，寻找解决“三农”问题的有效办法。我国农业入市难，农民增收难，始终是困扰农村经济发展的核心难题。只有通过调整农业产业结构，优化生产要素，发展效益农业，提高农民的组织化和生产规模化程度，才能逐步把农业经济链条做大，促进“三农”的发展。农村专业经济协会以农户为市场主体，把市场主体和市场需求联接起来，实现了农村经营体制的创新，对农村经济发展产生重要影响。据北京市的调查统计，有87%的农户认为加入协会增加了收入，会员年收入增加500元以下的为15%；500—1000元的为30%；1000—2000元的为21%；2000元以上的为21%。农民一致赞扬成立协会是为农村办了一件好事，在完善农村社会化服务、增加农民收入、加快农村发展上大有作为，是农民致富、农业发展、农村繁荣的好形式。

（三）农村专业经济协会是应对我国加入WTO，提高农产品国际竞争力的新举措

加入WTO使我国农业融入了世界市场体系，农业面临前所未有的机遇和挑战。如何适应新的形势，扩大农产品的国际市场占有份额，增加农民收入，提高农业国际竞争力对我国国民经济的全局至关重要。

目前，我国农业人口占世界农业人口的1/4左右，我国有许多重要大宗农产品，如粮食、棉花、蔬菜、水果等产量均居世界第一位，但农产品外贸总额仅占世界农产品外贸总额的3．5%，占全国外贸总量的1/10左右。我国加入WTO后，国外农产品及其制成品大量进入国内市场，竞争越来越激烈。随着入世协议的进一步实施，外国农业协会纷纷进人我国，这些协会以民间的身份为本国会员开拓市场，搜集和传送中国市场信息，代表农产品行业参加贸易谈判，制定本国贸易壁垒政策等，充当了国际贸易的领军人。

国际农产品贸易市场的通行规则是民间组织在前台，政府在很多方面不能直接参加和干预。我国农产品有劳动力价格低、资源多样化、空间范围广阔的优势，要与国外在竞争中保护我国农民的利益，抢占制高点，就必须与国际通行机制接轨，培养我们自己的民间组织，使它们走向国际贸易平台，代表和维护农民利益，参与国际市场竞争，从而把我国的农业市场做强、做大。近几年，在农村专业经济协会产生较早、发育成熟的浙江、山东等地的一些农村专业经济协会，就成功地参与打破国际贸易壁垒、解决国际贸易争端的工作。由于以民间的身份平等地与国外农产品行业组织谈判，起到了政府所起不到的独特作用，如山东省青岛市农村专业经济协会的新产品远销世界30多个国家和地区；烟台莱西市石材行业协会举办的国际石材展览会，有26个国家和地区，3000多客商参加，贸易额25亿元。

（四）农村专业经济协会是促进农村社会发展的新形式

实现农村全面发展，不仅需要生产规模和经营水平的提高，而且需要农村社会机制、社会观念及生活方式的全面提升。在这个意义上，农村专业经济协会不仅为农民进入市场提供了一个渠道，为农村和农业的发展提供了一个新的市场主体，提高了农民的物质生活，也深刻地影响着农村的文化、社会乃至政治生活等各个方面。各地实践充分表明，农村专业经济协会通过各种活动，在广大农民中传播了科学技术，推广了民主意识，促进了农村就业，完善了农村社会化服务体系，使农民在自我服务、平等合作、相互帮助中提高了诚信意识、竞争意识和市场观念，对提高农民的整体素质，缩小城乡差距，推进农村民主建设都产生了深远的影响，对建立新型农村社会管理秩序，改善农村社会结构，推动农业科技、教育、文化等事业的进一步发展，维护社会稳定，巩固基层政权，促进农村精神文明建设和城乡协调发展具有重要意义。

（五）发展农村专业经济协会是民政工作的新内容

民政部门承担的农村困难救助、基层民主政治建设、优抚安置和民间组织管理工作，都从一个方面促进了农村的经济发展和社会稳定。由于过去我国各类民间组织主要在城市设立和活动，农村只有少数县一级有技术推广、扶贫帮困类公益组织，民间组织的发育明显滞后。农村专业经济协会的发展，成为农村民间组织新的生长点，给我国民间组织登记管理工作增加了新内容，开辟了农村民间组织管理工作的新领域，使民间组织管理工作多了一个服务群体。农村专业经济协会是民间组织登记管理工作中面对最基层、服务对象最多、最具探索性的工作。做好这项工作，有助于提升民政工作的地位，发挥民政工作的作用，更好地服务于国家经济建设和社会发展的大局。因此，促进农村专业经济协会发展，推动其发展壮大，引导其在农村经济社会等各个领域发挥更大的作用，将成为今后我国民间组织管理工作的一项重要任务。

三、要大力发展农村专业经济协会

今后一个时期发展农村专业经济协会工作的指导思想是：以邓小平理论和“三个代表”为指针，以科学发展观为指导，坚持民办、民管、民受益的原则，积极推动农村专业经济协会的发展，培育一批能力突出、机制灵活、带动力强的农村专业经济协会典型，努力为解决“三农”问题服务，充分发挥农村专业经济协会在全面建设小康社会中的积极作用。

（一）积极推动农村专业经济协会的建立

目前，从全国范围看，农村专业经济协会还处在发展的初期阶段，无论从数量、规模和自身能力都不能满足农村发展和广大农民的迫切要求。因此，我们要把推动建立、广泛发展作为首要任务。民间组织依法登记，以法人单位主体开展活动是农村专业经济协会发展的保证。民政部门推动农村专业经济协会的发展，首先要根据职能，对基本具备条件的农村专业经济协会及时给予注册登记，使他们获得法人主体资格。要加大工作力度，鼓励多种形式发展。民政部《关于加强农村专业经济协会培育发展和登记管理工作的指导意见》已经放宽了登记条件，简约了程序，但由于情况不同，各地还可以结合实际，继续探索，在经济不发达地区，如需进一步放宽条件，可以制定政策，进行试点。我们正在会同国务院法制办修订《社会团体登记管理条例》，争取把各地行之有效的做法在法律中确定下来，以满足民间组织发展的客观要求。在发展工作中要从实际出发，坚持市场化原则，市场需要什么，就发展什么样的协会。对科协、共青团组织培育的农村非营利组织，符合条件的要抓紧予以登记。我们积极推动农村专业经济协会的发展，初期数量可能会多一些，经过市场的考验，优胜劣汰，一定会有一批行为规范、充满活力的农村专业经济协会脱颖而出，这是我们培育发展的目的。

（二）坚持民办、民管、民受益的原则

农村专业经济协会是由一农民因内在需求引发，在农村土生土长起来的乡村组织，按农民自己的说法，是从土地里长出来的协会，这是农村专业经济协会的生命力所在。我们一定要以民为本，尊重农民的选择，尊重农村专业经济协会的民间属性，加以爱护、培育和扶持。对农村专业经济协会的管理，一定要坚持农民自愿成立、自主办会、自我发展和民办、民管、民受益的原则，不搞拉郎配，不搞包办代替。对办会的模式，也不要搞一个样式，一刀切，要允许试验，允许农村专业经济协会的多样性，农民需要什么样的协会，都可以尝试，既可以搞技术服务型的，也可以搞公益互助型的，也可以试验经营合作型的。允许农民通过实践寻找最适合的模式。对已经成立的协会要充分放手，帮助实行自我选举、自我管理、自我决策、自我监督，做到自主、自立、自律、自强。不能用行政手段去干预协会的内部事务，防止协会成为政府部门的附属机构。只有保持民间性，突出农民在协会中的核心地位，才能保持农村专业经济协会内在发展动力，使协会真正成为联系政府与群众的桥梁，成为农民联系市场的中介组织。

农村专业经济协会在发展过程中，要处理好与基层自治组织之间的关系。农村专业经济协会与基层自治组织都具有群众性，目的都是为了农村的发展。基层自治组织依照国家有关法律和职权，行使自治职能，协会要予以积极响应和很好配合；农村专业经济协会依照章程规定的业务范围从事活动，基层自治组织应予以支持，并保证协会的自主权和独立性。

（三）争取领导重视，加大扶持力度

发展农村专业经济协会是一项系统工程，民政部门要认真履行职责，发挥综合协调作用。要主动争取当地党委、政府的重视和支持，把农村专业经济协会发展工作摆上应有位置，有组织、有计划地做好发展工作。要积极协调有关部门加大部门的扶持力度，如在农村专业经济协会初期，提供开展活动的场所，资助必要的工作经费，选派专业技术干部作相关协会的顾问，为协会的交流合作活动提供信息、牵线搭桥等。从资金投入、科研与技术推广、农业生产资料供应、市场信息、社会化服务等方面，给农村专业经济协会以帮助和支持。民政部门要定期培训农村专业经济协会的负责人，使他们学习社会工作方式提高管理能力，要与有关业务主管单位密切配合，落实各自的管理职责，形成合力。

（四）培育一批名牌协会，发挥典型示范作用

农村专业经济协会在扩大覆盖面、取得法人地位的基础上，要逐渐提高自身能力，切实发挥作用。民政部门要通过培养典型、交流经验、表彰先进、加强宣传等方法，着力培育一批活动能力强、吸纳会员广泛、敢于带领农民闯市场、受农民欢迎、对当地经济发展有突出影响的农村专业经济协会。要督促协会遵纪守法，帮助建立以章程为核心的内部管理机制，建立理事会、监事会等内部组织管理机构，健全组织活动制度、民主议事制度、资金管理制度和内部监督制度和利益风险机制，坚持为群众服务的宗旨，强化服务会员意识，帮助群众共同致富。让先进典型来引导带动更多的农村专业经济协会发展壮大，使农村专业经济协会发展工作更加扎实，富有成效。

（五）认真研究农村专业经济协会发展的新问题

农村专业经济协会的发展时间不长，但它打破了旧有的民间组织发展模式，改变了民间组织的发展格局，也使民间组织管理工作面临新的课题。当前，农村专业经济协会发展中面临的新问题，有些是现有的法规中没有包含的，如乡镇和村的农村专业经济协会由谁主管的问题；能否组建跨地区同行业专业经济协会问题；能否自上而下地建立协会；能否允许存在通信会员等问题。农村专业经济协会作为一种新型组织，如何界定其职能和属性；如何既保持协会的非营利性，又满足农民组织起来，合作经营的要求等。这些都是农村专业经济协会发展中遇到的现实问题，民间组织管理工作要与时俱进，适应形势的发展，在不断解决新的问题中创新和发展。因此，要本着解放思想、实事求是的精神加以研究和探索，要从符合农民和农村的实际，充分调动农民的积极性和创造性，维护农民的合法权益的角度出发，既使农村专业经济协会有一个宽松的发展环境，允许实践和探索，又注意及时总结研究，及时对农民的实践活动进行总结，并概括到法律、法规和政策中去，逐步探索出符合国情的农村民间组织发展模式。

目前不少地方提出农村专业经济协会与其他农村经济组织之间的关系问题。农民自发成立民间组织做何种形式的登记，以何种组织形式开展活动，农民有选择的权力。目前对农村经济组织的属性和分类，有关部门正在立法调研。总之，对于营利性和非营利性两种不同性质的农民经济组织，我们都要注重发挥它们的积极作用，做到优势互补，相得益彰。

各级民政部门要强化服务意识，寓管理于服务之中，深入基层，贴近农民，上门服务，为农村专业经济协会发展出谋划策，依法保护协会合法权益，提高办事效率，提高服务质量。要认真总结经验，抓好典型宣传，发挥示范作用。要加大调研力度，既要研究解决当前面临问题的具体方案，又要研究治本之策和长效机制。注意借鉴国外的有益经验，把研究成果运用到立法中去。

农村专业经济协会点多面广，大多数远离县域。目前地方民政部门大多数都没有民间组织管理专职工作人员，要开展农村专业经济协会登记管理工作的确有不少困难。各级民政部门要知难而上，增强能动性和责任感，一方面要努力工作，争取党政领导的理解和支持，按照中央文件的要求，充实和加强民间组织登记管理机构；另一方面要做好内部工作力量的合理调配，保证必要的工作经费，加强干部队伍的组织建设、思想建设和作风建设，以适应业务工作快速发展的需要。

同志们，农村专业经济协会面临更好的发展机遇和繁重的工作任务，各级民政部门要站在服务党的中心工作、服务“三农”工作的大局的高度，求真务实，改革创新，做好农村专业经济协会的发展工作，充分发挥农村专业经济协会的作用，为农村经济和社会发展，为实现全面建设小康社会的战略目标做出应有的贡献！

加强国际交流　推进中国民间组织评估体系建设

——民政部副部长姜力在中英民间组织评估问题研讨会上的讲话

（2004 年 12 月 15 日）

尊敬的公使先生，各位代表、各位来宾，女士们、先生们、朋友们：

由中国民政部和英国使馆联合举办的民间组织评估体系有关问题的国际研讨会在这里隆重召开，这是继 2002 年“民间组织发展与管理”上海国际研讨会之后，又一次在中国举办这样高层次的、有众多的海内外从事民间组织管理和研究的专家、学者聚集一堂，共同探讨民间组织管理问题的会议。借此机会，我代表民政部对会议的召开表示热烈的祝贺！对远道而来的各位代表、专家、学者和朋友们，致以诚挚的问候和热烈的欢迎。

改革开放以来，随着我国市场经济体制的建立和逐步完善，我国社会管理体制也发生着深刻的变化，从单一政府管理模式逐步向社会化管理模式转变。改革从经济领域逐步向社会和政治领域深化和发展，社会形态结构和组织方式也发生了重大变化，小政府，大社会格局的逐步形成，公民的结社意识不断增强。经济发展、社会进步和人民生活水平的不断提高以及群众不断增长的物质文化需求，需要民众自己组织起来，利用民间资源来帮助政府满足公众的需要。为适应社会经济发展，我们积极培育发展符合时代要求、适应市场经济特点、具有可持续发展能力的民间组织，把发展民间组织与促进城乡、区域和经济社会的全面发展，改善人民的经济、社会文化环境相结合。近十几年来，我们审批登记了一批社会经济发展急需的行业协会等社会中介组织，对关系经济发展包括行业协会在内的工商领域的民间组织，进行结构性调整。截止 2003 年底，全国登记各级各类民间组织 26 万多个，其中社会团体 14．2 万多个，民办非企业单位 12．4 万多个。一个布局合理、结构优化、能够充分发挥作用的民间组织体系已基本形成，为推动社会经济的发展和满足人民的社会生活需求做出了积极的贡献。

在培育发展民间组织的同时，我们积极探索民间组织评估体系的建立。

一是不断完善民间组织登记管理的政策法规，从制度上建立完善的政府监督和社会监督机制。1998 年，国务院颁布《社会团体登记管理条例》和《民办非企业单位登记管理暂行条例》，今年 3 月，国务院颁布《基金会管理条例》。为适应新的形势发展，国务院有关部门，正在对《社会团体登记管理条例》和《民办非企业单位登记管理暂行条例》作进一步的修改。在《基金会管理条例》中，要求基金会必须建立以章程为核心的内部自律机制，从公益法人组织结构的特点出发，专门设立了基金会“组织结构”一章，规范了理事会的组成和议事决策程序以及监事的设置和职能。明确基金会依照章程从事公益活动，应当遵循公开、透明的原则，并从政府监管和社会监管等方面做了相应的规定。基金会不仅要接受年度检查、接受税务、会计主管部门依法实施的税务监督和会计监督，而且还要主动接受社会的查询和监督。在正在修改的《社会团体登记管理条例》和《民办非企业单位登记管理条例》中，加大了社会监管的篇幅，特别强调其业务活动、接受捐赠、财务管理以及工资分配制度等方面的公开化和透明度，建立了比较科学的监督管理机制。

二是坚持双重管理体制，加大政府对民间组织评估力度。由于我国人口众多，民间组织数量大，涉及面广，情况复杂，管理工作十分繁重，因此，政府对民间组织实行登记管理机关和业务主管单位双重负责的管理体制。在要求所有民间组织必须统一归口民政部门登记的同时，充分发挥业务主管单位熟悉民间组织业务工作和领导人员的管理优势。利用年度检查，业务主管单位对民间组织开展业务活动情况，做出是否合格的初步评估。登记管理机关综合民间组织各方面情况，做出年检合格与否的最终评估。这既有利于政府相关部门对民间组织的综合评估，也有利于提高民间组织的自律意识和自律水平。

三是加强民间组织管理信息网络建设，拓宽社会评估渠道。民间组织管理信息网络化，是社会评估民间组织的有效途径。我国民间组织管理信息化建设，从1997年开始，目前全国地市以上民间组织管理部门，基本上实现民间组织管理网络化。登记管理机关通过年检，对民间组织执行国家法律法规、接受使用捐赠等情况及时上网公布，由社会对民间组织进行舆论监督和科学评估。各级登记管理机关，通过网络反馈信息，获取了大量的第一手资料，为政府对民间组织的准确定性评估提供了科学依据。

四是探索创新民间组织管理制度，推进民间组织评估体系的规范化建设。对民间组织评估，我们在充分发挥公众和社会舆论监督的同时，积极加强民间组织评估制度的规范化建设。从去年开始，我们对原来制定的《民办非企业单位年检办法》和《年度检查报告书》进行修改，今年3月、8月，分别在重庆、青海召开地方民间组织管理机关工作人员参加的座谈会。不久前，在北京举行了由各方面的学者、专家和民办非企业单位的代表参加的听证会。经过多方面专家的研讨和论证，《民办非企业单位年检办法》和《年度检查报告书》已基本成型。《社会团体年检办法》和《基金会年检办法》正在调研论证，也将于明年正式出台。

我国在建立民间组织评估机制的工作方面取得了较明显成绩，但是与发达国家相比较，还存在许多不足。民间组织的整体素质、自律水平有待进一步提高，民间组织评估的法律法规和配套政策还不够健全，业务主管单位和登记管理机关对民间组织管理的职责还需要进一步研究理顺，民间组织评估的体系和机制有待进一步完善。我们这次国际研讨会的主题是“民间组织评估问题”，希望通过各国民间组织法律比较，民间组织自律和他律机制、年度检查和政府监督、社会评估机制和体系建设等议题的探讨、研究和交流，了解和吸收国际社会在这些方面好的做法和经验，提高我国民间组织的整体素质，提高政府管理民间组织的水平，更好地发挥民间组织在我国现代化建设中的积极作用。为此，我希望与会的各位代表、专家和学者畅所欲言，深入讨论，共同探索和建立科学的民间组织评估体系，为推进中国和国际社会民间组织的发展贡献你们的学识和智慧。

各位代表、各位来宾，在我国经济市场化和社会多元化转型时期，经济、社会、制度、文化、国际等各方面环境都为民间组织带来了新的发展机遇。我们相信，中国民间组织及其评估工作必将伴随我国社会现代化建设实现新的发展。在今后的民间组织国际研讨会上，我们将提供一个科学合理的民间组织评估体系贡献给国际社会。

初冬的北京寒意阵阵，但是我们的研讨会场却春意融融，这浓浓的春意来自大家心底深处，来自诸位对中国民间组织管理工作的热心和信心。我相信，这一热心和信心，必将使这次研讨会圆满成功，必将把中国的民间组织管理工作不断推向前进！

最后，祝与会代表身体健康，祝研讨会圆满成功！

谢谢大家！

民政部民间组织管理局局长李本公
谈 2004 年民间组织登记管理工作重点

党的十六届三中全会通过的《中共中央关于完善社会主义市场经济若干问题的决定》是进一步深化经济体制改革，促进经济和社会全面发展的纲领性文件，对民间组织登记管理工作提出新的目标和要求。《决定》明确指出，“积极发展独立公正、规范运作的专业化市场中介服务机构，按市场化原则规范和发展各类行业协会、商会等自律性组织”“支持农民按照自愿、民主的原则，发展多种形式的农村专业合作组织”，同时《决定》还两次提到“行业自律”。贯彻落实《决定》的这些精神，是作好 2004 年民间组织工作的基本依据。

2004 年民间组织登记管理工作的指导思想是：坚持以邓小平理论和“三个代表”重要思想为指导，全面贯彻十六大和十六届三中全会精神，围绕完善社会主义市场经济体制、全面建设小康社会的奋斗目标。继续加强法制建设和宏观调控。重点培育发展符合市场经济要求的行业中介组织、农村专业协会和社区民间组织，探索培育发展公益性民间组织的新路子。加强监督管理和行政执法，探索新形势下民间组织登记管理的新思路新方法。加快信息化建设，引导民间组织在完善社会主义市场经济体制中发挥应有作用。努力为改革开放、经济建设、社会发展和社会稳定服务。

（一）进一步加强法规制度建设

随着依法治国方略的深入实施，法制建设愈加重要。尤其是行政许可法的颁布和即将实施，对依法行政水平提出了更高的要求。2004 年的重要任务仍是修订、研讨、出台法规及配套规定。

要作好《基金会管理条例》出台后的配套工作。条例一旦出台，要集中力量宣传、贯彻和执行新条例。要清理不符合新条例的政策性文件，抓紧制定新的配套政策措施。要对行政管理人员和基金会主要负责人进行培训。要积极配合国务院法制办，对已上报的《社会团体登记管理条例》和《民办事业单位登记管理条例》（送审稿）进行反复修改论证，争取有突破性进展，尽快出台。

要与劳动和社会保障部协商，争取出台民间组织从业人员社会保险的政策。继续与人事部协商，争取尽快建立民间组织专职工作人员的管理机制和机构，要争取早日出台《民间组织会计制度》。要整理目前国家对民间组织税收优惠政策的基本情况，提出关于民间组织税收政策的政策建议。要根据《中华人民共和国行政许可法》的规定，制定新的配套措施，进一步规范登记程序，提高依法行政水平。要抓紧论证《外国非营利组织驻华代表机构登记暂行办法》，争取早日颁发。要尽快出台《社会团体年度检查办法》和《民办非企业单位年度检查暂行办法》。

（二）积极抓好培育发展工作

要把如何发展行业协会作为工作的突出重点。提出对培育发展行业协会的建议。重点集中在政府如何向行业协会转移职能、如何实施行业自律和是否需要立法等。要继续抓好培育发展农村专业经济协会的工作。重点是落实前不久部里下发的《关于加强基层农村专业经济协会培育发展和登记管理工作指导意见》，坚持培育发展和监督管理并重的方针，大胆探索，采取切实可行的措施，促进农村专业经济协会健康有序发展。要集中精力培育和发展一批适合市场经济需要，深受农民欢迎，对当地经济发展有影响的农村专业经济协会。适当的时候，召开一个农村专业经济协会现场经验交流会。

要适应社区建设的不断发展和社区功能的趋于健全，积极探索如何培育发展社区民间组织。《基金会管理条例》出台后，在对于基金会进行复查换证及开展依法登记国内外基金会的同时，着手探索如何通过基金会促进公益性民间组织的培育发展问题。要抓好民间组织树立典型、表彰先进的工作。以部名义适时召开一次全国性的民间组织表彰大会。

要对全国民办非企业单位登记管理情况进行一次调查，对存在的问题进行分类，并有针对性地制定相关政策，如民办非企业单位从业人员的保障体制，民办非企业单位的法律地位等。根据民办非企业单位的基础面较大的特点，研究民办企业单位如何与城市社区、农村乡镇基层组织融合，协调发展。

（三）继续强化监督管理工作

要针对非法民间组织增加的趋势和合法民间组织违规违法现象不断出现的情况，把加大查处力度作为管理监督的重要内容。通过查处清除违法行为，纠正违法行为，并注意在查处过程中依法履行处罚职能，摸索和总结出一套行之有效的处罚程序，便利和规范处罚工作。对一些重大的或有典型意义的行政处罚案例在媒体上曝光，起到教育和警示作用。

在加大查处力度的同时，在今年全面完成社团分支机构复查登记任务，遗留问题基本解决的基础上，开始对各类民间组织开展全面年度检查，使民间组织管理工作转入正常，结束多年不年检的状况。要尽快制订年检办法，严格执行年检标准，通过年检解决民间组织良莠不分的状况。

要强化社会监督。除报纸、刊物外，充分利用“中国民间组织”网站，这一沟通民间组织与社会、与政府部门及民间组织之间沟通的平台，即时披露民间组织正反两方面的活动情况、年检结果、财务审计情况等，把民间组织各方面情况最大可能地向社会公布，充分置于社会监督之下。

（四）不断加强自身建设

要深入学习十六大精神和“三个代表”重要思想，按照十六届三中全会的部署和要求，将党支部建成坚强的领导核心，大力提高党且织的凝聚力和战斗力，充分发挥党组织的战斗堡垒作用和党员先锋模范作用，开创民间组织登记管理工作的新局面。要加强机关作风建设，树立执政为民的观念，强化服务意识，简化登记管理程序，提高工作效率。

要加快民间组织管理信息化建设。按照我部信息化建设的总体规划，加快建设步伐，早日实现各地联网。

要发挥中国社团研究会的作用。拟更名组建“中国民间组织发展促进会”，把广大民间组织、民间组织管理人员与工作人员、热心于民间组织事业的专家学者团结到促进会的周围，贯彻党和国家的有关力针政策，开展调查研究和经验交流，组织评估，促进民间组织的国内交流与国际合作，充分发挥通过民间组织推动民间组织发育、完善、自律的作用，并承担部委托的部分职能。

民政部民间组织管理局局长李本公
就《基金会管理条例》有关问题答记者问

问：目前我国基金会的基本状况如何？《基金会管理条例》是在什么背景下出台的？

答：基金会是一种利用个人或组织捐赠的财产从事公益事业的民间非营利性基金组织。目前，经我部和省级民政部门登记的基金会近1200家，其中我部直接登记的全国性基金会80家。1999年前，对基金会的登记管理的依据是1988年颁布的《基金会管理办法》，实行的是业务主管单位、人民银行和民政部门三方负责的管理体制，即业务主管单位同意、人民银行审查批准，民政部门登记注册。1998年政府机构改革后，根据朱镕基同志的批示，1999年人民银行退出，基金会由民政部门统一归口登记。由于基金会主要是募集、管理、操作大量资金的民间组织，对基金会的登记管理非常重要而且十分敏感。因此，民政部高度重视这项工作，接手之后，立即根据国务院领导的意见和国务院的立法计划，开始修订《基金会管理办法》，经多方调查研究，广泛征求意见，形成了《基金会管理条例》（草案），并于2001年3月报送国务院。在此后两年多的时间里，我部配合国务院法制办做了大量的具体论证和修改工作。3月8日，温家宝总理签署第400号国务院令，颁布《基金会管理条例》。

问：与原来的《基金会管理办法》相比，这次《基金会管理条例》有哪些重大变化？

答：与原来的《基金会管理办法》相比，《基金会管理条例》，内容更加详实，体系更加完整，共设为七章四十八条，分别规定了基金会登记管理的总原则，基金会的设立、变更和注销登记，基金会的组织机构，基金会财产的管理和使用，政府和社会对基金会的监督管理，基金会的法律责任等，每一部分都做了具体的规定。形式上是修订，实际上是重新起草。主要变化有：

一是将基金会区分两类，实行分类管理。原《基金会管理办法》对基金会没有分类。新《基金会管理条例》按照基金来源的不同，将基金会分为“公募基金会”和“非公募基金会”两类。公募基金会是指现在各个部门主管的、行政色彩较浓的基金会，他们可以面向公众募集基金。非公募基金会是指个人或企业等组织设立的不得面向公众募集基金的基金会，资金由设立者提供，这是一种新的类型。能否公开募捐是两类基金会的主要区别。之所以在《基金会管理条例》中将基金会分为两类，主要的考虑是，一方面，目前面向社会公开募捐的基金会数量已经不少，而且这类基金会行政色彩较浓，有的募集资金往往依靠部门的行政力量变相摊派，而普通老百姓的承受力有限，搞多了增加百姓负担，形象也不好，因此对公募基金会要合理控制，适度发展。另一方面，随着经济的发展，一些大的企业和个人愿意而且有能力拿钱投入公益事业，但找不到合适的渠道。对此件、资金使用等方面的规定相对比较宽松。

二是允许港澳台同胞和外国人设立基金会。也允许外国基金会在国内设立代表机构。近些年特别是我国加入世贸组织后，在华外国人结社要求日益强烈，其中要求设立基金会的也不少，但涉外民间组织登记管理没有相应的法规，只能采取不承认、民间组织上突破的法规。《基金会管理条例》对基金会的设立主体没有境外限制，允许港澳台同胞和外国人在华设立基金会和境外基金会在中国内地设立代表机构，鼓励境外资金进入境内开展公益活动，既解决了涉外基金会的问题，也为下一步修订出台《社会团体登记管理条例》和《民办非企业单位登记管理暂行国家应当予以鼓励和引导，并采取相应的对策，帮助他们参与公益事业。因此在《基金会管理条例》中增设了非公募基金会这个新种类。这一类基金会可以放开发展。基于以上考虑，《基金会管理条例》中对两类基金会的登记管理，要求也不完全一样。对公募基金会要求严一些。对非公募基金会，由于基金是举办者自己提供的，目的是用于公益事业，对于基金会的名称、登记条不接触、不取缔的做法，非常被动。这些组织得不到合法登记，有不少即自行开展活动。据一些地方统计，近年来未经登记在我境内开展活动的涉外民间组织的数量不断上升。这些组织活动频繁，且长期脱离政府监管，既不利于涉外民间组织的发展，也不利于国家的安全和稳定。因此，对涉外民间组织立法已是一项紧迫的任务。这次修订的《基金会管理条例》是第一个在涉外条例》时在其他涉外民间组织的处理上提供了借鉴。

三是对基金保值、增值的方式做了开放性规定。基金会的保值增值，既是基金会运作中的重点，也是立法的难点。规定太严，基金会缺乏活力。规定太松，基金会保值增值风险加大，容易亏本、流失，这是一个两难的问题。原《基金会管理办法》对基金会资金的运作做了限制规定，以达到基金保值增值的目的。如"基金会不得经营管理企业"，"基金会可以将资金存入金融机构收取利息，也可以购买债券、股票等有价证券，但购买某个企业的股票额不得超过该企业股票总额的20%"。《中国人民银行关于进一步加强基金会管理的通知》规定："基金会基金的保值及增值必须委托金融机构进行"。但这些规定在实践中没有达到预期目的。由于银行降息，存入金融机构的资金逐年萎缩，委托金融机构的投资的资产也屡屡损失。这次修订对这个问题争议很大。国务院法制办征求了专家学者、基金会等方方面面的意见，最后确定按国际惯例制定规则，在《基金会管理条例》中不对基金会的保值增值行为做具体要求，只做了原则的、开放性规定，对基金会投资行为的约束，希望通过社会监督、内部监督来解决，同时增加了"失误赔偿"的条款。规定因决策不当致使基金会财产损失的，参加决策的理事应当承担相应的赔偿责任，以督促基金会对投资行为慎重行事。

四是确立了公开、透明的原则。进一步规范基金会的活动。基金会是面向公众的公益组织，社会责任大，公众关注程度高，其活动是否规范关系到爱心资源的保护，关系到基金会的信誉和公益事业的发展，必须在自律的基础上接受各方面的监督。《条例》规定"基金会依照章程从事公益活动，应当遵循公开、透明的原则。"并从基金会自律、政府监督和社会监督等方面做了相应的规定，以确保基金会活动的规范、公开、透明。《条例》从公益法人组织机构的特点出发，专门设立了"组织机构"一章，明确规定理事会是基金会的决策机构，有针对性地规范了理事会的组成和议事决策程序，监事的设置和职能，以及防止基金会内部人员发生利益冲突行为的具体规则。《条例》还规定登记管理机关和业务主管单位要对基金会依据章程开展活动的情况进行监督管理，基金会要接受年度检查，要接受税务、会计主管部门依法实施的税务监督和会计监督；基金会在通过登记管理机关的年度检查之后，要将年度工作报告在登记管理机关指定的媒体上公布，接受社会的查询、监督；公募基金会组织募捐，应当向社会公布募得资金后拟开展的公益活动和资金的详细使用计划等。

五是明确了税收优惠原则，加大了税收支持和监管力度。基金会所从事的是公益事业，政府对此项事业支持的手段之一就是税收优惠，这是发达国家的通行做法。近年，为了鼓励公益事业的发展，我国陆续出台了一些税收优惠政策。如《中华人民共和国个人所得税法实施条例》规定"捐赠额未超过纳税义务人申报的应纳税所得额30%的部分，可以从其应纳税所得额中扣除"；财政部、国家税务总局1994年在《关于金融、保险企业有关所得税问题的通知》中规定：企业用于公益、救济性的捐赠支出应当符合国家有关规定，在不超过企业当年应纳税所得额的1．5%的标准以内可据实列入营业外支出，计算缴纳企业所得税时准予扣除；国家税务总局1999年在《关于基金会应税收入问题的通知》中明确，对经民政部门登记注册的基金会在金融机构的基金存款所取得的利息收入，暂不作为企业所得税应税收入。这些税收政策对于公益事业的发展起到了促进作用，但还不系统，在实施过程中也遇到了一些困难。这次《条例》规定“基金会及捐赠人、受益人可以依照法律、行政法规的规定享受税收优惠。”财政部、国家税务总局将考虑研究制定具体的税收优惠办法。在享受税收优惠的同时，基金会要依法办理税务登记、接受税务部门的监督，对有违法行为的基金会，税务机关还可以要求补交违法行为存续期间享受的税收减免。总之，要通过税收政策，鼓励基金会的发展，加强对基金会的监管。

《基金会管理条例》除了上述较大变动之外，其他对如双重管理体制、原始基金标准、公益支出比例等一些具体问题，也都做了相应的变动和修改，这里就不一一展开了。

问：《基金会管理条例》颁布实施的意义如何？

答：《基金会管理条例》的颁布实施，对于完善民间组织法律法规体系，规范基金会的组织和活动，维护基金会、捐赠人和受益人的合法权益，继承和发扬中华民族乐善好施、扶贫济困的传统美德，鼓励社会各界参与公益事业，促进经济和社会协调发展，将起到重要的作用。

民政部民间组织管理局局长李本公在全国贯彻《基金会管理条例》工作会议上的讲话

（2004 年 4 月）

同志们：

这次会议重点是贯彻《基金会管理条例》，李学举部长对“基金会”和整个民间组织管理工作做了重要讲话，姜力副部长对《基金会管理条例》的贯彻做了全面部署。大家围绕两位部长的讲话，进行了深入的讨论，形成了很多共识。

学举部长和姜力副部长的讲话，思路清晰，任务明确，重点突出，要求具体。我们要认真抓好会议精神的传达贯彻，回去以后要向厅局党组原原本本地汇报会议情况，按照部里的部署，结合当地实际，提出贯彻《基金会管理条例》的具体方案，并抓紧做好相关准备工作，保证条例按期顺利实施。

现在，由我代表民间组织管理局在总结回顾 2003 年工作的基础上，分析当前民间组织管理工作面临的形势，明确 2004 年民间组织管理工作的主要任务，旨在进一步统一思想，振奋精神，与时俱进，开拓创新，将民间组织管理工作提高到一个新的水平。

一、2003 年工作简要回顾

2003 年，是我国民间组织管理工作积极进取、狠抓落实、取得重大进展的一年。一年来，全国各级民间组织登记管理机关认真学习领会邓小平理论和“三个代表”重要思想，全面贯彻落实党的“十六大”精神，在各级党委和政府的领导下，围绕党的中心工作，锐意进取，扎实工作，依法行政，规范管理，克服“非典”带来的困难，及时调整工作部署，努力实施工作计划，圆满完成了各项工作任务，一些工作实现了突破性进展，改革创新取得了丰硕成果。

（一）法制建设获得突破性进展

2003 年，民间组织立法工作是民政部工作重点之一。部领导高度重视，李学举部长两次听取民间组织立法工作专题汇报，并提出了许多重要指导意见。姜力副部长亲自参与《基金会管理条例》、《社会团体登记管理条例》和《民办非企业单位登记管理暂行条例》的修订，对遇到的难点问题给予直接指导，推动了立法工作的顺利开展。按照部领导的指示，我局配合国务院法制办、部法规办，做了大量调研、论证、协调工作，立法工作取得了突破性进展。

经过积极工作，目前《基金会管理条例》已经国务院颁布。《社会团体登记管理条例》与《民办非企业单位登记管理暂行条例》修订工作进展顺利。修改稿于去年初报给国务院法制办后，我们积极配合国务院法制办解决条例修订中的难点问题，到有关省市调研，广泛听取了各有关方面的意见，在一些重大问题上逐步形成共识，为下一步的修订工作创造了有利条件。《社会团体登记管理条例》的修订已被国务院法制办列入今年立法计划。

在配合修订三个条例的同时，全面加强政策规章建设。为了适应民间组织发展和管理工作的新形势，民政部在深入开展调研，广泛听取地方登记管理机关、有关民间组织意见的基础上，单独或与有关部门共同制订出台了一批民间组织登记管理的政策性规章、文件。例如，经过多次协商，民政部与财政部共同制订了《关于调整社会团体会费政策等有关问题的通知》，取消了延续十一年不变的社团会费标准，解决了长期困扰社团发展的瓶颈性问题；与国家发展和改革委员会、财政部协商，及时下发了《国家发改委、财政部关于社会团体分支（代表）机构登记收费标准等有关问题的通知》，为地方社会团体分支（代表）机构复查登记工作顺利完成解决了一大政策性难题；配合财政部制订的《民间组织会计制度》有望今年出台；经多次协商，以部名义与国务院台湾事务办公室联合制订和下发《台湾同胞投资企业协会管理暂行办法》；以部名义下发了《关于加强基层农村专业经济协会培育发展和登记管理工作指导意见》，较好地解决了当前农村专业经济协会培育发展中的一些政策性障碍；下发了《关于民办非企业单位名称管理暂行规定有关问题的通知》，解决了“暂行规定”中某些条款与《社会力量办学条例》等有关行政法规、规章中的条款不够衔接的问题；出台了《关于异地商会登记有关问题的意见》，确立了异地商会登记工作应坚持“登记在省、试点先行”的原则，明确指出异地商会应由单位会员组成，不吸收个人会员，对规范发展异地商会起到了较好的指导作用。

各地建章立制工作成绩也很突出。青海、河南、山西、湖北、黑龙江、西藏、宁夏、新疆兵团等地制订政策解决了民间组织票据使用和税收政策问题；天津、云南和大连出台办法解决了民间组织专职工作人员参加社会保险的有关问题等等。通过上述规章和政策的制订与完善，加大了对有关民间组织的扶持力度，进一步规范了民间组织登记管理工作，解决了当前民间组织专职工作人员的部分后顾之忧，对促进民间组织健康、有序发展起到了良好作用。

（二）培育发展工作取得显著成效

培育发展行业协会、商会等社会中介组织是中央根据建立和完善社会主义市场经济体制做出的重要战略部署。在第十一次全国民政会议上，朱镕基总理强调，把培育发展的重点，放在真正按照市场经济要求建立的行业中介组织、社会公益和服务性的民间组织上来。各级民政部门抓住机遇，全力推进培育发展工作。许多省区市的党委和政府领导专门听取民政部门专题工作汇报，并给予有力指导。培育工作纳入了各级民政部门议事日程，主要领导同志亲自抓落实。各地结合实际，研究制订民间组织发展规划，科学调整民间组织结构，加大整合力度，使民间组织在种类、布局等方面，不断适应经济社会发展的要求。

一是重点培育发展了行业协会。去年，各地把培育发展行业协会作为重点工作。针对我国入世后迫切需要行业协会发挥作用的实际情况，民政部与国家发改委、国资委等部门多次协商行业协会的培育发展问题，并组成调研组，赴广东、浙江、江苏、福建等省市，对行业协会发展模式、作用及存在的问题进行了广泛深入的调研，初步形成了一些指导性意见。各地对这个问题也非常重视，行动快，动作大。北京、上海、广东、浙江、福建、黑龙江等省市在调研的基础上，已经出台发展行业协会的地方性法规、政府令等文件，加大了扶持力度。江苏、湖北、河北、重庆、海南、青岛、深圳、宁波、大连也正在制订相关培育扶持的政策。同时，各地利用登记管理手段，优化行业协会结构，重点扶持帮助优势行业、重点行业、新兴行业和与国际经济接轨密切相关的行业协会。去年全国新成立社团1．1万多个，其中行业协会占一半以上。目前，行业协会发展呈现出良好态势，特别是具有广泛代表性和自下而上建立的行业协会逐步得到发展，行业协会在反倾销、维护市场秩序等领域发挥的作用日趋显著，在行业和社会的影响越来越大。

二是积极扶持农村专业经济协会。各地坚持边登记、边规范、边发展的原则，大力推进农村专业经济协会的发展，促进了农业和农村经济结构的调整，提高了农产品质量和竞争力，增加了农民收入，受到农民的普遍欢迎。民政部下发《关于加强基层农村专业经济协会培育发展和登记管理工作指导意见》后，各地采取了多种措施，认真加以贯彻。湖南、四川、吉林、江西、新疆、新疆兵团、青岛、宁波等地出台相关政策，在坚持《社会团体登记管理条例》基本精神的基础上，从实际出发，适当放宽农村专业经济协会的登记条件，简化登记程序，从资金、技术、人才等方面予以扶持，赋予必要的职能和手段。在此基础上，浙江、山东、广西、贵州等省市还抓了跟踪调查，召开现场经验交流会，充分发挥典型导向作用，有力的促进了农村专业经济协会的健康发展。

三是探索培育社区民间组织。社区民间组织是在加快城市化和社区建设过程中涌现出的新型组织形式。许多省区市把加强社区民间组织的培育发展，作为民间组织工作新的生长点探索。浙江、湖北、北京、辽宁、黑龙江、内蒙古等地组织力量对社区民间组织进行了全面的摸底调查，制订了社区民间组织发展规划，提出总体目标，重点扶持发展公益性社区民间组织，对符合登记条件的按规定予以登记，对暂不符合条件的予以备案。截止去年底，浙江省已完成了6790个社区民间组织的登记和备案，较好地解决了长期以来社区民间组织法律地位不明确，处于无序发展的状况。青岛市从实际出发，重点抓了社区公益性组织的发展。该市市南区成立的公益协会承担了辖区内有关公益事业的组织和协调工作，较好的满足了社区成员多方面需求，增强了社区居民凝聚力。

四是抓了宣传和表彰。为鼓励和引导民间组织发挥积极作用，民政部对在防治“非典”斗争中发挥突出作用的48个全国性社团和2个民办非企业单位予以了表彰。李学举部长、姜力副部长在表彰仪式上亲自颁奖。中央电视台、人民日报都加以报道，社会反响强烈。北京、天津、安徽、湖南等地也开展了对先进民间组织集体及个人的表彰活动，极大地鼓舞了广大民间组织的士气，向社会公众展示了民间组织的风采，正面宣传了民间组织在经济建设和社会发展中不可忽视的作用。

（三）全面加强对民间组织的监督管理

加强对民间组织的监督管理是中央和国家赋予各级民政部门的基本职责，也是维护社会稳定的重要保证。在完成民办非企业单位复查登记和社团清理整顿工作后，去年各地按照民政部统一部署，调整工作思路，努力转变重登记轻管理的状况，强化管理职能，创新管理制度，完善管理措施，充实管理力量，针对当前民间组织出现的违法问题和非法民间组织的活动，将监督管理与提高民间组织自律结合，年度检查与日常管理结合，内部自律与行政监督、社会监督结合，全面加强了监督管理工作。

一是管理制度、措施不断完善。为了确保管理工作落到实处，各地登记管理机关、业务主管单位、公安、安全等有关部门密切配合，建立了联系制度，及时沟通有关情况，有些省市还制订了紧急突发事件处置方案。上海和青岛初步建成了民间组织预警网络。上海市基本形成了覆盖全市，纵向以登记管理机关为主、业务主管单位和有关部门协同配合、民间组织积极参与，集“预警、服务、管理、协调”四位一体的网络架构。在实施管理工作中，广东等很多省市组织举办了执法培训，颁发执法证件，抽调骨干力量充实执法队伍。辽宁、甘肃在全省范围内组织开展了民间组织登记管理执法检查，进一步提高了行政执法工作水平。

二是日常管理不断加强，社会监督机制日益形成。各地坚持依法行政，公开行政，严格执法。去年，民政部在日常监督和年检工作中，加大力度，依法对63个长期不按条例要求办理重新登记的社会团体做出取消重新登记资格的决定，对13个有违纪行为的社团定为年检不合格，对中国行为法学会等三个社团擅自设立分支机构等行为分别予以行政处罚。并结合处罚工作实践，起草并完善了行政处罚规范。据统计，去年全国共撤销各种违法社团3630个，撤销各种违法民办非企业单位3240个。广东、青海、安徽、云南、厦门等省市在查处过程中，将典型案例、执法结果及时在新闻媒体予以公布，充分发挥新闻舆论的监督作用，起到了教育、警示和震慑的作用。

三是坚决打击非法民间组织，维护稳定大局。对于非法民间组织活动，各地做到发现一起，查处一起，决不手软。据初步统计，去年全国共取缔非法社团约1860个，取缔非法民办非企业单位约4055个。北京重拳出击，全年共查处了51件非法民间组织活动案件。广东共查处30多个未经批准擅自以社团、民办非企业单位名义活动的非法民间组织。浙江省依法查处了“浙江邮政附加费研究会”、“上虞市谢氏文化研究会”、丽水市基层民间“维权组织”等非法民间组织，将不稳定因素消除在萌芽状态，为社会政治稳定和经济发展做出了贡献。

（四）基础工作取得可喜成绩

信息宣传工作取得新进展。经过各地的共同努力，去年，全国民间组织管理工作实现了建立“一报”、“一刊”、“一网站”的目标，填补了长期以来管理工作没有全国性专门宣传阵地的空白，为做好新时期的信息宣传和社会监督工作构筑了新的平台。尤其是中国民间组织政府网站的正式开通，进一步丰富了管理信息，既有政策咨询、信息发布、经验交流等内容，又包括了网上办公、社会监督等多种功能，为民间组织的培育发展和监督管理搭起了更快捷更广阔的交流平台。各地在宣传和信息化建设方面也取得了可喜的成绩，很多省区市已创办了民间组织管理刊物或简报。“北京市社会团体网上行政审批系统”已经开通，市级社会团体的“筹备、成立、年检、注销”等所有的登记管理事项，均可通过网络进行。上海、广东、山东、陕西等地在信息化建设方面也取得了较快进展。民间组织信息宣传工组取得的可喜局面对于沟通联系，加强民间组织管理产生了重要影响。

培训工作开始纳入制度化、规范化的轨道。民政部民间组织服务中心举办了两期全国性社会团体秘书长培训，有200多位社团负责人参加，并计划逐步完善，形成秘书长和专职工作人员岗前培训制度。各地也有计划的开展民间组织负责人和管理干部培训工作，学习相关法律和业务知识。目前大部分省区市都已举办了培训活动，有些已完成了省地两级社团负责人培训工作。安徽、广东、湖南和深圳采取专题讲座、召开研讨会、现场经验交流会等多种形式，对管理干部普遍进行了轮训。通过培训，提升了社团负责人的法律意识，促进了社团自身建设，提高了社团整体素质，受到社团的普遍欢迎。同时，也进一步提高了管理干部业务能力和行政执法水平。

民间组织统计工作进一步得到规范。按照统一布置，去年开展了全国、省、地、县四级民间组织上百项数据统计工作。在此基础上，我们与部财务司共同研究建立了民间组织台帐，并通过部文件形式进一步完善和规范了统计内容，使民间组织统计工作形成制度，纳入信息化、规范化轨道，为及时了解和掌握全国民间组织发展情况，进行科学决策，奠定了良好基础，同时也较好的解决了多年来因统计口径不一而导致各方统计结果不一致的问题。

在充分肯定去年工作成绩的同时，我们也要清醒的看到存在的问题与困难。当前，民间组织的法制建设还不能满足民间组织蓬勃发展的需要，修订两个条例的工作需抓紧进行，大量的政策措施亟需制订；管理制度创新的速度不能满足新形势的需要，重登记轻管理的状况虽有所改变，但在社团自立自律、社会监督、行政执法、涉外非营利组织登记管理等方面还有大量的工作要做；理论研究滞后，研究力量薄弱，缺乏具有战略性和前瞻性的研究成果，需要广泛借助“外脑”拓展我们的工作思路。这些问题有的需要立即动手解决，有的需要在中长期规划中逐步加以解决。

二、2004年工作要点

2004年是贯彻党的十六届三中全会精神的第一年。全会通过的《关于完善社会主义市场经济体制若干问题的决定》明确指出，“积极发展独立公正、规范运作的专业化市场中介服务机构，按市场化原则规范和发展各类行业协会、商会等自律性组织”，“支持农民按照自愿、民主的原则，发展多种形式的农村专业合作组织”。温家宝总理在刚刚闭幕的十届人大二次会议上所作的政府工作报告中指出，“进一步把不该由政府管的事交给企业、社会组织和中介机构，更大程度地发挥市场在资源配置中的基础性作用。同时，加强对中介机构的规范和监管”。十六届三中全会的精神和温总理的政府工作报告，为我们做好2004年民间组织工作指明了方向。

2004年民间组织登记管理工作的指导思想是：坚持以邓小平理论和“三个代表”重要思想为指导，全面贯彻十六大和十六届三中全会精神，围绕完善社会主义市场经济体制、全面建设小康社会的奋斗目标，继续加强法制建设和宏观调控，重点培育发展符合市场经济要求的行业中介组织、农村专业经济协会、社区民间组织和公益性民间组织，加强监督管理和行政执法，探索新形势下民间组织登记管理的新思路新方法，加快信息化建设，引导民间组织在完善社会主义市场经济体制中发挥应有作用，努力为改革开放、经济建设、社会发展和社会稳定服务。

（一）进一步加强法规制度建设

随着依法治国方略的深入实施，法制建设愈加重要。尤其是《行政许可法》的颁布和即将实施，对依法行政水平提出了更高的要求。因此，2004年民间组织管理工作的中心任务仍然是修订、研讨、出台法规及配套规定。

要积极配合国务院法制办，推进民间组织法规的修订，争取早日出台《社会团体登记管理条例》和《民办事业单位登记管理条例》。尽快完成《社会团体年度检查暂行办法》和《民办非企业单位年度检查暂行办法》。大力推进民间组织税收、会计、社会保险、人才交流等制度的建设，突破影响民间组织发展的一些政策性障碍。

《行政许可法》对民间组织管理工作提出更高的要求，既是挑战，更是机遇。各地要加强学习，深入钻研，及时调整工作思路和工作方法，要从软硬件两方面满足《行政许可法》的要求，实行执法责任制和执法过错追究制，做到有法必依、执法必严、违法必究。软件方面需要制订公开、明确、具有可操作性的登记程序和工作制度，清理不符合法律要求的做法与措施；硬件方面需要配备必需的人力、物力和财力，满足法律对工作时限、工作方式和工作效率的新要求。

（二）按照《基金会管理条例》规定，依法做好登记管理工作

各级登记管理机关要按照部里统一部署，抓紧制订学习贯彻《基金会管理条例》的方案，有组织有计划的抓落实。认真组织干部的学习培训，全面领会《条例》的基本精神，正确理解各项规定。充分利用电视、广播、网络、报刊等新闻媒体对条例进行深入宣传，普及《条例》知识，扩大基金会的社会影响力。同时组织基金会负责人对《条例》的学习培训。这项工作在5月底之前必须完成。

各地要尽快做好登记前的各项准备工作，保证在6月1日启动登记工作。登记工作必须严格执行《条例》有关规定，不得随意变更，自行其是，遇到疑难问题，应及时请示。各地可以先行试点，总结经验，然后全面铺开。

要切实加强政府部门对基金会的监督管理，落实双重管理体制，要主动与业务主管单位、会计主管部门和税务部门密切合作，做到各司其职，又紧密配合，形成工作机制，确保监管工作到位。要建立健全基金会内部管理监督制度，不断提高自律能力。同时，强化对涉外基金会和境外基金会代表机构的监督管理，引导、规范其在推进公益事业中发挥积极作用。

（三）重点培育适应经济社会协调发展要求的民间组织

要继续把培育发展行业协会作为今年工作的重点。加强与政府有关职能部门、科研单位、社会团体密切合作，联合开展行业协会的战略性课题研究。通过调研，了解和掌握行业协会的基本状况，包

括覆盖的行业范围、拥有的会员单位，发挥作用的状况；对国外行业协会进行研究，吸收其适合我国行业协会发展的新思路新方法；找出影响我国行业协会发挥作用的原因和存在问题，提出我们对培育发展行业协会的建议，重点集中在行业协会如何发挥作用，行业协会的能力和人员建设，如何实施行业自律和是否需要单独立法等。民政部在开展调研并集中各地意见基础上，将形成专题报告上报国务院。今年，我部还将与国家发改委、国资委等有关部门共同主办“全国行业协会成就汇报展览会”，加强引导，以促进行业协会的健康发展。

各地要突出抓好农村专业经济协会的培育发展工作。温家宝总理指出，解决农业、农村和农民问题，是我们全部工作的重中之重。我们一定要抓住机遇，狠抓落实，力争把农村专业经济协会培育发展工作推上一个新台阶，为解决“三农”问题做出贡献。各地要按照部里下发的《关于加强基层农村专业经济协会培育发展和登记管理工作指导意见》，结合当地实际，提出切实可行的措施，促进农村专业经济协会健康有序发展。集中精力培育和发展一批适应市场经济需要，深受农民欢迎，对当地经济发展有影响的农村专业经济协会。认真总结组织机构健全、活动规范、作用明显的农村专业经济协会的经验，抓好典型宣传工作，发挥其示范作用，推进农村专业经济协会整体水平的提高。今年适当的时候，准备召开一次全国农村专业经济协会现场经验交流会。

要积极探索社区民间组织的登记管理。各地要认真贯彻十六届三中全会关于“完善基层群众性自治组织，发挥城乡社区自我管理、自我服务的功能”的精神，适应社区建设的不断发展的需要，积极探索如何培育发展社区民间组织。认真抓好社区民间组织的专题调研和试点，及时总结经验，推动社区民间组织发展到一个新的水平。

为了全面总结广大民间组织在经济与社会发展中创造出的有益经验，鼓励先进，树立典型，将民间组织管理工作不断引向深入，下半年，民政部决定召开一次全国民间组织表彰大会，对涌现出的先进民间组织、登记管理机关和业务主管单位集体及个人予以表彰。各地应按照统一布置，做好有关准备工作。

（四）加强调研与协调，推进民办非企业单位规范化管理

要加强与有关部门的沟通、联系和协调工作。要与教育部门共同研究贯彻落实《民办教育促进法》及其实施条例的有关问题，规范民办学校的登记管理工作；要与卫生部门共同研究农村非营利医疗机构的登记问题；要与劳动和社会保障部门研究制定民办非企业单位从业人员的社会保险政策问题，争取出台有关文件。

要认真做好民办非企业单位的年度检查工作，以此为重要环节，全面加强对民办非企业单位的监督管理工作。要在总结近年年检工作的基础上，争取出台《民办非企业单位年度检查办法》。要通过多种方式，促进民办非企业单位建立和完善自律机制，提高民办非企业单位的整体素质，提升民办非企业单位的社会公信力。

各地登记管理机关要从具体的审批事务中解放出来，在深入调研的基础上，有重点地研究解决一些制约登记管理工作的重点、难点问题。要利用、发挥社会上专家学者的“外脑”作用，研究有关民办非企业单位的重大理论问题，为管理工作提供有效的理论支持。

（五）继续强化监督管理工作

加强对民间组织的监督管理，是保障其依法开展活动，维护法律法规严肃性，维护社会稳定，为民间组织健康发展提供良好环境的必要措施。因此，要针对民间组织违规违法现象不断出现和非法民间组织有所增加的趋势，把加大查处力度作为监督管理的重要内容。通过查处清除违法行为，纠正违

纪行为，规范和总结出一套行之有效的处罚程序。对一些重大的或有典型意义的行政处罚案例在媒体上曝光，以起到教育和警示作用。要加强执法队伍建设，有条件的大中城市要组建专职执法队伍，提高执法的权威性。

要积极探索完善社会监督的机制和措施，强化社会监督。各地要充分发挥报纸、刊物和网络的舆论宣传作用，及时披露民间组织的活动情况、年检结果、财务审计情况等，使民间组织置于社会监督之下。

（六）不断加强自身建设，全面提升管理服务水平

各级登记管理机关要深入学习“三个代表”重要思想和“十六大”精神，按照十六届三中全会和十届人大二次会议《政府工作报告》的部署和要求，加强机关作风建设，树立执政为民的观念，强化服务意识，简化登记管理程序。根据发展电子政务的趋势和要求，加快民间组织管理信息化建设，把信息化建设与民政工作的体制创新结合起来，促进政府职能、工作方式的转变，实现民间组织管理与社会服务的规范化和科学化，提高民间组织管理工作的整体水平和工作效率。认真完成民政部法人库信息系统的建设，争取早日实现各地联网，积极探索办公自动化的有效方式，研发和推广民间组织登记管理软件。要重视干部和民间组织专职工作人员的培训，根据不同时期的工作要求，对他们进行必要的培训和考核，提高业务水平和服务质量。

同志们，民间组织管理工作在完善社会主义市场经济体制和全面建设小康社会的伟大实践中，担负着重要职责和艰巨任务。我们一定要认真学习贯彻“十六大”和十六届三中全会精神，深刻领会“三个代表”重要思想的科学内涵和精神实质，进一步解放思想、实事求是、与时俱进、开拓创新，始终保持昂扬向上的精神状态，发扬艰苦奋斗、求真务实的精神，改变工作作风，提高工作效率，为开创我国民间组织管理工作新局面而努力奋斗，为推动经济社会全面、协调、可持续发展，实现社会主义物质文明、政治文明和精神文明共同进步做出应有的贡献。

民政部财务和机关事务司司长宋志强在民间组织统计台帐培训班上的讲话

同志们，近几年来，民政部计财司根据民政事业发展和国家统计局的要求，把建立民政事业统计台帐这项工作当作一件十分重要的工作和任务来抓，并且把对民政统计人员的培训作为推动这项工作的重要措施和手段。在近三年的时间，先后在全国8个省、自治区、直辖市举办了25期这样的培训班，共3000多人次参加。但是，两个司局共同举办相关人员参加的培训班，据我所知，多年以来在民政部尚属首次，意义重大。为此，我衷心的预祝这次培训班能够圆满成功。同时，我也代表民政计财战线的同志们向支持我们工作的民间组织战线的同志们表示崇高的敬意和衷心的感谢。

根据今天上午议程安排，我就有关统计台帐方面的工作谈点看法和希望。

一、充分认识民政统计工作的重要性，切实加强民间组织台帐建设

统计是各级政府了解和掌握社会和经济发展运行状况，预测未来发展趋势的重要手段和措施。因此，我们党和国家非常的重视统计工作，并且在各级政府设立了专门的统计机构。我们民政部门的统计工作是由民政计财系统承担的，各级民政计财系统自上而下都有统计任务。随着国家信息化的到来，电子政务的逐步建立，民政统计这项工作应该说显得非常重要。那是因为民政统计工作是属于民政信息化建设和电子政务的重要内容。各级民政部门对民政统计工作也非常重视。我们在这里举办这个培训班其目的就是要大家能够充分的认识到民政统计工作以及我们要建立的台帐工作的重要性，把这项工作扎扎实实地、不断地向前推进。同时，我们也应该清醒地认识到，统计工作在整个民政工作中占有非常重要的位置，特别是当前民间组织的统计更为重要。民间组织统计工作为民间组织的管理、建设、发展提供了重要的信息源。统计应该说是民政信息化的重要基础。希望大家给以充分的认识。我们仅从民间组织管理的角度来看，民政信息化建设和统计台帐也是非常重要的。这方面，我们应该说既有经验，也有教训。谈到这里我想到“法轮功”问题。当年“法轮功”之所以形成如此大的规模，而且对我们的社会产生这么大的反作用，大家应该记忆犹新。我个人认为，因素虽然很多，但是其中一个重要因素是我们没有能够全面、及时、准确地掌握有关他们活动的情况，以致造成我们后来的被动局面。同时，前不久，我在广播中听到沈阳有一个“中国私人侦探协会”筹办召开成立大会。那么，这里面又说明什么问题呢？这说明，在它活动的初期，我们了解掌握这方面的信息不及时、不全面。在这些问题或者这些组织有这方面的活动动向或者意向，我们应该及时了解和掌握。但是，由于我们缺乏这种反应机制而没有能够做到这一点。

随着改革开放的不断深入和经济、社会的快速发展，人民群众政治、经济、文化等方面的要求与愿望越来越多，因而要求成立代表各阶层、各种不同群体利益的民间组织呼声有增无减。同时，国际国内一些敌对势力和敌对分子也想趁机成立民间组织，披着合法的外衣，来干那些诋毁、颠覆、推翻我们的党和政权的事。这方面的教训和事例应该说是很深刻的。我们建立民间组织统计台帐，应该加上电子两字，叫电子台帐，非常重要。因此，我们必须从讲政治的高度，维护社会稳定，维护民间组织权益的高度来认识建立民间组织统计台帐的重要性和现实意义，使民间组织统计台帐能够为民间组织事业的发展、国家的安宁、保护广大人民群众的利益作出应有的贡献。去年民政部办公厅发文要求各地建立民间组织统计台帐。到目前为止，只有18个省市自治区按照要求报送了数据，这其中还有部分地方报送的统计科目不全。希望大家回去把这项工作抓紧抓好。在下一个季度，也就是今年的第二季度，要按照要求，及时、全面、准确地报送。统计工作如果不及时、不全面、不准确，这个工作就没有什么意义了。如果中央需要了解全国民间组织有关的情况，而我们只能报几个省份的数据能有什么用？同时，我们要求报送的数据一定要准确。准确，是我们统计工作的灵魂。数据不准确，有很大的水份，还不如不统计，而且非常容易误导领导决策。希望大家报送的统计数据务必做到及时、准确、全面。

二、切实加强经费投入，努力保证民政信息化建设的要求

应该说，大家越来越深刻的感到或体会到，信息化已经成为推动我们国民经济和社会发展的重要因素。因此，党中央、国务院对信息化建设非常的重视，并且把它列为优先发展的重要位置。我们国家要办的事情非常多，但财力、资源是非常有限的，优先发展什么，把什么放在首位，这是国家的战略方针。信息化建设也是影响和推动民政事业发展的重要因素。因此，我们必须高度重视信息化建设，把它作为民政事业发展的重要前提和基础。人无远虑，必有近忧。如果我们现在不能充分认识到信息化建设的重要性，我认为民政事业的出路、前途就会是非常渺茫的。今天参加培训的主要是搞实际工作的同志，领导比较少，如果我们充分认识到了信息化的重要性后，就可以向领导汇报，向有关部门反映，可以尽最大努力去宣传，在工作中落实。

信息化建设的首要问题是经费问题。俗话说，巧妇难为无米之炊。民政信息化建设和民政统计台帐建设，如果没有经费支持，那就是一句空话。因此，计财系统的同志们在编制预算的时候，就要重视信息化建设，所需经费予以充分考虑，对重点的工作的经费安排给以倾斜，比如民间组织管理、救灾救济、低保、社会福利、优抚安置等等。你们回去要如实向厅领导汇报。其次，要拓宽渠道，积极争取把民政信息化纳入当地政府电子政务建设当中去。这样民政信息化建设才能得到财政主渠道的支持。这是根本和主要的经费来源。争取建设好民政信息化，为民间组织等各项民政业务工作服好务。

三、切实加强统计分析，为领导和有关部门的决策提供依据

应该说，我们每年的统计数据不少，甚至许多基层的同志感到任务非常繁重，也很劳累。这些数据，有的领导和同志认为没有多大的用处。这有认识问题，也有实际工作的问题。我们应该把死的数据变活了。我们要通过对死的数据进行认真分析，对当前民政工作的发展和运行作出正确的判断和评价。另外，通过分析统计数据，形成比较有价值的书面报告，为领导判断民政发展的趋势以及制定方针政策提供科学的依据。对民间组织管理工作也同样有重要意义，比如，对民间组织的布局和发展状况的评估，就可以提供数据上的有力支持。这样，我们的统计工作才有活力。学举部长和姜力副部长对统计工作非常重视，并且作出批示，要求我们加强民政统计分析，为领导提供决策依据。今年，我们计财司已经编发了30多期民政统计分析报告，目前供部领导参阅和发送到部里各司局，以后想逐步扩大。同时欢迎各地踊跃提供这方面的稿件。

我今天主要讲这些，讲的核心问题是我们大家要重视民间组织统计台帐的建立，为我们民间组织的管理、发展作出应有的贡献。同志们，我们这个培训班是短暂的，但是我们两个系统，也就是民间组织管理和计财系统的合作是长期的、永久的。我相信，在我们两条战线的同志的共同努力下，民间组织统计台帐建设一定会后来者居上，为民间组织的建设和发展作出应有的贡献。

民政部民间组织管理局局长孙伟林在民间组织统计台帐培训班上的讲话

同志们：

这次在厦门开展民间组织统计台帐培训工作，是今年初我局与财务和机关事务司共同研究，经部长办公会讨论后确定的。主要目的是通过培训，全面提高民间组织统计工作水平，推进管理工作的科学化、规范化，更好地发挥民间组织在全面建设小康社会中的积极作用。部财务和机关事务司对这次培训工作非常重视，宋志强司长、刘福清副司长在工作非常繁忙的情况下出席会议。宋司长就统计台帐培训工作提出了明确具体的要求。希望大家认真加以贯彻。下面，我就做好民间组织统计台帐工作，谈几点意见。

一、充分认识民间组织统计工作的重要作用

民间组织是与机关、企业、事业单位相并列的法人组织，不仅数量大，而且种类多，目前我国社会团体已有13．3万个，基金会1200个，民办非企业单位11．1万个，涉及经济、文化、教育、卫生、社会、福利事业等领域。而且随着改革发展的不断深入，民间组织仍呈现出快速发展趋势。当前，经济成分多样化、利益主体多样化和社会生活方式多样化，必然导致社会组织的多样化；社会主义市场经济的不断完善和我国加入WTO，各类行业协会、商会等组织的作用将会越来越大；政府进一步履行社会管理和公共服务职能，市场在资源配置中的基础性作用不断加大，社会中介组织将大有可为；社会财富的增多、公民合法财产的法律保护和中华民族优良传统的发扬光大，将使公益组织迎来一个大的发展机遇；群众民主意识的增强、基层自治功能的扩大和社区服务需求的增加，将使基层民间组织拥有更大的发展空间。

面对如此庞大和迅速发展的社会群体，国家要实施有效、科学的管理，进行宏观调控，需要通过大量相关统计数据全面了解掌握民间组织发展状况，为做出科学决策提供有力支持。我国民间组织管理的实践表明，制定和完善民间组织法规政策，加强民间组织分类指导，培育发展民间组织等，都需要下大力气进行调查研究，获取相关统计数据，有针对性地提出决策意见。国外发达国家非常重视民间组织统计工作，有些还设立了非政府组织信息中心，专门收集非政府组织的各项数据，以供政府和社会使用。随着我国社会主义经济体制的不断完善，政府进一步强化社会管理职能，对民间组织的统计数据将产生新的需求。《基金会管理条例》发布后，国家统计局对此十分重视，在部署今年的统计工作中，把基金会从社团类别中提出单作一类。因此，民政部作为民间组织登记管理机关，要适应新形势的要求，转变观念，与时俱进，充分认识民间组织统计工作的重要意义。

做好新形势下的民间组织统计工作，一是有利于推进管理工作的科学化，加强分类指导，使民间组织在结构、种类、布局等方面更好地适应经济、社会的发展需要。

二是有利于将民间组织发展纳入国家发展规划，政府加大对民间组织的扶持力度。如国家制定相应的非营利组织税收政策，民间组织承担国家有关公共事业项目的实施和购买政府服务等。

三是有利于反映公民依法结社权利的实现，更好地调动和发挥广大人民群众参与国家和社会事务管理的积极性，有力地推动人的素质的全面提升。

四是有利于民间组织间、民间组织与社会公众间的交流与合作，扩大民间组织在国内和国际社会的影响，促进社会的全面进步。

总之，做好民间组织统计工作至关重要，是落实科学发展观的客观要求，也是民间组织管理工作深入发展的迫切需要。

二、积极探索，不断改进和加强民间组织统计工作

2002 年，我局与部财务和机关事务司研究，提出了加强民间组织统计工作的意见。一是对原有的民间组织统计数据进行完善，由原来的 20 多项，增加到近 100 项。修改后的统计内容不仅可以满足统计部门的需求，更多的是我们管理工作的需要。二是确定建立民间组织统计台帐，将民间组织统计与信息化建设结合，用现代化手段开展统计工作。三是以部文件形式，明确了民政财务统计部门与民间组织管理部门各自的职责，强调了统计数据由两部门共同审定后上报的原则，进一步完善和规范了统计制度。文件下发后，各地积极行动，认真落实，推动了民间组织统计工作的顺利开展。经过一年多的努力，民间组织统计工作已初步形成制度，纳入了信息化、规范化轨道，为及时获取全国民间组织基本信息，进行科学决策，奠定了良好的基础，同时也较好的解决了多年来因统计口径不一样导致各方统计结果不一致的问题，使民间组织统计工作水平步入了一个新的发展阶段。

但是应当看到，民间组织统计工作尚处在起步阶段，还存在一些亟待解决的问题：一是有些地区对民间组织统计工作的认识不足，工作进展缓慢，未能按时填报。二是有些地区民间组织管理机关人员变化较大，对统计指标理解不透彻，填报数据不准确，如将 × × 市房地产业协会填报到专业类社团中，甚至有个别地区填报数据时，未经核实，采取估算的办法等。这些问题都严重影响到全国汇总数据的质量和时限，我们必须下大力气，解决好上述障碍性问题，进一步加强和改进民间组织统计工作。为此，经研究，确定在厦门和牡丹江市举办两期省一级及大中城市民间组织管理干部为主的培训班。通过培训一批骨干，为各地做好民间组织统计工作创造有利条件。

三、紧密配合，上下努力，确保民间组织统计任务落实到位

民间组织统计工作是一项长期任务。这项工作涉及到全国省地县四个层次，任务量大，时间紧。我们要自觉树立全局观念，扎扎实实地做好民间组织统计工作。

（一）加强与财务统计部门的配合。部财务和机关事务司是民政统计的职能部门，也是法定机构。只有依照法律程序发布的统计数据才具有权威性。几年来，我们两个司局通过密切合作，取得了很好的工作效果。各地要将建立民间组织统计台帐作为合作契机，加强与财务统计部门的沟通、联系，取得他们地支持和帮助，做到各司其职又紧密合作，共同研究解决统计台帐中遇到的问题，不断提高民间组织统计工作水平。

（二）认真做好统计数据的采集和录入。在统计台帐初建阶段，数据采集和录入工作量很大。各地登记管理机关要充分发挥主管能动性，克服畏难情绪，合理组织人员，确保任务落实到位。我局经过研究确定由部民间组织服务中心负责信息的采集和录入，各地也应提前考虑。同时要将数据采集和日常业务工作相结合，如社团数量、党建情况等内容，要通过年检等渠道获取。经过培训后，各地应对现有的民间组织统计数据，进行认真核实，发现问题，及时予以纠正。

（三）有条件的省市要积极开展统计台帐的使用。已联通民政部广域网的省市，在做好台帐录入地基础上，要尽快投入使用，深入分析统计数据，充分利用统计成果。通过信息化手段，提高民间组织管理和服务水平。如取缔非法民间组织，可以通过统计台帐进行核实。通过台帐的使用，提出建设性意见，促进统计台帐的进一步完善。

（四）建立健全相关制度。按照部里统一布置，民间组织统计数据有年报、半年报、季报，各地应结合建立民间组织统计台帐，尽快完善相关制度。如新成立的民间组织、或民间组织变更登记发生变化后，应及时录入等，使台帐的数据与业务工作发展同步，反映出最新的民间组织情况。

（五）认真组织民间组织统计台帐培训工作。为了确保统计台帐数据采集和录入的质量，各省、自治区、直辖市应在部里组织培训的基础上，结合实际，采取以会代训、现场指导等多种形式，组织好当地民间组织管理干部培训，不留死角，填报数据全面、准确、及时。

同志们，当前，我国进入了一个新的发展时期，民间组织发展有了新的历史机遇，对管理工作也提出了新的要求。民间组织统计是一项重要的基础性工作，对管理决策有着直接影响。我们要以科学发展观为指导，开拓进取，扎实工作，全面提高民间组织统计工作水平，把民间组织管理工作推上一个新的台阶。

民间组织管理局局长孙伟林
在广西《基金会管理条例》培训班的讲话

（2004 年 6 月 7 日）

同志们：上午好！

“全国基金会管理条例培训班”今天正式开班了。这个培训班，是我们应大家深入学习和理解《基金会管理条例》的要求而举办的。这个班筹备时间很短，从确定地点到开班只有二十多天，中间还有五一长假。广西区民政厅对这次培训非常重视，做了大量细致周到的准备工作，使我们这次培训得以顺利进行。在这里，我代表部民间组织管理局，代表参加培训的全体同志，向广西区民政厅和区民间局的同志，表示衷心的感谢。

下面，我讲一讲基金会的概况和修订基金会管理条例的重要问题。

我讲三个问题。

一、我国基金会的基本情况

我们研究基金会，首先要了解什么是基金会。

基金会是利用自然人、法人或者其他组织捐赠的财产，以从事公益事业为目的的非营利性法人。条例第二条讲的就是这个定义。这个定义和国际上基金会的概念是一致的。这个概念要把握三条：首先，基金会不是国家的政府机关，也不靠国家拨款进行工作，而是靠国内外各界的捐赠来筹集资金；其次，它也不是国家机关或企事业单位的附属机构，而是独立的法人，有权支配自己的资金和依法独立开展活动；第三，它同公司、企业有着根本的区别，其活动不是以营利为目的，基金来源于社会各界的无偿捐赠，支出也采取无偿资助的方式。

我国目前的基金组织有若干种。如社会保障基金组织，基金管理公司，政府性拨款设立的基金组织等。但这些基金组织管理的基金和我们基金会的基金，性质完全不同。

政府基金是根据有关法律法规或政府文件设定的，资金来源于指定的征收对象，有明确的征收范围和征收标准，如三峡工程建设基金、民航基础设施建设基金、农业发展基金等，还有一类是财政预算拨款设立的。政府性基金来源稳定，支出的是本金。

社保基金是依法通过对国民收入的分配和再分配而形成的基金，例如个人收入中提取的三险金，国有股减持回收的资金等。

基金管理公司所管理的证券投资基金是一种金融工具。或者说是一种证券信托投资方式，投资者按比例分享收益并承担风险，主要投资于股票和债券。

而我们所说的基金会的基金，性质是公益性基金，主要来源于个人和组织捐赠，并无偿用于公益事业。因此，上述其它基金组织一般都不叫基金会，有的叫基金管理委员会，有的叫专项基金，有的叫基金管理公司。只有公益性基金的管理组织才叫基金会。

我国基金会出现的时间不长，是改革开放以来才出现的，到目前只有 20 多年的历史。1981 年 7 月成立的中国儿童少年基金会是以民间形式建立的第一个基金会。以后，在文教、卫生、扶贫、救灾等领域，陆续出现了一批公益性基金会。80 年代，全国性基金会有 6 个，90 年代至今，发展更快一些。1988 年，国务院颁布《基金会管理办法》，民政部门开始依法对基金会进行登记，实行的是民政部和省级民政部门两级登记。到目前为止，经民政部门登记的基金会 1200 余个，其中在民政部登记的全国性基金会 80 多个。这些基金会的活动涉及社会生活的各个领域。主要是：慈善类约 31.68%，教育类占 19.14%，文化艺术类占 18.27%，科技类约占 10.10%，其它类型占 20.5%。

从基金会的规模看，80 家全国性基金会的资产总量近 30 亿元人民币。其中，规模最大的是清华大学教育基金会，拥有 5. 2 亿元人民币的资产。有 10 家全国性基金会的资产过亿元。地方性基金会中，除沿海地区外，基金不足的现象比较明显。根据中国人民银行 1999 年的统计，有近 40% 地方性基金会的基金未能达到原来规定的 210 万人民币（或等值外汇）的标准。到现在为止，这种状况并未有大的变化。

从活动情况来看，大部分基金会都能遵守法律、法规，按照章程从事公益活动。多数全国性基金会能够积极开展活动。以下事例可以反映基金会对公益事业的重要贡献：据中国青少年发展基金会 1998 年对“希望工程”进行的自我评估称，截止 1996 年底，有希望工程受助生的县级单位 1601 个，占全国县级单位总数（2142）的 74.7%。在国家级贫困县，希望工程救助活动的覆盖面更广。96.3% 的乡、63.3% 的学校和 41.3% 的行政村有希望工程受助生，切实促进了我国农村贫困地区教育事业的发展，功不可没。同时希望工程也产生了良好的社会效益，有 90% 以上的城市居民知道和关注希望工程，唤起了全社会的爱心和重教意识，极大地促进了精神文明建设。中国妇女发展基金会于 2000 年开始开展“大地之爱，母亲水窖”项目，向社会募集善款，为西部缺水地区捐修混凝土构造的水窖，至今为止，共筹集捐款 1.1093 亿元，其中 1.0149 亿元已用于资助。中国儿童少年基金会开展资助失学女童的春蕾计划，在 2001 年和 2002 年共募捐到 2.85 亿元的捐款，其中 2.32 亿已用于在贫困地区建学校和直接资助失学女童。吴阶平医学基金会前不久在首都体育馆邀请香港歌星举办大型的义演，为肝炎患者筹集医疗费用。中华全国体育基金会拿出 200 余万元用于为优秀运动员购买伤残互助保险，解除我国优秀运动员的后顾之忧，鼓励他们努力为国争光。很多基金会取得了突出的成绩，为公益事业做出了重要贡献。但也有 20% 的基金会长期没有公益性支出，基本上名存实亡。地方性基金会的活动情况差异较大。沿海发达地区基金会资金来源充足，能发挥比较大的作用。内陆基金会活动不多，作用也不大。

从与政府的关系来看，基金会与政府关系密切，行政色彩比较浓厚。按照《基金会管理办法》的规定，“基金会的领导成员，不得由现职的政府工作人员兼任”。然而，有的基金会仍有政府部门的领导干部兼职。有的基金会比照事业单位管理，占用事业编制，正常办公经费由财政拨款。不少政府部门对基金会的筹资和资助都参与较多。比如某基金会由政府出面组织募捐，募捐到的资金放在基金会名下，但在对外资助时仍由政府部门说了算。基金会名为独立法人，实为政府部门的一个机构。

关于基金会的保值、增值情况。据中国人民银行对全国性基金会检查发现，90 年代中期基金会比较热衷于将基金用于投资、经营，还有些基金会搞过贷款、担保等。按照现有的法规和政策，《基金会管理办法》中规定“基金会不得经营管理企业”。中国人民银行《关于进一步加强基金会管理的通知》中明确规定“基金会基金的保值及增值必须委托金融机构进行”。为此，中国人民银行对基金会进行过整顿。整顿以后，情况有所好转。另外，据大多数基金会反映，无论是投资股票，还是经营企业，收益都不理想。例如：某基金会在选择投资对象、项目时决策不当，导致部分投资本息至今无法收回。该会 2001 年底在外运营资金 17936 万元，其中有 15314 万元难以收回，大部分资金已逾期 5 年以上，占在外运营资金总额的 85.3%，占该会总资产的 72.5%。因此，在目前的市场条件下，基金

会本身也不太愿意过多从事投资、经营活动。基金会主要的保值、增值方式是银行存款和购买国债。目前有约50%的基金会采用了银行存款、购买国债以外的手段实现基金的保值、增值，主要是购买股票、购买企业债券、股权投资或经营企业等。当然，这些基金会只是将部分资金用于购买有价证券和经营企业等，试图建立高收益、低风险的投资组合。

综上所述，我国基金会的状况，要讲两句话，第一句话，自己跟自己比，发展不慢。从纵向来看，我国基金会起步比较晚，发展时间短。80年代刚刚起步，到现在只有二十多年，已经有了1200余个基金会，全国性基金会有了80个，发展速度还是比较快的，数量也不算少。而且一些基金会有了一定规模，为公益事业做出了重要贡献。第二句话，跟人家比，差距很大。与国外特别是发达国家比，我国的基金会仍处于起步阶段，一些发达国家基金会数量众多，资金雄厚，运作成熟，管理规范，政策配套。与他们相比，我们还有相当的差距。我们对基金会的认识还不到位，思想不够解放，步子迈得不大，还有不少制度因素。不仅政府对基金会缺乏系统的培育和扶植措施，仍然处于粗放型管理，基金会自身也很不规范，程度不同地存在各种问题。大多数基金会资金总量不大，行政色彩浓厚。香港的李嘉诚基金会有50亿，世界三大基金会（福特、卡耐基、洛克菲勒）的资金总量更多。而我们所有地全国性基金会加起来，资金总量才30多个亿。比不上人家一个私立基金会，差距不是一点。而且，还有不少基金会缺乏活力，只是挂了一块牌，筹了一笔钱，养了一批人，基本不搞公益活动；有的基金会政社不分，缺乏严格的财务管理，成了业务主管单位的小金库，甚至资金被少数人私分挪用。因此，加强我国基金会的建设，任务很艰巨，我们登记管理机关，任重而道远。

二、“基金会管理条例”的修订过程和修订的基本思想

1999年以前，我国对基金会的登记管理主要依据1988年国务院颁布的《基金会管理办法》，实行的是业务主管单位、人民银行和民政部门三方负责的管理体制，即业务主管单位同意、人民银行审查批准，民政部门登记注册。实际上是把基金会视为金融机构或准金融机构。10多年来，《基金会管理办法》对于规范基金会的行为，促进基金会的健康发展起到了重要作用。但是，这个办法不够完善，对基金会的组织形式、内部决策程序、财务会计制度、资产使用管理、社会监督管理机制等许多环节未作规定，其它一些规定内容也都打上了当时计划经济的烙印。随着改革开放的深入和市场经济体制的逐步完善，解决基金会法律制度的缺失，为基金会的发展提供更为全面的制度保障已非常必要，原有的《办法》已经不适应基金会发展和管理工作的实际需要。同时，基金会的管理体制也发生了变化，依照国务院领导的批示，1999年开始人民银行不再参与对基金会的管理，基金会的登记管理统一归口民政部门，《办法》中确定的基金会的管理体制不再适用，民政部门不能依据《办法》继续登记注册基金会。基于以上原因，根据国务院的立法计划，从2000年开始，我部开始对《基金会管理办法》进行全面修订，多次召开座谈会和专题研讨会，经过反复论证，借鉴和吸取其他国家有关基金会管理方面的有益经验，草拟了《基金会管理条例》，并于2001年3月7日正式向国务院报送。此后，我部配合国务院法制办，又做了大量的研究、论证工作，先后到黑龙江、上海、福建、广东、江苏等省市实地调查研究，多次召开有关部门、专家学者以及基金会参加的座谈会，广泛听取各方意见，做了大量修改。几易其稿，对条例涉及的一些具体问题，如基金会的税收减免、基金会支出比例、基金会设立基金的标准、较大规模公募基金会的登记管理，基金会的保值增值等，都专门进行论证，写出了专题报告。经过一系列充分的准备工作，《基金会管理条例》（以下简称《条例》）在2月11日国务院常务会议讨论并原则通过，温家宝总理于3月8日签发，将于2004年6月1日实施。

《条例》共设为七章四十八条，分别规定了基金会登记管理的总原则，基金会的设立、变更和注销登记，基金会的组织机构，基金会财产的管理和使用，政府和社会对基金会的监督管理，基金会的法律责任等。与《基金会管理办法》相比，内容更加丰富，体系更加完整，可以说是对基金会登记管理法规的一次重新起草。为了贯彻实施好《条例》，作为登记管理机关的民政部门，要全面理解、掌握《条例》基本精神，吃透立法原意。《条例》贯穿了重培育发展，以规范管理促进基金会健康发展的指导原则。在这一指导原则下，体现了八个方面的重点内容：

一是进一步明确基金会的公益性质，确保公益目的的实现。公益性是基金会的本质特征，公益是基金会设立的唯一目的。保障基金会的公益性，是《条例》的根本任务。公益组织的受益对象为不特定的个人和群体，任何个人或群体只要符合其宗旨和业务范围要求，都可接受其资助。基金会的基金来源于社会，服务于社会，为了实现这个目的，《条例》作了诸多的政策规定。如将基金会定义为"利用自然人、法人或者其他组织捐赠的财产，以从事公益事业为目的，按照本条例的规定成立的非营利性法人"，这就明确了基金会的公益性质，使基金会与其他管理信托投资基金、以营利为目的的基金管理组织以及其他民间互益组织区别开来。基金会的公益性质决定了其财产必须用于公益目的，也必须受到保护。《条例》规定"基金会的财产及其他收入受法律保护，任何单位和个人不得私分、侵占、挪用。""基金会注销后的剩余财产应当按照章程的规定用于公益目的；无法按照章程规定处理的，由登记管理机关组织捐赠给与该基金会性质、宗旨相同的社会公益组织，并向社会公告。"

公益目的的实现还需要一系列具体措施来保障，如基金会章程必须明确基金会的公益性质，不得规定使特定自然人、法人或者其他组织受益的内容；基金会必须建立完善内部管理机制，要受到严格的监管，特别是受到公众监督；基金会的运作必须公开透明，尤其是财务状况必须公开。对此，《条例》一一作了规范。

二是实施分类管理，广泛动员社会力量参与公益事业。目前我们已登记的基金会大都是面向社会公开募捐的基金会，即公募基金会。由于现阶段，我国普通群众收入水平还不高，大多数企业和其他社会组织的捐赠资源有限。为了不过多地增加企业和个人的负担，对公募基金会要合理布局，有效控制。同时，鉴于一些富裕起来的企业和个人有意愿拿出自己的财产用于公益事业，又希望自主决定公益实施，保证捐赠意愿的实现，对此国家应当予以鼓励，需采取相应的对策，满足他们的愿望。因此《条例》将基金会分为"公募基金会"，即面向公众募捐的基金会，和"非公募基金会"，即不得面向公众募捐的基金会两类，增设了非公募基金会这个新种类。允许以企业和个人的名义命名非公募基金会；对于用私人财产设立的非公募基金会，允许捐赠人的亲属可以在限定的比例内在理事会担任职务。根据国外的经验，非公募基金会是一种引导个人和组织的财产流向社会，特别是流向弱势人群的有效形式，也是社会财富实现再分配的一种途径，可以最大限度地调动企业和个人的捐赠积极性，吸引更多的社会资源从事公益事业，使公益事业的资金来源更加多渠道。个人或企业捐赠财产，建立非公募基金会，在为社会公益事业做贡献的同时，也可以由于良好的社会形象带来更多的经济效益。对于非公募基金会，我们采取扶持鼓励的政策，在基金会的名称、登记条件、资金使用等方面的规定相对比较宽松。为了规范面向公众开展的募捐活动，保护爱心资源，减轻公众负担，维护社会平稳安定，对公募基金会的行为管理相对严格。对两类基金会在设立标准、成员构成、公益支出比例等方面作出不同的规定，体现了区别政策。

三是适应改革开放的新形势，将涉外基金会纳入国内基金会管理的法律范围。近年来，特别是我国加入世贸组织后，在华外国人结社和境外非政府组织进入境内开展活动的要求明显增多，但涉外民间组织登记管理没有相应的法律法规，各级登记管理机关一直采取不承认、不接触、不取缔的做法。

但有不少未经登记的组织已自行开展活动，在我境内开展活动的涉外民间组织的数量不断上升，活动日趋活跃。据统计，仅云南省就有近40个外国和港澳台民间组织在活动，其中不少是基金会。这些组织活动频繁，且长期脱离政府监管，既不利于他们充分地表现对中国的公益爱心，也不利于规范他们的行为，确保国家的安全和稳定。依法加强对涉外民间组织的登记管理，是扩大对外开放、全面贯彻依法治国方略、维护社会稳定亟待解决的问题，因此，对涉外民间组织立法已是一项紧迫的任务。这次修订的《基金会管理条例》适应了涉外民间组织管理的新形势，将涉外基金会纳入国内民间组织管理法律框架，依法进行登记管理。《条例》对基金会的设立主体没有做国别、境内外限制。允许外国人和港澳台居民在华设立基金会，允许境外基金会在中国内地设立代表机构，鼓励境外资金进入境内开展公益活动。既解决了涉外基金会的设立和管理问题，为我国公益事业的发展争取更多的外部支持，也为下一步修订出台《社会团体登记管理条例》和《民办非企业单位登记管理暂行条例》，确定涉外民间组织的设立和管理问题作了政策和实践探索。

《条例》作出允许涉外基金会在中国内地开展符合中国公益事业性质活动的规定，体现了国际惯例，有利于扩大对外交流和合作，有利于利用更多的公益资源，也有利于借鉴国际成熟的公益组织管理和运作经验，促进我国公益组织自身能力和管理水平的提高。《条例》将境外基金会在华活动的管理纳入国内民间组织的管理框架，规定境外基金会代表机构应当从事符合中国公益事业性质的公益活动。境外基金会对其在中国内地代表机构的民事行为，依照中国法律承担民事责任。考虑到我国是发展中国家，公益负担重，募捐资源有限，境外基金会代表机构不得在中国境内组织募捐、接受捐赠。

四是对基金保值、增值的方式做了开放性规定。基金会的保值增值，是基金会运作的重点。规定得过严，基金会缺乏活力；规定得过松，基金会保值增值风险增高，这是一个两难的问题。为降低基金会财产风险，强调基金会的公益性，原《基金会管理办法》对基金会资金的运作做了限制规定。如“基金会不得经营管理企业”；“基金会可以将资金存入金融机构收取利息，也可以购买债券、股票等有价证券，但购买某个企业的股票额不得超过该企业股票总额的20%”。《中国人民银行关于进一步加强基金会管理的通知》规定：“基金会基金的保值及增值必须委托金融机构进行”。但这些规定在实践中没有达到预期目的。是否经营企业以及拥有某个企业股票额的多少，与基金会的公益目的并不矛盾，也不反映基金运作风险的大小。基金会的情况千差万别，具体保值增值规定很难适应每个基金会。《基金会管理条例》按国际惯例制定规则，不对基金会的保值增值行为做具体要求，只做了原则的、开放性规定，力图通过社会监督、内部监督来解决对基金会投资行为的约束，同时增加了“失误赔偿”的条款。规定因决策不当致使基金会财产损失的，参加决策的理事应当承担相应的赔偿责任，以保障基金会对投资行为慎重行事。

五是鼓励基金会多募钱，多做公益，形成良性循环机制。基金会作为从事社会公益活动的非营利组织，为了造福社会，必须有充足的可持续的资金支持。基金会募集资金、运作资金的能力是保证其生存和发展的关键。基金会只能募钱有招，生财有道，用钱有效，才能有源源不断的财源，才能充满活力，最大限度地实现公益目的。目前，不少基金会不会募捐，很少开展有影响的公益活动，因缺乏活力而逐渐萎缩。成功的基金会应是过路财神，边募钱，边用钱，募得多，用得多，取得良好的社会效益，树立起形象，形成良性循环。为了逐步实现这个目标，《条例》从制度上作了规定，将基金会每年的公益支出作为衡量基金会是否完成了公益任务的重要标准，规定公募基金会每年用于从事章程规定的公益事业支出，不得低于上一年总收入的70%；非公募基金会每年用于从事章程规定的公益事业支出，不得低于上一年基金余额的8%；不按规定完成公益事业支出额度的，将被处罚直至撤销。这就意味着，基金会如果募集资金不多，逐年按照要求完成公益事业支出数额，加上办公经费和工作人员的工资福利支出，原始基金数额就会逐年减少，到了一定的限度，就会被注销。只徒有虚名，不务公益之实的基金会不再有存在的法规依据。

六是建立规范的内部自律机制。良好的自律机制是基金会存在和发展的内在动力。针对目前一些基金会内部规范不够，自律机制不健全的状况，《条例》要求基金会建立以章程为核心的各项自律制度，并从公益法人组织机构的特点出发，专门设立了基金会“组织机构”一章，明确规定了理事会是基金会的决策机构，规范了理事会的组成和议事决策程序，监事的设置和职能，制定了防止基金会内部人员与基金会公益宗旨发生利益冲突行为的规则，通过限制在基金会领取报酬的理事数量，规定监事和未在基金会担任专职工作的理事不得从基金会获取报酬，基金会的法定代表人不得同时担任其他组织的法定代表人等，引导基金会建立自律机制，规范基金会的行为。

七是确立了公开、透明的原则，进一步完善监督管理机制。基金会作为担负神圣使命的公益组织，享受优惠的税收政策，掌握社会公益资源，公众关注程度高，社会责任大，其活动是否规范关系到爱心资源的保护，关系到基金会的信誉和公益事业的发展，必须在自律的基础上接受各方面的监督，保持较高的社会公信度，这就需要从法规上建立完善的政府监督和社会监督机制。《条例》在这方面作了多项规定。明确了“基金会依照章程从事公益活动，应当遵循公开、透明的原则”，并从政府监督和社会监督等方面做了相应的规定。明确了登记管理机关和业务主管单位登记、日常监督和年检等方面各自的职责，规定了各类非法活动的详细情形和相应的法律责任。同时规定基金会要接受年度检查，要接受税务、会计主管部门依法实施的税务监督和会计监督；基金会在通过登记管理机关的年度检查之后，要将年度工作报告在登记管理机关指定的媒体上公布，接受社会的查询、监督；公募基金会组织募捐，应当向社会公布募得资金后拟开展的公益活动和资金的详细使用计划；基金会处理剩余财产应当向社会公示等。

八是明确了税收优惠原则，加大了税收监管力度。利用税收手段扶持和监管基金会，对基金会及其捐赠人实行税收优惠是各国通行的做法。减税、免税措施构成基金会和其他组织发展的重要政策环境。我国在这方面还处于探索阶段。为了鼓励公益事业的发展，我国已陆续出台了一些税收优惠政策，对于公益事业的发展起到了促进作用，但还不系统，散见在多个相关文件中，在实施过程中也遇到了一些实际问题。这次《条例》规定“基金会及捐赠人、受益人可以依照法律、行政法规的规定享受税收优惠”规定了税收优惠的大原则，表明基金会、捐赠人、受益人三方面都能够依照法规享受到税收优惠。至于税收优惠的具体办法，财政部、国家税务总局正在研究制定。在享受税收优惠的同时，基金会要依法办理税务登记、接受税务部门的监督，对有违法行为的基金会，税务机关还可以要求补交违法行为存续期间享受的税收减免。要通过税收政策，鼓励基金会的发展，加强对基金会的监管。

总之，《基金会管理条例》作为我国基金会登记管理的重要法规，确定了基金会的基本性质和权利、义务，以及基金会登记管理的基本原则，涵盖了基金会登记和管理的各个方面，这是今后一个时期我国基金会发展和管理的重要法律法规文件，各级民政部门要在认真学习《条例》的基础上，深刻地领会和把握，准确地贯彻到实际工作中。

三、需要说明的几个问题

（一）、关于“非营利性法人”

《条例》第二条规定“本条例所称基金会，是指利用自然人、法人或其他组织捐赠的财产，以从事公益事业为目的，按照本条例的规定成立的非营利性法人。”

非营利性法人指基金会是不以营利为目的、独立享有民事权利和承担民事义务的法人组织。“非营利性法人”不是专有名词。《中华人民共和国民法通则》中规定了四类法人：机关、事业、企业和社团法人。以往，基金会被归入社团法人。但是基金会不是人群的集合，而是资产的集合，这与社团由会员组成的基本特点有着本质差异。正是由于这种差异，使得我们无法将基金会按照社团的方式来登记、管理，必须制订专门的法规。因此，将基金会归为社团法人是不科学的，这一点已经引起法学界的注意，《民法典》的起草也将涉及这个问题。为不与《民法典》相违背，我们在《条例》中不再强调基金会为社团法人，只对它的非营利性做了强调。

（二）、关于基金会的非营利性与基金会经营行为

非营利性是基金会的基本特征之一。基金会的非营利，是指不以营利为目的，这从根本上不同于企业。企业经营的目的是获取利润，最终目的是分配。基金会为使基金保值、增值，或在开展公益活动（如慈善演出等）时，也会涉及一些经营行为，但这种经营行为只要仍然是以公益事业为目的，就不影响基金会的非营利性质。

（三）、关于基金会双重负责的管理体制

《办法》对基金会实行业务主管单位、人民银行和登记管理机关三重负责的管理体制。《条例》明确了基金会双重负责的管理体制。双重管理体制是党中央、国务院确定的我国民间组织管理的重大原则（中办发〔1996〕22号文件）。《条例》对双重管理体制做了细致的规定，明确了登记管理机关和业务主管单位各自的职责，明确了二者的分工。在登记环节上，登记管理机关负责基金会、基金会分支机构、基金会代表机构、境外基金会代表机构的最终审批登记；业务主管单位负责基金会、境外基金会代表机构的初审。管理环节上，《条例》第三十四条规定登记管理机关履行下列监督管理职责：（一）对基金会、境外基金会代表机构实施年度检查；（二）对基金会、境外基金会代表机构依照本条例及其章程开展活动的情况进行日常监督管理；（三）对基金会、境外基金会代表机构违反本条例的行为依法进行处罚。《条例》第三十五条规定业务主管单位履行下列监督管理职责：（一）指导、监督基金会、境外基金会代表机构依据法律和章程开展公益活动；（二）负责基金会、境外基金会代表机构年度检查的初审；（三）配合登记管理机关、其他执法部门查处基金会、境外基金会代表机构违法行为。

（四）、关于基金会原始基金标准的确定

《条例》对基金会设立的原始基金进行了分类：全国性公募基金会不少于800万元人民币，地方性公募基金会不少于400万元人民币，非公募基金会不少于200万元人民币。公募基金会的原始基金高于私立基金会；公募基金会中全国性的公募基金会的原始基金高于地方性的公募基金会。这个标准的确定主要有三方面考虑：一是限制公募基金会数量过多增长，鼓励私立基金会的设立。二是确保基金会有能力积极开展公益活动和维持自身运转。根据国外的经验和我国的实际情况，公募基金会原始基金在800万元人民币以上的，在维持自身运转（支付人员工资和最低办公费用等）以外，还可以开展少量的公益活动。公募基金会原始基金在400万元人民币以下的，连维持自身运作都没有能力。私立基金会原始基金在200万元人民币以下的，也基本上无力开展公益活动。基金会不能开展公益活动，或者甚至无法维持自身运作，就没有设立的意义。三是考虑到目前我国基金会的现状，原始基金的标准不能定得太高。依据1999年中国人民银行的统计数据，现已正式登记的全国性基金会中只有一半左右拥有800万以上的基金。地方性的基金会除了少数发达地区外，资产更少。有近40%的地方性基金会的基金未能达到现行规定的210万人民币（或等值外汇）的标准。由此看来，公募基金

会设立基金不宜超过800万元人民币，而地方性公募基金会募捐范围比较小，设立基金应当低于全国性公募基金会。

（五）、关于基金会公益支出比例的确定

《条例》规定，公募基金会每年用于从事章程规定的公益事业支出，不得低于上一年总收入的70%；非公募基金会每年用于从事章程规定的公益事业支出，不得低于上一年基金余额的8%。

规定基金会每年公益支出的比例，是为了促使基金会实现发展公益事业的宗旨，确保对公益事业进行投入。杜绝目前有的基金会出现的不愿进行公益支出或者无能力进行公益支出的情况。

公募基金会向社会募捐，支出与收入配比有利于衡量捐赠收入的使用效率。经统计，全国性基金会目前的平均收入支出比例为50%，为达到促进基金会活动的目的，《条例》规定公募基金会每年公益事业支出不得低于上一年总收入的70%。

非公募基金会不接受募捐，一般使用基金的利息，或利用捐赠人定期提供的资金开展活动，因此，不宜以收入为标准来确立公益支出的比例，以基金额为标准确定公益支出比例较为科学。为达到促进基金会开展公益活动和鼓励非公募基金会发展的双重目的，公益支出比例不宜过低，也不宜过高，《条例》规定非公募基金会每年公益事业支出不得低于上一年基金余额的8%。

《基本会管理条例》已经颁布，并将于6月1日实施，作为我们登记管理机关，要清醒的看到，这是一项十分艰巨的任务，基金会与一般的社会团体、民办非企业单位有很大的区别。直接运作资金，是基金会的主要职能和活动方式。这一特点决定了它是一种较为复杂，或者说是我们目前管理的最为复杂的民间组织，涉及资金筹集、资金使用、保值增值、资金监督等一系列问题。这些都是社团管理所没有的，也是我们所不熟悉的。尽管我们对基金会登记管理了十多年，但并未开展多少实质性的管理工作。对绝大多数同志而言，这仍然是一个新的课题。《条例》颁布后，对基金会的登记管理工作提出了更高的要求，抓好这项工作，我们面临不少困难，缺乏系统的新知识，缺乏熟悉业务的骨干队伍，又没有成熟的经验可以借鉴。这对我们是严峻的挑战。对此，全国民政部门都要保持清醒的头脑，切不可掉以轻心。但同时我们又要看到，基金会登记管理是一项十分光荣，具有重大意义的任务。

目前我国人均国内生产总值已达1000美元，这是我国现代化进程中的关键阶段。温家宝总理指出，这个阶段可能出现两种结果。搞得好，经济社会继续向前发展，顺利实现工业化、现代化。搞不好，往往出现贫富悬殊，社会矛盾加剧等后果，导致经济社会发展长期徘徊不前，甚至出现社会动荡和倒退。我认为，当前这个阶段，对于我国公益事业的发展，同样是非常关键的。一方面，经济的高速增长为公益事业的发展提供了必要条件，先富起来的个人和实力雄厚的企业有能力举办基金会，为公益事业出钱出力；另一方面，经济进一步发展急需解决积累下来的问题和矛盾，为基金会的发展提供了广泛的社会需求。目前，公益事业的发展正面临这样一个历史性的机遇。如果我们抓住机遇，统一认识，积极培育，规范管理，努力推进基金会健康发展，公益事业社会化的步伐将可能大大加快，从而环节各类社会矛盾，推动经济和社会的协调发展，提高现代社会的文明程度。相反，如果政策导向不明，措施不力，管理不当，基金会得不到很好的扶持和发展，就可能失去公益事业的大好发展机遇，影响经济和社会的协调发展。从这个意义上去理解，我们现在做的是一件历史性的工作。因此，我们一定要认清形势，统一认识，振奋精神，迎接挑战，抓紧学习，知难而进，用我们的扎实工作，填写一份合格的答卷，圆满完成这项艰巨而光荣的任务。

民政部民间组织管理局局长孙伟林在民政工作年中分析会上的发言

（2004 年 7 月）

各位领导，同志们：

今年上半年，民间组织管理方面有两件大事：一是《基金会管理条例》正式颁布实施；二是全国人大颁布了《行政许可法》。上半年的民间组织管理工作，在部党组的领导下，突出这两件大事为重点，主要做了四项工作。

第一，全力以赴做好《基金会管理条例》的贯彻实施工作

《基金会管理条例》是我部从1999 年就开始修订的。经过几年的努力，今年3 月终于出台，国务院常务会议通过并确定于6 月 1 日颁布实施。《条例》在内容上有很多新的突破。一是进一步明确基金会的公益性质，确保公益目的的实现；二是实施分类管理，广泛动员社会力量参与公益事业；三是适应改革开放的新形势，将涉外基金会纳入国内基金会管理的法律范围；四是对基金保值、增值的方式做了开放性规定；五是鼓励基金会多募钱，多做公益，形成良性循环机制；六是建立规范的内部自律机制；七是确立了公开、透明的原则，进一步完善监督管理机制；八是明确了税收优惠原则，加大了税收监管力度。比如将基金会分成公募、非公募两类，进行分类指导；第一次允许外国人在华设立基金会和允许外国基金会在华设代表机构；按照发达国家较普遍的做法，将基金会保值增值的方式放开等等。国内外舆论对《条例》评价甚高。有的说“《条例》是中国社会领域改革与开放被提上日程的标志，是改革与开放向前迈进了重要一步”，有的说“《条例》打开了另一扇大门，推动了私域对公域的参与，民间与政府的互动”等。因此，我们将贯彻实施《条例》作为上半年工作的重中之重，主要抓了三个环节。

一是抓宣传。《条例》颁布第二天，我们就筹备并以国务院新闻办的名义，召开了中外记者新闻发布会，姜力副部长、李本公局长亲自就社会关心的问题回答记者提问，确定了宣传基调。而后，局里又统一起草了答复口径、宣传文章，多次接受中央电视台及有关媒体的采访，对《条例》进行了系统全面的宣传。国内各大报纸、期刊、电视、广播、网络均发布和转发了有关《条例》的新闻和评论，引起了广泛的社会关注，扩大了《条例》的社会影响。

二是抓配套规章办法的制定。为便于各界全面了解《条例》的内容，《条例》一出台，我们就集中人力，逐条起草对《条例》的解释，并收集相关文件、材料，汇编了40 多万字的《基金会指南》。现在该书已经付印，即将出版。同时，我们又以部的名义，制定下发了《基金会名称管理办法》、《基金会章程示范文本》、《基金会登记表格》、《基金会换发证书方案》等配套规章及文件。

三是抓贯彻。《条例》出台后，我们在广泛征求意见的基础上，迅速形成了贯彻方案，并于4 月初在广东召开了“全国贯彻《基金会管理条例》工作会议”。学举部长、姜力副部长亲自到会作了重要讲话，对《条例》的贯彻进行了全面部署。为了使各地深入领会《条例》精神，我们又多次举办各类培训班，对各省登记管理干部和全国性基金会秘书长进行培训，具体宣讲解读《条例》，很多省市也都举办了类似的培训班，为《条例》的贯彻创造了良好的条件。

由于准备工作比较充分，目前贯彻《条例》开局良好，全国和各省都在6月1日按期启动了登记。有的省市，如上海、浙江动作更快，已登记一批并正式发了证。部里也有一批全国性基金会正在办理登记手续，还有一些已在业务主管单位审查。基金会的兴起，对于推动我国公益事业的发展将起到重要作用。

第二，采取切实可行的措施，认真贯彻《行政许可法》

《行政许可法》是一部规范政府行为的重要法律，其颁布实施标志着政府的行政管理进一步制度化、规范化、法制化。民政部的行政许可事项绝大多数在民间局，这项工作做得好不好，直接关系到民政部的形象。因此，我们压力很大，对贯彻《行政许可法》高度重视。在认真学习的基础上，我们和部法规办多次进行专门研讨，逐条研究有关规定，找出存在问题。在此基础上，分成三类情况，有针对性地加以改进。

一是自己能解决的问题马上落实。我们按照《行政许可法》和《民政部实施<行政许可法>办法》的要求，在“中国民间组织网站”公开了有关的法规、公告、通知、表格等文件，并可以下载，部分表格可在网上直接填写报送。在局里安置了带触摸屏的电脑，里面设置了“民间组织办事指南”。相关业务处室也把登记管理的注意事项和要求张贴在了办公室醒目的位置。

二是部内可以解决的问题抓紧协调。过去，审批社团环节多，效率低。《行政许可法》实施后，办理时间不能超过60个工作日。为了改进作风，提高效率，我们对民间组织审批流程进行分解，分成受理、审查、办文、开会、印刷、上报、批复、办证等十余个环节，与办公厅一起逐个进行分析，简化手续，缩短时间，规范程序，责任到人。目前，正在制定有关制度。

三是难点问题抓紧向有关方面反映，争取尽快解决。

结社的政治性很强，十分敏感。在贯彻《行政许可法》过程中，有一些难点问题是我们无法解决的。再如，过去因工作需要设立的民间组织服务中心，代行一部分行政职能。但现在中心不能再行使行政职能。对这些问题，我们抓紧研究，积极工作，有的已向国务院写了专题报告，有的正在准备汇报材料，争取早日解决。

第三，登记管理工作得到加强

一是登记工作有条不紊。上半年，共办理民间组织的各类登记、变更事项513件。基本完成了社团分支机构复查登记的收尾工作，至此，已完成复查登记的分支机构有6000余个。顺利完成1700多个社团新版证书的制作、换发。接待办事、来访人员3100余人次。

二是民间组织年检工作顺利实施。上半年，我们启动了全国性社团的年检工作。这是条例颁布后的第一次。按规定参加年检的全国性社团1462家。截止7月上旬，已受理1310家，通过年检1017家，从而结束了多年不搞年检，只抓清理整顿的状况，社团走上了正常管理的轨道。为了提高社团专职人员的法律意识和工作能力，我们还办了6期秘书长培训班，参加培训的有600余人，占全国性社团总数的三分之一。

三是监督查处工作迅速有力。上半年，我们直接查处了中国医疗保健国际交流促进会等5个协会的违法违纪行为，转地方查处取缔了中国私人侦探协会、中国国防基金会等7个非法组织，督促业务主管单位查办了一批社团违法违纪案件。

四是民间组织统计工作进一步规范。我们与部财务司合作，进一步完善和规范了民间组织统计台帐制度，并培训了100多名业务干部。基本上解决了因口径不一而出现的各部门统计数字不一致的问题。

第四，政策理论研究工作取得明显进展

我们先后与卫生部、劳动部、科技部就农村非营利医疗机构登记、民办非企业单位从业人员的社会保险等问题进行专题研究，分别达成共识，拟出台相关政策。制定了《民办学校登记办法》并下发各地征求意见。召开座谈会，对《民办非企业单位年检暂行办法》作了修改。

课题研究也取得了丰硕成果。与世界银行、英国使馆、科技部、中国科协合作的四个项目进展都很顺利，有的已初步成型。

下半年，在继续贯彻好《基金会管理条例》和《行政许可法》的基础上，我们要做好四项重点工作：一是10月份在山东召开全国农村专业经济协会经验交流会，进一步推进农村专业经济协会的培育发展工作；二是12月上旬在北京召开全国民间组织表彰会议，对全国各类先进的民间组织隆重予以表彰；三是12月上旬在北京举办“全国行业协会成就汇报展览会”，全国和各省的行业协会都已分配名额参加这个盛会；四是配合国务院法制办修订《社会团体登记管理条例》，力争早日出台。概括起来就是“两会、一展、一法”，任务仍然十分繁重。我们决心进一步解放思想，开拓创新，保持昂扬向上、团结奋进的精神状态，完成好各项工作任务。

民政部民间组织管理局局长孙伟林在全国发展农村专业经济协会会议上的总结讲话

（2004 年 9 月 11 日）

同志们：

全国发展农村专业经济协会会议今天就要结束了，这次会议内容很丰富，会议从青岛开到烟台，听取了学举和姜力两位部长关于发展农村专业经济协会的重要讲话，听取了有关部门的领导和专家学者的专题发言，听取了部分省和农村专业经济协会代表的经验介绍，交流了各地在农村专业经济协会培育发展工作中的成功做法，实地考察了莱州市和青岛市崂山区的几个农村专业经济协会。而且，这次会议地点选在山东以致全国都非常有名的南山村。在村里开了全国性会议，很有特点。大家普遍反映，这次会议，开的非常及时、非常成功，收获是多方面的，不仅进一步提高了认识，总结了经验，而且对一些问题达成了共识，明确了今后的工作思路，会议达到了预期目的。下面，对这次会议作一个简要小结。

一、关于会议达成的几点共识

在这次会议上，通过学习、交流和讨论，大家在以下几个方面达成了共识：

一是必须从践行“三个代表”重要思想，促进城乡统筹发展，推到解决“三农”问题的高度，认识培育发展农村专业经济协会的重要意义。在学习讨论中，大家谈到，我国农民人数众多，在农村，代表最广大人民的根本利益，就是要代表广大农民的根本利益；坚持科学的、可持续的发展观，做好“五个”统筹，重点和难点在于城乡统筹发展；没有农业的发展、农村的繁荣和农民的富裕，就没有社会的全面发展。十一届三中全会以后，我国农村经历了家庭联产承包责任制和乡镇企业发展的两次改革浪潮，农村专业经济协会的兴起和发展是继其后的又一次改革。农村专业经济协会有效地整合了农村生产力资源、有力地促进了农业产业结构的调整，推进了农业的专业化、产业化、市场化和国际化，推动了农村的精神文明建设和维护农村社会稳定，对建设现代农业，发展农村经济，增加农民收入具有重要的作用，是促进解决“三农”问题非常有效的形式之一。大家认为，我们抓农村专业经济协会的培育和发展，就是要从这样的高度，从宏观上来认识和理解其重要意义。

二是民政部门要把农村专业经济协会作为民间组织管理工作新的增长点，积极做好培育发展工作。大家谈到，农村专业经济协会出现的时间还不长，对民间组织管理部门来说，还是一项新生的事物。过去登记管理的重点在县级以上的社团，农村专业经济协会这一类“草根组织”没有纳入工作视野。现在，农村专业经济协会逐渐被大家所认识，其登记管理工作已引起我们的高度重视。任何事物都有一个发生、发展的过程，对新生事物的认识也有一个逐步深化的过程。我们要从支持新生事物的高度，抓好农村专业经济协会的培育和发展工作，这是民间组织管理工作向基层延伸的一个新的增长点。农村专业经济协会不登记，没有主体资格，开展活动就会受到局限。只有积极帮助农村专业经济协会进行登记，取得法人地位，才能使其获得更大的活动空间，发挥更大的作用，这是我们登记管理机关义不容辞的责任。很多同志还谈到，民政部门抓农村专业经济协会工作，搞好登记很重要，是我们要抓的关键环节，我们要降低门槛、放宽条件，把相对成熟的农村专业经济协会都发展进来，但又不能仅仅停留在登记上，工作还要进一步延伸，克服各种困难，发挥主观能动性，想方设法做好登记之后的培育发展工作，特别是要注重统筹协调，形成合力，提供更多的服务，为农村专业经济协会的健康发展创造良好的环境。

三是必须坚持农村专业经济协会的非营利性质，把农村专业经济协会与其他以营利为目的的经济合作组织区分开来。大家认为，农村合作经济组织的具体形式很多，但概括起来，可以分为营利和非营利两大类。农村专业经济协会重要的特征就是非营利性，抓农村专业经济协会的培育发展，应坚持这个特性，否则民政部门的登记管理就缺乏法律依据。有的同志提到，在实际工作中，有些农村专业经济协会开展了一部分经营活动，与合作社、个人合伙等区别不大，难以界定，这就涉及到对非营利性的理解问题。所谓非营利性不是说该组织不能进行经营活动，而是看经营活动获得的收入是不是在成员中分配，只要没有分配收入，用于为会员提供更多的服务，用于事业的进一步发展，就应认为是非营利组织，这是国际通行的标准。坚持农村专业经济协会的非营利性，要求我们在登记时必须掌握标准，对以营利为目的的组织不能登记，对已登记的农村专业经济协会，如果发现其成了营利性组织，则要妥善做好工作，转到工商部门去登记。

四是必须坚持与时俱进，探索农村专业经济协会登记管理的新路子。同志们谈到，农村专业经济协会产生于上个世纪八、九十年代，是农民在生产和流通实践中摸索出来的一种组织形式，是千百万农民的伟大创举。它不同于公司等营利性组织，与自上而下成立的社团组织也有区别，是典型的“草根组织”，呈现出了与以往登记管理的社团所不同的一些新特点，如规模小、组织松散、内部机构不健全、季节性强等，但农村专业经济协会正是以它的“小、灵、散”等特点而为农民所欢迎、所喜爱，已显示出蓬勃的生命力。对这类组织的定位是专业经济组织，不是其他类型的组织。我们的思想可以解放一点，政策标准放得宽一点，多培育发展一些。多年来，登记管理的社团有一套传统模式。按这种模式批准成立的社团优点很明显，但缺点也很明显，自上而下成立，行政色彩浓，官气重，民气差，缺乏活力。但模式形成之后，改革起来难度很大。现在我们登记管理的农村专业经济协会，是一类新的民间组织，这类组织自下而上成立，是农民自己的组织，是真正的民间组织。对于这类新的民间组织，不能以老的眼光来看待它，不能以固有的模式来要求它，不能以传统的方式管理它，而要从实际出发，与时俱进，在有利于农业发展、农村繁荣、农民富裕的前提下，摸索创造新的登记管理模式。现在我们刚刚开始对这类组织进行登记，这个头一定要开好，基础一定要打好。摸索出新经验，走出新路子，进而为今后登记管理其他类的基层民间组织组织提供借鉴。这也是我国民间组织登记管理的一种改革尝试。

二、各地培育发展农村专业经济协会的经验给我们的启示

在这次会议上，有一部分省、市的同志介绍了他们在培育发展农村专业经济协会方面的体会，还有一些地方提供了书面材料，从不同的方面总结了培育发展农村专业经济协会的成功经验。讨论中，大家认为这些经验非常宝贵，给人以深刻的启示，概括起来，这些经验主要是：

（一）领导重视和支持是做好农村专业经济协会培育发展工作的关键。农村专业经济协会培育发展工作能否做好，关键在领导。领导的重视和支持体现在两个方面：一方面，民政部门要积极向党委和政府汇报农村专业经济协会的情况，争取党委和政府领导同志的重视和支持，使他们掌握农村专业经济协会发展和管理动态，及时研究、解决工作中出现的问题。另一方面是民政部门领导的重视和支持。凡是把农村专业经济协会培育发展工作列入民政部门重要议事日程，领导亲自抓，经常过问、周密部署的地方，农村专业经济协会培育发展就取得了较大成绩。民政部门领导重视了，工作有了位置，也就能争取到党委和政府领导的重视和支持，就能列入党委和政府工作的大局，工作中的难点问题就能得到很好的解决。这是很多地方农村专业经济协会发展的一条基本经验。

（二）民政部门牵头，各部门统筹协调，形成合力是农村专业经济协会健康发展的保证。农村专业经济协会的社团性质决定了在其培育发展和登记管理工作中，民政部门必须发挥重要作用，必须高度重视，下大力去抓。但是这项工作涉及到方方面面，涉及到很多部门，如农业、科协、水利、水产、畜牧、供销社等，仅靠民政部门一家唱独角戏是远远不够的，民政部门的职责和能力都是有限的，必须协调各方力量，形成合力，才能把农村专业经济协会的工作做好。各地的经验充分证明了这一点。有的地方民政部门积极工作，争取到了党委和政府的重视和支持，以党委、政府两办的名义下发了文件，确定了阶段性目标，明确了相关部门的职责，提出了具体要求。有的地方民政部门主动与有关部门协调，共商农村专业经济协会发展大计，争取他们的支持，工作搞的有声有色。山东省民政厅经过积极努力，不仅协调农、林、牧、渔、科技、供销等部门，还沟通发改、工商、物价、税务、贸易、粮食等部门，以省政府办公厅的名义下发文件，明确了各部门在扶持农经协的不同职责，力度很大。广西民政厅与农业厅、水利厅、水产畜牧局、林业局、科协等六部门联合下发了《关于加快农村专业经济协会登记管理和培育发展工作的通知》，明确了指导思想、登记管理办法、培育发展的措施、各部门的职责以及组织落实等。文件的下发对促进广西农村专业经济协会发展起到了很好的作用。在抓好农村专业经济协会工作中，这条经验具有普遍意义，应当坚持下去。

（三）“民办、民管、民受益”是农村专业经济协会发展必须坚持的重要原则。农村专业经济协会是农民在生产和流通过程中为了共同的利益自愿组成的，必须坚持其民间性，有的地方将其概括为“民办、民管、民受益”。所谓“民办”就是农民根据自己的需要，自发成立，入会自愿、退会自由；所谓“民管”即在遵守有关法律和政策的前提下，农民自我管理，自主发展，进行自律，不要行政干预。“民办”、“民管”的最终结果必然是“民受益”。这条原则十分重要，必须坚持，很多地方农村专业经济协会发展的经验也证明了这一点。当然，农村专业经济协会的健康发展离不开政府的支持，这与其民间性并不矛盾。政府的支持是多方面的，主要表现在：登记管理，赋予其法人地位；政策引导，为其发展创造良好的政策环境；进一步转变政府职能，将政府管不了、管不好的事情而农村专业经济协会又能承担的职能转移出来，给予必要的资助。资助可以通过购买农村专业经济协会服务的方式来进行，或参照市场经济国家的通行做法，在协会开拓市场过程中政府给予适当的补贴，等等。有的地方把政府和农经协的关系归纳为：“管理不包办，搭台不唱戏，参与不干预，扶持不代替”。这是很形象的概括。

农村专业经济协会出现的时间不长，纳入民政部门视野的时间更短，尽管这些年各级民政部门勇于实践，大胆探索，做了大量工作，已经有了很多好的做法，积累了很多成功经验。但总体看，我们对这个新事物的认识还不够深刻，不够全面，有些认识不统一，工作中还有不少困难，很多问题有待进一步深入研究。希望各地以贯彻落实这次会议精神为契机，进一步解放思想，实事求是，研究新情况，解决新问题，使农村专业经济协会培育发展工作迈上一个新的台阶。

三、关于会议的传达贯彻

这次会议是一次全面部署农村专业经济协会登记管理工作，促进农村专业经济协会健康发展的重要会议，要认真传达贯彻会议精神。关于传达贯彻，我简要讲三点。

一是要向上汇报。农经协工作是一项服务大局的工作，党委、政府很重视，因此，回去以后各地要把会议精神向党委和政府作一次汇报，使领导同志了解全国的情况和先进地方的经验，了解本地区的差距，了解民政部抓这项工作的思路，从而争取领导的进一步重视和支持。

二是要组织学习和向下传达。对两位部长讲话，回去以后要向厅党组汇报，并组织有关人员认真学习，领会精神，研究贯彻措施。特别要抓好县级民政部门的传达学习，在抓农经协工作中加以贯彻落实。

三是要积极主动与有关部门沟通，通报会议精神，研究贯彻措施，落实有关扶持政策。各地贯彻落实会议精神的情况，要及时向部里反馈。

同志们，这次会议，经过一个多月的精心准备，开得很顺利。这次山东省委、省政府、省民政厅，烟台市委、市政府，市民政局，龙口、莱州市委、市政府和市民政局对会议高度重视，给会议提供了多方面的支持和帮助，他们周密部署，精心安排，加班加点，准备工作非常充分，保证了会议的顺利召开。我提议，大家以热烈的掌声向他们表示衷心的感谢！

民政部民间组织管理局局长孙伟林在“全国行业协会成就汇报展览会情况通报会”上的讲话

（2004 年 12 月 8 日）

各位领导、各位来宾，女士们、先生们：

下午好！欢迎大家参加本次情况通报会！

在全党全国人民认真贯彻落实党的十六届四中全会精神，推进全面建设小康社会的新形势下，改革开放 26 年来的首届全国行业协会成就汇报展览会明天就要隆重开幕了。举办“全国行业协会成就汇报展览会”的设想，早在几年前就提出来了。2002 年，我部与原国家经贸委等有关部门协商，认为行业协会在经济发展和社会发展中取得了各方面的成就、硕果累累，应当有所展示，建议由全国行业协会的登记管理机关，也就是民政部牵头，各个行业协会的业务主管部门配合，举办一次“行业协会展览会”，这个提议得到了民政部领导的重视，经研究，列入了 2003 年的工作计划，并与经贸委开始了具体研究和运作，但由于国家经贸委在机构改革中撤销和“非典”的影响，展览的组织工作暂停。今年，根据机构改革后部门职能调整的实际情况，2004 年，民政部与国家发展和改革委员会、国务院国有资产监督管理委员会继续协商，决定在 2004 年由民政部、国家发展和改革委员会、国务院国有资产监督管理委员会三家共同主办“全国行业协会成就汇报展览会”。

2004 年 8 月 16 日，民政部、发改委和国资委三家共同签发了《关于举办" 全国行业协会成就汇报展览会"的通知》。展览会由民政部、发改委和国资委三家共同主办，教育部、科技部等 28 家业务主管单位和各省、自治区、直辖市民政厅（局），计划单列市民政局，新疆生产建设兵团民政局作为协办单位，定于 12 月 9 日至 11 日在北京展览馆举行。本届展览会吸引了广大行业协会的积极参与，受到了社会各界的广泛关注，共有来自 456 家行业协会参展，其中全国性行业协会 229 个、来自 33 个业务主管单位，地方行业协会 227 个、来自 30 个省级民政厅（局），展览占地面积约 20000 平方米。展览会将围绕“展示、促进、发展、成就”的主题，全面系统地展示改革开放以来我国行业协会的发展历程和经验成就，探讨新形势下行业协会的发展方向，进行全方位和多层次的交流与合作。参加本届展览会的行业协会，都是多年来在各自的行业为国家的经济体制改革，为社会发展和进步做出显著成就的协会，不少协会还在 12 月 10 日在人民大会堂召开的全国先进民间组织表彰大会上受到表彰。这次展会为广大行业协会提供了交流经验、展示风采、加强合作的平台，堪称是一次规模空前的盛会。

在我国，民间组织已成为社会组织结构的重要部分，行业协会则是民间组织的一个重要方面。行业协会作为市场经济具有活力的重要参与力量，已被国际社会所认可。新中国的行业协会产生于二十世纪七十年代末，我国实行改革开放政策以后，伴随着我国经济发展、政府机构改革和社会主义市场经济体制建设的步伐而不断壮大。在党和国家的高度重视下，在各级政府的积极扶持下，行业协会等中介组织已成为当前我国民间组织中发展最迅速、门类最齐全、作用日渐明显的社团组织，在我国的社会经济生活中发挥了越来越重要的作用。目前，全国各类行业协会已达四万多家，约占我国社会团体总量的近三分之一。行业协会之所以取得今天的发展成就，与党和政府的重视是密不可分的。多年来，党和政府采取了多方面的改革措施，积极培育和扶持行业协会的发展。

1989 年，国务院适应行业协会和社团组织发展的需要，及时颁布了《社会团体登记管理条例》，并于 1998 年对条例进行了修订，为行业协会的健康成长奠定了法律基础。

1998 年，国务院召开民间组织工作会议，提出了培育发展和监督管理并重的民间组织工作方针，使各级党政部门更加重视行业协会的培育发展，并加强了行业协会规范化管理的力度。

2003 年 5 月 27 日，在国务院召开的第十一次全国民政工作会议上，朱镕基明确指出，要坚持培育发展和监督管理并重的方针，把培育发展的重点，放在真正按照市场经济要求建立的行业中介组织、社会公益和服务性的民间组织上来。

2003 年 10 月党的十六届三中全会通过的《中共中央关于完善社会主义市场经济体制若干问题的决定》提出："积极发展独立公正、规范运作的专业化市场中介服务机构，按市场化原则规范和发展各类行业协会、商会等自律性组织。"

2004 年 9 月 19 日，党的十六届四中全会通过的《中共中央关于加强党的执政能力建设的决定》明确提出："发挥社团、行业组织和社会中介组织提供服务、反映诉求、规范行为的作用，形成社会管理和社会服务的合力。"

在党中央国务院领导的高度重视、各级政府的积极支持下，二十多年来，广大行业协会在正确执行党和政府的方针政策，制定行业规范、实现行业自律，维护市场秩序、推动公平竞争，反映企业诉求、完善社会服务以及承担政府转移职能、促进机构改革诸方面都做出了积极贡献。尤其是我国加入 WTO 以后，行业协会在经济全球化的新形势下，走上经济活动的最前台，在指导企业开拓国际市场、推进行业技术进步、维护行业企业利益等方面又做出了新的业绩，积累了新的经验。不少行业协会已经在诸如倾销反倾销的斗争中发挥了行业协会的特殊作用，为维护国家利益、行业利益、企业利益做出了贡献，得到了社会各界的充分肯定。

随着经济全球化的迅猛发展和我国各项改革不断深入，行业协会的作用会更加明显，责任会更加重大，在面临难得发展机遇的同时又会面对严峻的挑战。举办这样的展览，是总结宣传行业协会在社会政治经济生活中的积极作用，提高行业协会的社会公信力和国际竞争力，推动行业协会为全面建设小康社会发挥更大的作用。

参展单位在这次展览会上所汇报的成就和经验，仅仅是我国行业协会整体形象的一个缩影，它标志着我国的行业协会经过二十多年的摸索和实践，已经进入了改革发展、完善提高的阶段。我们相信，通过这次展览，会引导和促进行业协会在新的形势下进一步明确方向、转变观念，在"提供服务、反映诉求、规范行为"方面承担更多的责任，为建设社会主义和谐社会，实现中华民族的伟大复兴做出更大的贡献。

相信本届展览会在社会各方共同努力和新闻界的积极支持下，一定会取得圆满成功！

谢谢大家！

做好评估体系建设推进民间组织管理工作

——在中英民间组织评估问题研讨会上的讲话

（2004 年 12 月 15 日）

民政部民间组织管理局局长　孙伟林

尊敬的姜部长，尊敬的公使先生，各位来宾，女士们、先生们：

大家上午好！

今天，我们民政部民间组织管理局和英国使馆文化处，共同在这里举办民间组织评估问题国际研讨会。首先，我代表民政部民间组织管理局，向大家表示热烈的欢迎和诚挚的感谢！借这个机会，我想向大家介绍一下中国民间组织评估的有关情况，以及民政部对民间组织评估问题的一些思考，供大家参考！

中国的民间组织分为三类，即社会团体、民办非企业单位和基金会。目前在中国各级民政部门登记的民间组织有 27 万之多，其中社会团体 14．6 万，民办非企业单位 12．4 万，基金会 1000 多家。这些民间组织在促进中国的社会进步、经济发展、促进公益事业、维护社会公平，特别是在促进整个社会与经济的和谐发展中，发挥了积极作用。为了更好地发挥民间组织的作用，中国政府对民间组织实行的是培育发展和监督管理并重的方针。一方面，通过培育发展，民间组织的数量和质量，才能得到增加和提高，才能发挥更大更积极的作用；另一方面，培育发展需要利用监督管理的手段，监管工作做好了，才能促进培育发展，才能给民间组织创造一个良好的社会环境。

实际上，不管是培育发展还是监督管理，都离不开对民间组织的评估。对民间组织的状况没有一个比较正确、准确、比较合乎实际的理解和评估，就失去了制定切合实际的、良好的培育发展和监督管理政策措施的客观基础。

在这里，我不去追溯文革以前中国政府对民间组织的评估问题。因为新中国刚成立的时候，中央人民政府政务院 1950 年颁布的《社会团体登记暂行办法》，当时主要是为了清理解放前的社会团体，重点是登记。文革十年，全中国都处于一种全面混乱的状况，基本上不存在民间组织的登记管理问题，改革开放后，随着经济的发展和社会转型，人民群众的结社意识空前高涨，各种社会团体等民间组织大量涌现，但是到 1989 年《社会团体登记管理条例》出台前，是各部门自行审批管理社会团体，混乱问题依然存在，对民间组织的评估问题依然没有提上议事日程。

1989 年 10 月，国务院发布了新的《社会团体登记管理条例》。国家以法规的形式，把社会团体的登记管理工作，交给了民政部门。在进行了复查登记以后，从 1995 年开始，民政部门依据《社会团体登记管理条例》，开始对社会团体（包括基金会）进行年度检查。民间组织的评估问题，才开始显现出来。在总结了以往年检工作经验的基础上，民政部于 1996 年 5 月出台了《社会团体年度检查暂行办法》，开始了政府对民间组织评估监管的制度化建设。

1998 年，国务院出台了修订后的《社会团体登记管理条例》和《民办非企业单位登记管理暂行条例》。民办非企业单位的登记管理工作，也由民政部门统一归口负责。中国的民间组织，就由原来

的社会团体和基金会，扩大到了民办非企业单位。从2000年起，民政部门在全国范围内开始了为期2年的民办非企业单位复查登记工作，从2001年起，民政部门开始探索对民办非企业单位进行年度检查。迄今已进行了4次民办非企业单位的年度检查。

中国在年度检查方面的基本做法是，按照条例和有关政策要求，首先是民间组织自身对照有关法律法规、国家政策和自己的章程，对过去一年的工作，进行自我总结、掌握检查、掌握评价。在此基础上，由业务主管单位根据他们掌握的民间组织的情况，进行初审，提出意见。最后，由登记管理机关，综合有关方面的情况，包括社会其他各界对有关民间组织的反应，进行全面细致的评估，并做出年检合格或年检不合格的结论。合格的通过年检，不合格的要限期整改。可以看出，中国过去十几年的民间组织评估工作，是以登记管理机关的对民间组织的年度检查为中心展开的。当然，我们也注重探索了其他评估方式，如政府其他部门、社会组织和新闻媒体等对民间组织的评估，并注意把社会评估的结果体现在年度检查中。也就是把政府评估和社会评估结合起来。

应该说，近年来中国民间组织的评估工作取得了较好的成绩，在年度检查中，也创新了一些工作方式。如，和有关业务主管单位联合年检，提高了效率，方便了群众；现场办公，实地检查，便于发现、解决问题；利用互联网为平台发布年检信息，方便群众下载有关材料，尝试网上年检，等等。整体来看，评估工作，提高了民间组织自律水平和整体素质，增进了民间组织的诚信度和公信力，提供了政府部门制定切实可行的政策措施的基础，保证了民间组织积极作用的发挥。总结我们的工作，可以归纳出以下几点经验：首先，依法行政是做好评估工作的前提和保证，年检工作必须依法律法规和政策的有关规定进行；其次，业务主管单位和社会各界（特别是其他政府部门、社会组织、新闻媒体）进行的社会评估，是登记管理机关年度检查的有益补充；第三，只有以便民、高效为原则，才能不断创新评估方式、完善评估机制。

勿庸讳言，我们的评估工作还存在许多需要完善的地方。一是法制还不健全，缺乏可操作性较强的规章政策。虽有法规规定，却只是笼统的框架。社会团体、基金会和民办非企业单位，都还没有正式的年度检查办法。二是评估体系和机制还有待完善。三是缺乏中立的社会评估机构，社会监督和评估体系，尚需建立。

认识到了问题的存在，就等于解决了一半。针对这些问题，民政部将采取必要的措施，加以改进。一是要建立健全评估的规章政策，促进评估工作的法制化规范化。经过我们的努力，今年将要以部长令出台的《民办非企业单位年度检查办法》。明年我们将根据《基金会管理条例》和即将出台的、新的《社会团体登记管理条例》，制定相关的年检办法。二是探索建立完善的评估机制和体系。通过完善机制和体系，建立规范、科学的评估标准，把登记管理机关进行的年度检查和新闻媒体、其他社会组织等进行的社会评估结合起来。三是发挥社会评估的作用。要制定政策，促进民间组织信息的公开、透明，便于社会监督和评估。要发挥新闻媒体的舆论监督作用，特别是要发挥有关社会组织的评估作用。我们拟设立专门举行评估的中介机构，进行独立的第三方评估。四是要探索网上年检的方式，加快民间组织管理工作的信息化建设，提高工作效率，方便群众。

女士们、先生们，民间组织是社会组织的重要组成部分，民间组织在促进经济和社会协调发展，建立和谐社会中，有着越来越广泛而积极的作用。做好管理工作意义重大。我们民政部民间组织管理局，愿意和社会各界、包括国内外的朋友，密切合作，共同研究有关问题，把中国的民间组织管理工作进一步推向前进，为中国的社会主义现代化建设事业，做出应有的贡献。

谢谢大家！

2004 年颁布的法律、法规和规章

基金会管理条例

（国务院第 39 次常务会议通过　2004 年 2 月 11 日
自 2004 年 6 月 1 日起施行）

第一章　总　　则

第一条　为了规范基金会的组织和活动，维护基金会、捐赠人和受益人的合法权益，促进社会力量参与公益事业，制定本条例。

第二条　本条例所称基金会，是指利用自然人、法人或者其他组织捐赠的财产，以从事公益事业为目的，按照本条例的规定成立的非营利性法人。

第三条　基金会分为面向公众募捐的基金会（以下简称公募基金会）和不得面向公众募捐的基金会（以下简称非公募基金会）。公募基金会按照募捐的地域范围，分为全国性公募基金会和地方性公募基金会。

第四条　基金会必须遵守宪法、法律、法规、规章和国家政策，不得危害国家安全、统一和民族团结，不得违背社会公德。

第五条　基金会依照章程从事公益活动，应当遵循公开、透明的原则。

第六条　国务院民政部门和省、自治区、直辖市人民政府民政部门是基金会的登记管理机关。

国务院民政部门负责下列基金会、基金会代表机构的登记管理工作：

（一）全国性公募基金会；

（二）拟由非内地居民担任法定代表人的基金会；

（三）原始基金超过 2000 万元，发起人向国务院民政部门提出设立申请的非公募基金会；

（四）境外基金会在中国内地设立的代表机构。

省、自治区、直辖市人民政府民政部门负责本行政区域内地方性公募基金会和不属于前款规定情况的非公募基金会的登记管理工作。

第七条　国务院有关部门或者国务院授权的组织，是国务院民政部门登记的基金会、境外基金会代表机构的业务主管单位。

省、自治区、直辖市人民政府有关部门或者省、自治区、直辖市人民政府授权的组织，是省、自治区、直辖市人民政府民政部门登记的基金会的业务主管单位。

第二章　设立、变更和注销

第八条　设立基金会，应当具备下列条件：

（一）为特定的公益目的而设立；

（二）全国性公募基金会的原始基金不低于 800 万元人民币，地方性公募基金会的原始基金不低于

400万元人民币，非公募基金会的原始基金不低于200万元人民币；原始基金必须为到账货币资金；

（三）有规范的名称、章程、组织机构以及与其开展活动相适应的专职工作人员；

（四）有固定的住所；

（五）能够独立承担民事责任。

第九条 申请设立基金会，申请人应当向登记管理机关提交下列文件：

（一）申请书；

（二）章程草案；

（三）验资证明和住所证明；

（四）理事名单、身份证明以及拟任理事长、副理事长、秘书长简历；

（五）业务主管单位同意设立的文件。

第十条 基金会章程必须明确基金会的公益性质，不得规定使特定自然人、法人或者其他组织受益的内容。

基金会章程应当载明下列事项：

（一）名称及住所；

（二）设立宗旨和公益活动的业务范围；

（三）原始基金数额；

（四）理事会的组成、职权和议事规则，理事的资格、产生程序和任期；

（五）法定代表人的职责；

（六）监事的职责、资格、产生程序和任期；

（七）财务会计报告的编制、审定制度；

（八）财产的管理、使用制度；

（九）基金会的终止条件、程序和终止后财产的处理。

第十一条 登记管理机关应当自收到本条例第九条所列全部有效文件之日起60日内，作出准予或者不予登记的决定。准予登记的，发给《基金会法人登记证书》；不予登记的，应当书面说明理由。

基金会设立登记的事项包括：名称、住所、类型、宗旨、公益活动的业务范围、原始基金数额和法定代表人。

第十二条 基金会拟设立分支机构、代表机构的，应当向原登记管理机关提出登记申请，并提交拟设机构的名称、住所和负责人等情况的文件。登记管理机关应当自收到前款所列全部有效文件之日起60日内作出准予或者不予登记的决定。准予登记的，发给《基金会分支（代表）机构登记证书》；不予登记的，应当书面说明理由。基金会分支机构、基金会代表机构设立登记的事项包括：名称、住所、公益活动的业务范围和负责人。基金会分支机构、基金会代表机构依据基金会的授权开展活动，不具有法人资格。

第十三条 境外基金会在中国内地设立代表机构，应当经有关业务主管单位同意后，向登记管理机关提交下列文件：

（一）申请书；

（二）基金会在境外依法登记成立的证明和基金会章程；

（三）拟设代表机构负责人身份证明及简历；

（四）住所证明；

（五）业务主管单位同意在中国内地设立代表机构的文件。

登记管理机关应当自收到前款所列全部有效文件之日起60日内，作出准予或者不予登记的决定。准予登记的，发给《境外基金会代表机构登记证书》；不予登记的，应当书面说明理由。

境外基金会代表机构设立登记的事项包括：名称、住所、公益活动的业务范围和负责人。

境外基金会代表机构应当从事符合中国公益事业性质的公益活动。境外基金会对其在中国内地代表机构的民事行为，依照中国法律承担民事责任。

第十四条　基金会、境外基金会代表机构依照本条例登记后，应当依法办理税务登记。

基金会、境外基金会代表机构，凭登记证书依法申请组织机构代码、刻制印章、开立银行账户。

基金会、境外基金会代表机构应当将组织机构代码、印章式样、银行账号以及税务登记证件复印件报登记管理机关备案。

第十五条　基金会、基金会分支机构、基金会代表机构和境外基金会代表机构的登记事项需要变更的，应当向登记管理机关申请变更登记。

基金会修改章程，应当征得其业务主管单位的同意，并报登记管理机关核准。

第十六条　基金会、境外基金会代表机构有下列情形之一的，应当向登记管理机关申请注销登记：

（一）按照章程规定终止的；

（二）无法按照章程规定的宗旨继续从事公益活动的；

（三）由于其他原因终止的。

第十七条　基金会撤销其分支机构、代表机构的，应当向登记管理机关办理分支机构、代表机构的注销登记。

基金会注销的，其分支机构、代表机构同时注销。

第十八条　基金会在办理注销登记前，应当在登记管理机关、业务主管单位的指导下成立清算组织，完成清算工作。

基金会应当自清算结束之日起15日内向登记管理机关办理注销登记；在清算期间不得开展清算以外的活动。

第十九条　基金会、基金会分支机构、基金会代表机构以及境外基金会代表机构的设立、变更、注销登记，由登记管理机关向社会公告。

第三章　组织机构

第二十条　基金会设理事会，理事为5人至25人，理事任期由章程规定，但每届任期不得超过5年。理事任期届满，连选可以连任。

用私人财产设立的非公募基金会，相互间有近亲属关系的基金会理事，总数不得超过理事总人数的三分之一；其他基金会，具有近亲属关系的不得同时在理事会任职。

在基金会领取报酬的理事不得超过理事总人数的三分之一。

理事会设理事长、副理事长和秘书长，从理事中选举产生，理事长是基金会的法定代表人。

第二十一条　理事会是基金会的决策机构，依法行使章程规定的职权。

理事会每年至少召开2次会议。理事会会议须有三分之二以上理事出席方能召开；理事会决议须经出席理事过半数通过方为有效。

下列重要事项的决议，须经出席理事表决，三分之二以上通过方为有效：

（一）章程的修改；

（二）选举或者罢免理事长、副理事长、秘书长；

（三）章程规定的重大募捐、投资活动；

（四）基金会的分立、合并。

理事会会议应当制作会议记录，并由出席理事审阅、签名。

第二十二条 基金会设监事。监事任期与理事任期相同。理事、理事的近亲属和基金会财会人员不得兼任监事。

监事依照章程规定的程序检查基金会财务和会计资料，监督理事会遵守法律和章程的情况。

监事列席理事会会议，有权向理事会提出质询和建议，并应当向登记管理机关、业务主管单位以及税务、会计主管部门反映情况。

第二十三条 基金会理事长、副理事长和秘书长不得由现职国家工作人员兼任。基金会的法定代表人，不得同时担任其他组织的法定代表人。公募基金会和原始基金来自中国内地的非公募基金会的法定代表人，应当由内地居民担任。

因犯罪被判处管制、拘役或者有期徒刑，刑期执行完毕之日起未逾5年的，因犯罪被判处剥夺政治权利正在执行期间或者曾经被判处剥夺政治权利的，以及曾在因违法被撤销登记的基金会担任理事长、副理事长或者秘书长，且对该基金会的违法行为负有个人责任，自该基金会被撤销之日起未逾5年的，不得担任基金会的理事长、副理事长或者秘书长。

基金会理事遇有个人利益与基金会利益关联时，不得参与相关事宜的决策；基金会理事、监事及其近亲属不得与其所在的基金会有任何交易行为。

监事和未在基金会担任专职工作的理事不得从基金会获取报酬。

第二十四条 担任基金会理事长、副理事长或者秘书长的香港居民、澳门居民、台湾居民、外国人以及境外基金会代表机构的负责人，每年在中国内地居留时间不得少于3个月。

第四章 财产的管理和使用

第二十五条 基金会组织募捐、接受捐赠，应当符合章程规定的宗旨和公益活动的业务范围。境外基金会代表机构不得在中国境内组织募捐、接受捐赠。

公募基金会组织募捐，应当向社会公布募得资金后拟开展的公益活动和资金的详细使用计划。

第二十六条 基金会及其捐赠人、受益人依照法律、行政法规的规定享受税收优惠。

第二十七条 基金会的财产及其他收入受法律保护，任何单位和个人不得私分、侵占、挪用。

基金会应当根据章程规定的宗旨和公益活动的业务范围使用其财产；捐赠协议明确了具体使用方式的捐赠，根据捐赠协议的约定使用。

接受捐赠的物资无法用于符合其宗旨的用途时，基金会可以依法拍卖或者变卖，所得收入用于捐赠目的。

第二十八条 基金会应当按照合法、安全、有效的原则实现基金的保值、增值。

第二十九条 公募基金会每年用于从事章程规定的公益事业支出，不得低于上一年总收入的70%；非公募基金会每年用于从事章程规定的公益事业支出，不得低于上一年基金余额的8%。

基金会工作人员工资福利和行政办公支出不得超过当年总支出的10%。

第三十条 基金会开展公益资助项目，应当向社会公布所开展的公益资助项目种类以及申请、评审程序。

第三十一条 基金会可以与受助人签订协议，约定资助方式、资助数额以及资金用途和使用方式。

基金会有权对资助的使用情况进行监督。受助人未按协议约定使用资助或者有其他违反协议情形的，基金会有权解除资助协议。

第三十二条 基金会应当执行国家统一的会计制度，依法进行会计核算、建立健全内部会计监督制度。

第三十三条 基金会注销后的剩余财产应当按照章程的规定用于公益目的；无法按照章程规定处理的，由登记管理机关组织捐赠给与该基金会性质、宗旨相同的社会公益组织，并向社会公告。

第五章 监督管理

第三十四条 基金会登记管理机关履行下列监督管理职责：

（一）对基金会、境外基金会代表机构实施年度检查；

（二）对基金会、境外基金会代表机构依照本条例及其章程开展活动的情况进行日常监督管理；

（三）对基金会、境外基金会代表机构违反本条例的行为依法进行处罚。

第三十五条 基金会业务主管单位履行下列监督管理职责：

（一）指导、监督基金会、境外基金会代表机构依据法律和章程开展公益活动；

（二）负责基金会、境外基金会代表机构年度检查的初审；

（三）配合登记管理机关、其他执法部门查处基金会、境外基金会代表机构的违法行为。

第三十六条 基金会、境外基金会代表机构应当于每年 3 月 31 日前向登记管理机关报送上一年度工作报告，接受年度检查。年度工作报告在报送登记管理机关前应当经业务主管单位审查同意。

年度工作报告应当包括：财务会计报告、注册会计师审计报告，开展募捐、接受捐赠、提供资助等活动的情况以及人员和机构的变动情况等。

第三十七条 基金会应当接受税务、会计主管部门依法实施的税务监督和会计监督。

基金会在换届和更换法定代表人之前，应当进行财务审计。

第三十八条 基金会、境外基金会代表机构应当在通过登记管理机关的年度检查后，将年度工作报告在登记管理机关指定的媒体上公布，接受社会公众的查询、监督。

第三十九条 捐赠人有权向基金会查询捐赠财产的使用、管理情况，并提出意见和建议。对于捐赠人的查询，基金会应当及对如实答复。

基金会违反捐赠协议使用捐赠财产的，捐赠人有权要求基金会遵守捐赠协议或者向人民法院申请撤销捐赠行为、解除捐赠协议。

第六章 法律责任

第四十条 未经登记或者被撤销登记后以基金会、基金会分支机构、基金会代表机构或者境外基金会代表机构名义开展活动的，由登记管理机关予以取缔，没收非法财产并向社会公告。

第四十一条 基金会、基金会分支机构、基金会代表机构或者境外基金会代表机构有下列情形之一的，登记管理机关应当撤销登记：

（一）在申请登记时弄虚作假骗取登记的，或者自取得登记证书之日起 12 个月内未按章程规定开展活动的；

（二）符合注销条件，不按照本条例的规定办理注销登记仍继续开展活动的。

第四十二条 基金会、基金会分支机构、基金会代表机构或者境外基金会代表机构有下列情形之一的，由登记管理机关给予警告、责令停止活动；情节严重的，可以撤销登记：

（一）未按照章程规定的宗旨和公益活动的业务范围进行活动的；

（二）在填制会计凭证、登记会计账簿、编制财务会计报告中弄虚作假的；

（三）不按照规定办理变更登记的；

（四）未按照本条例的规定完成公益事业支出额度的；

（五）未按照本条例的规定接受年度检查，或者年度检查不合格的；

（六）不履行信息公布义务或者公布虚假信息的。

基金会、境外基金会代表机构有前款所列行为的，登记管理机关应当提请税务机关责令补交违法行为存续期间所享受的税收减免。

第四十三条 基金会理事会违反本条例和章程规定决策不当，致使基金会遭受财产损失的，参与决策的理事应当承担相应的赔偿责任。

基金会理事、监事以及专职工作人员私分、侵占、挪用基金会财产的，应当退还非法占用的财产；构成犯罪的，依法追究刑事责任。

第四十四条 基金会、境外基金会代表机构被责令停止活动的，由登记管理机关封存其登记证书、印章和财务凭证。

第四十五条 登记管理机关、业务主管单位工作人员滥用职权、玩忽职守、徇私舞弊，构成犯罪的，依法追究刑事责任；尚不构成犯罪的，依法给予行政处分或者纪律处分。

第七章 附 则

第四十六条 本条例所称境外基金会，是指在外国以及中华人民共和国香港特别行政区、澳门特别行政区和台湾地区合法成立的基金会。

第四十七条 基金会设立申请书、基金会年度工作报告的格式以及基金会章程范本，由国务院民政部门制订。

第四十八条 本条例自2004年6月1日起施行，1988年9月27日国务院发布的《基金会管理办法》同时废止。

本条例施行前已经设立的基金会、境外基金会代表机构，应当自本条例施行之日起6个月内，按照本条例的规定申请换发登记证书。

国务院法制办、民政部关于《基金会管理条例》的说明

1988年国务院发布施行了《基金会管理办法》（以下简称《办法》），对建立我国的基金会管理制度，促进基金会的健康发展起了重要作用。十几年来，我国已经登记各类基金会1000多家，其中全国性基金会80多家。基金会总资产约为50亿元人民币，从事社会公益资助约为40亿元，基金会在教育、科学、文化、卫生、医疗、环保、救灾、扶贫、社会福利、社区建设、弱者救助等社会公益

事业方面发挥了重要作用。

但是，随着我国经济和社会的全面发展以及政府职能的转变，现行《办法》已不能适应新形势下基金会发展和管理的要求。为此，民政部在总结《办法》实施经验的基础上，起草了《基金会管理条例（送审稿）》报送国务院。国务院法制办收到此件后，多次征求了税务总局、财政部、人民银行等有关部门和上海、北京、广东、四川、山东、陕西、贵州等省、直辖市人民政府的意见，就重点问题反复听取了基金会实务界和专家学者的意见和建议，并利用召开国际研讨会等形式对国外基金会管理制度进行了比较研究。在此基础上经过反复修改，形成了《基金会管理条例（草案）》（以下简称草案），现说明如下：

一、修改《办法》的必要性和指导思想

1988制定的《办法》规定了基金会由各归口管理部门报经人民银行审批、民政部门登记的管理体制。1998年，国务院决定基金会的审批、登记管理两项职责统归民政部门，人民银行不再参与基金会管理。这样，《办法》规定的管理体制不再适用，需要修改。随着市场经济体制的建立和政府职能的转变，许多社会公益事业越来越不能完全依赖政府解决，有必要完善基金会制度，为社会力量参与公益事业扩充渠道，促进经济社会全面协调发展。目前，我国的基金会在组织机构、财务会计、资产使用和管理等许多方面缺乏规范，基金会的公益性不能得到保障，影响了基金会的健康发展，迫切需要通过修改《办法》建章立制、加以规范。

这次修改的指导思想是：加强对基金会组织和行为的规范管理，确保基金会的公益性质，保障基金会健康发展，防止利用基金会这种公益组织从事诈骗、逃税或者危害国家安全和社会稳定的违法行为。

二、修改的主要内容

（一）实施分类登记管理

《办法》没有对基金会进行分类。为了加强基金会管理的针对性，限制向公众筹款的公募基金会的数量，防止募捐活动中的不良竞争和不规范行为，促进社会力量参与公益事业，草案根据基金会管理的实际并借鉴国外经验，把基金会分为可以面向公众募捐的基金会（简称公募基金会）和不得面向公众募捐的基金会（简称非公募基金会）（第三条）。并对不同类型的基金会在设立条件、理事会构成和财产使用和管理方面作了不同的规定。

（二）完善基金会组织机构规范

针对目前基金会普遍存在的内部组织机构不健全、管理不规范、决策权掌握在几个甚至某个人手中的问题，草案从公益法人组织机构的特点出发，对基金会组织机构规定了比公司等营利性组织更高的要求。草案专门设立了“组织机构”一章，明确规定理事会是基金会的决策机构，有针对性地规范了理事会的组成和议事决策程序（第二十条、第二十一条），监事的设置和职能（第二十二条），基金会负责人的条件以及防止基金会内部人员发生利益冲突行为的具体规则（第二十三条）。

（三）对基金会的开支比例作了明确要求

为了保障基金会的公益性，许多国家都对基金会用于公益支出的资金比例作了规定。草案根据我国基金会的实际情况，规定公募基金会公益支出不得低于上一年总收入的70%；非公募基金会每年的公益支出不得低于上一年基金余额的8%。此外，还规定基金会工作人员工资福利和行政办公支出不得超过当年总支出的10%（第二十九条）。

（四）强化基金会财务会计制度建设

财务会计制度是基金会规范运作的基础性制度，也是对基金会进行审计监督的重要依据。目前，财政部正在抓紧制定专门的非营利性法人财务会计制度，拟与基金会管理条例配套实施。鉴此，草案明确要求基金会章程中必须确立财务会计的编制、审定制度（第十条）；要求基金会应当执行国家统一的会计制度，依法进行会计核算，并建立健全内部会计监督制度（第三十二条）；基金会的年度工作报告中必须包括财务会计报告和注册会计师的审计报告（第三十六条）。对填制会计凭证、登记会计账簿、编制财务会计报告中弄虚作假的，草案规定了相应的法律责任（第四十二条）。

（五）加强对基金会的税收监管

通过税收管理基金会，是发达国家的主要做法。草案在规定基金会及其捐赠人、受益人可以依照法律、行政法规享受税收优惠的同时，明确要求基金会依法办理税务登记、接受税务部门的监督，对有违法行为的，税务机关可以责令补交违法行为存续期间享受的税收减免（第十四条、第二十六条、第三十七条、第四十二条）。

（六）明确了基金会涉外事项的管理

草案规定拟由非内地居民担任法定代表人的基金会以及境外基金会在中国内地设立的代表机构由国务院民政部门负责登记（第六条），同时规定公募基金会和资金来自内地的非公募基金会的法定代表人只能由内地居民担任（第二十三条第一款），并明确了境外基金会在中国内地设立代表机构的条件，要求境外基金会代表机构应当从事符合中国公益事业性质的公益活动，不允许在中国境内组织募捐或者接受捐赠（第十三条、第二十五条）。

基金会章程示范文本

说　明

一、根据2004年3月8日国务院颁布的《基金会管理条例》和其他有关法律法规制定此章程示范文本。

二、基金会章程示范文本，旨在为基金会制定章程提供范例。

三、基金会制定的章程，应当包括章程示范文本中所列全部条款，可根据实际情况作适当补充。

四、“〔　〕”内文字为制定要求。

第一章　总　则

第一条　本基金会的名称是____________________基金会。

〔基金会命名应当符合《基金会名称管理规定》。〕

第二条　本基金会属于（公募或非公募）基金会。

本基金会面向公众募捐的地域范围是：____________________。〔公募基金会〕

第三条　本基金会的宗旨：____。

第四条　本基金会的原始基金数额为人民币____________万元，来源于____________________。

第五条　本基金会的登记管理机关是______________________________，业务主管单位是____________________。

第六条　本基金会的住所______________________________。

第二章 业务范围

第七条 本基金会公益活动的业务范围〔必须具体、明确〕。

（一）____；

（二）____；

（三）____；

…………………………。

第三章 组织机构、负责人

第八条 本基金会由____________________名理事组成理事会。

本基金会理事每届任期为________年，任期届满，连选可以连任。

〔基金会理事人数不少于5人，且不多于25人。理事每届任期不得超过5年。〕

第九条 理事的资格：

（一）____；

（二）____；

（三）____；

……………………………。

第十条 理事的产生和罢免：

（一）第一届理事由业务主管单位、主要捐赠人、发起人分别提名并共同协商确定。

（二）理事会换届改选时，由业务主管单位、理事会、主要捐赠人共同提名候选人并组织换届领导小组，组织全部候选人共同选举产生新一届理事。

（三）罢免、增补理事应当经理事会表决通过，报业务主管单位审查同意；

（四）理事的选举和罢免结果报登记管理机关备案。

〔用私人财产设立的非公募基金会应注明：相互间有近亲属关系的基金会理事，总数不得超过理事总人数的1/3；其他基金会应注明：具有近亲属关系的不得同时在理事会任职。〕

第十一条 理事的权利和义务：

（一）____；

（二）____；

（三）____；

…………………………。

第十二条 本基金会的决策机构是理事会。理事会行使下列职权：

（一）制定、修改章程；

（二）选举、罢免理事长、副理事长、秘书长；

（三）决定重大业务活动计划，包括资金的募集、管理和使用计划；

（四）年度收支预算及决算审定；

（五）制定内部管理制度；

（六）决定设立办事机构、分支机构、代表机构；

（七）决定由秘书长提名的副秘书长和各机构主要负责人的聘任；

（八）听取、审议秘书长的工作报告，检查秘书长的工作；

（九）决定基金会的分立、合并或终止；

（十）决定其他重大事项。

第十三条 理事会每年召开________次〔至少2次〕会议。理事会会议由理事长负责召集和主持。

有1/3理事提议，必须召开理事会会议。如理事长不能召集，提议理事可推选召集人。

召开理事会会议，理事长或召集人需提前5日通知全体理事、监事。

第十四条 理事会会议须有2/3以上理事出席方能召开；理事会决议须经出席理事过半数通过方为有效。

下列重要事项的决议，须经出席理事表决，2/3以上通过方为有效：

（一）章程的修改；

（二）选举或者罢免理事长、副理事长、秘书长；

（三）章程规定的重大募捐、投资活动；

（四）基金会的分立、合并；

……………………………。

第十五条 理事会会议应当制作会议记录。形成决议的，应当当场制作会议纪要，并由出席理事审阅、签名。理事会决议违反法律、法规或章程规定，致使基金会遭受损失的，参与决议的理事应当承担责任。但经证明在表决时反对并记载于会议记录的，该理事可免除责任。

第十六条 本基金会设监事________名。监事任期与理事任期相同，期满可以连任。〔3名以上监事可设监事会。〕

第十七条 理事、理事的近亲属和基金会财会人员不得任监事。

第十八条 监事的产生和罢免：

（一）监事由主要捐赠人、业务主管单位分别选派；

（二）登记管理机关根据工作需要选派；

（三）监事的变更依照其产生程序。

第十九条 监事的权利和义务：

监事依照章程规定的程序检查基金会财务和会计资料，监督哩事会遵守法律和章程的情况。

监事列席理事会会议，有权向理事会提出质询和建议，并应当向登记管理机关、业务主管单位以及税务、会计主管部门反映隋况。

监事应当遵守有关法律法规和基金会章程，忠实履行职责。

第二十条 在本基金会领取报酬的理事不得超过理事总人数的1/3。监事和未在基金会担任专职工作的理事不得从基金会获取报酬。

第二十一条 本基金会理事遇有个人利益与基金会利益关联时，不得参与相关事宜的决策；基金会理事、监事及其近亲属不得与基金会有任何交易行为。

第二十二条 理事会设理事长、副理事长和秘书长，从理事中选举产生。

第二十三条 本基金会理事长、副理事长、秘书长必须符合以下条件：

（一）在本基金会业务领域内有较大影响；

（二）理事长、副理事长、秘书长最高任职年龄不超过70周岁，秘书长为专职；

（三）身体健康，能坚持正常工作；

（四）具有完全民事行为能力。

第二十四条 有下列情形之一的人员，不能担任本基金会的理事长、副理事长、秘书长：

（一）属于现职国家工作人员的；

（二）因犯罪被判处管制、拘役或者有期徒刑，刑期执行完毕之日起未逾 5 年的；

（三）因犯罪被判处剥夺政治权利正在执行期间或者曾经被判处剥夺政治权利的；

（四）曾在因违法被撤销登记的基金会担任理事长、副理事长或者秘书长，且对该基金会的违法行为负有个人责任，自该基金会被撤销之日起未逾 5 年的。

第二十五条 担任本基金会理事长、副理事长或者秘书长的香港居民、澳门居民、台湾居民以及外国人，每年在中国内地居留时间不得少于 3 个月。

〔本条适用于理事长、副理事长或者秘书长由境外人士担任的基金会。〕

第二十六条 本基金会的理事长、副理事长、秘书长每届任期________年，连任不超过两届。因特殊情况需超届连任的，须经理事会特殊程序表决通过，报业务主管单位审查并经登记管理机关批准同意后，方可任职。

第二十七条 本基金会理事长为基金会法定代表人。本基金会法定代表人不兼任其他组织的法定代表人。

本基金会法定代表人应当由中国内地居民担任。〔本款适用于公募基金会和原始基金来自中国内地的非公募基金会。〕

本基金会法定代表人在任期间，基金会发生违反《基金会管理条例》和本章程的行为，法定代表人应当承担相关责任。因法定代表人失职，导致基金会发生违法行为或基金会财产损失的，法定代表人应当承担个人责任。

第二十八条 本基金会理事长行使下列职权：

（一）召集和主持理事会会议；

（二）检查理事会决议的落实情况；

（三）代表基金会签署重要文件；

……………………………。

本基金会副理事长、秘书长在理事长领导下开展工作，秘书长行使下列职权：

（一）____；

（二）____；

（三）____；

……………………………………。

〔理事长的其他职权和秘书长的职权从以下选项中确定，理事长和秘书长的职权不能重叠，基金会可根据实际情况细化或进行补充：

主持开展日常工作，组织实施理事会决议；

组织实施基金会年度公益活动计划；

拟订资金的筹集、管理和使用计划；

拟订基金会的内部管理规章制度，报理事会审批；

协调各机构开展工作；

提议聘任或解聘副秘书长以及财务负责人，由理事会决定；

提议聘任或解聘各机构主要负责人，由理事会决定；

决定各机构专职工作人员聘用；

章程和理事会赋予的其他职权；

…………………………………。〕

第四章 财产的管理和使用

第二十九条 本基金会为公募（或非公募）基金会，本基金会的收入来源于：

（一）＿＿＿＿＿＿＿＿＿＿＿＿＿＿＿＿＿＿＿＿＿＿＿＿＿＿＿＿；

（二）＿＿＿＿＿＿＿＿＿＿＿＿＿＿＿＿＿＿＿＿＿＿＿＿＿＿＿＿；

（三）＿＿＿＿＿＿＿＿＿＿＿＿＿＿＿＿＿＿＿＿＿＿＿＿＿＿＿＿；

……………………………。

〔可选项：组织募捐的收入（公募基金会）；自然人、法人或其他组织自愿捐赠；投资收益；其他合法收入等。非公募基金会可以注明提供主要捐赠的自然人、法人或其他组织的具体姓名或名称。〕

第三十条 本基金会组织募捐〔非公募基金会无此项〕、接受捐赠，应当遵守法律法规，符合章程规定的宗旨和公益活动的业务范围。

第三十一条 本基金会组织募捐时，应当向社会公布募得资金后拟开展的公益活动和资金的详细使用计划。重大募捐活动应当报业务主管单位和登记管理机关备案。

本基金会组织募捐，不得以任何形式进行摊派及变相摊派。

〔本条适用于公募基金会。〕

第三十二条 本基金会的财产及其他收入受法律保护，任何单位、个人不得侵占、私分、挪用。

第三十三条 本基金会根据章程规定的宗旨和公益活动的业务范围使用财产；捐赠协议明确了具体使用方式的捐赠，根据捐赠协议的约定使用。

接受捐赠的物资无法用于符合本基金会宗旨的用途时，基金会可以依法拍卖或者变卖，所得收入用于捐赠目的。

第三十四条 本基金会财产主要用于：

（一）＿＿＿＿＿＿＿＿＿＿＿＿＿＿＿＿＿＿；

（二）＿＿＿＿＿＿＿＿＿＿＿＿＿＿＿＿＿＿；

（三）＿＿＿＿＿＿＿＿＿＿＿＿＿＿＿＿＿＿；

………………………………。

第三十五条 本基金会的重大募捐、投资活动是指：

（一）＿＿＿＿＿＿＿＿＿＿＿＿＿＿＿＿＿＿；

（二）＿＿＿＿＿＿＿＿＿＿＿＿＿＿＿＿＿＿；

（三）＿＿＿＿＿＿＿＿＿＿＿＿＿＿＿＿＿＿；

………………………………。

第三十六条 本基金会按照合法、安全、有效的原则实现基金的保值、增值。

第三十七条 本基金会每年用于从事章程规定的公益事业支出，不得低于上一年总收入的70%。〔公募基金会〕

本基金会每年用于从事章程规定的公益事业支出，不得低于上一年基金余额的8%。〔非公募基金会〕

本基金会工作人员工资福利和行政办公支出不超过当年总支出的10%。

第三十八条 本基金会开展公益资助项目，应当向社会公开所开展的公益资助项目种类以及申请、评审程序。

第三十九条 捐赠人有权向本基金会查询捐赠财产的使用、管理情况，并提出意见和建议。对于捐赠人的查询，基金会应当及时如实答复。

本基金会违反捐赠协议使用捐赠财产的，捐赠人有权要求基金会遵守捐赠协议或者向人民法院申请撤销捐赠行为、解除捐赠协议。

第四十条 本基金会可以与受助人签订协议，约定资助方式、资助数额以及资金用途和使用方式。

本基金会有权对资助的使用情况进行监督。受助人未按协议约定使用资助或者有其他违反协议情形的，本基金会有权解除资助协议。

第四十一条 本基金会应当执行国家统一的会计制度，依法进行会计核算、建立健全内部会计监督制度，保证会计资料合法、真实、准确、完整。

本基金会接受税务、会计主管部门依法实施的税务监督和会计监督。

第四十二条 本基金会配备具有专业资格的会计人员。会计不得兼出纳。会计人员调动工作或离职时，必须与接管人员办清交接手续。

第四十三条 本基金会每年1月1日至12月31日为业务及会计年度，每年3月31日前，理事会对下列事项进行审定：

（一）上年度业务报告及经费收支决算；

（二）本年度业务计划及经费收支预算；

（三）财产清册〔当年度捐赠者名册及有关资料〕。

第四十四条 本基金会进行年检、换届、更换法定代表人以及清算，应当进行财务审计。

第四十五条 本基金会按照《基金会管理条例》规定接受登记管理机关组织的年度检查。

第四十六条 本基金会通过登记管理机关的年度检查后，将年度工作报告在登记管理机关指定的媒体上公布，接受社会公众的查询、监督。

第五章 终止和剩余财产处理

第四十七条 本基金会有以下情形之一，应当终止：

（一）完成章程规定的宗旨的；

（二）无法按照章程规定的宗旨继续从事公益活动的；

（三）基金会发生分立、合并的；

……………………………（其他情形）。

第四十八条 本基金会终止，应在理事会表决通过后15日内，报业务主管单位审查同意。经业务主管单位审查同意后15内，向登记管理机关申请注销登记。

第四十九条 本基金会办理注销登记前，应当在登记管理机关、业务主管单位的指导下成立清算组织，完成清算工作。

本基金会应当自清算结束之日起15日内向登记管理机关办理注销登记；在清算期间不开展清算以外的活动。

第五十条 本基金会注销后的剩余财产，应当在业务主管单位和登记管理机关的监督下，通过以下方式用于公益目的：

（一）____；

（二）____；

（三）____；

…………………………。

无法按照上述方式处理的，由登记管理机关组织捐赠给与本基金会性质、宗旨相同的社会公益组织，并向社会公告。

第六章 章程修改

第五十一条 本章程的修改，须经理事会表决通过后 15 日内，报业务主管单位审查同意。经业务主管单位审查同意后，报登记管理机关核准。

第七章 附 则

第五十二条 本章程经 × 年 × 月 × 日理事会表决通过。

第五十三条 本章程的解释权属于理事会。

第五十四条 本章程自登记管理机关核准之日起生效。

中华人民共和国民办教育促进法实施条例

（国务院令〔2004〕第 399 号 2004 年 3 月 5 日）

第一章 总 则

第一条 根据《中华人民共和国民办教育促进法》（以下简称民办教育促进法），制定本条例。

第二条 国家机构以外的社会组织或者个人可以利用非国家财政性经费举办各级各类民办学校；但是，不得举办实施军事、警察、政治等特殊性质教育的民办学校。

民办教育促进法和本条例所称国家财政性经费，是指财政拨款、依法取得并应当上缴国库或者财政专户的财政性资金。

第三条 对于捐资举办民办学校表现突出或者为发展民办教育事业做出其他突出贡献的社会组织或者个人，县级以上人民政府给予奖励和表彰。

第二章 民办学校的举办者

第四条 国家机构以外的社会组织或者个人可以单独或者联合举办民办学校。联合举办民办学校的，应当签订联合办学协议，明确办学宗旨、培养目标以及各方的出资数额、方式和权利、义务等。

第五条 民办学校的举办者可以用资金、实物、土地使用权、知识产权以及其他财产作为办学出资。

国家的资助、向学生收取的费用和民办学校的借款、接受的捐赠财产，不属于民办学校举办者的出资。

第六条 公办学校参与举办民办学校，不得利用国家财政性经费，不得影响公办学校正常的教育教学活动，并应当经主管的教育行政部门或者劳动和社会保障行政部门按照国家规定的条件批准。公办学校参与举办的民办学校应当具有独立的法人资格，具有与公办学校相分离的校园和基本教育教学设施，实行独立的财务会计制度，独立招生，独立颁发学业证书。

参与举办民办学校的公办学校依法享有举办者权益，依法履行国有资产的管理义务，防止国有资产流失。

实施义务教育的公办学校不得转为民办学校。

第七条 举办者以国有资产参与举办民办学校的，应当根据国家有关国有资产监督管理的规定，聘请具有评估资格的中介机构依法进行评估，根据评估结果合理确定出资额，并报对该国有资产负有监管职责的机构备案。

第八条 民办学校的举办者应当按时、足额履行出资义务。民办学校存续期间，举办者不得抽逃出资，不得挪用办学经费。

民办学校的举办者不得向学生、学生家长筹集资金举办民办学校，不得向社会公开募集资金举办民办学校。

第九条 民办学校的举办者应当依照民办教育促进法和本条例的规定制定学校章程，推选民办学校的首届理事会、董事会或者其他形式决策机构的组成人员。

民办学校的举办者参加学校理事会、董事会或者其他形式决策机构的，应当依据学校章程规定的权限与程序，参与学校的办学和管理活动。

第十条 实施国家认可的教育考试、职业资格考试和技术等级考试等的考试机构，不得举办与其所实施的考试相关的民办学校。

第三章　民办学校的设立

第十一条 设立民办学校的审批权限，依照有关法律、法规的规定执行。

第十二条 民办学校的举办者在获得筹设批准书之日起3年内完成筹设的，可以提出正式设立申请。

第十三条 申请正式设立实施学历教育的民办学校的，审批机关受理申请后，应当组织专家委员会评议，由专家委员会提出咨询意见。

第十四条 民办学校的章程应当规定下列主要事项：

（一）学校的名称、地址；

（二）办学宗旨、规模、层次、形式等；

（三）学校资产的数额、来源、性质等；

（四）理事会、董事会或者其他形式决策机构的产生方法、人员构成、任期、议事规则等；

（五）学校的法定代表人；

（六）出资人是否要求取得合理回报；

（七）学校自行终止的事由；

（八）章程修改程序。

第十五条 民办学校只能使用一个名称。

民办学校的名称应当符合有关法律、行政法规的规定，不得损害社会公共利益。

第十六条 申请正式设立民办学校有下列情形之一的，审批机关不予批准，并书面说明理由：

（一）举办民办学校的社会组织或者个人不符合法律、行政法规规定的条件，或者实施义务教育的公办学校转为民办学校的；

（二）向学生、学生家长筹集资金举办民办学校或者向社会公开募集资金举办民办学校的；

（三）不具备相应的办学条件、未达到相应的设置标准的；

（四）学校章程不符合本条例规定要求，经告知仍不修改的；

（五）学校理事会、董事会或者其他形式决策机构的人员构成不符合法定要求，或者学校校长、教师、财会人员不具备法定资格，经告知仍不改正的。

第十七条　对批准正式设立的民办学校，审批机关应当颁发办学许可证，并将批准正式设立的民办学校及其章程向社会公告。

民办学校的办学许可证由国务院教育行政部门制定式样，由国务院教育行政部门、劳动和社会保障行政部门按照职责分工分别组织印制。

第十八条　民办学校依照有关法律、行政法规的规定申请登记时，应当向登记机关提交下列材料：

（一）登记申请书；

（二）办学许可证；

（三）拟任法定代表人的身份证明；

（四）学校章程。

登记机关应当自收到前款规定的申请材料之日起 5 个工作日内完成登记程序。

第四章　民办学校的组织与活动

第十九条　民办学校理事会、董事会或者其他形式决策机构的负责人应当品行良好，具有政治权利和完全民事行为能力。

国家机关工作人员不得担任民办学校理事会、董事会或者其他形式决策机构的成员。

第二十条　民办学校的理事会、董事会或者其他形式决策机构，每年至少召开一次会议。经 1/3 以上组成人员提议，可以召开理事会、董事会或者其他形式决策机构临时会议。

民办学校的理事会、董事会或者其他形式决策机构讨论下列重大事项，应当经 2/3 以上组成人员同意方可通过：

（一）聘任、解聘校长；

（二）修改学校章程；

（三）制定发展规划；

（四）审核预算、决算；

（五）决定学校的分立、合并、终止；

（六）学校章程规定的其他重大事项。

民办学校修改章程应当报审批机关备案，由审批机关向社会公告。

第二十一条　民办学校校长依法独立行使教育教学和行政管理职权。

民办学校内部组织机构的设置方案由校长提出，报理事会、董事会或者其他形式决策机构批准。

第二十二条　实施高等教育和中等职业技术学历教育的民办学校，可以按照办学宗旨和培养目标，自行设置专业、开设课程，自主选用教材。但是，民办学校应当将其所设置的专业、开设的课程、选用的教材报审批机关备案。

实施高级中等教育、义务教育的民办学校，可以自主开展教育教学活动。但是，该民办学校的教育教学活动应当达到国务院教育行政部门制定的课程标准，其所选用的教材应当依法审定。

实施学前教育的民办学校可以自主开展教育教学活动。但是，该民办学校不得违反有关法律、行政法规的规定。

实施以职业技能为主的职业资格培训、职业技能培训的民办学校，可以按照国家职业标准的要求开展培训活动。

第二十三条 民办学校聘任的教师应当具备《中华人民共和国教师法》和有关行政法规规定的教师资格和任职条件。

民办学校应当有一定数量的专职教师，其中，实施学历教育的民办学校聘任的专职教师数量应当不少于其教师总数的1/3。

第二十四条 民办学校自主聘任教师、职员。民办学校聘任教师、职员，应当签订聘任合同，明确双方的权利、义务等。

民办学校招用其他工作人员应当订立劳动合同。

民办学校聘任外籍人员，按照国家有关规定执行。

第二十五条 民办学校应当建立教师培训制度，为受聘教师接受相应的思想政治培训和业务培训提供条件。

第二十六条 民办学校应当按照招生简章或者招生广告的承诺，开设相应课程，开展教育教学活动，保证教育教学质量。

民办学校应当提供符合标准的校舍和教育教学设施、设备。

第二十七条 民办学校享有与同级同类公办学校同等的招生权，可以自主确定招生的范围、标准和方式；但是，招收接受高等学历教育的学生应当遵守国家有关规定。

县级以上地方人民政府教育行政部门、劳动和社会保障行政部门应当为外地的民办学校在本地招生提供平等待遇，不得实行地区封锁，不得滥收费用。

民办学校招收境外学生，按照国家有关规定执行。

第二十八条 民办学校应当依法建立学籍和教学管理制度，并报审批机关备案。

第二十九条 民办学校及其教师、职员、受教育者申请国家设立的有关科研项目、课题等，享有与公办学校及其教师、职员、受教育者同等的权利。

民办学校的受教育者在升学、就业、社会优待、参加先进评选、医疗保险等方面，享有与同级同类公办学校的受教育者同等的权利。

第三十条 实施高等学历教育的民办学校符合学位授予条件的，依照有关法律、行政法规的规定经审批同意后，可以获得相应的学位授予资格。

第三十一条 教育行政部门、劳动和社会保障行政部门和其他有关部门，组织有关的评奖评优、文艺体育活动和课题、项目招标，应当为民办学校及其教师、职员、受教育者提供同等的机会。

第三十二条 教育行政部门、劳动和社会保障行政部门应当加强对民办学校的日常监督，定期组织和委托社会中介组织评估民办学校办学水平和教育质量，并鼓励和支持民办学校开展教育教学研究工作，促进民办学校提高教育教学质量。

教育行政部门、劳动和社会保障行政部门对民办学校进行监督时，应当将监督的情况和处理结果予以记录，由监督人员签字后归档。公众有权查阅教育行政部门、劳动和社会保障行政部门的监督记录。

第三十三条 民办学校终止的，由审批机关收回办学许可证，通知登记机关，并予以公告。

第五章　民办学校的资产与财务管理

第三十四条 民办学校应当依照《中华人民共和国会计法》和国家统一的会计制度进行会计核算，编制财务会计报告。

第三十五条 民办学校对接受学历教育的受教育者收取费用的项目和标准，应当报价格主管部门批准并公示；对其他受教育者收取费用的项目和标准，应当报价格主管部门备案并公示。具体办法由国务院价格主管部门会同教育行政部门、劳动和社会保障行政部门制定。

第三十六条 民办学校资产中的国有资产的监督、管理，按照国家有关规定执行。

民办学校接受的捐赠财产的使用和管理，依照《中华人民共和国公益事业捐赠法》的有关规定执行。

第三十七条 在每个会计年度结束时，捐资举办的民办学校和出资人不要求取得合理回报的民办学校应当从年度净资产增加额中、出资人要求取得合理回报的民办学校应当从年度净收益中，按不低于年度净资产增加额或者净收益的25%的比例提取发展基金，用于学校的建设、维护和教学设备的添置、更新等。

第六章 扶持与奖励

第三十八条 捐资举办的民办学校和出资人不要求取得合理回报的民办学校，依法享受与公办学校同等的税收及其他优惠政策。

出资人要求取得合理回报的民办学校享受的税收优惠政策，由国务院财政部门、税务主管部门会同国务院有关行政部门制定。

民办学校应当依法办理税务登记，并在终止时依法办理注销税务登记手续。

第三十九条 民办学校可以设立基金接受捐赠财产，并依照有关法律、行政法规的规定接受监督。

民办学校可以依法以捐赠者的姓名、名称命名学校的校舍或者其他教育教学设施、生活设施。捐赠者对民办学校发展做出特殊贡献的，实施高等学历教育的民办学校经国务院教育行政部门按照国家规定的条件批准，其他民办学校经省、自治区、直辖市人民政府教育行政部门或者劳动和社会保障行政部门按照国家规定的条件批准，可以以捐赠者的姓名或者名称作为学校校名。

第四十条 在西部地区、边远贫困地区和少数民族地区举办的民办学校申请贷款用于学校自身发展的，享受国家相关的信贷优惠政策。

第四十一条 县级以上人民政府可以根据本行政区域的具体情况，设立民办教育发展专项资金。民办教育发展专项资金由财政部门负责管理，由教育行政部门或者劳动和社会保障行政部门报同级财政部门批准后使用。

第四十二条 县级人民政府根据本行政区域实施义务教育的需要，可以与民办学校签订协议，委托其承担部分义务教育任务。县级人民政府委托民办学校承担义务教育任务的，应当根据接受义务教育学生的数量和当地实施义务教育的公办学校的生均教育经费标准，拨付相应的教育经费。

受委托的民办学校向协议就读的学生收取的费用，不得高于当地同级同类公办学校的收费标准。

第四十三条 教育行政部门应当会同有关行政部门建立、完善有关制度，保证教师在公办学校和民办学校之间的合理流动。

第四十四条 出资人根据民办学校章程的规定要求取得合理回报的，可以在每个会计年度结束时，从民办学校的办学结余中按一定比例取得回报。

民办教育促进法和本条例所称办学结余，是指民办学校扣除办学成本等形成的年度净收益，扣除社会捐助、国家资助的资产，并依照本条例的规定预留发展基金以及按照国家有关规定提取其他必须的费用后的余额。

第四十五条 民办学校应当根据下列因素确定本校出资人从办学结余中取得回报的比例：

（一）收取费用的项目和标准；

（二）用于教育教学活动和改善办学条件的支出占收取费用的比例；

（三）办学水平和教育质量。

与同级同类其他民办学校相比较，收取费用高、用于教育教学活动和改善办学条件的支出占收取费用的比例低，并且办学水平和教育质量低的民办学校，其出资人从办学结余中取得回报的比例不得高于同级同类其他民办学校。

第四十六条 民办学校应当在确定出资人取得回报比例前，向社会公布与其办学水平和教育质量有关的材料和财务状况。

民办学校的理事会、董事会或者其他形式决策机构应当根据本条例第四十四条、第四十五条的规定做出出资人取得回报比例的决定。民办学校应当自该决定做出之日起15日内，将该决定和向社会公布的与其办学水平和教育质量有关的材料、财务状况报审批机关备案。

第四十七条 民办学校有下列情形之一的，出资人不得取得回报：

（一）发布虚假招生简章或者招生广告，骗取钱财的；

（二）擅自增加收取费用的项目、提高收取费用的标准，情节严重的：

（三）非法颁发或者伪造学历证书、职业资格证书的：

（四）骗取办学许可证或者伪造、变造、买卖、出租、出借办学许可证的；

（五）未依照《中华人民共和国会计法》和国家统一的会计制度进行会计核算、编制财务会计报告，财务、资产管理混乱的；

（六）违反国家税收征管法律、行政法规的规定，受到税务机关处罚的；

（七）校舍或者其他教育教学设施、设备存在重大安全隐患，未及时采取措施，致使发生重大伤亡事故的；

（八）教育教学质量低下，产生恶劣社会影响的。

出资人抽逃资金或者挪用办学经费的，不得取得回报。

第四十八条 除民办教育促进法和本条例规定的扶持与奖励措施外，省、自治区、直辖市人民政府还可以根据实际情况，制定本地区促进民办教育发展的扶持与奖励措施。

第七章　法律责任

第四十九条 有下列情形之一的，由审批机关没收出资人取得的回报，责令停止招生；情节严重的，吊销办学许可证；构成犯罪的，依法追究刑事责任：

（一）民办学校的章程未规定出资人要求取得合理回报，出资人擅自取得回报的；

（二）违反本条例第四十七条规定，不得取得回报而取得回报的；

（三）出资人不从办学结余而从民办学校的其他经费中提取回报的；

（四）不依照本条例的规定计算办学结余或者确定取得回报的比例的；

（五）出资人从办学结余中取得回报的比例过高，产生恶劣社会影响的。

第五十条 民办学校未依照本条例的规定将出资人取得回报比例的决定和向社会公布的与其办学水平和教育质量有关的材料、财务状况报审批机关备案，或者向审批机关备案的材料不真实的，由审批机关责令改正，并予以警告；有违法所得的，没收违法所得；情节严重的，责令停止招生、吊销办学许可证。

第五十一条 民办学校管理混乱严重影响教育教学，有下列情形之一的，依照民办教育促进法第六十二条的规定予以处罚：

（一）理事会、董事会或者其他形式决策机构未依法履行职责的；

（二）教学条件明显不能满足教学要求、教育教学质量低下，未及时采取措施的；

（三）校舍或者其他教育教学设施、设备存在重大安全隐患，未及时采取措施的；

（四）未依照《中华人民共和国会计法》和国家统一的会计制度进行会计核算、编制财务会计报告，财务、资产管理混乱的；

（五）侵犯受教育者的合法权益，产生恶劣社会影响的；

（六）违反国家规定聘任、解聘教师的。

第八章　附　　则

第五十二条　本条例施行前依法设立的民办学校继续保留，并在本条例施行之日起1年内，由原审批机关换发办学许可证。

第五十三条　本条例规定的扶持与奖励措施适用于中外合作办学机构。

第五十四条　本条例自2004年4月1日起施行。

民政部民间组织服务中心
关于开展全国性社会团体财务审计工作的通知

（2004年3月5日）

各全国性社会团体、各业务主管单位：

根据《2003年度全国性社会团体年度检查公告》，现就开展全国性社团2003年度检查财务审计工作有关事项通知如下：

1、年度财务审计社团的范围：社会团体法人登记证书登记证号的尾数为单号的社团，须按本通知的规定进行财务审计。

2、年度财务审计的范围：2003年度财务会计报表。

3、年度财务审计的内容：

（1）执行会计准则和会计制度及相关法律法规和有关政策情况。

（2）财务管理制度建立和执行情况。

（3）年度财务状况和经费收支情况。

（4）银行存款账户及使用情况。

（5）其它有关情况。

4、财务审计报告需附《社团及其分支机构、代表机构及办事机构银行账户情况表》。

具体审计安排请与民政部民间组织服务中心综合处联系。

国家税务总局关于纳税人通过阎宝航教育基金会的公益救济性捐赠税前扣除问题的通知

（国税函［2004］341号　2004年3月8日）

各省、自治区、直辖市和计划单列市国家税务局、地方税务局：

阎宝航教育基金会是在上海市民政局登记注册的非营利性的社会团体。根据《中华人民共和国企业所得税暂行条例》和《中华人民共和国个人所得税法》的有关规定，纳税人通过阎宝航教育基金会的公益救济性捐赠，企业在年度应纳税所得额3%以内部分，个人在申报应纳税所得额30%以内部分，准予在税前扣除。

关于印发《中国保监会关于加强保险行业协会建设的指导意见》的通知

（中国保险监督委员会2004年3月9日）

各保监局，各保险公司，中国保险行业协会，中国保险学会：

《中国保监会关于加强保险行业协会建设的指导意见》（以下简称《指导意见》），经保监会主席办公会议讨论通过，现予印发，并将有关事项通知如下：

一、随着我国市场经济体制的建立完善和政府职能的转变，保险行业协会将发挥越来越重要的作用。党的十六届三中全会作出的《中共中央关于完善社会主义市场经济体制若干问题的决定》，明确了协会的地位和发展方向，要求“按照市场化原则规范和发展各类行业协会、商会等自律性组织”。各单位要从贯彻十六届三中全会精神、落实全国保险工作会议精神的高度，进一步提高对加强保险行业协会建设紧迫性重要性的认识，并采取切实措施，抓紧抓好，抓出成效。

二、各保监局要把推动、加强保险行业协会建设列入重要议事日程，加强领导，指定专人负责，保证各项工作落到实处。要对所辖保险行业协会的现状、存在的问题等进行深入调查研究，并按照《指导意见》的有关要求，本着实事求是、循序渐进、因地制宜的原则，有针对性地制定加强保险行业协会建设的工作计划和目标措施，力争在2至3年内将各级保险行业协会建成组织体系完整、职能定位清晰、规章制度健全、有作为、有地位、有威望的行业自律组织。要把中国保险行业协会和省级保险行业协会作为建设的重点。已设立的省以下保险行业协会，要根据当地保险业和经济社会发展实际，发挥好服务职能；目前尚未设立的地方，暂不设立。

三、各保险机构要从健全和完善保险市场体系、营造良好竞争环境、加快保险业发展的高度，进一步统一思想，积极支持保险行业协会开展工作。要按照《指导意见》的要求，认真履行会员职责，

主动参与协会建设重大问题的研究决策，自觉遵守章程、自律公约等规定，积极参加各项活动，按时足额交纳会费，保证协会各项建设深入扎实地开展。

四、各保险行业协会要在认真学习领会《指导意见》精神的基础上，创造性地抓好贯彻落实。今年换届的协会，要按照《指导意见》的要求，从健全组织体系、落实人员的职业化、专业化和逐步年轻化入手，全面提高服务水平，充分发挥职能作用。其余协会要及时召开会员代表大会或理事会，通过修改章程、调整工作计划等方式方法，将《指导意见》的有关要求落到实处，使各项工作迈上一个新的台阶，在保险业做大做强的历史进程中发挥应有的作用。保监会将适时召开保险行业协会建设座谈会，专题研究落实《指导意见》的有关问题。

五、各保险学会可参照本《指导意见》中有关指导思想、组织管理、体系建设、自身建设等要求，加强自身建设。

六、各保监局请将此通知和《指导意见》，转发至所辖的保险行业协会、保险学会和保险中介机构。

七、各单位在落实《指导意见》过程中的经验和问题，要及时反映报告。

附：

中国保监会关于加强保险行业协会建设的指导意见

随着我国社会主义市场经济体制的完善和政府职能的转变，保险行业协会在促进保险业做大做强的历史进程中，将发挥越来越重要的作用。为加强保险行业协会建设，根据《社会团体登记管理条例》和《国务院办公厅关于印发中国保险监督管理委员会主要职责、内设机构和人员编制规定的通知》（国办发〔2003〕61号）的有关规定，结合我国保险业及保险行业协会建设的实际情况，制定本指导意见。

本指导意见所称保险行业协会，是指保险机构自愿组成的保险行业自律性社团组织，包括中国保险行业协会、各地方保险行业协会以及保险行业联合会。保险行业联合会是指由同一地方的财产保险协会、人寿保险协会和保险中介协会等组成的联合体。联合会为法人机构，所属各协会为联合会的分支机构，在联合会的统一领导下相对独立地开展工作。

一、指导思想

保险行业协会的建设，要以“三个代表”重要思想为指导，按照党的十六届三中全会《中共中央关于完善社会主义市场经济体制若干问题的决定》中指出的“要完善行政执法、行业自律、舆论监督、群众参与相结合的市场监管体系”精神，按照市场化、规范化原则，在法律法规和政策允许的范围内，以有利于促进保险业持续快速协调健康发展、有利于维护保险行业利益和市场秩序、有利于协会自身发展为目标，积极进行体制改革和制度创新，真正成为加强行业自律、维护公平竞争的监督体系，保险同业间交流、合作的平台，保险经营者与政府沟通的桥梁纽带，加强宣传、联结社会的窗口。

二、组织管理

中国保监会根据国务院授权，归口管理在中华人民共和国境内注册并开展活动的保险行业协会。中国保监会授权各派出机构，对所辖区域内的地方性保险行业协会进行归口管理。

中国保监会及其派出机构应依法对保险行业协会进行管理、指导和监督。对保险行业协会的登记注册、年审、换届改选、修改章程等进行初审，对按章程选举出的会长、副会长、秘书长等人选进行核准，对组团出国访问进行审批。

中国保监会及其派出机构要支持行业协会自主办会，保障其按照法律法规和章程规定独立开展工作。要将行业协会发展纳入保险业的整体发展规划，认真研究解决其发展过程中遇到的问题，及时传达通报保险市场情况、监管工作重点、有关方针政策和行政处罚情况，对于涉及行业整体情况的文件、资料等，要及时发送行业协会。

各级保险行业协会要自觉接受保监会及其派出机构的监督管理。对年度工作总结和计划、年度财务预决算、开展重要活动、协调处理重大问题等，及时报告。

三、职责任务

保险行业协会的工作宗旨是：为会员提供服务，维护行业利益，促进行业发展。

保险行业协会的工作核心是服务，其基本职责为：自律、维权、协调、交流、宣传。

（一）自律

1、督促会员单位依法合规经营。组织签订自律公约，约束不正当竞争行为，监督会员依法经营，维护公平竞争的市场环境。

2、组织制定行业标准。依据有关法律法规和保险业发展情况，组织制定保险行业的质量标准、技术规范、服务标准和行规行约，制定从业人员道德和行为准则，并督促会员共同遵守。

3、制定行业指导性条款。经济、技术和人员等条件具备的省级以上（含）保险行业协会，可以制定行业指导性条款或标准化条款，报保险监管部门审批后对外发布，会员单位协议使用或自愿采用。

4、积极推进保险业信用体系建设。建立健全保险业诚信制度、保险机构及从业人员信用信息体系，参与建立信用评价机制，大力培育行业诚信文化，加强诚信检查和监督。

5、对保险从业人员和中介机构进行自律管理。保监会及其派出机构要视所辖行业协会的建设情况，逐步授权其对保险从业人员的培训、资格考试、执业、流动和奖惩等进行管理，支持其组织有关职业道德、法律法规、专业知识、营销技能等方面的培训教育。在做好上述工作的同时，要积极探索保险代理公司、经纪公司、公估机构以及兼业代理机构的行业自律管理方式。

6、进行自律惩戒。对于违反协会章程、自律公约和管理制度、损害投保人和被保险人合法权益、参与不正当竞争等致使行业利益和形象受损的会员，可按章程或自律公约的有关规定，实施警告、业内批评、公开通报批评、扣罚违约金、开除会员资格等惩戒措施，也可建议监管部门依法对其进行行政处罚。

（二）维权

1、参与决策论证。代表保险行业参与有关保险业改革发展以及与行业利益相关的政府和监管部门的决策论证，提出保险业有关政策、立法和行业规划等方面的建议。

2、反映行业呼声。积极开展调查研究，对保险市场存在的问题，及时向监管部门和政府反映，并提出解决的意见和建议。

3、维护行业利益。加强与监管机关和有关政府部门的联络沟通，争取有利于保险业发展的社会环境和政策环境。

4、维护会员利益。当会员的合法权益受损时，代表会员与有关方面协调沟通，促使其纠正对会员的不当管理、处罚与侵权行为。

5、接受和办理监管机关及有关政府部门委托办理的事项。

（三）协调

1、协调会员之间、会员与保险从业人员之间的关系，调处矛盾，加深理解，创造健康和谐的内部环境。

2、协调保险业与有关行业经营者及社会组织的关系，减少摩擦，增进合作，创造良好的发展环境。

3、协调会员与保险消费者和社会公众的关系，创造良好的社会环境，维护保险活动当事人的合法权益。对外公布投诉咨询电话，确定专岗工作人员，认真受理社会公众的保险咨询和投诉，及时处理投诉问题。对重大投诉案件，要及时上报监管部门，并做好监管部门批转的投诉案件的调查处理工作。

4、积极创造条件，建立行业内部争议和以保险合同纠纷为主要内容的调解处理机制，公正、科学、合理、高效地解决各种矛盾争端。

（四）交流

1、组织会员间的业务、技术和经验交流，促进资源共享。

2、组织会员与国内外保险业及其他行业的交流、研讨与合作，沟通情况，收集信息，引进技术，推广经验。

3、组织行业协会之间的工作交流，总结工作经验，探讨解决社团组织建设的重大问题。

4、建立会员间信息通联工作机制。通过创办信息刊物、开办网站等形式，统计保险业务信息，反映业内动态，定期向会员和社会发布，不断提高信息化服务的水平。积极创造条件，建立行业数据库，实现资料信息共享。

（五）宣传

1、整合宣传资源，制定宣传规划，组织开展行业性的大型展览、宣传和咨询活动。

2、大力普及保险知识，提高公众的保险意识；宣传保险法律法规，强化保险经营者和消费者的法律意识。

3、表彰优秀从业人员，宣传先进事迹和典型经验，树立保险业的良好形象。

4、开辟对外宣传窗口，适时进行舆论引导；关注保险业热点、焦点问题，积极与新闻媒体联系沟通，制止针对保险业的恶意炒作。

四、体系建设

根据保险市场发展需要，逐步建立健全多层次协调互动、有机结合的保险行业协会体系。

（一）各级保险行业协会的关系

中国保险行业协会、省级和地市等各级保险行业协会，均是由各自会员自愿组成、按照章程开展活动的独立的保险社团组织，各级之间没有隶属关系。

各级保险行业协会可作为团体会员加入上一级保险行业协会。

各级行业协会在具体职能上应各有侧重，互相协调，互为补充。中国保险行业协会应在制定全国性、基础性行业标准、研究和协调重大政策性问题、引导保险业务发展等方面发挥积极作用，并组织开展全国保险行业协会的经验交流和信息共享，参与制定全行业发展规划；区域性保险行业协会应侧重于市场行为的监督和协调，并立足于本地区实际，为会员提供各种服务，在不违背全国性标准的前提下，制定区域性业务规范和服务标准。

（二）地市级保险行业协会的组建

地市级保险行业协会的设立应坚持自愿原则。保监会各派出机构要对辖区内保险行业协会的成立进行指导和监督，协调解决组建过程中出现的问题，在其登记注册后按照保监会授权进行归口管理。

（三）保险行业协会与保险学会的关系

保险学会的职能是开展保险理论研究，与保险行业协会的职能存在一定差别。但二者会员主要是当地保险机构，工作内容均涉及到保险业的信息交流等方面。因此，协会和学会应加强协调沟通，更好地实现办公资源和信息资源的共享。

五、自身建设

保险行业协会应充分体现行业代表性，认真贯彻民主协商、集体决策的原则，建立公正、高效的多边协商议事机制；遵循社团活动有关规则，健全组织机构，规范日常管理，逐步实现专业化和职业化；按照市场化原则开展活动，找准需求提供服务；在遵守法律法规和协会宗旨、维护会员利益和促进行业发展的前提下，积极进行制度改革和机制创新，不断加强自身建设。

（一）组织体系

1、会员。保险行业协会会员一般为单位会员。单位会员指保险公司、保险中介机构、保险社团组织以及保险兼业代理机构。

会员享有的权利：选举、被选举和表决、参加活动以及优先获得协会服务等。会员的义务：积极参与协会重大问题的论证决策，大力支持协会工作，认真执行章程和决议，及时足额交纳会费，遇有重大问题选派懂业务、能决策的人员参加议事活动，完成协会交办的工作。

为加强行业自律，维护公平竞争的整体环境，各保险机构应加入保险行业协会。

2、基本架构。保险行业协会应按照社团组织管理的有关规定，建立健全包括权力机构和执行机构在内的基本组织架构。会员大会（会员代表大会）为协会的权力机构，理事会是会员大会（会员代表大会）的执行机构，理事人数较多的协会，可选举成立常务理事会。会员大会（会员代表大会）和理事会（常务理事会）的职权，由协会章程规定。

3、分支机构。协会可根据工作需要，在保险行业协会的框架下设专业工作委员会；也可设立保险业联合会，下设财产保险、人身保险、保险中介等协会。

设立专业工作委员会的协会，各专业工作委员会在同一个理事会领导下开展工作；保险中介机构和保险兼业代理机构会员较多的协会，应在理事会或常务理事会中设相应的名额；可根据需要设立财产保险、人身保险、保险中介、保险精算、保险资金运用等专业工作委员会，每个专业工作委员会还可内设若干工作部或工作小组。专业工作委员会的委员，由各会员单位的相关业务负责人组成。有条件的行业协会，还可以聘请业内外专家、学者、保险监管人员等成立专家咨询委员会，参与重要课题的研究或提供对议处事项的咨询建议。

保险行业联合会所属的协会，在各自会员单位范围内选举理事组成理事会，并选举产生各自的会长、副会长；该理事会再按照联合会的要求，在本理事会范围内推举若干人作为联合会的理事，共同组成联合会的理事会，选举产生联合会的会长、副会长。各专业范围内的事项，由有关协会处理；涉及所有会员和全行业利益的重大事项，由联合会处理。

各保险行业协会可根据实际情况选用上述组织形式中的一种，但设立及变更时须报保险监管部门和民政部门核批。

4、办事机构。秘书处是行业协会的日常办事机构，各专业工作委员会办公室主任及其他专职工作人员由秘书处统一管理。秘书处应配备相应的工作人员，制定岗位职责，建立健全公文处理、会议、财务管理、资产使用管理办法、人员管理等制度和秘书处工作规则、各专业工作委员会工作规则等，并认真贯彻执行。

（二）人员管理

保险行业协会会长、副会长和秘书长任职的基本条件，按照《保险公司高级管理人员任职资格管理规定》执行。

1、会长。行业协会设会长一名，副会长若干。会长由理事会选举产生，报中国保监会或保监会派出机构核准。会长一般由会员单位的在职主要负责人兼任。副会长由会长所在单位以外的其他会员单位的在职主要负责人兼任。会长、副会长不在会员单位担任主要负责人时，应在一个月内辞去协会的职务，由本单位继任领导接任或重新进行选举。

会长、副会长要热心协会工作，努力推动行业发展，在业内富有一定威望。会长、副会长每届任期2年，一般不得连任。

会长的职责为：召集和主持理事会、常务理事会；组织研究当地保险市场的发展规划和重大问题；向理事会提交协会工作报告，向会员大会（会员代表大会）汇报工作；签发协会重要文件。

2、秘书长。秘书长为保险行业协会常设专职职位，对理事会或常务理事会负责。秘书长可由会长、2名以上副会长或3名以上理事提名，也可面向社会公开招聘，经理事会决议通过后，报保险监管部门核准。秘书长为专职工作人员，不得在保险业内外兼任其他职务。

秘书长每届任期3至5年，可以连选连任。秘书长应具备较高的政治素质和较强的组织协调能力，从事金融保险或其他经济工作5年以上或在企业或政府机关担任过领导职务，身体健康、公正廉洁、具有一定工作经验和威信。秘书长在任期内一般不超过60岁，特殊情况经理事会或常务理事会批准、中国保监会或保监会派出机构核准可适当延长。秘书长在任期内发生违法违纪或有损行业利益的行为，经常务理事会或理事会研究并报中国保监会及其派出机构核准，可提前离任；秘书长提前离任后，由理事会指定临时代理秘书长或提前改选。秘书长离任须进行审计。

秘书长的职责为：主持协会日常工作；组织实施协会的年度工作计划和财务预决算；提名副秘书长以及各内设机构负责人，主持办事机构其他专职工作人员的聘用；签发协会日常文件。

为保证协会工作的专业性和连续性，简化法人登记手续，可根据本地区本单位的实际，经理事会或常务理事会讨论通过，报保险监管部门审查同意后，由协会章程作出规定，将秘书长登记为法人代表。

3、其他专职工作人员。保险行业协会专职工作人员的选配，应本着精简、高效的原则，广开引进人才的渠道，坚持行业选拔与社会招聘相结合的办法，实行职业化、专业化，加快年轻化进程，保证协会建设的高起点和规范化。

4、工资及福利。协会专职工作人员的工资水平，应根据市场化原则，参照本地保险行业工资待遇水平，结合国家有关规定和协会实际情况，由秘书长提出方案，报理事会或常务理事会研究确定。专职工作人员的基本养老、医疗和失业等社会保险以及离退休制度，按照国家和所在地区的有关规定执行。

（三）经费管理

保险行业协会可通过收取会费、接受捐赠和资助、开展服务或承办政府委托事项获取收入等途径，筹措经费。

1、合理确定协会经费额度。经费额度的核定，既要满足工作需要，又要充分考虑未来发展，适当超前，留有余地，为更深入有效地为会员服务奠定基础。

2、建立健全会费收取和使用制度。会费收取原则上要以支定收，每年初根据上一年度收支情况和本年度工作安排，做出本年度经费预算，据此确定会费收取的具体标准，报理事会批准后执行。会费收取应遵循合理负担、权利义务对等的原则，可采用固定标准，也可根据业务规模确定收取比例。对会长、副会长、常务理事等会员单位，可适当增收会费。各协会可根据实际情况选用一种收取方法，也可将几种方法结合使用。对于拖欠会费的会员，可采取公开批评、警告等措施。会费收取的具体办法以及拖欠会费的惩罚措施由理事会研究确定，并列入协会章程或单独制定规定。协会经费收支情况要保持高度透明，每年应聘请专业机构进行审计。

3、年度工作计划外的大型活动，经费可单独筹集，不在正常会费内列支；也可设立专项活动基金，由行业协会代为管理，定期向会员通报收支情况。

4、开展有偿服务。经理事会或常务理事会批准，可依照有关法律法规，按照市场化发展的原则，开展会员欢迎、社会认可的非营利性有偿服务和市场运作。服务所得不得分配给会员或以充抵会费形式变相进行分配，应将全部收入用于协会自身建设和更好地为会员服务。

（四）党的建设

按照中共中央组织部、民政部《关于在社团中建立党组织有关问题的通知》的规定，协会有3名以上中国共产党党员的，要建立党的基层组织。党组织的建立，由保监会及其派出机构党组织负责审批，其组织关系由保监会及其派出机构管理。地市级保险行业协会的组织关系，由保监会派出机构党组织管理，派出机构党组织管理有困难的，应根据有关规定，请当地政府部门的党组织确定管理方式。

民政部办公厅
《关于加快建立完善经常性社会捐助制度》的通知

（民政部办公厅民电〔2004〕45号　2004年3月25日）

各省、自治区、直辖市民政厅（局），计划单列市民政局，新疆生产建设兵团民政局：

根据2004年全国春荒救济暨救灾工作会议精神，为加快建立完善经常性社会捐助制度，现就有关问题通知如下：

一、加快建立规范的经常性社会捐助制度

要尽快建立起经常性社会捐助制度，规范操作，逐步实现由集中性、突击性、全国性捐助向经常性、日常性、区域性捐助转变。经常性集中社会捐助活动，一般在每年4月和10月“扶贫济困送温暖捐助月”进行，每个城市集中募集的次数，由各省、自治区、直辖市自定。各地集中捐助包括跨省对口援助的时间，省级民政部门可以根据当地实际情况作适当调整。要抓紧制定救灾捐赠应急预案，结合各地重特大自然灾害救助应急预案建设，认真做好与之相对应的救灾捐赠应急预案。要建立健全经常性社会捐助公示制度，切实做好接收、分配捐助款物的公示工作。要制定捐助物资折价标准，逐步推进经常性社会捐助工作标准化建设，尽快统一物资分类标准、物资折价标准以及统计制度。要规范“爱心捐助奖”的评选工作，建立经常性社会捐助表彰激励机制，弘扬社会主义精神文明，努力营造良好的经常性社会捐助氛围。

二、进一步完善经常性社会捐助服务网络

要切实解决经常性社会捐助工作所需的机构、人员和经费问题。要在积极做好扩面增点的同时，对布局不合理的接收站点及时进行调整，特别是要结合救灾物资储备库建设，尽快在所有大中城市建立起一座有一定规模、功能较全的社会捐助物资仓库。各地要适应形势发展，加快经常性社会捐助信息化建设，进一步完善经常性社会捐助服务网络。

三、不断拓展经常性社会捐助工作领域

要创新经常性社会捐助工作机制，探索“民政主导，部门协作，社会参与”的有效实现形式。凡是有利于推动、促进经常性社会捐助工作的，都应该鼓励、支持，并大胆实践。要在政策、管理、经费上鼓励公益性社会团体积极参与社会捐助工作，发挥“爱心服务社”、“慈善超市”、“扶贫帮困中心”等新形式对推进社会捐助活动的积极作用，及时总结经验，推广成果，大胆探索社会捐助的市场化运作模式。要积极拓展经常性社会捐助工作领域。坚持“捐”与“助”并重，扩大捐助范围和受益主体，不断拓展经常性社会捐助工作领域。

四、扎实有效地做好捐助月和宣传周工作

今年4月，各级民政部门要根据党委、政府的统一部署，扎实有效的开展集中捐助和宣传活动。去年发生重大自然灾害的地区，可以根据灾区需要，开展有针对性的集中捐助活动。对于不搞集中捐助的地方，重点做好宣传周工作。宣传工作要突出“扶贫济困”的主题，重点宣传介绍开展经常性社会捐助活动8年来所取得的良好社会效果以及在社会捐助活动中涌现出来的先进单位和个人。要创新宣传形式，注重实效，把宣传活动推进到社区、机关、企事业单位、学校、农村，深入到千家万户，为进一步推动经常性社会捐助活动营造良好的社会舆论氛围。

关于基金会不参加2003年度全国性社会团体年度检查有关问题的通知

（民函〔2004〕92号　2004年4月16日）

各全国性社会团体业务主管单位：

新修订的《基金会管理条例》已经国务院正式发布，自2004年6月1日起施行。按照规定我部将在条例发布后的6个月内对原有基金会进行换证工作。由于条例发布时间在2003年全国性社会团体年检公告之后，为简化程序，方便社团法人，民政部决定全国性基金会不参加2003年度全国性社会团体年度检查，全国性基金会将按照有关规定统一进行基金会换证工作。

关于印发基金会登记表格的通知

（民政部2004年5月28日）

各全国性基金会业务主管单位，各省、自治区、直辖市民政厅（局），新疆生产建设兵团民政局：

《基金会管理条例》已经于2004年3月8日正式颁布，并将于6月1日起施行。依据《基金会管理条例》有关规定，为了规范基金会登记管理工作，民政部统一制订了基金会登记工作中使用的登记表格，自2004年6月1日起正式启用。现将基金会登记表格式样印发给你们。

（表格式样略）

关于印发《基金会换发登记证书方案》的通知

（民政部2004年5月28日）

各全国性基金会业务主管单位，各省、自治区、直辖市民政厅（局），新疆生产建设兵团民政局：

《基金会管理条例》（以下简称《条例》）已于2004年3月8日正式颁布，并将于6月1日起施行。《条例》第四十八条规定，在《条例》施行前已经设立的基金会，应当自《条例》施行之日起6个月内申请换发登记证书。为此，民政部和省级民政部门应当自2004年6月1日开始，对已经设立的基金会换发登记证书。现将《基金会换发登记证书方案》，以及《基金会换证申请书》式样、《基金会2000年—2003年工作报告书》式样印发给你们。请你们按照此书案，部署基金会换发登记证书工作。

附：

基金会换发登记证书方案

《基金会管理条例》（以下简称《条例》）已经于2004年3月8日正式颁布，并将于6月1日起施行。《条例》第四十八条规定，在《条例》施行前已经设立的基金会，应当自《条例》施行之日起6个月内申请换发登记证书。根据有关法律、法规，现制定基金会换发登记证书方案如下：

一、换证范围

参加换证的基金会范围是：依据国务院1988年颁布的《基金会管理办法》，经中国人民银行及各省、自治区、直辖市分行审批，由民政部和省级民政部门登记的基金会。

省级以下民政部门违反规定越权登记的基金会一律无效，由发放证书的民政部门收回登记证书。符合《条例》中基金会设立条件的，可以按照新设立基金会重新申请登记；不符合条件的，登记管理机关配合其业务主管单位妥善处理。

二、工作要求

换证工作的任务是：换发基金会登记证书，对照《条例》检查基金会的现状和2000年至2003年的活动情况，督促基金会按照《条例》进行规范。通过换证，实现新旧法规变更中基金会登记工作的顺利衔接。

基金会要对照《条例》从以下几方面进行规范：

（一）基金会名称

基金会的名称应当依据《基金会名称管理规定》进行规范。

（二）基金会宗旨、业务范围

基金会应当在宗旨中明确其特定的公益目的。基金会的业务范围应当写明基金会开展公益活动的具体领域和形式。

（三）基金会的原始基金

全国性公募基金会的原始基金不低于800万元人民币，地方性公募基金会的原始基金不低于400万元人民币，非公募基金会的原始基金不低于200万元人民币；原始基金必须为到账货币资金。

（四）基金会章程

基金会的章程应当按照《基金会章程示范文本》制定。

（五）基金会组织机构

基金会应当有健全的理事会，理事为5人至25人。理事会应当依法建立民主、科学的决策程序。理事的任职、职权应当符合《条例》和章程的规定。

基金会应当设1人以上的监事。监事要发挥内部监督作用，其任职、职权应当符合《条例》和章程的规定。

基金会的分支机构、代表机构应当按照《条例》规定设立，经过登记方能开展活动。

（六）基金会的负责人

基金会的负责人为理事长、副理事长和秘书长，依照章程规定的程序，从理事中选举产生。法定代表人必须由理事长担任。

理事长、副理事长和秘书长不得由现职国家工作人员兼任。现职国家工作人员的具体范围见中组部、民政部即将下发的文件；此次换证，应当在原则上掌握：各级党政机关、审判机关、检察机关的在职工作人员、部队现役军人不得兼任。

基金会的法定代表人不得同时担任其他组织的法定代表人。

（七）基金会的财产管理和公益活动

基金会应当建立财产的管理、使用制度和财务会计报告的编制、审定制度，执行国家统一的会计制度，依法进行会计核算，建立健全内部会计监督制度。

基金会应当按照合法、安全、有效的原则实现基金的保值、增值。

基金会应当积极开展公益活动，达到《条例》规定的公益事业支出标准。

此次换证，登记管理机关和业务主管单位应当根据基金会提交的换证申请书和工作报告书，对基金会以上几方面情况进行重点检查。发现有问题的，应当在检查结论中写明具体的整改意见，要求其限期整改。整改期限如下：

1. 基金会有“现职国家工作人员”兼任社团负责人的要在申请换证之前予以纠正；

2. 基金会原始基金不足的，须在2006年度检查前补足原始基金；

3. 其他条件不符合《条例》的，应当在2005年度检查前完成整改。

三、换证工作的步骤

整个换证工作分为四个步骤：

（一）发布通知，发放换证申请书、工作报告书

各级民政部门要在2004年6月1日以前通知本级行政区域内的基金会前来申请换证。

基金会换证需提交的材料为：换证申请书、工作报告书。民政部统一制定换证申请书和工作报告书式样。基金会可以从网上下载这两份文件，也可以到民政部或省级民政部门领取。

基金会在申请换证之前自主选择其类型为公募基金会或非公募基金会。

（二）业务主管单位审查

基金会填写换证申请书和工作报告书，送业务主管单位审查。业务主管单位依据换证工作要求，对照《条例》规定，对其进行审查，出具审查意见。

（三）换证与审查

业务主管单位出具意见之后，基金会将换证申请书和工作报告书，以及原登记证书复印件报相应的登记管理机关，申请换证。材料齐全、有效，登记管理机关方能受理。登记管理机关对基金会提交的换证申请书和工作报告书进行审查，给出检查结论，收回基金会旧的登记证书，发放新的《基金会法人登记证书》。有问题的，提出整改要求。需要给予行政处罚的，按照行政处罚程序办理。

基金会应当自2004年6月1日至2004年12月1日之间，向登记管理机关正式申请换证。民政部

和省级民政部门自2004年6月1日开始正式受理换证申请，至2005年2月1日收回所有应缴证书，完成检查工作，发放新的《基金会法人登记证书》。基金会的换证工作，登记管理机关要遵守法定程序和工作期限，在受理换证申请60日内做出检查结论和提出整改要求、并发放新证书。不得因对基金会的检查等原因延迟发放新的《基金会法人登记证书》。

基金会认为自身难以达到《条例》规定，有注销意愿的，可以不申请换证，直接向登记管理机关申请注销。

原在民政部登记的基金会，在换发登记证书时，愿意转到省级民政部门登记的，民政部受理其换证申请后，协助其将登记管理机关变更为相关的省级民政部门。

《条例》实施6个月内，未向相应的登记管理机关正式申请换证的基金会，为自动放弃基金会法人资格，其原有登记证书自2005年2月1日起作废。

（四）总结与公告

换证结束后，各省级民政部门要在2005年3月1日以前，对换证工作的情况进行总结，并上报民政部。民政部汇总后上报国务院，并通报各地。民政部和各省级民政部门分别将本级登记的基金会的现状、换证情况和检查结论向社会公布，并送业务主管单位备案。

四、换证工作中对登记管理机关的要求

此次换证工作，登记管理机关要严格遵守《中华人民共和国行政许可法》和《基金会管理条例》的有关规定，依法行政，确保质量，简化程序，提高效率。要注意以下几个问题：

（一）注意避免危害公共利益。对与换证相关的基金会注销、撤销等要妥善处理，特别是要做好清算工作，不能使公共利益受到损害。基金会注销、撤销的，其正在进行和已经定有协议的公益资助，由其剩余财产的接收者在该剩余财产范围内继续完成。

（二）现有基金会的换证工作要与新申请基金会、境外基金会代表机构的登记工作同时进行。

（三）在换证工作中，各级民政部门要加强协调，沟通信息，遇到问题要及时向民政部请示。地方民政部门在换证工作中不得越权行事。

（四）民政部统一制定基金会换证申请书、工作报告书、登记管理机关审查意见书。

（五）《条例》施行前在工商部门登记的境外基金会代表机构，可以在2004年6月1日以后，到民政部重新申请登记，并注销工商登记。

民政部门实施行政许可办法

（民政部令〔2004〕第25号　2004年6月8日　2004年7月1日起施行）

第一章　总　　则

第一条　为了规范民政部门行政许可实施行为，根据《中华人民共和国行政许可法》及有关法律、法规，结合民政部门实际，制定本办法。

第二条　民政部门实施行政许可，应当遵守《中华人民共和国行政许可法》及有关法律、法规和本办法的规定。

第三条 民政部门实施行政许可，应当按照法定的权限、范围、条件和程序，遵循公开、公平、公正、便民、高效和监督检查的原则。

第四条 民政部门应当在法定职权范围内实施行政许可，也可以依照法律、法规、规章的规定委托其他行政机关实施行政许可；除此之外，不得委托其他组织、法人或公民实施行政许可。

第五条 民政部门实施行政许可，不得在法定条件之外附加任何不正当要求。

第六条 涉及公共利益的重大许可事项，行政许可申请人及利害关系人认为办理行政许可的审查人员或者听证主持人员与行政许可事项有直接利害关系的，有权申请其回避。

办理行政许可的审查人员或者听证主持人员是否回避，由相应民政部门负责人决定。

第二章 申请与受理

第七条 民政部门应当将法律、法规、规章规定的有关本部门办理的行政许可事项、依据、条件、数量、程序、期限、收取费用的法定项目和标准，以及需要提交的全部材料的目录和申请书格式文本、示范文本等在办公场所公示。

有条件的民政部门应当通过机关网站或者其他适当方式将前款内容向社会公开，便于申请人查询和办理。

申请人要求对公示或者公开内容予以说明、解释的，办理行政许可事项的工作人员应当说明、解释，提供准确、可靠的信息。

民政部门应当为申请人通过信函、电报、电传、电子数据交换和电子邮件等方式提出行政许可申请提供便利。

第八条 建立服务窗口的民政部门，由该服务窗口负责统一受理行政许可申请、统一送达行政许可决定；没有服务窗口的，具体办理某项行政许可的有关业务机构应当设立专门岗位，负责统一受理行政许可申请，统一送达行政许可决定。

第九条 行政许可申请人依法向民政部门提出行政许可申请，申请书需要采用格式文本的，民政部门应当免费提供申请书格式文本。申请书格式文本中不得包含与申请行政许可事项没有直接关系的内容。

民政部门不得要求申请人提交与其申请的行政许可事项无关的材料。

申请人依法委托代理人提出行政许可申请的，应当提交授权委托书。授权委托书应当载明授权委托事项和授权范围。

第十条 办理行政许可工作人员在收到申请人递交的申请材料后，除依法可以当场作出不予受理决定外，应当即时填写《行政许可申请材料登记表》，将收到行政许可申请时间、申请人、申请事项、提交材料情况等记录在案。

《行政许可申请材料登记表》一式两份，在申请人和承办人签字后，一份交申请人，一份留民政部门存档备查。

第十一条 民政部门对申请人提出的行政许可申请，应当根据下列情况分别作出处理：

（一）申请事项依法不需要取得行政许可的，应当即时告知申请人不受理，并向其出具《行政许可申请不予受理决定书》；

（二）申请事项依法不属于本部门职权范围的，应当即时作出不予受理的决定，向申请人出具《行政许可申请不予受理决定书》，并告知其向有关行政机关申请；

（三）申请材料存在文字、计算等可以当场更正的错误的，应当告知申请人当场更正，并让其在修改处确认；

（四）申请材料不齐全或者不符合法定形式的，应当场或者在五日内作出《行政许可申请材料补正通知书》，一次告知申请人需要补正的全部内容。逾期不告知，自收到申请材料之日起即为受理；

（五）申请事项属于本部门职权范围，申请材料齐全、符合法定形式或者申请人依照本部门要求提交补正材料的，应当受理行政许可申请，并向申请人出具《行政许可申请受理决定书》。

民政部门出具的上述书面凭证，应当加盖本部门专用印章，并注明日期。

第十二条 对民政部门收到的行政许可申请，承办人员应当在《行政许可申请处理审批表》中写明处理情况，并归档备查。

第三章 审　　查

第十三条 申请人对提交申请材料的真实性负责。民政部门一般采取书面审查的办法对申请人提交的申请材料进行审查。

依法需要对申请材料的实质内容进行核实的，民政部门应当派两名以上工作人员进行核查，并制作现场检查笔录或者询问笔录。

现场检查笔录应当如实记载核查情况，并由核查人员签字。

核查中需要询问当事人或者有关人员时，核查人员应当出示执法证件，表明身份，询问笔录应当经被询问人核对无误后签名或者盖章。

第十四条 民政部门实施行政许可应当注意听取公民、法人或者其他组织的陈述和申辩。对行政许可申请进行审查时，发现该行政许可事项直接关系他人重大利益的，应当在决定前告知利害关系人。申请人、利害关系人有权进行陈述和申辩。行政许可办理工作人员对申请人、利害关系人的口头陈述和申辩，应当制作陈述、申辩笔录。民政部门应当对申请人、利害关系人提出的事实、理由进行复核。事实、理由成立的，应当采纳。

第十五条 依法应当先经下级民政部门审查后报上级民政部门决定的行政许可，下级民政部门应当依法接受申请人的申请，并进行初步审查。申请人提交材料齐全，符合法定形式的，应在法定期限内审查完毕并将初步审查意见和全部申请材料直接报送上级民政部门。上级民政部门不得要求申请人重复提供申请材料。

申请人直接向上级民政部门提出申请前款规定的行政许可事项，上级民政部门不得受理，并告知申请人通过下级民政部门提出申请。

第四章 听　　证

第十六条 法律、法规、规章规定实施行政许可应当听证的事项，或者民政部门认为需要听证的涉及公共利益的重大行政许可事项，民政部门应当在行政许可事项涉及的区域内发布听证公告，并举行听证。听证公告应当明确听证事项、听证举行的时间、地点、参加人员要求及提出申请的时间和方式等。

第十七条 行政许可直接涉及申请人与他人之间重大利益关系，民政部门应当发出《行政许可听证告知书》，告知申请人、利害关系人有要求听证的权利。

第十八条 申请人、利害关系人要求听证的，应当在收到民政部门《行政许可听证告知书》后五日内提交申请听证的书面材料；逾期不提交的，视为放弃听证的权利。

第十九条 民政部门应当在接到申请人、利害关系人申请听证的书面材料二十日内组织听证，并且在举行听证的七日前，发出《行政许可听证通知书》，将听证的事项、时间、地点通知申请人、利害关系人。

第二十条 申请人、利害关系人在举行听证之前，撤回听证申请的，应当准许，并记录在案。

第二十一条 申请人、利害关系人可以亲自参加听证，也可以委托一至二名代理人参加听证。委托代理人参加听证的，应当提交书面授权委托书。

第二十二条 听证主持人由民政部门负责人从本机关行政许可审查工作人员以外的国家公务员中指定。

第二十三条 行政许可审查工作人员应当在举行听证五日前，向听证主持人提交行政许可审查意见的证据、理由等全部材料。

第二十四条 听证会按照以下程序公开进行：

（一）主持人宣布会场纪律；

（二）核对听证参加人姓名、年龄、身份，告知听证参加人权利、义务；

（三）行政许可审查人提出许可审查意见的证据、理由；

（四）申请人、利害关系人进行申辩和质证；

（五）许可审查人与申请人、利害关系人就有争议的事实进行辩论；

（六）许可审查人与申请人、利害关系人作最后陈述；

（七）主持人宣布听证会中止、延期或者结束。

第二十五条 对于申请人、利害关系人或者其委托的代理人无正当理由不出席听证或者放弃申辩和质证权利退出听证会的，主持人可以宣布听证取消或者听证终止。

第二十六条 听证记录员应当将听证的全部活动制作笔录，由听证主持人和记录员签名。听证笔录应当经听证参加人确认无误或者补正后，由听证参加人当场签名或者盖章。听证参加人拒绝签名或者盖章的，由听证主持人记明情况，在听证笔录中予以载明。

第二十七条 民政部门应当根据听证笔录，作出行政许可决定。对听证笔录中没有认证、记载的事实依据，或者申请人听证后提交的证据，民政部门可以不予采信。

第二十八条 依法应当举行听证而不举行听证的，根据利害关系人的请求或者依据职权，可以撤销行政许可，由此给当事人的合法权益造成损害的，应当给予赔偿；撤销行政许可可能对公共利益造成重大损害的，不予撤销。

第五章　决　　定

第二十九条 民政部门对行政许可申请进行审查后，对申请人提交的申请材料齐全，符合法定形式，能够当场作出决定的，应当场作出书面的行政许可决定；对不能当场作出决定的，应当在法定期限内按照规定程序作出行政许可决定。

第三十条 申请人的申请符合法定条件、标准的，民政部门应当依法作出准予行政许可的书面决定；申请人的申请不符合法定条件、标准的，民政部门应当依法作出不予行政许可的书面决定。

民政部门依法作出不予行政许可书面决定的，应当说明理由，并告知申请人享有依法申请行政复议或者提起行政诉讼的权利。

行政许可书面决定应当载明作出决定的时间，并加盖作出决定的民政部门的印章。

第三十一条 民政部门作出准予行政许可的决定，依法需要颁发行政许可证件的，应当向申请人颁发加盖本部门印章的下列行政许可证件：

（一）许可证、执照或者其他许可证书；

（二）资格证、资质证或者其他合格证书；

（三）批准文件或者证明文件；

（四）法律、法规规定的其他行政许可证件。

民政部门依法实施检验、检测的，可以在检验、检测合格的设备、设施、产品上加贴标签或者加盖检验、检测印章。

第三十二条 行政许可证件一般应当载明证件名称、发证机关名称、持证人名称、行政许可事项、证件编号、发证日期、证件有效期等事项。

第三十三条 行政许可决定依法作出即具有法律效力，民政部门不得擅自改变已经生效的行政许可。

行政许可所依据的法律、法规、规章修改或者废止，或者准予行政许可所依据的客观情况发生重大变化的，为了公共利益的需要，民政部门可以依法变更或者撤销已经生效的行政许可。由此给公民、法人或者其他组织造成财产损失的，应当依法给予补偿。

第三十四条 民政部门作出的准予行政许可决定，应当根据行政许可事项的不同情况，以不同形式予以公开，并允许公众查阅。

第六章 期限与送达

第三十五条 除当场作出行政许可决定的外，民政部门应当自受理行政许可申请之日起二十日内作出行政许可决定。二十日内不能作出决定的，经本部门负责人批准，可以延长十日，并向申请人出具《行政许可决定延期通知书》，告知延长期限的理由。法律、法规对作出行政许可决定的期限另有规定的，依照其规定。

第三十六条 民政部门作出行政许可决定，依法需要听证、检验、检测、鉴定和专家评审的，所需时间不计算在本章规定的期限内，但应当将所需时间书面告知申请人。

第三十七条 民政部门作出准予行政许可的决定，应当自作出决定之日起十日内向申请人颁发、送达行政许可证件，或者加贴标签。

第三十八条 民政部门送达行政许可决定以及其他行政许可文书，一般应当由受送达人到民政部门办公场所直接领取。

受送达人直接领取行政许可决定以及其他行政许可文书时，一般应当在送达回证上注明收到日期，并签名或者盖章。

第三十九条 受送达人不直接领取行政许可决定以及其他行政许可文书时，民政部门可以采取以下方式送达：

（一）受送达人是法人或者其他组织的，应当由法人的法定代表人、该组织的主要负责人或者办公室、收发室、值班室等负责收件人在送达回证上签收或者盖章。

（二）受送达人拒绝接收行政许可文书的，送达人应当在送达回证上记明拒收的事由和日期，由送达人、有关基层组织或者所在单位的代表及其他见证人签名或者盖章，把行政许可文书留在受送达人的收发部门或者住所，视为送达；见证人不愿在送达回证上签字或者盖章的，送达人在送达回证上记明情况，把送达文书留在受送达人住所，视为送达。

（三）直接送达有困难的，可以委托当地民政部门送达，也可以邮寄送达。

邮寄送达的，以邮局回执上注明的收件日期为送达日期。

（四）无法采取上述方式送达，或者同一送达事项的受送达人众多的，可以在公告栏、受送达人住所地张贴公告，也可以在报刊上刊登公告。自公告发布之日起经过60日，即视为送达。

第七章　变更与延续

第四十条　被许可人要求变更行政许可事项，符合法定条件、标准的，作出行政许可决定的民政部门应当在受理申请之日起二十日内依法办理变更手续，并作出《准予变更行政许可决定书》；不符合法定条件、标准的，作出行政许可决定的民政部门应当作出《不予变更行政许可决定书》。法律、法规、规章另有规定的，依照其规定。

第四十一条　被许可人需要延续行政许可有效期的，应当在该行政许可有效期届满三十日前向作出行政许可决定的民政部门提出。民政部门应当根据被许可人的申请，在该行政许可有效期届满前作出是否准予延续的决定，并作出《准予延续行政许可决定书》或者《不予延续行政许可决定书》；逾期未作出决定的，视为准予延续。法律、法规、规章另有规定的，依照其规定。

第八章　监督检查

第四十二条　实施行政许可的民政部门应当依法对被许可人从事行政许可事项的活动进行监督检查。

上级民政部门应当加强对下级民政部门实施行政许可的监督检查。

各级民政部门内设机构承担具体业务范围内行政许可的监督检查工作，并以本民政部门名义开展监督检查。

第四十三条　县级以上民政部门应当建立健全法制工作机构，加强监督检查的协调工作、开展行政复议工作，实施国家赔偿制度和补偿制度，依法保障当事人获得行政许可的合法权益。

第四十四条　监督检查不得妨碍被许可人正常的生产经营活动。

第四十五条　民政部门应当将监督检查的情况和处理结果予以记录，由监督检查人员签字后归档。公众有权查阅监督检查记录。

第四十六条　被许可人在作出行政许可决定的民政部门管辖区域内违法从事行政许可事项活动的，由作出该行政许可决定的民政部门依法进行处理。

被许可人在作出行政许可决定的民政部门管辖区域外违法从事行政许可事项活动的，由违法行为发生地的民政部门依法进行处理。

违法行为发生地的民政部门对违法的被许可人作出处理后，应当于十日内将违法事实、相关证据材料和处理结果等抄告作出行政许可决定的民政部门。

第四十七条　民政部门应当建立对被许可人监督检查制度，依法对被许可人实施定期检查、实地检查。

第四十八条　民政部门应当指导被许可人建立自查制度，并监督被许可人依照制度进行自查，督促被许可人将重要工作自查情况报民政部门备案。

第四十九条　有行政许可法第六十九条第一款所列情形之一的，作出行政许可决定的民政部门或者其上级民政部门，根据利害关系人的请求或者依据职权，可以撤销行政许可。

被许可人以欺骗、贿赂等不正当手段取得行政许可的，应当予以撤销。

依照前两款的规定撤销行政许可，可能对公共利益造成重大损害的，不予撤销。

依照本条第一款的规定撤销行政许可，被许可人的合法权益受到损害的，民政部门应当依法给予赔偿。依照本条第二款的规定撤销行政许可的，被许可人基于行政许可取得的利益不受保护。

第五十条 有行政许可法第七十条所列情形之一的，作出行政许可决定的民政部门应当依法办理行政许可的注销手续。

第九章 法律责任

第五十一条 各级民政部门必须建立行政执法责任制，定岗、定责、定人，及时纠正承办人员的违法、违纪行为。

第五十二条 民政部门及其工作人员有以下违反行政许可法规定，应当承担法律责任情形的，依法由上级行政机关或者监察机关责令改正；情节严重的，对直接负责的主管人员和其他直接责任人员给予行政处分：

（一）对符合法定条件的行政许可申请不予受理的；

（二）不在办公场所公示依法应当公示的材料的；

（三）在受理、审查、决定行政许可过程中，未向申请人、利害关系人履行法定告知义务的；

（四）申请人提交的申请材料不齐全、不符合法定形式，不一次告知申请人必须补正的全部内容的；

（五）未依法说明不受理行政许可申请或者不予行政许可的理由的；

（六）依法应当举行听证而不举行听证的。

第五十三条 民政部门工作人员在办理行政许可、实施监督检查中，索取或者收受他人财物及谋取其他利益，尚不构成犯罪的，依法给予行政处分；构成犯罪的，移送司法机关追究刑事责任。

第五十四条 民政部门实施行政许可，对不符合法定条件的申请人准予行政许可、对符合法定条件的申请人不予行政许可、超越法定职权或者不在法定期限内作出准予行政许可决定的，依法由上级行政机关或者监察机关责令改正，对直接负责的主管人员和其他直接责任人员给予行政处分；构成犯罪的，移送司法机关追究刑事责任。

第五十五条 民政部门违法实施行政许可，给当事人的合法权益造成损害的，在机关对外承担赔偿责任后，责令有故意或者重大过失的承办人员承担部分或者全部赔偿费用，并作出相应的处理决定。

第五十六条 被许可人有违反行政许可法规定情形的，由作出行政许可的民政部门依法给予行政处罚；构成犯罪的，移送司法机关追究刑事责任。

第十章 附 则

第五十七条 民政部门实施非行政许可的行政审批，可参照本办法。

第五十八条 本办法自 2004 年 7 月 1 日起施行。

民政部《关于中国贸促会作为社会团体业务主管单位》的函

（民函〔2004〕149号　2004年6月18日）

中国贸促会：

对你会申请作为社会团体业务主管单位一事，我部征求有关部门的意见后上报了国务院，经国务院有关领导批示，同意授权你会作为与你会行政管理职能相应的全国性社会团体的业务主管单位，考虑到你会的职能与商务部的部分职能相近，你会如提出筹备成立新的社团组织，要事先征求商务部的意见。

基金会名称管理规定

（民政部令〔2004〕第26号　2004年6月21日）

第一条　为了规范对基金会名称的管理，保护基金会的合法权益，根据《基金会管理条例》及有关法律、法规，制定本规定。

第二条　本规定适用于按照《基金会管理条例》设立的基金会。

第三条　基金会名称应当反映公益活动的业务范围。

基金会的名称应当依次包括字号、公益活动的业务范围，并以“基金会”字样结束。

公募基金会的名称可以不使用字号。

第四条　全国性公募基金会应当在名称中使用“中国”、“中华”、“全国”、“国家”等字样。非公募基金会不得使用上述字样。

地方性公募基金会和省、自治区、直辖市人民政府民政部门登记的非公募基金会应当冠以所在地的县级或县级以上行政区划名称。冠以省级以下行政区划名称的，可以同时冠以所在省、自治区、直辖市的名称。冠以市辖区名称的，应当同时冠以市的名称。

第五条　基金会的字号应当由2个以上的字组成。

基金会不得使用姓氏、县或县以上行政区划名称作为字号。

第六条　公募基金会的字号不得使用自然人姓名、法人或者其他组织的名称或者字号。

第七条　非公募基金会的字号可以使用自然人姓名、法人或其他组织的名称或字号，但应当符合以下规定：

（一）使用自然人姓名、法人或者其他组织的名称或者字号，需经该自然人、法人或其他组织同意；

（二）不得使用曾因犯罪被判处剥夺政治权利的自然人的姓名；

（三）一般不使用党和国家领导人、老一辈革命家的姓名。

第八条 基金会使用已故名人的姓名作为字号，该名人必须是在相关公益领域内有重大贡献、在国际国内享有盛誉的杰出人物。

第九条 基金会名称应当使用符合国家规范的汉字。

在自治区人民政府民政部门登记的基金会，其名称可以同时使用本民族自治地方通用的民族文字。

基金会名称需译成外文使用的，应当按照文字翻译的原则翻译使用，不需报登记管理机关核准。

第十条 基金会名称不得含有下列内容和文字：

（一）有损于国家、社会公共利益的；

（二）可能对公众造成欺骗或者引起公众误解的；

（三）有迷信色彩的；

（四）外国国家（地区）名称、国际组织名称；

（五）政党名称、国家机关名称及部队番号；

（六）其他基金会的名称；

（七）外国文字、汉语拼音字母、数字；

（八）其他法律、行政法规规定禁止的。

第十一条 基金会不得使用下列名称：

（一）已被登记管理机关撤销登记，自撤销登记之日起未满 3 年的基金会的名称；

（二）已注销登记，自注销登记之日起未满 3 年的基金会的名称；

（三）已变更名称，自变更登记之日起未满 1 年的基金会的原名称。

第十二条 登记管理机关可以纠正已登记的不适宜的基金会名称。

第十三条 两个及两个以上申请人向同一登记管理机关申请登记相同的基金会名称，登记管理机关依照申请在先原则核定。

第十四条 基金会的分支机构、代表机构的名称应当冠以其所从属的基金会名称。

第十五条 境外基金会代表机构的名称应当依次由“基金会名称”、“驻在地名称”、“代表处（或办事处、联络处等）”组成。

“驻在地名称”是指境外基金会代表机构驻在地的县或县以上行政区划名称。

境外基金会名称中未表明其原始登记地（国家或地区）的，应在其代表机构名称前冠以原始登记地（国家或地区）的名称。

第十六条 本规定自发布之日起施行。

财政部关于印发《民间非营利组织会计制度》的通知

（财政部财会〔2004〕7 号　2004 年 8 月 18 日）

国务院有关部委、有关直属机构，各省、自治区、直辖市、计划单列市财政厅（局），新疆生产建设兵团财务局：

为了规范民间非营利组织的会计核算，提高会计信息质量，根据《中华人民共和国会计法》以及国家有关法律、行政法规，我部制定了《民间非营利组织会计制度》，现印发给你们，于2005年1月1日起执行。执行中有何问题，请及时反馈我部。

民间非营利组织会计制度

（财政部2004年8月18日颁布　自2005年1月1日起施行）

第一章　总　　则

第一条　为了规范民间非营利组织的会计核算，保证会计信息的真实、完整，根据《中华人民共和国会计法》及国家其他有关法律、行政法规的规定，制定本制度。

第二条　本制度适用于在中华人民共和国境内依法设立的符合本制度规定特征的民间非营利组织。民间非营利组织包括依照国家法律、行政法规登记的社会团体、基金会、民办非企业单位和寺院、宫观、清真寺、教堂等。

适用本制度的民间非营利组织应当同时具备以下特征：

（一）该组织不以营利为宗旨和目的；

（二）资源提供者向该组织投入资源不取得经济回报；

（三）资源提供者不享有该组织的所有权。

第三条　会计核算应当以民间非营利组织的交易或者事项为对象，记录和反映该组织本身的各项业务活动。

第四条　会计核算应当以民间非营利组织的持续经营为前提。

第五条　会计核算应当划分会计期间，分期结算账目和编制财务会计报告。

第六条　会计核算应当以人民币作为记账本位币。业务收支以人民币以外的货币为主的民间非营利组织，可以选定其中一种货币作为记账本位币，但是编制的财务会计报告应当折算为人民币。

民间非营利组织在核算外币业务时，应当设置相应的外币账户。外币账户包括外币现金、外币银行存款、以外币结算的债权和债务账户等，这些账户应当与非外币的各该相同账户分别设置，并分别核算。

民间非营利组织发生外币业务时，应当将有关外币金额折算为记账本位币金额记账。除另有规定外，所有与外币业务有关的账户，应当采用业务发生时的汇率。当汇率波动较小时，也可以采用业务发生当期期初的汇率进行折算。

各种外币账户的外币余额，期末时应当按照期末汇率折合为记账本位币。按照期末汇率折合的记账本位币金额与账面记账本位币金额之间的差额，作为汇兑损益计入当期费用。但是，属于在借款费用应予资本化的期间内发生的与购建固定资产有关的外币专门借款本金及其利息所产生的汇兑差额，应当予以资本化，计人固定资产成本。借款费用应予资本化的期间依照本制度第三十五条加以确定。

本制度所称外币业务是指以记账本位币以外的货币进行的款项收付、往来结算等业务。

本制度所称的专门借款是指为购建固定资产而专门借入的款项。

第七条　会计核算应当以权责发生制为基础。

第八条 民间非营利组织在会计核算时，应当遵循以下基本原则：

（一）会计核算应当以实际发生的交易或者事项为依据，如实反映民间非营利组织的财务状况、业务活动情况和现金流量等信息。

（二）会计核算所提供的信息应当能够满足会计信息使用者（如捐赠人、会员、监管者等）的需要。

（三）会计核算应当按照交易或者事项的实质进行，而不应当仅仅按照它们的法律形式作为其依据。

（四）会计政策前后各期应当保持一致，不得随意变更。如有必要变更，应当在会计报表附注中披露变更的内容和理由、变更的累积影响数，以及累积影响数不能合理确定的理由等。

（五）会计核算应当按照规定的会计处理方法进行，会计信息应当口径一致、相互可比。

（六）会计核算应当及时进行，不得提前或延后。

（七）会计核算和编制的财务会计报告应当清晰明了，便于理解和使用。

（八）在会计核算中，所发生的费用应当与其相关的收入相配比，同一会计期间内的各项收入和与其相关的费用，应当在该会计期间内确认。

（九）资产在取得时应当按照实际成本计量，但本制度有特别规定的，按照特别规定的计量基础进行计量。其后，资产账面价值的调整，应当按照本制度的规定执行；除法律、行政法规和国家统一的会计制度另有规定外，民间非营利组织一律不得自行调整资产账面价值。

（十）会计核算应当遵循谨慎性原则。

（十一）会计核算应当合理划分应当计入当期费用的支出和应当予以资本化的支出。

（十二）会计核算应当遵循重要性原则，对资产、负债、净资产、收入、费用等有较大影响，并进而影响财务会计报告使用者据以做出合理判断的重要会计事项，必须按照规定的会计方法和程序进行处理，并在财务会计报告中予以充分披露；对于非重要的会计事项，在不影响会计信息真实性和不至于误导会计信息使用者做出正确判断的前提下，可适当简化处理。

第九条 会计记账应当采用借贷记账法。

第十条 会计记录的文字应当使用中文。在民族自治地区，会计记录可以同时使用当地通用的一种民族文字。境外民间非营利组织在中华人民共和国境内依法设立的代表处、办事处等机构，也可以同时使用一种外国文字记账。

第十一条 民间非营利组织应当根据有关会计法律、行政法规和本制度的规定，在不违反本制度的前提下，结合其具体情况，制定会计核算办法。

第十二条 民间非营利组织填制会计凭证、登记会计账簿、管理会计档案等，按照《中华人民共和国会计法》、《会计基础工作规范》和《会计档案管理办法》等规定执行。

第十三条 民间非营利组织应当根据国家有关法律、行政法规和内部会计控制规范，结合本单位的业务活动特点，制定相适应的内部会计控制制度，以加强内部会计监督，提高会计信息质量和管理水平。

第二章　资　　产

第十四条 资产是指过去的交易或者事项形成并由民间非营利组织拥有或者控制的资源，该资源预期会给民间非营利组织带来经济利益或者服务潜力。资产应当按其流动性分为流动资产、长期投资、固定资产、无形资产和受托代理资产等。

第十五条 民间非营利组织应当定期或者至少于每年年度终了，对短期投资、应收款项、存货、长期投资等资产是否发生了减值进行检查，如果这些资产发生了减值，应当计提减值准备，确认减值损失，并计入当期费用。对于固定资产、无形资产等其他资产，如果发生了重大减值，也应当计提减值准备，确认减值损失，并计入当期费用。如果已计提减值准备的资产价值在以后会计期间得以恢复，则应当在该资产已计提减值准备的范围内部分或全部转回已确认的减值损失，冲减当期费用。

第十六条 对于民间非营利组织接受捐赠的现金资产，应当按照实际收到的金额入账。对于民间非营利组织接受捐赠的非现金资产，如接受捐赠的短期投资、存货、长期投资、固定资产和无形资产等，应当按照以下方法确定其入账价值：

（一）如果捐赠方提供了有关凭据（如发票、报关单、有关协议等）的，应当按照凭据上标明的金额作为入账价值。如果凭据上标明的金额与受赠资产公允价值相差较大，受赠资产应当以其公允价值作为其入账价值。

（二）如果捐赠方没有提供有关凭据的，受赠资产应当以其公允价值作为入账价值。

对于民间非营利组织接受的劳务捐赠，不予确认，但应当在会计报表附注中作相关披露。

第十七条 本制度中所称的公允价值是指在公平交易中，熟悉情况的交易双方自愿进行资产交换或者债务清偿的金额。公允价值的确定顺序如下：

（一）如果同类或者类似资产存在活跃市场的，应当按照同类或者类似资产的市场价格确定公允价值。

（二）如果同类或者类似资产不存在活跃市场，或者无法找到同类或者类似资产的，应当采用合理的计价方法确定资产的公允价值。

在本制度规定应当采用公允价值的情况下，如果有确凿的证据表明资产的公允价值确实无法可靠计量，则民间非营利组织应当设置辅助账，单独登记所取得资产的名称、数量、来源、用途等情况，并在会计报表附注中作相关披露。在以后会计期间，如果该资产的公允价值能够可靠计量，民间非营利组织应当在其能够可靠计量的会计期间予以确认，并以公允价值计量。

第十八条 民间非营利组织如发生非货币性交易，应当按照以下原则处理：

（一）以换出资产的账面价值，加上应支付的相关税费，作为换入资产的入账价值。

（二）非货币性交易中如果发生补价，应区别不同情况处理：

1. 支付补价的民间非营利组织，应以换出资产的账面价值加上补价和应支付的相关税费，作为换入资产的入账价值。

2. 收到补价的民间非营利组织，应按以下公式确定换入资产的入账价值和应确认的收入或费用：

$$\begin{matrix}\text{换入资产}\\\text{入账价值}\end{matrix}=\begin{matrix}\text{换出资产}\\\text{账面价值}\end{matrix}-\frac{\text{补价}}{\text{换出资产公允价值}}\times\begin{matrix}\text{换出资产}\\\text{账面价值}\end{matrix}-\frac{\text{补价}}{\text{换出资产公允价值}}\times\begin{matrix}\text{应交}\\\text{税金}\end{matrix}+\begin{matrix}\text{应支付的}\\\text{相关税费}\end{matrix}$$

$$\begin{matrix}\text{应确认的}\\\text{收入或费用}\end{matrix}=\text{补价}\times\left[1-\left(\begin{matrix}\text{换出资产}\\\text{账面价值}\end{matrix}+\begin{matrix}\text{应交}\\\text{税金}\end{matrix}\right)\div\begin{matrix}\text{换出资产}\\\text{公允价值}\end{matrix}\right]$$

（三）在非货币性交易中，如果同时换入多项资产，应按换入各项资产的公允价值占换入资产公允价值总额的比例，对换出资产的账面价值总额和应支付的相关税费进行分配，以确定各项换入资产的入账价值。

本制度所称非货币性交易是指交易双方以非货币性资产进行的交换，这种交换不涉及或只涉及少量的货币性资产（即补价）。其中，货币性资产是指持有的现金及将以固定或可确定金额的货币收取的资产；非货币性资产是指货币性资产以外的资产。

第一节 流动资产

第十九条 流动资产是指预期可在1年内（含1年）变现或者耗用的资产，主要包括现金、银行存款、短期投资、应收款项、预付账款、存货、待摊费用等。

第二十条 民间非营利组织应当设置现金和银行存款日记账，按照业务发生顺序逐日逐笔登记。有外币现金和存款的民间非营利组织，还应当分别按人民币和外币进行明细核算。

现金的核算应当做到日清月结，其账面余额必须与库存数相符；银行存款的账面余额应当与银行对账单定期核对，并与按月编制的银行存款余额调节表调节相符。

本制度所称的账面余额是指会计科目的账面实际余额，不扣除作为该科目备抵的项目（如累计折旧、资产减值准备等）。

第二十一条 短期投资是指能够随时变现并且持有时间不准备超过1年（含1年）的投资，包括股票、债券投资等。

（一）短期投资在取得时应当按照投资成本计量。短期投资取得时的投资成本按以下方法确定：

1. 以现金购入的短期投资，按照实际支付的全部价款，包括税金、手续费等相关税费作为其投资成本。实际支付的价款中包含的已宣告但尚未领取的现金股利或已到付息期但尚未领取的债券利息，应当作为应收款项单独核算，不构成短期投资成本。

2. 接受捐赠的短期投资，按照本制度第十六条的规定确定其投资成本。

3. 通过非货币性交易换入的短期投资，按照本制度第十八条的规定确定其投资成本。

（二）短期投资的利息或现金股利应当于实际收到时冲减投资的账面价值，但在购买时已计入应收款项的现金股利或者利息除外。

（三）期末，民间非营利组织应当按照本制度第十五条的规定对短期投资是否发生了减值进行检查。如果短期投资的市价低于其账面价值，应当按照市价低于账面价值的差额计提短期投资跌价准备，确认短期投资跌价损失并计入当期费用。如果短期投资的市价高于其账面价值，应当在该短期投资期初已计提跌价准备的范围内转回市价高于账面价值的差额，冲减当期费用。

（四）处置短期投资时，应当将实际取得价款与短期投资账面价值的差额确认为当期投资损益。

本制度所称的账面价值是指某会计科目的账面余额减去相关的备抵项目后的净额。

民间非营利组织的委托贷款和委托投资（包括委托理财）应当区分期限长短，分别作为短期投资和长期投资核算和列报。

第二十二条 应收款项是指民间非营利组织在日常业务活动过程中发生的各项应收未收债权，包括应收票据、应收账款和其他应收款等。

（一）应收款项应当按照实际发生额入账，并按照往来单位或个人等设置明细账，进行明细核算。

（二）期末，应当分析应收款项的可收回性，对预计可能产生的坏账损失计提坏账准备，确认坏账损失并计入当期费用。

第二十三条 预付账款是指民间非营利组织预付给商品供应单位或者服务提供单位的款项。

预付账款应当按照实际发生额入账，并按照往来单位或个人等设置明细账，进行明细核算。

第二十四条 存货是指民间非营利组织在日常业务活动中持有以备出售或捐赠的，或者为了出售或捐赠仍处在生产过程中的，或者将在生产、提供服务或日常管理过程中耗用的材料、物资、商品等。

（一）存货在取得时，应当以其实际成本入账。存货成本包括采购成本、加工成本和其他成本。其中，采购成本一般包括实际支付的采购价款、相关税费、运输费、装卸费、保险费以及其他可直接归属于存货采购的费用。加工成本包括直接人工以及按照合理方法分配的与存货加工有关的间接费用。其他成本是指除采购成本、加工成本以外的，使存货达到目前场所和状态所发生的其他支出。接受捐赠的存货，按照本制度第十六条的规定确定其成本。通过非货币性交易换入的存货，按照本制度第十八条的规定确定其成本。

（二）存货在发出时，应当根据实际情况采用个别计价法、先进先出法或者加权平均法，确定发出存货的实际成本。

（三）存货应当定期进行清查盘点，每年至少盘点一次。对于发生的盘盈、盘亏以及变质、毁损等存货，应当及时查明原因，并根据民间非营利组织的管理权限，经理事会、董事会或类似权力机构批准后，在期末结账前处理完毕。对于盘盈的存货，应当按照其公允价值入账，并确认为当期收入；对于盘亏或者毁损的存货，应先扣除残料价值、可以收回的保险赔偿和过失人的赔偿等，将净损失确认为当期费用。

（四）期末，民间非营利组织应当按照本制度第十五条的规定对存货是否发生了减值进行检查。如果存货的可变现净值低于其账面价值，应当按照可变现净值低于账面价值的差额计提存货跌价准备，确认存货跌价损失并计人当期费用。如果存货的可变现净值高于其账面价值，应当在该存货期初已计提跌价准备的范围内转回可变现净值高于账面价值的差额，冲减当期费用。

本制度所称的可变现净值是指在正常业务活动中，以存货的估计售价减去至完工将要发生的成本以及销售所必需的费用后的金额。

第二十五条 待摊费用是指民间非营利组织已经支出，但应当由本期和以后各期分别负担的、分摊期在1年以内（含1年）的各项费用，如预付保险费、预付租金等。

待摊费用应当按其受益期限在1年内分期平均摊销，计入有关费用。

第二节 长期投资

第二十六条 长期投资是指除短期投资以外的投资，包括长期股权投资和长期债权投资等。

第二十七条 长期股权投资应当按照以下原则核算。

（一）长期股权投资在取得时，应当按取得时的实际成本作为初始投资成本。初始投资成本按以下方法确定：

1. 以现金购入的长期股权投资，按照实际支付的全部价款，包括税金、手续费等相关费用，作为初始投资成本。实际支付的价款中包含的已宣告但尚未领取的现金股利，应当作为应收款项单独核算，不构成初始投资成本。

2. 接受捐赠的长期股权投资，按照本制度第十六条的规定，确定其初始投资成本。

3. 通过非货币性交易换入的长期股权投资，按照本制度第十八条的规定确定其初始投资成本。

（二）长期股权投资应当区别不同情况，分别采用成本法或者权益法核算。如果民间非营利组织对被投资单位无控制、无共同控制且无重大影响，长期股权投资应当采用成本法进行核算；如果民间非营利组织对被投资单位具有控制、共同控制或重大影响，长期股权投资应当采用权益法进行核算。

采用成本法核算时，被投资单位经股东大会或者类似权力机构批准宣告发放的利润或现金股利，作为当期投资收益。

采用权益法核算时，按应当享有或应当分担的被投资单位当年实现的净利润或发生的净亏损的份额调整投资账面价值，并作为当期投资损益。按被投资单位宣告分派的利润或现金股利计算分得的部分，减少投资账面价值。

被投资单位宣告分派的股票股利不作账务处理，但应当设置辅助账进行数量登记。

本制度所称的控制是指有权决定被投资单位的财务和经营政策，并能据以从该单位的经济活动中获得利益；本制度所称的共同控制，是指按合同约定对某项经济活动所共有的控制；本制度所称的重大影响，是指对被投资单位的财务和经营政策有参与决策的权力，但并不决定这些政策。

（三）处置长期股权投资时，应当将实际取得价款与投资账面价值的差额确认为当期投资损益。

第二十八条 长期债权投资应当按照以下原则核算。

（一）长期债权投资在取得时，应当按取得时的实际成本作为初始投资成本。初始投资成本按以下方法确定：

1．以现金购入的长期债权投资，按照实际支付的全部价款，包括税金、手续费等相关费用，作为初始投资成本。实际支付的价款中包含的已到付息期但尚未领取的债券利息，应当作为应收款项单独核算，不构成初始投资成本。

2．接受捐赠取得的长期债权投资，按照本制度第十六条的规定确定其初始投资成本。

3．通过非货币性交易换入的长期债权投资，按照本制度第十八条的规定确定其初始投资成本。

（二）长期债权投资应当按照票面价值与票面利率按期计算确认利息收入。长期债券投资的初始投资成本与债券面值之间的差额，应当在债券存续期间，按照直线法于确认相关债券利息收入时予以摊销。

（三）持有可转换公司债券的民间非营利组织，可转换公司债券在转换为股份之前，应当按一般债券投资进行处理。当民间非营利组织行使转换权利，将其持有的债券投资转换为股份时，应当按其账面价值减去收到的现金后的余额，作为股权投资的初始投资成本。

（四）处置长期债权投资时，应当将实际取得价款与投资账面价值的差额，确认为当期投资损益。

第二十九条 民间非营利组织改变投资目的，将短期投资划转为长期投资，应当按短期投资的成本与市价孰低结转。

第三十条 期末，民间非营利组织应当按照本制度第十五条的规定对长期投资是否发生了减值进行检查。如果长期投资的可收回金额低于其账面价值，应当按照可收回金额低于账面价值的差额计提长期投资减值准备，确认长期投资减值损失并计入当期费用。如果长期投资的可收回金额高于其账面价值，应当在该长期投资期初已计提减值准备的范围内转回可收回金额高于账面价值的差额，冲减当期费用。

本制度所称可收回金额是指资产的销售净价与预期从该资产的持续使用和使用寿命结束时的处置中形成的预计未来现金流量的现值两者之中的较高者，其中销售净价是指销售价格减资产处置费用后的余额。

第三节 固定资产

第三十一条 固定资产是指同时具有以下特征的有形资产：

（一）为行政管理、提供服务、生产商品或者出租目的而持有的；

（二）预计使用年限超过1年；

（三）单位价值较高。

第三十二条 固定资产在取得时，应当按取得时的实际成本入账。取得时的实际成本包括买价、包装费、运输费、交纳的有关税金等相关费用，以及为使固定资产达到预定可使用状态前所必要的支出。固定资产取得时的实际成本应当根据以下具体情况分别确定：

（一）外购的固定资产，按照实际支付的买价、相关税费以及为使固定资产达到预定可使用状态前所发生的可直接归属于该固定资产的其他支出（如运输费、安装费、装卸费等）确定其成本。

如果以一笔款项购人多项没有单独标价的固定资产，按各项固定资产公允价值的比例对总成本进行分配，分别确定各项固定资产的成本。

（二）自行建造的固定资产，按照建造该项资产达到预定可使用状态前所发生的全部必要支出确定其成本。

（三）接受捐赠的固定资产，按照本制度第十六条的规定确定其成本。

（四）通过非货币性交易换人的固定资产，按照本制度第十八条的规定确定其成本。

（五）融资租入的固定资产，按照租赁协议或者合同确定的价款、运输费、途中保险费、安装调试费以及融资租入固定资产达到预定可使用状态前发生的借款费用等确定其成本。

第三十三条 在建工程，包括施工前期准备、正在施工中的建筑工程、安装工程、技术改造工程等。工程项目较多且工程支出较大的，应当按照工程项目的性质分项核算。

第三十四条 在建工程应当按照所建造工程达到预定可使用状态前实际发生的全部必要支出确定其工程成本，并单独核算。在建工程的工程成本应当根据以下具体情况分别确定：

（一）对于自营工程，按照直接材料、直接人工、直接机械使用费等确定其成本。

（二）对于出包工程，按照应支付的工程价款等确定其成本。

第三十五条 为购建固定资产而发生的专门借款的借款费用在规定的允许资本化的期间内，应当按照专门借款的借款费用的实际发生额予以资本化，计入在建工程成本。这里的借款费用包括因借款而发生的利息、辅助费用以及因外币借款而发生的汇兑差额。

只有在以下三个条件同时具备时，因专门借款所发生的借款费用才允许开始资本化：

（一）资产支出已经发生；

（二）借款费用已经发生；

（三）为使资产达到预定可使用状态所必要的购建活动已经开始。

如果固定资产的购建活动发生非正常中断，并且中断时间连续超过3个月（含3个月），应当暂停借款费用的资本化，将中断期间内所发生的借款费用确认为当期费用，直至资产的购建活动重新开始。但是，如果中断是使购建的固定资产达到预定可使用状态所必要的程序，则借款费用的资本化应当继续进行。

当所购建的固定资产达到预定可使用状态时，应当停止借款费用的资本化，之后所发生的借款费用应当于发生时计入当期费用。通常所购建的固定资产达到以下状态时，应当视为所购建的固定资产已经达到预定可使用状态：

（一）固定资产的实体建造（包括安装）工作已经全部完成或者实质上已经完成；

（二）所购建的固定资产与设计要求或者合同要求相符或者基本相符，即使有极个别与设计或者合同要求不相符的地方，也不影响其正常使用；

（三）继续发生在所购建固定资产上的支出金额很少或者几乎不再发生。

第三十六条 所购建的固定资产已达到预定可使用状态时，应当自达到预定可使用状态之日起，将在建工程成本转入固定资产核算。

第三十七条 民间非营利组织应当对固定资产计提折旧，在固定资产的预计使用寿命内系统地分摊固定资产的成本。

民间非营利组织应当根据固定资产的性质和消耗方式，合理地确定固定资产的预计使用年限和预计净残值。

民间非营利组织应当按照固定资产所含经济利益或者服务潜力的预期实现方式选择折旧方法，可选用的折旧方法包括年限平均法、工作量法、双倍余额递减法和年数总和法。折旧方法一经确定，不得随意变更。如果由于固定资产所含经济利益或者服务潜力预期实现方式发生重大改变而确实需要变更的，应当在会计报表附注中披露相关信息。

第三十八条 民间非营利组织应当按月提取折旧，当月增加的固定资产，当月不提折旧，从下月起计提折旧；当月减少的固定资产，当月照提折旧，从下月起不提折旧。

第三十九条 与固定资产有关的后续支出，如果使可能流入民间非营利组织的经济利益或者服务潜力超过了原先的估计，如延长了固定资产的使用寿命，或者使服务质量实质性提高，或者使商品成本实质性降低，则应当计入固定资产账面价值，但其增计后的金额不应当超过该固定资产的可收回金额。其他后续支出，应当计入当期费用。

第四十条 民间非营利组织由于出售、报废或者毁损等原因而发生的固定资产清理净损益，应当计入当期收入或者费用。

第四十一条 用于展览、教育或研究等目的的历史文物、艺术品以及其他具有文化或者历史价值并作长期或者永久保存的典藏等，作为固定资产核算，但不必计提折旧。在资产负债表中，应当单列“文物文化资产”项目予以反映。

第四十二条 民间非营利组织对固定资产应当定期或者至少每年实地盘点一次。对盘盈、盘亏的固定资产，应当及时查明原因，写出书面报告，并根据管理权限经董事会、理事会或类似权力机构批准后，在期末结账前处理完毕。盘盈的固定资产应当按照其公允价值入账，并计入当期收入；盘亏的固定资产在减去过失人或者保险公司等赔款和残料价值之后计入当期费用。

第四十三条 民间非营利组织对固定资产的购建、出售、清理、报废和内部转移等都应当办理会计手续，并应当设置固定资产明细账（或者固定资产卡片）进行明细核算。

第四节 无形资产

第四十四条 无形资产是指民间非营利组织为开展业务活动、出租给他人或为管理目的而持有的且没有实物形态的非货币性长期资产，包括专利权、非专利技术、商标权、著作权、土地使用权等。

第四十五条 无形资产在取得时，应当按照取得时的实际成本入账。

（一）购入的无形资产，按照实际支付的价款确定其实际成本。

（二）自行开发并按法律程序申请取得的无形资产，按依法取得时发生的注册费、聘请律师费等费用，作为无形资产的实际成本。依法取得前，在研究与开发过程中发生的材料费用、直接参与开发人员的工资及福利费、开发过程中发生的租金、借款费用等直接计入当期费用。

（三）接受捐赠的无形资产，按照本制度第十六条的规定确定其实际成本。

（四）通过非货币性交易换入的无形资产，按照本制度第十八条的规定确定其实际成本。

第四十六条 无形资产应当自取得当月起在预计使用年限内分期平均摊销，计入当期费用。如预计使用年限超过了相关合同规定的受益年限或法律规定的有效年限，该无形资产的摊销年限按如下原则确定：

（一）合同规定了受益年限但法律没有规定有效年限的，摊销期不应超过合同规定的受益年限；

（二）合同没有规定受益年限但法律规定了有效年限的，摊销期不应超过法律规定的有效年限；

（三）合同规定了受益年限，法律也规定了有效年限的，摊销期不应超过受益年限和有效年限两者之中较短者。

如果合同没有规定受益年限，法律也没有规定有效年限的，摊销期不应超过 10 年。

第四十七条 民间非营利组织处置无形资产，应当将实际取得的价款与该项无形资产的账面价值之间的差额，计入当期收入或者费用。

第五节 受托代理资产

第四十八条 受托代理资产是指民间非营利组织接受委托方委托从事受托代理业务而收到的资产。在受托代理过程中，民间非营利组织通常只是从委托方收到受托资产，并按照委托人的意愿将资产转赠给指定的其他组织或者个人，或者按照有关规定将资产转交给指定的其他组织或者个人。民间非营利组织本身只是在委托代理过程中起中介作用，无权改变受托代理资产的用途或者变更受益人。

民间非营利组织应当对受托代理资产比照接受捐赠资产的原则进行确认和计量，但在确认一项受托代理资产时，应当同时确认一项受托代理负债。

第三章　负　　债

第四十九条　负债是指过去的交易或者事项形成的现时义务，履行该义务预期会导致含有经济利益或者服务潜力的资源流出民间非营利组织。负债应当按其流动性分为流动负债、长期负债和受托代理负债等。

第五十条　或有事项是指过去的交易或者事项形成的一种状况，其结果须通过未来不确定事项的发生或不发生予以证实。

如果与或有事项相关的义务同时符合以下条件，应当将其确认为负债，以清偿该负债所需支出的最佳估计数予以计量，并在资产负债表中单列项目予以反映：

（一）该义务是民间非营利组织承担的现时义务；

（二）该义务的履行很可能导致含有经济利益或者服务潜力的资源流出民间非营利组织；

（三）该义务的金额能够可靠地计量。

第五十一条　流动负债是指将在1年内（含1年）偿还的负债，包括短期借款、应付款项、应付工资、应交税金、预收账款、预提费用和预计负债等。

（一）短期借款是指民间非营利组织向银行或其他金融机构等借入的期限在1年以下（含1年）的各种借款。

（二）应付款项是指民间非营利组织在日常业务活动过程中发生的各项应付票据、应付账款和其他应付款等应付未付款项。

（三）应付工资是指民间非营利组织应付未付的员工工资。

（四）应交税金是指民间非营利组织应交未交的各种税费。

（五）预收账款是指民间非营利组织向服务和商品购买单位预收的各种款项。

（六）预提费用是指民间非营利组织预先提取的已经发生但尚未支付的费用，如预提的租金、保险费、借款利息等。

（七）预计负债是指民间非营利组织对因或有事项所产生的现时义务而确认的负债。

第五十二条　各项流动负债应当按实际发生额入账。

短期借款应当按照借款本金和确定的利率按期计提利息，计入当期费用。

第五十三条　长期负债是指偿还期限在1年以上（不含1年）的负债，包括长期借款、长期应付款和其他长期负债。

（一）长期借款是指民间非营利组织向银行或其他金融机构等借入的期限在1年以上（不含1年）的各种借款。

（二）长期应付款主要是指民间非营利组织融资租入固定资产发生的应付租赁款。

（三）其他长期负债是指除长期借款和长期应付款外的长期负债。

第五十四条　各项长期负债应当按实际发生额入账。

第五十五条　受托代理负债是指民间非营利组织因从事受托代理业务、接受受托代理资产而产生的负债。受托代理负债应当按照相对应的受托代理资产的金额予以确认和计量。

第四章　净　资　产

第五十六条　民间非营利组织的净资产是指资产减去负债后的余额。净资产应当按照其是否受到限制，分为限定性净资产和非限定性净资产等。

如果资产或者资产所产生的经济利益（如资产的投资收益和利息等）的使用受到资产提供者或者国家有关法律、行政法规所设置的时间限制或（和）用途限制，则由此形成的净资产即为限定性净资产，国家有关法律、行政法规对净资产的使用直接设置限制的，该受限制的净资产亦为限定性净资产；除此之外的其他净资产，即为非限定性净资产。

本制度所称的时间限制，是指资产提供者或者国家有关法律、行政法规要求民间非营利组织在收到资产后的特定时期之内或特定日期之后使用该项资产，或者对资产的使用设置了永久限制。

本制度所称的用途限制，是指资产提供者或者国家有关法律、行政法规要求民间非营利组织将收到的资产用于某一特定的用途。

民间非营利组织的董事会、理事会或类似权力机构对净资产的使用所作的限定性决策、决议或拨款限额等，属于民间非营利组织内部管理上对资产使用所作的限制，不属于本制度所界定的限定性净资产。

第五十七条　如果限定性净资产的限制已经解除，应当对净资产进行重新分类，将限定性净资产转为非限定性净资产。

当存在下列情况之一时，可以认为限定性净资产的限制已经解除：

（一）所限定净资产的限制时间已经到期；

（二）所限定净资产规定的用途已经实现（或者目的已经达到）；

（三）资产提供者或者国家有关法律、行政法规撤销了所设置的限制。

如果限定性净资产受到两项或两项以上的限制，应当在最后一项限制解除时，才能认为该项限定性净资产的限制已经解除。

第五章　收　　入

第五十八条　收入是指民间非营利组织开展业务活动取得的、导致本期净资产增加的经济利益或者服务潜力的流入。收入应当按照其来源分为捐赠收入、会费收入、提供服务收入、政府补助收入、投资收益、商品销售收入等主要业务活动收入和其他收入等。

（一）捐赠收入是指民间非营利组织接受其他单位或者个人捐赠所取得的收入。

（二）会费收入是指民间非营利组织根据章程等的规定向会员收取的会费。

（三）提供服务收入是指民间非营利组织根据章程等的规定向其服务对象提供服务取得的收入，包括学费收入、医疗费收入、培训收入等。

（四）政府补助收入是指民间非营利组织接受政府拨款或者政府机构给予的补助而取得的收入。

（五）商品销售收入是指民间非营利组织销售商品（如出版物、药品等）等所形成的收入。

（六）投资收益是指民间非营利组织因对外投资取得的投资净损益。

民间非营利组织如果有除上述捐赠收入、会费收入、提供服务收入、政府补助收入、商品销售收入、投资收益之外的其他主要业务活动收入，也应当单独核算。

（七）其他收入是指除上述主要业务活动收入以外的其他收入，如固定资产处置净收入、无形资产处置净收入等。

对于民间非营利组织接受的劳务捐赠，不予确认，但应当在会计报表附注中作相关披露。

第五十九条 民间非营利组织在确认收入时，应当区分交换交易所形成的收入和非交换交易所形成的收入。

（一）交换交易是指按照等价交换原则所从事的交易，即当某一主体取得资产、获得服务或者解除债务时，需要向交易对方支付等值或者大致等值的现金，或者提供等值或者大致等值的货物、服务等的交易。如按照等价交换原则销售商品、提供劳务等属于交换交易。

对于因交换交易所形成的商品销售收入，应当在下列条件同时满足时予以确认：

1. 已将商品所有权上的主要风险和报酬转移给购货方；

2. 既没有保留通常与所有权相联系的继续管理权，也没有对已售出的商品实施控制；

3. 与交易相关的经济利益能够流入民间非营利组织；

4. 相关的收入和成本能够可靠地计量。

对于因交换交易所形成的提供劳务收入，应当按以下规定予以确认：

1. 在同一会计年度内开始并完成的劳务，应当在完成劳务时确认收入；

2. 如果劳务的开始和完成分属不同的会计年度，可以按完工进度或完成的工作量确认收入。

对于因交换交易所形成的因让渡资产使用权而发生的收入应当在下列条件同时满足时予以确认：

1. 与交易相关的经济利益能够流入民间非营利组织；

2. 收入的金额能够可靠地计量。

（二）非交换交易是指除交换交易之外的交易。在非交换交易中，某一主体取得资产、获得服务或者解除债务时，不必向交易对方支付等值或者大致等值的现金，或者提供等值或者大致等值的货物、服务等；或者某一主体在对外提供货物、服务等时，没有收到等值或者大致等值的现金、货物等。如捐赠、政府补助等属于非交换交易。

对于因非交换交易所形成的收入，应当在同时满足下列条件时予以确认：

1. 与交易相关的含有经济利益或者服务潜力的资源能够流入民间非营利组织并为其所控制，或者相关的债务能够得到解除；

2. 交易能够引起净资产的增加；

3. 收入的金额能够可靠地计量。

一般情况下，对于无条件的捐赠或政府补助，应当在捐赠或政府补助收到时确认收入；对于附条件的捐赠或政府补助，应当在取得捐赠资产或政府补助资产控制权时确认收入，但当民间非营利组织存在需要偿还全部或部分捐赠资产（或者政府补助资产）或者相应金额的现时义务时，应当根据需要偿还的金额同时确认一项负债和费用。

第六十条 民间非营利组织对于各项收入应当按是否存在限定区分为非限定性收入和限定性收入进行核算。

如果资产提供者对资产的使用设置了时间限制或者（和）用途限制，则所确认的相关收入为限定性收入；除此之外的其他收入，为非限定性收入。

民间非营利组织的会费收入、提供服务收入、商品销售收入和投资收益等一般为非限定性收入，除非相关资产提供者对资产的使用设置了限制。民间非营利组织的捐赠收入和政府补助收入，应当视相关资产提供者对资产的使用是否设置了限制，分别限定性收入和非限定性收入进行核算。

第六十一条 期末，民间非营利组织应当将本期限定性收入和非限定性收入分别结转至净资产项下的限定性净资产和非限定性净资产。

第六章　费　　用

第六十二条　费用是指民间非营利组织为开展业务活动所发生的、导致本期净资产减少的经济利益或者服务潜力的流出。费用应当按照其功能分为业务活动成本、管理费用、筹资费用和其他费用等。

（一）业务活动成本，是指民间非营利组织为了实现其业务活动目标、开展其项目活动或者提供服务所发生的费用。如果民间非营利组织从事的项目、提供的服务或者开展的业务比较单一，可以将相关费用全部归集在“业务活动成本”项目下进行核算和列报；如果民间非营利组织从事的项目、提供的服务或者开展的业务种类较多，民间非营利组织应当在“业务活动成本”项目下分别项目、服务或者业务大类进行核算和列报。

（二）管理费用，是指民间非营利组织为组织和管理其业务活动所发生的各项费用，包括民间非营利组织董事会（或者理事会或者类似权力机构）经费和行政管理人员的工资、奖金、福利费、住房公积金、住房补贴、社会保障费、离退休人员工资与补助，以及办公费、水电费、邮电费、物业管理费、差旅费、折旧费、修理费、租赁费、无形资产摊销费、资产盘亏损失、资产减值损失、因预计负债所产生的损失、聘请中介机构费和应偿还的受赠资产等。其中，福利费应当依法根据民间非营利组织的管理权限，按照董事会、理事会或类似权力机构等的规定据实列支。

（三）筹资费用，是指民间非营利组织为筹集业务活动所需资金而发生的费用，包括民间非营利组织为了获得捐赠资产而发生的费用以及应当计入当期费用的借款费用、汇兑损失（减汇兑收益）等。民间非营利组织为了获得捐赠资产而发生的费用包括举办募款活动费，准备、印刷和发放募款宣传资料费以及其他与募款或者争取捐赠资产有关的费用。

（四）其他费用，是指民间非营利组织发生的、无法归属到上述业务活动成本、管理费用或者筹资费用中的费用，包括固定资产处置净损失、无形资产处置净损失等。

民间非营利组织的某些费用如果属于多项业务活动或者属于业务活动、管理活动和筹资活动等共同发生的，而且不能直接归属于某一类活动，应当将这些费用按照合理的方法在各项活动中进行分配。

第六十三条　民间非营利组织发生的业务活动成本、管理费用、筹资费用和其他费用，应当在实际发生时按其发生额计入当期费用。

第六十四条　期末，民间非营利组织应当将本期发生的各项费用结转至净资产项下的非限定性净资产，作为非限定性净资产的减项。

第七章　财务会计报告

第六十五条　财务会计报告是反映民间非营利组织财务状况、业务活动情况和现金流量等的书面文件。

第六十六条　财务会计报告分为年度财务会计报告和中期财务会计报告。以短于一个完整的会计年度的期间（如半年度、季度和月度）编制的财务会计报告称为中期财务会计报告。年度财务会计报告则是以整个会计年度为基础编制的财务会计报告。

第六十七条　财务会计报告由会计报表、会计报表附注和财务情况说明书组成。民间非营利组织对外提供的财务会计报告的内容、会计报表的种类和格式、会计报表附注应予披露的主要内容等，由本制度规定；民间非营利组织内部管理需要的会计报表由单位自行规定。

民间非营利组织在编制中期财务会计报告时，应当采用与年度会计报表相一致的确认与计量原则。中期财务会计报告的内容相对于年度财务会计报告而言可以适当简化，但仍应保证包括与理解中期期末财务状况和中期业务活动情况及其现金流量相关的重要财务信息。

第六十八条 民间非营利组织采用的会计政策前后各期应当保持一致，不得随意变更，除非符合下列条件之一：

（一）法律或会计制度等行政法规、规章的要求；

（二）这种变更能够提供有关民间非营利组织财务状况、业务活动情况和现金流量等更可靠、更相关的会计信息。

民间非营利组织应当采用追溯调整法核算会计政策的变更，如果追溯调整法不可行，则应当采用未来适用法核算；如果相关法律或会计制度等另有规定，则应当按照相关规定进行核算。

本制度中所称追溯调整法，是指对某项交易或者事项变更会计政策时，如同该交易或者事项初次发生时就开始采用新的会计政策，并以此对相关项目进行调整的方法。本制度所称未来适用法，是指对某项交易或者事项变更会计政策时，新的会计政策适用于变更当期及未来期间发生的交易或者事项的方法。

第六十九条 资产负债表日至财务会计报告批准报出日之间发生的需要调整或说明的有利或不利事项，属于资产负债表日后事项。对于资产负债表日后事项，应当区分调整事项和非调整事项进行处理。

调整事项，是指资产负债表日后至财务会计报告批准报出日之间发生的，为资产负债表日已经存在的情况提供了新的或进一步证据，有助于对资产负债表日存在情况有关的金额做出重新估计的事项。民间非营利组织应当就调整事项，对资产负债表日所确认的相关资产、负债和净资产，以及资产负债表日所属期间的相关收入、费用等进行调整。

非调整事项，是指资产负债表日后至财务会计报告批准报出日之间发生的，不影响资产负债表日的存在情况，

但不加以说明将会影响财务会计报告使用者做出正确估计和决策的事项。民间非营利组织应当在会计报表附注中披露非调整事项的性质、内容，以及对财务状况和业务活动情况的影响。如无法估计其影响，应当说明理由。

第七十条 财务会计报告中的会计报表至少应当包括以下三张报表：

（一）资产负债表；

（二）业务活动表；

（三）现金流量表。

第七十一条 会计报表附注至少应当包括下列内容：

（一）重要会计政策及其变更情况的说明；

（二）董事会（或者理事会或者类似权力机构）成员和员工的数量、变动情况以及获得的薪金等报酬情况的说明；

（三）会计报表重要项目及其增减变动情况的说明；

（四）资产提供者设置了时间或用途限制的相关资产情况的说明；

（五）受托代理业务情况的说明，包括受托代理资产的构成、计价基础和依据、用途等；

（六）重大资产减值情况的说明；

（七）公允价值无法可靠取得的受赠资产和其他资产的名称、数量、来源和用途等情况的说明；

（八）对外承诺和或有事项情况的说明；

（九）接受劳务捐赠情况的说明；

（十）资产负债表日后非调整事项的说明；

（十一）有助于理解和分析会计报表需要说明的其他事项。

第七十二条 财务情况说明书至少应当对下列情况做出说明：

（一）民间非营利组织的宗旨、组织结构以及人员配备等情况；

（二）民间非营利组织业务活动基本情况，年度计划和预算完成情况，产生差异的原因分析，下一会计期间业务活动计划和预算等；

（三）对民间非营利组织业务活动有重大影响的其他事项。

第七十三条 民间非营利组织对外投资，而且占被投资单位资本总额50%以上（不含50%），或者虽然占该单位资本总额不足50%但具有实质上的控制权的，或者对被投资单位具有控制权的，应当编制合并会计报表。

第七十四条 民间非营利组织的年度财务会计报告至少应当于年度终了后4个月内对外提供。如果民间非营利组织被要求对外提供中期财务会计报告的，应当在规定的时间内对外提供。

会计报表的填列，以人民币“元”为金额单位，“元”以下填至“分”。

第七十五条 民间非营利组织对外提供的财务会计报告应当依次编定页数，加具封面，装订成册，加盖公章。封面上应当注明：组织名称、组织登记证号、组织形式、地址、报表所属年度或者中期、报出日期，并由单位负责人和主管会计工作的负责人、会计机构负责人（会计主管人员）签名并盖章；设置总会计师的单位，还应当由总会计师签名并盖章。

第八章 附 则

第七十六条 本制度自2005年1月1日起施行。

民政部《关于开展全国性先进民间组织评选表彰活动的通知》

（民政部2004年8月25日）

各省、自治区、直辖市民政厅（局），新疆生产建设兵团民政局：

随着改革开放的不断深入，我国民间组织迅速发展壮大，已遍布社会生活的各个领域。他们发挥自身优势，努力开展工作，已成为党和政府联系人民群众的桥梁和纽带，成为促进社会稳定和进步的重要力量，在经济和社会发展中发挥着越来越大的作用。为总结经验，表彰先进，促进我国民间组织整体质量的提高，民政部决定对全国先进民间组织进行表彰。现将有关事项通知如下：

一、评选范围

民政部门登记的社会团体、民办非企业单位和基金会。

二、表彰时间

2004年12月上旬（具体日期另行通知）。

三、表彰方式

在北京隆重召开全国先进民间组织表彰会议，对评选出的先进单位给予表彰。

四、名额

全国总计表彰先进民间组织500个。

各地评选上报全国先进民间组织时，社会团体、民办非企业单位和基金会的数量要统筹兼顾。

五、评选标准

1. 模范遵纪守法，自觉执行宪法、法律、法规和国家有关政策，严格按照章程开展工作，自觉接受业务主管单位和登记管理机关的指导和监督。

2. 组织机构健全，内部制度完善，运作程序规范，领导班子团结，党团组织发挥作用，事业不断发展壮大。

3. 社会责任感强，积极参加社会活动，圆满完成政府交办事项，在社会公益活动中贡献突出。

4. 关注会员利益，努力为会员服务，有很强的凝聚力，会员参与度和满意度高。

5. 决策民主公开，社会公信度高，严格自律，坚持非营利组织性质，在社会上有良好的信誉。

六、评选办法

各省、自治区、直辖市依据评选标准，统一组织当地的评选和上报工作，民政部最后审定。

各省、自治区、直辖市民政部门评选上报的先进民间组织要填写《全国先进民间组织推荐表》（见附件）。各地在上报的民间组织中对特别突出的单位可另外报送书面事迹材料（先进民间组织在10个以下的不超过3个、10个以上的不超过5个，字数2000字左右），届时将统一汇编成册。11月1日前将推荐表和书面事迹材料报民政部民间组织管理局办公室，书面事迹材料的电子文档发至gchy@ mca. gov. cn。

财政部会计司关于做好《民间非营利组织会计制度》宣传贯彻工作的通知

（财政部〔2004〕财会便26号　2004年10月）

《民间非营利组织会计制度》已于2004年8月18日正式发布，将自2005年1月1日起实施。为了做好该制度的宣传工作，确保该制度积极稳妥的贯彻实施，现将有关事项通知如下：

一、发布实施《民间非营利组织会计制度》的意义

近年来，我国各类民间非营利组织快速发展，在社会经济自生活中扮演着重要的角色。为了规范民间非营利组织的会计核算行为，财政部制定和发布了《民间非营利组织会计制度》（已委托经济科学出版社出版）。该制度适用于在中华人民共和国境内依法设立的同时符合以下特征的民间非营利组织：

（一）该组织不以营利为宗旨和目的；

（二）资源提供者向该组织投入资源不取得经济回报；

（三）资源提供者不享有该组织的所有权。

民间非营利组织主要包括社会团体、基金会、民办非企业单位和寺院、宫观、清真寺、教堂等。

《民间非营利组织会计制度》的发布实施具有重要的意义：

首先，该制度作为国家有关法律、行政法规的配套制度，实现了与《基金会管理条例》、《社会团体登记管理条例》和民办非企业单位登记管理暂行条例》等的协调，解决了民间非营利组织适用会计规范问题；

其次，该制度统一规范了各类民间非营利组织的会计核算和财务会计报告的内容，有利于真实、完整地反映民间非营利组织的财务状况、业务活动情况以及现金流量等信息；

第三、该制度的发布实施，有利于提高民间非营利组织会计信息的透明度，便于捐赠者、会员以及政府主管部门等加强外部监督和管理。

二、认真做好宣传培训工作，积极稳妥地贯彻《民间非营利组织会计制度》

各地财政部门应当充分重视《民间非营利组织会计制度》的贯彻和实施，利用各种媒体等多种形式，加强对该制度的宣传和培训工作，促使民间非营利组织单位负责人重视该制度的执行，并使广大民间非营利组织会计人员全面掌握该制度的各项规定和具体方法。财政部将在适当的时候进行师资培训。

各地财政部门应当采取必要的方式，要求会计中介机构掌握和熟悉《民间非营利组织会计制度》，在接受执行该制度的民间非营利组织委托进行审计服务时，应当以该制度作为会计标准进行审计，提供审计报告。目前，《民办教育促进法》和《基金会管理条例》都已明确要求民办学校和基金会必须委托会计师事务所审计其年度财务会计报告。

各地财政部门应当对本地区范围内的民间非营利组织进行必要的调研，了解民间非营利组织的具体情况，要求民间非营利组织根据会计业务的需要，设置会计机构，或者在有关机构中设置会计人员，不具备条件的，应当委托以批准设立从事会计代理记账业务的中介机构代理记账。

民间非营利组织应当自 2005 年 1 月 1 日起，严格护照《民间非营利组织会计制度》进行会计核算，同时可以结合本组织的实际情况，在不违反该制度的前提下，制定适合于本组织的具体会计核算办法。为了保证民间非营利组织新旧会计制度的衔接，财政部正在制定民间非营利组织民间非营利组织新旧会计制度衔接办法，并将尽快发布。

各地，财政部门应当加强与民政、教育、卫生、税务和其他主管部门的协调，取得有关部门的支持，采取有效措施，齐抓共管，共同做好《民间非营利组织会计制度》的宣传培训和执行情况的监督、检查和指导工作，确保国家统一的会计制度在本地区的贯彻实施。

财政部关于印发《民间非营利组织新旧会计制度有关衔接问题的处理规定》的通知

（财政部 2004 年 10 月 19 日）

国务院有关部委、有关直属机构，各省、自治区、直辖市、计划单列市财政厅（局），新疆生产建设兵团财务局：

为做好民间非营利组织执行《民间非营利组织会计制度》的衔接工作，现将《民间非营利组织新旧会计制度有关衔接问题的处理规定》印发给你们，请遵照执行。执行中有何问题，请及时反馈我部。

附：

民间非营利组织新旧会计制度
有关衔接问题的处理规定

《民间非营利组织会计制度》（以下简称新制度）自2005年1月1日起执行，考虑到很多民间非营利组织执行事业单位会计制度（以下简称原制度）的实际情况，为了做好新旧制度的衔接工作，现对执行事业单位会计制度的民间非营利组织执行新制度的有关衔接问题规定如下：

一、调账原则及主要账务调整

凡执行原制度的民间非营利组织，在2004年12月31日及之前，仍应当按照原制度进行会计核算和编报会计报表。自2005年1月1日起，民间非营利组织应当根据新制度设置新账，将各会计科目2004年年末余额转入新账并作调整后，作为新制度各会计科目2005年的年初余额，并按照新制度编制2005年的年初资产负债表。在编制2005年度业务活动表和现金流量表时，不要求填列上年比较数。

民间非营利组织执行新制度应当按照以下原则做好衔接工作：

（一）按照新制度清理资产和负债，并进行账务调整

民间非营利组织应当对本单位的资产和负债进行全面清查和盘点，对于清查出的资产报废、毁损、盘盈盘亏以及应确认而未确认的资产等，应当按照新制度规定的确认和计量原则，报经批准后，借记或贷记“非限定性净资产”科目，贷记或借记相关资产科目；如有清查出的应确认而未确认的负债等，应当借记“非限定性净资产”科目，贷记相关负债科目。

民间非营利组织按照新制度规定应确认为文物文化资产的部分，如果原先已经记入“固定资产”科目或其他资产科目，应当转入“文物文化资产”科目；如果原先没有入账，应当借记“文物文化资产”科目，贷记“非限定性净资产”或者“限定性净资产”科目。

民间非营利组织按照新制度规定应确认为受托代理资产的部分，如果原先已经记入“固定资产”科目或其他资产科目，应当转入“受托代理资产”科目，同时对于原结余或净资产科目中属于受托代理负债的部分，应当转入“受托代理负债”科目；如果原先没有入账，应当借记“受托代理资产”科目，贷记“受托代理负债”科目。如果受托代理资产为现金、银行存款或其他货币资金，可以不通过“受托代理资产”科目核算，而在“现金”、“银行存款”、“其他货币资金”科目中设置“受托代理资产”明细科目核算，但在编制资产负债表时，“现金”、“银行存款”、“其他货币资金”科目中的“受托代理资产”明细科目余额合计，应当计入“受托代理资产”项目列示。

（二）按照新制度对部分资产负债表项目进行追溯调整

1. 补提固定资产折旧和无形资产摊销

民间非营利组织应当根据新制度的规定补提固定资产折旧，按照应补提的折旧金额，借记“非限定性净资产”科目，贷记“累计折旧”科目。对于无形资产，应当根据新制度的规定补提无形资产摊销，按照应补提的摊销金额，借记“非限定性净资产”科目，贷记“无形资产”科目。

2. 补记长期债权投资利息

民间非营利组织应当根据新制度的规定，补记长期债权投资应计利息。按照应补记的利息金额，借记“其他应收款－应收利息”科目（分期付息的长期债权投资），或者借记“长期债权投资－应计利息”科目（到期一次还本付息的长期债权投资），贷记“非限定性净资产”科目。如果长期债权投

资系其他单位或个人提供，而且对其利息收入的使用设置了限制，应当贷记“限定性净资产”科目。

3. 调整应按照权益法核算的长期股权投资的账面余额

民间非营利组织对于按照新制度的规定应采用权益法核算的长期股权投资，应当对长期股权投资的账面余额与按持股比例计算的应享有被投资方2004年末所有者权益的份额进行比较，如果前者大于后者，应当按其差额，借记“非限定性净资产”科目，贷记“长期股权投资”科目；如果前者小于后者，应当按其差额，借记“长期股权投资”科目，贷记“非限定性净资产”科目。如果长期股权投资系其他单位或个人提供，而且对其投资收益的使用设置了限制，应当根据所涉及的金额，借记或贷记“限定性净资产”科目，贷记或借记“长期股权投资”科目。

（三）按照新制度对资产进行减值测试，补提资产减值准备民间非营利组织应当按照新制度的规定，对相关资产是否发生了减值进行测试和检查。如果相关资产已经发生了减值，应当补提减值准备，借记“非限定性净资产”科目，贷记相关资产减值准备科目。

二、新旧会计科目结转资产类

（一）“现金”、“应收票据”、“应收账款”、“预付账款”、“其他应收款”科目

新制度设置了“现金”、“应收票据”、“应收账款”、“预付账款”、“其他应收款”科目，其核算内容与原制度相应科目的核算内容基本相同。调账时，应将原账中以上科目的余额直接转入新账中相应科目。

（二）“银行存款”科目

新制度设置了“银行存款”科目，其核算内容与原制度“银行存款”科目有所不同，主要是区分了银行存款与其他货币资金的核算内容。调账时，应对原账中“银行存款”科目的余额进行分析，分别转入新账中的“银行存款”和“其他货币资金”科目。

（三）“材料”、“产成品”科目

新制度没有设置“材料”、“产成品”科目，但设置了“存货”科目。调账时，应在新账中“存货”科目下设置“材料”、“库存商品”等明细科目，将原账中“材料”、“产成品”科目的余额分别转入新账中的相应明细科目。

（四）“对外投资”科目

新制度没有设置“对外投资”科目，但设置了“短期投资”、“长期股权投资”和“长期债权投资”科目。调账时，应对原账中“对外投资”科目的余额进行分析，将属于短期投资的部分转入新账中的“短期投资”科目，将属于长期股权投资的部分转入新账中的“长期股权投资”科目，将属于长期债权投资的部分转入新账中的“长期债权投资”科目。

（五）“固定资产”科目

新制度设置了“固定资产”和“文物文化资产”科目。调账时，应当根据重新确定的固定资产目录，对原账中“固定资产”及相关资产科目的余额进行分析：对于不符合新制度中固定资产确认标准的，应当转入新账中的“存货”等科目；对于符合新制度中固定资产确认标准的，应当按照新制度的规定分别转入新账中的“固定资产”和“文物文化资产”科目。

（六）“无形资产”科目

新制度设置了“无形资产”科目，其核算内容与原制度“无形资产”科目基本相同。调账时，应将原账中“无形资产”科目的余额转入新账中的“无形资产”科目。

负债类

（七）“借入款项”科目

新制度没有设置“借入款项”科目，但设置了“短期借款”和“长期借款”等科目。调账时，

应对原账中“借入款项”科目的余额进行分析，将属于短期借款的部分转入新账中的“短期借款”科目，将属于长期借款的部分转入新账中的“长期借款”科目。

（八）“应付票据”、“应付账款”、“预收账款”、“应交税金”科目

新制度设置了“应付票据”、“应付账款”、“预收账款”、“应交税金”科目，其核算内容与原制度相应科目的核算内容基本相同。调账时，应将原账中以上科目的余额直接转入新账中相应科目。

（九）“其他应付款”科目

新制度设置了“其他应付款”科目，其核算内容与原制度“其他应付款”科目有所不同，主要是区分了其他应付款与长期应付款的核算内容。调账时，应对原账中“其他应付款”科目的余额进行分析，分别转入新账中的“其他应付款”和“长期应付款”科目。

（十）“应缴预算款”、“应缴财政专户款”科目

新制度没有设置“应缴预算款”、“应缴财政专户款”科目。调账时，应在新账中“其他应付款”科目下设置“应缴预算款”、“应缴财政专户款”等明细科目，将原账中“应缴预算款”、“应缴财政专户款”科目的余额分别转入新账中的相应明细科目。

净资产类

（十一）“事业基金”、“固定基金”、“专用基金”科目

新制度没有设置“事业基金”、“固定基金”、“专用基金”科目，但设置了“非限定性净资产”和“限定性净资产”科目。调账时，应将原账中“事业基金”、“固定基金”和“专用基金”科目余额转入新账中的“非限定性净资产”科目。如果与形成事业基金、固定基金、专用基金有关的资产，其资产提供者或者国家有关法律、行政法规对资产的使用设置了限制，对于这部分事业基金、固定基金和专用基金，调账时应当转入新账中的“限定性净资产”科目。

（十二）“事业结余”、“结余分配”科目

新制度没有设置“事业结余”、“结余分配”科目。由于原账中“事业结余”、“结余分配”科目年末无余额，不需要进行调账处理。

（十三）“经营结余”科目

新制度没有设置“经营结余”科目。调账时，如果原账中“经营结余”科目有借方余额，应将该余额转入新账中的“非限定性净资产”科目。

收入支出类

（十四）“财政补助收入”、“上级补助收入”、“附属单位缴款”、“事业收入”、“经营收入”、“其他收入”、“拨出经费”、“对附属单位补助”、“上缴上级支出”、“结转自筹基建”、“事业支出”、“经营支出”、“销售税金”科目

由于原账中以上收入支出科目年末无余额，不需要进行调账处理。自 2005 年 1 月 1 日起，应当按照新制度设置收入支出科目并进行账务处理。

（十五）“拨入专款”、“拨出专款”、“专款支出”科目

新制度没有设置“拨入专款”、“拨出专款”、“专款支出”科目。调账时，如果原账中以上科目有借方或者贷方余额，应先将“拨入专款”科目贷方余额与原账中因使用拨入专款而形成的“拨出专款”、“专款支出”科目借方余额相抵消，借记“拨入专款”科目，贷记“拨出专款”和“专款支出”科目。抵消后，“专款支出”科目应无余额。如果“拨入专款”科目仍有贷方余额或者“拨出专款”科目仍有借方余额，应当视具体情况，将应当偿还或者收回的部分，转入新账中的“其他应付款”或者“其他应收款”科目；将不需偿还或者不再收回的部分，转入新账中的“非限定性净资产”科目。

（十六）“成本费用”科目

新制度没有设置“成本费用”科目，但规定了民间非营利组织可以根据实际情况在“存货”科目下设置“生产成本”等明细科目，归集相关成本。调账时，如果原账中“成本费用”科目有借方余额，应转入新账中“存货”科目。

财政部民政部关于认真贯彻实施《民间非营利组织会计制度》的通知

（财政部、民政部文件财会〔2004〕17号　2004年10月28日）

各省、自治区、直辖市、计划单列市财政厅（局）、民政厅（局），新疆生产建设兵团财务局，民政局：

2004年8月18日，财政部发布了《民间非营利组织会计制度》，自2005年1月1日起在全国适用的民间非营利组织范围内实施。为了做好该制度的贯彻实施工作，现将有关事项通知如下：

一、《民间非营利组织会计制度》有利于规范民间非营利组织的会计行为，促进民间非营利组织的健康发展

为了进一步完善我国民间非营利组织的法律规范体系，适应民间非营利组织快速发展的需要，财政部发布了《民间非营利组织会计制度》。这一制度统一了会计核算标准，要求民间非营利组织按照制度的规定编制和对外提供财务会计报告。

《民间非营利组织会计制度》的发布意义重大，有利于促进民间非营利组织加强内部管理，完善各项规章制度，规范民间非营利组织的会计核算行为，使各项经济业务的处理有章可循、有法可依；有利于提高民间非营利组织的会计信息质量和透明度，从而提升民间非营利组织在社会各界的诚信度，促进民间非营利组织健康、规范发展。

二、切实做好宣传培训工作，掌握《民间非营利组织会计制度》的基本内容和要求

各级财政、民政等部门应当充分重视《民间非营利组织会计制度》的贯彻实施工作，利用各种方式加大宣传和培训力度，促使民间非营利组织单位负责人重视该制度的执行，使广大民间非营利组织会计人员全面掌握《民间非营利组织会计制度》的各项规定和具体办法。政府监管部门也应熟悉了解该制度的基本要求和主要内容，以便于实施有效监管。

在宣传培训过程中，各级财政、民政部门要充分利用各种新闻媒体、组织有关中介机构等社会力量、发挥院校教师的作用，宣传《民间非营利组织会计制度》的重要意义和内容，为全面贯彻实施《民间非营利组织会计制度》奠定基础。

三、民间非营利组织的单位负责人要认真履行法定职责，保证会计信息真实、完整

根据《中华人民共和国会计法》的规定，单位负责人对单位的会计工作和会计资料的真实性、完整性负责。单位的财务会计报告应当由单位负责人和主管会计工作的负责人、会计机构负责人签名并盖章。因此，民间非营利组织的单位负责人应当保证本单位按照《民间非营利组织会计制度》的规定进行会计核算，编制财务会计报告。如果民间非营利组织违反《中华人民共和国会计法》以及国家统一的会计制度，单位负责人将作为第一责任人承担相应的行政责任或刑事责任。

民间非营利组织的单位负责人应当根据本单位的具体情况和会计业务的需要，设置会计机构，或者在有关机构中设置会计人员并指定会计主管人员；不具备条件的，应当委托经批准设立从事会计代理记账业务的中介机构代理记账。民间非营利组织应当严格按照《会计档案管理办法》、《会计基础工作规范》和《内部会计控制规范》的规定，建立健全本单位的会计核算制度、资产管理制度和内部控制制度，加强本单位的财务会计管理工作。

四、抓紧做好民间非营利组织新旧会计制度的衔接，保证平稳过渡

民间非营利组织应当自2005年1月1日严格按照《民间非营利组织会计制度》进行会计核算。目前执行《事业单位会计制度》或其他会计制度的民间非营利组织，应当抓紧做好新旧会计制度的衔接工作，以实现平稳过渡。

民间非营利组织要根据财政部发布的《民间非营利组织会计制度》和《民间非营利组织新旧会计制度有关衔接问题的处理规定》，对现有资产和负债进行全面清查和盘点，明晰产权，建立固定资产目录，设置固定资产卡片，做好各项会计基础工作和执行新制度的准备工作；要建立健全各项财产管理制度，加强资产管理。对于清查出的资产报废、毁损、盘盈盘亏和应确认而未确认的资产，以及应确认而未确认的负债等，应当在报经批准后及时进行账务处理。

五、全面贯彻实施《民间非营利组织会计制度》，加强对制度执行情况的监督、检查和指导

全面贯彻实施《民间非营利组织会计制度》是一项系统工程，各级财政、民政部门应当加强合作，采取有效措施，做好制度执行情况的监督、检查和指导，切实保证《民间非营利组织会计制度》在本地区民间非营利组织的贯彻实施。财政部门应当依法监督民间非营利组织是否依法建账，会计凭证、账簿、财务会计报告和其他会计资料是否真实、完整，会计核算是否符合《民间非营利组织会计制度》的要求，会计人员是否具备从业资格；将民间非营利组织的会计信息质量作为会计监管的重要工作之一。民政部门在民间非营利组织登记、年检和日常监督管理时，应当检查民间非营利组织财务会计报告是否按照《民间非营利组织会计制度》编制，财务会计报告的内容是否真实、完整，有关财务指标是否符合法定要求。

对于不按照《民间非营利组织会计制度》进行会计核算、编制财务会计报告的，各级财政、民政部门应当依法在自己的职责范围内对民间非营利组织进行行政处罚；对民间非营利组织有违法违规行为，情节严重的，可以撤销登记；对直接负责人和相关责任人构成犯罪的，应当移交司法机关，依法追究刑事责任。

各级财政、民政部门还应充分利用中介机构的力量，加强对民间非营利组织的审计监督。对于依法要求审计的民间非营利组织，应当在提交财务会计报告的，提交注册会计师审计报告。对于注册会计师发表了非标准审计意见审计报告的民间非营利组织，应当作为重点检查的对象，各级民政部门在年检和日常监督检查时，也应当予以重点关注。

民政部《关于现职国家工作人员不得兼任基金会负责人有关问题的通知》

（民函〔2004〕270 号　2004 年 10 月 28 日）

各省、自治区、直辖市民政厅（局），新疆生产建设兵团民政局：

今年 3 月 8 日经国务院颁布并于 6 月 1 日开始实施的《基金会管理条例》规定，“基金会理事长、副理事长和秘书长不得由现职国家工作人员兼任”。关于现职国家工作人员的范围，《基金会管理条例》未作明确的界定。

为推进政社分开，加强党风廉政建设，保持基金会的民间性，经商有关部门同意，在基金会登记管理工作中，《基金会管理条例》中的现职国家工作人员应掌握在以下范围：党的机关、人大机关、政府机关、政协机关、审判机关和检察机关中的现职工作人员，以及法律、法规授权行使行政管理职能的其他机构的工作人员。但不包括上述机关和机构中已从领导岗位上退下来尚未办理离退休手续的工作人员，也不包括上述机关和机构中离开行政工作岗位专门从事基金会工作的工作人员。

民政部关于表彰全国先进民间组织的决定

（民发〔2004〕213 号　2004 年 12 月 2 日）

民间组织是我国社会组织的重要组成部分。多年来，特别是在改革开放、发展社会主义市场经济的新形势下，我国民间组织迅速发展壮大，已遍布全国城乡，涉及社会生活各个领域，基本形成了门类齐全、层次不同、覆盖广泛的民间组织体系。广大民间组织与党和政府同心同德，努力发挥自身优势，积极开展各项活动，不断延伸服务领域，社会作用日益显著，已经成为党和政府联系人民群众的桥梁和纽带，成为促进经济发展、推动社会进步、维护社会稳定和构建和谐社会的重要力量。

为了表彰先进，树立典型，推动我国民间组织健康发展。民政部决定，授予中国钢铁工业协会等 540 个社会团体、基金会和民办非企业单位“全国先进民间组织”称号。这次表彰的全国先进民间组织，在不同领域做出了突出成绩。他们模范遵纪守法，组织机构健全，内部制度完善，运作程序规范，社会责任感强，社会公信度高，在经济和社会发展中发挥了积极的作用，树立了良好的形象。他们是新时期我国民间组织的优秀代表。

希望受到表彰的民间组织珍惜荣誉，再接再厉，开拓进取，在今后的工作中取得新的成绩，创造新的业绩。希望全国各级各类民间组织向受到表彰的先进民间组织学习，以服务国家、服务社会、服务人民为己任，进一步发挥自身优势，奋发有为，扎实工作，切实承担起应尽的社会责任，为服务人民群众，促进经济发展，推动社会进步，构建社会主义和谐社会做出新的更大的贡献！

中华人民共和国民政部

二00四年十二月二日

附：

全国先进民间组织名单

（排名不分先后）

一、全国性民间组织

中国钢铁工业协会

中国企业联合会

中国煤炭工业协会

中国电力企业联合会

中国质量协会

中国机械工业联合会

中国物流与采购联合会

中国缝制机械协会

中国棉纺织行业协会

中国工业经济联合会

中国行政管理学会

中国物理学会

中国力学学会

中国机械工程学会

中国电子学会

中国农学会

中国女法官协会

中国女检察官协会

中国消防协会

中国安全防范产品行业协会

中国矿业联合会

中国出租汽车暨汽车租赁协会

中国建筑金属结构协会

中国船东协会

中国道路运输协会

中国教育学会

中国老教授协会

北京师范大学校友会

中国发明协会

中国职工教育和职业培训协会

中国社会工作协会

中华慈善总会

中国奶业协会

中国农民体育协会

中国畜牧业协会

中华全国律师协会

中华医院管理学会

中国传统文化促进会

中华民族文化促进会

中国电子音响工业协会

中国互联网协会

中国国际公共关系协会

中国和平利用军工技术协会

中国同位素与辐射行业协会

中国民族建筑研究会

中国人口福利基金会

中国海关学会

中国音乐著作权协会

中国消费者协会

中国广播电视协会

中国环境新闻工作者协会

中国网球协会

中国大学生体育协会

中国测绘学会

中国海洋学会

中国花卉协会

中国旅游协会

中国执业药师协会
中国统计学会
中国同泽书画研究院
中国伊斯兰教协会
全国机关事务工作协会
中国军事科学学会
中国职工技术协会
中国青少年发展基金会
中国青年志愿者协会
中国妇女发展基金会
中国儿童少年基金会
中国华侨经济文化基金会
中国棉花协会
中国外国文学学会
中国史学会
孙冶方经济科学基金会
中国诗歌学会
中国延安精神研究会
中国水利学会
中国水利企业协会
中国珠算协会
中国食品土畜进出口商会
中国证券业协会
援助西藏发展基金会
铁路青少年发展捐助中心
爱之桥服务社
历道证券博物馆

二、地方民间组织

北京市：
北京注册会计师协会
北京市旅游行业协会
北京市律师协会
北京志愿者协会
北京市书刊发行业协会
北京市西城区什刹海研究会
北京市海淀区饮食服务行业协会
北京市大兴区庞各庄西瓜产销联合会
延庆县八达岭长城文化艺术协会
北京市石景山区金顶街社区服务者协会
北京国际城市发展研究院
北京汇佳职业学院
北京创新科技研究所
北京市丰台区 ABC 外语培训学校

天津市：
天津市自行车行业协会
天津市华夏未来少年儿童文化艺术基金会
天津市企业联合会
天津市电力学会
天津市建材业协会
天津市医药质量管理协会
天津市华夏未来少儿艺术团
天津市耀华嘉诚国际中学
天津卫协医院
天津中体体育俱乐部

河北省：
河北省铁道学会
河北省企业家协会
河北省建设监理协会
河北省体育总会
河北省民用品维修行业协会
河北省老年文化促进会
河北省医院管理学会
河北省注册会计师协会
河北省果品流通协会
河北省水利行业协会
沧州市棉花协会
承德市影视艺术家协会
廊坊市博惠中医药研究所
石家庄白求恩医学专修学院
邢台市私立英华学校
河北航天金穗技能培训学校
保定东方双语学校

山西省：
山西省建筑业协会
山西省电力行业协会
山西省梓豪股骨头坏死研究院
山西省太原市见义勇为协会
山西省长治市机动车驾驶员安全协会
山西省农业产业化协会

山西省教育家、科学家、企业家交流协会
山西省临汾市铸造业协会
山西省晋中市民间组织联合会
山西省运城育博中学
山西省大同市新火职业学校
内蒙古自治区：
内蒙古自治区品牌协会
内蒙古自治区人民教育基金会
内蒙古自治区温州商会
内蒙古杨氏国际发型美容技术学校
内蒙古自治区特种设备协会
包头市计算机公共网络安全协会
内蒙古通辽市化肥经营管理协会
呼伦贝尔市计划生育协会
赤峰市昭乌达妇女可持续发展协会
呼和浩特市室内装饰协会
辽宁省：
辽宁省家具协会
辽宁省企业联合会
辽宁省清真商业食品管理协会
沈阳市个体劳动者协会
沈阳市盖伦文化进修学校
大连稻草输出协会
大连普兰店市特种粮研究会
鞍山市工业经济联合会
抚顺市供热协会
本溪市建筑业联合会
丹东市电力行业协会
锦州市科雨教育中心
营口市耐火材料行业协会
阜新市乡镇企业协会
辽阳市保险行业协会
铁岭市道路运输行业协会
朝阳市建平县小杂粮协会
盘锦市私营企业协会
葫芦岛薇薇剑桥少儿英语学校
吉林省：
长春市见义勇为基金会
吉林省华桥外国语学院
延吉市优抚医院
吉林省银行同业协会
吉林省反邪教协会
吉林省医学会
吉林省慈善总会
吉林省体育总会
吉林省农村合作经济组织协会
延边朝鲜族自治州建筑业协会
长岭县三青山马铃薯粉条研究会
双辽市茂林永超牧业协会
长春市慈善会
黑龙江省：
黑龙江省房地产业协会
黑龙江省银行业协会
黑龙江省证券业协会
黑龙江省家用电器协会
哈尔滨新世纪计算机学院
黑龙江中乔职业技能培训学校
哈尔滨市搬家服务业协会
哈尔滨工业大学实验中学
黑龙江省农村合作经济组织协会
佳木斯博伦外国语培训学校
大庆市中药材产业协会
牡丹江市渤海文化研究会
黑龙江省地方石油协会
上海市：
上海市慈善基金会
上海市造船工程学会
上海市信息服务业行业协会
上海杉达学院
上海市房产经济学会
上海市生物医药行业协会
上海市青少年发展基金会
上海市建筑材料行业协会
上海市台湾同胞投资企业协会
上海市普陀区长寿路街道民间组织服务中心
上海卢湾区金色港湾老年公寓
上海对外经济贸易企业协会
上海计算机用户协会
上海市计划生育协会

江苏省：
江苏省电力行业协会
江苏省建筑业协会
江苏省进出口商会
江苏省质量协会
三江学院
正德职业技术学院
江苏省见义勇为基金会
南京民办二十一世纪双语学校
南京汽车运输协会
无锡市慈善会
徐州市电力行业协会
常州市交通运输协会
苏州市模具工业协会
南通市慈善会
连云港市法院离退休工作者协会
江苏省淮安军星科技学校
东台市西瓜产销协会
扬州市慈善总会
镇江市私营个体经济协会
泰兴市黄桥生猪经济协会
宿迁市红十字眼科医院
浙江省：
浙江省医学会
浙江省建筑业行业协会
浙江省保险行业协会
浙江省自行车行业协会
浙江省皮革行业协会
浙江省花卉协会
浙江省青年志愿者协会
浙江省慈善总会
浙江省农业技术推广基金会
杭州市食品工业协会
杭州市萧山区社区卫生服务爱心连锁站
宁波经济建设促进协会
宁波市教育学会
宁波华慈医院
温州市电气行业协会
苍南县建设商会
嘉兴市机械工程学会
湖州市旅游协会
新昌县轴承行业协会
金华市建筑业协会
江山市养蜂产业化协会
舟山市出口水产行业协会
天台县青梅中学
龙泉市香菇协会
安徽省：
安徽省企业联合会
安徽省汽车工业协会
安徽省电力行业协会
安徽省医学会
安徽省外商投资企业协会
安徽省粮食行业协会
安徽省种子协会
安徽省房地产业协会
中国计算机函授学院
安庆市建筑业协会
宁国市汽车维修行业协会
淮北市杜集区段园镇葡萄协会
福建省：
福建省煤炭工业协会
福建省经济社团联合会
福建省企业与企业家联合会
福建省税务学会
福建省医学会
福建华南女子职业学院
福建省运盛青年基金会
福州市港口协会
厦门市对外经贸企业协会
厦门市建筑行业协会
泉州市泉台民间交流协会
漳州市烹饪协会
龙岩市会计学会
宁德市渔业协会
莆田市集邮协会
建瓯市竹业协会
江西省：
江西省企业联合会
江西省浙江企业联合会

江西省工业经济联合会
江西省房地产业协会
江西省市政公用业协会
江西省福建商会
江西省公路学会
江西省城市金融学会
江西省医学会
江西省青少年发展基金会
蓝天职业技术学院
江西航天科技职业学院
江西服装职业技术学院

山东省：

山东出入境检验检疫协会
山东省道路运输协会
山东省拍卖行业协会
山东省银行业协会
山东石油学会
山东篮翔高级技工学校
山东英才职业技术学院
山东鲁冠戏剧影视制作中心
济南市保险行业协会
青岛市勘察设计协会
淄博市临淄区皇城镇西红柿协会
枣庄市民营企业协会
东营英华园学校
烟台市房地产开发投资企业协会
潍坊市建筑业协会
曲阜市中药材协会
泰安市企业联合会
荣成市渔业协会
莒县西瓜协会
莱芜养猪协会
沂水县畜牧养殖协会
德州市道路运输协会
滨州华海白癜风医院
菏泽市保险行业协会
聊城服装成人中等专业学校
青岛黄海家畜推广中心
潍坊市书画家联谊会
济南大家园家政服务中心
山东省企业经营管理学会

河南省：

河南省工业经济联合会
河南省民营经济维权发展促进会
河南省客家联谊会
河南省银行业协会
河南省电力行业协会
河南省建筑业协会
河南省企业形象发展协会
河南省家禽业协会
河南省工艺美术行业协会
河南省宋庆龄基金会
河南省华侨书画院
郑州市家政服务业协会
周口市慈善总会
焦作市道路运输协会
鹤壁市煤炭运输协会
南阳市宝玉石协会
义马市永乐公寓
上蔡县养猪协会

湖北省：

湖北省室内装饰协会
湖北省道路运输协会
湖北省美发美容协会
湖北省电线电缆行业协会
湖北省科学技术期刊编辑学会
湖北省医学会
湖北省银行同业公会
湖北省青少年发展基金会
湖北文达电脑培训学校
湖北武汉企业联合会
湖北武汉商业总会
湖北武汉新洲区双柳蔬菜协会
湖北长阳清江康华扶贫助学促进会
湖北襄樊市机动车驾驶员协会
湖北老河口市果蔬专业技术研究会
湖北荆门市公共关系协会
湖北孝感市消费者委员会
湖北随州市曾都区食用菌技术协会

湖南省：
湖南省电力行业协会
湖南省医学会
湖南省岳麓山大学城家政服务中心
湖南省科技咨询业协会
长沙市教育基金会
长沙市个体劳动者私营企业协会
浏阳市烟花鞭炮总会
祁东县养猪协会
湖南涉外经济职业学院
湖南省证券市场法制研究会
湖南省酒业协会
湖南省企业家协会
湘潭市保险行业协会
长沙县茶叶产业协会
麻阳苗族自治县柑桔协会
吉首市个体劳动者私营企业协会
广东省：
广东省行政管理学会
广东省医学会
广东省企业联合会
广东省服装服饰行业协会
广东省美容美发行业协会
广东省食品行业协会
广东省拍卖业协会
广东渔船船东互保协会
广东省税务学会
广东省乒乓球协会
广州注册会计师协会
深圳外商投资企业协会
深圳市家具行业协会
深圳市服装行业协会
汕头市塑胶商会
东莞市印刷业协会
从化市清丰蔬菜加工协会
梅县松口沙田柚协会
广东省见义勇为基金会
东莞市医疗救济基金会
广东白云职业技术学院
广州市田园农业科技研究中心
肇庆市科技学校
中山市华宇乐颐老院
广西壮族自治区：
广西建筑业联合会
广西电力行业协会
广西保险行业协会
广西拍卖行业协会
广西水产畜牧业协会
广西钱币学会
广西公路学会
广西水利学会
玉林市林业产业协会
北海市兰花协会
灵山县文利镇奶水牛养殖协会
广西希望高中
北京大学南宁附属实验学校
广西青少年发展基金会
海南省：
海南省医药行业协会
海南省企业家协会
海南省房地产业协会
海南省香蕉协会
海南省公路学会
琼海市长坡镇农民运销协会
儋州市军屯儿童文化学园
海南省民族发展促进会
海南省职业经理人协会
重庆市：
重庆服装（服饰）行业协会
重庆市建筑业协会
重庆市反邪教协会
重庆摩托车行业协会
重庆市福建商会
重庆市火锅协会
重庆市预防医学会
四川外语学院重庆南方翻译学院
重庆市西南机动车驾驶员培训中心
重庆市彭水王应田教育基金会
四川省：
四川“扁月亮”少儿语言表演影视培训基地

四川省教育基金会
四川海洋特种技术研究所
四川省宜宾珍稀水陆生动物研究所
绵阳金融学校
德阳城房艺术培训学校
四川省达州巨全双语学校
成都市西区医院
遂宁市建筑业协会
内江市法医学会
名山县茅河乡茶叶协会
乐山市电力行业协会
广元市药学会
富顺县辣椒协会
巴中市巴州区甘泉乡优质水果产销协会
成都市建筑装饰协会
四川咨询业协会
四川省医学会
四川省畜牧兽医学会
四川省律师协会
四川省旅游协会
四川省房地产业协会
四川省饭店与餐饮娱乐行业协会
贵州省：
贵州省城市公共交通协会
贵州省毕节地区纳雍县老凹坝乡畜牧专业经济协会
贵州省贵阳中天中医药职业学校
贵州省遵义市个体劳动者协会
贵州省六盘水市六枝特区岩脚镇冬瓜协会
贵州省安顺市建筑装饰协会
贵州省铜仁地区教育学会
贵州省黔东南州个体私营经济协会
贵州省黔西南州兴义市个体劳动者协会
贵州省化学工业协会
云南省：
云南省演讲学会
云南省食品协会
云南省烟草学会
云南省道路交通安全协会
云南省民间组织促进会
云南省昭通市昭通黑颈鹤保护志愿者协会
云南省昆明市嵩明县蔬菜协会
云南省玉溪市峨山民族电影电视评论学会
云南省农村致富技术函授大学
云南省曲靖市石林育才学校
云南省中小学幼儿教师奖励基金会
云南省延安精神研究会
西藏自治区：
西藏自治区青少年发展基金会
西藏自治区藏医药学会
西藏自治区公路学会
西藏自治区个体私营经济协会
西藏自治区登山协会
陕西省：
陕西省宋庆龄基金会
陕西省慈善协会
陕西省工业经济联合会
陕西省电子学会
西安翻译职业学院
西安市个体劳动者协会
西安星月医院
宝鸡烹饪专科培训学校
咸阳市足疗保健协会
陕西省渭南市中小企业协会
延安育英中学
铜川市耀州区王家砭奶牛专业协会
旬阳县农机汽车驾驶培训学校
甘肃省：
兰州市出租汽车行业协会
定西市渭源县五竹良种洋芋繁育协会
甘肃省天水市民间组织联合会
甘肃省酒泉市养殖业协会
平凉市果业协会
金昌市金川区双湾镇农产品营销协会
甘肃省饭店协会
甘肃省电力行业协会
甘肃省建筑业联合会
甘肃省慈善总会
兰州童鹤赡养院
甘肃省医学会

兰州铁路法学会
青海省：
青海省电力行业协会
青海省音协爱乐艺术培训学校
青海省医学会
西宁市西建中英文学校
青海省延安精神研究会
青海省海东地区建筑业协会
青海省注册税务师协会
西宁市个体劳动者协会
宁夏回族自治区：
宁夏电力行业协会
宁夏扶贫基金会
宁夏中华爱国工程联合会
宁夏东西部合作促进会
宁夏银川企业家协会
宁夏石嘴山市机动车驾驶员协会
宁夏吴忠市个体私营企业协会
宁夏固原市税务学会
宁夏中卫市城区文昌镇蔡桥村果菜协会
新疆维吾尔自治区：
新疆慈善总会
新疆医学会
新疆建筑业协会
新疆地质学会
新疆私营个体企业协会
新疆博乐市小营盘镇养鸡协会
新疆天山职业技术学院
新疆私立光华学校
新疆劳动教养职业技能培训中心
新疆生产建设兵团：
新疆生产建设兵团工程咨询协会
新疆生产建设兵团护理学会
新疆生产建设兵团农二师二十四团养猪协会
新疆生产建设兵团农四师计划生育协会
新疆生产建设兵团农五师党建研究会
新疆生产建设兵团农八师石河子焊接学会
新疆生产建设兵团农十二师三坪家园敬老院

2004 年民间组织发展规模统计

社会团体(一)

单位:个

地区	本年末实有社团		按活动区域分				按性质分			
	总数	本年批准登记社团	中央级社团	省级社团	地级社团	县级社团	专业性社团	行业性社团	学术性社团	联合性社团
全国	153359	18607	1673	20563	53450	77673	44322	46370	37899	21790
民政部本级	1673	23	1673				329	634	592	102
北京市	2491	201		1157		1334	1106	549	502	334
天津市	1798	106		771	892	135	509	280	502	507
河北省	6112	821		636	2159	3317	1898	2195	1308	673
山西省	3648	574		698	1375	1575	1111	1162	729	583
内蒙古自治区	2621	382		456	1096	1069	869	766	555	357
辽宁省	6348	759		569	3425	2354	1832	1670	1767	1010
吉林省	3795	264		499	1351	1945	889	1180	1127	500
黑龙江省	3651	678		657	1770	1224	962	1264	1013	369
上海市	2846	181		1002	1768	76	1276	193	692	620
江苏省	11815	1161		805	3889	7121	3843	3538	2788	1413
浙江省	10862	966		776	2955	7131	3305	2911	2550	1805
安徽省	5191	627		653	2129	2409	1582	1325	1488	782
福建省	6593	586		690	2144	3759	1383	1643	2008	1533
江西省	4751	774		605	1691	2455	1126	1536	1221	666
山东省	10359	1900		902	3766	5691	3544	3750	1958	1019
河南省	6413	853		830	2903	2680	1366	2616	1693	514
湖北省	6714	616		717	2426	3571	1896	2021	1726	908
湖南省	6856	928		704	2624	3528	1946	1999	1866	785
广东省	8697	823		784	3762	4151	2337	2006	2291	1985
广西状族自治区	4881	740		561	1586	2734	1346	1469	954	730
海南省	908	36		536	125	247	282	211	252	159
重庆市	3072	327		709	366	1997	784	1044	797	447
四川省	11642	1459		826	3212	7604	3213	3343	2835	2129
贵州省	2826	632		563	709	1554	860	1138	603	183
云南省	4603	542		610	1381	2612	1154	1522	1252	552
西藏自治区	261	11		151	110		55	91	90	20
陕西省	3530	417		625	1199	1706	1026	1134	1003	306
甘肃省	3555	536		672	979	1904	1074	1462	626	320
青海省	1005	76		383	269	353	257	403	205	99
宁夏回族自治区	1029	253		442	256	331	280	383	213	137
新疆维吾尔自治区	2813	354		574	1133	1106	882	932	693	243

社会团体(二)

单位:个

地区	按性质分			本年注、撤销、取缔社团			社团负责人		应建立党组织的社会团体	
	港澳台社团	外国商会	其他	总数	撤销社团数	外国商会及港澳台社团	总数	女性	总数	已建立党组织的社会团体
全国	38	16	2924	6642	3458		560148	65717	40535	19778
民政部本级		16					1654	165	1617	1352
北京市				113	69		19418	3494	688	544
天津市				28	17		9256	1652	330	162
河北省	1		37	266	86		13311	1243	2616	2011
山西省	1		62	332	285		10209	2048	728	286
内蒙古自治区	2		72	137	71		13284	2076	1114	615
辽宁省			69	206	164		19804	3082	2144	893
吉林省	1		98	123	43		7637	831	877	584
黑龙江省	1		42	261	165		11240	1510	1171	855
上海市			65	45	17		6002	909	2598	1886
江苏省	2		231	553	203		44951	4667	1895	698
浙江省			291	558	138		48275	4735	2105	1430
安徽省			14	94	60		11620	2211	886	227
福建省	2		24	205	70		22202	2090	334	202
江西省			202	320	182		11277	1096	626	246
山东省			88	616	379		42470	5121	2985	1529
河南省	5		219	296	150		24618	1932	2009	732
湖北省			163	378	211		24774	3282	2259	915
湖南省	1		259	306	201		27271	3925	2522	1067
广东省			78	90	30		32848	3813	1131	351
广西壮族自治区			382	250	74		19524	3472	735	329
海南省			4	12	5		4042	335	60	48
重庆市				71	12		10747	1592	585	152
四川省			122	352	202		75146	5064	3127	1125
贵州省	1		41	52	43		8783	692	1137	437
云南省	2		121	178	131		10449	1191	811	212
西藏自治区			5	16			1223	32	39	33
陕西省	2		59	427	246		8182	746	659	232
甘肃省	17		56	133	69		5322	571	646	228
青海省			41	48	41		3404	479	634	145
宁夏回族自治区			16	72	56		3879	193	608	74
新疆维吾尔自治区			63	104	38		7326	1468	859	178

民办非企业单位(一)

单位:个

地　区	本年末实有民办非企业单位		按性质分类			按隶属行业分类					
	总　数	本年批准登记单位	法　人	合　伙	个　体	教　育	卫　生	文　化	科　技	体　育	劳　动
全国	135181	21101	64308	7220	63653	69068	27509	3139	5824	3441	10736
民政部本级	24	9	24				3	1	3		
北京市	2078	458	1336	53	689	1551	56	29	103	83	155
天津市	1571	298	1433	14	124	838	42	30	20	120	242
河北省	5854	875	1623	365	3866	1730	2731	88	363	97	451
山西省	1867	385	1046	117	704	984	156	86	315	65	129
内蒙古自治区	1683	297	585	116	982	596	585	34	109	33	145
辽宁省	5586	1184	2523	239	2824	3110	297	85	120	148	801
吉林省	2654	352	557	96	2001	1361	65	171	138	45	253
黑龙江省	4432	1123	1118	241	3073	2648	103	55	302	113	593
上海市	4121	606	3956	46	119	2245	84	67	37	104	527
江苏省	6894	1264	4037	328	2529	3305	810	213	187	252	662
浙江省	9760	1032	3097	670	5993	7629	371	173	539	142	409
安徽省	2533	659	1055	173	1305	1258	451	82	214	64	257
福建省	1696	647	956	116	624	1093	59	65	91	70	189
江西省	3143	455	899	397	1847	1874	640	56	68	109	211
山东省	32887	3263	19873	1941	11073	10461	14354	633	1648	569	997
河南省	6152	1199	2345	328	3479	2124	1768	230	358	322	630
湖北省	4530	757	2366	302	1862	1898	553	160	182	281	554
湖南省	2900	661	1578	191	1131	1905	154	80	54	50	317
广东省	9331	1536	4461	297	4573	6961	28	143	176	140	1225
广西壮族自治区	3007	423	977	250	1780	2358	20	36	55	92	301
海南省	547	76	156	26	365	418	47	16	15		32
重庆市	1487	284	656	78	753	1012	19	25	29	60	259
四川省	10624	1213	2538	301	7785	6789	2070	189	125	132	774
贵州省	1003	133	244	102	657	593	161	35	34	38	37
云南省	1429	358	392	132	905	1080	17	34	65	62	59
西藏自治区	4		4			4					
陕西省	3245	659	1820	79	1346	1505	943	109	204	53	205
甘肃省	1963	323	1200	79	684	537	738	58	196	89	133
青海省	377	98	173	77	127	144	42	50	11	20	19
宁夏回族自治区	283	99	161	24	98	108	23	14	17	25	39
新疆维吾尔自治区	1516	375	1119	42	355	949	119	92	46	63	131

民办非企业单位(二)及基金会

单位:个

地区	按隶属行业分类				本年注、撤销、取缔单位数		民办非企业单位负责人		应建立党组织的民办非企业单位		基金会
	民政	社会中介服务	法律服务业	其他	总数	撤销单位	总数	女性	总数	已建立党组织的民办非企业单位	
全国	9658	1275	546	3985	10406	5583	191131	65065	21341	9594	936
民政部本级	3	1	1	12			23	5	22	19	84
北京市	57		3	41	62	33	4572	1733	376	131	88
天津市	218	14	3	44	227	18	3403	1096	407	173	28
河北省	226	69	17	82	328	101	7031	1537	783	433	11
山西省	93	8	4	27	372	320	2164	461	498	217	3
内蒙古自治区	97	32	7	45	405	83	2726	1036	368	120	22
辽宁省	753	35	18	219	364	171	6965	3013	568	228	12
吉林省	467	39	23	92	262	71	3007	1354	336	38	16
黑龙江省	546	23	5	44	232	144	5027	2390	834	128	1
上海市	691	18	8	340	91	51	5227	1659	3330	2803	63
江苏省	978	148	4	335	222	56	11607	3515	1427	614	36
浙江省	212	44	12	229	584	322	12534	6425	872	477	100
安徽省	126	39	3	39	25	7	2876	968	258	79	14
福建省	56	26	1	46	35	23	2398	1124	111	45	36
江西省	85	47	8	45	421	340	3551	1478	298	64	9
山东省	2650	240	297	1038	3760	2480	45457	10634	2816	1538	23
河南省	405	109	13	193	213	111	8987	2216	531	336	28
湖北省	544	87	31	240	375	152	8201	2778	1451	498	34
湖南省	119	43	6	172	626	212	7100	1918	733	305	33
广东省	336	18	3	301	225	66	11254	5311	1136	384	136
广西状族自治区	81	3		61	144	49	6475	2307	308	122	8
海南省	11	4		4	34		970	446	15	12	5
重庆市	35	3	1	44	20	6	3160	1261	158	57	2
四川省	337	93	12	103	411	261	13353	5993	1663	304	37
贵州省	77	10	6	12	66	64	1406	482	246	30	5
云南省	71	13	4	24	29	18	1709	884	126	15	17
西藏自治区							4	2	2		7
陕西省	117	24	18	67	472	257	4712	1408	484	179	17
甘肃省	101	30	30	51	114	27	2358	530	108	33	21
青海省	52	19	5	15	60	59	733	200	347	170	9
宁夏回族自治区	19	25	1	12	66	18	311	78	145	16	11
新疆维吾尔自治区	95	11	2	8	161	63	1830	823	584	26	20

2004 年新成立的全国性社会团体

名　　称	登记证号	业务主管单位	批准时间
西泠印社	4728	中共杭州市委宣传部	2004.1.13
海峡两岸经贸交流协会	4730	中华人民共和国商务部	2004.2.27
中国印制电路行业协会	4731	中华人民共和国信息产业部	2004.2.27
中国美国商会	002	中华人民共和国商务部	2004.3.8
中国老区建设促进会	4732	中华人民共和国水利部	2004.3.12
中国世界贸易组织研究会	4733	中华人民共和国商务部	2004.3.16
国际易学联合会	4739	中国社会科学院	2004.3.18
中国东盟协会	4742	中国人民对外友好协会	2004.3.18
中国西藏文化保护与发展协会	4750	中共中央统战部	2004.3.18
中国职工文化体育协会	4734	中华全国总工会	2004.4.30
中国声学学会	3112	中国科学技术协会	2004.5.12
中国健身气功协会	4736	国家体育总局	2004.5.13
中国机构编制管理研究会	4735	中央机构编制委员会办公室	2004.5.25
中国圆明园学会	4737	中华人民共和国文化部	2004.6.25
中国马来西亚商会	016	中华人民共和国商务部	2004.6.29
中国设备监理协会	4738	国家质量监督检验检疫总局	2004.7.2
中国梅兰芳文化艺术研究会	4741	中华人民共和国文化部	2004.7.9
中国法国工商会	004	中华人民共和国商务部	2004.7.12
世界珠算心算联合会	4749	中华人民共和国财政部	2004.7.18
中国市场信息调查业协会	4740	国家统计局	2004.7.22
中华全国律师协会	4743	中华人民共和国司法部	2004.8.4
中国前卫体育协会	4711	中华人民共和国公安部	2004.8.16
中国私用航空器拥有者及驾驶员协会	4744	中国民用航空总局	2004.8.17
中国壁画学会	4745	中华人民共和国文化部	2004.8.30
中国车辆模型运动协会	4747	国家体育总局	2004.9.7
中国极限运动协会	4748	国家体育总局	2004.9.7
中国跆拳道协会	4746	国家体育总局	2004.9.7
中国日本商会	001	中华人民共和国商务部	2004.9.13

2004年底以前在民政部登记注册的民办非企业单位

序号	单位名称	登记时间	证　号	地　　址	主管单位
1	爱之桥服务社	1999.2.8	070001	北京市宣武区白广路7号	民政部
2	国杰老教授科学技术咨询开发研究院	2000.9.6	040002	北京市海淀区清华大学学研大厦	科技部
3	希望义卖中心	2001.4.23	110003	上海市新乐路187号	团中央
4	新探健康发展研究中心	2001.5.1	020004	北京市丰台区草桥东路16号	卫生部
5	铁路青少年发展捐助中心	2001.10.19	120005	北京市海淀区羊坊店甲8号	铁道部
6	中联科技产业研究发展中心	2001.11.19	050006	北京市前门东大街11号	科技部　国务院参事室
7	法联重大疑难案件研究中心	2002.5.17	090007	北京市东交民巷39号	司法部
8	华坤女性调查中心	2002.9.26	130008	北京市东城区史家胡同甲24号	全国妇联
9	历道证券博物馆	2003.3.7	140009	上海市浦东银城东路39号	文物局
10	中卫中医药发展研究中心	2003.3.7	150010	北京市朝阳区樱花东街甲4号	中医药局
11	卓越国际质量研究中心	2003.4.9	160011	北京市西城区中京几道12号	国资委
12	卓越用户满意度测评中心	2003.4.9	160012	北京市西城区中京几道12号	国资委
13	中慈国际交流中心	2003.7.8	070013	北京市西城区二龙路甲33号	民政部
14	改革传播影视中心	2003.7.8	170014	北京市黄寺大街人定湖北巷11号	广电总局
15	中远渔业推广示范中心	2004.3.11	180015	北京市朝阳区农展馆南里11号	农业部
16	国新出版物发行数据调查中心	2004.3.11	190016	北京市西城区阜外大街34号	新闻出版总署
17	当代基层民主研究中心	2004.3.11	070017	北京市西城区二龙路甲33号	民政部
18	紫光阁画院	2004.3.11	200018	北京市西城区文津街7号临琼楼	中央国家机关工委
19	世针针灸交流中心	2004.3.24	150019	北京市东城区东直门内南小街16号	中医药局
20	中慈社会捐助服务中心	2004.8.19	070020	北京市宣武区万明路2号	民政部
21	当代城乡发展研究院	2004.8.19	210021	北京市东城区干面胡同东罗圈11号	社科院
22	中宠宠物及用品发展服务中心	2004.9.14	220022	北京市西城区复内大街45号	中华供销合作总社
23	华坤女性消费研究中心	2004.9.14	130023	北京市东城区史家胡同甲24号	全国妇联
24	红十字扶贫开发服务中心	2004.11.29	230024	北京市东城区干面胡同43号	红十字总会

2004 年新成立的全国性基金会

名　　称	登记证号	业务主管单位	批准时间
中国关心下一代健康体育基金会	4727	中华人民共和国教育部	2004.4.13
中国华文教育基金会	公募 0101	国务院侨务办公室	2004.9.30

2004 年变更社团名称的全国性社会团体名单

社团名称	变　更　前	变　更　后
中国产业发展规划协会	中国产业发展规划协会	中国产业发展与规划协会
中国进出口商品检验协会	中国进出口商品检验协会	中国出入境检验疫协会
中国电影电视摄影师学会	中国电影电视摄影师学会	中国影视摄影师学会
中国家禽业协会	中国家禽业协会	中国畜牧业协会
企业管理科学基金会	企业管理科学基金会	中国企业管理科学基金会
中国价格学会	中国价格学会	中国价格协会
吴阶平泌尿外科医学基金会	吴阶平泌尿外科医学基金会	吴阶平医学基金会
中国物资流通协会	中国物资流通协会	中国物流与采购联合会
中国城市煤气协会	中国城市煤气协会	中国城市燃气协会
中国黄金学会	中国黄金学会	中国黄金协会
中国质量管理协会	中国质量管理协会	中国质量协会
中国缝纫机协会	中国缝纫机协会	中国缝制机械协会
中国锻造协会	中国锻造协会	中国锻压协会
中国中药企业管理协会	中国中药企业管理协会	中国中药协会
中国邮电企业管理协会	中国邮电企业管理协会	中国通信企业协会
中国石油化工情报学会	中国石油化工情报学会	中国石油化工信息学会
中国纯血马登记管理协会	中国纯血马登记管理协会	中国马业协会
中国国防科技信息网站联合会	中国国防科技信息网站联合会	中国青少年网络协会
中国化工 DCS 应用技术协会	中国化工 DCS 应用技术协会	中国石油和化工自动化应用协会

中国纺织工业企业集团公司联合会	中国纺织工业企业集团公司联合会	中国产业用纺织品行业协会
中国医疗装备应用与维修技术协会	中国医疗装备应用与维修技术协会	中国医学装备协会
中国石棉制品工业协会	中国石棉制品工业协会	中国摩擦密封材料协会
中国机械节能节材技术协会	中国机械节能节材技术协会	中国机械工业企业管理协会
中国化工勘察设计协会	中国化工勘察设计协会	中国石油化工勘察设计协会
中国版权研究会	中国版权研究会	中国版权协会
中南财经大学校友总会	中南财经大学校友总会	中南财经政法大学校友总会
中国内部审计学会	中国内部审计学会	中国内部审计协会
中国中医药学会	中国中医药学会	中华中医药学会
中国邮电体育协会	中国邮电体育协会	中国通信体育协会
中国古陶瓷研究会	中国古陶瓷研究会	中国古陶瓷学会
华中理工大学校友总会	华中理工大学校友总会	华中科技大学校友总会
全国地方遥感应用协会	全国地方遥感应用协会	中国遥感应用协会
中国草原学会	中国草原学会	中国草学会
中国恩格斯研究会	中国恩格斯研究会	中国马克思恩格斯研究会
中国电化教育协会	中国电化教育协会	中国教育技术协会
中国国际关系史研究会	中国国际关系史研究会	中国国际关系学会
中国老年基金会	中国老年基金会	中国老龄事业发展基金会
外国法制史研究会	外国法制史研究会	全国外国法制史研究会
中国产业发展与规划协会	中国产业发展与规划协会	中国产业海外发展与规划协会
中国国际标准舞学会	中国国际标准舞学会	中国国际标准舞总会
中国业余舞蹈竞技协会	中国业余舞蹈竞技协会	中国体育舞蹈联合会
中国税务咨询协会	中国税务咨询协会	中国注册税务师协会
中国学生营养促进会	中国学生营养促进会	中国学生营养与健康促进会
中国实验猕猴养殖开发联合会	中国实验猕猴养殖开发联合会	中国实验灵长类养殖开发协会
中华江河体育游乐促进会	中华江河体育游乐促进会	中国水利江河体育协会
中国技巧协会	中国技巧协会	中国蹦床与技巧协会
中国劳动保护科学技术学会	中国劳动保护科学技术学会	中国职业安全健康协会

中国保健科技学会	中国保健科技学会	中国保健协会
中国房地产估价师学会	中国房地产估价师学会	中国房地产估价师与房地产经纪人学会
中国皮革工业协会	中国皮革工业协会	中国皮革协会
中国卫生统计学会	中国卫生统计学会	中国卫生信息学会
中国吸烟与健康协会	中国吸烟与健康协会	中国控制吸烟协会
中国游泳运动协会	中国游泳运动协会	中国游泳协会
中国广播电视学会	中国广播电视学会	中国广播电视协会
中共党史人物研究会	中共党史人物研究会	中国中共党史人物研究会

2004 年变更住所的全国性社会团体名单

社团名称	变　更　前	变　更　后
中国抗癌协会	天津市	北京市阜成路 52 号
中国化工矿业协会	河北省涿州市	北京市六铺炕中街 1 号
中国实验猕猴养殖开发联合会	北京市东城区灯市大街 75 号	北京市朝阳区劲松南路 1 号
中国畜产品加工研究会	江西农业大学	南京农业大学
中国制冷学会	北京西城三里河二区	北京市海淀区阜成路 67 号银都大厦 10 层
中国电器工业协会	北京市三里河路	北京市海淀区翠微路 2 号院
中国电子视像行业协会	南京市	北京市海淀区复兴路 49 号
中国公路勘察设计协会	西安市友谊西路 87 号	北京市东四前炒面胡同 33 号
中国黄河文化经济发展研究会	北京西直门内大街马相胡同五根檩 11 号	北京市建国门内大街 1 号

中国出入境检验检疫协会	北京市朝阳区芳草地西街 15 号	北京市德外大街华严北里甲 1 号健翔山庄 G11、12 座
中华老人文化交流促进会	北京东城区北兵马司胡同 7 号	北京市东城区大取灯胡同 8 号
中国空气动力学会	北京市北三环西路 45 号	北京市海淀区学院路 37 号
中国西部研究与发展促进会	北京海淀区学院南路 76 号	北京市海淀区花园路新时代大厦
中国屈原学会	武汉市东湖北省社科院	北京市海淀区学院路 15 号
中国日本哲学会	吉林省延边大学	北京市建国门内大街 5 号
中国物资再生协会	北京市百万庄北街 6 号	北京市西城区月坛北街 25 号
中国产业报协会	北京西城百万庄北街 1 号	北京西城六铺炕小街甲 2 号
中国色织行业协会	无锡市	北京市东城区东长安街 12 号
中华预防医学会	北京东城区新中街 19 号	北京西城区鼓楼大街 159 号
中国沼气学会	四川成都市	北京朝阳区麦子店街 18 楼 810 号
中国食品科学技术学会	北京市朝阳区樱花园东街 14 号	北京西城区宣武门大街甲 129 号金隅大厦 1608 室
中国计算机用户协会	海淀区复兴路戊 20 号	北京海淀区万寿路 27 号电子大厦 302 室
中国企业报协会	北京安外六铺炕工人日报社内	北京市西城区德外东滨河路 3 号
中国国际货运代理协会	北京市三里河五矿大厦	北京市朝阳区安慧西里 4 区 15 号楼
中国科学技术发展基金会	北京市友谊宾馆	北京市万通新世界广场 B 座 1507－1508
中国地区开发促进会	北京市西城区白云路 4 号	北京市朝阳区鼓楼外大街 23 号
中国科学基金研究会	北京市海淀花园北路 35 号	北京市海淀区双清路 83 号

中国半导体行业协会	北京复兴路甲 65 号	北京市海淀区万寿路 27 号
中国农垦物资供销协会	北京朝阳区白家庄东里 1 号	北京市西城区阜外大街 7 号国投大厦 604 室
中国交响乐发展基金会	北京东城区兴华路 11 号	北京市朝阳区和平街 11 区 1 号
中国保护消费者基金会	北京市西城区阜外大街 36 号	北京市西城区阜外大街乙 22 号
中国针织工业协会	武汉市	北京市东城区东长安街 12 号
中国资源综合利用协会	北京市西城区六铺炕街 1 号	北京市广安门外南滨河路 33 号
中国少数民族作家协会	北京市丰台区莲花池西里 5 号	北京市朝阳区东土城路 25 号
中国民营实业家协会	北京市海淀区西三环北路 70 号	北京市海淀区中关村南大街 34 号
中国计算机行业协会	北京市复兴路戊 12 号	北京市万寿路 27 号电子大厦 304 室
中国生物化学与分子生物学会	北京市朝阳区大屯路 15 号	上海市岳阳路 320 号
中国注册会计师协会	北京市西城区三里河南三巷 3 号	北京市海淀区广源闸 5 号广源大厦 6 层
中国工艺美术学会	北京市复兴门内大街 101 号	北京市西城区阜外大街乙 22 号
中国现场统计研究会	北京市玉泉路 19 号	北京市朝阳区平乐园 100 号
中国地方教育史志研究会	武汉市	北京市前门西大街 109 号 809 室
中国国际文化传播中心	北京市海淀区万泉河路 87 号	北京市朝阳区建国路 99 号
中国流行色协会	上海市	北京市东长安街 12 号 516 室
中国生态学学会	北京市中关村路 19 号	北京市海淀区双清路 18 号
中国船东互保协会	北京市建外大街光华路 15 号	北京市朝阳区朝外大街 38 号北京保罗白领大厦

中国化工企业管理协会	北京市朝阳区安慧里4区16楼	北京市朝阳区安华里5区18号楼
中国农业工程学会	北京市朝阳区东三环北路16号	北京市朝阳区麦子店街41号
中国公共关系协会	北京市建国门内大街5号	北京市西城区丰盛胡同21号
中国收藏家协会	北京市西城区前海东沿68号	北京市东城区五四大街29号
中国高级检察官教育基金会	北京市香山南路111号	北京市石景山区鲁谷西路5号
中国菱镁行业协会	北京市西城区月坛北小街4号	北京市西城区月坛北街25号
中国版权协会	北京市东四南大街85号	北京市车公庄大街甲4号物华大厦5层
中国女摄影家协会	北京市百万庄北街2号	北京市北太平庄七省大院湘都宾馆301房
中国医学装备协会	北京市北三环中路2号	北京市海淀区学院路38号
中国出租汽车暨汽车租赁协会	北京市东城区安德里北街19号	北京市朝阳区和平街和平西苑20楼B座11层
中国胶粘剂工业协会	北京市新源里街20号楼甲	北京市朝阳区东三环南路19号C座206号
中国保安协会	北京市西城区白云观南里9号	北京市宣武区西便门西里10号楼4层
中国环境科学学会	北京市西直门内南大街115号	北京市海淀区红联南村54号
中国教育审计学会	北京市西单大木仓胡同35号	北京市海淀区新外大街19号
中国通信工业协会	北京市朝阳区农展馆南路12号	北京市海淀区复兴路61号
中国优生科学协会	北京市朝阳区北三环东路15号	北京市西城区平安里西大街43号国旅官园大厦508－510室
中国水利教育协会	北京市车公庄西路35号	北京市宣武区白广路2条
中国石油和化工自动化应用协会	北京市西城区六铺炕中街1号	北京市朝阳区安定门外安定路33号

中国机械通用零部件工业协会	北京市西单西安福胡同甲 26 号	北京市西城区三里河路 46 号
中国艺术文化普及促进会	北京市新外大街 23 号 29 楼 1 单元	北京市丰台区恒松园小区 1 号楼 17 层
中国绿色食品协会	北京市朝阳区西坝河光熙门北里 15 号	北京市海淀区学院南路 59 号
中国农民企业家联谊会	北京市丰台区刘家窑南里 5 号楼	北京市西城区砖塔胡同 56 号中垦宾馆 217、219 室
中华社会文化发展基金会	北京市东城区北河沿大街甲 83 号	北京市东城区新中街 66 号北京富东大厦
中国畜牧兽医学会	北京市朝阳区东大桥农丰里 33 号	北京市朝阳区农展馆南路 9 号博雅园 1 栋 106 号
中国地理学会	北京市朝阳区大屯路 3 号	北京市朝阳区大屯路甲 11 号
中国汉画学会	北京市西城区前海西街 17 号	北京市朝阳区惠新北里甲 1 号
中国文化传播发展促进会	北京市西城区西外大街新兴东巷 15 号	北京市西城区裕民东路 5 号
中国材料研究学会	北京市海淀区白石桥路 7 号	北京市海淀区紫竹院路 62 号
中国监察学会	北京市海淀区皂君庙 4 号	北京市宣武区广安门南街甲 2 号
中国电子音响工业协会	上海市虹桥路 1442 号	上海市瑞金南路 458 弄 1 号 101－102 室
中国种子贸易协会	北京市朝阳区西坝河甲 16 号	北京市朝阳区安贞西里四区甲 1 号
中国职工教育和职业培训协会	北京市西城区西黄城根南街九号东院	北京市东城区和平里中街 25 号
中国登山协会	北京市崇文区左安门内大街 10 号	北京市崇文区体育馆路 9 号
中国桥牌协会	北京市朝阳区东三环北路 28 号	北京市崇文区天坛东路 80 号
中国社会主义文艺学会	北京市西城区前海西街 17 号	北京市朝阳区惠新北里甲 1 号
中国食文化研究会	北京市崇文区龙潭公园内	北京市西城区车公庄大街 6 号北京市委党校

中国消费者协会	北京市西城区展览馆路甲 1 号	北京市宣武区广外大街 248 号机械大厦 11 层
中国世界民族文化交流促进会	北京市东四南大街 249 号 505 室	北京市东城区朝阳门内大街 203 号服务楼 201、203、204 室
中国老年法律工作者协会	北京市西城区府右街 3 号	北京市海淀区西八里庄北里 53 号楼(港城宾馆)2207 房间
中国关心下一代健康体育基金会	北京市东城区富华大厦 D 座 14A	北京市西城区月坛南街甲 12 号五层

2004 年变更业务主管单位的全国性社会团体名单

社团名称	变　更　前	变　更　后
中国国防交通协会	国家计委	中国人民解放军总后勤部
中国女企业家协会	国家计委	国家经济贸易委员会
中国长城学会	国土资源部	国家文物局
中国朝鲜族科技工作者协会	中国科学技术协会	国家民族事务委员会
中国新闻技术工作者联合会	新闻出版署	科技部
中国知识产权研究会	中国科学技术协会	国家知识产权局
中国西部研究与发展促进会	中国社会科学院	国家民族事务委员会
中国黄金学会	中国科学技术协会	国家经济贸易委员会
光华科技基金会	总装备部	国家知识产权局
中国金融会计学会	财政部	中国人民银行
中国船舶工业行业协会	中国船舶工业总公司	国防科学技术委员会
中国法医学会	公安部	中国科学技术协会
中国比较文学学会	社科院	教育部
中国屈原学会	社科院	教育部
中国说唱文艺学会	文化部	中国文学艺术界联合会
中国包装技术学会	中国科学技术协会	国家经济贸易委员会
中国环境新闻工作者协会	中华全国新闻工作者协会	国家环境保护总局
中国国防科技信息网站联合会	总装备部	共青团中央
中国高校校报协会	新闻出版署	教育部

中国教育会计学会	财政部	教育部
中国国际关系史研究会	社会科学院	外交部
中国青年科技工作者协会	科技部	团中央
中国消防协会	公安部	中国科学技术协会
中国农民体育协会	国家体育总局	农业部
中国纺织工业协会	国家纺织工业局	国家经济贸易委员会
中国图像图形学会	国防科工委	中国科学技术协会
中国信息经济学会	国家发展计划委员会	教育部
中国航天基金会	总装备部	国防科学技术工业委员会
中国总会计师协会	财政部	中国科学技术协会
中国企业文化促进会	文化部	中国文学艺术界联合会
中华五千年动画文化工程促进会	新闻出版总署	中国文学艺术界联合会
中国国际问题研究和学术交流基金会	国务院外事办公室	外交部
中国保险学会	中国人民银行	中国保险监督管理委员会
中国水利职工思想政治工作研究会	中国职工思想政治工作研究会	水利部
中国劳动力资源开发研究会	劳动和社会保障部	国务院发展研究中心
中国医药企业管理协会	国家药品监督管理局	国家经济贸易委员会
中国水利文学艺术协会	中国文学艺术界联合会	水利部
中国公共关系协会	人民日报社	中华全国归国华侨联合会
中国展览馆协会	国家文物局	国家经济贸易委员会
中国教育审计学会	审计署	教育部
中国劳动保护工业企业协会	国家经济贸易委员会	国家安全生产监督管理局
中国出入境检验检疫协会	国家出入境检验检疫局	国家质量监督检验检疫总局
中国红十字基金会	卫生部	中国红十字总会
中共党史人物研究会	教育部	中共中央党史研究室
中国水利教育协会	教育部	水利部
中国企业改革与发展研究会	国务院经济体制改革办公室	国家经济贸易委员会
中国扶贫基金会	农业部	国务院扶贫开发领导小组办公室

中国扶贫开发协会	农业部	国务院扶贫开发领导小组办公室
中国建设文化艺术协会	中国文学艺术界联合会	建设部
中国国际旅行卫生保健协会	卫生部	国家质量监督检验检疫总局
中国电子劳动学会	劳动和社会保障部	信息产业部
中国业余舞蹈竞技协会	文化部	国家体育总局
中国人工智能学会	中国社会科学院	中国科学技术协会
中国经济体制改革研究会	国务院经济体制改革办公室	国家发展和改革委员会
中国民用爆破器材流通协会	国务院国有资产监督管理委员会	国家安全生产监督管理局
中国青少年犯罪研究会	中国社会科学院	中国共产主义青年团中央委员会

2004 年变更法定代表人的全国性社会团体名单

社团名称	变更前	变更后	备　注
中国体育舞蹈运动协会	王维俭	尹国臣	
中国酒类商业协会	张红霞	王新国	
中国经济林学会	承正女	杨耀先	
中国机械工业标准化技术学会	曹善臣	王金弟	
中国水利水电勘测设计协会	宋廷福	王中礼	
中国科技体制改革研究会	段瑞春	海锦涛	
中国橡胶工业协会	黎扬善	鞠洪振	
中国饲料工业协会	贾幼陵	刘同占	
中国硅酸盐学会	姜东华	吴兆琦	
中国少数民族对外交流协会	文精	江家福	
中国绿化基金会	马玉槐	蔡延松	
中国田汉基金会	葛一虹	王世光	
中国女企业家协会	银重华	史清琪	
中国长城学会	张振	张骥	
中国核学会	钱韵	王乃彦	
中国知识产权研究会	吴湘文	赖洪	
中国林业文学艺术工作者联合会	王毓峰	柳维河	
中国科学技术期刊编辑会	孙枢	丁乃刚	
中华全国体育基金会	吴振绵	魏雪平	
中国烟草学会	关政林	潘必兴	

中国农民报协会	孙永仁	张德修	
中国有色金属学会	马福康	钮因健	
中国造船工程学会	王荣生	黄平涛	
中国雷达行业协会	于嘉印	王金城	
中国少年先锋队工作学会	温愉新	高洪	
中国体视学学会	谢维信	张振声	※
中国出入境检验疫协会	吕保英	秦贞奎	
中国空气动力学会	庄逢甘	张涵信	
中国交通运输协会	王德荣	郭生海	
中国国际经济技术合作促进会	董玉昌	马建章	
北京大学校友会	谢青	郝斌	
中国农村金融学会	何林祥	沿福林	
中国华侨摄影学会	庄炎林	林明江	
中国乡镇企业协会	马杰三	姜永涛	
中国足球协会	袁伟民	阎世铎	
中国和平利用军工技术协会	吴钊	耿小兵	
中国元史研究会	蔡美彪	陈高华	
中国惯性技术学会	高寿祖	花禄森	
中国公园协会	王秉洛	曹礼昆	※
中国西部研究与发展促进会	张健	崔龙浩	
中国老科学技术工作者协会	陶原	高潮	
中国国际交流协会	吴兴唐	姜述贤	
中国太平洋经济合作委员会	陈鲁直	过家鼎	
中国民间中医医药开发协会	李慕才	沙凤桐	
中国交通教育研究会	郭献文	王兰英	
中国地质矿产经济学会	王希凯	张文驹	
中国文物保护基金会	谢辰生	雷存敏	
中国展览馆协会	陈汉典	沈叙强	
东北大学校友总会	蒋仲乐	赫冀成	
中国地方铁路协会	李克非	华茂	
中华全国外国哲学史学会	汝信	王树人	
吴作人国际美术基金会	刘迅	商玉生	
中国南亚学会	黄心川	孙士海	
全国日本经济学会	王仲全	黄晓勇	
中国义和团研究会	路遥	陈振江	

中国电影电视摄影师学会	郑国恩	王伟国	
中国洗净工程技术合作协会	沈金宝	徐顺成	
中国农民战争史研究会	田昌五	孟祥才	
中国闻一多研究会	孙党伯	陆耀东	
中华日本哲学会	李宗耀	王维	
中国音韵学研究会	唐作藩	鲁国尧	
中国屈原学会	毛庆	方铭	
中外语言文化比较学会	任学良	吴锡根	
光华科技基金会	聂力	陈宝庭	
中国家禽业协会	黄松滨	慎伟杰	
中国延安文艺学会	何洛	涂武生	
中华人民共和国外交史学会	王泰平	江勤政	※
国际儒学联合会	谷牧	姜广辉	
中国国际法学会	王铁崖	王厚立	
中国交响乐发展基金会	周巍峙	朱信人	
中国分析测试协会	杨华	王顺昌	
中国假肢协会	吴忠泽	王喜太	
中国交通书画协会	董永鑫	徐向华	
中国工业设计协会	黄良铺	鲁克定	
中国对外承包工程商会	陈永才	李荣民	
中国医学基金会	华俊东	张浩然	※
中国通用机械工业协会	熊福元	张雨豹	
中国电影基金会	苏云	李前宽	
中国铁人三项运动协会	李孝生	王钧	
中国港口协会	李维中	屠德铭	
中国保护消费者基金会	胡楠	侯贵良	
中国医药职工思想政治工作研究会	张汉华	赵万祥	
中国建筑装饰装修材料协会	任福全	杨洪光	※
中国机电产品进出口商会	唐仲文	李慧芬	
中国复合材料学会	夏人伟	崔德渝	
中国石油学会	刘同刚	钱玉怀	※
中国纯碱工业协会	傅孟嘉	底同立	
中国黄金学会	崔德文	王富江	
中国书画收藏家协会	金紫光	阎振堂	
中国日本商会	山根英机	新开友三	※

中国散装水泥推广发展协会	刘颂椒	朱光前	
中国饭店协会	张大林	韩明	
中国晚报工作者协会	顾行	李炳仁	
中国电子专用设备工业协会	于进波	金存忠	
中国科学技术情报学会	朱伟	梁战平	
中国游艺机游乐园协会	邱纯甫	孙柏龄	
中国家用电器协会	张龄	霍杜芳	
中国美国史研究会	张友伦	黄柯可	
中国矿业联合会	朱训	王燕国	
中国照明电器协会	曾耀章	陈燕生	
中国造纸化学品工业协会	汪曾祁	姚献平	
中国轻工机械协会	高武	严龙	
中国造纸学会	陈思亮	钱桂敬	
全国商报联合会	李守仲	石肖岩	
中国殡葬协会	樊壁田	范岐	
中国供销合作经济学会	潘遥	穆励	
中国建筑业协会	林家宁	田世宇	※
中国林产工业协会	朱元鼎	张森林	
中华全国集邮联合会	史维林	盛名丽	
中国电子视像行业协会	陈祥兴	袁邦伟	
中国体育集邮协会	谷炳夫	汪智	
中国旅游车船协会	刘东才	张宁	
中国半导体行业协会	楼洁年	俞忠钰	
中国纺织品进出口商会	钱长永	王沈阳	
中国化工学会	张廷宝	龚七一	
中国烹饪协会	张世尧	李鸣德	
世界中国烹饪联合会	姜习	张世尧	
中国船东互保协会	陈忠表	魏家福	
中国信息经济学会	张元生	方美琪	
中华民族文化促进会	萧秧	高占祥	
中国老年学学会	张亚群	张文范	
中国企业文化促进会	杨永福	张光照	
中国电器工业协会	陆燕荪	杨启明	
中国造纸协会	黄润斌	陈思亮	
中国监控化学品协会	孙象尹	顾觉生	

中国学生营养促进会	郭栴懿	杜玉侠	
中国光学学会	郝景尧	曹健林	
中国水产学会	李明旗	张铭羽	
中国食用菌协会	蒋润洁	顾二熊	
中国残疾人康复协会	汪石坚	刘维华	
中国腐蚀与防护学会	曹楚南	柯伟	
中国高级检察官教育基金会	王晓光	陈明枢	
中国朝鲜族科技工作者协会	姜贵吉	孙东植	
中国科学技术发展基金会	宋南平	陈一雄	
中国国际科学和平促进会	陈一雄	陈继峰	
中国化工机械动力技术协会	王治方	高文	
中国化工安全卫生技术协会	石流	万世波	
中国化工防治污染技术协会	沈渭	马维宏	
中国测绘学会	冯孟华	杨凯	
中国食品土畜进出口商会	殷宏	曹绪岷	
中国木材流通协会	李志生	李晓斌	
中国服装设计师协会	王庆	宋小娴	
中国计划生育协会	刘汉彬	杨魁孚	
中国学位与研究生教育学会	梁尤能	林功实	
中国对外文化交流协会	李刚	丁伟	
中国陶瓷工业协会	霍杜芳	杨自鹏	
中国古生物学会	穆西南	沙金庚	
中国英汉语比较研究会	樊恺明	杨自俭	
中南财经大学校友总会	何盛明	吴俊培	
中国教育国际交流协会	倪孟雄	尤少忠	
中国社会工作教育协会	袁方	王思斌	
中国社会经济系统分析研究会	李忠凡	孔德涌	
中国民族建筑研究会	刘毅	肖厚忠	
中国少年儿童文化艺术基金会	姬燕如	张业生	
晋察冀文艺研究会	周巍峙	李吉明	
中国女医师协会	林佳楣	李紫阳	
中国国际贸易学会	高登礼	施用海	
中国林业机械协会	刘效林	蒋祖辉	※
中国商业经济学会	张采庆	邓冶平	
中国调味品协会	邓冶平	卫祥云	

中国体育科学学会	谢琼桓	杜利军	※
中国水浒学会	张国光	佘大平	
中华全国体育总会	谢炳元	刘元福	
中国汽车工业协会	张书林	蒋雷	
中国粮食经济学会	梁伟	邹振东	
中国青年报刊协会	李学谦	刘可为	
中华外国经济学说研究会	俞品根	余文烈	
全国党的建设研究会	吕枫	张全景	
中国地市报研究会	丁小平	邹家福	
中国物流与采购联合会	马毅民	丁俊发	
中国交通企业管理协会	孙荣兴	朱有亮	
中国建设体育协会	车书剑	王育才	
中国工业经济联合会	董德岐	林宗棠	
中国国民经济核算研究会	龙华	李强	
中国宝玉石协会	张文驹	孙文盛	
中国社会工作协会	马学礼	徐瑞新	
中国商业联合会	王晋卿	张庶平	
中国石油和化学工业协会	蔚立信	谭竹洲	
中国有色金属工业协会	潘家柱	康义	
中国化学矿业协会	唐万里	徐康平	
中国企业家协会	张彦宁	陈兰通	
中国苏联东欧历史研究会	陈之骅	吴恩远	
中国电影制片人协会	费俊	朱永德	
中国林牧渔业经济学会	陈吉元	张晓山	
中国旅游报刊协会	李先辉	林山	
中国衡器协会	严龙	张景尧	
中国电子劳动学会	张振英	左志成	
中国经济思想史学会	朱家桢	谈敏	
中国遗传学会	陈爱宜	赵寿元	
中国国际科学技术合作协会	吴贻康	石广长	
中华医院管理学会	张自亮	曹荣桂	
中国科学基金研究会	商玉生	武佩珍	
中国广播电视设备工业协会	张元善	韩光	※
中国纺织工业企业管理协会	蓝惠芸	杨世滨	
中国少年儿童报刊工作者协会	温愉新	海飞	

中国农民体育协会	刘文亮	王福来	
中国教育会计学会	王显明	李英惠	
中国纺织工业协会	张东辉	杜钰洲	
中国图像图形学会	符鸿源	高文	
中国航天基金会	叶正大	霍广耀	
中国质量管理协会	解艾兰	马林	
中国沼气学会	黄志杰	王锡吾	
中国食品科学技术学会	肖德润	潘蓓蕾	
中国计算机用户协会	李晔	陈正清	
中国物资再生协会	边建华	兰绍稳	※
中国产业报协会	朱石川	曹恒武	
中国企业报协会	李冀	张思源	
中国色织行业协会	王洁辛	朱北娜	
中国国防科技信息网站联合会	金朱德	曹东新	
中华五千年动画文化工程促进会	高登榜	古今明	
中国化工职工思想政治工作研究会	李世华	温洪	
中国国际问题研究和学术交流基金会	吴学谦	刘立德	
中国船舶工业职工思想政治工作研究会	鄞炳林	孙文年	
中国病理生理学会	薛全福	韩启雅	
中国机电一体化技术应用协会	李百煌	王军	
中国针织工业协会	毛金凤	林光兴	
中华人民共和国外交史学会	江勤政	张史贤	※
中国汽车运动联合会	郑於仁	石天曙	
中国国际友好城市联合会	韩叙	苏光	
中国铁路职工思想政治工作研究会	锁斌	李广品	
中国建筑学会	窦以德	周畅	
中国医学基金会	张浩然	殷子烈	※
中国电影电视技术学会	王枫	刘宜勤	
中国纺织工程学会	刘珩	毕国典	
中国资源综合利用协会	刘汉杰	王建曾	
中华集体商业企业联合会	陈光	姜明	
中国家用电器商业协会	焦根强	朱仁和	
中国五金交电化工商业协会	李少末	彭金泉	
中国婚姻家庭研究会	关涛	樊爱国	
中国儿童少年电影学会	陈绵	王君正	

中国冶金建设协会	鲍德芝	罗碧云	
中国卫星通信广播电视用户协会	魏学兴	王军	
中国农垦物资供销协会	武新宇	李国志	
中国汽车工程学会	张兴业	付于武	
中国农业生态环境保护协会	陶战	李玉浸	
中国电源学会	李允武	惠绍棠	
中国植物生理学会	汤章城	许政	
中国通信学会	邓震垠	刘彩	
中国内燃机学会	王之麒	翁祖亮	
中国滑冰协会	王应辅	兰立	※
中国冰球协会	朱承冀	梁晓龙	
中国滑雪协会	单兆鉴	丁振平	
中国教育学会	郭永福	赵闾先	
中国医药保健品进出口商会	魏小荣	冯洪章	
中国磁记录材料工业协会	宋小春	杜昌焘	
中国煤炭学会	范维唐	濮洪九	
中国植物保护学会	周大荣	成卓敏	
中国系统仿真学会	王行仁	李伯虎	
全国城市农贸中心联合会	房爱卿	马增俊	
中国流通行业管理与思想政治工作研究会	夏更学	安惠民	
中国水利教育协会	窦以松	彭建明	
中华中医药学会	宋文义	李俊德	
中国农村能源行业协会	芦承贤	邓可蕴	
中国宗教学会	孔繁	卓新平	
中国人民争取和平与裁军协会	陈继峰	牛强	
全国纺织教育学会	梁善	贾成文	
中国农业技术推广协会	陈宗源	栗铁申	
中国土地学会	王光希	黄小虎	
中国海外交流协会	李海峰	许又声	
中国合作经济学会	吴凯泰	肖万钧	
中国投入产出学会	李强	许宪春	
中国畜牧业协会	黄松滨	陈伟生	
对外经济贸易大学校友总会	孙维炎	贾怀勤	
中国警察学会	刘焕林	刘伯祥	
中国水利企业协会	万里	朱登铨	

中国锻压协会	蔡墉	张金	
中国生物化学与分子生物学会	邹承鲁	许根俊	
中国诗酒文化协会	张振琨	于行前	
中国百货商业协会	李占荣	范文明	
中国城市商业网点建设管理联合会	尚广明	荀培路	
中国环境新闻工作者协会	杨予	许正隆	※
中国工艺美术学会	李绵璐	陈兴国	
中国消防协会	胡之光	孙伦	
中国外商投资企业协会	谢树声	刘治本	
中国炼焦行业协会	徐广成	黄金干	
中国体育用品联合会	魏雪平	许增武	※
吴阶平医学基金会	郭映禄	晓萌	
中国微生物学会	闻玉梅	杨胜利	
中国生物工程学会	翁延年	孟广震	
中南财经政法大学校友总会	吴俊培	吴汉东	
中国航空运动协会	许增武	赵明宇	
中国水利文学艺术协会	傅希文	谭林	
中国印染行业协会	卢润秋	李金宝	
中国乐器协会	李鸿铮	王根田	
中国化工企业管理协会	谭竹洲	朱永涛	
中国肉类协会	范垂洪	李水龙	
中国国际文化传播中心	谭家琨	龙宇翔	
中国公共关系协会	安岗	柳怀祖	
中国机械电子兵器船舶工业档案学会	海锦涛	于清笈	
中国流行色协会	王曾敬	孙瑞哲	
中国水力发电工程学会	邹范湘	周大兵	
中国生态学学会	孙儒泳	李文华	
中国国际徐福文化交流协会	马仪	赵仁强	
中国合唱协会	严良	李华德	
中国联合国协会	谢启美	金永健	
中国质量检验协会	李克昌	陈万民	
中国俗文学学会	王文宝	陈平原	
中华慈善总会	阎明复	范宝俊	
中国石油文化艺术工作者联合会	张轰	李克成	
中国黄金协会	王富江	成辅民	

中国化学试剂工业协会	侯国柱	于希椿	
中国工业气体工业协会	翟国才	何开顺	
中国展览馆协会	沈叙强	梁文	
中国友谊外供商业协会	梁任堪	吴京京	
中国消费者协会	曹天玷	宁望鲁	※
中国水泥制品工业协会	张树凯	魏从九	
中国物资流通学会	徐苗文	陆江	
中国艺术文化普及促进会	房弘毅	张鹏	
中国物资再生协会	兰绍稳	刘坚民	
中国建筑砌块协会	严理宽	杜建东	
中国恩格斯研究会	曹玉文	顾锦屏	
中国人权研究会	喻权域	董云虎	
中国电影文学学会	张天民	王兴东	
中国煤矿体育协会	王玖明	许金山	
中国登山协会	曾曙生	李致新	
中国台港电影研究会	滕进贤	张思涛	
中国魏晋南北朝史学会	童超	李凭	
中国女检察官协会	张凤阁	胡克惠	
中国畜牧兽医学会	陈耀春	阎汉平	
中国图书馆学会	徐文伯	杨炳延	
中国林业工程建设协会	宋会川	林进	
中国金属学会	仲增墉	李文秀	
中国水泥协会	牟敦果	曾学敏	
中国氯碱工业协会	徐荣一	孙绍钢	
中国知识产权研究会	赖洪	赵国虹	
中国石油和化工设备工业协会	葛衍增	赵志明	
中国投资协会	张汉亚	陈光健	
中国军事科学学会	王祖训	葛振峰	
中国通信工业协会	张信	欧阳忠谋	
中国同位素与幅射行业协会	李玉	黄国俊	
中国博士后科学基金会	李联伟	庄子健	
华中科技大学校友总会	周济	朱玉泉	
中国植物病理学会	唐文华	李延军	
中国毒理学会	阮金秀	叶常青	
中国建筑业协会	田世宇	徐义屏	※

中国心理学会	陈永明	张侃	
中国体育科学学会	杜利军	李元伟	※
中国医学装备协会	潘屏南	李泮岭	
中国老年书画研究会	史进前	孙盛年	
中国中文信息学会	许孔时	倪光南	
全国城市工业品贸易中心联合会	房爱卿	覃业竣	
中国政策科学研究会	陈炎兵	李祥麟	
中国墨子学会	曾繁仁	朱政昌	
中国高校校报协会	刘葆观	魏国英	
中国医疗器械行业协会	王国立	董卫平	
中国船舶代理行业协会	陆富根	叶伟龙	
中国能源研究会	黄毅诚	鲍云樵	
国际儒学联合会	姜广辉	曹凤泉	
中国海洋法学会	陈德恭	张海文	
中国作物学会	王连铮	辛志勇	
中国水产流通与加工协会	郑国标	林毅	
中国城市规划协会	邹时萌	王燕	
中国收藏家协会	王文祥	闫振堂	※
中国科学器材产销联合会	杨立基	赵春山	
中国医药设备工程协会	石垣	杜启贤	
中国公证员协会	管振茹	王福家	
中国煤炭经济研究会	曹量全	苏立功	
中国纺织摄影协会	栾中信	陈树津	
中国爆破器材行业协会	于桂臣	梁井堂	
中国出入境检验检疫协会	秦贞奎	孙田田	
中国医药商业协会	余鲁林	付明仲	
中国高新技术产业开发区协会	李绪鄂	张景安	
中国渔业协会	杨坚	胡复元	
中国建筑装饰协会	张恩树	马挺贵	
中国茶叶学会	陈宗懋	江用文	
中国工程建设标准化协会	马进忠	周锡全	
中国和平统一促进会	王北新	王克斌	
中国女摄影家协会	侯波	邵华	
中国对外经济贸易广告协会	李化育	刘立宾	
中国砂石协会	廖以和	商志坤	

中国内燃机工业协会	刘洪林	倪宏杰	
中国高校校办产业协会	邢纯洁	陈清龙	
中国工业与应用数学学会	曾庆存	李大潜	
中国保安协会	徐继长	顾道先	
中国科学技术史学会	陈美东	苏荣誉	
中国风景名胜区协会	马纪群	林家宁	
中国国际友谊促进会	赵学普	李华蓉	
中国环境科学学会	鲍强	任官平	
中国教育审计学会	覃立垣	郑君礼	
北京航空航天大学校友会	沈士团	李未	
中国癌症研究基金会	李保荣	彭玉	
南京大学校友总会	方成	韩星臣	
中国优生科学协会	王连城	林佳楣	
华中理工大学校友总会	周济	朱玉泉	
全国青少年宫协会	王溪	刘可为	
厦门大学校友总会	陈孔立	邓力平	
辛亥革命史研究会	章开沅	朱英	
中国城市规划协会	夏宗玗	王燕	
中国丹麦商会	费彼德	雷龙	
中国地震学会	陈运泰	郝记川	
中国电子仪器行业协会	郑慰亲	徐春令	
中国毒理学会	阮金秀	叶常青	
中国对外经济贸易广告协会	李化育	刘立宾	
中国恩格斯研究会	曹玉文	顾锦屏	
中国法国工商会	尼古拉·阿让克	杨海梦	※
中国纺织工业企业管理协会	杨世滨	徐迎新	
中国缝制机械协会	何烨	田民裕	
中国氟硅有机材料工业协会	黄澄华	岳润栋	
中国工程建设标准化协会	马进忠	周锡全	
中国工业气体工业协会	翟国才	何开顺	
中国公证员协会	管振茹	王福家	
中国锅炉压力容器检验协会	李学仁	林树青	
中国国际公共关系协会	和铭	郑砚农	
中国国际文化书院	雷中庆	于沛	
中国韩国商会	林修永	朴允植	※

中国合成橡胶工业协会	吴棣华	张勇	
中国和平统一促进会	王北新	王克斌	
中国核工业档案学会	王占元	宋淑华	
中国滑冰协会	兰立	佟立新	※
中国化工轻工物资流通协会	唐保忠	张广学	
中国会计学会	刘玉廷	李玉环	
中国机床工具工业协会	梁训瑄	于成廷	
中国机械制造工艺协会	依英奇	张伯明	
中国基建物资承包协会	白鹤春	许身田	
中国技术市场协会	刘东[illegible]	吕士良	
中国建设教育协会	张玉祥	李竹成	
中国建筑玻璃与工业玻璃协会	夏春日	张佰恒	
中国建筑卫生陶瓷协会	丁卫东	缪斌	
中国经济信息报刊协会	冯纪新	张虎生	
中国绝热隔音材料协会	张德信	胡小缓	
中国拉丁美洲史研究会	萨那	冯秀文	
中国劳动保护科学技术学会	程映雪	张宝明	
中国力学学会	白以龙	崔尔杰	
中国历史文献研究会	张舜微	周国林	
中国粮食行业协会	白美清	宋丹丕	
中国粮油学会	宋丹丕	胡承淼	
中国林业机械协会	蒋祖辉	胡汉斌	※
中国旅游车船协会	张宁	杨和平	
中国煤矿体育协会	王玖明	许金山	
中国美国商会	赖雷明	傅中宝	※
中国摩托艇运动协会	魏星	刘建勇	
中国能源研究会	黄毅诚	鲍云樵	
中国农学会	孙翔	陈建华	
中国农业机械工业协会	鹿中民	高元恩	
中国农业科技国际交流协会	吕飞杰	翟虎渠	
中国企业管理研究会	陈佳贵	黄速建	
中国汽车工业新闻工作者协会	栾保华	李庆文	
中国潜水运动协会	辛群英	苏科	
中国青年工作院校协会	乔保平	尹德明	
中国日本商会	大高浩	山本英胜	※

中国石油学会	钱玉怀	邱中建	※
中国水产流通与加工协会	郑国标	林毅	
中国水泥制品工业协会	张树凯	魏从九	
中国特钢企业协会	乐景彭	赵明远	
中国铁道物资流通协会	董峰贵	齐晓敏	
中国铁合金工业协会	吴健民	谢心敏	
中国同位素与辐射行业协会	李玉嵛	黄国俊	
中国图书馆学会	徐文伯	杨炳延	
中国土木工程学会	姚兵	谭庆琏	
中国卫生摄影协会	昌鸿恩	杨玉凯	
中国西班牙商会	马力诺	拉蒙·卡斯贡	
中国延安鲁艺校友会	金紫光	林冬	
中国医疗器械行业协会	王国立	董卫平	
中国医药商业协会	余鲁林	付明仲	
中国医药设备工程协会	石岠	杜启贤	
中国意大利商会	伯丁·马可	贝丽	
中国游艺机游乐园协会	邱纯甫	俞长嘉	
中国友谊外供商业协会	梁任堪	吴京京	
中国渔船船东互保协会	冯瑞峰	徐杰林	
中国真空电子行业协会	武英忠	马金泉	
中国振动工程学会	朱德懋	陈国平	
中国证券业协会	马庆泉	庄心一	
中国政策科学研究会	陈炎兵	李祥麟	
中国政治学会	汝信	李慎明	
中国职工焊接技术协会	胡钧才	宋福祥	
中国注册会计师协会	李勇	陈毓圭	
中国总会计师协会	朱德惠	张佑才	
中国作物学会	王连铮	辛志勇	
中华广播影视交流协会	马庆雄	张振华	
中华江河体育游乐促进会	李景忠	郑贤	
中华人民共和国外交史学会	张史贤	谢晓岩	※
中国电石工业协会	王志廉	周智新	
中国纺织规划研究会	曹平林	於荣赓	
中国博物馆学会	纪宏章	朱诚如	
中国公园协会	曹礼昆	刘锡庆	※

中国海洋湖沼学会	秦蕴珊	胡敦欣	
中国珠算协会	朱希安	王朝才	
中国开发区协会	赵云栋	刘培强	
中国马业协会	刘少伯	吴常信	
中国免疫学会	巴德年	陈尉峰	
中国昆虫学会	李典谟	黄大卫	
中国系统工程学会	顾基发	陈光亚	
中国城市科学研究会	张启成	顾文选	
中国颗粒学会	郭慕孙	李静海	
中国农村财政研究会	吴建武	张振国	
中国氮肥工业协会	王文善	潘德润	
中国建筑防火材料工业协会	陈健	朱冬青	
中国聚氨酯工业协会	徐归德	郑怀民	
中国香港(地区)商会	许乃炘	陈嘉强	
中国老年书画研究会	孙盛年	耿墨学	
中华全国专利代理人协会	金纪民	袁德	
中国船舶职工思想政治工作研究会	孙文年	路小彦	
中国卫生法学会	黄曙海	支峻波	
中国医药包装协会	沈登乐	戴浩森	
中国商业法研究会	王振荣	刘瑞复	
中国信息协会	刘鹤	王长胜	
中国钢结构协会	陈禄如	刘军	
中国建筑材料企业管理协会	朱祖华	杨志元	
中国基督教协会	韩文藻	曹圣洁	
中国基督教三自爱国运动委员会	罗冠宗	季剑虹	
中国民营科技实业家协会	王治国	段永基	
中国生理学会	杨雄里	姚泰	
中国岩石力学与工程学会	王思敬	钱士虎	
中国睡眠研究会	黄席珍	肖毅	
中国健康教育协会	杨秉贤	刘克玲	
中国气象学会	曾庆存	伍荣生	
中国化学会	费昌沛	姚建年	
中国市政工程协会	沈波	果有刚	
中国解剖学会	徐群渊	于思华	
中国奶业协会	方有生	魏克佳	

中国统一战线理论研究会	陈喜庆	庄聪生	
东南大学校友总会	毛恒才	吴介一	
北京师范大学校友会	袁贵仁	陈文博	
中国郭沫若研究会	黄侯兴	蔡震	
中国前外交官联谊会	单炳钧	张成礼	
中国安全防范产品行业协会	许玉珍	柳晓川	
中国蒸汽机车协会	郑显道	张乃生	
中国行政区划与地名学会	王际桐	刘宝全	
中国期刊协会	邢赍思	张伯海	
中国优质农产品开发服务协会	李志雄	俞东平	
中国国债协会	朱福林	张红力	
中国少数民族对外交流协会	江家福	杨健强	
中国锅炉水处理协会	马德林	郭元亮	
中国矿物岩石地球化学学会	刘丛强	欧阳自远	
中国内燃机学会	翁祖亮	阳树毅	
中国奥林匹克委员会	屠铭德	顾耀铭	
中华护理学会	王春生	黄人健	
中国少数民族体育学会	殷海山	陈家才	
中国少数民族用品协会	宫相支	吴秋林	
中国法律援助基金会	宫晓冰	张秀夫	
中国电影音乐学会	王立平	赵季平	
中国报业协会	连福寅	赵连宏	
中国少数民族文学学会	白庚胜	韩戈金	
中国林学会	于鹤	尹伟伦	
中国检察官协会	刘立宪	张智辉	
中国植物生理学会	许政暟	陈晓亚	
中国物业管理协会	谢家瑾	徐俊达	
中国医药生物技术协会	江焕波	刘海林	
中国保险行业协会	唐运祥	王宪章	
中华民族文化促进会	高占祥	毛石	
中国野生动物保护协会	王福兴	陈润生	
中国牙病防治基金会	王雨之	卞金有	
中国田径协会	段世杰	罗超毅	
中国广播电视设备工业协会	韩光	李松平	※
中国软件行业协会	杨天行	陈冲	

中国砖瓦工业协会	李从典	许彦明	
中国玻璃钢工业协会	陈博	吕琴	
中国木材流通协会	李晓斌	董地	
中国企业管理科学基金会	陈重	尹援平	
中国系统工程学会	顾基发	陈光亚	
中国军控与裁军协会	叶如安	李根信	
中国话剧艺术研究会	毛金刚	王福麟	
中国民族影视艺术发展促进会	崔松哲	于广华	
中国楹联协会	顾平旦	孟繁锦	
中国青年科技工作者协会	胡伟	倪邦文	
中国商业股份制企业经济联合会	刘振昌	丁钟祥	
中国机械工业勘察设计协会	毛文中	孟祥恩	
中国天文学会	方成	苏定强	
中国施工企业管理协会	张书田	芮杏文	
中国金属材料流通协会	孙金生	李耀强	
中国国际交流协会	姜述贤	徐建国	
中国日本商会	山本英雄	田村玄	※
中国建材数量经济监理学会	王守敏	于小兰	
中国商业企业管理协会	陈重信	刘育才	
中国实验灵长类养殖开发协会	张成桂	熊万华	
中国菌物学会	魏江春	李玉	
中国少数民族文化艺术基金会	刘国恩	尹志良	
中国少数民族舞蹈学会	宝音巴图	马跃	
中国东欧中亚经济研究会	林水源	田春生	
中国卫生统计学会	陈育德	饶克勤	
中国体育新闻工作者协会	何慧娴	阎平泉	
中国药理学会	张均田	林志彬	
中国少数民族经济研究会	李竹青	杨帆	
中国轻工业勘察设计协会	蔡融生	洪方	
中国木偶皮影艺术学会	焦锋	叶世有	
中国建材工程建设协会	薛同祖	陈波	
中国模具工业协会	王都	曹延安	
中国建筑材料工业协会	邹传胜	张人为	
中国石油工程建设协会	单永复	任传俊	
中国体视学学会	张振声	康克军	※

中国篮球协会	信兰成	李元伟	
中国赛艇协会	张清	韦迪	
华夏文化促进会	郭洪钧	任建新	
中国经济发展研究会	华建敏	王春正	
中国铁道工程建设协会	王麟书	陆东福	
中国体育用品联合会	许增武	马继龙	※
中国印刷及设备器材工业协会	王德茂	许锦枫	
中国城镇供热协会	闻作祥	刘淀生	
中国竹产业协会	龚金玲	刘红	
中国麻风病防治协会	肖梓仁	潘春枝	
中国船东协会	王晓梅	罗德麟	
中国塑料机械工业协会	李志民	张静章	
中国建设工程造价管理协会	杨思忠	马桂芝	
中国再生资源商业行业协会	张玉琦	管爱国	
中华海外联谊会	李路	殷晓静	
中国煤炭教育协会	云金安	朱德仁	
中国家用电器维修协会	董增	刘秀敏	
中国自然资源学会	石玉麟	成升魁	
中国城市金融学会	刘廷焕	姜建清	
中国鼠害与卫生虫害防制协会	刘玉良	杨华林	
中国计算机学会	唐泽圣	李国杰	
中国欧盟商会	贝殷思	杨森	
中国法律史学会	韩延龙	夏勇	
中国博物馆学会	朱诚如	李文儒	
中国地理学会	张家桢	张国友	
中国环境诱变剂学会	蒋左庶	李勇	
中国机械工业联合会	陆燕荪	于珍	
中国甜菊协会	杨炎生	刘传筑	
中国地球物理学会	刘光鼎	朱日祥	
中国国际跨国公司研究会	张岂源	张笑宇	
中国动力工程学会	程钧培	严宏强	
中国大学出版社协会	彭松建	李家强	
中国石油企业管理协会	蒋金楚	彭元正	
中国软式网球协会	张昊	李友林	
中国韩国商会	朴允植	金泽熙	※

中国宇航学会	张保乾	杨俊华	
中国游泳协会	石天曙	李桦	
中国新闻史学会	方汉奇	赵玉明	
中国乡镇企业协会	姜永涛	鲁冠球	
中国建材机械工业协会	廉级三	方芳	
中国兵工学会	赵耀奎	王智忠	
中国维吾尔历史文化研究会	玉素甫·穆罕默德	吐鲁甫·巴拉提	
中国前外交官联谊会	张成礼	汤铭新	
中国法国工商会	杨海梦	石巴胡	※
大连海事大学校友总会	吴兆麟	王祖温	
中国知识产权研究会	赵国虹	赵春山	
中国电子教育学会	姚志清	葛程远	
中国图象图形学学会	高文	谭铁牛	
中国植物病理学会	李延军	韩成贵	
中国孔庙保护协会	孔祥林	陈传平	
中国商业会计学会	宋金诺	段拱理	
中国巴基斯坦友好协会	朱长[illegible]	卢亚隆	
中国摩擦密封材料协会	贾作起	王耀	
中国国际税收研究会	卢仁法	郝昭成	
中国人口学会	李宏规	田雪原	
中国档案学会	沈正乐	冯鹤旺	
中国植物营养与肥料学会	林葆	金继运	
中国乡土艺术协会	文隆胜	许廷钧	
中国交通报刊协会	鲁勤智	李育平	
湘鄂豫皖楚文化研究会	舒之梅	后德俊	
清华校友总会	王大中	顾秉林	
中国儿童歌舞学会	陈云富	韩维鸣	
中国邮电职工技术协会	王焕惠	许文斌	
中国企业联合会	张彦宁	陈光复	
中国纺织品商业协会	许新华	李建华	
中国冶金建设协会	罗碧云	杨长恒	
中国建筑装饰装修材料协会	杨洪光	郭一鸣	※
中国机械工业质量管理协会	张懿祥	郭学俊	
中国国际人才交流与开发研究会	杨兴聚	吴学范	
中国道路运输协会	王展意	姚明德	

中国医疗器械行业协会	董卫平	姜峰	
中国环境新闻工作者协会	许正隆	杨明森	※
中国行为法学会	谢邦宇	马宝善	
中国美国商会	傅中宝	马诚礼	※
中国机械冶金职工技术协会	高忠谦	王玉峰	
中国牙膏工业协会	徐英威	梁英奇	
中国职工保险互助会	张绍功	喻红秋	
中国残疾人康复协会	刘维华	吴弦光	
中国科技情报学会	梁战平	邹大挺	
中国照明学会	甘子光	王锦燧	
中国柔道协会	郭仲恭	宋兆年	
中国细胞生物学学会	许智宏	裴钢	
中国石油学会	邱中建	黄炎	※
中国神经科学学会	吴建屏	吉永华	
中国医药教育协会	蔡庆参	赵葆	
中国青少年犯罪研究会	张潘仕	胡增印	
中国国际书画艺术研究会	周倜	赵树栋	
中国核工业勘察设计协会	赵宏	荣芳	
中国电影导演协会	谢飞	黄建新	
中国现代文学研究会	杨义	张中良	
中华文化联谊会	田丹	孙加木	
中国电力规划设计协会	沈融	吴毅强	
中国纺织职工思想政治工作研究会	刘荣	刘慧兰	
中国行政管理学会	郭济	高小平	
华中师范大学校友会	谷士文	马敏	
全国经济地理研究会	胡兆量	陈秀山	
中国数学会	马志明	巩馥洲	
中国税务学会	王平武	李长海	
中国体育科学学会	李元伟	田野	※
中国太阳能学会	严路光	孟宪淦	
中国索引学会	王铁仙	徐忠	
中国人类功效学学会	张侃	王生	
中国建材工业经济研究会	刘赋捷	蒋蓁	
中国工业经济联合会	林宗棠	吴敦廉	
中国地理信息系统协会	李根洪	喻永昌	

中国消费者协会	宁望鲁	滕佳材	※
中国举重协会	戴文忠	马文广	
中华文学史料学学会	包明德	刘跃进	
中国电影发行放映协会	童刚	杨步亭	
中国吸烟与健康协会	于宗河	许桂华	
中国书画收藏家协会	闫振堂	王永茂	
中国工程图学学会	唐荣锡	马殿富	
中国辞书学会	曹先擢	江蓝生	
中华名人垂钓俱乐部	胡河	刘强	
中国乒乓球协会	杨树安	刘凤岩	
中国法官协会	谢安山	刘家琛	
中国植物学会	匡廷云	韩兴国	
中国化工节能技术协会	徐飞	王文堂	
中国图书馆学会	杨炳廷	詹福瑞	
中国世界民族文化交流促进会	吴俊学	马小玫	

※此符号代表多次变更

未参加2003年度检查的全国性社会团体名单

中国民间商会
中国人生科学学会
华夏文化促进会
中华五千年动画文化工程促进会
中华爱国工程联合会
中华人民共和国外交史学会
中国古典文学普及研究会
中国国际文化艺术中心
中国东北亚国际技术经济合作促进会
中国植物油行业协会
中国粮食商业协会
中国机械电子体育协会
中国企业文化研究会
中国城镇住房制度改革研究会
中国邮电工业企业协会
中国玩具协会
中国包装装潢印刷工业协会
中国医药物资协会
中国工艺美术协会
中国工业合作协会
中国石材工业协会
中国企业改革与发展研究会
中国轻工业史学会
中国航天科技文化交流协会
中国空间法学会
海峡两岸医药卫生交流协会
中国歌剧研究会
中国艺术档案学会
中国昆剧研究会
晋察冀文艺研究会
中国前卫体育协会
中国国有资产管理学会
中国农村财政研究会
中国黄河文化经济发展研究会
中国种子贸易协会
中国乡镇企业协会

中国杜仲综合开发协会
中国农业会计学会
中国农业国际交流协会
中国盆景艺术家协会
中国亚太经济贸易合作促进会
中国继续工程教育协会
中国人才研究会
中国汽车工业体育协会
中国锅炉水处理协会
中国医药质量管理协会
中国中药协会
中国太平洋学会
中国银行业协会
中国保险学会
中国经济发展研究会
中国中共党史人物研究会
中国扶贫开发协会
中国海外交流协会
中国人权研究会
中国经济社会研究会
中国职工保险互助会
中国公共关系协会
中国大众文学学会
中国笔会中心
中国－阿拉伯友好协会
中国－新加坡友好协会
中国盲人按摩学会
中国石油职工思想政治工业研究会
中国区域经济学会
中国民族理论学会
中国民族研究团体联合会
中国工业经济研究与开发促进会
中国民族学学会
全国汉语方言学会
中国世界民族学会
中国维吾尔历史文化研究会
中华日本学会
中国民族史学会
中国语言学会
中国民族古文字研究会
中国当代文学研究会
中国林牧渔业经济学会
中国解放区文学研究会
中国少数民族文学学会
全国日本经济学会
中国蒙古文学学会

2004 年已注销登记全国性社会团体名单

中国徐霞客研究会
中华名人协会
中国农村应用计算学会
中国秦文学会
中国毛泽东军事思想学会
中国生命科学学会
中国元极学研究会
中国体育气功研究会
中国乳业协会
中国物资贸易信托协会
中国体育美术促进会
中国白蚁防治研究会
长江港口协会
全国中药经济研究会
中国军事企业会计学会
中华民族团结发展促进会
中华民族团结友好协会

2004年不予重新登记的全国性社团名单

中国辽金及契丹女真史研究会
中国谱牒学研究会
中国中亚文化研究学会
中国金瓶梅学会
中国南社与柳亚子研究会
中国外汇交易协会
中国城区发展促进会
中国社会服务促进会
中国乡镇发展协会
中国民政康复医学会
中国钓鱼协会
中国歌舞厅音乐协会
中国航空航天体育协会
中国寒地开发研究会
中国国际人力资源发展跨文化研究会
中华人才开发促进会
中国古典家具研究会
中国文献信息速记学会
中国干部教育协会
中华梨园学研究会
中国民间剪纸研究会
《西厢记》研究会
中华清风书画协会
中国莎士比亚研究会
中国国土资源开发利用促进会
中国可再生能源研究会
中国能源基地研究会
西北电力企业管理协会
华中电力企业多种经营协会
华中电力企业管理协会
华中电力建设企业协会
西北电力建设企业协会
华北电力企业管理协会
华东电力建设企业协会
华东电力企业多种经营协会
华东电力企业管理协会
东北水利发电工程学会
东北电力企业管理协会
东北电力企业多种经营协会
东北电力建设企业协会
南方电力企业管理协会
西北电力企业多种经营协会
中国清真食品协会
华东地区机械设备成套工程学会
中国中华学习机普及协会
中国速记打字学会
通用中文代码国际联合会
中国边缘科学研究会
中国气功科学研究会
中国现代设计法研究会
中国兵器工业企业管理协会
松辽水利企业管理协会
东北水利经济研究会
中国德语文学研究会
中国俄罗斯文学研究会
中国印度文学研究会
中国西班牙葡萄牙拉丁美洲文学研究会
中国法国文学研究会
中国日本文学研究会
中国少数民族自治州金融协会
中国实用射击总会
全国港澳经济研究会
中国影视音像交流协会
中国孙子与齐文化研究会
中国国际质量认证咨询促进会
中国西北经济协会
全国报纸理论宣传研究会
中国广场鸽国际交流促进会
中国投资环境学会

（以上资料来源于民间组织网）

民间组织理论研究成果集锦

理论研究成果名称作	作　者
《社团革命——中国社团发展的经济学分析》	毕监武
《中国近代同业公会与当代行业协会》	朱英
《乡村社会结构变动与组织重构》	朱新山
《持续创新——打造自发创新的政府与非营利组织》	保罗·C·莱特
《明清两湖地区基层组织与乡村社会研究》	杨国安
《北京环境非政府组织研究》	肖广岭　赵秀梅
《税收优惠指南(修订版)》	伍舫
《国际组织与国际关系》	张贵洪
《当代世界中的国际组织》	蒲傅
《民间非营利组织会计》	王国生
《全球治理中的国际非政府组织》	王杰　张海滨　张志洲
《非营利组织管理》	吴东民　董西明主编
《非政府公共部门与公共服务》	丁元竹主编
《非营利组织战略营销》	〔美〕菲利普·科特勒　艾伦·安德里亚森著
《非营利组织管理案例与应用》	〔美〕罗伯特·T·戈伦比威斯基等著
《21 世纪非营利组织管理》	〔美〕詹姆斯·P·盖拉特著
《民间非营利组织会计制度讲解》	财政部会计司编写组
《社区自治与政府职能转变》	于燕燕著
《轴心——论秘书长》	段柄仁著
《非营利组织企业化运作的理论与实践》	陆道生　王慧敏　毕吕贵著
《全国农村青年中心 100 例—探索中的新型基层青年组织》	本书编委会编
《社会团体的法律问题》	吴玉章主编
《行业协会运作与发展》	洪涛　敖毅　郑强　王群　姚翔著
《民办非企业单位研究》赵泳主编	
《经济社团的理论与案例》	冷明全　张智勇著
《民间组织通论》	王名　刘培峰等
《民间非营利组织会计制度》	财政部制定
《基金会指南》	民政部民间组织管理局国务院法制办政法司
《中国农产品行业协会调查》	吴志雄　毕美家等编
《第三种力量——中国后市场经济论》	王建芹
《NPO 探索》(第一卷:基金会立法专题)	NPO 信息咨询中心主编

《政府组织与非政府组织——法律实证和比较分析的视角》 任进
《国外非营利组织的经营战略及相关财务管理》 郑国安 赵路等编
《行业协会经济自治权研究》 鲁篱
《中国民办教育立法研究》 邵金荣
《中国非政府公共部门》 王名主编
《商会与行业协会法律制度研究》 金小晨
《中国省级以上民间组织名录》 民政部民间组织管理局 民间组织服务中心
《非营利组织战略营销》 〔美〕菲利普 科特勒等
《公益项目评估——以“幸福工程”为案例》 邓国胜
《转型时期的行业协会——角色、功能与管理体制》 贾西津等著
《发达国家非政府组织管理制度》 吴忠泽 李勇 邢军
《公司与社会公益(2)》 杨团 葛道顺主编
《行业协会服务经营创新与规划法管理实务全书》 晏金桃主编
《社团的管理与能力建设》 王思斌主编
《非营利组织与免税——民办教育等社会服务机构的免税问题》 邵金荣
《保护国内市场的新击点——再论入世后行业协会对中国国内市场的保护作用》 张经
《中国全国性社会团体名录》 李本公
《非营利组织评估》 邓国胜
《美国慈善事业一瞥》 阎明复
《组织机构设立法律法规手册》 组织机构代码管理中心
《非营利部门与中国发展》 赵黎青
《社会政策:国际经验与国内实践》 唐钧
《基础整合的社会保障体系》 景天魁
《非营利机构评估:上海罗山市民会馆个案研究》 杨团
《社会福利社会化:上海与香港社会福利体系比较》 杨团
《处于十字路口的中国社团》 青少年发展基金会
《民间组织:管理－建设－发展》 齐炳文
《民间组织行为指南》 朱克民
《事业共同体——第三部门激励机制个案探索》 郭于华 杨宜音等
《捐款是怎样花的——希望工程效益评估报告》 科技促进发展中心
《生命的历程——重大社会事件与中国人的生命轨迹》 李强
《村落中的“国家”——文化变迁中的乡村学校》 李书磊
《当代各国政治体制——澳大利亚》 金太军
《社会团体会计》 葛家澍 侯文铿等
《从部门管理转向行业管理》 戎文佐
《论工业行业管理新体制——95 行业管理论坛论文选编》 中国工业经济协会

《中国社团史》 王世刚
《加强行业管理,发挥行业协会作用》 中国工业经济协会
《社团会计》 浙江民政财务工作研究会
《中国社会团体研究》 中国社团研究会
《学会工作手册》 中国科学技术协会
《国际经济组织词典》 隋启炎
《政府与非营利组织会计》 方萍
《非营利组织市场营销》 王方华
《美国利益集团政治研究》 谭融
《政府改革与第三部门发展》 吴锦良
《公司的社会责任》 刘俊海
《治理与善治》 俞可平
《权力与自由——市民社会的人类学考察》 袁祖社
《非营利组织管理》 里贾纳·E·赫兹琳杰等
《公司与社会公益》 马伊里 杨团
《中国社团发展史》 中国社团研究会
《规制与发展——第三部门的法律环境》 苏力 葛云松等
《非营利组织与免税》 邵金荣
《政府与企业以外的现代化——中西公益事业史比较研究》 秦晖
《结社立法与社区管理》 范宝俊
《社区公共服务论析》 杨团
《民间组织管理工作读本》 河北省民政厅
《中外民间组织的交流与合作》 孙永福
《社会中间层——改革与中国的社团组织》 孙炳耀 折晓叶等
《多元与统一——第三部门国际比较研究》 王绍光
《自律与他律——第三部门监督机制个案研究》 周志忍 陈庆云
《国际民间组织合作实务和管理》 黄浩明
《非营利机构评估》 杨团 唐钧
《NGO与第三世界的政治发展》 朱莉·费希尔著
《非营利组织管理概论》 王名
《国外非政府组织法规汇编》 李本公
《NGO扶贫行为研究调查报告》(《中国社会扶贫研究丛书》之一) 洪大用 康晓光等
《NGO扶贫行为研究》(《中国社会扶贫研究丛书》之一) 康晓光
《国家与市民社会——一种社会理论的研究路径》 邓正来 J.C.亚历山大
《社区社会工作》 周沛
《团体社会工作》 范克新 肖萍

《国家　市民社会与法治》 马长山
《中国公民社会的兴起与治理的变迁》 俞可平等
《市场经济与非营利组织研究》 陈晓春
《NPO 能力建设与国际经验》 NPO 信息咨询中心
《公民社会与第三部门》 何增科
《全球化与公民社会》 李惠斌
《非营利组织与中国事业单位体制改革》 郑国安　赵路等
《美国基金会研究》 商玉生
《社团管理工作》 多吉才让
《动员与参与——第三部门募捐机制个案研究》 孙立平　晋军等
《行政组织管理》 吴刚
《商会发展与制度规范》 陈清泰
《社团立法和社团管理》 陈金罗
《19 个社团组织机构》 中央机构编制委员会办公室
《社群主义》 俞可平
《法团主义》 张静
《能力建设——通向以人为中心的发展之路》 Deborah Eade
《非营利组织会计准则理论框架》 荆新
《NGO 在中国——2002 年民间组织发展与管理上海国际研讨会论文集》 谢玲丽
《散财之道:美国现代公益基金会述评》 资中筠
《中国社团改革——从政府选择到社会选择》 王名　刘国翰　何建宇
《全球公民社会——非营利部门视界》 莱斯特 · M · 萨拉蒙等著
《社会中介组织研究》 吕凤太
《社会团体登记管理条例》、《民办非企业单位登记管理暂行条例》释义 国务院法制办
《行业协会与中国入世——论加入 WTO 后行业协会对国内市场的保护作用》 张经
《中华人民共和国公益事业捐赠法》(学习辅导读本) 国家法行政法室等
《美国慈善法指南》 贝奇 · 布查特 · 阿德勒
《行业协会及其在中国的发展:理论与案例》 余晖

（资料来源于民间组织网）

2004年民间组织行政管理大事记

李学举部长讲话

● 2004年元月，李学举部长在全国民政厅局长会议上总结和部署了2004年民间组织管理工作。

李学举部长在总结2003年民间组织管理工作时指出，面对突如其来的“非典”疫情，各级民政部门加强了自身防范，力保干部职工和服务对象不受“非典”感染。全系统的干部职工坚守岗位，认真履行职责，在党和政府的统一领导下，指导城乡基层群众自治组织，广泛发动城乡居民，号召组织社区志愿者，群防群控，构筑起防治“非典”的牢固防线；组织和协调社会捐赠工作，接受防治非典捐赠款物共计40多亿元；认真做好以身殉职医护人员“评烈”、“非典”患者遗体火化工作；动员民间组织投入抗击“非典”斗争，中华慈善总会、中国社会工作协会等一大批民间组织在抗击“非典”中发挥了积极作用。在培育发展方面，着重培育公益性民间组织和行业协会，重点扶持与加入世贸组织密切相关、适应市场经济需要和跨部门的行业性社团，积极促进农村专业经济协会的发展。集中完成了近6000个社团分支机构和代表机构的复查登记，全年依法办理全国性社团登记24个，变更登记400多个；分支机构登记500多个；民办非企业单位登记7个。配合有关部门加强了民间组织党建工作。在完善法规制度方面，制定下发了《关于加强基层农村专业经济协会培育发展和登记管理工作指导意见》，《社会团体登记管理条例》、《民办非企业单位登记管理条例》和《基金会管理条例》的修订、制定工作取得了突破性进展，同时，还制定了一批有关民间组织登记管理的政策性文件。在依法监管方面，严格年度检查制度，处罚了一批有违规行为的社团。

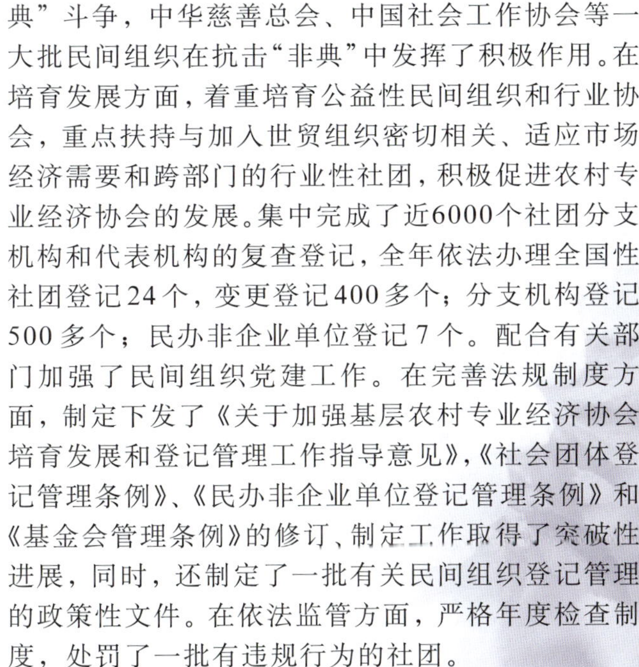

在部署2004年民间组织管理工作时，李学举部长指出：要突出重点培育，依法监管，促进民间组织健康发展。要着重培育和发展行业协会、社区民间组织和公益性民间组织，特别要注重农村专业经济协会的培育发展，为解决“三农”问题服务。要深入调查研究，找准和解决民间组织发挥作用的体制障碍，努力为民间组织发展创造有利环境。要通过表彰先进，鼓励民间组织开展活动、发挥作用。要依法加强对民间组织的监督管理，继续做好《社会团体登记管理条例》和《民办非企业单位登记管理暂行条例》修订和实施的相关工作，健全完善民间组织管理的法律法规；运用“中国民间组织网”这一新的载体，提供政务服务，实施社会监督。要花深功夫、下大力气，不断拓展服务领域，创造良好环境，推进民间组织健康发展，促进民间组织在经济发展、社会公益事业、国际经贸活动和社区服务中发挥更大作用。

● 2004年2月11日，温家宝总理主持召开国务院第39次常务会议，讨论通过了《基金会管理条例》。

2004年3月5日，民政部民间组织管理局在重庆召开了民办非企业单位有关问题座谈会。参加会议的有北京、上海、广东、河南、湖北、陕西、浙江、山东、四川、重庆、江苏、内蒙古、甘肃、新疆、青岛等部分省（区、市）主管（或分管）民办非企业单位登记管理工作的处室负责人。民间组织管理局局长李本公、副局长杨岳出席了会议，国务院法制办政法司李建司长、英国使馆文化教育处霍加里等应邀出席了会议。

会上，研究讨论了《民办事业单位登记管理条例（送审稿）》和《民办非企业单位年度检查办法（征求意见稿）》，交流了民办非企业单位登记管理工作的经验，提出了各地在民办非企业单位的登记管理工作中遇到的名称不规范、票据不统一、税收无优惠、监督管理缺乏执法手段以及业务主管单位不配合等难点、热点问题。

民办非企业单位有关问题重庆座谈会会场

会议期间，大家各抒己见，畅所欲言，气氛热烈。大家为制定有关法规规章政策，对进一步做好民办非企业单位登记管理工作，提出了许多好的意见和建议。

民政部副部长姜力出席新闻发布会并回答中外记者提问

国务院新闻办副主任王国庆（左）、民政部副部长姜力（中）、民政部民间组织管理局局长李本公在主席台上。

2004年3月5日，国务院令第399号颁布了《中华人民共和国民办教育促进法实施条例》。《中华人民共和国民办教育促进法实施条例》的颁布实施，为解决教育类民办非企业单位复查登记遗留的问题创造了有利条件，为今后民办学校登记管理的法制化和规范化铺平了道路。

2004年3月8日，国务院总理温家宝签发颁布《基金会管理条例》，并将于2004年6月1日实施。它的颁布和实施，对于完善民间组织法律法规体系，规范基金会的组织和活动，维护基金会、捐赠人和受益人的合法权益，继承和发扬中华民族乐善好施、扶贫济困的传统美德，鼓励社会各界参与公益事业，促进经济和社会协调发展，将起到重要的作用。

2004年3月19日，国务院新闻办公室就《基金会管理条例》颁布，召开新闻发布会。国务院新闻办副主任王国庆、民政部副部长姜力、民政部民间组织管理局局长李本公出席新闻发布会，并回答了中外记者提问。

全国贯彻《基金会管理条例》工作会议会场

2004年3月24日，民政部民间组织管理局召开会议，部署开展2003年度民办非企业单位年度检查工作。12家由民政部登记、住所在京的民办非企业单位负责人参加了会议。

在会议上，民间组织管理局有关负责人介绍了一年来民办非企业单位管理工作的基本情况，介绍了年检的事项、时间安排、主要内容和程序，对年检工作提出了要求。民办非企业单位的代表表示，要按照民政部的要求，认真自查，配合业务主管单位和登记管理机关，按时完成年检工作。

2004年3月25日，上海市民间组织服务中心正式揭牌，这是全国首家民办非企业单位性质的省（市）级民间组织服务中心。

2004年3月25日，民政部下发《关于加快建立完善经常性社会捐助制度的通知》，要求加快建立规范的经常性社会捐助制度，进一步完善经常性社会捐助服务网络，拓展经常性社会捐助工作领域，扎实有效地做好捐助月和宣传周工作，鼓励公益性社会团体积极参与社会捐助工作。

《通知》要求，要尽快建立起经常性社会捐助制度，规范操作，逐步实现由集中性、突击性、全国性捐助向经常性、日常性、区域性捐助转变。

《通知》强调，要进一步完善经常性社会捐助服务网络，切实解决经常性社会捐助工作所需的机构、人员和经费问题。

《通知》要求，要不断拓展经常性社会捐助工作领域，创新经常性社会捐助工作机制，探索“民政主导，部门协作，社会参与”的有效实现形式。

2004年4月5日，民政部在广东召开全国贯彻《基金会管理条例》工作会议。民政部部长李学举、民政部副部长姜力、广东省副省长李容根、民政部民间组织管理局局长李本公等出席会议。民政部李学举部长、姜力副部长就贯彻《基金会管理条例》作了重要讲话。

全国贯彻《基金会管理条例》工作会议主席台（从左至右：杨华维、李容根、李学举、姜力、李本公）。

2004年4月7日，深圳民间组织管理电子政务平台正式启动。国家民政部部长李学举、广东省民政厅厅长杨华维、深圳市副市长张思平、深圳市副秘书长张绮文、民政部民间组织管理局副局长李勇、深圳市民政局局长刘润华等领导出席了启动仪式。

民间组织可以通过该平台进行登记、年检、查询和投诉，大大提高了办事效率。该平台的启动将实现民间组织网上登记、年检、网上查询和投诉，提高办事效率，加强登记管理机关与民间组织的联系，以及民间组织与民间组织之间的信息沟通。同时，这将有助于登记管理机关从登记审查转变为重事后监督服务，使办事程序透明化，管理机关阳光作业，接受社会公众的监督。

李学举部长（左二）李容根副省长（左一）考察广东省民政厅民间组织服务大厅。

2004年4月16日，政治局常委、政协主席贾庆林会见中国经济社会研究会第二届会员代表大会成员。

2004年4月28日，民政部公布2003年民间组织发展统计报告。统计报告显示，全国民间组织呈健康发展态势。

社会团体经过几年的清理整顿，结构趋于合理，发展更加成熟，总体稳步增长。截至2003年年底，全国共登记社会团体14.2万个，比上年增长6.8%。其中：全国性及跨省、自治区、直辖市活动的社团1736个，比上年增加49个；省级及省内跨地（市）域活动的社团21030个，比上年增加961个；地级及县以上活动的社团48731个，比上年减少3655个；外国商会15个。

在培育发展方面，着重培育公益性民间组织，重点扶持与加入世贸组织密切相关、适应市场经济需要和跨部门的行业性协会，积极促进农村专业经济协会的发展。集中完成了近6000个社团分支机构和代表机构的复查登记，全年依法办理全国性社团登记24个，变更登记400多个；全国性社团分支机构登记500多个；民办非企业单位登记7个。

民办非企业单位的管理更加规范。行业和性质分类标准的实施已初见成效，民办非企业单位的类型更加明晰。截至2003年底，全国在民政部门登记的民办非企业单位共有12.4万个，比上年增加11.7%，其中：教育类6.3万个，卫生类2.7万个，文化类2811个，科技类4522个，体育类2682个，劳动类9037个，民政类7792个，社会中介服务业1777个，法律服务业728个。

2004年5月12日—14日，全国《基金会管理条例》培训班在广西南宁举办，各省、自治区、直辖市负责基金会登记管理的近60多名同志参加了培训。民政部民间组织管理局孙伟林局长到会讲话并授课。

2004年5月24日，非营利组织税收研讨会在京召开。此次会议由民政部民间组织管理局和世界银行主办，会议主要围绕世界银行和民政部民间组织管理局合作项目的初步成果《非营利组织（NPOs）适用税法的研究报告》进行。会议首先由报告的作者外方专家Leon Irish、Karla Simon和中方专家靳东升博士就该报告进行阐述，继而参会的各位代表对其陈述了评估意见，会议在学术研讨及实证研究兼备的氛围中热烈展开，与会人员交流经验、沟通观点，就我国目前非营利组织的税制问题建言献策。此次研讨会对于改善我国非营利组织的税收法律环境，促进我国非营利组织的发展具有相当意义。

2004年5月28日，民政部下发《关于印发基金会登记表格的通知》、《关于印发<基金会换证登记证书方案>的通知》。

2004年6月1日，《基金会管理条例》正式实施。

2004年6月7日，民政部部务会议通过《基金会名称管理规定》。6月21日，民政部部长李学举签发第26号部长令，公布施行《基金会名称管理规定》。

2004年6月8日，民政部部长李学举签发第25号部长令，《民政部门实施行政许可办法》出台，这个部门规章于2004年7月1日起施行。

《民政部门实施行政许可办法》及通用文书是民政部结合本部门的实际，把行政许可法确立的一系列重大制度具体化，建立健全从受理申请到作出决定各个过程、各个环节的具体工作规程，是确保行政许可法确定的有关制度得到切实施行的一项制度创新。它的施行使公民、法人或者其他组织能够廉价、便捷、迅速地向民政部门申请行政许可；使申请人、被许可人和利害关系人享有的陈述权、申辩权和行政救济权利能够落到实处；使民政部门工作人员能够进一步树立以民为本的观念，为民政对象提供更加优质高效的服务；使民政部门能够进一步加强法制建设，提高依法行政水平；使民政部门能够进一步加强廉政建设，从源头上预防和治理腐败。

2004年6月25日至26日，民政部民间组织局在京召开了民办非企业单位工作座谈会。参加座谈会的，主要是在民政部登记的民办非企业单位的负责同志。这是自《民办非企业单位登记管理暂行条例》颁布实施以来，民政部首次召开的民办非企业单位负责同志参加的座谈会。会上，孙伟林局长介绍了民办非企业单位登记管理工作的基本情况，并就民办非企业单位的法制建设情况以及明年开展民办非企业单位自律和诚信活动的主要思路和设想，做了重要讲话。民办非企业单位的代表介绍了各自的工作及经验，对工作中的热点、难点问题进行了热烈讨论。大家畅所欲言，利用现代多媒体形式，结合自己的工作体会，进行了形式多样的发言，对民办非企业单位登记管理工作，提出了许多好的意见和建议。座谈会内容丰富，生动活泼，取得了圆满成功。

民办非企业单位工作座谈会

2004年7月1日，由第十届全国人民代表大会常务委员会第四次会议于2003年8月27日通过的《中华人民共和国行政许可法》正式施行。认真学习《行政许可法》，按照实施行政许可的基本原则，做好贯彻实施《基金会管理条例》等工作，对保障国家法制统一、政令畅通具有重要意义。

中华人民共和国主席令

第七号

《中华人民共和国行政许可法》已由中华人民共和国第十届全国人民代表大会常务委员会第四次会议于2003年8月27日通过，现予公布，自2004年7月1日起施行。

中华人民共和国主席　胡锦涛

2003年8月27日

中华人民共和国主席胡锦涛签发第七号令，公布《中华人民共和国行政许可法》。

2004年8月18日，财政部以财会[2004]7号文发布关于印发《民间非营利组织会计制度》的通知。《民间非营利组织会计制度》于2005年1月1日起执行，这是我国会计改革进程中取得的又一项重要成果，它将填补我国民间组织财务管理和会计制度方面的空白。它对于规范民间非营利组织的会计核算行为，提高其会计信息质量，促进其健康发展，具有非常重要的现实意义。

2004年8月24日—25日，民政部民间组织管理局在西宁召开了民办非企业单位有关问题座谈会。参加会议的有北京、上海、黑龙江、广东、河南、浙江、重庆、新疆、青海、湖南、云南、西藏、大连、青岛等部分省（区、市）主管（或分管）民办非企业单位登记管理工作的处室负责人。青海省人民政府副秘书长解源、民政部办公厅法制办主任阎滢、民政部民间组织管理局副局长杨岳、青海省民政厅副厅长马俊德出席了会议。

会上，研究讨论了《民办事业单位登记管理条例（送审稿）》、《民办非企业单位年度检查办法（征求意见稿）》和《民办非企业单位章程（草案）》以及《民办学校登记办法》，交流民办非企业单位登记管理与开展民办非企业单位自律和诚信活动的经验，提出了各地在民办非企业单位的登记管理工作中遇到的名称不规范、票据不统一、税收无优惠、监督管理缺乏执法手段以及业务主管单位不配合等难点、热点问题。

姜力副部长在全国发展农村专业经济协会会议上发表重要讲话

孙伟林局长在全国发展农村专业经济协会会议上作总结报告

民政部在北京举办《民办非企业单位年度检查办法》听证会

2004年9月8日—11日，民政部全国发展农村专业经济协会会议在山东省青岛市和烟台市召开。民政部部长李学举、副部长姜力就发展农村专业经济协会作了重要讲话，部民间组织管理局孙伟林局长作总结发言。此次会议得到了中农办、国务院研究室、农业部、中国科协、团中央和全国供销总社的大力支持，均应邀参与会议，并作专题发言。12个省市民政厅局和农村专业经济协会在会上介绍各自的经验和做法，与会代表还对山东省发展农村专业经济协会情况进行了实地考察。这次会议对各级民政部门提高认识，开拓思路，为今后进一步推动农村专业经济协会的发展打下了坚实的基础。

2004年9月10日，民政部举行了《民办非企业单位年度检查办法》(草案)的立法听证。参加这次听证会的人员具有广泛的代表性，其中有民办非企业单位的代表10名，有国务院法制办、其他有关国家机关、教学科研机构的专家代表10名。听政会代表有京内的，也有京外的。参加听证会的代表紧紧围绕民办非企业单位年检应当审查的内容和年检方式与程序等问题，畅所欲言，提出了许多富有建设性的意见。

这次听政是民政部第一次举行立法听证会。它不仅使制定出台的年检办法切实可行、具有可操作性，而且彰显了民政部“开门立法”的精神。在其他法规草案的修订过程中，民政部还要举行立法听证会；这次听政会将在民政部的民主立法进程中起到良好的开拓作用。

九江座谈会会场

2004年9月17日，由国务院台湾事务办公室主办、江西省人民政府台湾事务办公室、九江市人民政府承办的'2004台湾同胞投资企业协会会长座谈会在九江星河大酒店隆重召开。来自全国23个省（市、自治区）80个地市的台湾同胞投资企业协会会长欢聚一堂，参加了本次台协会长座谈会。

座谈会由国台办经济局局长何世忠主持，国台办常务副主任李炳才、国家发改委综合司司长韩永文、民政部民间组织管理局副局长李勇、国家证监会发行部副主任王林，江西省人民政府副省长孙刚，省台办主任崔琳，市领导刘积福、蔡晓明、李放等参加了座谈会。李炳才围绕两岸经济的合作与交流、台协的工作与使命作了重要讲话。孙刚、李勇、刘积福分别致辞。

十六届四中全会会场

2004年9月18日，中国共产党第十六届四中全会通过《中共中央关于加强党的执政能力建设的决定》明确指出："加强社会建设和管理，推进社会管理体制创新。……发挥社团、行业组织和社会中介组织提供服务、反映诉求、规范行为的作用，形成社会管理和社会服务的合力。健全社会保险、社会救助、社会福利和慈善事业相衔接的社会保险体系。加强和改进对各类社会组织的管理和监督"。

2004年10月17日，由国务院扶贫办主管，中国扶贫基金会主办的“中国消除贫困奖评选揭晓暨颁奖仪式”于第12个国际消除贫困日上午在人民大会堂隆重举行。18位人士（机构）分别获得“中国消除贫困奖”和“中国消除贫困奖提名奖”。联合国秘书长科菲·安南向颁奖大会发来了贺信。

受温家宝总理委托，中共中央政治局委员、国务院副总理回良玉出席仪式并发表重要讲话。回良玉说：“中国作为世界上人口最多的发展中国家，是国际扶贫事业的积极的推行者。新中国成立55年来，中国共产党和中国政府始终高度重视并致力于消除贫困。特别是改革开放26年来，我国组织实施了大规模的专项扶贫开发计划，取得了举世瞩目的伟大成就，绝对的贫困人口从1978年的2.5亿人下降到2003年末的0.29亿人，总体上实现了从温饱到小康的历史性跨越。”

中国消除贫困奖旨在评选、表彰为我国扶贫事业做出突出贡献的国际、国内先进单位、先进人物，并以此达到推动扶贫行业社会公德及精神的昭彰，引导行业工作技巧的改进与创新，促进扶贫行业健康发展的目的。

全国人大常委会副委员长成思危、全国政协副主席黄孟复、中国扶贫基金会名誉会长杨汝岱出席了本次会议并给获奖者颁奖。

大会会场

2004年11月8日至10日，第十四次全国部分城市民间组织管理工作交流会在上海和苏州召开。上海、北京、天津、重庆等23个城市民间组织管理局（处）领导参加了会议，国家民政部民间组织管理局正局级巡视员廖鸿同志参加会议并作了重要讲话。

会上，上海市、苏州市、大连市、深圳市的代表，从不同角度和方面介绍了发展民间组织和加强管理的新鲜经验，其他城市民间组织管理局（处）领导在分组讨论时，针对各自民间组织培育与发展，民间组织管理工作经验及存在的难点问题展开了热烈的讨论。

2004年12月3日，民政部副部长姜力出席天津市行业协会经验交流暨首批示范行业协会授牌大会，并作重要讲话。

民政部领导参观展览

情况通报会

2004年12月8日，由民政部、国家发展和改革委员会、国务院国有资产监督管理委员会主办的“全国行业协会成就汇报展览会”在北京展览馆大报告厅召开情况通报会。全国行业协会成就汇报展览会组委会秘书长、民政部民间组织管理局局长孙伟林就展览会筹备情况、展览厅会规模及我国行业协会发展情况作主题发言，部分参展单位代表介绍了参展情况。

2004年12月9日上午9：30，“全国行业协会成就汇报展览会”开幕式在北京展览馆前广场隆重举行，民政部部长李学举，副部长姜力，国家发展和改革委员会、国务院国有资产监督管理委员会的有关领导出席开幕式。民政部民间组织管理局局长孙伟林主持开幕式，民政部部长李学举手持金钥匙打开了象征我国行业协会展示辉煌历程和广阔发展前景的“希望之门”，如潮的观众随着主办单位、协办单位领导涌入了展览大厅。人民日报、新华社、中央电视台等20多家新闻单位争相报道展会盛况。

展览会开幕式

民政部副部长姜力（左）、办公厅主任窦玉沛参观“全国行业协会成就汇报展览会”。

2004年12月9日—11日，“全国行业协会成就汇报展览会”在北京展览馆举办，这是改革开放26年来首次举办的全国行业协会成就汇报展览会。本次展览会由民政部、国家发展和改革委员会、国务院国有资产监督管理委员会共同主办，教育部等28个部委及各省、市、区民政厅（局）、计划单列市民政局、新疆生产建设兵团民政局协办，民政部民间组织服务中心承办。展览会吸引了广大行业协会的积极参与，受到了社会各界的广泛关注，共有456家行业协会参展，其中全国性行业协会229个、来自33个业务主管单位，地方行业协会227个、来自30个省级民政厅（局），展览会占地面积约20000平方米。展览会围绕“展示、促进、发展、成就”的主题，全面系统地展示了改革开放以来我国行业协会的发展历程和经验成就，探讨新形势下行业协会的发展方向，进行全方位和多层次的交流与合作，是一次规模空前、意义深远的行业组织盛会。

展览会会场一角

展览会吸引了众多参观者

表彰大会主席台

2004年12月10日晚，“全国行业协会成就汇报展览会”迎来了一批尊贵的客人。全国人大常委会副委员长许嘉璐、蒋正华、顾秀莲、韩启德，全国政协副主席白立忱相继来到展览会参观并指导工作。各行业协会争先恐后地欢迎各位副委员长、副主席们的到来。各位领导认真观看展览，并给予高度评价和殷切期望。他们的话也表达了各行业协会和社会各界观众的心声：这样的展会是建国五十五年来的首创，是民政部等政府部门培育发展行业协会的力作，希望将来能延续下去，越办越好。

表彰大会会场

2004年12月10日，民政部在人民大会堂举行2004年先进民间组织表彰大会。大会共表彰了540家全国先进民间组织，这是建国以来，第一次在全国范围内表彰做出了优异成绩的先进民间组织。

全国人大副委员长司马义·艾买提、何鲁丽，全国政协副主席罗豪才、阿不来提·阿不都热西提出席了会议，并为获奖代表颁奖。

民政部部长李学举在表彰会上做重要讲话，副部长姜力主持会议并宣读了表彰决定。全国性民间组织业务主管单位的负责同志，各省、自治区、直辖市民政部门和受表彰的先进民间组织代表共700多人出席了会议。

部分获奖单位代表上台领奖

中英民间组织评估问题国际研讨会2004年12月15—16日在北京召开

2004年12月13日，人民日报发表评论员文章:《发挥好民间组织的作用》。文章如下：

改革开放以来，我国民间组织稳步发展，整体素质提高。目前，全国各级各类民间组织已发展到26万多个，遍布全国城乡，涉及社会生活各个领域，初步形成了门类齐全、层次不同、覆盖广泛的民间组织体系，在推动经济发展、社会进步以及对外交往中做出了积极贡献。

民间组织作为与政府、企业并列的第三部门，近年来在激发社会活力、促进社会公平、倡导互助友爱、疏缓就业压力、反映公众诉求、推进公益事业、化解社会矛盾、解决贸易纠纷、促进科教兴国等方面发挥了很好的作用。实践证明，民间组织已经成为党和政府联系人民群众的桥梁和纽带，成为推进国家现代化建设的一支重要力量。

党和政府历来十分重视民间组织的发展和管理工作。党的十六届四中全会强调，要发挥社团、行业组织和社会中介组织提供服务、反映诉求、规范行为的作用，形成社会管理和社会服务的合力。近年来，党中央、国务院从完善政策法规、健全管理体制、积极培育发展和加强监督管理等方面采取了一系列重要举措，各级民政部门、业务主管单位和有关部门，各司其责，通力协作，认真贯彻落实民间组织的各项政策法规，推动了民间组织的稳步发展。实践证明，重视民间组织的发展，发挥民间组织作用，提高民间组织在经济社会发展中的地位，有利于发展市场经济，有利于推进民主政治，有利于弘扬先进文化，有利于构建和谐社会。

各级党委、政府要加强对民间组织工作的领导，重视、支持民间组织开展工作。民间组织工作要以邓小平理论和“三个代表”重要思想为指导，认真贯彻落实党中央、国务院关于民间组织工作的一系列方针政策和相关法律法规，坚持培育发展与管理监督并重的方针，以民间组织服务经济社会发展为核心，以提高民间组织能力建设为重点，建立与我国经济社会发展水平相适应，布局合理、结构优化、作用明显的民间组织发展体系以及法制健全、管理规范、分级负责的民间组织管理体系。我们深信，在各级党委和政府的领导下，民间组织一定能够得到更好的发展，也一定能够为全国建设小康社会贡献更大的力量。

民政部副部长姜力（左）、民政部新闻发言人（办公厅主任）窦玉沛在新闻发布会上。

2004年12月15－16日，中英民间组织评估问题国际研讨会在北京隆重召开。研讨会上，民政部副部长姜力发表了书面讲话，英国驻华大使馆公使邓强（John Dennis）莅临会议，并发表了热情洋溢的致辞。民政部民间组织管理局局长孙伟林做了《做好评估体系建设推进民间组织管理工作》的主旨演讲。会议由民政部民间组织管理局与英国文化协会联合举办。

这次研讨会是中英双方合作的民间组织评估机制和体系研究课题的一个部分。参加会议的专家学者和来自民间组织登记管理机关、民间组织的代表，围绕民间组织的评估机制和评估体系问题，包括政府年检和监督、公众评估以及民间组织自身的内部评估，进行了热烈的交流和讨论。

出席这次研讨会的人员，有中、英两国研究民间组织评估方面的专家、民政部和地方民政部门的官员、以及来自国内、国际民间组织和国际资助机构的代表。英国慈善委员会的费·库博（PhilCooper）、全英志愿组织首席行政长官协会的斯蒂文·巴布（Stephen Bubb）、环球协力社的李凡、国务院法制办朱卫国、北京大学陈金罗、清华大学邓国胜、中国社会科学院金锦萍、北京师范大学徐家良、中国社团研究会古俊贤，山东民政厅齐航建、上海民政局何卫平、吉林民政厅马志龙等在研讨会上做了专题演讲。

中英民间组织评估问题国际研讨会参会人员合影

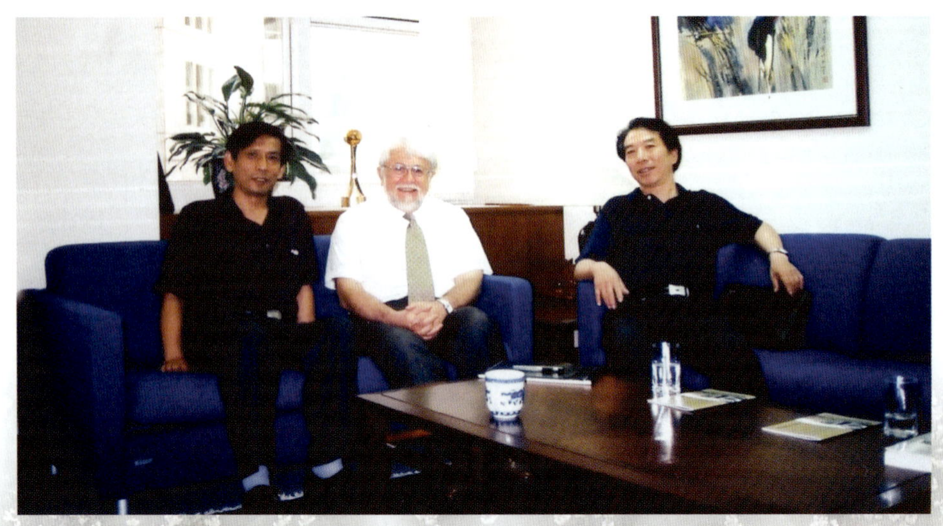

《中国民间组织年志》的两位主编：潘继生（左）、古俊贤（右）和福特基金会驻华办事处首席代表华安德先生（中）亲切会谈。

我国民间组织发展与管理工作的形势在2004年出现了许多可喜的迹象：

(一)我国第一次将国家依照法律规定保护公民的私有财产权写进宪法。从世界非营利组织发展的历史来看，只有公民的合法财产得到有效保护，才会激发公民投身公益事业的热情。我国的情况也不会例外，宪法的这一规定，将为我国公益事业的发展保驾护航。

(二)慈善事业第一次写进了党的文件.中国共产党第十六届中央委员会第四次全体会议做出了《中共中央关于加强党的执政能力建设的决定》，该决定第七部分“坚持最广泛最充分地调动一切积极因素，不断提高构建社会主义和谐社会的能力”的第三节指出：“加强社会建设和管理，推进社会管理体制创新。深入研究社会管理规律，完善社会管理体系和政策法规，整合社会管理资源，建立健全党委领导、政府负责、社会协同、公众参与的社会管理格局。更新管理理念，创新管理方式，拓宽服务领域，……发挥城乡基层自治组织协调利益、化解矛盾、排忧解难的作用，发挥社团、行业组织和社会中介组织提供服务、反映诉求、规范行为的作用，形成社会管理和社会服务的合力。健全社会保险、社会救助、社会福利和慈善事业相衔接的社会保障体系。加强和改进对各类社会组织的管理和监督。”这段论述，明确提出了慈善事业，并且进一步明确了社团、行业组织和社会中介组织的作用，将我国民间组织纳入到社会建设和管理的范畴中，提高了我国民间组织社会地位，必将促进我国民间组织的健康发展。

(三)我国行业协会第一次出现了从中央到地方立法联动、探索发展的局面。有关单位正在研究《行业协会法》，国家发改委和民政部等部门正在研究制订推进行业协会改革和发展的指导性意见，一系列改革思路正在紧张、科学地论证当中。一些地方行业协会改革迈出了新步伐。广东省、南京市、深圳市等地的立法工作有新思路。如南京市规定，公务员一律不得兼职行业协会的领导。

(四)民政部建国以来第一次举行全国民间组织先进单位的表彰活动。540个全国先进民间组织受到表彰。正如媒体所称，这一事件表明，政府对民间组织的高度重视，对其积极性社会作用的肯定，也表明政府要积极引导民间组织的健康发展。

(五)民政部第一次举办了行业协会成果展览。展会集中反映了我国行业协会在改革开放中，特别是加入WTO以来所取得的成就。

(六)我国第一次对基金会进行了分类，将基金会分为公募型和非公募型两类。在基金会管理法规里，第一次允许境外基金会在华设立和开展活动。

从这些诸多“第一次”的背后所透露的信息表明，第一，党和政府重视民间组织的发展和管理工作；第二，政府有关部门正在大力探索培育发展民间组织的有效方式，并取得成效；第三，民间组织管理工作的探索和改革，顺应了市场经济的需要，符合社会发展的趋势。

民间组织管理篇

我国民间组织发展与管理情况

民政部民间组织管理局局长孙伟林

1988年民政部门恢复对社会团体登记管理工作以来，在党中央、国务院正确领导下，伴随着我国社会主义市场经济体制的不断完善、改革开放步伐的不断加快，我国的民间组织(包括社会团体、基金会和民办非企业单位)稳步发展，目前共有266612家，已经成为我国社会主义现代化建设中一支不可缺少的力量。

一、民间组织发展的几个特点

（一）群众结社愿望强烈，民间组织发展逐步加快

计划经济时代，民间组织数量很少。改革开放以后，伴随着我国市场经济体制的建立和不断完善，民主法制建设的不断推进，我国公民结社的意识日益浓厚，参与社会管理的要求日益强烈，成立民间组织的申请越来越多，数量逐年增加，发展步伐逐步加快。1989年，全国民间组织只有4446家，2003年底发展到266612家，年均增长34%。其中，社会团体14年年均增长28%，而民办非企业单位2002年复查登记时有11212家，2003年已发展到124491家，增长很快。

（二）初步建立起门类齐全、覆盖广泛的民间组织体系。

经过多年的发展，民间组织已经遍布全国城乡，涉及社会生活方方面面，主要分布在行业中介、教育、科技、文化、卫生、劳动、民政、体育、环保、社区、农村专业经济等领域，初步形成了门类齐全、覆盖广泛的民间组织体系。据统计，在登记的14.2121万个社会团体中，其中行业性社团41722个、专业性社团40325个、学术性社团37401个、联合性社团19640个，其他社团2079。可以看出，行业性社团数量最多，这与我们近年来重视培育发展社会行业中介组织的努力是分不开的。

图一：1988年2003年我国民间组织数量变化

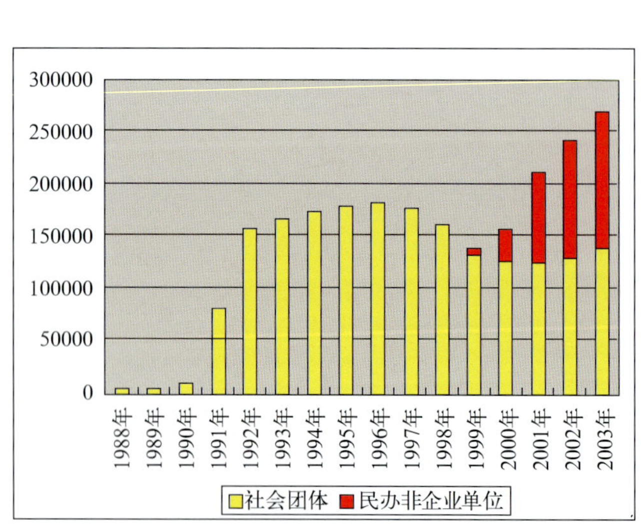

图二：我国社会团体分类情况

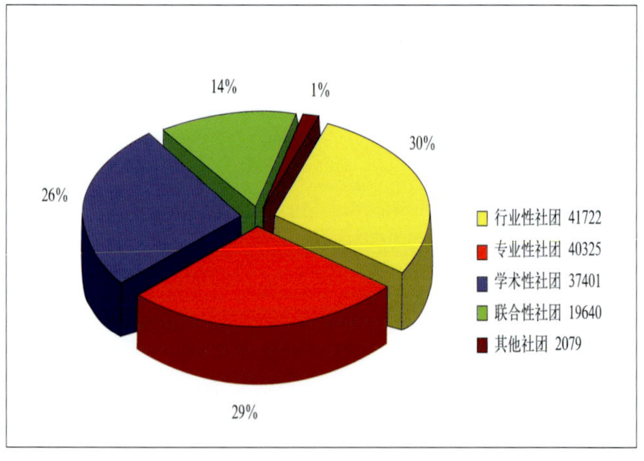

在登记的12.4万个民办非企业单位中，其中教育类62776万个，卫生类26795万个，劳动类9037个，民政类7792个，科技类4522个，文化类2811个，体

育类2682个，社会中介服务业1777个，法律服务业728个，其他5571个。可以看出，我国的民办非企业单位，和世界上多数国家一样，是以教育、卫生类为主的发展模式。

图三：民办非企业单位分类情况

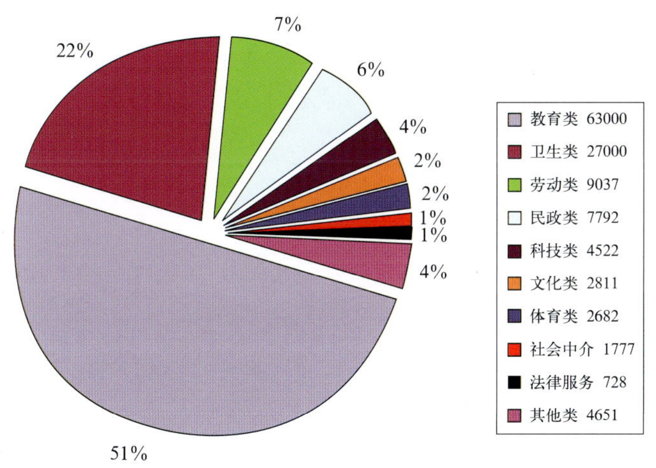

（三）形成了层次不同、区域有别的民间组织发展格局。

我国对民间组织实行分级管理的体制，尤其是社会团体是按照行政层级设置的，既有全国性，又有省地县级的，还有基层社区服务组织和农村专业技术协会，他们在法律上各自独立，不存在相互的隶属关系。其中，在民政部登记的全国性社团及基金会有1736个，省级21030个，地市级有48731个，县级社团有70624个，基层民间组织数量大，上层数量少，呈金字塔形分布。

图四：不同层级社会团体登记数量情况

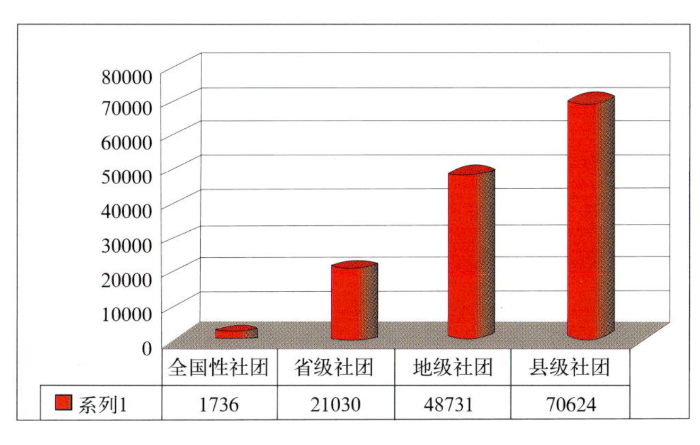

	全国性社团	省级社团	地级社团	县级社团
系列1	1736	21030	48731	70624

民间组织的发展与市场经济发育成熟程度、经济社会发展阶段密切相关，社会经济发达地区民间组织数量较多，欠发达地区数量较少，形成了区域有别的发展格局。2003年底我国平均每万人拥有2.1个民间组织，但东部沿海经济社会较为发达的地区，每万人拥有2.73个民间组织；中部地区拥有1.53个；西部地区拥有民间组织1.87个。这与世界其他国家的情况是相同的，民间组织伴随着我国社会主义市场经济发展而发展，也必将随着市场经济体制的进一步完善，得到更加蓬勃的发展。

图五：我国全国和地区间每万人拥有民间组织数量图

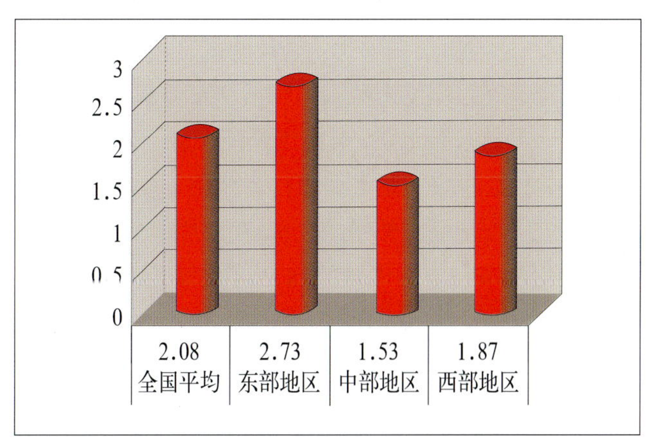

注：东部是指北京、天津、河北、辽宁、上海、江苏、浙江、福建、山东、广东、广西、海南；中部是指山西、内蒙古、吉林、黑龙江、安徽、江西、河南、湖北、湖南；西部是指陕西、甘肃、宁夏、青海、新疆、西藏、云南、贵州、四川、重庆。

（四）经济全球化带动了民间组织全球化的趋势

随着世界多极化、经济全球化和科学技术的迅猛发展，民间组织全球化的趋势日益彰显。在我境内活动的外国民间组织越来越多，从涉及的行业看，主要分布在教育、文化、卫生、环保、社会福利等领域；从地域分布看，主要在一些大中城市和对外开放较早、经济发展较快的东南沿海。我国一些素质较好的民间组织开始走出国门，特别是一些行业协会代表行业参与国际活动，维护行业利益，取得了令人欣喜的成绩。如，欧盟CR法案搞技术壁垒，保护欧盟打火机行业的利益，温州烟具协会发挥中介组织作用，打赢了贸易官司，保护了我打火机行业利益。中外合作兴办的民间组织也呈上升趋势，仅中外合作办学机构北京就有98所，上海有162所，在文化、卫生等领域也增长较快。

民政部民间管理局副局长李勇在网站开通仪式上介绍网站建设情况

（五）民间组织在现代化建设中的作用日益增强

随着民间组织实力的增强和活动日益规范，民间组织的作用也越来越重要，对促进经济发展、推进社会进步、维护社会稳定、建立和谐社会产生了积极的影响。一是促进了市场经济体制的完善。民间组织发展有利于企业深化改革和市场体系的建立，有利于政府转变职能，已成为构筑市场体系不可缺少的部分。特别是在我国加入WTO以后，行业协会履行了政府赋予的部分微观和行业协调管理的职能，在维护企业权益，建立从业规范，促进公平竞争，加强行业自律，解决贸易纠纷方面，作用日益重要。二是服务群众，促进了社会公益事业的发展。民间组织分布在社会的各个行业、各个地区和众多领域，和人民群众联系密切，在社区服务、扶贫济困、灾害救援、社会福利、尊老扶残、保护妇女儿童权益、帮助下岗职工再就业、环境保护等方面做了大量工作，起到了调节社会矛盾，和谐人际关系，维护社会公平，促进社会稳定的作用。民办公益事业的发展，是对政府举办的社会公益事业的必要补充，弥补了国家投入的不足，推动了城乡社会化服务体系的建设。三是繁荣了科技、文化和教育事业。民间组织聚集着大批科学技术和研究领域的专门人才，有很强的创新能力，通过科学研究、教书育人、文化传播等工作，弘扬了中华传统美德，促进了“科教兴国”战略实施，推动了先进文化的发展。四是民间组织已成为就业的重要渠道。民间组织的蓬勃发展，吸纳了大批人员就业，据测算，全国大约有民间组织专职人员300多万人，还有为数众多的志愿者队伍。浙江省9000个民办非企业单位，有从业人员10多万多个；青岛市登记的2270个民办非企业单位，为社会提供就业机会2.63万个。五是活跃了民间外交、维护了国家利益。民间组织积极参与国际合作、开展国际活动，增进了我国人民和其他国家人民的友谊，为我国外交注入了新的活力；在促进贸易、保护我国行业利益等许多不宜由政府出面的问题上，民间组织出面进行谈判、磋商，维护了我国的应有权益。

二、民间组织管理工作取得新进展

党和政府历来十分重视民间组织的发展和管理工作，支持、引导民间组织在社会主义现代化建设中发挥积极作用，特别是近年来，党中央、国务院从完善政策法规体系、健全管理体制、积极培育发展和加强监督管理等方面采取了一系列重要举措，不仅为民间组织的发展指明了方向，而且有力地促进了民间组织的管理和发

民政部民间组织管理局副局长杨岳

展；各级民政部门、业务主管单位和有关部门，各司其责，通力协作，认真贯彻落实民间组织的各项政策法规，推动了民间组织的稳步发展。

（一）加强法制建设，坚持依法行政，初步建立了民间组织管理法律法规政策体系。

近年来，经过立法机关和有关部门的不断努力，国家出台了《中华人民共和国公益事业捐赠法》、《民办教育促进法》及其实施条例、《社会团体登记管理条例》、《民办非企业单位登记管理暂行条例》、《外国商会管理暂行办法》、《基金会管理条例》、《中外合作办学条例》等一系列法律法规，为依法管理民间组织，提供了法律保证。为了做到依法行政，民政部和有关部门也出台了大量配套性的政策规章，民间组织管理工作初步纳入了法制化、规范化管理的轨道。

（二）坚持并不断完善双重管理体制，初步建立了民间组织行政管理体系。

我国对民间组织实行的是，登记管理机关和业务主管单位双重负责的管理体制。业务主管单位侧重日常业务管理，登记管理机关主要进行宏观管理和执法监督，各司其职，各负其责，密切配合，形成了管理合力。同时，一些地方成立了由党政主要领导同志为负责人的民间组织协调机构，对涉及民间组织管理的重大问题进行研究、协调，加强了对民间组织管理工作的领导，完善了双重负责的管理体制，取得了良好的社会效果。

（三）坚持分类指导，突出重点，把培育发展落到实处。

近年来，我们本着合理布局、优化结构、突出重点、注重质量的原则，重点培育发展了行业协会、公益性民间组织、农村专业经济协会、社区民间组织，支持和引导科、教、文、卫、体以及随着人民生活水平的提高逐渐涌现的新型群众组织。

（四）做好监管工作，维护社会稳定，促进了民间组织素质的提高。

制定了有关政策，帮助民间组织建立以章程为核心的内部管理制度，民主决策制度，促进民间组织自律机制的形成。加大了依法取缔非法民间组织、查处民间组织的违法和违纪行为的力度。根据中央有关精神和管理工作实际，我们对社会团体和民办非企业单位分别进行了一次复查登记，对有些社会团体进行了清理整顿。通过努力，民间组织素质得到了提高，结构得以改善，能力得以加强，维护了社会政治稳定。

（五）探索了民间组织党建工作的新路子

按照1998年2月中组部、民政部联合下发的《关于在社会团体中建立党组织有关问题的通知》的规定，认真调研，积极探索在新形势下加强社团党建工作的新路子，创造了许多好的经验。目前，已经建立党组织的社会团体占到了总数的一半以上。

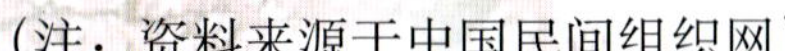
（注：资料来源于中国民间组织网）

北京市社会团体管理办公室

2004年，北京市民间组织管理工作在民政部和北京市委、市政府的领导下，坚持以邓小平理论和“三个代表”思想为指导，认真贯彻十六届四中全会精神，以实施《行政许可法》和《基金会管理条例》为契机，通过树立科学发展观，不断加强和完善管理体制，坚持培育和管理两手抓，以提高民间组织整体素质，规范民间组织行为为目的，使民间组织充分发挥作用，并通过查处非法民间组织，打击非法民间组织活动，维护了首都社会的安全稳定。

北京市社会团体管理办公室主任李明利

全面贯彻《基金会管理条例》。召开了全市贯彻《基金会管理条例》暨民间组织管理工作电视电话会议，并对业务主管部门和基金会的主要负责人进行培训，全面启动基金会登记管理工作。目前已经通过审查予以换证的有32个。在换证的同时着手新设立基金会的审批工作，已有涉及教育、医疗、扶贫、科技等方面的基金会提出登记申请，已新核准登记6个。

积极配合《行政许可法》的正式实施。管理办调整了工作程序，简化申办手续并进行了全员培训和考试，以提高工作人员依法行政的意识和素质，更好地为民间组织服务，并在北京市民政局设立了一站式服务大厅，安排相关工作人员到大厅进行工作。

为促进京郊农业和农村专业经济协会发展，组织市级涉农社团与区县农村专业合作组织交流与技术咨询系列活动，开展了主题为“市级涉农社团与区县农村专业合作组织信息交流与技术咨询”大型交流活动；为完成北京市社会团体会费统一收据的印制入库工作，与市财政局协调，制定了《北京市社会团体会费统一收据使用和管理有关问题的通知》。

在加强民间组织管理工作的同时，社团办积极组织民间组织评优创先工作，14个民间组织受民政部表彰，20家行业协会参加民政部举办的行业协会成果展览。

截止2004年12月底，北京市社会团体2385个，民办非企业单位2082个；新增民间组织数633个（社团201个、民办非企业单位426个、基金会6个）；撤销数182个，年检不合格数68个。

“七一”表彰先进支部和党员大会。

深入北京市大兴区调研农村经济合作组织

天津市社会团体管理局

天津市社会团体管理局局长周克丽

2004年，天津民间组织工作坚持以邓小平理论和“三个代表”重要思想为指导，认真贯彻落实党的“十六大”精神，坚持科学发展观，紧紧围绕天津民政工作“五个体系”建设，狠抓重点工作，积极开拓创新，推动民间组织工作健康发展：

（一）积极启动行业协会“精品示范工程”。在全市广泛开展行业协会建设，制定《示范行业协会试行标准》，培育了一批按市场化原则规范运作，具有广泛行业代表性、权威性和天津品牌效应的行业协会。

（二）积极扶持农村专业经济组织发展。为加强农村专业经济组织的发展，2004年2月与市农委研究出台了《关于我市农村专业经济协会培育发展和登记管理的意见》；并召开了天津市农村专业经济协会登记工作推动会。截止12月底，全市已有193家农村专业经济协会完成注册登记或备案工作。

（三）全国贯彻《基金会管理条例》。结合天津实际，组织全市基金会及其业务主管单位负责人进行了培训，制定出台了相应的换证工作方案。截止年底，已有12个基金会已完成了换证工作。

（四）探索培育发展社区民间组织的有效途径。为进一步规范社区民间组织的健康发展，制定下发了《关于开展城镇社区公益性、服务性民间组织进行登记或备案的通知》，对全市社区民间组织进行了全面的摸底调查，掌握了各类民间组织的性质、特点及分布后，全面启动社区民间组织备案工作。目前，全市已有6000多个社区民间组织完成了备案工作。

（五）坚持以制度抓发展，提高民间组织管理水平。在巩固市、区县两级执法监督网络基础上，与公安部门联合下发了关于协同查处非法、违法民间组织和案件移送的通知，强化联合办案工作机制。全年，共处理40多件非法、违法和不按规定参加年检的民间组织案件。

截止2004年底，全市社会团体1713个，民办非企业单位1389个，基金会22个；2004年新增社会团体76个，民办非企业单位144个。

河北省民政厅民间组织管理局

河北省民政厅厅长夏玉祥在全省民政工作会议上讲话

河北省民政厅民间组织管理局在民政部和厅党组的正确领导下，克服人员少，任务重等种种困难，坚持培育发展和监督管理并重的方针，加大工作力度，坚持依法行政，依法管理，不断完善各项登记管理制度和措施，使河北省的民间组织管理工作取得了显著的成绩，各级各类民间组织得以健康发展。

（一）坚持培育发展与监督管理并重的管理原则，认真培育和发展新社团和民办非企业单位。一是注重培育和发展对河北省政治、经济、文化发展有促进作用的行业社团和民办非企业单位；二是积极扶持，切实做好农村专业经济协会的培育发展工作。

（二）进一步加强监督管理，认真组织年检工作。年检中采用流水作业审核材料，做到随到随时受理；截止6月底，全省社团参检4712个，其中合格4120个，注销106个，限期整改486个；全省民办非企业单位参检5319个，合格4314个，注销105个，限期整改900个，全省民间组织年检工作按计划圆满结束。

（三）认真学习贯彻《基金会管理条例》，按照国家民政部的统一部署，做好原有基金会的换发证书工作。

（四）做好民间组织行政许可项目的审批工作。

（五）组织全省民间组织开展争先创优活动，对优秀民间组织及先进工作者进行表彰，共评选出229个省先进集体，288名先进个人；河北省企业家协会等17家民间组织被民政部授予“全国先进民间组织”称号。

截止12月底，全省共登记注册社会团体5940个，全省登记注册民办非企业单位6428个，登记注册基金会10个。本年度，全省新审批社团550个，新审批民非818个，基金会1个。

民政厅副厅长陈先琴深入民办科研机构检查工作

省民政厅副厅长陈先琴

省民政厅民间组织管理局局长崔均良

山西省民间组织管理局

省民政厅厅长郭有勤深入祁县农村考察专业经济协会

2004年山西省民间组织管理工作围绕年初全国民政工作会议精神，开展了以调整民间组织结构、培育发展行业协会与农村专业经济协会，探索培育发展社区民间组织的路子，加强监督管理，坚持依法行政，较好地完成了全年工作。

（一）解决专用税票。为促进民间组织的健康发展，规范全省民间组织的税收管理工作，2004年1月，省民政厅与省地税局下发了《关于加强民间组织税收管理有关问题的通知》，这一措施的出台，实现了民间组织、管理部门和税务机关的三方共赢。

省民政厅民间组织管理局局长李光烈

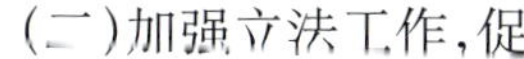

（二）加强立法工作，促进行业社团发展。为贯彻中央关于培育发展社会中介组织机构的精神，省管理局先后采取调查、座谈等方式，基本摸清了全省行业性社团的特点、存在的问题和困难，草拟了《山西省促进行业社团发展规定》，草案中一个显著特点是以较大的篇幅明确了政府和有关部门在培育发展行业性社团中的“角色”和行业性社团的社会定位，以求为该省行业性社团的健康、快速发展创造更好的发展环境。

（三）认真贯彻《基金会管理条例》。通过学习《条例》，组织培训，全面启动换证工作。

（四）大力发展农村专业经济协会。一是在由省民间组织管理工作领导组召开的有关会议和全年全省民间组织管理工作会议上进一步，要求有关单位与各市采取有力措施予以扶持；二是组织各市赴四川省对农村专业经济协会的发展模式、培育发展的措施作了考察；三是由王铁选副厅长带队，对全省农村专业经济协会的发展作了专题调查，向省政府提出了培育发展农村专业经济协会的意见；四是于12月上旬到农村专业经济协会培育发展好的晋中市祁县召开全省发展农村专业经济协会现场会；五是在去年出台降低登记门槛政策的基础上，拟以省政府名义进一步出台培育发展农村专业经济协会的若干政策和措施，为这一类农村民间组织的发展创造更为有利的环境。

省民政厅副厅长王铁选

（五）开展社区民间组织的培育试点。现已在太原市进行试点，并取得初步成效。

截止2004年底，实有社团3648个，其中新注册登记社团574个；实有民办非企业单位1867个，其中新批准登记单位385个；基金会3个。

局长李光烈深入农村考察专业经济协会

内蒙古自治区民间组织管理局

自治区民政厅副厅长冯呼和

自治区民间组织管理局局长齐木斯仁

2004年，民间组织管理局工作在民政部、民政厅党组的正确领导下，认真学习领会“三个代表”重要思想，全面贯彻党的十六届四中全会精神，按照全国民政厅局长会议提出的促进两个发展的重要思想，全局同志振奋精神，扎实工作，圆满完成了年初制定的工作计划。

（一）圆满完成了民办非企业单位2004年度检查工作。区直民非单位年检工作11月结束，应参加年检单位110家，年检合格70家，整改13家，撤销27家。全年区直新受理67家，注册57家，区直民办非企业单位年底在册总数达146家。截至到年底，全区民办非单位总数达1511家，其中本年度新注册登记402家。

（二）在社团登记管理工作中，坚持“三个有利”原则，注重培育发展了一批行业协会，截至到年底，全区社团总数达2200家，本年度新增234家，其中区直社团440家，本年度新增69家，注销1家，变更事项117家。全区共有基金会22家，其中当年批准设立6家。新的《基金会登记管理条件》发布后，及时举办了贯彻新条例座谈会，并对16家原有基金会进行了检查，部署了换证工作。

（三）对农村牧区专业经济协会进行了调研，起草了内蒙古自治区农牧业厅、民政厅《关于加快发展农牧区专业合作组织的意见》，征得相关部门意见后，已报自治区党委、政府，待转发执行。

（四）民间组织档案建设、信息网络建设有了新的突破。全年共整理社团档案610份，重新建档并入了微机系统。成功启动了区直民间组织管理网，70%以上的区直社团和民办非企业单位都已入网，为今后实现网上办公、网上年检奠定了基础。

（五）举办了区直社团秘书长培训班。在中国NPO信息中心、中国青基会、亚洲基金会北京办事处的支持下，举办了全区性社团秘书长培训班，听取了非营利组织发展问题学术讲座，参加培训人数达到280人。

（六）参加了首届全国民间组织评比表彰活动，全区10个先进民间组织受到民政部表彰。另外还组织两个社团参加了在北京展览馆举办的全国行业协会成就展，受到与会代表的好评。

辽宁省民政厅民间组织管理处

辽宁省民政厅副厅长霍文忠

民管处处长尚秀春

2004年,辽宁省民间组织管理工作在部民管局的正确指导和厅党组的正确领导下,按照年初制定的工作计划和确定的工作目标,经全处同志的共同努力,较好地完成了各项工作任务。

(一)培育发展工作有新发展。一是省政府出台了《关于我省行业协会发展的若干意见》;二是为贯彻落实《关于我省行业协会发展的若干意见》工作,于8月份以省政府名义召开了"全省培育发展行业协会工作电视电话会议",各市主管副市长和省、市有关部门负责同志参加了会议,会上表彰了29家"省级示范社团",大连市民政局和部分省级示范社团交流了经验;三是为贯彻省政府《促进我省行业协会发展的若干意见》,探索培育发展行业协会的经验,出台了《辽宁省培育发展行业协会试点工作方案》,试点方案对试点内容、工作步骤、时间安排、工作要求等都进行了明确;四是命名表彰了29家省级示范社团;五是根据辽委办发(2004)10号文件《关于积极发展农民专业合作经济组织的若干意见》的精神,把培育发展农村专业经济协会工作重点放在规范登记和培育典型上,登记工作已全面展开,目前正在有序运行;在全省范围内开展了先进农村专业经济协会创建活动,省厅出台了《辽宁省先进农村专业经济协会创建活动方案》。在今年10月召开的全国农村专业经济协会经验交流会上,辽宁省有3个典型经验大会上进行了交流,其中1个作为大会发言,受到好评。

(二)登记管理工作有序进行。一是对全省性528个社团进行了年检,合格的社团477个,未参加年检和年检不合格的社团51个,为做好民办非企业单位年检工作,出台了《辽宁省民办非企业单位年检办法》;二是日常登记管理有序进行,截至目前为止,今年省登记机关共接待电话咨询4千余人次,接待来访咨询两千余人次,批审筹备社团28个,审批登记社团26个,登记民办非企业单位17个,办理社团变更登记67件,民办非企业单位变更登记12件;三是在今年2月省劳动厅、省财政厅、省地税局、省人事厅和省编办出台的《关于省直属事业单位实行基本养老保险社会统筹有关问题的通知》中,明确了社团专职人员参照事业单位人员参加养老保险,社团专职人员养老保险问题得以妥善解决;四是经同人民银行协商,两家联合出台了《关于民间组织开立银行结算帐户有关问题的通知》,解决了民间组织核名和开立验资账户问题。

(三)基金会登记工作全面起动。为贯彻《基金会管理条例》,先后召开了两次基金会秘书长工作会议,用以会代训的方式,对基金会秘书长进行了培训,对下一步工作提出了要求,目前登记换证工作有序运行。

大连市民政局民间组织管理处

2004年大连市民间组织管理工作以培育发展为推动，以监督管理为保障，以规范建设为目标，实现了登记工作有突破，管理工作有创新、培育工作有成果，全面推动了全市民间组织管理工作的跨越式发展。

（一）出台了市第一部民间组织管理法规《大连市行业协会管理办法》，并根据《办法》规定，以市政府名义下发《关于清理整顿市级行业协会的通知》，对市级107家行业协会进行清理整顿，撤销8家，整改7家，合并2家。

（二）重点培育发展行业协会、农村协会和社区民间组织三类民间组织。县市两级各类行业协会289个，占整个社团总数的32%左右，一批适应市场经济发展、反映企业需求、与国际接轨的行业协会不断涌现；出台《关于基层农村专业技术协会登记管理的意见》，将农村协会的培育发展与登记管理纳入规范化发展轨道，探索民间组织工作与社区建设与管理、城市低保、老龄工作、社会福利、慈善事业等多项民政工作的捆绑式发展，创建了居家养老、社区公共服务社等多种模式，社区民间组织数量达455家。

（三）为民间组织发展营造宽松环境。通过政协委员、人大代表以提案的形式反映民间组织诉求，受到省市领导的重视；营造了自上而下关心民间组织发展的良好氛围，另外，软课题《大连市民间组织农村专业技术协会发展研究》，通过了大连市政府的科研立项，首次对该市农民组织化问题进行研究。

（四）争先评优工作取得初步成果。

（五）加强民间组织舆论宣传工作。出版4期《大连民间组织》杂志，开辟专栏对行业协会、农村协会、社区民间组织等进行专题报道，并在国家及省市级刊物上登载本市民间组织文章50余篇，有效提升了全市民间组织的社会地位。

近年来，在市民政局局长王萍的领导下，大连市民间组织管理工作以培育发展行业协会、农村专业经济组织、社区民间组织等为重点，为民间组织营造优良的发展环境，实现了民间组织管理工作的跨越式发展（图为市民政局局长王萍）。

（六）围绕大连经济发展，开展大型活动。以大连市社会团体发展联合会名义，组织18家协会与国外协会联手于2004年10月29日—31日举办了“2004年大连拓展国际市场交流会暨中俄地方经贸合作论坛”，促使大连企业与俄罗斯签订4项合作协议，协议签约额达750万美元，实现了协会搭台，企业唱戏，联合开拓国际化发展道路的新途径。

截止2004年12月底，全市现有民间组织2828个，其中：社团905个，民非单位1247个，农村协会221个，社区民间组织455个。2004年新登记民间组织498个，分支机构56个，注销民间组织141个。

市民政局副局长惠安成在2004年大连市民间组织管理工作会议上，充分肯定了全市民间组织培育发展和登记管理工作，并对今后的工作发展提出了具体要求。

大连市民政局民间组织管理处处长张君玲

吉林省民间组织管理局

省民政厅副厅长张光霁在全省培育发展社区社团工作会议上讲话

省民间组织管理局局长兰亚明

吉林省民间组织管理局坚持培育发展与监督管理并重的方针，以规范管理为主线，以培育发展为重点，强化对各类民间组织的分类指导和结构调整，规范化和法制化水平得到全面提升。2004年各项工作取得了显著成绩：

（一）加大了工商领域行业协会的培育发展工作力度。积极开展调查研究，先后形成《吉林省行业协会发展情况调查报告》和《关于加强行业协会建设指导意见》，并报省政府。制定和印发《吉林省示范性行业协会标准》，在全省范围内广泛开展了建设示范性行业协会活动。全省评选出示范性行业协会41个，其中省本级10个。

（二）进一步深化了农村专业经济协会的培育发展工作。在集中总结了100多个不同类型典型的基础上，突出强化了管理，重点做好了登记或备案手续等方面的规范、完善工作，目前全省有各级各类农村专业协会5860余个。

（三）普遍开展了社区群众性社会团体培育发展工作。全面总结、宣传和推广了长春市朝阳区社区群众性社会团体试点经验，深入基层指导各级民政部门开展培育发展工作，目前全省已培育发展社区群众性社会团体2700多个。

（四）强化民办非企业单位管理工作的规范化建设。目前全省民办非企业单位已有2689个，省本级86个。

（五）组织各基金会学习新《基金会管理条例》，指导基金会实施了换证。

（六）加大了对民间组织的表彰力度。对2004年度工作突出的41个全省行业协会示范单位、50个先进农村专业经济协会、73个省本级社会团体、4个基金会和5个省本级民办非企业单位进行表彰。

（七）组织举办了法规政策培训。就贯彻落实《行政许可法》和民间组织管理相关政策，先后举办了登记管理干部培训班和省本级及各市（州）、县社会团体负责人培训班，参训人员800余人次。

截止至2004年12月底，省本级社会团体有499个，民办非企业单位有89个，基金会有15个。全年撤销社会团体10个，注销社会团体4个；新成立社会团体20个，民办非企业单位34个，基金会1个。

黑龙江省民政厅民间组织管理局

黑龙江省民政厅民间组织管理局在厅党组的有力领导下，在各处室的大力支持下，经全局人员的共同努力，较好地完成了本年度工作，主要体现在以下4个方面：

（一）以强化政策法规建设为基础，把工作重点放在宏观指导上。一是积极协调有关部门，以省政府文件形式下发了《关于推进行业协会建设的意见》的通知；二是修改《黑龙江省促进行业协会发展规定》并上报到省政府法制办；三是以规范性文件下发了《关于加强农村专业经济协会培育发展和登记管理工作的意见》；四是与财政厅联合下发了《关于认真贯彻实施民间非营利组织会计制度》的通知；五是与中国社团研究中心合作完成了黑龙江社团的全面调研工作；六是积极与有关部门协调，为民间组织的健康有序发展提供良好的外部环境。

省民政厅副厅长蔡炳华在全省促进农村专业经济协会发展会议上讲话

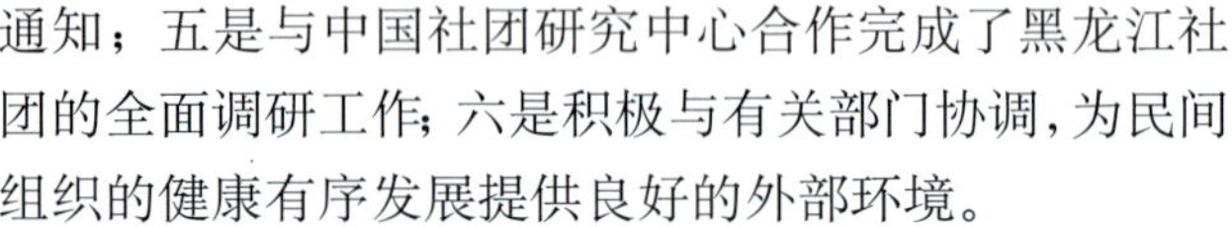

（二）以全面推进为基点，重点抓好行业协会和农村专业经济协会的培育。一是按照黑龙江省行业协会建设的“发展空白、整合现有、培育大型”的十二字方针，把培育的重点放在黑龙江省经济建设急需的行业和领域，2004年全年共审批省级社团33个，其中行业协会18个；二是对现有行业协会进行了调整与规范，使其在结构布局上适应全省经济发展的需要；三是对农村专业经济协会采取了放宽政策、简化程序、打破常规、实行优惠的方针，目前全省农村专业经济协会已达1800多家；四是对民办非企业单位实行了联席会议和建立联络员制度，优化了管理机制，2004年省级民办非企业单位新审批46个。

（三）以创新管理方式为目标，重点抓好日常管理。年度检查是日常管理的一种主要手段。2004年共年检社团507个，占应检数83.4%，年检分支机构、代表机构298个；年检民办非企业单位171个，占应检数84.2%。基金会年检10个。

（四）以强化自身建设为目的，重点抓好宣传与培训。突出重点，加强信息宣传工作，积极与新闻单位联系，重点宣传，努力扩大行业协会的影响。

2004年，全省注册登记社团481个，总数已达3651个，核准登记民非企业单位747个，总数已达4432个。

省民间局局长李喜在全省民间组织管理工作会议上讲话

上海市社会团体管理局

2004年上海民间组织发展与管理工作以加快发展为目标，加强管理为重点，求真务实，开拓进取，促进了民间组织健康有序发展。

（一）民间组织培育发展工作稳步推进。以“政府推动、社会参与、民间组织运作”为原则，以行业性、公益性、服务性民间组织为重点，进一步加大培育力度。全年新增社团133家，基金会4家，民非536家。为掌握社区民间组织的第一手资料，市社团局深入开展调研，召开交流研讨会，为市政府制定《关于加强社区建设工作的实施意见》提供了有价值的意见。同时，研究制定试点方案和章程范本，稳步推进了涉外民办非企业单位登记试点工作。

（二）民间组织监督管理力度进一步加大。以日常监管为重点，督促民间组织按章办事，对违规和违法民间组织坚决予以查处，确保民间组织的规范运作，维护社会稳定。全年共受理各类民间组织案件191起，已结案185起，在查6起。同时，设立了上海市群众活动团队信息管理系统，并在长宁、普陀两区试点的基础上，启动了全市范围内群众活动团队的调查统计工作，截至年底，上海已统计群众活动团队1.6万余个，参加人员43.5万，为下一步加强对该市群众活动团队的培育指导和规范管理、充分发挥其在社区建设中的作用奠定了基础。

（三）民间组织登记管理机关自身建设成效明显。以职能转变和信息化建设为重点，不断提高民间组织登记管理机关依法行政的能力和水平，市社团局按照《行政许可法》的规定和《上海市政府信息公开规定》的要求，全面梳理民间组织审批工作，进一步规范了行政许可文书，适当简化了工作流程。市社团局政务网站全新改版，增设信息公开专栏，进一步做到了便民利民，规范行政。同时，稳步推进民间组织业务信息管理系统项目，完成了《上海市民间组织业务信息需求报告》等调研报告。2004年3月，上海市成立全国首家民办非企业单位性质的省（市）级民间组织服务中心，并通过政府购买服务的方式，委托其承接民间组织登记管理的事务性、服务性工作；截至2004年底，市、区（县）、街道（镇）三级共成立民间组织服务中心31家，其中普陀、静安实现了区、街道（镇）两级民间组织服务中心的全覆盖。

上海市民政局副局长、社团局局长方国平。

2004年2月10日，为贯彻落实行政许可法，促进政府职能转变和民间组织良性发展，市社团局召开了“上海市民间组织规范化建设座谈会”。市民政局副局长、市社团局局长方国平（右二）出席会议并讲话，市社团局副局长姚凯（右一）、徐乃平（左二）出席会议，市社团局副局长单杰（左一）主持会议。市社团局各处、总队负责人，各区（县）民政局分管领导，社团、民非科长等70余人参加了会议。

（四）针对该市民办非企业单位劳动人事争议问题，市社团局积极与市人事局协调，将其纳入了《上海市事业单位人事争议处理办法》。为避免事业单位、其他社会组织和民办非企业单位重名，市社团局与市组织机构代码管理中心开通了数据库查询专线。

2004年底，全市注册登记的民间组织共有7029家，其中社会团体2846家，基金会63家，民办非企业单位4120家。年度应参加年检的6251家，合格5846家。

江苏省民政厅民间组织管理局

2004年，江苏民间组织工作在民政部和江苏省委、省政府的正确领导下，认真贯彻党的“十六大”和十六届三中、四中全会精神，积极实践“三个代表”重要思想，紧紧围绕培育发展和监督管理并举的方针，从促进江苏省经济社会可持续发展和维护社会政治稳定的大局出发，解放思想，深化改革，规范管理，各项民间组织管理工作取得长足进步，民间组织在三个文明建设中的积极作用日益显现。

省民政厅厅长赵顺盘在全省民政工作会议上就民间组织组织管理工作作重要讲话

省民政厅副厅长张新民在全省民政工作会议上就民间组织组织管理工作作具体部署

（一）民间组织日常登记管理工作得到加强。在狠抓民间组织管理的业务建设、制度建设的同时，加强作风建设，改进管理措施，努力提高工作效率，坚持依法行政，为民间组织提供热情服务。

民间组织管理局局长陈勤正通过互联网审查民间组织发送的申请材料

（二）民间组织培育发展工作得到深化。为适应建立社会主义市场经济体制的要求，全省各级民政部门积极推进行业协会改革，坚持民间化发展取向，按照改造存量和发展增量并重的原则，逐步健全行业协会的行业自律、行业协调、行业维权等服务功能。一是培育发展了一批按照市场经济模式运作、机制功能比较健全的行业协会；二是大力培育发展农村专业经济协会，不断提高农产品进入市场的组织化程度；三是积极培育发展社区民间组织，整合社区资源，不断提高社区服务、社区建设水平。2004年，21个先进民间组织受到民政部表彰。

（三）民间组织监督管理工作得到强化。一是各级民政部门利用各种报纸、广播、网络等各种手段大力宣传民间组织管理的法律法规，努力增强民间组织守法意识，促进民间组织自觉规范自身行为，依法开展活动；二是及时依法查处民间组织违法案件，切实维护全省社会政治稳定，为江苏建设和谐社会、早日实现“两个率先”作出了积极贡献。

截至2004年底，全省共有社会团体11815个，其中新注册登记社会团体1161个；民办非企业单位7286个，其中新注册登记民办非企业单位1241个；基金会36个，其中新登记基金会3个；注销、撤销、合并社会团体589个，民办非企业单位216个。

《基金会管理条例》培训。

民间组织管理工作表彰大会

浙江省民政厅民间组织管理局

省民政厅副厅长万亚伟

省民间组织管理局局长陈金伟

浙江省民间组织管理工作遵循“三个代表”的重要思想，贯彻以人为本，全面、协调、可持续的科学发展观，抓重点、重落实、谋创新、求发展，民间组织管理工作取得了新的进展。近年来主要做了以下几个方面的工作：

（一）争取领导重视，民间组织管理工作列入省委、省政府的议事日程。省委、省政府十分重视民间组织培育发展和管理工作，在听取省厅的专题汇报后，于去年4月，召开全省民间组织管理工作会议，总结经验，表彰了优秀集体和个人，并将行业协会和农村专业经济协会培育管理工作列入对民政厅重要考核目标。

（二）以落实扶持政策为重点，积极探索具有浙江特色的农村专业经济协会发展之路。在近两年对农村专业经济协会管理的基础上，去年开展了以落实扶持政策、提升协会能力和规范管理为核心内容的农村专业经济协会培育管理的探索，初步形成了以省级农产品行业协会为龙头、市县协会为中坚，乡镇村专业经济合作社和专业经济协会为基础的农村合作经济组织体系。全面完成了已有农村专业经济协会登记和出台有关扶持政策的工作。农村专业经济协会纳入了规范化管理的轨道，至去年9月底，全省登记备案农村专业经济协会940个。

（三）以诚信建设为抓手，探索民办非企业单位规范化建设之路。去年2月份推出全省民办非企业单位“诚信服务，真情回报社会”主题活动。通过主题活动，增强了民办非企业单位的社会责任意识，扩大了民办非企业单位的社会影响，提高了民办非企业单位对公信力建设重要性的认识。

（四）以满足企业需求和完善市场体系为目标，切实推进行业协会培育发展工作。省民间组织管理局组织了行业协会和会员企业的调查，完成了《浙江省行业协会发展状况调查报告》，并安排2000万专款扶持农村合作组织及行业协会的发展；去年核准登记省级行业协会11家。

（五）以贯彻《基金会管理条例》为契机，推动以民间力量兴办公益事业，规范基金会管理。认真贯彻落实《条例》，鼓励引导社会力量捐资设立基金会，资助公益事业，新条例实施以来，已新核准登记基金会17家。

（六）加快立法进程，为民间组织发展创造良好发展环境。全国第一个有关民办非企业单位管理的地方性政府规章《浙江省民办非企业单位管理暂行办法》于去年7月1日颁布实施。同时加快《浙江省行业协会促进发展办法》的调研论证，牵头拟订《浙江省促进农产品行业协会发展指导意见》。

（七）树立服务理念，提高管理效能。通过走访、了解民间组织，变被动管理为主动服务，简化年检程序，建立省本级的民间组织数据库，并在省厅网站开通民间组织政策咨询和审批管理服务等改革管理方式，提高服务质量。

（八）坚决依法查处非法民间组织。

截止2004年底，全省现有各类民间组织20662家，其中行业协会2911家，基金会95家，民办非企业单位 9760家。

安徽省民政厅民间组织管理局

2004年安徽民间组织管理工作重点突破，整体推进，成效明显，为促进安徽改革和发展，构建和谐社会，做出了积极贡献。

2003年10月安徽省委副书记王昭耀等领导出席全省民间组织先进表彰大会。

2004年元月安徽省民间组织管理局王南来副局长带领部分行业协会负责人赴澳、新考察学习。

（一）继续深化对行业协会、农村专业经济协会、社区民间组织(以下简称“三类民间组织”)的培育和发展工作。对全省“三类民间组织”进行了首次摸底普查，初步掌握了三类民间组织的基本数据和发展情况，结合普查，确定了发展农村专业经济协会试点市、县15个，社区民间组织管理试点县、区示范点14个，起到了典型示范，引导发展的作用；协调有关部门，促成省委、省政府在淮北市召开了“全省发展农村专业经济协会会议”并出台了《关于加快发展农村专业经济合作组织的意见》。

安徽省民政厅副厅长陈文华、民管局局长王泽华与全国先进民间组织代表在北京。

（二）全面贯彻《基金会登记管理条例》。通过加强宣传，组织培训，按计划完成全省14家基金会的换证工作。

（三）进一步完善和落实各项管理制度。协调有关部门，制定了《社团秘书长岗位培训制度》、《民间组织年检互查制度》、《安徽省民间组织档案管理办法》等。

（四）继续加大执法管理力度。结合年检工作，组织了38个全省性行业协会及业务主管单位负责人，分4组进行互访互查、互相学习、共同提高，对两年未参加年检的12个省级社团分别给予撤销登记、责令改正的处罚。

（五）努力加强民间组织能力建设。举办社团秘书长岗位培训，120位社团秘书长获得岗位证书；组织18位各类民间组织负责人赴美国、加拿大考察学习。

（六）开展评优创先活动。宣传各类先进典型32个，其中12家民间组织被民政部授予“全国先进民间组织”称号。

截止2004年底，全省已登记社会团体5073家，民办非企业单位2448家，基金会15家；其中2004年新成立的社团457家，民办非企业单位613家；撤销社会团体17家。

安徽省民政厅厅长李宏塔、副厅长王佛生在淮北市考察农村专业经济协会。

福建省民政厅民间组织管理处

省民政厅副厅长周瑛

2004年，福建省民间组织管理工作主要围绕民政部部署及服务于省委、省政府提出的建设海峡两岸经济区战略构想积极开展各项工作：

（一）农村专业经济协会蓬勃发展，登记工作有序进行。为培育发展农村专业经济协会提供政策扶持，省政府下发《关于加快农产品协会发展意见》，省民政厅下发《关于做好农村专业经济协会登记管理工作的通知》。到年底，全省农村专业经济组织共5200多家，属社团性质的已登记610家。

（二）继续抓好行业协会的培育和发展工作。一是规范和发展了一批符合全省或当地优势产业布局的行业协会；二是行业协会的政社分离工作取得一定成效；三是组织全省性行业协会会长、秘书长培训500多人次；四是配合省政府部署开展了行业协会及中介组织诚信建设活动。

（三）民办非企业单位登记管理工作跃上新台阶。全年共登记520多家，基本消灭了民办非企业单位登记的空白县区。

（四）顺利启动基金会登记换证工作。通过加大宣传和引导并妥善解决具体操作中出现的一些问题，确保了换证登记工作的启动和正常开展。

（五）加大民间组织的监督管理力度。其中社团应检对象5600多家，完成年检5400多家；民办非企业单位应年检960多家，完成年检890多家。并依法查处了一些违法社团和非法民间组织。

（六）积极组织民间组织评优创先活动，16家民间组织被民政部评为全国先进。

截止2004年底，全省社团6292个，其中2004年新增123个，撤销59个，年检不合格51个；民办非企业单位1612个，其中新增528个，撤销22个，年检不合格13个；基金会32个，其中新增3个。

省民政厅副厅长周瑛及省民政厅民间组织管理处领导在全省民间组织管理工作会议上

副厅长周瑛在南平市民政局局长黄光炎陪同下，视察建瓯市水煮笋同业公会。

江西省民间组织管理局

江西省民管部门认真贯彻“培育发展和监督管理并重”的方针，坚持以人为本，把有利于经济发展、有利于社会稳定、有利于民间组织发挥作用，作为民管工作的出发点和落脚点，重点围绕民间组织的发展和服务“三农”这个主题，加强调查研究，加快农村专业经济协会发展，加大典型宣传，2004年主要开展了以下几方面的工作：

（一）切实做好民间组织的审核登记工作。

（二）按照“条例”要求，认真组织对民间组织的年度检查工作。

（三）注重培育农村专业经济协会。

（四）深入基层进行指导和调研。

（五）成功召开了全省农村专业经济基础协会培育发展和登记管理工作经验交流会。

（六）完成了全省基金会换发登记证书的培训工作。

（七）成功开展了全省性先进民间组织评选活动。

江西省民政厅副厅长钟起茂

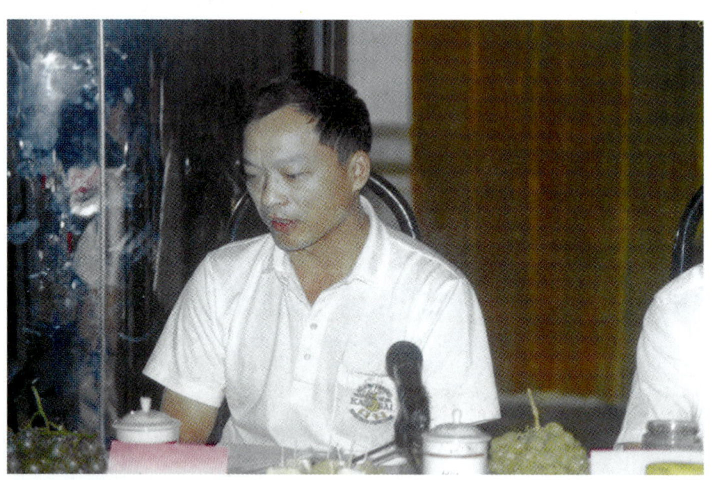
江西省民间组织管理局局长李和生

通过以上工作的开展，民间组织管理工作取得了显著成绩：

（一）民间组织的内部管理制度建设明显增强。

（二）民间组织的整体素质和能力建设进一步提高。一是行政色彩淡化，民间组织独立性强；二是法制意识明显增强；三是经济实力普遍提高；四是业务建设得到加强。

（三）民间组织的党建工作成效显著。截止到年底，全省社会团体建立党的组织数量占社会团体总数的35%，文教类民办非企业单位100%建立了党的组织。

（四）行业协会的发展有了明显进步。全年新批省属社团21个，其中行业性社团10个。

（五）农村专业经济协会的发展势头良好。一是以当地特色产业为优势，逐步形成了有地方特色的产业行业协会；二是以当地资源为优势，逐步形成有地方特色的技术加工行业协会；三是以当地传统产业为优势，逐步形成地方特色的种养协会；四是以农产品流通为重点，在大中城市设立销售服务网点，销售地方农产品的流通协会。

（六）农村专业经济协会的作用明显。一是发挥同业协调、行业诚信、规范市场、维护会员利益的作用；二是发挥组织产品市场，开拓产品流通渠道的作用；三是发挥提供政策咨询，交流传递科技信息服务的作用；四是发挥会员与农户结对帮扶，传授脱贫致富技术的作用。

（七）民间组织管理的宣传报道工作有了新的突破。

截止2004年底，省属民间组织共计765个，其中社团596个，民办非企业单位160个，基金会9个；新增民间组织49个，其中社团21个，民办非企业单位28个。

山东省民间组织管理局

2004年山东省各级民间组织管理机关认真贯彻“三个代表”重要思想和十六届四中全会精神，根据省委、省府和民政部的总体思路和要求，抓重点，搞突破，求发展，创一流，较好地完成了年初确定的重点工作和各项任务。

（一）培育发展农村经济协会成效显著。一是在全省开展农村经济协会复查登记工作，加快推进农村经济协会登记和备案工作，下发《关于在全省开展农村经济协会复查登记工作的通知》，对这项工作进行了明确；二是以省政府名义出台了《关于扶持农村经济协会推动农村经济发展的意见》，加大了对农村经济协会的政策引导和扶持力度；三是召开了省有关部门培育发展农村经济协会座谈会，对省直部门支持发展农村经济协会作出部署；四是配合民政部在烟台市召开了全国发展农村专业经济协会会议；五是组织开展培育发展农村经济协会理论研讨和农村经济协会成果展工作；六是开展评选“十佳百强”农村经济协会活动。截止到年底，全省共新登记和备案农村经济协会5826个。

（二）积极培育发展社区和公益性民间组织，加快推进全省公益事业发展，培育发展社区民间组织由点到面逐步推开，起到了促进社会稳定的作用。

（三）加强对民间组织监督管理，加大了民管执法查处工作力度，促进了社会秩序和经济秩序的稳定。全

山东省民政厅副厅长齐炳文，参加社团登记管理条例新闻发布会。

省共年检社会团体8337个，参检率达92%，不合格292个；年检民办非企业单位29409个，参检率达90%，不合格963个；查处取缔非法民间组织274个，查处民间组织违法活动920起。

（四）认真贯彻《行政许可法》，规范审批登记程序，不断加强民间组织规范化管理和建设工作。为贯彻实施《行政许可法》，实行政务公开，组织编写了相关服务材料和进政务大厅办公的规章制度，保证了政务大厅按时启用和正常运行。

（五）加强了民非单位的登记管理，有力地推动了全省民办事业的发展。

（六）大力推动全省民管信息化建设和档案管理工作，全面提高了全省民管工作效率和服务质量。

截止年底，全省共登记社团11139个，新登2389个，撤销合并111个，受表彰的615个。登记注册民非单位34766个，新增2235个，撤销合并238个，受表彰1719个。

山东省民间组织管理局局领导班子成员在常务副局长齐航建的带领下，总结2004年的工作情况，制订2005年的工作计划。

河南省民政厅民间组织管理局

河南省民政厅巡视员朱昆明

河南省民政厅民间组织管理局局长李晓义

2004年，河南省各级民间组织登记管理机关认真贯彻《社会团体登记管理条例》、《基金会管理条例》、《民办非企业单位登记管理暂行条例》和民政部《取缔非法民间组织暂行办法》等法规，在省委、省政府和民政部的领导下，全年各项工作按年初计划圆满完成。

（一）认真贯彻《社会团体登记管理条例》，进一步加强了社会团体规范化建设工作。一是贯彻落实《行政许可法》，加强社会团体依法登记管理，修改制定了《河南省社会团体登记指南》；全年共依法办理成立登记社会团体630个；办理社会团体变更登记975个；办理登记社会团体分支机构登记1047个；二是加强了社会团体年度检查，全省共对6876个社会团体进行了年检，对财务管理混乱、有违规行为的250个社会团体依法进行了处罚，对有严重违规违纪或未开展活动、名存实亡的145个社会团体予以注销登记；三是对社会团体收费情况进行了专项清理，对38个省直部门的213个社会团体进行了重点检查，促进了社会团体的规范化建设；四是积极培育发展农村专业经济协会，联合省农业厅、省林业厅、省供销社、省畜牧局、省科协组成三个联合调研组先后到6个省辖市，12个市（县、区）进行了调研，摸清了全省农村专业经济协会的基本情况、发展趋势和存在问题；据统计全省已在民政部门登记的各类农村专业经济协会2255个；五是推荐11家行业协会参加了在北京举行的全国行业协会成果展，被授予“优秀组织奖”。推荐评选出了15个社会团体为全国先进民间组织。

（二）认真贯彻《基金会管理条例》，5月29日，河南省民政厅在济源市召开了“全省贯彻《基金会管理条例》工作会议”，各基金会负责人和各省辖市民管科长参加了会议，会议传达贯彻了民政部贯彻《基金会管理条例》工作会议精神，组织学习了《基金会管理条例》释义和基本知识，进行了法规和业务培训，依法制定了基金会登记和换发证书的程序。省民政厅巡视员朱昆明同志就河南基金会登记和换发证书工作在会议上进行了安排部署。6月1日全面启动了基金会登记和换发证书工作。目前已经批准换发证书的公募基金会1家，新成立登记的非公募基金会1家，正在进行审批登记前期准备工作的4家，经过咨询正在审报的11家。

（三）认真贯彻《民办非企业单位登记管理暂行条例》，对全省2003年以前登记成立的4111个，其中省管85个民办非企业单位进行了年检，年检率为68%。同时，修改制定了《河南省民办非企业单位登记指南》。目前，全省已登记民办非企业单位6045个，其中省管民办非企业单位240个，教育类43个，劳动技能培训类51个，体育类39个，文化艺术类43个，科研类47个，其他17个。这些民办非企业单位在河南省经济和社会发展方面发挥了积极的作用，其中，河南省华侨书画院和义马市永乐公寓被评选为全国先进民间组织。

（四）在坚持条件、依法登记、出台政策，促进民间组织健康发展的同时，加大了对非法和违法民间组织的查处力度，全省全年共依法查处非法民间组织55起，依法查处违法违规的民间组织105起，维护了广大民间组织以及其他社会组织和人民群众的合法权益。

湖北省民间组织管理局

2004年湖北省民间组织管理局根据厅党组的统一部署，围绕省委、省政府的中心工作，坚持培育发展与监督管理并重的方针，以提升民间组织服务功能为目标，扎实工作，努力创新，取得了较为显著的成绩。

（一）农村专业经济协会的培育发展取得较大突破。省厅会同省有关部门提请省政府办公厅制发了《关于加快培育和发展农村专业经济合作组织的意见》，出台了扶持农村专业经济协会发展的7项优惠政策；省厅制发了《关于做好农村专业经济协会培育和管理工作的通知》，省民管局编写了《湖北省农村专业经济协会章程示范文本》，一些市、县、区也制订了促进农村专业经济协会发展的措施，为农村专业经济协会发展创造了政策环境。全年登记农村专业经济协会627个。

（二）行业协会的培育发展和规范管理两手抓。

（三）认真贯彻《基金会管理条例》，通过宣传、培训，较为圆满地完成了基金会换证工作。

（四）社区民间组织培育发展试点工作继续推进。

（五）进一步加强民间组织日常监督管理机制建设。一是完成了700多个全省性民间组织的年检；二是与省财政厅联合下发了《关于贯彻执行民政部、财政部调整社团会费政策有关文件的通知》，开展了社团会费标准备案工作；三是针对民间组织生存发展中的难点、热点问题组织了三次民间组织沙龙活动；四是切实抓好对“问题社团”的整改工作；五是及时查处民间组织违法、违规行为。

（六）积极引导民间组织服务社会公益事业。

（七）根据《行政许可法》的要求，改进行政许可事项审批和监督管理的方式方法。

（八）较好地完成了三项政协委员提案的回复工作。

（九）信息宣传、档案管理等工作成绩显著，自身建设得到进一步加强。一是信息宣传工作力度大；二是省级民间组织档案管理工作上了一个新台阶；三是建立了“湖北民间组织信息网”门户网站，完成了1077个省级民间组织管理台帐的数据录入等基础性工作。

省民政厅厅长傅德辉

省民政厅副厅长万幼清

省民间组织管理局局长李晴

局领导研究工作

（十）认真组织干部职工学习周国知的先进事迹，增强了服务意识、奉献意识、创新意识，提高了民间组织管理工作的管理和服务水平。

截止2004年底登记的社团6726个，民非4530个，基金会34个；新增的社团628个，民非757个；撤销社团211个，民非152个；年检不合格数社团30个。

湖南省民间组织管理局

湖南省民政厅民间组织管理局认真落实"三个代表"重要思想和"以人为本，全面、协调、可持续的科学发展观"，坚持统筹农村民间组织与城市民间组织的协调发展，统筹培育工作和监管工作的协调发展，统筹当前工作和今后工作的协调发展，统筹自身建设和业务指导的协调发展，依法行政，开拓创新，民间组织管理各项工作实现了新的突破：

在先进民间组织展览会上合影

（一）积极培育发展农村专业经济协会，为"三农"服务。厅局按照民政部和省委、省政府的部署和要求，采取调查研究、制定政策、以培代训、督查指导、抓点示范等多种措施，与市县民间组织管理部门一起集中精力培育发展农村专业经济协会的发展。截至2004年11月15日止，全省登记和备案的农村专业经济协会达到1724个，其中登记注册711个，备案1013个。

（二）社区民间组织管理试点工作圆满结束，社区公益性民间组织得到培育发展。

（三）创新方式，切实加强了社会团体的登记和监督。一是认真履行职责，依法做好登记注册工作；二是改进方法，切实做好了年检工作，全年省本级应参加年检的社团646个，合格578个，不合格68个；三是严厉打击非法社会团体和社会团体违法活动，确保社会政治稳定；四是部署了社团的清理规范工作；五是认真落实社团重大事项报告制度；六是组织参与了全国的行业协会成果展和全国先进民间组织的评选推荐。

湖南省民政厅副厅长杨明波

湖南省民间组织管理局局长李佩玮

（四）积极贯彻、落实《基金会管理条例》，基金会换证和注册登记工作顺利启动。

（五）依法注册登记，加强日常管理，规范民办非企业单位的发展。一是在登记过程中，严格把关，认真审查；二是继续组织了对民办非企业单位的年度检查。应参加年检的60家省级民办非企业单位，经审查 49家年检合格，10家不合格，其中拟注、撤销7家。

（六）加强调研和法规政策建设，为民间组织健康发展提供政策支持。一是认真完成了省纪委部署的全省社团情况的调研；二是完成了民间组织研究课题的调研；三是争取省厅下发了《关于进一步做好农村专业经济协会登记管理工作的通知》；四是争取把《湖南省行业协会管理办法》纳入了省政府立法计划；五是与省财政厅联合下发了《关于调整社会团体会费政策等有关问题的通知》；六是为争取省政府出台一个关于扶植、发展农村专业经济协会的专门文件；七是通过认真办好人大建议、政协提案，积极为民间组织争取政策支持。

（七）不断加强自身建设，全面提升管理服务水平。一是加强理论学习；二是进行了业务培训；三是进一步规范了登记管理程序；四是完成了统计信息的培训和录入工作；五是湖南省民间组织网建设已经基本完成，信息化建设取得了新的成绩。

截止2004年底，全省各级社会团体总数6790个，新增768个；全省各级社会团体分支机构总数2128个。全省各级民办非企业总数2831家，新增537家；2004年度全省农村专业经济协会登记备案总数1724个。

广东省民间组织管理局

省民政厅厅长杨华维

省民政厅副厅长叶秀仁

省民间组织管理局局长方向文

2004年，广东省各级民间组织登记管理部门在各级民政部门的领导下，坚持以邓小平理论、“三个代表”重要思想为指导，认真贯彻党的“十六大”精神，紧紧围绕厅党组提出的争当全国民政工作排头兵的目标，与时俱进、开拓创新、求真务实、团结奋斗，取得了突出的成绩，圆满完成了年初确定的各项任务，为建设和谐广东作出了积极的贡献。

（一）配合省人大在全国率先开展行业协会立法。根据省人大代表的建议，省人大成立了行业协会立法领导小组及办公室，在调研的基础上于去年11月形成《广东省行业协会条例》（征求意见稿）。

（二）在全国率先建立省民间组织服务大厅。为更好地服务民间组织，省厅拨专款，修善服务大厅，该大厅于去年3月份正式全面开展咨询、登记、年检和日常事务等服务。大厅开办以来，已接待群众七、八千人次，群众对大厅服务的满意率为100%。

（三）开展评选全国先进民间组织活动和参加全国行业协会成果汇报展览。积极组织各地民间组织评优创先活动，全省有24个单位被民政部授予“全国先进民间组织”，组织21个民间组织参加全国行业协会成果汇报展览会，被民政部评为优秀展区和组织工作优秀单位。

（四）查处非法民间组织和民间组织违法违纪行为取得了显著成绩。

（五）贯彻《基金会管理条例》成绩明显。一是全面完成了全省基金会清理整顿工作；二是4月上旬，配合民政部在广东省召开了全国基金会管理工作会议；三是开展《条例》宣传工作；四是7月份，制定了《关于我省基金会换发登记证书工作方案》；五是8月中旬，组织全省各相关人员学习《基金会管理条例》、章程和《基金会设立、注销、变更程序》。六是9月份，召开了基金会业务主管单位协调会。七是加强具体指导，确保基金会按《条例》的规定规范运作。

（六）农村专业经济协会登记管理工作开局良好。去年1月份，省厅下发了《关于印发〈关于加强农村专业经济协会培育发展和登记管理的工作方案〉的通知》，对这项工作做了具体部署。目前已登记农村专业经济协会150多个。

（七）中外合作办学准备工作比较充分。为认真贯彻《民办教育促进法》和《中外合作办学条例》，该局主动与省教育厅、劳动厅就民办教育机构登记工作有关问题进行了协商。积极做好登记的前期准备工作。

（八）民间组织登记管理部门在行风建设中发挥了榜样作用。为贯彻《行政许可法》的实施，各级民间组织登记管理部门努力加强自身建设，改变工作作风，简化登记程序和手续，建立省民间组织信息网，提高服务意识、奉献意识，全方位地为民间组织服务。

2004年12月底前，经我省各级民间组织登记管理机关登记注册的社团8697个、民非9331个、基金会136个。其中，省级社团784个、民非173个、基金会136个，受到民政部表彰的全国先进民间组织24个，新增社团727个、民非1536个、基金会40个，撤销社团90个、民非225个。

全省民间组织登记管理工作会议

广西壮族自治区民政厅民间组织管理局

2004年广西民间组织登记管理工作在区委、区政府的正确领导下和民政部的指导下，以“三个代表”和“十六大精神”为指针，坚持“培育和发展，监督与管理”并重的原则，努力为广西的经济建设服务。

（一）抓好登记和监督管理工作。全区各级登记管理机关按照“宏观调控，分类指导，规范制度”的指导思想，抓了登记和监督管理工作，圆满完成2003年度民间组织单位年检工作。全区各级登记机关共对5500个民间组织进行了年检，合格5041个；对存在问题的民间组织，限期整改的36个，注销的93个，撤销的9个。5月份启动基金会登记工作和原有基金会换发证书工作。

广西壮族自治区民政厅厅长张廷登等领导在广西开展民办非企业单位自律与诚信建设活动启动仪式上。图左一为分管民间组织管理工作领导韦永华助理巡视员，中间为厅长张廷登，右一为民间组织管理局局长梁愈军。

（二）完成全国先进民间组织验收推荐工作。积极组织各民间组织创先评优活动，广西建筑业联合会等14个民间组织被民政部授予“全国先进民间组织”称号。

（三）完成自治区本级民办非企业单位示范单位创建活动的验收工作。示范单位创建活动得到了民非单位及其主管部门的积极响应，各单位共推荐16个单位参评，经过实地考核验收评分，广西希望高中等6个单位自治区民政厅授予自治区本级2003–2004年度“民办非企业单位示范单位”称号。

（四）加大执法工作力度。各级登记管理机关共查处民间组织违法行为12起，取缔非法民间组织3个。

（五）农村专业经济协会登记管理和培育工作有新的提升。农村专业经济协会工作在稳步发展，巩固提高的基础上，重点打造典型，树立榜样，全区确定了100个农村专业经济协会作为示范单位，充分发挥典型的示范带头作用，推进农村专业经济协会整体水平的提高。

（六）做好行业协会的立法调研准备工作。自治区政府根据省厅关于对全区行业协会进行联合调研的请示，批示由自治区发展研究中心牵头，民政厅等部门参与，做好调研工作，为此相关部门召开了两次协调会，省厅作了主要介绍，还承担了调研提纲的拟定准备工作。

（七）召开规范民办社科研究机构的管理登记工作座谈会。

（八）召开首次民办非企业单位主管单位工作座谈会。邀请自治区本级民办非企业单位主管部门负责人进行工作座谈，通报了有关情况，就如何进一步落实双重管理体制进行了探讨交流，达到了统一思想，明确责任的目的。

（九）贯彻实施《行政许可法》。完善政务公开制度，对相关表格进行改革完善，新表格更加科学、合理、简洁、规范，提高了工作效率。

（十）广西民间组织信息网开通。设置了新闻中心、政策法规、办事指南、民间组织管理动态、网上通知、公告公示等栏目，为民间组织以及其他所有关心和致力于民间组织发展事业的人们提供更加优质、更加高效的服务。

（十一）做好新会计制度的培训工作，与区财政厅联合举办培训班四期，分批对区直700多个民间组织的500多名财务人员进行了培训。

截至12月底全区累计登记的民间组织单位数7872个，全区接待、接受有关民间组织登记咨询800多人次，受理筹备登记社团538个，新登记社团385个，民办非企业单位登记153个；受理变更登记社团155个，民办非企业单位变更登记28个。

海南省民政厅民间组织管理处

2004年海南省民间组织工作以“三个代表”重要思想为指针，认真贯彻落实民间组织登记管理工作的法律法规和上级的有关政策规定，坚持培育发展与监督管理并重的方针，依法登记，规范管理，努力提高民间组织的整体素质，充分发挥民间组织的作用，为海南省的经济建设和社会稳定做出了积极的贡献。

（一）积极做好民间组织的培育发展工作。为适应社会主义市场经济体制的要求，结合海南的实际，按照优化结构、合理布局、提高质量的要求，发展和审批了一批社会经济急需的民间组织，特别是针对海南调整农业产业结构，大力发展热带高效农业和海洋大省的特点，与有关部门紧密配合，重点培育了一批瓜、果、菜和海水养殖等行业和农村专业经济协会，对推动行业管理，促进农村经济发展起到了积极作用。

（二）监督管理工作得到加强。加大了与业务主管单位协查力度，对违法违规民间组织，做到违法必纠，果断处理；加强年检工作，进一步了解掌握民间组织执行法律法规，开展业务活动，财务管理，经济收支等情况，发现问题及时纠正，并对30个不按时年检，不接受监督的社团予以撤销登记的处罚，维护法规严肃性，促进社团健康发展。

为促进民间组织整体素质的提高，海南省民政厅注重抓好民间组织负责人的培训工作，图为省民政厅民管处何瑞群处长（右一）为举办第二期社团秘书长培训班授课。

（三）引导民间组织发挥行业作用。大部分民间组织能够遵纪守法，按照章程积极开展活动，在密切党群关系，协助政府进行行业指导、行业自律，扶贫济困，兴教助学等方面发挥了积极作用；其中，海南省医药行业协会、海南省企业家协会等9家民间组织被民政部授予“全国先进民间组织”称号。

截止2004年底，全省共有各类民间组织1460个，其中社会团体908个，民办非企业单位547个，基金会5个。

为了更好地指导民间组织管理工作，海南省民政厅领导经常深入到民间组织中去了解情况，调查研究。图为省民政厅副厅长苏远洋（右三）带工作组在海南省企业家协会开展调研活动。

重庆市民间组织管理局

市民政局局长余明哲

市民政局副局长袁家骧

市民间组织管理局局长刘韵秋

2004年重庆市民间组织管理局坚持民间组织“培育发展和监督管理并重”方针，依法行政，在市委、市政府的正确领导和民政部的指导下，以“三个代表”和“十六大精神”为指导，全年各项工作取得了显著成绩。

(一)围绕党和政府中心工作，加大农村专业经济协会登记培育力度。3月，市政府办公厅转发《重庆市民政局关于加强农村基层专业经济协会登记管理和培育发展工作指导意见》，加大和提高了实施这项工作的权威性和指导力度，并从提高服务质量和简化相关手续着手，切实为农村专业经济协会登记申办者提供便利。

2004年3月，民政部在重庆召开的民办非企业单位有关问题座谈会。

(二)按照市场经济需要和规则培育行业协会。一是数量不断增加；二是行业协会的布局和结构更趋合理，逐渐形成有利于该市生产力发展和产业升级的行业协会群体；三是行业协会的代表性和会员覆盖面得到改善；四是行业协会的自律意识得到了增强。

(三)解决难点热点问题，抓好民间组织规范化管理。市民政局、市档案局联合制发《重庆市社会团体登记档案管理暂行办法》，使该市社团登记档案管理工作步入了规范化轨道；制发《关于规范我市民间组织开展涉外活动有关问题的通知》，规范了该市民间组织的涉外活动。

2004年4月重庆市民间组织管理工作会在黔江召开。

(四)贯彻实施《行政许可法》，促进登记工作规范化。按照《行政许可法》规定，将民间组织的登记程序、必备条件、提交材料、办理时限等公布上墙；重新制定了民间组织行政许可的20种规范性文书和行政处罚的26个法律文书。依法撤销社团2个。

(五)认真做好基金会的清理和复查登记工作。认真贯彻全国《基金会管理条例》工作会议精神，对符合登记条件的进行了正式登记。

(六)注重培养典型，发挥民间组织作用。市10个社团、民办非企业单位、基金会荣获民政部“全国先进民间组织”称号；重庆市民政局对69个全市性社团通报表彰。

截止2004年12月，全市共有民间组织4600个。其中社团3079个，民办非企业单位1519个，基金会2个。全市性民间组织845个；其中，社团共有709个，民办非企业单位共有134个，基金会登记换证2个。

四川省民间组织管理局

省民政厅厅长黄明全

省民政厅副厅长高康健

四川省民间组织管理局在省民政厅党组的领导下，在民政部的指导和关怀下，以“三个代表”重要思想和十六届四中全会精神为指导，紧紧围绕党的中心工作，深入贯彻党中央、国务院和省委、省政府有关民间组织管理工作的方针政策，2004年各项工作取得了较好成绩：

（一）重点培育发展了一批行业协会、农村专业经济协会和公益性民间组织作。重点培育发展了四川省猪肉出口商会等一批应对WTO规则和国际惯例，进行反倾销、反补贴应诉、面向国际市场维护全省企事业利益的行业协会；全年登记审批省级社会团体、民办非企业单位分别为33个和54个；指导市州县民间组织登记管理机关，培育发展农村专业经济协会，全年新增农村专业经济协会800个。

（二）切实加强对民间组织的监督管理。集中精力和人力对省级871卷社会团体档案和221卷民办非企业单位档案进行重新装订，为实施有效的监督管理打下基础；严格按要求对650个社会团体、46个民办非企业单位进行了年度检查，对不按时参加年检和年检不合格的民间组织，进行了通报；坚决打击非法民间组织和民间组织的违法行为，维护了社会政治稳定。

（三）组织登记管理机关人员及民间组织工作人员认真学习贯彻《行政许可法》和《基金会管理条例》。

（四）规范动作。帮助农村专业经济协会制定章程、负责人岗位职责、财务管理制度，督促农村专业经济协会民主选举。

（五）树立典型，引导发展。以民政部评选表彰全国先进民间组织为契机，通过评选23个全国先进民间组织，树立典型，引导民间组织健康发展。

（六）认真开展民间组织工作的调研，探索民间组织管理工作的新思路。对民间组织管理中的热点、难点问题进行了深入细致的调查研究，完成了《民办非企业单位双重管理体制初探》和《社区民间组织的发展现状及政策建议》两篇论文。

截至2004年12月底前，全省共登记注册社团 11471个、民非10441个、基金会44个，新增民间组织90个（社团33个、民非54个、基金会3个），撤销、注销民间组织300个。2004年全省23个民间组织被评为“全国先进民间组织”。

省民间组织管理局局长李建平在查阅材料

省民间组织管理局民间组织服务中心领导正在研究工作

云南省民政厅民间组织管理局

云南位于祖国的西南边陲，秀美的山川孕育了4300万各族儿女，蓬勃发展的经济促进了民间组织的产生，规范化的管理使得民间组织健康茁壮成长。

云南民间组织管理工作在省委、省政府领导下，坚持科学发展观，紧紧围绕云南民政工作，围绕完善社会主义市场经济体制和全面建设小康社会的奋斗目标，完善自身建设，以提高服务意识，加强监督管理职能，坚持依法行政，积极引导民间组织依法开展活动，近几年，各项工作取得了显著成绩。2000年云南省对民间组织进行了清理整顿，2001、2002年在对民间组织进行年检的同时进行了财务审计。清理整顿对不具备条件的民间组织暂不换证。年检时，一年不参加年检发整改通知，两年不参加年检，予以撤销登记的处罚，已撤了31家省属社团，对连续两年年检合格的580家社团予以了免检。制定相关政策，培育发展示范协会，以点带面，加强民间组织能力建设；鼓励设立各非公募基金会，适当控制公募基金会；降低农村专业经济协会的设立条件。

经济的不断增长，社会主义法治的不断完善，人民群众参与公共管理意识的不断加强，2004年要求登记设立民间组织的不断增多。作为登记管理机关，省厅批准登记时一是注重宏观调控，优先发展行业协会，通过行业自律、行业规范，促进经济发展，对有望做大做强积极支持，业务相同相近调整和并，对活动不正常、组织机构不健全的限期整改；二是针对农村专业经济协会在经济建设中的作用，省厅召开专题会议，布置安排，重点培育发展；三是加强所属民间组织监管，强化对地州市县的业务指导，举办民间组织管理人员执法培训班，提高执法水平；四是查处未经登记擅自开展活动对超业务范围的民间组织，促进了民间组织健康有序的发展；五是倡导民间组织遵章守法、诚实守信，鼓励民间组织按章程大力开展活动，在国家政策允许的范围内，多方面、多渠道积累资金，加强民间组织能力建设。

云南省民政厅民间组织管理局局长靳建新

2004年6月1日，《基金会管理条例》施行，厅组织人员进行了专题调研，全面了解基金会的现状，针对该省未经登记擅自设立基金会、资金使用不规范等情况，与省财政厅、省监察厅联合下发了《关于加强基金会管理的通知》，规范了基金会的管理。

经过几年的努力，云南省的民间组织布局趋于合理，组织结构健全，能力不断加强，在各级党委、政府的关心支持下，新的历史时期，民间组织将更加发展壮大，作用将越来越明显。

经过整改、撤销、培育、扶持，到2004年12月31日，云南省共有社会团体5400多家，民办非企业单位1500多家，基金会19家，其中省属社团633家，民办非企业单位47家，基金会19家。

西藏自治区民政厅民间组织管理局

2004年，民间组织管理局在厅党组的坚强领导下，团结一致、齐心协力，紧紧围绕区全厅干部职工大会上的讲话精神，锐意进取、扎实工作，较好地完成了全年的工作任务：

（一）依法履行民间组织管理监督职责。2004年应参加年检的社团140个，年检合格的137个，注销3个。

（二）维护法律证书的严肃性，严格规范社会团体登记证书发放。截止9月底已办理换证的社团42家。

（三）坚持依法行政，强化服务意识，认真做好社团登记工作。经过严格审查，依法批准成立了4个协会；依法办理了35个社团38项变更事项的登记备案工作。

（四）派员参加了全国贯彻《基金会管理条件》工作会议和培训班，年底完成了换证工作。

（五）参加民政部举办的民间组织统计台帐培训班，按时完成了全区的社会团体统计台帐初建工作。

（六）参加全区第一次经济普查工作会议，按时完成了由民政厅负责的社团和民办非企业单位名录等方面统计填报工作。

（七）根据区党委组织部的要求，对区厅县处级以上领导干部在社会团体中兼职的情况进行了清理。

（八）积极主动与自治区财政、税务等部门联系，按照保质地完成了自治区政协委员《关于规范发展行业协会、民间商会的提案》的办复工作。

（九）参加了民政部民间组织管理局召开的“民办非企业单位有关问题座谈会”和“全国发展农村专业经济协会会议”，认真撰写了会议精神汇报材料，提出了贯彻意见。

（十）组织先进民间组织参加全国行业协会成就汇报展览会。

（十一）开展全区民间组织的初查工作。

截止2004年12月底，全区共注册社会团体239个，注销20个；2004年新增社团10个，基金会8个。4个社团、2个基金会受民政部表彰。

民政部部长李学举（左二）在自治区民政厅厅长单增卓扎（右）陪同下视察儿童福利院。

分管民间组织管理工作的自治区民政厅副厅长杨国义

自治区民政厅民间组织管理局副局长周建军

自治区民政厅民间组织管理局向申请登记的社会团体颁证

陕西省民间组织管理局

省民政厅主管民间组织登记管理的副厅长常延生

省民间组织管理局孔少青局长

与社区计划生育协会人员座谈

2004年，陕西省民间组织登记管理工作坚持以邓小平理论和“三个代表”重要思想为指导，认真贯彻党的“十六大”精神，围绕完善社会主义市场经济体制和全面建设小康社会的奋斗目标，坚持培育发展和监督管理并重的方针，引导民间组织在完善社会主义市场经济体制中发挥应有的作用，为陕西省改革开放、经济建设、社会发展和社会稳定做了积极贡献：

（一）全面启动农村专业经济协会的登记工作，并加强调查研究和督促检查。结合全省农村实际，通过召开有关会议，对8个市进行了调研，下发了《关于做好农村专业经济协会登记工作的通知》；目前，全省共有76个县（市、区）登记各类农村专业经济协会的419个。

（二）认真贯彻《基金会管理条例》。通过召开贯彻《条例》会议，举办培训班，全面启动了换证工作，目前，已按要求换发证件9个，转为社团17个，注销登记34个，12个基金会的清理工作正按计划有序进行。

（三）加大对民间组织的监督管理力度。一是加大了监督的力度，对民间组织普遍进行了年度检查；二是加大了处罚力度，全年对49个违反法规的民间组织进行了处罚。

调研汉中城固县柑橘产业协会

考察安康石泉县养猪协会

（四）积极做好培育发展行业协会的管理工作。为了摸清陕西省行业协会的现状和存在的问题，对省本级的300多个行业协会和专业性社会团体进行了调研，写出了1万多字的调查报告，并形成了《陕西省全省性行业协会现状调查报告》（初稿）。

（五）坚持依法行政，提高依法行政的能力。按《行政许可法》要求，简化了登记程序，缩短登记审批时间，努力为民间组织服务。

（六）组织全省民间组织创优评先活动。有13个民间组织被民政部评为全国先进民间组织，3个社会团体参加了全国行业协会成就汇报展览会。

2004年全省注册登记社团数417个，取缔、撤销427个；成立登记民办非企业单位659个，取缔、撤销472个。截止2004年年底，全省社团登记数为3547个，民办非企业单位3245个。

甘肃省民政厅民间组织管理局

民政厅副厅长沙仲才在天水市民间组织管理工作会议上作指示

民间组织管理局局长李新苗

2004年，甘肃省民政厅民间组织管理局按照培育发展和监督管理并重的方针，围绕“三个服务”要求，结合甘肃经济社会发展实际，求真务实、开拓创新，采取得力措施，促进了全省民间组织的健康有序发展。

（一）积极扶持发展行业协会和社会公益性组织。鼓励发展有利于促进市场经济发展和行业管理的各类行业协会，限制不适应市场经济发展、业务宽泛的社会团体。全年共审批省级行业和公益性社会团体22个，登记民办非企业单位32个。

（二）认真贯彻落实《基金会管理条例》和换证工作。在搞好宣传工作的同时，及时召开由基金会和业务主管单位、省直有关部门负责人参加的全省贯彻落实《基金会管理条例》工作会议，传达学习了全国会议精神和有关法规政策，对贯彻落实《条例》和做好换证工作进行了部署。

（三）加快培育发展农村专业经济协会。制定出台了有关文件，明确了登记办法，提出了具体要求，得到了各级党委、政府的高度重视和支持，目前，此项工作已在全省展开。截止2004年底，全省已有各类农村专业经济协会约8000个，民政部门登记1022个。

（四）抓好民间组织党组织建设试点工作。与省委组织部共同研究制定工作方案，在省建设、文化、教育系统的社会团体和民办非企业单位中开展了党组织建设试点工作。

（五）不断提高登记管理机关和民间组织工作人员整体素质。组织全省各级登记管理机关50多名工作人员，参加民政部民政干部培训中心举办的培训，增强工作人员的业务能力和依法行政能力。举办民间组织财务管理人员培训班，提高了他们的业务水平，为规范民间组织财务管理制度起到了积极作用。

截止2004年12月底，全省共有社团3555个，其中当年新增536个，撤销133个；民办非企业单位1963个，其中当年新增323个，撤消114个；基金会21个。受民政部表彰的“全国先进民间组织”13个，其中社团12个，民非1个。

管理局全体工作人员共商民间组织发展大计

宁夏回族自治区民政厅
民间组织管理局

区民政厅厅长李志仁在民间组织总结表彰大会上

宁夏回族自治区是全国五个少数民族自治区之一，素有“塞上江南”之美称，随着改革开放的全面推进，富有活力的经济形态和文明和谐的社会事业为宁夏民间组织发展创造了良好的发展环境。宁夏民间组织管理工作在自治区党委、政府的正确领导和高度重视下，以邓小平理论和“三个代表”重要思想为指导，认真贯彻落实党中央、国务院关于民间组织工作的一系列方针、政策和相关法律法规，坚持一手抓培育发展，一手抓监督管理，把培育发展的重点放在行业协会、农村专业经济协会、社区和公益性民间组织上，为宁夏的经济建设和社会稳定做出贡献。

(一) 指导自治区有关部门制订了行业协会和农村专业经济协会指导意见和管理规定，合理调整结构，放宽登记条件，简化登记程序，促进了民间组织健康有序发展。

(二) 积极调整工作思路，强化管理职能。健全完善管理措施将年度检查与日常管理、监督检查与民间组织自律结合起来，全面加强监督管理，努力提高年检率；结合社团年检，对98年整顿后一直未办理法人登记的51家社团予以清理，对长期不开展活动、不接受年检的106家社团予以清理。

(三) 不断加强日常监管和执法力度。与组织、公安、安全等部门建立联系制度，联合开展执法行动，对未经批准，擅自以社团名义开展活动的民间组织进行了查处，依法对部分民间组织的违规行为进行了处理，维护了法规和政策的严肃性。

(四) 制定并下发了《关于加强社会团体和民办非企业单位党的建设工作的意见》，目前已有近30个社团建立了党的组织，并积极开展活动。

到2003年底，全区各级民政部门登记注册的民间组织有1098个，其中社会团体832个，基金会16个，民办非企业单位250个；2004年新登记社团27个，民非25个，民间组织受到民政部表彰的9个，民间组织受到自治区民政厅表彰的27个。

区民政厅副厅长魏艳华审阅民间组织材料

局长李作忠在民间组织迎春团拜会上报告工作

宣传民间组织业务工作

副厅长魏艳华与民间组织管理局的同志研究工作

青海省民间组织管理局

2004年在省委、省政府的正确领导和民政部的指导下，根据全国和省民政工作总体任务，在深入调查研究，理清发展思路的前提下，以优化管理、改进服务、强化监督为前提，以培育发展行业协会、农村专业经济协会和公益服务组织为重点，以完善地方性法规政策为保证，全面加强了全省民间组织管理工作。

（一）深入调查研究，理清民间组织发展和管理工作思路。一是会同西宁市民间组织管理局，对该区民办教育发展情况进行了调研，撰写了《西宁地区民办教育让人欢喜让人忧》的调研报告；二是针对王健等10多位省人大代表提交的《关于培育发展行业协会的建议案》，民间局对全省的行业协会和农村专业经济协会的发展情况进行调研，后提出了“规范和发展行业协会”和“培育发展农村专业经济协会”的建议；三是组织召开了有关地区、部门和行业组织负责人座谈会，专题讨论省民间组织的发展与管理问题。

（二）进一步完善地方性民间组织政策体系。结合省民政工作重点，省政府办公厅分别于2004年7月14日和10月5日行文下发了《规范和发展行业协会暂行规定》、《关于培育发展行业协会的指导意见》和《关于加强农村牧区专业经济协会登记管理和培育发展工作的指导意见》三部文件。

（三）下大力抓好行业协会的培育发展工作。

（四）积极扶持农村专业经济协会的发展。为大力培育和发展农村专业经济协会，省政府办公厅于10月5日下发了《关于加强农村牧区专业经济协会登记管理和培育发展工作的指导意见》，从政策上予以扶持。

（五）强化监督管理，加大执法力度。一是为配合《民间非营利组织会计制度》的正式实施，省民间局会同省财政厅会计管理处，举办了4期培训班；二是加大对非法民间组织和民间组织违法活动的查处，引导民间组织依法开展活动的意识。

（六）加强自身建设，提高服务水平。通过完善服务中心职能，规范工作程序，完善青海民间组织信息网等措施，以提高服务质量，更好地为民间组织服务。

截止2004年12月底，登记注册社团1141家，民非391家，基金会8家，受到表彰的民间组织共有8家单位；本年新增民间组织184家，其中社会团体124家，民非单位60家，基金会1家；注销社会团体8家，民办非1家，合并社团1家；年检不合格的民间组织共40家。

2004年10月省政府在民和县召开农村专业经济协会现场会

2004年8月省政府在西宁召开全省行业协会培育发展工作会议

青海省副省长邓本太与全体行业协会代表考察民和县马铃薯营销协会

省民政厅厅长克保（左四）和副厅长马俊德考察农村专业经济协会。

新疆维吾尔自治区民政厅社会团体登记管理处

2004年新疆社团登记管理工作在自治区民政厅党组的正确领导和民政部的有力指导下，在有关部门的密切配合和大力支持下，紧紧围绕自治区党委、政府的中心工作，以邓小平理论和“三个代表”的重要思想为指导，贯彻落实党中央、国务院的战略决策和民政部的工作部署，突出工作重点，取得了一定成绩。

自治区民政厅副厅长周俊林考察协会工作

（一）农村专业经济协会的培育管理和发展成效显著。一是在指导基层社团管理工作中，从民政部门登记管理社团的角度，支持农村专业经济协会组织的发展，促进“三农”问题的解决；二是在工作中以抓典型来提高基层民政部门对发展农村专业经济协会的认识。

（二）社会团体登记管理力度进一步加强。一是顺利完成了社团年检工作；年检以检查社团内部机构设置、自身建设和财务状况等方面作为重点，对2003年度存在法人变更、换届的社团和部分社团要求进行财务审计并提供财务审计报告，厅本级应参加年检社团485个，年检合格社团443个，未参加年检社团42个，年检率91.3%。各地、州社团年检工作5月底全部结束，参检社团1713个，年检率98%；二是从讲政治的高度严格把关，依法审批社团。全年共审批成立全区性社团15个；三是努力把双重管理体制落到实处，目前社团数量多的厅局大都设立了独立的社团管理办公室，尚未设立专门机构的也都确定了负责处室和联系人，理顺了工作关系；四是制定了《新疆维吾尔自治区社会团体开展重大活动报告的规定》；五是向民政部推荐自治区先进社团参加全国先进社会团体评比活动，以新疆慈善总会为代表的6个组织健全、活动正常、作用突出的社团，于12月10日被民政部授予“全国先进民间组织”光荣称号。

（三）积极推动以行业性社团为重点的培育发展工作。

（四）加大贯彻《基金会管理条例》的力度，做好《基金会管理条例》的学习、宣传和执行换证工作。

（五）抓依法行政，提高工作效率。一是重视行政许可法的贯彻，注重抓好本处培训；二是重视人大、政协代表关于授权工商联为业务主管单位及管理民营经济范围社团的提案，作了明确合理的答复；三是明确职责，充分发挥每个同志的积极性。

截止2004年10月底，全区共有社会团体2427个，其中厅本级511个，地县1916个（其中农村专业经济协会117个）；今年新批准成立社团212个，其中农村专业经济协会61个，撤销、注销的社会团体35个。

社会团体登记管理处处长闫鹏

新疆维吾尔自治区民政厅
民办非企业单位登记管理处

新疆维吾尔自治区民政厅民办非企业单位登记管理处，负责全区的民办非企业单位登记管理工作。在民政厅党组的正确领导和关心支持下，结合新疆的具体实际和特点，研究制定了一系列工作计划和措施，为新疆的民办非企业的健康发展，为新疆经济建设和建设和谐社会做出了特殊贡献。

为了保证登记管理工作的顺利开展，管理处组织召开了自治区教育、文化、科技、卫生、劳动和社会保障、体育、质量技术监督、公安、人民银行、财政、物价、税务等15个厅局参加的协调会，宣传了民办非企业单位的条文和法规，统一了认识，协调了关系，并建立了联席会议制度和联络员制度，在此基础上，并与自治区教育厅、文化厅、劳动和社会保障厅、卫生厅、体育局、质量技术监督局、人民银行联合发文，举办两期民办非企业单位复查登记培训班；对全区各地、州、市民政、教育、卫生、文化、科技、劳动和社会保障、体育等部门的分管局长和业务人员进行了培训，同时以民政厅的名义制定下放了9个技术性文件，规范了全区民办非企业单位登记管理工作。

自治区的民办非企业单位登记管理工作起步晚，但起点高，各项登记管理制度健全、规范。到2004年11月30日前，全区批准登记各类民办非企业单位总数1470个。自治区级184个，其中教育类1052个、卫生类101个、文化类56个、科技类34个、体育类51个、劳动和社会保障类121个、民政类47个、其他类8个；撤消、注销登记84个。2004年度全区批准登记各类民办非企业单位303个，其中自治区级43个。

区民政厅领导在新疆第二期民办非企业单位复查登记培训班上作重要讲话（图从左至右为：新疆民政厅厅长贾帕尔·艾比不拉、厅党组书记周毅、副厅长周俊林）。

管理处处长吐尔迪·纳斯尔。

管理处同志研究工作计划（图从左至右为：调研员程广平、副处长李萌新、处长吐尔迪·纳斯尔、助理调研员王晓聪）。

新疆生产建设兵团民政局

新疆生产建设兵团民政局局长刘钢同志。

新疆生产建设兵团是党政军企合一的，在国家实行计划单列的特殊社会组织，受中央和自治区党委、政府的双重领导，承担着国家赋予的屯垦戍边职责，自行管理内部的行政、司法事务；兵团下辖14个师、185个团场，252万职工群众；兵团对加快新疆经济发展，促进民族团结，保持社会稳定，巩固边防，维护祖国统一，发挥着十分重要的作用。

1991年兵团民政局根据新疆维吾尔自治区人民政府第21号令，正式履行对兵团范围内的社会团体实行登记管理的职责。1997年，兵团的民间组织管理工作与国家民政部民间组织管理局正式理顺关系，同年，兵团民政局社会团体和民办非企业单位登记管理处成立。

2004年，兵团机构改革，兵团民间组织管理局正式挂牌，下设社会团体和民办非企业登记管理处，经过多年努力，兵团民间组织登记管理工作现逐步走向规范化、科学化的管理轨道。截至2004年底，兵团、师已登记注册各类社会团体323个，其中兵团本级78个，师级215个，社团分支机构86个；专业性社团80个，行业性社团103个，学术性社团98个，联合性社团34个；民办非企业单位126个，其中法人113个，合伙3个，个体10个，教育73个，卫生类10个，文化类7个，科技类4个，体育类6个，劳动类1个。

2004年，兵团6个社会团体和1个民办非企业单位被评为全国先进民间组织。获奖社会团体：农二师二十四团养猪协会；农四师计划生育协会；农五师党建研究会；农八师焊接学会；兵团工程咨询协会；兵团护理学会；获奖民办非企业单位：农十二师三坪家园敬老院。

随着我国经济体制改革的深入，兵团民间组织在新的形势下，将为兵团的事业和三个文明建设发挥更大的作用。

新疆生产建设兵团民政局副局长令勇同志（分管兵团民间组织工作）。

民间组织风采篇

中国计划生育协会

为了适应人口与计划生育工作深入发展和国际交往与合作的需要，1980年5月29日，经国务院批准，成立了中国计划生育协会。20多年来，在党中央、国务院和各级党委、政府的重视与关怀以及各级人口计生委的指导下，协会以全心全意为广大育龄群众服务为宗旨，逐步发展成为拥有100多万个各级协会组织、9400余万名会员的群众团体。

计生协会坚持以基层工作为重点，把组织建到农村、社区和企业、流动人口集中地，在社会知名人士、“五老”（老党员、老干部、老模范、老职工、老长辈）、计划生育积极分子、科技骨干、致富能人中发展会员，并通过他们联系和带动广大群众，运用群众喜闻乐见的形式，学习和宣传国家人口与计划生育方针、政策、法律、法规和避孕节育、优生优育、生殖健康等科学知识；围绕群众的需求，开展互帮互助、扶贫帮困和学科学、学技术、讲文明、快致富活动；积极向政府反映群众对计划生育工作的意见与建议，协助政府改进工作，维护广大群众的合法权益。计生协经过20多年的发展，已成为协助政府做好基层计划生育、扶贫开发、社区发展、精神文明建设和村（居）民自治的一支生力军。

中国计划生育协会是国际计划生育联合会的正式会员。多年来，协会充分发挥非政府组织的独特优势，广泛开展国际交流与合作；大力宣传我国计划生育的成就，争取国际社会对我国计划生育工作的理解和支持，为推动我国的人口计划生育事业发展发挥了重要作用。

进入新世纪以来，协会与时俱进，开拓创新，努力提高整体素质和工作水平，为实现全面建设小康社会的宏伟目标，为促进我国人口与经济、社会、资源、环境的协调发展和可持续发展，必将做出新的更大的贡献。

亲切关怀

1989年9月8日，江泽民、李鹏等党和国家领导人亲切接见了中国计划生育协会二届四次全国理事会暨表彰会的全体代表。

1995年5月28日，中共中央政治局常委胡锦涛与会长宋平参加协会成立15周年座谈会。

计生协会从诞生以来，始终得到了党中央、国务院的重视与关怀。江泽民、李鹏、朱镕基、胡锦涛等党和国家领导同志多次接见出席协会有关会议的代表，作重要讲话，写信和题词。在历次中央人口资源环境工作座谈会上，中央领导同志都强调各级党委政府要重视发挥计划生育协会的作用。1997年3月和2000年4月，经中央主要领导同志同意，中共中央办公厅和国务院办公厅先后下发了《关于转发<中国计划生育协会关于进一步加强计划生育协会工作的报告>的通知》（厅字[1997]6号）、《关于转发<中国计划生育协会关于工作进展情况和今后工作意见的报告>的通知》（厅字[2000]8号），为计划生育协会的发展指明了方向。地方各级党委、政府对计划生育协会高看一眼、厚爱一层，加强领导，积极支持，放手让协会按照自己的特色开展工作。目前，全国大部分计划生育协会已成为层层有人抓、能开展实际工作的群众团体。

1995年12月22日，李鹏、姜春云、温家宝、宋平等党和国家领导人接见了协会第四次全国会员代表大会暨先进表彰会全体代表。

组织建设

计生协会第一任会长王首道，第二任会长宋平，现任会长姜春云。每5年召开一次全国会员代表大会，每年召开一次全国理事会，每季度召开一次常务理事会。理事会由各行各业的代表、社会知名人士、各级协会的代表组成，对计划生育协会的工作进行集体决策。日常工作由常务副会长主持，协调决策机构和执行机构，共同落实全国理事会的决议。

新疆维吾尔自治区阿克苏市计生协利用5.29协会成立纪念日，以文艺节目形式为粮种场群众宣传《人口与计划生育法》。

山东省沂南县和庄村计生协利用群众喜闻乐见的文艺节目向会员开展计划生育宣传

地方各级计划生育协会的会长由在职党、政领导或离退休的德高望重的老同志担任。在农村和城市社区，根据地域或专业，建立若干个会员小组，每名会员就近联系2—3名育龄群众家庭。近年来，计划生育协会在民营、私营、“三资”企业和流动人口集居地逐步发展起来，成为做好企业、流动人口计划生育工作的重要力量。

宣　传

2002年8月，宁夏回族自治区吴忠市利通区计生协、伊斯兰教协会召开在宗教人士和穆斯林人群中开展生殖健康宣传教育工作研讨会。

青岛市市南区计生协开展的向未婚青年传播生殖生理及性健康知识工作受到广大群众的欢迎

浙江省杭州市上城区计生协整合社会资源，探索有效机制，积极开展预防艾滋病知识宣传教育工作（图为小营社区公园开展咨询服务活动）。

20多年来，各级计划生育协会充分发挥网络健全、人才众多、联系面广的优势，运用现代化的宣传手段和标语、板报、图片、广播、文艺演出、知识竞赛等群众乐于参加、易于接受的大众宣传方式，向群众宣传计划生育政策、法律法规和科学知识；发挥先进典型的示范作用，用身边的事教育身边的人；深入开展男女平等、尊老爱幼、邻里互助，关爱女孩、移风易俗等活动，弘扬婚育新风。在少数民族和宗教地区，计划生育协会充分发挥少数民族领袖和宗教人士的作用，通过他们教育和帮助群众提高计划生育和生殖健康水平。近几年来各级协会在全国建立了近千个县级青少年性健康知识教育和普及预防艾滋病知识宣传项目点，为青少年健康成长和阻断艾滋病在我国的蔓延，发挥了积极作用。

服　务

各级计划生育协会围绕群众求知、求富、求乐、求健康等多方面的需要，协调社会各方面的力量，为群众提供避孕节育、优生优育、生殖健康咨询，为计划生育贫困户、下岗职工、流动人口提供生育、生产、生活方面的服务，开展帮困济贫活动。在农村，广大基层协会发动会员中的生产骨干、致富能人与群众结成帮扶对子；聘请有关专家、技术人员，向群众传播科技致富信息和生产实用技术；

河南省鄢陵县陈化镇计生协办起了“人生花木盆景园”吸收妇女会员入园当园艺工人，全镇现有5000多名会员发展花木近万亩。

协助村委会改善生产条件，进行农业产业结构调整；争取政府扶贫资金，发动社会捐助，帮助贫困群众发展生产，增收致富。在城市，依托社区，协调社会力量，同有关部门合作，组织志愿者队伍，帮助群众解决政府暂时顾及不到、群众一家一户又难以解决的实际困难；协助政府对下岗职工进行再就业技能培训，帮助他们开辟就业门路；帮助流动人口解决租房、经营、看病、孩子入学等困难。

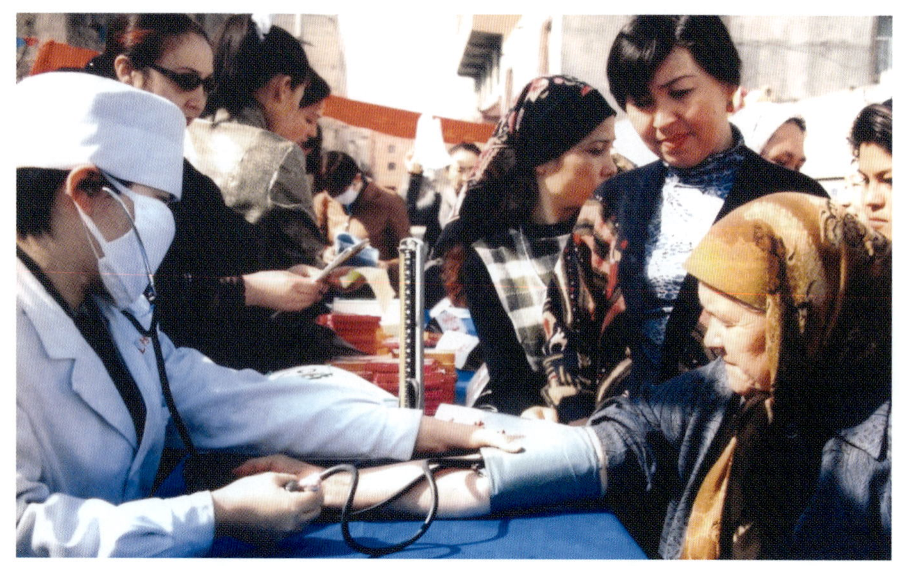
新疆维吾尔自治区乌鲁木齐市天山区计生协医疗服务队为社区各族群众开展义诊活动

民主参与和民主监督

多年来，各级计划生育协会特别是基层协会依法对政府的计划生育工作进行民主参与和民主监督。通过协会网络和广大会员，及时了解群众对计划生育工作的意见与建议；利用“联席会议”等形式，及时向村（居）委会反映群众的意见与要求；积极参与基层对计划生育政策的落实、优惠政策的制定、帮扶对象的确定、计划生育保险等工作，对政府工作人员依法行政情况、计划生育的服务水平、优惠政策的落实、统计数据的真实情况进行监督。目前，基层计划生育协会已成为计划生育群众工作和计划生育民主管理、民主监督工作的主力军，推动村（居）民自治的骨干力量。

国际交往与合作

中国计划生育协会于1983年成为国际计划生育联合会的正式成员。20多年来，协会先后与国际计划生育联合会、联合国人口基金、福特基金会、日本家庭计划国际协力财团等20多个国际组织和30多个国家的计划生育民间组织建立了良好的交流与合作关系。协会通过派团出访、接待来访、参加国际会议等，广交朋友，宣传中国计划生育工作和协会工作取得的成就，为在国际上树立中国计划生育的良好形象发挥了积极作用。同时，协会广泛争取国际支持，建立了大批各类不同内容的合作项目，有力地推动了我国人口与计划生育事业的发展。

2003年2月，中国计划生育协会会长姜春云在人民大会堂会见国际计划生育联合会总干事森丁博士。

2003年8月28日，中国计划生育协会召开预防艾滋病经验交流会暨战略计划研究会。

中国人权研究会

中国人权研究会成立于1993年7月，是中国人权领域最大的全国性人权学术团体，是在联合国经社理事会享有特别咨商地位的非政府组织，现有常务理事、理事160多名。中国人权研究会的决策机构包括全国理事会、常务理事会和会长办公室，办事机构为秘书处。名誉会长：朱穆之；会长：周觉；副会长：金鉴、杨正泉、陈士球、董云虎；秘书长：董云虎（兼）。

研究会宗旨

研究人权理论、历史和现状，探索人权理论和实践的发展，普及和宣传人权知识，开展国际交流，增进中国人民与世界各国人民对维护人权的相互理解与合作，促进中国和世界人权事业的健康发展。

1998年9月，前会长朱穆之会见来访的联合国人权事务高级专员玛丽·罗宾逊夫人。

2004年6月16日，会长周觉在北京会见前联合国秘书长、埃及人权委员会主席加利。

1996年6月14日，前会长朱穆之会见美国外交政策全国委员会代表团。

出版物

（一）《人权》杂志（双月刊，中、英文版）；（二）《人权研究资料》（从1994年至2001年，共163期）；（三）《中国人权年鉴》。

"中国人权网"（http://www.humanrights-china.org），分中、英文两个版本。

理论研究

1993年以来，中国人权研究会专家、学者在报刊上发表了《中国努力实现人民的经济、社会、文化权利》、《促进国际人权事业的健康发展》、《谈谈西藏的人权问题》、《评人权领域的南北较量》、《请看美国的人权状况》、《请看美国的少年儿童状况》、《关于"新干涉主义"的法律与政治思考》、《美国支持达赖集团从事分裂活动剖析》、《"人权"入宪：中国人权发展的重要里程碑》、

2002年7月1日，名誉会长朱穆之、会长周觉会见澳大利亚全国人权教育委员会代表团。

2004年7月23日，会长周觉在北京会见爱尔兰共和党代表团。

2003年9月12日，会长周觉在北京会见英国前副首相、英中协会主席杰弗里·豪爵士。

2003年12月，会长周觉率中国人权研究会代表团出访德国、奥地利、比利时三国，图为代表团与奥地利第二副议长会谈。

2002年12月，副会长金鉴率领中国人权研究会代表团出访英国、法国、摩洛哥和埃及四国。期间，中国人权研究会与埃及开罗大学东亚研究中心联合举办了人权研讨会。

《中美人权之争——兼驳“中国人权倒退论”》等百余篇文章。研究会常务理事编写出版了大量高水平的专著，包括《中国人权丛书》、《世界人权丛书》、《马克思主义人权理论与实践》、《人权：中美较量备忘录》、《人权问题概论》、《中国人权百科全书》等，其中，1998年出版的《世界人权丛书》包括《中国人权白皮书总览》、《平等、自治、发展：中国少数民族人权保障模式》、《中美关系中的人权问题》、《妇女与人权》、《东方人看人权》、《从国际法看人权》等6本，共100余万字，较系统地研究论述了人权问题各个方面和重大的国际人权问题，比较全面地反映了中国人权理论研究成果。

中国人权研究会组织翻译出版了大量国外人权著作，编著了系统、全面、完整的人权研究资料。其中有《世界人权约法总览》、《世界人权约法总览续编》、《人权百科全书》、《人权研究资料丛书》、《世界人权宣言：努力实现的共同标准》、《经济、社会和文化权利教程》等上千万字的著作。

学术活动

中国人权研究会成立以来多次召开全国理事会和规模较大的人权理论研讨会。其中，1998年10月，与中国联合国协会联合在北京举办的“面向21世纪的世界人权”国际研讨会，是中国第一次召开的国际人权研讨会，来自五大洲27个国家的80余名中外专家学者和人权官员参加了会议，国务院副总理钱其琛出席会议并发表重要讲话。2001年10月29日至30日，中国人权研究会和中国人权发展基金会联合在北京举办了“东方文化与人权发展”国际研讨会，世界五大洲26个国家的70余名专家学者和人权官员参加了会议。

1998年12月10日，中国人权研究会召开“《世界人权宣言》发表50周年纪念会”，国家主席江泽民致函中国人权研究会，对会议的召开表示祝贺，并阐述了中

1998年10月，副会长杨正泉在北京会见摩洛哥司法大臣兼摩洛哥最高法院院长兼人权协商委员会主席。

2004年6月，中国人权研究会保障农民工合法权益问题调研组赴上海、江苏调研，图为调研组与无锡劳动保障部门同志座谈。

2004年5月22日，中国人权研究会副会长见兼秘书长董云虎在北京会见前来拜访的德国联邦议院副议长福尔默博士。

2000年5月29日至31日，中国人权研究会在北京召开第二届全国理事会第一次会议。

1998年10月20日至21日，中国人权研究会和中国联合国协会在北京联合召开“面向21世纪的世界人权”国际研讨会。

国的人权观点。2000年5月，研究会召开第二届全国理事会第一次会议，李鹏委员长致信中国人权研究会，对会议的召开表示热烈的祝贺。

2002年9月10—12日，中国人权研究会和中国监狱学会联合举办“全国监狱人权保障理论研讨会”，这是中国学术界和监狱工作者第一次就监狱人权保障问题召开的全国性理论研讨会。

人权教育

中国人权研究会积极开展人权知识的普及和教育。与中国人权发展基金会一起组织拍摄了电视专题片《中国人权访谈录》，10余名常

1994年12月20日至22日，中国人权研究会在北京召开第一届全国理事会第一次会议暨人权理论研讨会。

1996年11月25至27日，中国人权研究会在北京召开第一届全国理事会第二次会议。

1997年12月1日至3日，中国人权研究会在北京召开“《世界人权宣言》与中国人权”研讨会。

1997年12月15至19日，中国人权研究会和瑞典瓦伦堡人权学会在云南昆明联合召开中瑞少数民族问题研讨会。

2003年9月9日至10日，中国人权研究会和中国监狱学会在南京联合召开“全国监狱人权保障理论研讨会。

务理事分别就人权的一些问题进行专题讲解。1998年，与中央人民广播电台合作开办了为期12周的“话说人权”系列讲座，这是中国新闻媒体第一次举办系统介绍人权问题的专题节目。1999年，与北京电视台共同编写《新中国外交》电视系列片有关人权两集脚本；支持北京君合有限公司拍摄20集电视专题片《中国人权》，介绍中国人权的发展状况。2000年，中国人权研究会理事作为人民网“强国论坛”嘉宾就“人权与主权”这个话题与国内外网友进行交流。

对外交流与合作

从1993年起，中国人权研究会多次派人参加国际性人权会议，积极参与国际人权领域交流合作活动。同时组织代表团出访和邀请外国代表团来访，这是人权研究会开展对外交流的一个重要方式。多年来，中国人权研究会与联合国有关机构、各国人权机构、议会、政党、非政府组织、学术研究机构、外国驻华使馆、外国新闻媒体等开展了各种形式的交流活动，建立不同形式的合作关系，加强了在国际人权领域与各国之间的了解和沟通，增进了友谊。

1996年12月，中国人权研究会被联合国教科文组织列入“世界人权研究和培训机构名录”。1998年，中国人权研究会被联合国经社理事会正式批准享有特别咨商地位，成为中国第三个被批准在联合国享有咨商地位的非政府组织。2000年8月，研究会获准加入“联合国非政府组织会议”，成为中国加入该组织的三个非政府组织之一。

2004年3月1日，中国人权研究会在北京召开第二届全国理事会第二次会议，国务委员唐家璇应邀出席会议并做重要讲话。

2002年10月29日至11月1日，中国人权研究会和中国人权发展基金会在北京联合举办“东方文化与人权发展”国际研讨会。

中国人权研究会组织编撰或翻译的部分图书。

1998年10月，由中国人权研究会主办的中国人权网开通，分中、英两个文版。

2002年2月，由中国人权研究会主办的《人权》杂志创刊，该刊为双月刊，分中英两个文版。

中国总会计师协会

基本情况

1989年在财政部的关怀下，经中国会计学会三届二次常委会决定建立中国总会计师协会。当时是作为中国会计学会的二级组织，定名中国总会计师研究会，于1990年5月26日在鞍钢召开成立大会，选举鞍钢总会计师朱德惠为首届会长，张佑才、杨纪琬为名誉会长。1991年经民政部登记为全国性社团组织。1995年更为现名。

协会于2002年11月成立第三届理事会，张佑才出任会长。吴邦国同志发来热情洋溢的贺信。王丙乾、姜春云、经叔平同志发来贺信、贺词。直属理事由原170多名发展到700多名；在全国尚有地方团体会员18家；电力、石油、电信等行业分会8家，覆盖全国会员总数达到6000多人，囊括了我国各省、市的特大型、大型企业的总会计师。当前正在筹备中的行业组织有5家。协会会址设在北京，由秘书处办理日常工作，设有办公室、国际部、会员部、培训部、调研部和中国总会计师杂志社等机构。

协会的基本任务是坚持"一个中心，两个基本点"，执行国家财经政策、法规及《会计法》、《总会计师条例》，团结全国的总会计师，总结、推广总会计师的工作经验和方法，推动我国总会计师制度的建设和发展，提高企业经济管理水平和经济效益，开展各类活动，为总会计师服务。业务范围是：理论研究、信息交流、专业培训、书刊编辑、国际合作、咨询服务。

针对现实情况 开展各种活动

协会成立以来，开展了各种活动。由于协会的会员都是企业的高层人士，被国际财务总裁协会联合会(IAFEI)吸收为中国会员。世界管理大会2000年在北京召开，协会领导人分别参与了组织领导工作，并在所属地方团体会员组织中筛选了具有国际水平的论文十余篇参加大会宣读，受到国际专家的好评。在全国各地召开过各种研讨会以及学习、贯彻《总会计师条例》、《会计法》，尤其是举办企业资金紧张对策及提高经济效益研讨会，在全国征文收到200多篇，对资金如何缓解，出谋献策。邀请具有代表性的入选论文作者参加研讨会，所论问题及建设性意见，协会综合汇总后，上报了中央有关部门。嗣后，中央出台若干有关资金问题的政策，与协会反馈信息不无影响。

中国总会计师协会第三次全国会员代表大会

全国人大常委、全国人大财经委副主任、中国总会计师协会会长张佑才。

修改《会计法》研讨会，提出10条建议，报国务院法制局。其中在全国大中型企业"必须"设置总会计师的建议被财政部在修订《会计法》过程中采纳。

为提高总会计师的素质和业务水平，协会连年举办高层次学习班、座谈会。国家出台《总会计师条例》后，协会在京召开理事及财政部领导同志贯彻《总会计师条例》座谈会，并号召各地区总会计师协会组织会员学习、贯彻《总会计师条例》。

举办各种学习班。10多年来，协会除了在各地方团体组织里举办长期性、经常性的如总会计师后续教育外，还对专业性、专题性的问题举办讲座和研究班。其中也包括外国专家讲课。例如：举办高级会计实务培训班，是联合国援华项目、由英国伦敦公认会计师事务所(ACCA）会计专家GRAHAM J.HOLT等讲课.

近一年多来，协会在北京、上海国家会计学院长期举办总会计师后续教育培训班，至今已培训了1000多名总会计师。还举办了两次总会计师论坛。协会与国际上的学术组织也进行了交往，参加了国际CFO组织，组团访问日本、美国，最近又组团赴意大利参加CFO世界大会。

协会单位会员浙江总会计师协会常年开办总会计师及高级会计师后续教育学习班。

湖南、西安、大连、北京、山西等总会计师协会还联袂办学，请了专家、教授开办企业管理、资本运营、企业理财、企业改制、英语等培训班。

协会用“请进来、派出去”的方法，大力学习推广邯钢经验。召开大型报告会；请邯钢总会计师到地方团体会员所在地为会员传经送宝；组织地方团体会员学习团，深入到邯钢取经学习。

协会团体会员浙江总会计师协会向同行发出“不做假账倡议书”。

协会与北京总会计师协会联袂召开“诚信与道德”座谈会。

会员单位著书立论如雨后春笋般地开展

1992年创立《中国总会计师》季刊。当时财政部王丙乾部长为季刊题写刊名。2003年改为月刊，公开发行。

由协会组织200多人撰写的大型工具书《中国总会计师实用大全》问世，被读者认为是论述行业最为完整的一部辞书。袁宝华同志题词：“为建立具有中国特色的宏观和微观核算体系做出重要贡献”。

协会第一、二届会长朱德惠总结了毕生企业财会管理工作经验，编写了大型著作《现代企业管理》。

张佑才会长主持会长办公会

大连总会计师协会组织了东北地区的专家、学者编写了《现代企业财务会计管理细则模式》，其他如江苏总会计师协会，也都有各类著作问世。

附注：本会尚有地方协会18家，也都建立了10多年，有的在本会之前就成立了，都有很多很好的成就，材料未及统计。

中国总会计师协会副会长简介

贡华章 中国石油天然气集团公司总会计师

董 锋 华夏证券股份公司总会计师

王 可 中国科协计划财务部部长

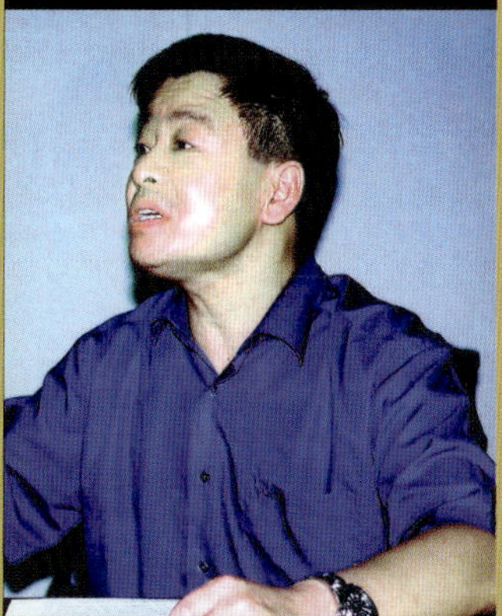

王广发 北京法政集团公司总裁

于 川 铁道部总经济师兼财务司司长

王德宝 上海外高桥造船有限公司党委书记

刘淑兰　中国建设银行副行长、党委副书记

阮光立　中国核工业集团公司财会部主任

于万源　鞍山钢铁集团公司副总经理、总会计师

吴安迪　中国电信集团公司副总经理、执行董事

陈月明　国家电网公司副总经理

罗志荣　中国经济科学出版社社长

胡鸿福　中国航天科技集团公司副总经理、党组副书记

秦荣生　国家会计学院副院长、党委书记

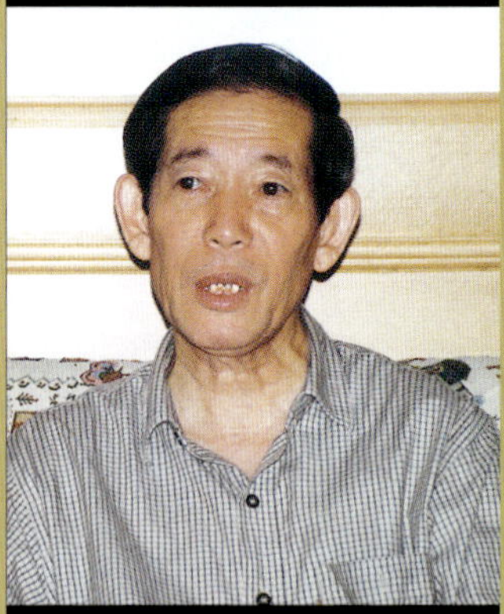

薛任福　燕山石化原总会计师

池耀宗　中国航空工业第二集团公司专职顾问

方吉祚　原甘肃省军区副司令员

丁平准　中国总会计师协会副会长

栉风沐雨勤耕耘 玉笔丹青铸辉煌

——中国总会计师杂志社发展历程

张佑才会长主持召开《中国总会计师》编委会会议。

刘丽君 中国总会计师协会常务理事、副秘书长、中国总会计师杂志社社长兼总编。

蒋宝恩 经济科学出版社原社长、中国总会计师协会副秘书长、《中国总会计师》杂志主编。

《中国总会计师》是由中国总会计师协会主办的全国惟一以反映中国总会计师形象为主的大型财经类杂志，它定位于“三高”：高权威、高品味、高水准；着眼于“三新”：选题新、内容新、版面新。《中国总会计师》月刊将以其卓越品质，成为具有纵览国际风云变幻、见证中国改革发展稳定大好局面、服务中国总会计师形象为主的权威媒体。

中国总会计师杂志社自成立以来，得到了社会各界的支持和关爱，中央财经大学等高校相继成为本刊的学术支持机构。中国总会计师杂志社将再接再厉，勇立潮头，配一流的设备，采一流的人才，行一流的管理，努力为中国总会计师事业做出更多更大的贡献。

中国总会计师

刘丽君社长一行访问中央财经大学

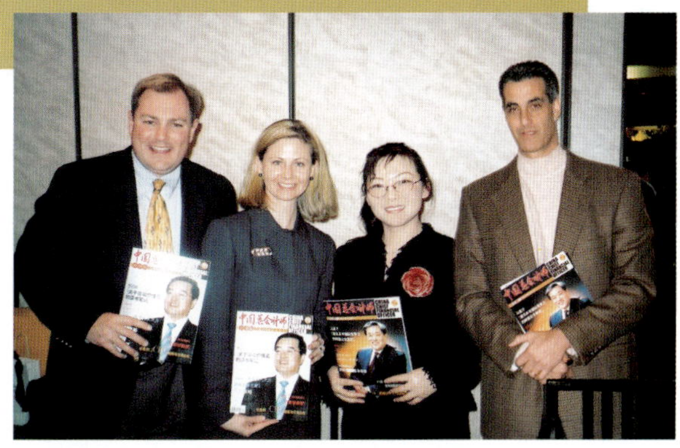
刘丽君社长随团访问美国财务专业人员协会（AFP）。

中国内部审计协会

中国内部审计协会前身是中国内部审计学会，成立于1987年，2002年经民政部登记，更为现名，是内部审计行业自律管理的全国性社会团体组织。协会是国际内部审计师协会的国家分会，也是亚洲内部审计师联合会的成员国。

协会在审计署、民政部的监督管理和指导下开展工作，协会宗旨是遵守国家法律、法规和方针政策，遵守社会公德和职业道德，认真履行协会“管理、服务、宣传、交流”的基本职能。即对内部审计实行自律性行业管理，为内部审计机构和内部审计人员提供专业服务和开展各种交流活动。通过内部审计刊物和网站宣传内部审计，维护内部审计机构的独立性、权威性和内部审计人员的合法权益，促进内部审计人员素质和内部审计工作水平的提高。

协会下设学术、培训、准则和考试4个专业委员会，有广播电影电视、核工业、电力、交通、煤炭、水利、船舶工业、民族专业、烟草、石油10个分会；团体会员882个，协会在IIA的个人会员为2336人。协会办事机构下设秘书处、培训处、信息处和编辑部4个部门，现有工作人员30人。

2000年协会召开了第四次会员代表大会，会上通过了5年发展规划和目标，提出要在5年内初步达到建立健全三个体系（内部审计组织的管理体系、法规体系和理论体系），实现三个提高（促进内审人员素质有较明显的提高、促进内审工作水平有较大的提高、促进内部审计在国内、外的地位有新的提高）。5年来，协会为实现这一目标，主要做了以下几方面：

（一）建立健全内部审计法规体系

协会重视内部审计的规范化建设。2003年3月，审计署正式出台《审计署关于内部审计工作的规定》，为贯彻《规定》，经反复研讨论证，2003年4月起至今，协会已陆续发布《内部审计基本准则》、《内部审计人员职业道德规范》和《审计计划》、《审计通知书》、《审计证据》等20个具体准则。

（二）开展全国理论研讨和经验交流

协会每年选定2—3个研讨课题，开展理论研讨和经验交流活动。截至目前，已研讨交流了经济责任审计、购销比价审计等11个课题；自2001年起，协会与

2002年9月9日，国务院总理朱镕基接见参加在北京召开的“国际内部审计师协会全球论坛”会议主要领导人。

协会会长郑力（中）与会议代表在第57届会上。

国家审计署审计长李金华在全球论坛会议致辞

国际注册内部审计师（CIA）资格考试颁奖仪式。

台湾内部稽核协会每年定期举办1次海峡两岸内部审计研讨会，目前已举办4次。

（三）编写和翻译内部审计书籍

5年来，协会组织陆续编写、翻译出版了国际注册内部审计师(英文缩写CIA)考试系列用书、内部审计人员培训用书以及《现代企业内部治理审计研究》、《公司治理与董事会》等34本专业书籍，为内部审计实务工作和内部审计理论研究起到了积极的借鉴作用。

（四）协助审计署定期评选内部审计先进单位和先进工作者

为总结、交流内部审计工作先进经验，协会协助审计署每3年开展1次的全国内部审计“双先”评选活动。

（五）组织实施CIA考试

经IIA授权，协会是CIA考试中国地区指定组织机构，该项考试自1998年开始在广州举行，目前已有20个考点。已有5082人取得CIA资格。为奖励中国推广CIA考试的突出贡献，IIA分别于2001和2003年2次向协会颁发索耶奖。

（六）实施内部审计人员岗位资格制度和后续教育制度

为加强内部审计工作，确保内部审计人员必备的素质，提高内部审计工作水平，协会发布了《内部审计人员岗位资格证书实施办法》和《后续教育实施办法》，对推动内部审计发展具有十分重要的意义。

（七）组织内部审计业务培训

协会每年举办近60期培训班，包括经济责任审计、IT审计等内容，约4200余人次参加培训。此外，还利用外国专家访华的机会，多次举办国际高级研讨班，2000年至2004年，IIA理事会主席麦克唐纳德、考试委员会主席汉斯、秘书长毕绍普、副秘书长切姆伯斯、副秘书长多米尼克等均来华，讲授了风险管理、内部控制等先进理念和技术方法。

（八）利用协会杂志和网站，宣传和交流内部审计

2001年，协会在京召开第一届海峡两岸内部审计研究会。

中国内部审计协会代表团2004年10月参加在菲律宾召开的亚洲内部审计大会

会刊《中国内部审计》2003年发行、通讯工作会议。

《中国内部审计准则公告》定稿会。

2002年中国内部审计协会召开全国"双先"表彰大会。

2004年内部审计协会召开第四届二次理事会议

现代内部审计理论与实务培训班

经验和做法。

协会于1999年创办了《中国内部审计》杂志，2000年由双月刊改为月刊，目前发行量已达37000万份。2001年6月协会建立了网站，网址为：www.ciia.com.cn，设中文版和英文版，自建立以来，访问量不断增加，2004年的访问量达1437733人次。

（九）开展国际交流活动

协会是IIA国家分会和ACIIA成员国。为加强中国内部审计在国际上的地位，协会派代表在IIA理事会和重要委员会任职。2002年协会承办了IIA全球论坛，接待了来自50多个国家的100余名会议代表，朱总理接见IIA的主要领导人，IIA称赞这次会议是迄今为止最成功的，此次论坛有力地提高了中国内部审计的国际上的地位和声望。

为学习国际内部审计先进经验，协会每年举办4期境外培训班、2期考察团和2个国际会议团（IIA年会和ACIIA年会），参团人数约150人左右。

经过努力，协会已基本实现了5年发展目标。内部审计组织管理体系、理论体系、法规体系已基本形成；内部审计人员结构趋向多元化和复合型；内部审计从传统向现代迈进的步伐不断加快；部门、企事业单位的主要领导亲自抓审计的越来越多，内部审计作用已越来越被认可，为推进中国内部审计事业的发展做出了积极贡献。

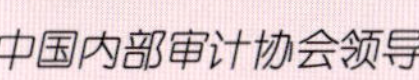

中国内部审计协会领导

举办国际内部审计理论高级研讨班

1999年中国内部审计协会代表团出席在香港召开的亚洲内审论坛会

中国钱币学会

2002年10月28日，全国政协副主席李贵鲜，中国钱币学会名誉理事长、原全国人大常委会副委员长陈慕华，中国钱币学会名誉理事长李葆华，中国人民银行行长戴相龙，中央金融工委常务副书记阎海旺等为中国钱币博物馆新址落成典礼剪彩。

2002年10月，全国政协副主席李贵鲜，原全国人大常委员副委员长陈慕华在中国人民银行行长戴相龙等陪同下，参观“中国钱币博物馆奥运专题钱币展”。

中国钱币学会成立于1982年6月29日，是一个群众性的学术团体，接受中国人民银行的业务指导和民政部的监督管理。学会下设古代钱币委员会、近代钱币委员会、外国钱币委员会和货币史委员会4个专业学术委员会。学会现有团体会员46个；各级个人会员6万余人。

学会的宗旨是：团结全体会员和广大钱币爱好者，遵守宪法、法律、法规和国家政策，遵守社会道德风尚；组织各种钱币学会活动，推进钱币学和货币史的研究；开展群众性集币活动，普及钱币知识。弘扬中华货币文化，为人民服务，为社会主义建设服务。

学会坚持每4年召开一次会员代表大会，进行换届改选。年初召开常务理事会，总结全年工作，并就来年工作提出计划。在全国秘书长工作会上贯彻常务理事会精神，总结、部署学会工作。学会还建立了奖励制度，即“金泉奖”和先进学会评选活动。“金泉奖”评选的奖项包括著作、论文、刊物、音像制品等，为鼓励和推进学术研究活动起到了积极的作用。

近年来，在中国人民银行、民政部的正确指导下，学会工作取得了一定的成绩。

（一）积极开展学术研究活动。学会先后组织了有关“丝绸之路货币”、“勃海国货币”、“吴越国货币”、“两宋纸币”、“西汉白金三品”、“六朝货币”、“永隆通宝钱范”、“曹魏五铢钱”、“中国古代铸钱遗址”、“辽、金、西夏、元货币”等专题学术研讨会；组织编撰出版：《中

2002年1月，中国钱币学会秘书长戴志强，副秘书长姚朔民等在维也纳为“中奥钱币交流展”挑选展品。

2003年1月，中国人民银行行长周小川在副行长史纪良等陪同下视察中国钱币博物馆。

1999年11月，原全国人大常委员副委员长陈慕华，参观中国钱币博物馆在北京国际贸易展览中心举办的“反假人民币展”。

2004年10月，中国人民银行行长助理胡晓炼在中国钱币博物馆馆长黄锡全等陪同下，参观中国钱币博物馆。

国历代货币大系》、《中国钱币大辞典》、《革命根据地货币史》丛书，《中国钱币》丛书，《先秦货币研究》、《新疆钱币》、《西藏钱币》、《越南钱币》以及《国际钱币与银行博物馆委员会第9届年会论文集》、《中国钱币学会二十年》。自1982年学会成立以来，还编辑出版了学会会刊《中国钱币》杂志，目前已出87期。

（二）加强博物馆建设。学会于1991年开始协助中国人民银行筹建中国钱币博物馆；1992年7月，中国钱币博物馆建成，设在中国人民银行大厦内，主要接待国内外金融、货币、历史、文博领域的专家、学者；为了进一步扩大对外宣传力度，2002年，博物馆迁址到天安门广场西侧的原保商银行和大陆银行旧址，开始正式面向社会公众开放。同时，学会还积极推动有条件的省市筹建地方钱币陈列馆。目前，在全国范围内已经先后建立起近20个钱币陈列馆，宣传普及钱币文化知识。

（三）积极开展人民币防伪反假宣传活动，为现实金融工作服务。学会充分发挥自身优势，结合中央银行的业务需要，深入基层发动会员，积极贯彻“人民币管理条例”，开展反假货币的宣传活动，收到了良好效果。

（四）参与国际间的学术交流活动。学会于1987年5月正式加入国际钱币学委员会，曾与日本、黎巴嫩、欧盟组织、奥地利合作举办专题钱币展览；与美国、英国、西班牙、伊朗、埃及、俄罗斯、新加坡、马来西亚、泰国等许多国家开展学术交流活动；2002年10月，成功主办了“国际钱币与银行博物馆委员会第9届年会”，来自30多个国家的150余位中外代表出席了本次盛会，受到中外与会者的一致称赞。

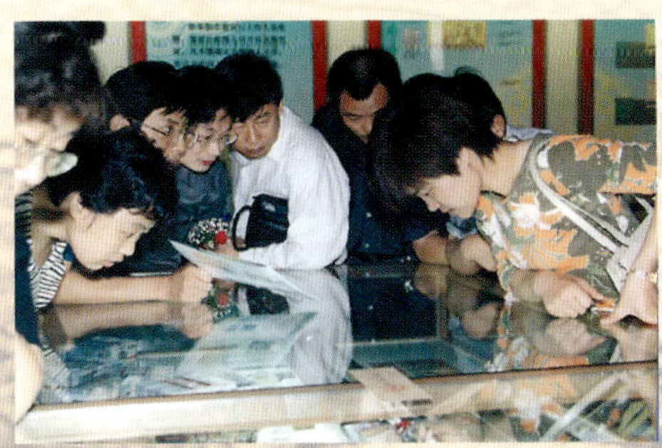
2000年5月，贯彻国务院反假货币联席会议精神，在山东聊城举办“反假货币展”，收到良好的社会效果。

中国钱币博物馆新馆址

出席第十二届国际钱币学大会期间，中国钱币学会代表团顺访了法国国家图书馆所属钱币博物馆并进行学术交流。

2002年10月，国际钱币与银行博物馆委员会第九届年会召开。

2000年8月，以副秘书长姚朔民为团长的中国钱币学会代表团应邀访问了俄罗斯圣彼得堡艾尔米塔什博物馆并作学术交流。

中国钱币学会学术研究成果

中国营养学会

中国营养学会第九次全国营养学术会议暨第六届全国会员代表大会于2004年10月在北京召开，组成了第六届理事会。

中国营养学会是挂靠在中国疾病预防控制中心的全国性学术团体，业务主管单位为中国科协。学会是中国营养科技工作者自愿组成并依法登记的全国性、学术性、非营利性的法人社团组织；是发展我国营养科学技术事业的重要社会力量；是党和政府联系我国营养科技工作者的桥梁和纽带。

学会始创于1945年，1950年并入“生理科学会”。1981年从“生理科学会”分出，独立成立国家一级学会。沈治平、顾景范、陈孝曙分别任第一、二、三届理事会理事长，葛可佑任第四、五、六届理事会理事长。学会于1984年加入国际营养科学联合会（IUNS），1985年加入亚洲营养学会联合会（FANS）。

学会通过举办学术会议、专题研讨会等促进国际、国内营养学科学术交流与合作；通过开展营养科学领域的继续教育和技术培训，提高会员及广大营养科技工作者的业务水平；学会还积极开展科普活动普及营养知识，以提高国民的营养知识水平，引导国民合理选择食物达到平衡膳食，促进身体健康；同时还接受政府委托，组织参与国家有关营养方针政策及相关行政法规的制定；在响应以国家经济建设为中心的号召下，开展科技咨询服务，促进科技成果转化，推广营养科学技术成果，组织开展旨在提高中国国民营养健康水平的“营养

2001年9月25日，中国营养学会复会20周年庆祝会。

2003年4月15日，“中国营养学会营养科研基金”启动仪式在北京举行。

1995年10月，第七届亚洲营养会议在北京举办。

健康工程”以及其他社会公益活动。

中国营养学会建立了网站，网址是www.cnsoc.org，主要介绍学会学术活动动向，并且开设了营养健康专业知识论坛。

学会共有会员7800余人，分布在全国有关的科研、教学、医疗、卫生、农业和食品等部门，理事会由70名理事组成，常务理事23名，领导学会各项工作。中国科协周光召主席的题词“改善全民营养，促进人民健康”指出了中国营养科技工作者的目标，学会将继续为促进我国人民营养健康水平而努力奋斗，为国家经济建设服好务。

近年中国营养学会为中国营养事业的发展所做的工作：

学术交流

(一)自1981年复会以来，召开了多次国际性和全国性学术会议。

(二)学会主办的期刊《营养学报》，被评为“双效期刊”，并获“第二届百种中国杰出学术期刊奖”。

(三)为推动营养学科发展，学会与巨人投资有限公司设立“中国营养学会营养科研基金”，用于资助营养科学研究。

2004年7月，学会参加在北京中国科协组织的“全国科普日”活动。

学会编辑出版的刊物

2004年度"中国营养学会营养科研基金"评审结果发布暨学术报告会在上海举行。

2001年5月,《中国居民膳食营养素参考摄入量》(DRIs)新闻发布会。

学术专著

(一)1998年组织制定新的营养素摄入量，并于2000年出版了《中国居民膳食营养素参考摄入量DRIs》。

(二)2001年组织全国百余名专家编著我国首部涵盖营养各学科的学术专著《中国营养科学全书》，于2004年出版。

国际交流

(一)在2001年召开的第十七届国际营养大会期间，中国营养学会葛可佑理事长当选为国际营养科学联合会(IUNS)的执行理事，该联合会有160多个成员国，但理事会仅由9名理事组成。这是中国科学家首次担任此职务。

(二)中国营养学会于1995年成功举办了"第七届亚洲营养会议"，共有40多个国家近千名营养工作者参会。

政府委托工作

(一)1997年接受卫生部委托，制订了《中国居民膳食指南及中国居民平衡膳食宝塔》，倡导"平衡膳食、合理营养、促进健康"。

(二)2004年接受卫生部委托组织起草《中华人民共和国营养条例》。该法规的制定将加强我国营养改善工作，提高国民营养健康水平。

(三)承担中国科协委托的《2020年的中国科学和技术》发展研究部分工作。

(四)2001年起学会接受卫生部委托承担了《全国卫生技术（营养）专业人员技术资格考试》大纲、指南、题库的编写工作。

《中国居民膳食指南》新闻通报会。

营养科普

(一)中国营养学会筹备成立"中国营养学会营养科普基金"，主要通过媒体，以公益广告的形式宣传倡导平衡膳食合理营养的健康理念。

(二)2002年起，学会每年开展"'中国居民膳食指南'在西部地区的宣传推广"科普活动，该项目被列入2002年中国科协西部重点项目工程。

(三)积极开展营养健康教育咨询、讲座、培训班等多种形式进行科普宣传，并设专家咨询热线。

科技成果转化

积极开展科技研发和科技成果转化工作，在为国家经济建设时，也为学会发展打下了良好经济基础。

广东省慈善总会

广东省慈善总会成立大会暨第一届理监事会全体成员合影

广东省慈善总会会长、民政厅厅长杨华维在成立大会上讲话。

商议建慈善教学楼

广东省慈善总会于1997年6月依法注册登记，2004年7月16日正式成立。省慈善总会是依据中华人民共和国《宪法》和《社会团体登记管理条例》，以及有关基金会管理条例的规定依法登记成立的民间非营利性社团组织、社会团体法人，是由热心慈善事业的社会各界人士、企事业单位及有关团体自愿参加的全省性社会团体。

省慈善会的职能是指导和协调全省各地慈善机构开展工作，与国内、外慈善组织进行广泛交流与合作。

省慈善总会的宗旨是：以人为本、慈善为怀、扶贫济困、救孤助残、赈灾救援、抗击疫情、助学兴教、社会公益；遵守国家宪法、法律、法规和政策，遵守社会道德风尚，为发展慈善事业服务。

省慈善会的基本任务是：动员社会力量，募集慈善资金，按照本会宗旨和捐赠者意愿，兴办和资助各项社会慈善公益事业；组织热心慈善事业的志愿者队伍，开展扶老、恤孤、助残、救难等各种慈善救助活动；广泛开展国际间慈善事业的交流与合作。

省慈善总会自2002年开展"微笑列车"唇腭裂手术项目至今共完成手术118例，成功率达100%，受到社会各界的好评；2003年接受国内外及社会各界人士防治非典捐赠款物169宗，捐赠款物总额9112488.50元；2004年7月成立期间筹集资金近2000万元，再加上历年来的积累，省慈善总会达3000万元的创始基金。

省慈善总会成立后认真贯彻执行《中华人民共和国公益事业捐赠法》，按照"立足民政，面向社会"，"突出特色，雪中送炭"的方针，逐步开展了扶老、恤孤、助学、助医、救难等具体项目：一是总会拨50万元用于"残疾孤儿手术康复明天计划"，拨30万元作为特困户医疗补助金救助15位重大疾病患者；二是接收广州市宏宇集团捐赠42万元，资助广东省内100名特困学生完成小学1—6年级学业；三是接收广东省知行图书发行有限公司定向捐献28.8万元用于梅县松口人民医院购置医疗设备；四是与广东省对外友好协会、加拿大驻广州领事馆共同举办“泰瑞”福克斯慈善慢跑活动，募集资金40万元捐赠给广州市慈善医院；五是接收广东特种设备协会捐赠10万元用于西藏扶贫。

省慈善事业将全面贯彻落实党的“十六大”精神和“三个代表”重要思想，积极开展以募捐、救助为重点的各项慈善活动，为社会困难人群多办实事，充分发挥慈善事业在社会保障体系中的作用，为社会主义三个文明建设做出贡献。

广东阳江市退伍军人洪作涛患有尿毒病，省慈善总会并向其家人送去救助金。

广东省慈善总会于2004年7月16日正式成立，广东省副省长李容根和原广东省老领导朱森林、卢瑞华、郭荣昌、匡吉等出席了会议，并担任广东省慈善总会的名誉会长。

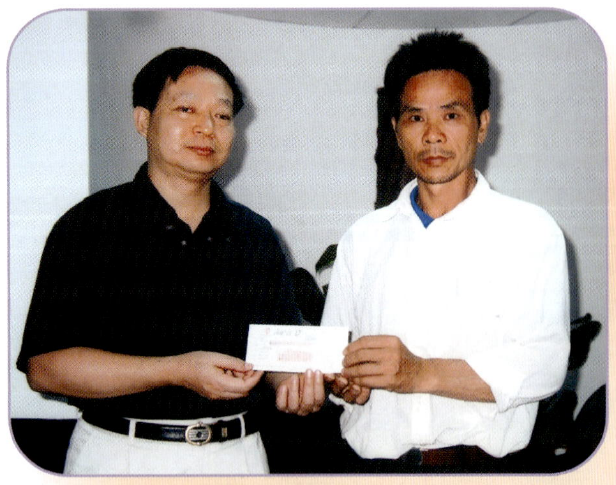

省慈善总会秘书长方炎松（左）向广东河源市龙川县一个患重病特困家庭送救助金。

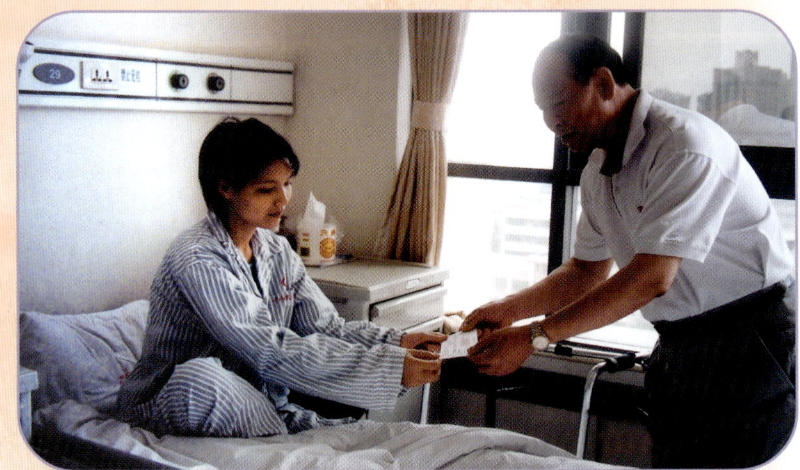

广东省慈善总会会长、民政厅厅长杨华维同志亲临中山医科大学第一附属医院，看望了患有“脊髓动静脉血管畸形症”准备手术的广东和平县阳明高中的在读优秀学生赖风嫦。

省慈善总会领导看望广东韶关翁源县三华中学患脑病的张岳锋老师，并送上慰问金。

慈心善举济苍生

——揭阳市榕城区受德慈善会

揭阳市榕城区受德慈善会是一家依法成立，具有法人资格的、享誉海内外的民间慈善团体。1995年5月成立以来，慈善会遵循“共襄善举，扶危济困，奉献爱心，造福社会”的宗旨，多渠道募集资金1800多万元，既建成了占地10余亩，建筑面积5200平方米颇具规模的会址暨老年人活动中心，又积极开展各项有益的社会活动，直接救助贫困家庭15949户，49916人次，累计付出善款654万元，得到各级党政领导及各界人士的高度赞赏。连续9年被评为市、区先进社团，2004年被评为广东省老龄委“先进单位”，荣获广东省民政厅授予的“先进民间组织”光荣称号。

广结善缘　集腋成裘创基业

慈善会现有会员304名。他们只讲奉献、不图回报、廉洁自律、一心向善的善举，感化了社会各界人士。众多贤达善信、父老乡亲对慈善事业给予支持和关心，或慷慨解囊，或带动儿女亲人捐款捐物，出现了一个“共襄善举，同植爱心”的可喜局面。旅港同胞林美叶女士捐资480万元，企业家林楚群先生捐资108万元支持慈善事业。在当地政府的关心和海内外热心人士的帮助下，建成了风景如画的慈善会址，奠定了榕城区的慈善基业。

慈善会理事在研究会务

受德慈善会太级拳队在会址广场演练

香港林美叶女士乐善好施帮助慈善会善款480万元（图是会长张锡喜接受40万元慈善福利款时与林女士合影）。

副会长孙常煌（右前三）和区民政局局长林惠荣（左前四）接受林楚群先生（左前五）捐款88万元时合影。

扶危济困　慈爱善举暖民心

受德慈善会一桩桩扶危济困、行善积德的义举，尤如一股股文明之风吹遍榕江南北。

（一）积极配合区政府及有关部门开展“献爱心、送温暖”活动。每年春节前夕及“5.21”国际助残日，都拿出12多万元善款帮助各街道慰问社会弱势群体。此外，还经常开展访贫问苦、送温暖活动，使弱势群众时时处处感受到党和政府、社会对他们的慈善情意。

（二）热心公益，造福社会。一是开展经常性的公益活动：每年出资3万元协助有关部门到革命老区开展义医义诊、送医赠药下乡活动；每逢重大节日，拿出善款慰问敬老院老人和百岁老人；二是积极开展各种形式的公益活动：抗“非典”期间，出资5万多元为卫生系统购置防疫器材和消毒用具；出资20多万元帮助“星光老年之家”购置活动器材；出资30多万元，修建榕江沿江路。

（三）扶危济困，雪中送炭。慈善会密切配合当地民政部门及基层政府，积极开展扶危济困工作：梅云街道石头村民许文坑，因患病致全身瘫痪，长期卧床不起，口不能言，家有七旬老母和4个子女，全靠妻子一个料理，生活十分困难，当会长把2000元救助款放在其枕边时，他激动得满脸热泪，以表感谢；当了解到残疾人陈树溪房屋破漏时，便出资2万元帮助修建；西门新风居民王某之夫病逝，中年丧夫，家贫如洗，无力处理后事，母子啼哭不休，惨况难睹，慈善会闻知，会长即带领会员20名，义务为其料理丧事，捐棺助葬，并送去安家费1500元。……

10年来，慈善会还收养弃婴6名，收殓水陆客尸144具，并出资将其火化；帮助无力料理丧事者246

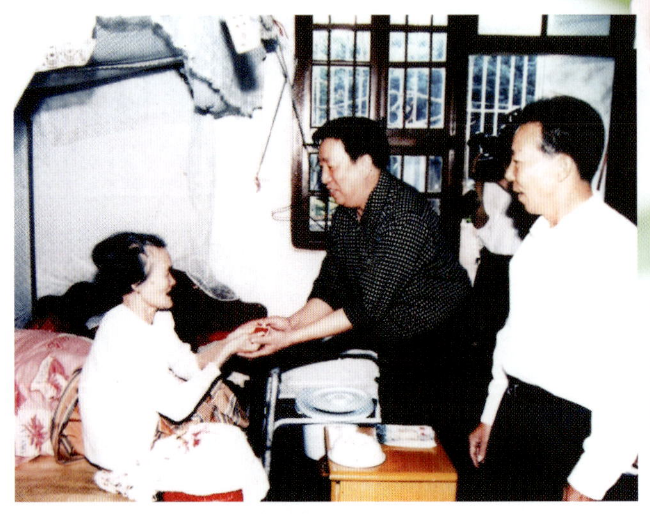
会长张锡喜慰问仙桥敬老院孤寡老人

会长张锡喜带队慰问残疾老人

接受民间对印度洋海啸的捐款（图为捐款场面）。

香港黄大仙区议长，连续3年率480多人访亲团莅会参观（图为市区有关领导及会长在大门迎接情况：前排左一为黄金池议长，左二为中央驻港官员，左三为区长，左四为会长）。

宗。《国际日报》、《京华日报》、广东省《社团报》、汕头、揭阳等新闻媒体纷纷报道他们的事迹。

开办实业，为慈善活动提供更多的经济来源；多办善事，造福社会，将是受德慈善会今后努力的方向。

慈善会获得锦旗、奖状（局部）。

慈善会大楼于2002年12月落成剪彩，潮汕三市原市委书记及市区领导和海外嘉宾剪彩场面。

玉林市花卉协会

玉林市花协成立大会，在大会主席台就座的有（从左至右）：广西花协副会长潘生武、广西林业局营林处长蒋桂雄、玉林市林业局长方权辉、市政协副主席钟扬莆、市人大副主任黄家才、市政府副市长吕坚、原玉林地区行署专员（市长）助理、玉林市花协筹备组组长罗中。这次会议罗中当选为玉林市花卉协会会长，从此建立了广西第一个地、市级花卉协会。

玉林市花卉协会常务理事会是一个团结协作、充分发挥集体领导作用的坚强班子。照片从左至右：会长罗中（前排三）；副会长兼秘书长梁远忠（前排二）；副秘书长常务理事黄朝才（前排五）；常务理事曾增芳（前排右一）；副会长李昭群（前排四）；常务理事姚勤（前排左一）；第二排从左至右为常务理事：苏勇能、李雄、梁才政、黄诗龙、李伟。

玉林市花协是1997年玉林地改市后，市委市政府为了农业增效、农民增收，把花卉作为“一业兴十业旺”的高效农业来抓而成立的跨行业、跨部门的大产业协会。协会成立于1998年，现有团体会员13个，个人会员70多人，常务理事13人、理事27 人。市林业局长任名誉会长；会长罗中。

市花协成立后，在市委、市政府和有关部门支持下，积极发挥服务政府当参谋——服务企业当红娘——服务群众当向导“三大”功能。一手抓创办连片花卉基地，一手抓创建专业花卉市场，主要业绩体现在以下方面：

(一)花协牵头，理事会和会员带头到玉洲区名山镇建集中连片花卉生产示范基地。办起连片29个花场，合共650亩示范基地。

(二)牵头创办两个专业花卉市场，合共面积近2万平方米。

(三)成功举办了玉林市政府支持办的1999、2001、2003年春节迎春花展。

(四)配合服务市委、市政府搞夺“南珠杯”城市文明建设，组织会员送花上门，扮美玉林城区，为玉林首次获得“南珠杯”作出了创新的贡献。

(五)三次组织到广东参观学习，推进科技兴花。

(六)积极参加广西区林业局、广西花协花事活动，1998年参加“庆祝广西壮族自治区成立40周年花卉盆景展”、2003年春节参加南宁“迎春花展”、2004年国庆期间组织花卉盆景到南宁参加中国花协“第六次花博会”广西展品选拔赛，3次展出都荣获较多奖励。

2002年2月2日花市隆重开业时，参加开业庆典剪彩的有，从左至右：市委组织部副部长黄礼春、市花协会长罗中、市人大副主任黄家才、市委副书记韦克义、玉州区委副书记蔡文；以及玉林镇、州佩村的领导。

全国花卉生产
示范基地
国家林业局 中国花卉协会
一九九九年十二月
NO:053

花协生产基地被国家林业局、中国花卉协会授予《全国花卉生产示范基地》铭匾。

（七）当好政府参谋助手争取部门支持，为会员和花农排忧解难，确保花农安全生产。

（八）搭棚建花市，安排了就业人员，带动了运输等相关产业，解决基地卖花难，群众买花难的难题。

（九）协助花企花农办理花木外销运输证。

（十）花协多次联系新闻媒体对花卉基地、花市、花企、花协的花事活动，进行免费报道，传播花卉信息，普及花卉知识，当好群众科技兴花的“向导”，对于提高玉林花卉知名度，繁荣玉林花卉、办好“全国花卉生产示范基地”起了很大的促进作用。

2004年11月中共玉林市委书记高雄（左一）、市长金湘军（右一）亲临首届“玉博会”玉林市花协展馆参观指导。

市委副书记余兴祥（前排右）、市政府副市长甘承会（后排右）深入花卉基地调研。

副市长吕坚在市花协会长罗中陪同下参观迎春花展“瑞龙献珠”。

（十一）2004年10月，市花协积极组织玉林花卉参加“玉博会”3个展位，展出了玉林花协“全国花卉生产示范基地”20多个连片花场生产各种花木几百万株100多种花木照片和各级领导关怀花卉花协的照片。

（十二）为建设“玉贵走廊花卉带”当好党委政府参谋助手、当好花企花农红娘桥梁，正在为筹建千亩花卉基地开展多方面服务。

由于花协发挥理事会集体领导作用，会长和理事带领会员联结花农业主自力更生、为基地建花市，促进了玉林市花卉产业发展。全市种花面积由花协成立之前200多亩、产值200多万，发展到3000多亩、产值3000多万，使农民增收1800多万元，安排了300多人就业，成绩显著。1999年荣获国家林业局、中国花协命名玉林市花协生产基地为“全国花卉生产示范基地”；2004年11月16日广西花协第四届代表大会暨广西花协成立20周年表彰会，玉林市花卉协会被广西花协授予“先进单位”；2004年12月10日玉林市科协召开2003—2004年先进学会（协会）、玉林市花协被评为先进集体单位。

2003年玉林花协参加广西首府南宁春节花展，广西林业局黎梅松局长亲临参观“一株多色”珍贵茶花，鼓励发展玉林特色花卉。

广西民政厅在玉林召开广西农村专业经济协会现场经验交流会。图为广西民政厅分管民间组织领导韦永华（左二）、玉林市政府秘书长郭成球（右二）在玉林市花协会长罗中（左一）、玉林市民政局长黄宏海（后排右一）的陪同下，带领与会代表200多人参观玉林市花协《全国花卉生产示范基地》。

余热生辉　硕果累累

——记玉林市花卉协会会长罗中

罗中佩戴荣获纪念中华人民共和国建国56周年“中华民族百业新闻人物荣誉勋章”标准像。

在全面建设小康社会，实现中华民族伟大复兴的过程中，我国众多离休老干部继续为国为民做出了重大贡献。广西玉林市人民政府离休干部罗中同志就是离而不休，甘当孺子牛，爱国为民不停耕耘的一个好典型。罗中，男，1937年1月生，广西陆川县人。1949年建国前参加工作，1954年加入中国共产党。解放后历任土改宣传队员、办事员、秘书副股长，玉林县委、地委组织部干事。1973年起先后任中共玉林地委政研室副主任、地区农办副主任、玉林县委副书记、玉林地区农委副主任。1985年获高级农业经济师职称。1988年8月同时任玉林地区行署副秘书长、行办党组成员、农委主任、党组书记等4职。到1992年任玉林地区行政公署专员助理。1997年刚离休，1998年被聘为玉林市老年大学副校长兼老年教育领导小组办公室主任直到2001年。1998年至今他还被选任玉林市花卉协会会长。他充分发挥花协理事会作用，创出一条政府组建花协——花协联结花农——花农群策群力办花卉基地，建专业花市，“协会加基地、加农户、加市场”，快速发展花卉产业的新路子。为此罗中被玉林市科协评为协会“先进工作者”，被广西花协选为广西花卉协会常务理事。中国花协成立20周年庆祝大会上，罗中被中国花协评为“全国先进花卉协会工作者”，还被中国花卉协会评为“中国花卉咨询专家”。

2004年会长罗中在中国科技会堂宣读获奖论文《弘扬孝文化，发展孝美德》。

罗中牢记党宗旨，甘当孺子牛，自立对联“常为祖强盛添砖瓦，乐为人民幸福献良谋”挂在家门两边朝夕勉励自己和家人，余热生辉，硕果累累。他的论文论理深刻、深入浅出，可操作性强，特别是做花协工作、办老年大学和《楼顶四化立体农业大有可为》创出的新经验，以及《世上还有爸爸好》的文章，对于老年人、未成年人思想教育很有参考价值。他著的《余热之光》一书，对于离休干部、退休人员和在职人员、老年大学、花卉工作者、爱好者以及老龄工作者乃至学校、家庭、少年、中年、老年都有借鉴的意义。他多次在全国、国际老年学学术会议上作优秀论文交流，在全国、广西花卉工作、花协会议作先进典型发言。罗中亲自实践总结出的玉林市花协“发挥三大服务功能，开创花卉产业新局面”的经验，被中国花协、广西花协以及广西人民政府在花卉工作会议上推广。广西民政厅在玉林召开发展农村专业经济协会组织现场会，又指定罗中介绍经验，受到与会代表的热烈赞扬。特别是罗中撰写的《运用系统工程搞好科学养生》，在“首届世界养生科学大会”发言后，受到国际国内代表的好评，被评为国际获奖优秀论文。他撰写的获奖论文《弘扬孝文化，发展孝美德》论文，曾在山东济南“中华孝文化与代际和谐国际论坛”大会上宣读，受到中国老年基金会、中国老年学学会领导表扬，他还被特邀到钓鱼台国宾馆参加“全国尊老，敬老、助老先进典型宣传表彰大会”，组委会授予罗中为“全国尊老，敬老、助老先进个人”。2004年1月罗中被中国国际经济科技法律人才学会、中华爱国工程联合会、庄希泉基金会特邀到人民大会堂参加“2004年新春团拜会”并安排在中国科技会堂宣读获奖优秀论文《弘扬孝文化，发展孝美德》，大会组委会授予罗中“爱国之星”荣誉称号；还被《今日中国》杂志等4个单位授予“中国百名时代新闻人物先进个人”荣誉称号；荣获海内外杰出人物新春座谈会组委会授予“纪念联合国成立60周年中华宝鼎”一樽。

罗　中同志：

您在中华民族的伟大复兴中，始终坚持邓小平理论和贯彻“三个代表”重要思想，与时俱进、不断创新，功绩显著被誉为2004中华百业新闻人物。

荣誉证书

罗　中同志：

荣获中国花卉协会组织评选的全国先进花卉协会工作者。特颁此证，以资鼓励。

中国花卉协会

荣誉证书

罗中同志：

鉴于您在爱国主义理论研究和实践方面所做出的突出成就，以及对国家和社会的无私奉献精神，经研究，决定授予您“爱国之星”荣誉称号。

特发此证。

中华爱国工程联合会

二〇〇四年一月

授予罗中荣誉勋章证书。

宋庆龄基金会

基金会主席胡启立与来访的台湾大学生在一起

宋庆龄基金会是1982年为纪念中华人民共和国名誉主席宋庆龄而成立的人民团体，邓小平同志生前曾亲自担任基金会名誉主席。基金会自成立以来，始终遵循增进国际友好、维护世界和平，开展两岸交流、促进祖国统一，发展少儿事业、关注民族未来三项宗旨，坚持“开门办会”和“实验性、示范性”的方针，在国际交往、两岸交流、扶贫助教、科学普及以及促进少年儿童健康成长等方面，卓有成效地做了大量的工作，先后荣获联合国授予“和平使者”、世界卫生组织授予“烟草或健康纪念奖”和“全国民族团结进步模范单位”、“全国‘双基’教育工作先进单位”等荣誉称号，在海内外赢得了良好的声誉。

近几年来，基金会始终坚持把发展作为兴会强会的第一要务，紧紧围绕推进和平统一大业、青少年思想道德教育、加强执政能力建设、构建和谐社会等一系列时代主题，以自己独特的工作视角，找准自己的位置，充分发挥政府组织不可替代的重要作用。基金会成立20多年来，得到了党和政府的亲切关怀和社会各界的广泛支持。2004年财政部、国家税务总局批准基金会享受捐款所得税税前全额扣除的税收优惠政策，为基金会筹资工作创造了良好的政策环境。目前，基金会的各项改革和建设事业进入了一个新阶段。在新的历史条件下，基金会将立足于高起点，以创建国内一流、国际知名的公益机构为目标，以只争朝夕的紧迫感和不辱使命的责任感，求真务实，与时俱进，开拓创新，努力在全面建设小康社会的伟大实践中不断创造新的业绩。

第四届“宋庆龄少年儿童发明奖”作品展览会上，少年儿童亲自体验发明的乐趣。

基金会副主席俞贵麟（右一）向来访的前乌克兰总统夫人（右二）赠送礼物。

基金会设立“中海油贫困大学生助学基金”资助贫困大学生完成学业。

宋庆龄基金会慈善募捐夜——“张曼玉慈善长沙行”活动，张曼玉与参加演出的聋哑孩子合影。

中国青少年发展基金会

大眼睛

性质

中国青少年发展基金会（简称中国青基会）是具有独立法人地位的全国性非营利性社会团体，由共青团中央、中华全国青年联合会、中华全国学生联合会和全国少先队工作委员会于1989年3月联合创办。

使命

通过资助服务、利益表达和社会倡导，帮助青少年提高能力，改善青少年成长环境。

希望工程

希望工程是中国青基会于1989年发起实施的一项社会公益事业，旨在通过筹集资金，资助中国农村家庭经济困难的学生获得继续上学的机会。希望工程实施16年来，共累计筹集捐款27.3亿元人民币，资助贫困学生275万名，援建希望小学11888所，援建希望网校150多间，捐赠希望图书工程室10000多套，捐赠三辰影库3000多套，培训乡村小学教师近20000名。根据中国科技促进发展研究中心的评估报告，“希望工程已成为我国社会参与最广泛、最富影响的民间公益事业”。

2004年，中国青基会希望工程项目获得首届中国消除贫困奖。

保护母亲河活动

1999年1月，共青团中央、中国青基会联合相关部委共同发起了旨在动员亿万青少年和社会公众保护和改善长江、黄河等流域生态环境的大型社会公益活动——保护母亲河活动。保护母亲河活动已经收到社会捐款2.5亿元人民币，在全国建设保护母亲河工程882个，植树造林面积达19万多公顷，动员了3亿青少年和社会公众参与保护母亲河活动。

红丝带行动

为充分发挥非政府组织作用，促进中国青少年预防艾滋病的工作，中国青基会于2002年8月发起设立“中国青少年预防艾滋病公益基金”，实施“红丝带行动”。中国青基会发动全社会向青少年捐赠《因为爱，我们珍惜 -- 红丝带预防艾滋病公益

快乐

在新教学楼前

鼓号队

新婚夫妇携手共植环保林（保护母亲河）。

读本》，使青少年能够简明而系统地掌握防艾知识，珍惜生命，终生远离艾滋病；给艾滋病感染者和患者及其子女以更多的关爱和温暖，营造一个无歧视的社会环境。

中华古诗文经典诵读工程

中华古诗文诵读工程是中国青基会推出的一项具有开创性意义的社会文化工程，其宗旨是让广大少年儿童接受中华古诗文的基础训练和文化熏陶，进一步激活传统，继往开来，让新世纪的中国人真正站在具有五千年文化的历史巨人上，面向世界，开创未来。

此外，中国青基会还推出了展望计划，组织每年中国十大杰出青年和国际青少年消除贫困奖的评选活动。

强烈的社会责任感，永无止境的创造进取冲动，以人为本是中国青基会的核心价值观，也是中国青基会不断前进的力量源泉。在推进机构社会化、现代化的同时，中国青基会正以坚实的步伐向国际化迈进。

面向未来的青少年事业前景无限广阔，以“全体青少年的利益”为自己奋斗目标的中国青基会必将继续努力，走向更大的辉煌。

2004年，中国青基会荣获“全国先进民间组织”称号。

红丝带

濮存昕与温州儿童同台朗诵《爱莲说》。

温州一百多名第一批试点幼儿园的孩子们齐诵“唐诗20首”并配舞蹈。

中国机床工具工业协会

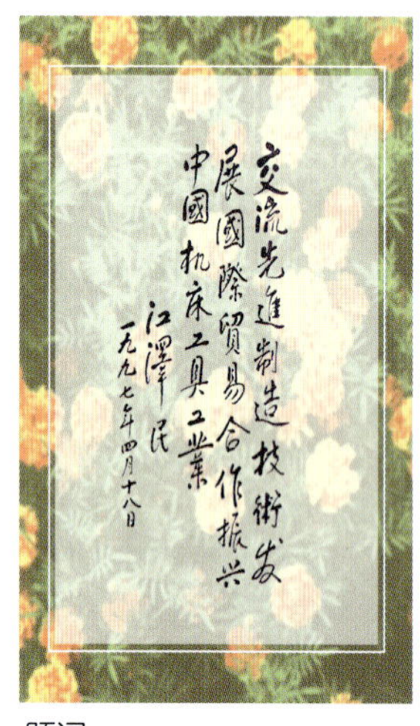

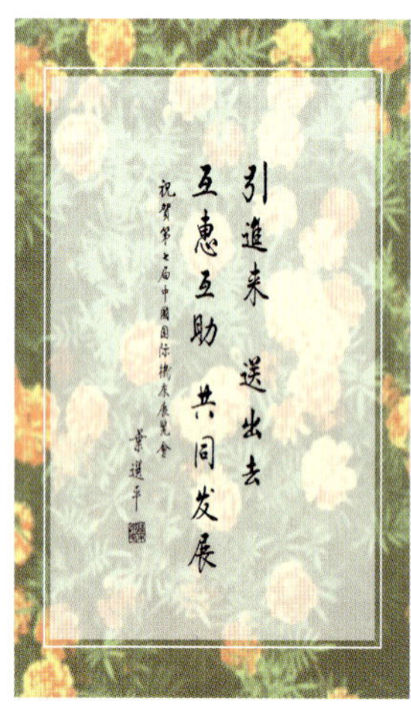

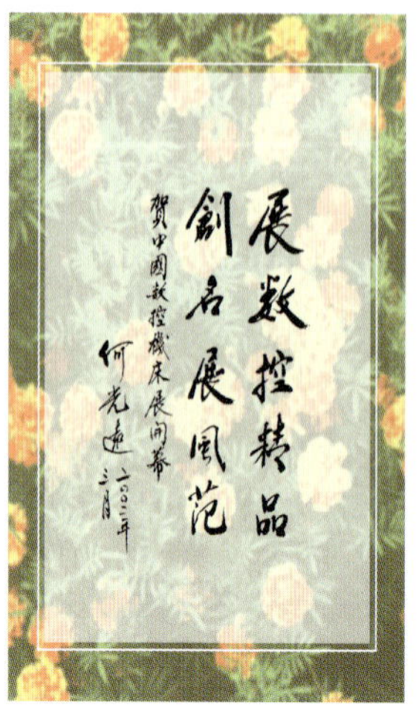

题词

中国机床工具工业协会是经中华人民共和国民政部注册登记、具有独立法人资格的全国性社会团体，于1988年3月正式成立，是以制造企业为主体自愿组成的全国性行业组织。拥有包括金属切削机床、特种加工机床、锻压机械、铸造机械、木工机床、量具、刃具、量仪、夹具、磨料磨具、涂附磨具、超硬材料及其制品、数控系统、数显装置、机床电器、机床附件、机床功能部件、机床辅机、机床零部件与维修、工业机器人等领域。协会常设机构（总会）设在北京。协会在政府、国内外同行业企业和用户之间发挥桥梁、纽带和中介组织作用；坚持以突出时代感、讲究参与度、提高服务性、推进国际化为特征，在国内同行业企业间发挥自律性协调作用；树立科学发展观，推进开拓本土化高新技术产品；制定贯彻本行业的技术标准，开拓国内、国际市场；举办国际、国内机床展览会等。1994年至2003年，国家经贸委、中国工业经济联合会先后多次授予协会“全国先进工业行业协会”的荣誉称号。

第九届中国国际机床展览会

多年来，协会随着国家经济形势的发展，与时俱进、开拓创新，不断调整协会定位，发挥中介组织的桥梁纽带作用：

（一）通过向政府部门提出政策建议，编制行业发展规划和数控机床产业发展专项规划，为政府做好参谋。

（二）及时向企业传递国家宏观政策和市场需求信息，千方百计协助企业在技改项目中立项并付诸实施，推进产业化进程。

（三）以市场为聚焦点，调查、分析、研究市场形势变化。每年组织市场调查，研究发展战略，为实现行业高速发展起到积极作用。联系高质量用户群，组建“用户联络网”并召开年会，对重点用户行业及典型企业进行调研，促进供需信息交流。成立专家库，为用户进行咨询服务。编制《中国机床工具工业年鉴》，提供较完整的年度行业发展情况资料。加强行业标准化管理，为行业企业提供技术性贸易保护。

（四）推进国际交流与合作，与

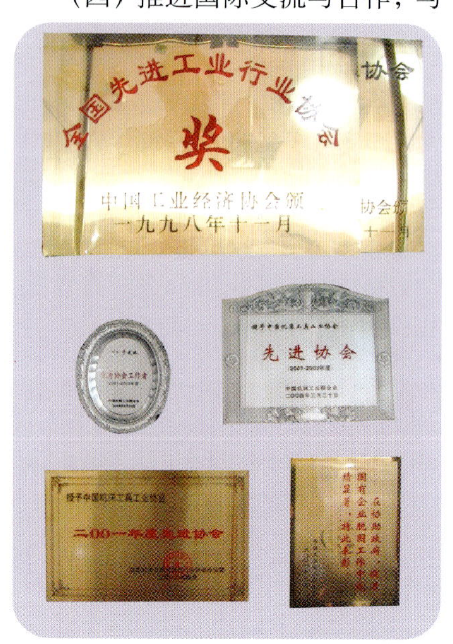

美国、日本、德国等近20个国家和地区的机床协会、贸促会、商会建立密切联系，宣传国产品牌和国内企业，协助行业企业进行境外并购、合资、合作，为国际合作项目牵线搭桥，开拓国际市场，扩大出口。

（五）建立信息统计网，及时发布行业统计数据和行业进出口数据月快报。提出统计分析、提出经济运行形势和行业发展预测，为政府有关部门政策决定和行业企业经济运行决策提供服务和依据。

（六）举办中国国际机床展览会（CIMT）和中国数控机床展览会（CCMT），推动国产机床产品开发，为行业企业和国外同行及用户搭建机床市场、品牌宣传的大舞台，贸易额连连攀升，实现共同繁荣和发展。

（七）主办《中国机床工具》报、《WMEM》杂志、“行业信息国际互联网”，及时传递行业信息，为行业发展服务。

（八）不断加强协会自身建设，培养一支思想过硬、业务精通的队伍，保持旺盛的工作活力。

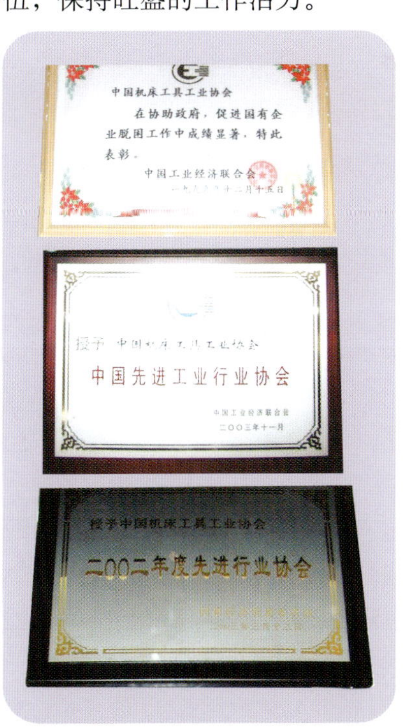

协会第五 届会员代表大会

协会领导国际交流活动

举办国际论坛，进行学术研讨。

共谋行业发展大计

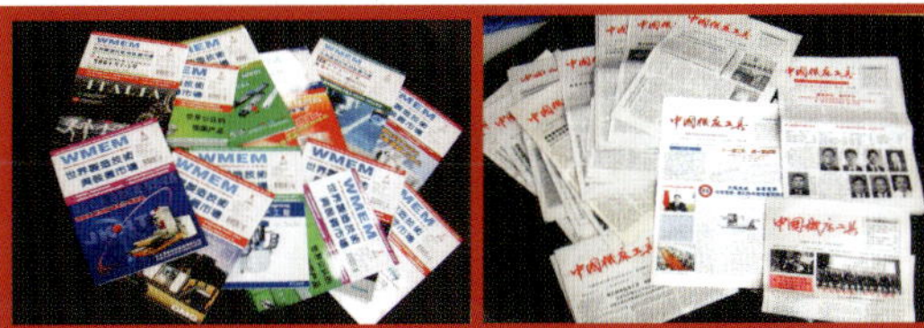

协会主办的报纸及出版物

为行业用户服务，联络高质量用户群。

中国数控机床展览会

中国房地产估价师与房地产经纪人学会

中国房地产估价师与房地产经纪人学会的前身是中国房地产估价师学会，成立于1994年8月，是由从事房地产估价或房地产经纪活动的专业人士、机构及有关单位自愿组成，依法取得社会团体法人资格的全国性行业组织。

主要宗旨是：开展房地产估价、经纪研究、交流、教育和宣传活动 ，拟订并推行房地产估价、经纪执业标准、规则，加强自律管理及国际间的交往与合作，不断提高房地产估价、经纪专业人员和机构的服务水平，维护其合法权益，促进房地产估价、经纪行业规范、健康、持续发展。

中国房地产估价师执业资格制度建立10周年座谈暨房地产估价学术研讨会

内地房地产估价师与香港测量师（产业）资格互认颁证大会。

主要业务范围是：组织开展房地产估价和经纪理论、方法及其应用的研究、讨论、交流和考察；拟订并推行房地产估价和经纪执业标准、规则；协助行政主管部门组织实施全国房地产估价师、房地产经纪人执业资格考试；办理房地产经纪人执业资格注册；开展房地产估价和经纪业务培训，对房地产估价师、房地产经纪人进行继续教育，推动知识更新；建立房地产估价师和房地产估价机构、房地产经纪人和房地产经纪机构信用档案，开展房地产估价机构和房地产经纪机构资信评价；提供房地产估价、经纪咨询和技术服务；编辑出版房地产估价和经纪刊物、著作，建立有关网站，开展行业宣传；代表中国房地产估价和经纪行业开展国际交往活动；向政府有关部门反映会员的意见、建议和要求，维护会员的合法权益，支持会员依法执业；办理法律、法规规定和行政主管部门委托或授权的其他有关工作。

学会第二次全国会员代表大会暨房地产经纪论坛

学会现任会长宋春华先生（全国政协委员、建设部原副部长），法定代表人、副会长兼秘书长柴强先生（经济学博士、研究员、博

英国皇家特许测量师学会（RICS）来访。

士生导师），其他副会长有刘洪玉、冯长春、叶剑平、张永岳、廖俊平、高向军、薛洪江、桂国杰、陈劲松。学会下设考试注册专业委员会、教育培训专业委员会、学术专业委员会、标准专业委员会、国际交流专业委员会。

作为国民经济支柱产业的房地产业的重要组成部分，房地产估价和房地产经纪广泛服务于社会经济的各个领域，与社会经济发展及社会大众的切身利益密切相关。作为房地产估价和房地产经纪领域的惟一全国性行业组织，中国房地产估价师与房地产经纪人学会自成立时起就肩负起了引领行业发展的重任，努力协助政府开展房地产估价、经纪行业管理工作，积极发挥了行业组织的自律管理作用，为行业发展和会员开展服务，包括：在建设部、人事部的领导下，承担了历次全国房地产估价师执业资格考试（截止到2004年共8次）和全国房地产经纪人执业资格考试（截止到2004年共4次）；起草了国家标准《房地产估价规范》和《城市房屋拆迁估价指导意见》等技术法规；对房地产估价师普遍开展了继续教育；进行了多次一级房地产估价机构资质专家评审；委托并组织有关高等院校、专家学者开展了《中国房地产估价业与经纪业规范管理研究》等多项科研课题；出版了《中国房地产估价师执业资格考试辅导教材》、《中国房地产经纪人执业资格考试辅导教材》、《房地产估价报告精选》等多部著作；组织专家对有关重大房地产估价案件进行了查处；开展了与国际测量师联合会（FIG）、美国估价学会（AI）、英国皇家特许测量师学会（RICS）等国际、国外相关组织以及香港测量师学会、香港地产代理监管局等的交流与合作，并于2004年8月完成了首批共208名内地房地产估价师和香港测量师的资格互认。

美国估价学会（AI）来访。

建设部副部长刘志峰向梁振英先生颁发房地产估价师注册证书

副会长刘洪玉先生、廖俊平先生与国际测量师联合会（FIG）原主席Forster先生合影。

学会出版物

中国国际科学和平促进会

中国国际科学和平促进会，1995年3月经民政部注册登记。于1995年10月24日在北京人民大会堂举行隆重成立大会，社会各界人士600多人到会祝贺，党和国家领导人温家宝、陈慕华、雷洁琼、王光英、程思远、谷牧、朱光亚出席成立大会。

1994年11月，胡锦涛同志出席国际科学与和平周开幕式文艺晚会。

促进会是为响应联合国号召，在中国连续开展六届“国际科学与和平周”大型系列宣传活动的基础上，由中国科技界、文化界、教育界、新闻界、企业界等有关团体及知名人士根据自愿原则联合组成的全国性非营利性社会团体。其宗旨为：广泛团结海内外各届人士共同为发展科学，推进现代化建设，实现祖国统一，维护世界和平与促进共同发展而努力奋斗。

促进会会长为王光英、程思远、周光召、朱光亚、王文元，执行会长高潮，副会长徐锡澄、李小林、陈继峰、李贤德、陈佳洱、黄丹华、赵志宏、葛能全、钱文藻，秘书长陈一雄。中国科学技术协会为业务主管单位。

1995年10月24日，党和国家领导人温家宝、陈慕华、雷洁琼、王光英、程思远、谷牧、朱光亚出席中国国际科学和平促进会成立大会并与参会代表合影。

促进会自成立以来，在中国科学技术协会、中国人民争取和平与裁军协会领导下，会同工、青、妇等几十个国家部委、人民团体、民主党派、科技院校、新闻单位连续开展七至十六届“国际科学与和平周”大型系列宣传活动。党和国家领导人江泽民、李鹏、乔石、李瑞环等为“国际科学与和平周”题词，胡锦涛、温家宝、李瑞环、李岚清等出席“国际科学与和平周”有关活动；120多个国家的驻华使节及联合国驻华机构代表出席开幕式、闭幕式、文艺晚会、和平签字题词联谊晚会、邮票展览、电影周等文化交流活动；联合国三任秘书长德奎利亚尔、加利、安南先后为“国际科学与和平周”发电贺信，赞扬国际科学与和平周“将人类两项最崇高的事业科学与和平相结合并推向新的高峰”。

此外，促进会还开展一系列促进科学与和平事业发展的各类活动，例如与中国人民争取和平与裁军协会及北京市丰台区共创“和平林”，与全国妇联国际部在北京怀柔共同创建“春蕾文化技术培训中心”，与共青团中央共同举办为贫困大学生捐资助学和接待香港大学生到内地实习等公益活动，与联合国教科文组织联合举办“世界和平与发展科学日”驻华使节联谊会，开展世界和平日纪念活动及书画笔会等。

2004年9月21日，中国国际科学和平促进会举办的纪念联合国“国际和平日”大会在北京人民大会堂举行。

1996年11月，温家宝同志出席第八届国际科学与和平周开幕式。

全国人大原副委员长、国际科学与和平周中国组委会主席、中国国际科学和平促进会会长王光英在成立大会上讲话。

1991–1997年中共中央总书记江泽民、国务院总理李鹏、全国人大常委会委员长乔石、全国政协主席李瑞环为国际科学与和平周题词。

第十六届国际科学与和平周活动于2004年11月7日在北京人民大会堂隆重开幕

2004年11月8日，"世界和平与发展科学日"驻华使节联谊会在全国政协礼堂举行。

中国和平利用军工技术协会

2004年，中央政治局常委、全国政协主席贾庆林在国防科工委主任张云川的陪同下参加“中国民用工业企业技术与产品参与国防建设展览会”。

原国务院副总理邹家华同志出席协会第二届会员代表大会

中国和平利用军工技术协会是在我国军转民发展过程中，根据军转民工作的需要，在原国家计委、国家经贸委、国家科委、国防科工委的共同倡议下成立和发展起来的。它是我国唯一从事促进军工技术和平利用、协助政府有关部门推动和协调全国军转民工作的全国性非盈利的社会团体，在国防科工委及有关部委指导下进行工作，是政府推动军转民工作的参谋和助手，也是沟通政府与军工企事业单位之间的桥梁和纽带。

协会自1987年成立以来，高举“军民结合”方针，以当好政府的参谋助手、搞好为企业服务、积极开展军工技术转民用工作为宗旨，在军转民政策调研、信息咨询、组织多种形式的军转民技术及产品交流、积极推进军转民国际交流合作、组织培训企业高级管理人员和开展军转民理论研究等方面都做了许多卓有成效的工作，起到了特殊的不可代替的作用，取得了很大成绩。中国的军转民工作，受到世界许多国家和联合国的关注与赞誉，为我国的改革开放和国民经济发展，为世界和平与发展做出了积极贡献。

面对和平利用军工技术和军转民工作的新形势、新任务，协会将继续为推动我国尽快建立健全“军民结合、寓军于民”新体制，开创我国和平利用军工技术和军转民工作的新局面而努力奋斗。

近几年重大活动：

（一）1990年，协会组织军工各部、总公司进行军转民政策调研，提出了“‘八五’发展民品重点项目建设”和“关于编制国家第三批军转民技改计划的建议”。

1995年4月，军委副主席刘华清出席协会第一届全国会员代表大会，并与会员代表亲切握手。

2000年9月，协会受国防科工委和外交部的委托，承办了在北京召开的“东盟地区论坛军转民合作研讨会”。有22个成员国的84名正式代表参加了会议。

（二）1990年，协会组团参加了联合国裁军署在莫斯科召开的军转民国际讨论会，首次提出“和平利用军工技术造福人类”的倡议，引起了世界对我国军转民的关注。

（三）1993年，协会和联合国发展合作与管理事务部在香港联合举办了“93军转民香港国际合作交流会”，会上通过了《军转民香港宣言》，产生了广泛影响。

（四）2000年10月，协会协助外交部、国防科工委在北京举办了东盟地区论坛军转民合作研讨会，共有22个国家和组织的外交和国防部门的代表参加。会议对树立我国致力于世界和平的形象，起到了很好的作用。

协会与新疆生产建设兵团签署合作协议

（五）2002年，协会组织了北京奥运工程建设汇报会，向北京市展示了国防科技工业雄厚的实力，并与北京市共同组建了奥运联络办公室，建立了与北京市奥组委的信息沟通平台，为军工企业参与奥运工程建设牵线搭桥。

协会领导班子

2002年，协会组织了北京奥运工程建设汇报会（图为报告会现场）。

（六）在大力推动军地结合和西部开发方面，协会与新疆生产建设兵团领导和有关部门进行多次协商，双方就航空旅游等5个方面达成合作意向。

（七）2004年3月协会受国防科工委委托，在北京召开了“中国民用工业企业技术与产品参与国防建设展览会暨研讨会”，宣传了党的“军民结合，寓军于民”方针，展示了民用尤其是民营高科技企业丰富的高科技资源及其军用潜力，增进了军民企业相互之间的了解，搭建了合作交流的平台。

中国国际公共关系协会

中国国际公共关系协会是全国性的公共关系专业组织，成立于1991年4月。其宗旨是：让世界了解中国，让中国走向世界。工作方针：指导、协调、服务、监督。主要任务：致力于公共关系的理论研究和实践探索，制定中国公共关系业发展战略；提高公共关系业及其从业人员的社会地位，维护公共关系从业人员的合法权益，规范公共关系业及从业人员的行为；提供多种形式、内容丰富的会员服务，密切中国公共关系组织同海内外相关组织的联系，推动中国公共关系业的职业化、规范化和国际化发展；开展民间外交，进行高层联络，通过多渠道、多形式的国际交流与合作，为国内外组织机构提供咨询，为我国的改革开放和经济建设服务。协会下属的学术工作委员会，专业公司工作委员会和地方组织委员会（筹），分别由国内公关领域的知名学者，著名公关公司的总裁和地方省市公关协会的领导组成，在协会的领导下开展工作。常设机构：协会秘书处，下设会员管理部、国际合作部、研究发展部、信息咨询部、教育培训部、人事处和办公室。一批政府有关部门的高层领导，新闻媒体负责人、著名企业家、资深公关学者和专家以及社会各界知名人士担任协会理事，为协会工作提供支持。

2004年度，中国国际公共关系协会在外交部、民政部的关心和指导下，坚持社会化、规范化、专业化、国际化的发展方向，努力工作，不断进取，积极开展民间外交活动，大力推动公共关系行业的健康发展，全年主要作了以下几项工作：

在表彰抗击“非典”先进民间组织授牌仪式上，民政部党组书记、部长李学举（左），党组成员李本公（中）与协会领导亲切交谈。

全国人大副委员长何鲁丽（左三）、协会会长李道豫（左二）、外交部副部长乔宗淮（右一）、民政部副部长姜力以（左一）及IPRA主席查尔斯·斯特莱敦先生（右二）出席2004年6月在北京举办的中国国际公共关系大会。

（一）为帮助中国企业面对频繁发生的国际贸易摩擦，尤其是应对反倾销的压力，协会和商务部在4月份共同举办了“国际贸易纷争与公共关系高层论坛”。为国家经济建设和维护国家经济安全献计献策。

（二）今年6月26日，协会成功举办了两年一届的中国国际公共关系大会，这是中国公共关系领域最高规格的会议。

（三）为促使我国公共关系行业走向国际化的进

在中国国际公共关系大会上全国政协副主席徐匡迪（左）与会长李道豫亲切交谈。

协会常务副会长郑砚农（右）与美国前商务部长米基·坎特先生在探讨“国际贸易纷争与公共关系高层论坛”有关问题。

常务副会长郑砚农在IPRA理事会上进行申办2008年世界公共关系大会的陈述。

程，经上级领导批准，今年协会向国际公关组织（IPRA）提交了申办3年一届世界公关大会的申请。伦敦时间2004年10月21日中午，国际公共关系协会（IPRA）2004年度主席怀特在伦敦召开的IPRA理事会议上正式宣布：2008年世界公共关系大会将在北京召开，中国国际公共关系协会（CIPRA）将具体承办这届大会。

除此之外，协会在规范化发展方面，坚持聘请专业法律律师和财务顾问，加强了财务和法律的信息咨询和业务监督指导。为规范行业管理，经协会秘书长提议，在2004年3月召开的“中国公关业2004年工作会议上”出台了《行业服务标准》和《行业行为准则》，这将为专业服务市场保持健康、有序、快速的发展，规范市场秩序起到积极的推动作用。

2001年北京奥申委常务副主席刘敬民参加协会组织的中奥公关策划会

协会十分注重党支部的作用，发挥秘书处党员的先锋模范作用，加强党员的理论学习和修养，开展党务知识竞赛，提高工作人员的政治理论水平。对工作中遇到的政策性较强的问题，坚持了与上级主管单位的请示汇报制度，在今后的工作中，协会将始终把握了工作的大方向，发扬成绩，克服不足，再接再厉，对推动公共关系行业的发展，做出新的贡献。

协会与清华大学签约常年共同举办公共关系高级研修班。

在先进民间组织表彰大会上，协会主管单位外交部办公厅主任董津义（左）向协会被授予“全国先进社团”表示祝贺。

协会会长李道豫（中）会见美国前劳工部长莫天成先生及夫人。

中国交通运输协会

中国交通运输协会成立于1982年5月，是中国经济建设进入新的发展时期，国家实施具有历史意义的改革开放政策后，在原国家经委、国家计委等政府经济管理部门的支持下，由包括铁道、交通、民航、管道、邮电和军交等交通行业政府主管部门，以及业内主要企业、事业单位共同发起组织的，为我国交通界成立经济社团组织开创了先河。

20多年来，交协始终贯彻党的基本路线和方针、政策，遵循为政府、企业、行业、社会服务的宗旨，努力促进交通运输、现代物流、邮政电信业的改革与发展，不断推动综合运输体系、物流体系和信息传播体系的建设，在政府与企业、事业之间发挥了桥梁纽带和参谋咨询作用。

朱镕基、郭洪涛、钱永昌同志亲切交谈。

全国人大原副委员长布赫（左二）与会长钱永昌（左一）、常务副会长王德荣（右一）亲切会见。

交协多年来在交通运输、物流和邮政电信的发展战略、综合运输网规划、现代物流及区域规划、政策法规、改革改制、集装箱运输，以及地方、企业的项目可行性研究、咨询评估等方面做了大量工作，承担了各类研究、咨询项目200多个，获奖20余项；其中大都已被国家主管部门、地方政府或企业采纳，付诸实施。涉及交通发展战略的项目主要有《2000年中国交通运输发展战略研究》、《1996年－2010年发展运输与通讯的若干建议》、《1996年－2020年中国旅客运输发展战略研究》、《2001年－2020年中国交通运输发展战略研究》、《2001年－2020年中国物流发展战略研究》、《我国交通运输系统协调发展研究》、《十五计划发展我国交通运输的一些基本思路》、《十一五交通规划思路研究》等，为政府制定交通发展战略、规划及政策提供了依据。

国家发展改革委副主任张国宝（左二）在中国交协第五届理事会上讲话。

2004年8月5日，国家发展改革委副主任张晓强（左二）、交通司司长王庆云（左三）视察协会，并听取协会领导工作汇报。

交协重视行业发展对人才的需求。通过举办有关运输管理、交通法规、智能交通、－－现代物流等方面的国内外培训活动，对企业干部、职工更新知识和技能，提高业务素质起到了积极的作用。历年来举办各类培训班200余期，参加人数约1.8万人次；为推动我国物流的发展，近年来又引进英国皇家运输与物流协会“国际物流经理职业资格认证”、美国运输与物流学会“美国注册物流师”、英国皇家采购与供应学会“英国皇家采购与供应经理认证”等培训项目；目前，参加上述培训项目的人员已达7000多人，其中有3000余人取得了证书。

交协长期以来积极开展对外交流合作。与德国、英

中国交协五届理事会会长、专职副会长合影。

中国交协秘书处人员学习讨论九届人大五次会议文件

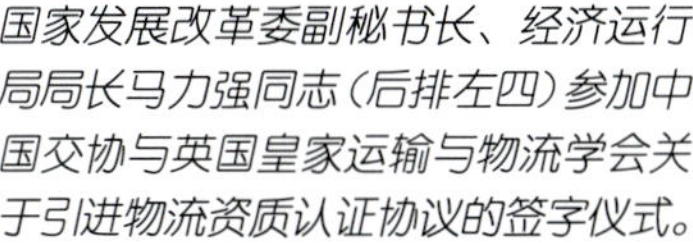

国家发展改革委副秘书长、经济运行局局长马力强同志（后排左四）参加中国交协与英国皇家运输与物流学会关于引进物流资质认证协议的签字仪式。

国、日本、美国、法国、韩国、加拿大、澳大利亚、瑞典等国和港、澳、台地区交通界开辟了交流合作渠道，在国内外举办博览会，出版信息刊物，相互考察访问，组织论坛、讲座和研讨会等，深受业界欢迎。在国内，交协牵头和联络运输界各行业协会，开展联谊活动，对相互学习、交通经验、沟通信息和促进协会工作，起到了积极的作用。

交协重视信息交流与沟通。主办过向国内外发行的中英文版《中国运输》、《中国航空快讯》和《中国邮电快讯》等期刊。1986年与交通行业各部局联合创办《中国交通年鉴》，迄今已发行18年版，1993年11月创办了《中国航务周刊》，近年来该刊还推出了《航空货运》、《物流时代周刊》、《华东货运》专刊，承办了《中国会展》、《中国信息界》杂志；1998年开办的“中国航贸信息网”是国家信息产业部批准的外贸运输行业信息网点试点工程，已成为企业间高效、畅通的信息渠道。交协还开办了“协会网站”，编印了《交通调研》、《协会工作简讯》等内部刊物，以沟通信息和交流经验。

中国交协第五届理事会会场

交协经过20多年的建设与发展，已设立分支机构及实体机构25个（物流企业分会、运输邮电价格分会、联运分会、运输与物流研究分会、西部物流分会、交通信息专业委员会、城市轨道交通专业委员会、管道运输专业委员会、化工运输专业委员会、地方客运协作工作委员会、地方交通运输研究专业委员会、客运站建设技术专业委员会、交通投融资专业委员会、中心城市运输专业委员会、青年科技工作者工作委员会、汽车物流专业委员会、交通新材料专业委员会、运输与邮电发展研究中心、交通运输培训中心、中国交通年鉴社、中国航务周刊杂志社、北京华协交通咨询公司、北京华协交通经济发展公司、凌云航运公司、北京中交协物流研究院），目前已拥有会员单位近2000个，其中企业会员单位约占60%以上。

全国运输行业协会第二次联谊活动

2002年9月中国交协举办第一期国际物流经理职业资格认证讲师培训班

进入21世纪，交协在国家发展和改革委员会的领导下，坚持“三个代表”重要思想和科学发展观，以改革发展为动力，充分发挥中介组织作用，逐步向承担起行业自律、行业管理、行业服务职能的目标努力，为实现我国交通运输、物流和邮政电信事业的现代化不断做出新的贡献。

2003年12月中国交协在北京举办首届中国国际物流节暨第四届中国国际运输与物流博览会的开幕典礼。

中国安全防范产品行业协会

会 徽

中国安全防范产品行业协会，成立于1992年12月8日，现拥有团体会员900多家。

协会是唯一代表中国安全防范行业的非营利性、自律性的社会团体。凡从事安全技术防范产品开发、生产、销售；系统工程设计与施工；报警服务和技术中介服务的企事业单位及相关团体、个人，只要遵守协会章程，均可申请加入该协会。

协会秉持“为政府服务、为会员服务、为全行业服务、为用户服务”的宗旨，充分发挥自身的功能：为引导行业健康发展，组织行业内有关人士和专家，积极开展行业调查、统计，掌握行业现状，编制行业长期规划，确定安防产品行业发展的长远目标；协助政府主管部门制定相关行业法规，规范行业管理；制定行规行约，强化行业自律；为推进行业进步，培育品牌企业，配合国家有关政府部门，开展名牌战略推进和品牌培育工作。

第四届中国国际安防论坛

中国安防行业代表团访问日本

中国安全防范产品行业协会常务理事会通过决议

美国安全防范行业代表团访华与中国安防行业开展交流

2004 年中国国际社会公共安全产品博览会开幕式

协会成立以来，为提高行业与社会各个方面服务的能力，积极开展了有利于行业健康发展的各项中介服务，重点做了下列工作：从1994年开始，多次成功举办全国规模最大的国际社会公共安全产品博览会，增进了国内、国际安防产品技术交流；开展安防业务咨询与培训，为行业发展培养技术人才；组织出国考察，增进了国际间同行的互相了解；引进并推广先进技术，为企业参与市场竞争创造条件；作为中国安全技术防范认证中心的法人单位，依法开展认证工作。

协会还编辑出版《中国安防产品信息》（双月刊）和《中国安防快讯》（月刊）；建立“中国安全防范行业网”，成为行业统计中心和数据中心；编辑出版《中国安全防范行业年鉴》，是国内内容最全，最具权威和影响力的安防行业信息发布载体。

协会开办了法律咨询业务。聘请海铭律师事务所的律师作为协会的常年法律顾问，为会员提供优质的法律服务。

今后，协会将不断地扩大国际、国内同行间的交往与合作，与业界朋友共同为安防产品行业的发展和社会公共安全事业贡献力量。

行业协会协助华港澳大利亚新产品发布会

英国驻华大使馆商务处官员罗琳前来行业协会商谈两国安防行业交流事宜

中国教育学会

中华人民共和国教育部

[illegible]

方毅同志审批 同意

小平同志：

最近教育部召开教育科学规划会议并成立教育学会。会议建议由杨秀峰、成仿吾、陈鹤琴（党外老教育家，南京师范学院教授）三位担任教育学会名誉会长，由董纯才同志担任教育学会会长。教育部党组拟同意上述名单。

当否，请予批示。此致

革命敬礼！

蒋南翔

四月十三日

邓小平、方毅同志对中国教育学会领导班子组成的批示（1979.4）。

名誉会长： 张承先

顾　　问： 柳　斌 张文松 张　健 刘佛年 吕型伟 李　晨 叶立群 瞿葆奎 吴　畏

会　　长： 顾明远

副 会 长： （按姓氏笔画为序）

史宁中 叶　澜 李吉林 杨崇龙 张怀西 张民生 陈德珍（常务） 卓晴君 郭永福（常务） 谈松华（常务） 陶西平

秘 书 长： 赵间先

副秘书长： 连秀云

江泽民同志与张承先同志亲切握手

常务理事：

（按姓氏笔画为序））

马芯兰 王宗敏 史宁中 叶　澜 吕九如 朱小蔓 朱慕菊 宋乃庆 李吉林 杨泉明 杨崇龙 林崇德 张怀西 张民生 陈德珍 卓晴君 赵金保 赵间先 郭永福 顾明远 顾泠沅 谈松华 陶西平 夏　铸 徐　辉 戚万学 扈中平 梁为楫 阎立钦 韩绍祥 傅维利 翟天山 魏书生

江泽民同志与顾明远同志亲切握手

学术委员会

主　任： 谈松华

副主任： 叶澜 卓晴君 林崇德 阎立钦

委　员： （按姓氏笔画为序）

文　喆 王　坦 王宗敏 王炳照 兰宏生 田慧生 吕　达 纪大海 伍柳亭 孙绵涛 宋乃庆 陈云英 陈玉琨 李吉林 杨瑞敏 孟庆茂 周满生 林泽龙 张思明 章兼中 徐　岩 徐　辉 袁振国 袁桂林 景　民 傅维利 裴娣娜

◀王震、胡启立、严济慈等领导同志与出席中国教育学会第一次全国学术讨论会同志合影（1984.8）。

▼中国教育学会召开“纪念邓小平同志三个面向题词10周年学术讨论会”（1993.9）。

积极开展群众性的
教育科研和学术交流
为教育的改革和发展
作更大贡献。

题赠中国教育学会
建立十五周年

李岚清
一九九四年三月四日

李岚清同志为中国教育学会成立15周年题词（1994.3）。

陈至立同志出席中国教育学会第五次会员代表大会（2000.5）。

张承先同志率团访问日本（1984.8）。

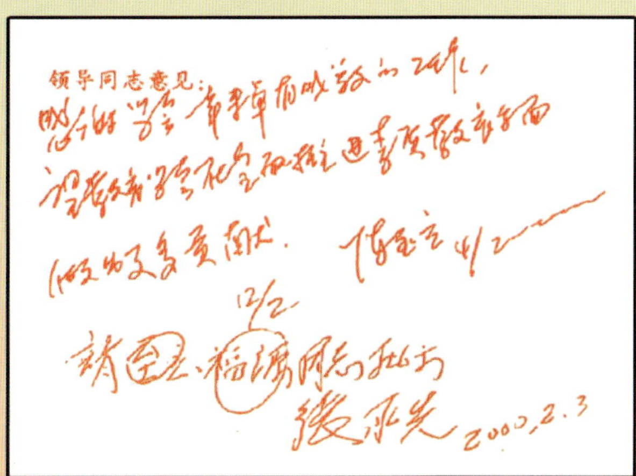

陈至立同志在中国教育学会1999年工作总结上的批示（2000.5）。

中国老教授协会

原总书记江泽民在教师节接见协会举办“为科教兴国作贡献汇报会”全体代表。

中国老教授协会前身是1985年经国家教育委员会批准建立的“北京教授讲学团”。1991年经民政部登记注册，更名为“中国老教授协会”。

协会是由年龄在55岁以上的教授、副教授、研究员、副研究员和其他具有专业高级职称的专家学者自愿组成的全国性、专业性、非营利性的社会团体。

目前，会员总数已达42000余人，其中有186位两院院士和众多有突出贡献的专家学者，1500余位曾任高等校、院正副校、院长和科研院、所正副院、所长，760位具有专业高级职称的政府司、局级以上的干部。

协会宗旨是：在马克思列宁主义、毛泽东思想、邓小平理论和“三个代表”重要思想指引下，发挥党和政府的桥梁、纽带作用，团结广大老教授、老专家，坚持党的基本路线，贯彻科学发展观，为繁荣我国教育、科技、文化事业，促进我国经济和社会协调发展，充分开发老教授高智力人才资源，为全面建设小康社会服务。

协会紧紧围绕党和政府开展工作。1997年香港回归，1998年国家遭遇特大洪灾，2003年抗击“非典”斗争等，协会都积极参与。2003年国家民政部授予协会“‘抗击非典’先进全国性社会团体”。协会主办的中华研修大学、国杰老教授科学技术研究院、北京智杰国际文化服务交流中心都积极开展活动，在防止洪涝灾害、减轻农民负担、增加农民收入、防治“非典”、发展高等教育等方面，协会充分发挥老教授、老专家作用，为国家经济建设与社会发展、为科教兴国作贡献。2004年12月民政部授予协会为“全国先进民间组织”。

出席协会第四次代表大会的全国人大常委会原副委员长，协会名誉会长雷洁琼（左一），国务委员陈至立（右二），中共中央党校原常务副校长汪家镠（左二），中国工程院原副院长、协会顾问（原副会长）潘家铮院士在一起。

现任会长吴树青教授在代表大会上作工作报告

第三届“科教兴国贡献奖”、“老教授事业贡献奖”颁奖大会会场。

国家教育部周济部长在中国老教授协会第五届会员代表大会发表讲话

中国科学院原副院长、协会顾问（原副会长）孙鸿烈院士（右）在协会主办的“面向21世纪系列学术报告”会上作学术报告，左为协会常务副会长张慕葏教授。

美国伊利诺依州常务副州长柯任·伍德女士（右一）来协会访问。

中华研修大学硕士论文答辩会场

北京市副市长范伯元（左一）在协会向抗击“非典”白衣战士捐赠字画仪式上讲话。

日本国世界艺术文化振兴协会会长深见东州赞助中国老教授协会促进汉语走向世界。图为深见东州先生向协会会长吴树青赠送捐款。

全国高等学校计算机教育研究会

1999年10月7日，研究会第三次学术大会在重庆大学召开，美国ACM、IEEE-CS的领导出席了会议。

全国高等学校计算机教育研究会创立于1989年11月1日，主管机关是中华人民共和国教育部，是经中华人民共和国民政部登记注册的全国性社会团体。现任理事长和法人代表袁开榜。办公地址在重庆大学计算机学院。以贯彻科教兴国、可持续发展和人才强国战略，团结全国教育界，开展教育研究活动，改进教学方法，提高教学水平，保证教育质量，加强国际合作为办会宗旨。

研究会以研究计算机本科教育为主，并延伸到研究生教育和专科教育，对远程教育、网络教育、新技术及继续教育、成人教育、师范类计算机教育及终身教育，亦有相应的扩展。现设师范教育分会，远程与继续教育分会，计算机网络教育分会。团结了包含北京大学、清华大学等500余所高校及办学机构为团体会员，目前正在发展个人会员。

计算机本科教育的全国性研讨会议，始于1980年8月15日的四川峨嵋，但计算机教育却起源于20世纪的50年代末和60年代初，中国的教育专家们始终抓住国家科学发展纲要、中国教育发展纲要及历来相关的教育和教学文件为依据，不断促进中国计算机教育事业的发展，逐步缩短了与先进国家的差距，也为研究会成立奠定了基础。

2004年3月24日，全国高等学校计算机教育研究会计算机网络教育分会一届二次常务理事扩大会议在苏州大学召开。

理事长袁开榜教授接受多家新闻媒体采访

（一）制定教学计划。先后制定了《82示范性教学计划》，《87计算机学科教学计划》，《计算机学科教学计划1993》，《中国计算机科学与技术学科教程2002》等指导性教学计划，其中《87计划》还作为教育部评估计算机及应用专业的主要依据，为推动赶超世界先进水平作了贡献。

（二）学术交流。共举办全国性学术大会20余次，编辑出版论文集30余册，对培养目标、教学方法、教学经验、教学环节、实践教学、教材建设等作了广泛的交流，并有美国ACM和IEEE-CS的领导成员参加研讨。

（三）计算机专业核心课程单科研讨。组织了13门共30余次的研讨会，对培养教师和提高教学质量，发挥了积极的作用。

（四）教材建设。配合《87计划》、《93计划》、《CCC2002教程》，发动和组织教师编写了5套系列教材，为计算机本科教育的健康发展和规范教学，作出了极大的贡献。

（五）编发了不定期的《计算机教育简报》，及时向会员单位和领导机关提供了最新动态信息。

（六）2003年和2004年连续举办了两次全国性计算机应用技术技能大赛，促进了计算机技术的推广及普及，在国内产生了巨大的影响。

（七）编写了《全国高等学校计算机教育研究工作成立十五周年》纪念册，较为全面地反映了本会的工作成效和业绩。

（八）推出了具有中国特色的职业资格认证考试系列模块，并与国际相关机构合作，实施互相承认，同时促进执业资格制度与国际互相承认接轨。

研究会实行民主办会，严格自律，保持着非营利组织的性质，深受广大会员的爱戴和尊重，也得到各级领导的一致好评，拥有极好的社会信誉度和极高的社会公信度。

1993年10月6日至10日，泉州会议会场之一。

1999年5月18日，全国高等学校计算机教育研究会和全国高等院校计算机基础教育研究会应邀到教育部研究工作。

研究会第二届学术大会主席台

2004年4月5日，全国高等学校计算机教育研究会第三届三次常务理事扩大会议在湖南大学召开。

中国电力规划设计协会

中国电力规划设计协会成立于1985年，后经民政部登记注册的全国电力咨询、勘测、设计行业的企事业单位自愿参加的全国性社团组织。其业务主管单位为国务院国有资产监督管理委员会。

协会现有会员单位144个，分布在全国各省、市、自治区(除港澳台)；其中具有全国工程咨询甲级、电力行业设计甲级资质单位39个，乙级咨询、设计资质单位101个，省级电力勘测设计协会4个；全行业从业人员23000多人。

多年来，协会坚持“以会员为本、强化服务、求真务实”的工作方针，积极发挥在政府和企业间的桥梁和纽带作用，荣获国家经贸委“先进行业协会”、中国勘察设计协会“全国勘察设计先进协会”等多项荣誉，以突出的业绩跨入国家先进行业协会的行列。

协会近年来主要工作业绩：

（一）围绕电力体制改革和电力设计体制改革组织开展政策调研工作。

（二）搭建电力勘测设计行业信息平台，编辑出版《电力勘测设计》和《电力设计信息》，建立中国电力规划设计行业网站。

协会领导成员（左一：副理事长蒋来成、中：理事长吴毅强、右：副理事长李爱民）。

（三）推动行业企业文化建设，促进并提升了设计单位生产、经营、管理等全面发展。

（四）对全国各行业申报电力行业资质材料进行初审。

（五）参与勘察设计收费标准修编工作；组织编制了《部分行业可行性研究阶段工程勘察收费标准》。

（六）组织、指导、监督国家审批建设的大型电力工程设计招标项目116项，工程投资约2052亿元，规

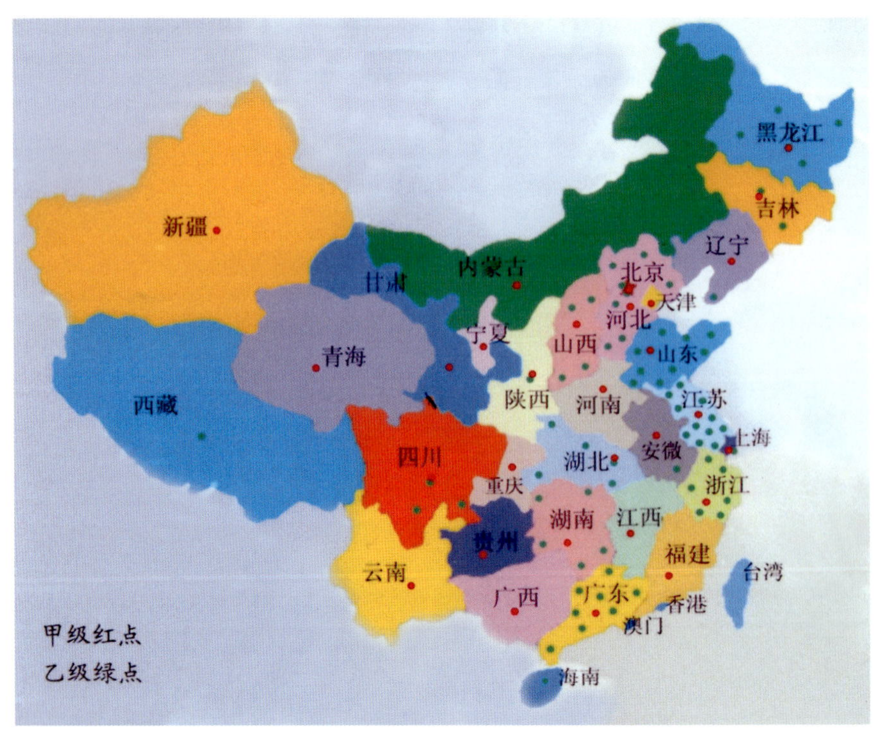

协会会员单位分布图

范了市场竞争秩序。

（七）配合《工程勘察设计收费标准》的执行，组织编写、出版《电力工程专业设计工日定额》。

（八）推行和建立电力工程设计责任保险制度，促进电力工程设计质量的进一步提高和增强企业的抗风险能力。

（九）加强质量管理，完成了行业50余个设计单位IS09000族标准2000版转换工作；同时开展了GB／T24000一IS014000环境管理体系标准、GB／T28000一OHSASl 8000职业健康安全管理体系标准的贯标试点工作。

（十）负责行业技术标准管理。近几年已组织修订、编制行业各专业技术规程规范标准130本，其中国家标准12本，为电力工程设计提供了标准依据。

（十一）定期组织全国优秀工程勘测设计以及工程咨询项目评选，促进了行业的技术进步。获得国家级优秀奖百余项。

（十二）组织制定了《注册电气工程师执业资格制度暂行规定》、《注册电气工程师执业资格考试实施办法》、《注册电气工程师执业资格考核认定办法》及《注册电气工程师执业资格考试专业考试大纲》，并组织完成了注册电气工程师执业资格考核认定初审工作。

（十三）组织开展与美国、法国、加拿大、香港等国家和地区间的交流与合作，有效地推动了行业的技术进步和管理创新。

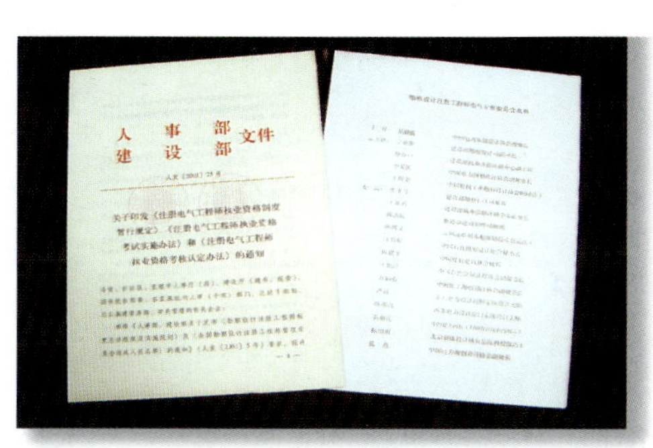

协会负责全国勘察设计注册电气工程师专业管理委员会秘书处工作。

协会组织修订、编制行业各专业技术规程规范标准，为电力工程设计提供标准依据。

协会编辑出版《电力勘测设计》和《电力设计信息》，及时宣传国家产业政策和传播科技成果。

协会组织电力设计工程招标的监督、指导工作，规范市场竞争秩序。

协会组织国际间技术交流与培训，推动技术进步。

中国书画家协会

中国书画家协会草创1965年、成立于1990年初。在中国共产党和人民政府的领导下，坚决贯彻执行党中央、人民政府的文艺工作指导方针和路线，坚持四项基本原则，以“三个代表”为重要思想、弘扬中华民族传统文化之书画艺术，促进和发展祖国文化艺术事业，与时俱进，为建设有中国特色的社会主义精神文明做出应有的贡献。

中央、省市地区领导参观中国书画家协会展览中心名人书画展，步入展厅。

协会的宗旨：以弘扬祖国书画艺术为目的，广泛团结美术工作者、书画家、艺术爱好者和学者，以及联合其它美术团体和艺术机构、企、事业界等，开展举办画展、海内外书画艺术交流活动，出版文艺专刊、学术研究、艺术咨询等一系列工作；竭诚服务于书画艺术教育事业，培养和挖掘书画艺术人才等事业。

组织机构：协会设有常务委员会、顾问委员会、理事会、评审委员会、事业拓展部、培训中心和《书画家报》、《书画家》杂志、庐山白鹿洞书画院、河北信息中心、深圳展览中心、中国书画艺术大学（筹）、陕西艺术进修学院、西安培训中心、艺委会、广东金才文化艺术中心、金鑫集团。

近30年来，中国书画家协会广泛团结书画家和美术工作者及学者，按办会章程，在全国范围内开展学术研讨、专业培训、海内外艺术咨询服务等活动，为社会公益事业、社会教育事业，以及促进各地区市级画览健康发展做出了积极贡献。

协会主席刘金才陪同励有为领导参观中国书画家协会展览中心

协会主席刘金才教授到油画村现场指导艺术传技后留影

（一）1998年举办了“世界和平万家”中国国际名人书画展及香港澳门回归书画展。

（二）在国内搞过8次大展，在北京美术馆4次，南方广东地区4次。在美国、日本、泰国、法国、德国、新加坡、马来西亚、澳大利亚等国家搞过8次国际文化交流。

（三）95年世界和平周中国组织委员与协会联合举办了华人书画展，并在人民大会堂举行颁奖仪式。

中國書畫家協會

张爱萍题会名

（四）协会倡导编著书画工具书80余部大典。

（五）为纪念邓小平诞辰100周年，协会会员创作了小平南巡大型书画。

（六）各省市以下书画院均在协会艺术指导下，为促进城市精神文明、物质文明起了很大作用。江西省九江市庐山百鹿洞书画院从1990年以来搞过8次书画展，业绩非凡、深圳市建立了中国书画家协会展览中心，建立6所社会教育院校，为80年代社会教育起到了推动作用。

会长简介

刘金才，生于1940年2月，陕西省三原县人，毕业于长春美术学院；清代名臣刘墉之六世孙。现任中国书画家协会主席，国家文化部传统文化促进会美术工作室主任，国家文化部ISC中国艺术价值评审上网工作委员会副主任，评审专家组委员，中国美术学院老教授艺术中心教授，国际美术家联合会首届主席，首要创始人之一，世界书画家联合会执行主席，当代中国杰出的书画艺术家、教育家、慈善家、社会活动家，精通逻辑学的专家，对国家有突出贡献的事业专家，国务院经济要参经济部高级顾问、《市长论坛杂志社》专家指导委员，中国管理科学院院士、研究员，是具有组织领导才能的书画带头人。历经40余载的书画艺术求索，作品曾获国家金奖、银奖。全国《大师杯》金奖，全日本15次联邦大展荣获《最高特别荣誉奖》证书。92年荣获《世界艺术书画名人》证书，世界名人勋章、世界和平勋章等，作品曾先后编入《中国艺术界名人录》、《中国现代书画名家大辞典》、《世界书画名家大典》等100余部辞书中，并倡导和主编《世界书画家铭录大典》等中国当代数10余部书画志用工具书籍，作品广泛流传美、英、日、法、德、泰、菲律宾、澳大利亚、马来西亚、新加坡等国家，被众多国内外友人、博物馆收藏。

协会主办纪念邓小平诞辰100周年活动，书法家马平和向大会领导书写书法。

协会主席刘金才参加纪念邓小平诞辰100周年书画摄影展活动

吴阶平为刘金才在广东麓湖高尔球夫俱乐部书画展题词

协会主席刘金才在中国美术学院教学时留影

中国执业药师协会

中国执业药师资格制度自1994年实施以来，执业药师队伍迅速壮大，2000年底达到2.62万人，2001年底达到4.3万人，2002年底猛增到7.8万人，预计到2005年将达到15万人，以后执业药师队伍还将继续扩大。为了更好地引导执业药师为社会主义经济建设服务，执业药师队伍就得建立一个属于自己的组织——中国执业药师协会。

在中华人民共和国民政部、国家食品药品监督管理局及其有关部门的指导下，在各省（区、市）食品药品监督管理局支持下，在全国广大执业药师的参予和配合下，经中华人民共和国民政部登记注册，于2003年2月22日在北京召开了成立大会。会议审议通过了中国执业药师协会章程，选举产生了中国执业药师协会第一届理事会；第一届理事会成员47名，常务理事21名；推举国家食品药品监督管理局局长郑筱萸为名誉会长；选举国家食品药品监督管理局副局长张文周担任会长；选举国家食品药品监督管理局执业药师资格认证中心主任张淑芳担任常务副会长（兼秘书长）；选举李丽锦、丁晋垣担任副秘书长。

中国执业药师的性质是：属于全国执业药师的，以及药品生产、经营、使用单位、医药教育机构、地方执业药师协会等相关单位自愿结成的专业性、全国性、非营利性的社会团体。

中国执业药师的宗旨是：遵守我国宪法、法律、法规和国家政策；遵守社会道德；维护执业药师的合法权益，不断增强执业药师依法履行职责的水平，保证药品质量和药学服务质量保证人民用药安全、有效、经济、合理；促进药品终端市场的健康发展，提高医药经济的持续发展能力。

中国执业药师协会的主要业务范围是：宣传、贯彻国家有关法律、

中国执业药师协会成立大会留影

法规和政策；调查统计执业药师及药学业务工作等情况组织开展临床药学、合理用药及执业药师管理、药品监督管理等方面研究工作向政府有关部门提出政策建议，向药品生产、经营、使用单位及执业药师提供咨询建议和服务，向公众提供药学信息和健康知识服务；维护执业药师的合法权力和利益；开展执业药师继续教育及考试培训工作；组织开展国内、国际执业药师学术交流与合作工作，加强执业药师执业行为规范和职业道德建设；接受并开展法律法规规章授权和政府有关部门委托的执业药师管理；建立执业药师网站，编辑、出版学术刊物和有关资料等。

中国执业药师协会成立以来，与时俱进，努力工作，按照国家食品药品监督管理局的委托授权，秉承为广大执业药师服务的宗旨，启动了面向全国执业药师的有效、方便、经济的函授、刊授、网授三位一体的远程继续教育系统（CLPA．CE）等一系列工作；为建立市场经济条件下执业药师管理模式，为维护执业药师合法权益，为执业药师提供全方位服务，为保护人民的用药安全、有效、经济合理，不断提升我国人民的药学保健水平，接受法律授权和政府委托进行执业药师管理等方面充分发挥了“桥梁”和“纽带”作用。2003年被民政部授予“抗击‘非典’全国性先进社会团体”荣誉称号；2004年被民政部评为“全国先进民间组织”。

世界医学气功学会

世界医学气功学会经国家中医药管理局，卫生部报请国务院，外交部，民政部于1989年11月16日批准成立并同时登记注册。会员代表大会为最高权利机构，执行机构为理事会及常务理事会，学会理事每届任4年。

性质：国际性民间学术团体（非营利性）。

宗旨：加强国际间的学术研究与交流，进一步发展医学气功的科学研究；利用医学气功为人类的健康事业做贡献。

业务范围：理论研究、学术交流、业务培训、书刊编辑、国际合作、咨询服务。

主要任务：定期（每两年）组织召开医学气功学术会议；开展多项医学气功学术活动；宣传和推广医学气功科学教育和现代研究；定期培训会员，编辑学会简讯。

学会从成立以来，先后于1988年、1989年、1993年、1996年、1998年、2004年6次举办了学术交流会议，召开了三届理事换届会议。先后有美国、意大利、德国、法国、西班牙、芬兰、瑞典、丹麦、挪威、瑞士、奥地利、爱尔兰、波兰、加拿大、澳大利亚、荷兰、苏联、新加坡、马来西亚、泰国、韩国、日本、中国（包括香港、台湾省）等23个国家2157人次参加大会学术交流，大会收集论文1045篇，经专家评审，收入论文集计879篇，其中在大会发言407篇。

学术交流活动主要内容有：

（一）用现代科学方法对气功效应实验研究。

（二）气功的生物医学应用技术研究。

（三）气功防治疾病的基础医学与临床研究。

（四）气功态测试指标研究。

（五）气功理论的挖掘研究。

（六）气功对防治疾病、祛病、强身、养生保健、

全国人大副委员长廖汉生（左一），卫生部长、世界医学气功学会主席崔月犁（左二），卫生部副部长张文康（右一）参加1993年举办的第二届世界医学气功大会。

第四届世界医学气功学术交流会议。

延年益寿等临床应用与基础研究。

学会现任主席冯理达（中国）；副主席由高鹤亭（中国）、吴道霖（意大利）、田小明（美国）、龙致贤（中国）、带津良一（日本）、马克斯本卡特（瑞典）、王超群（加拿大）、加斯巴尔·戈西亚·洛伯兹（西班牙）、鲍诺洛尼·考拉道（意大利）、徐展略（泰国）等国内外资深教授担任。

1993 年第二届医学气功学术大会。卫生部副部长张文康（左一），世界医学气功学会副主席冯理达（左二），吴道霖（意大利、左三）、北京中医学院院长高鹤亭参会并讲话。

2004 年 5 月在北京召开世界医学气功第三届理事会第二次会议

第四届世界医学气功学术交流会议与会代表

第三届世界医学气功学术交流大会会场

历道证券博物馆

2004年1月10日，上海证券交易所理事长耿亮（左一）、上海市人民政府杨晓渡副市长（左二）、国家文物局副局长童明康（右二）、首任中国证监会主席、历道证券博物馆名誉馆长刘鸿儒（右一） 为历道证券博物馆开馆揭幕。

由湘财证券出资设立、经国家文物局批准、民政部登记注册的中国第一家证券博物馆——历道证券博物馆，于2004年1月10日在上海陆家嘴金融中心华能联合大厦举行了隆重的开馆揭幕仪式。历道证券博物馆名誉馆长、首任中国证监会主席刘鸿儒表示："股票记载着中国近现代史的社会发展历程，作为一种金融凭证，她已经成为承载近现代金融发展史的见证物。历道证券博物馆的诞生，是中国证券发展历史上具有特殊意义的大事，她很好地承担起了传承中国证券文化的历史重任，并将为我们保存、研究和弘扬中国证券历史，起到重要的作用"。历道证券博物馆的设立为上海曾经是远东国际金融中心提供了历史见证，也为现代上海作为国际金融中心增添了丰富的历史内涵。它是中国第一家证券行业博物馆，博物馆的创立，填补了中国证券类博物馆的一项空白。

博物馆场景

历道证券博物馆藏品丰富，收藏了中国自晚清时期、民国时期（含解放区)、新中国建国初期以及改革开放后的证券和物品数千件，藏品类型包括：股票（外资股票、华资股票)、债券（外债、内债／国债、企业债券、金融债券)、证券历史实物、证券历史报刊、证券历史老照片等。其中珍藏有迄今发现存世最早的中国股票：开平矿务局光绪7年（1881年)发行的股票，以及多张具有极高文物价值和深邃历史内涵的传世珍品，专家们对历道证券博物馆给予了高度评价，一致认为历道证券博物馆的成立抢救了一批珍贵的历史文物。历道证券博物馆通过丰富、珍贵的藏品，刻画了一部自清代以来中国证券发展的百年历史。

不仅如此，历道证券博物馆的收藏集金融史、证券史、工业史、商业史、城市发展史、民族资本家族史和中国近代史为一体，融附珍贵的书法、篆刻、印刷术、中介、法律法规、人物志和企业文化，更是一部栩栩如生的中国经济、社会、生活百年历史。

收藏、保护、研究这些珍贵的证券历史文化遗产，是历道证券博物馆的宗旨和责任。我们期待着更多的有文化、有追求、有实力的社会各界和政府部门参与，共同深入研究中国证券历史，交流和传播中国商业文化。

博物馆通过富有文化内涵和历史内涵的展示平台，树立了良好的社会形象，扩大了国内外文化交流，影响不断扩大，公信力不断提高。2004年，被民政部授予“全国先进民间组织”称号。

荷兰银行金融集团董事长胡宁克先生向历道证券博物馆捐赠藏品

伦敦证券交易所副董事长苏雅伦先生参观博物馆

全国博物馆员责人参观博物馆

财经院校大学生参观博物馆

北京市注册税务师协会

在2004年8月6日北京市注册税务师协会召开的一届五次常务理事会议上，出席会议的常务理事合影，前排为会长董海辰（右五）、副会长马毅民（右四）、金兴（左四）、邵大春（右三）、丁芸（左二）、田志平（右一），监事长傅秀仁（左三），副秘书长兼税管中心主任赵国斌（右二）。

北京市注册税务师协会是经民政部门登记，于2001年9月26日成立的行业自律组织，是由北京地区注册税务师自愿组成的行业协会。协会在中国注册税务师协会和北京市国家税务局、北京市地方税务局的监督、管理和指导下，对北京地区的注册税务师和税务师事务所实行行业自律管理。

协会的宗旨是：拥护中国共产党的领导，在马列主义、毛泽东思想、邓小平理论和“三个代表”重要思想的指引下，遵守社会道德风尚，团结、教育和引导注册税务师及执业人员以经济建设为中心，促进社会主义市场经济发展；维护税收法律法规及规章制度的正确实施，遵守职业道德，认真履行义务；维护会员及被代理人的合法权益；加强会员的联系与合作，协调税务师及事务所与被代理人之间的关系，在政府及有关部门与注册税务师之间起桥梁纽带作用；实施注册税务师行业管理，促进行业健康发展，为改革开放和繁荣社会主义市场经济服务。

协会的主管部门为北京市国家税务局。协会章程规定，最高权力机构为会员代表大会，选举产生理事会及会长、副会长和常务理事会；理事会下设秘书处为其日常办事机构，秘书处下设办公室、培训部、会员部等机构。截至2004年底，北京市注册税务师协会共有团体会员168家，个人会员3426人。

协会自成立以来，坚持以“诚信为本、服务至上、依法执业、规范发展”为主线的行业建设思路和发展理念，着力塑造“独立、客观、公正”和优质服务的行业形象，紧紧围绕“服务、协调、监督、管理”的职能开展了卓有成效的工作，在许多方面做了有益探索，积累了宝贵经验，为推动北京地区注册税务师行业的进步与发展打下了基础。

协会的主要业务范围是：一是办理会员入会登记，对会员实施业务指导、监督和管理；二是拟定会员职业道德规范、执业准则、执业规则、工作制度等，并监督其执行；三是对会员开展思想品质、职业道德、专业技能教育和业务培训；四是传达贯彻国家有关注册税务师行业的方针政策及法律法规，向政府及有关部门反映会员的意见和要求；五是开展行业调查研究，组织理论研讨和经验交流，指导和推动行业健康发展；六是加强行业宣传，编辑出版协会会刊及有关业务书籍，建立行业信息网络，提供信息服务；七是加强与国内、外同行业组织之间的协作和交流；八是办理北京市国税局、地税局授权和委托的有关事项。

协会和管理中心从加强注册税务师行业的基础建设出发，重视各税务代理机构基础数据的收集整理和报送工作。图为协会、中心工作人员认真核对有关数据，确保有关数据的准确、全面，为协会和中心掌握真实情况、做好行业管理工作提供决策依据。

北京市注册税务师协会成立暨第一届理事会会议于2001年9月26日召开。

2004年9月24日上午，北京市注册税务师协会与日本东京税理士会合作协议书签字仪式在北京举行。

北京市注册税务师协会经常组织行业执业人员开展后续教育和培训（图为财务软件培训班情景）。

2004年6月3日，北京市注册税务师协会隆重召开北京市2003年度先进税务师事务所总结表彰大会，出席大会的领导同志为先进税务师事务所颁发奖牌后，与先进税务师事务所的代表合影。

北京注册会计师协会

北京注册会计师协会成立于1993年5月，是由北京地区注册会计师、注册资产评估师组成的社会团体，协会以“服务、监督、管理、协调 ”为建会宗旨，充分履行自身职责，为促进首都经济发展和推动北京地区注册会计师、注册资产评估师行业建设做出了重要贡献。并于2004年被民政部评为“全国先进民间组织”。

北京市政府及各综合部门领导出席北京注协会员代表大会

理顺行业体制 探索自律管理的新模式

1999年底北京地区全部会计师事务所与挂靠单位脱钩，改制成为注册会计师、注册资产评估师个人发起设立的合伙或有限责任事务所，成为自主执业、自担风险、自我约束、自我发展的真正独立的社会中介机构。1997年和2001年分别实现与市注册审计师协会和市资产评估协会的联合，2001年又成功接管原中注协直管会计师事务所，使得北京地区行业队伍进一步壮大，组织结构进一步优化，初步形成高效统一的会计中介平台。2003年以来，协会积极适应行政职能上划的新形势，不断完善以会员代表大会为中心的自律管理体制，实现重大决策的民主化、科学化。积极借鉴国际有益经验，按照专业化、年轻化、充分借助行业智力优势的原则，先后组建了专业指导等5个专门委员会，为专业化自律管理奠定基础。

北京注协举办执业机构风险控制和法律责任研讨会

北京注协接待澳洲注册会计师同行来访

北京注协与ACCA联合举办“企业发展与中介服务”论坛。

提高会员整体素质 努力增强服务意识

10年来，协会不断创新监管模式，制定了业务检查和巡查制度，采取重点检查与普遍抽查、专项核查与年度检查结合，并以投诉举报为突破口，及时惩处违反执业准则和职业道德行为；开发实施了两个行业的职业责任保险，建立健全职业风险防范体系；为会员提供专业指导，制定了准则的细化范本；完善后续教育体系，开发培训教材，加大培训支出，从1995年以来培训人数达2万人次；建立注册管理网络系统，为会员提供高效服务；办好注册会计师考试，为行业的发展提供了充足的储备力量；加强财务管理，制定实施会计师事务所和评估机构会计规范及考核标准；力促行业档案管理规范化，制定业务档案管理办法，在全行业推行上岗资质管理，协会档案工作晋升为北京市档案管理工作合格级单位。

实践“三个代表”思想 加强行业党团工会建设

为深入贯彻江泽民同志“三个代表”讲话精神在非公有制组织中开展党建工作的论述，经批准，北京注协率先在全国同行业中组建党委、团委和工会，加强组织机构建设，深入开展各项体现先进性和行业特点的活动，评选优秀党团支部和优秀党团员，成功举办两届“诚信杯”足球赛和一届“飞燕杯”羽毛球赛，开展会员互助保险等等，对维护会员合法权益，促进行业健康稳定发展起到积极作用。

北京注协被民政部授予“全国先进民间组织”荣誉称号。

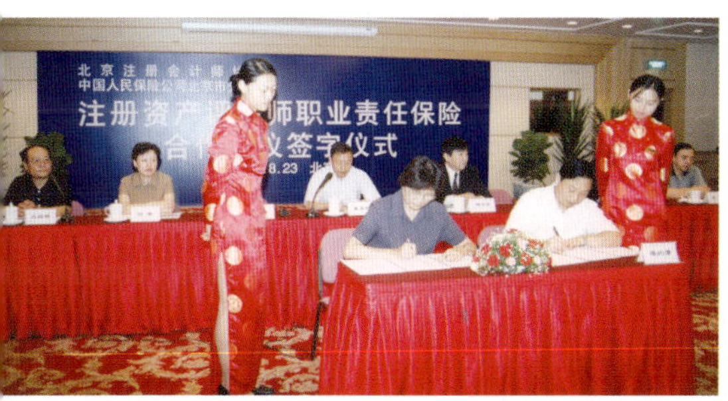

北京注协与保险公司签订职业责任保险

北京注协向中国儿童少年基金会捐赠57万人民币

北京注协所属会计师事务所参与发起和捐助“让中国精神高高飘扬－放风筝 抗非典”活动。

扩大宣传　增进交流

协会1996年创办了行业会刊《北京注册会计师》，成为协会对外宣传的重要阵地；此外还与10多个国家和地区的职业团体进行了考察互访，共同举办专业论坛及培训，吸收国际先进经验，开拓了管理新视野；信息化建设迈上了一个新的台阶，2000年建立了协会网站，历经四次改版，为加快法规信息传播速度，提高办公自动化水平和扩大对外宣传发挥了重要作用；借助举办“中小企业服务日”、“一法一则知识竞赛”、“永恒的春天文艺晚会”等大型活动，广泛宣传行业宗旨及行业对社会经济发展的贡献。

投身公益事业　奉献一片爱心

几年来，注协积极参加社会公益事业，尽菲薄之力，奉献一片爱心。1996年至2004年协会组织行业会员三次向贫困地区教育机构捐助资金及电脑，以改善那里的教学条件，2002年，组织全行业向中国儿童少年基金会捐款57万元，并荣获“公益明星单位”称号。在“非典”疫情期间，向一线医护人员捐款，宣传表扬事务所先进事迹，荣获市民政局、市社会团体管理办公室共同颁发的“抗击非典先进民间组织”称号。

成就属于过去　未来任重道远

10余年的发展历程，是一部创业史，也是一部成就史。面对新形势、新机遇、新挑战，北京注协将以“十六大”精神和“三个代表”重要思想为指导，加快建立以会员服务为中心的自律管理体系。以加强行业的诚信建设为主线，以提高行业职业道德、执业质量水平为重心，拓展服务领域，增强服务职能，加大协调力度，健全协会治理结构，不断开创行业发展的新局面。

山西省慈善总会

山西省慈善总会是由热心山西慈善事业的省内公民、法人及其它社会组织，志愿参加的全省性非营利公益社会团体。省慈善总会于1997年初依法注册登记，具有独立法人资格；2003年10月28日召开了首届会员代表大会，大会选举郭有勤为总会会长，张平等15人为总会副会长，杨润旺为副会长兼秘书长。

省慈善总会最高权力机构为会员代表大会，内设咨询议事机构（行政监察组、募捐筹划组、项目评审组、法律顾问组）和日常办事机构（办公室、筹募部、项目部、救灾救济部、对外联络部）；现有专职工作人员8名。总会的职业操守是：廉洁奉公、明礼诚信、仁慈善良；办事方针：准确、及时、公开、直接。

省慈善总会救助当年饱受日军摧残，晚年无依无靠的万爱花等11位老人。

省慈善总会的宗旨是：发扬人道主义精神，弘扬中华民族扶贫济困的传统美德，帮助社会上不幸的个人和特别困难的群体，开展多种形式的社会救助工作。

省慈善总会的业务范围：筹募善款；赈灾救助；扶贫济困；慈善救助；公益援助；交流与合作；兴办实体，筹措善款；组织慈善宣传，进行慈善理论与发展战略研究；指导单位会员，促进省内慈善事业的发展。

近年来，省慈善总会募集善款、物1000余万元，开展了助学、助医、安老、抚孤、“微笑列车”（免费为贫困唇腭裂患者做矫治手术）、公益援助等一系列社会救助活动。把善款投向了那些亟需帮助的贫困对象身上，为全省各地贫困群众送去了及时的救助和温暖。这些慈善项目惠及了全省城乡8万余名群众，取得了良好的社会效果，赢得了公众的广泛赞誉。

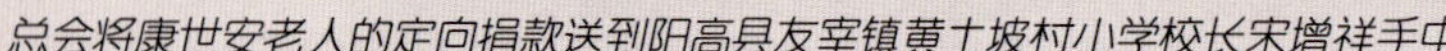
总会将康世安老人的定向捐款送到阳高县友宰镇黄土坡村小学校长宋增祥手中

省委常委、常务副省长范堆相，省委常委、秘书长申联彬，原省政协主席郭裕怀等领导同志现场捐款。

省慈善总会在革命老区左权县石匣乡马家庄村实施的“慈善小学”项目（图为新落成的教学楼）。

2003年春节前夕，省慈善总会和平安人寿保险太原分公司领导去太原市晋源区华塔寺看望该寺收养的22名孤儿。

山西省福建商会

山西省福建商会成立于1999年12月12日，是由在晋的福建籍工商人士自愿结合成立的民间组织，目前有企业会员和个人会员457个。商会下设维权部、财务部、办公室，作为日常工作机构，配备有专、兼职工作人员5名。并设有顾问处，作为咨询机构。

商会以“团结、交流、拓展、服务”为宗旨，团结驻晋闽籍工商业者及社会各界闽籍人士，促进闽晋商贸交流与合作。截止2004年，据不完全统计，闽籍工商业者在晋总投资近100亿元，涉及制药、建材、冶金、建筑装饰、矿产、通讯器材、环保设备、服装鞋帽、土产特产、干鲜水产、汽车、电子、木材及房地产开发、医疗等40多个行业，安排就业岗位1万多个，年上缴各种税收4亿多元，为山西经济的发展做出了贡献。

商会成立5年来，充分发挥桥梁和纽带作用，积极协调政府和相关部门的关系，及时向会员传递政府有关发展非公有制经济的政策、法规，通报政府举办的大型经贸活动，组织会员参加。同时，及时将会员意见和要求向政府有关部门反映，使一些问题得到较好的解决。组织会员参加法律讲座、致富讲座和经营管理培训，教育、引导会员遵守法律、诚信经营。认真开展维权活动，切实维护会员在经济活动和社会生活中的合法权益，主要通过政府有关部门，呼吁改善投资环境，密切投资者、经营者与管理部门及当地民众的关系，建立沟通、协调机制，把问题解决在萌芽阶段。引导单位会员积极参加以扶贫开发和捐助公益事业为主要内容的“光彩事业”，历年累计捐赠达70万元。在

在闽全国政协委员视察团2004年9月7日莅临商会。团长、福建省政协主席陈明义（中），副团长、福建省政协副主席、省工商联会长李祖可（左）和山西省政协副主席、省工商联会长边鸣涛（右）听取了商会的工作汇报。

2004年6月4日–9日，全国政协港澳台侨委员会副主任、福建省政协原副主席何少川（左）率团到山西考察，听取商会工作汇报并向商会赠送牌匾。右为商会会长钟志孟。

山西省福建商会二届二次会员大会2003年12月13日在太原迎泽宾馆隆重召开，山西省政协副主席、省工商联会长边鸣涛（中）出席了大会，左为中共山西省委统战部副部长岳纪安，右为商会会长钟志孟。

2004年5月17日，商会领导参加了在福州召开的首届世界闽商大会，并参观了首届中国（福建）商品交易会、第六届中国（福州）海峡经贸交易会（图为参会领导在会场外合影）。

自 2002 年以来，商会连续 3 年在太原汾河景区举办龙舟赛（图为比赛现场）。

2003年抗击“非典”期间，中远威药业公司共向国家卫生部、山西省人民政府、太谷县人民政府及商会会员捐赠价值232万元的药品，受到高度赞扬。

商会大力加强自身建设，积极探索新时期办好民间商会的路子，努力提高办会水平。一是建立完善了各项规章制度，使商会工作逐步做到工作讲规范，办事讲效率；二是实行会务公开；三是购置了300多平米的永久性会址，有了一个真正的“闽人之家”；四是大力建设商会文化，增强凝聚力；五是在会员中开展评比活动；六是热心服务，为会员和乡亲排忧解难。

商会的工作得到了山西省和福建省各级领导的关心和支持。2000年，山西省光彩事业促进会授予福建商会“光彩事业组织奖”，2001年山西省工商联授予“先进组织”，2004年山西省民政厅授予“全省先进民间组织”。此外，还获得山西省首届民营企业交易会组委会授予“优秀组织奖”，山西省民政厅授予“经常性社会捐助·捐助光荣”匾。

2004 年中秋佳节，商会与山西商报社、太原市商业银行、怡园酒庄举行联谊会（图为商会领导与法国酿酒师高林先生在一起）。

在欢迎在闽全国政协委员视察团的晚宴上，商会领导齐唱“爱拼才会赢”。

2004 年 12 月 4 日，商会被省民政局授予“全省先进民间组织”荣誉称号。图为省民政厅厅长郭有勤（中）省民间组织管理局局长李光烈（右）与商会常务副会长、秘书长陈水筑（左）在会上合影。

内蒙古自治区温州商会

商会会长邬招斌

商会党支部书记、秘书长周永年

温州是中国沿海的“西部”城市。穷则思变，数以百万计的温州人为改变温州相对落后的面貌，背井离乡，以四海为家万里行，五洲为邻百业旺的雄心；以促进当地经济发展为已任；以促进当地社会进步为目标。对异乡情有独钟，对故土一往情深。借国内外一方热土，为“打好温州牌，办好温州事，当好温州人”，艰苦奔波，艰难创业，在中华大地上自信自律自潇洒，亦狂亦侠亦风流，令世人刮目相看。充分展示了瓯江儿女自强不息的大无畏气概，显示了“永嘉学派”独树一帜的大手笔传统，放大了温州经济，叫响了温州品牌，升华了温州精神。为了更好地维护温州人在异地投资的合法权益，引导温州商人依法经商，为异地经济建设作贡献，各地温州商会在改革开放的大潮中，伴随《温州模式》逐渐诞生。

内蒙古温州商会经内蒙古民政厅登记注册，于1999年10月宣告成立，成立6年来，在探索中前进，商会工作者任劳任怨任评说，自尊自重自开心，为内蒙古的经济建设作出了积极贡献。

商会作用与功能

(一)是整合商会成员单位参与我区西部大开发投资实力的平台。

(二)是展示《温州模式》营销理念，实践《诚信温州》的窗口。

(三)是联系内蒙古自治区和温州两地党政机关、事业单位、企业之间，沟通情况，交流信息，互访洽谈，加强合作的纽带。

(四)是促进两地商品对流，优势互补，促进两地物流、资金流、信息流优化对接的桥梁。

(五)是为两地的政界、企业界增进了解，携手合作，牵线搭桥，服务协调，促进联姻的“红娘”。

(六)是提高商会成员单位政治与业务素质，培训学习，不断充电的“学校”。

(七)是贯彻“致富思源，富而思进”的要求，致富不忘本，得意不忘形，发财不忘回报社会，致富不忘为公益事业赞助的“加油站”。

(八)是以理服人，以情感人，依法维权的为纠纷双方从中调解、仲裁的“居委会”。

(九)是贯彻中共十六大精神，执行“三个代表重要思想”和“三大文明”要求的流动商旅。

(十)是响应“全民奔小康”奋斗目标，在从事投资创业的同时，关心政治，不断提高自已的社会地位，积极参政议政，为故乡争光，为当地奉献的率先奔小康的“致富群体。”

积极参与内蒙古西部大开发

(一) 商会成立6年来，作为整合成员单位投资实力的平台，在自治区首府呼和浩特市已投资32亿元，已建成维多利商厦、首府广场、宝马商城、温州机电城、温州商业步行街、兴旺家园、欣安灯饰市场、广温批发市场等，并涉足彩印、塑编、羊绒、高载能、采矿、医药等工业项目。在建项目还有北方药都、温州汽配城等。

(二) 温州商团在内蒙古投资经营的行业有商业、建材、机电、物流、

温州市市长刘奇莅临呼和浩特与会员合影

奖给：2003年度呼和浩特市

先进民间商会

中共呼和浩特市委员会
呼和浩特市人民政府
2004年7月

中共温州市委副书记包哲东考察内蒙古时和温籍企业家合影留念

超市、广告、信息、房地产、餐饮、旅馆、娱乐、印刷等。安排当地下岗职工就业近2万人，为涵养地方税源作出了贡献。

（三）商会成员单位在发展经济、增强实力，完成原始积累的同时，积极参政议政，被选为市、区人大代表两人，市、区政协委员、常委9人。

（四）商会领导以身作则并组织会员积极投身当地公益活动。为“春蕾计划”捐款，并积极帮助贫困学生重新上学；为红十字会16周年捐款；2003年防治非典期间，商会成员积极为当地防治非典献爱心，为防治非典捐款50万元。

实践“三个代表重要思想”与“三大文明”相对接

加强社团的党建工作，是在新形势下加强党的建设的一项重要任务。发挥商会党支部的战斗堡垒作用和党员的先锋模范作用是商会工作健康，顺利发展的保证。内蒙古温州商会党支部在商会工作中发挥了政治核心工作，凡重大举措，如换届，党支部都开会研究，提出导向性意见，提供会长们决策，实现了党对社会团体的政治领导，被自治区民政厅列为社团党建试点；内蒙古温州商会，在呼和浩特和温州两地市委、市政府、经协办的关心、支持下，6年来做了一些力所能及的工作，但任重道远。今后商会的工作将以党的“十六大”指针，按照“三个代表重要思想”和“三大文明”的要求，求真务实，与时俱进，以发展社会生产力去促进物质文明，以提高社团文化去发扬精神文明，以贯彻“五大民主”去实践政治文明；坚持办会宗旨和方向，努力做好商会的各项工作，遵纪守法，为构筑和谐内蒙作出新的贡献。

2004年，内蒙古自治区温州商会被评为“全国先进民间组织”（左起为：内蒙古自治区温州商会秘书长周永年、内蒙古自治区民政厅副厅长冯呼和民政厅社团管理局副局长张俊锁）。

6年来，由于内蒙古温州商会的出色工作，受到了内蒙、浙江两省区政府及呼市、温州市政府的赞扬和好评；2004年被民政部授予“全国先进民间组织”称号。

内蒙古温籍企业家座谈会

大连(中国)稻草输出协会

我国是盛产水稻的国家，稻草能够作为国际农产品贸易出口日本，是建国以来、特别是加入WTO前夕我国动植物检验检疫工作的重大历史性突破，也是对我国动植物检验检疫工作的严峻挑战。

为促进中国稻草对日出口，国家出入境检验检疫部门自1983年起经过了近13年的检疫技术攻关和艰苦谈判，历尽艰辛最终于1999年7月以真空蒸汽高温消毒的办法实现了对日出口，彻底结束了我国稻草长达59年禁止对日出口的历史。但是中国稻草的解禁是有条件解禁，如果市场供需失去平衡，达不到检测卫生条件，或个别企业不严格执行检疫卫生标准，都可能使整个中国稻草行业出口终止，企业的大量投资及国家检疫部门多年的解禁成果也将毁于一旦。因此，在我国稻草出口和维护我国稻草出口解禁成果的特定条件下大连（中国）稻草输出协会于1999年10月成立，协会最大的特点是勇于承担行业协会应该承担的风险和责任，在不违背国家法律、法规的前提下，以行业自律为原则，发挥协会职能作用、为推动稻草输出产业健康发展、长期维护我国稻草出口检验检疫信誉做出了重要贡献。

2003年1月17日、经过长达9个月的各方努力，中国稻草终于恢复了对日本出口。

积极发挥稻草协会在应对突发性国际农产品贸易中的作用

解禁初期，稻草出口价格比水稻价格还贵，一度成为倍受瞩目的黄金产业，但一年后，由于中国不成熟的市场经济和恶性竞争，出口价格下降，企业和国家严重受损，同时，个别企业弄虚作假，日本于2003年4月11日暂停从中国进口稻草。为了尽快恢复中国稻草对日出口，协会立即配合检验检疫部门组织调查事故原因，用掌握的事实施加压力，迫使违规企业如实地向中日双方检验检疫机关自首，同时经全体大会讨论通过，永久性开除了违规企业的会员资格，解除了它熏蒸稻草资格，挽回了国家质检部门和日本农林水产省的信任和支持，在停产9个月后恢复了对日出口，积极发挥了协会的作用。

依靠检验检疫数量 实现协会产量调控和价格管理

在没有加入WTO前，稻草出口实施政府最低限价，在加入WTO后，为防止贸易争端，协会主动要求国家海关总署撤消了对稻草出口的予核签章即出口价格限制，请求国家质检总局通过检疫措施调节出口的数量，对此检疫部门给予协会高度的重视和认可，最后确

大连（中国）稻草输出协会2004年被民政部评为“全国先进民间组织”。

截止2004年，中国稻草出口累计150万吨，出口集装箱总量达30万TU，出口创汇达3亿美元。

大连（中国）稻草输出协会会员单位薰蒸工厂关键的生产岗位清消车间一角。

中国稻草对日本出口解禁后夏德仁市长出席了由大连（中国）稻草输出协会与日本贸促会关于中日稻草贸易会议。

定由协会根据市场经济规律原则和市场需求状况，及时地向检疫部门提出书面报告，检疫部门在最短的时间内做出反应，与日方检疫人员一起对每天检疫加工的锅次进行宏观调控，使中国稻草价格始终处于一个较为合理的水平。

企业维护协会信誉 协会真正为企业服务

协会的行业自律必须要取得检验部门的支持，大连（中国）稻草输出协会在这方面做得非常出色，企业有要求时立刻向协会反映，如是共同的问题，协会一定会召开全体大会形成同行协议书上报检验检疫部门，检验检疫部门也会立即做出反应，给予答复和解决。有事向协会说，协会再与检疫部门协调，真正在企业和政府中起桥梁和纽带作用。

几年来，大连稻草输出协会除密切地与出入境检验检疫部门配合取得令人瞩目的成绩外，还为会员企业做了大量其他的服务和协调工作：一是服务的内容和目标，帮助企业解决共同面临的困难；二是严格按章程吸纳会员；三是坚持行业自律和为会员企业服务的原则，以同行协议书来约束各会员企业，在达成共识的基础上增加全会员间的凝聚力。

给广大农民多增收、多获利，扶持和推动我国稻草饲料化，充分体现我国出口饲料的出口优惠政策，协会积极努力，通过国家农业部畜牧兽医局，对稻草作为单一饲料范围进行了认证和评议，经国家海关总署和国家税务总局协调，免征13%的出口调节税，为会员企业降低生产成本起到了促进作用。

勇于承担责任 协调行业发展

2002年1月，日本修改了《关于从中国进口谷物秸杆及干草的动物卫生条件》，要求在2007年12月30日前对所有熏蒸设施进行双开门改造。为此，协会理事和辽宁检验检疫局领导专程赴京，请示国家局领导的意见，确定了从检验检疫上坚持总熏蒸数量不变的原则，具体改革方案由稻草协会研究并通过同行协议书的形式上报辽宁出入境检验检疫局，辽宁出入境检验检疫局严格按照协会的意见执行，目前第一批5家改造的设施即将验收，为保持同行业协议的严肃性，各企业坚决按照熏蒸体积和熏蒸数量进行验收，多余数量不得使用。

几年来，协会始终如一地坚持为全体会员企业服务，为国家、为企业创造了可观的企业经济效益和社会效益，受到了社会各界的好评。2004年，协会被国家民政部授予“全国先进民间组织”称号。

中国（大连）稻草恢复对日出口座谈会。

本溪市建筑业联合会

本溪市建筑业联合会成立于1990年6月，现有会员单位200多家，设办公室、资审科技开发部、财务部、培训部、经营指导部，工程质量管理分会、建筑装饰装修分会、工程造价管理分会和建筑材料管理分会。数年来，联合会在本溪市建委和本溪市民政局的正确指导下，坚持一方面协助政府加强行业管理，另一方面积极热情为企业服务，坚决维护企业的合法权益，在政府和企业之间较好地发挥桥梁纽带作用。

(一) 联合会从1999年开始到现在，一直负责建筑业企业的资质初审工作，较好地完成了资质初审工作。积极开展建设系统的干部培训和职工职业技能培训、鉴定工作；从2001年2004底，共培训各类专业干部4122人；1998年至2004年底，共培训、鉴定职工8000多人，并向他们颁发了《职业技能岗位证书》。

(二)联合会组织开展建筑行业创优竞赛评比工作。从1992年至2004年，共开展了6次，评选出了各个时期的优秀建筑施工企业、优秀装饰装修企业、优秀勘察设计单位、优秀工程质量管理单位、优秀工程项目经理和优秀建筑企业家。

(三) 着力抓好提高建筑工程质量水平的工作。开展了ISO9000质量体系认证工作，认真总结推广工程质量管理好的企业的先进经验；从2001年至2003年共评选出57项市优质工程，16项辽宁省“世纪杯”工程，为行业树立了工程样板。

(四)积极开展为会员服务的工作。根据实际情况，认真总结推广典型经验 并及时将这些经验向全市建筑业企业推广；从2000年至2004年共总结推广了22家建筑业企业的经验。

(五) 及时反映企业的愿望和呼声，维护企业的合法权益。从2001年至2004年共召开了8次施工企业、开发企业、建筑材料生产企业、装饰装修企业经理座谈会，并将他们提出意见、建议及时反映给市建委、并得到合理解决。

(六) 精心组织了二次建筑用产品展示会，为企业搭建了展示产品的平台，取得很好的效果。

(七)为规范企业市场行为，促进行业健康发展，联合会先后制定《建筑安装企业招投标自律公约》和实施办法、《砌块企业生产自律公约》和实施办法、《混凝土制品企业生产经营自律公约》和实施办法、《本溪市建筑施工企业行规行约》和实施办法，维护了企业和行业的利益。

联合会会长白光

联合会秘书长朱凤纯

联合会1998年年会暨建筑行业优秀评比表彰大会

(八)努力办好会刊《本溪建筑业》，现已出刊74期，因此，多次被评为市、省优秀社团。2004年被国家民政部评为“全国先进民间组织”。

联合会召开的建筑用产品企业经理座谈会

联合会举办的建筑用产品展示会开幕式

联合会举办的一级注册建造师执业资格考试考前培训班

联合会被民政部授予“全国先进民间组织”。

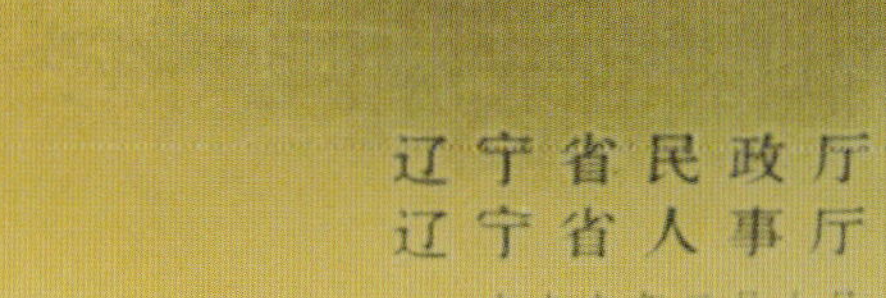

联合会被省民政厅、人事厅评为“先进社会团体”。

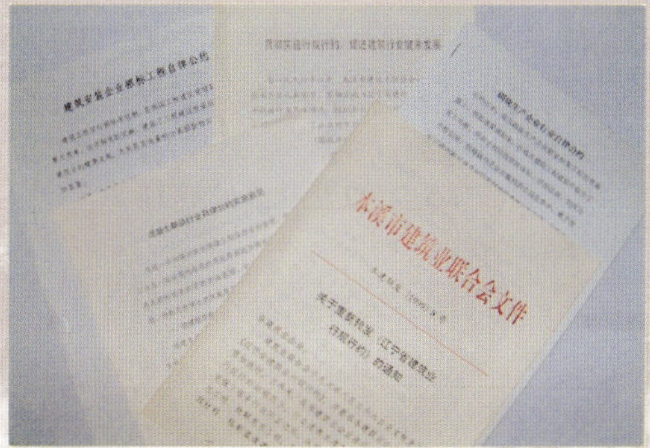

联合会制定的行业自律公约及实施办法

联合会期刊——《本溪建筑业》。

以质量求生存　以特色谋发展

——哈尔滨工业大学实验中学

哈尔滨工业大学实验中学，是1995年经哈尔滨市教委批准，由哈尔滨工业大学和哈尔滨市第六中学联合创办的一所高级中学，是社会力量举办的教育机构。

省民政厅民间组织管理局局长李喜到学校指导工作

学校实行董事会领导下的校长负责制，有专职教师78名，有一支以第六中学在职教师为主体的高素质的教师队伍，现有37个教学班，2240名在校生。有全市一流的现代化教育教学装备，同时与第六中学共享先进的教育资源。到2004年，先后有七届毕业生，为高等学校输送了2100余名合格的高中毕业生。学校确立了“以教师发展为本”，“以学生发展为本”的教育新理念。确立以师德建设为核心，提高文化素养及岗位技能为重点，中青年教师为主体，以“行为端庄，品德高尚，严谨治学，严格执教，注重素质，精心育人”为培养目标的师资队伍建设思想，培养了一大批骨干教师。

坚持以爱国主义教育为核心，以思想道德素质和心理品质教育为重点，以行为规范训练和养成教育为基础，对学生进行集体主义、爱国主义和社会主义教育。确立教书育人、服务育人、管理育人、环境育人的工作格局，不断提高德育工作实效性。构建有利于学生健康成长的校园文化，不断优化育人环境，着力培养德、智、体、美等全面发展的跨世纪接班人。全面贯彻教育方针，面向全体学生，对学生全面负责，全面提高教学质量。坚持以教学为中心，以提高课堂教学质量为重点，强化学生社会实践，优化教学过程，确保“基础扎实、素质全面、品德高尚、特长明显”的培养目标的全面实现，稳步提高教学质量。

校领导班子

班主任和学生亲切交流

学校为了充分发挥教育资源的社会效益，认真践行“三个代表”重要思想，经省、市教育行政部门批准，由学校出俱经费，从2000年开始启动了“跨世纪教育资助工程”，即面向哈尔滨市属11县（市）农村和城市8区招收品学兼优的特困学生。学校对这些学生实施经济上的资助，使那些需要资助的学生能顺利地完成高中阶段的学业，为贫困的学生家长排忧解难。目前，学校已先后招收4批特困生70名。这些学生享受“五免一补”的优惠待遇，4年来为特困生免费和支付的费用达210余万元。特困学生愉快健康的成长，学习成绩优秀，综合素质全面提高。

学校十分重视文明单位创建工作，从1998年创建区级文明单位开始，不断晋档升级，2004年晋升为省级文明单位。连续多年被评为哈尔滨市高中大面积提高教学质量先进学校。

赴澳大利亚游学

展望未来，在“十六大精神”指引下，认真实践“三个代表”重要思想，学校领导班子团结、务实、改革、创新，带领全校师生，以“崇德 求是”为校训，以“勤奋、向上、朴实、文明”为校风，坚持“以法治校，以德立校；以人为本，客观公正；关系和谐，运转规范；民主管理，科学决策；保持稳定，加快发展”的工作思路，以饱满热情，为不断提高整体办学水平，确立学校战略发展规划，实现学校跨越式发展，为创建高质量、有特色、现代化的民办公助高中，为创建省级文明单位标兵，与时俱进，奋发努力。为哈尔滨教育事业发展，为哈尔滨经济振兴做出更大的贡献。

2004年特困生赴清华大学参观学习

英姿飒爽的国旗班

特困生义务劳动

信息技术教室

上海市社会福利企业协会

上海市民政局领导和协会领导出席上海市社会福利企业协会二届二次理事会

上海市社会福利企业协会成立于1995年9月28日。2002年以来，随着我国深化改革，扩大开放，以及加入WTO后形势的发展，为适应完善社会主义市场经济的要求，协会及时提出了“认识要到位，定位要准确、组织要落实、职责要明确、工作要创新”的工作要求，适时召开了第二届会员代表大会，协会的各方面工作都取得了飞速的发展。目前会员总数已达1790名，比二届会员代表大会召开时的1194名增长49.9%，其中，个人会员318名，团体会员1472名，占全市福利企业总数的57.7%。下设20个区县办事处，专兼职工作人员182人。

本着“关注弱势群体、服务福利企业”的理念，协会致力于：研究行业发展战略，拟定行业发展规划；为会员和行业服务制订行规行约，建立行业自律机制；反映企业要求，协调各方面关系，维护福利企业和残疾职工的合法权益；建立信息网络，出版行业期刊，提供行业相关信息；提供各种咨询服务；开展各类专业培训。

应对我国入世后政府行政职能转移，大力培育发展行业协会的新形势，协会努力突破体制机制性瓶颈，坚持理论创新、制度创新、活动创新和服务创新，完善政策体系、培育市场发展、加强服务自律、提高企业层次，做了一些政府不应管、管不了、管不好，单个企业想解决而又无法解决的大量协调服务工作，形成了与社会主义市场经济体制发展和上海国际大都市发展目标相适应的管理和发展格局。

近年来，协会把理论创新作为做好协会工作的基础，认真开展调查研究，组织理论研讨会、政策法规研讨会、作经验交流会，并撰写了《应对新形势　迎接

会长徐宝源在“扶残帮困”活动中，调研残疾职工的困难。

协会召开技改交流会，促进社会福利企业可持续发展。

一年一度的“自强之旅”活动中，残疾职工感受祖国美好河山。

新挑战－上海市新一轮发展中行业协会的培育发展和改革》的课题报告，为协会工作全方位开展夯实基础。

按照体制创新的要求，协会在组织体制、运作机制上作了积极探索，取得了突破。构成了市、区县、街道乡镇三级工作网络，发挥了协会的桥梁和纽带作用。

为会员提供优质的服务是协会工作的宗旨和出发点，协会整合社团资源，认真做好协调服务、牵线搭桥服务、咨询服务和维权服务。

围绕活动要创新，协会积极组织自强之旅、扶残帮困送温暖、体检疗休养、对外交流考察、各类培训、经验交流会、各种现场会、加强行业自律和办事处（分会）“创优达标”等行业活动，使协会工作充满了生气和活力。

“天时人事日相催，冬至阳生春又来”。在协会新一轮的发展中，协会将全面贯彻“三个代表”的重要思想，牢固树立科学发展观，加强协会的自身建设，发挥桥梁纽带作用，以为会员单位服务为宗旨，以发挥行业自律为基础，以维权保障为根本，努力开拓、与时俱进，为上海社会福利企业的发展，为构建社会主义和谐社会作出更大的贡献。

组织会员赴国外交流考察残疾人安置工作

举办丰富多彩的比赛，充实社会福利企业职工的文化生活。

江苏省电力行业协会

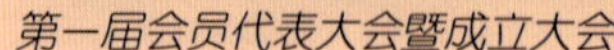
第一届会员代表大会暨成立大会

第一届理事会第三次会议

江苏省电力行业协会成立于2002年3月25日。现有会员单位337家，内设有6个工作部，根据工作需要成立有若干专业委员会（分会）和地级市办事处，建立了较完善的“两网（联络员、通讯员网络）一库（协会专家库）”，初步形成了一个纵横结合，优势互补的组织机构和服务网络体系。3年来，协会坚持贴紧企业，贴紧政府，贴紧江苏电力改革发展的实际，认真履行服务宗旨，拓展服务空间，规范服务程序，履行服务职能，提高服务水平，受到了政府有关部门的充分肯定和会员单位的广泛好评。2004年12月2日，协会被民政部授予“全国先进民间组织”荣誉称号。同年12月16日，在中电联第四届全国会员代表大会上，协会又被评为“先进省级电力行业协会”。

（一）深入调研，向政府建言献策，为企业改革发展营造良好的外部环境。江苏是一个缺能省，近年来电煤严重不足，再加上电煤运输价格大幅上扬，发电、供电、用户和政府都面临巨大压力。协会适时召开发电、供电和大用户负责人座谈会。围绕确保电网安全稳定运行，集思广义，并及时将代表提出的建议行文上报。组织力量对全省发电企业生产和经营情况进行了广泛而深入的调研，向政府有关部门上报了《关于江苏当前电煤、电价问题的情况汇报和建议》，这些建议有相当一部分在政府部门制定的政策和采取的措施中得到重视。

（二）认真承办政府委托的工作，让政府放心，让企业满意。根据政府有关部门的委托，协会承担了全省热电联产企业和承装（修、试）电力设施许可证审核工作。协会先后两年分别组织了5个工作小组，并聘请相关方面的管理专家参与审核认定组的工作，对180家企业进行了审核，帮助这些企业提高管理水平。受省统计局、省经贸委授权委托，协会先后编辑出版了2001年、2002年、2003年全省电力行业统计资料汇编。

（三）积极开展评优活动，努力推进企业管理创新。协会制定了《江苏省电力行业管理现代化成果奖评审办法》。两年来，经过企业申报，初步筛选，专家评审，有6个项目获全国电力企业管理现代化创新成果奖。协会还颁发了《江苏省电力行业质量管理小组（QC小组）活动实施办法》，积极组织全行业开展QC小组活动，提高职工群众参与质量管理的意识，调动和开发广大员工的积极性和聪明才智。由于成绩突出，协会被省质量管理协会授予“2004年度江苏省推进质量管理工作先进单位”的称号。

（四）实施行业自律管理，在管理中为企业提供高水平的服务。电力体制改革实施厂网分开以后，如何保证统一调度保证电网安全运行是政府、发电、供电企业

发供用电企业座谈会

扬州第二发电公司安全性评价复评大会

共同关注的重大问题。根据这种情况，协会及时组织专家在广泛调研、听取各方意见的基础上，制定了《发电厂并网安全性评价标准及依据》、《江苏省发电企业安全性评价标准》，并通过了省经贸委、省电力公司共同组织的评审，为发电厂并网安全性评价和发电企业自身开展安全性评价提供了符合江苏电力行业实际情况的统一、可操作的标准。为了提高热电联产企业的安全生产和经营管理水平，协会组织40多名专家，前后历时一年半，通过调研、起草、修改、试点、评审，先后制定了有13万字的《江苏省热电联产企业安全生产管理制度汇编》、《江苏省地方供热管网暂行规定》和《江苏省热电联产企业无渗漏电厂诊断评价实施办法》。

（五）急企业所急，想企业所想，为企业提供所需的特色服务。协会创办了《江苏电力行业信息》、《江苏电力行业管理》两个刊物，为企业提供信息服务。协会组建了《江苏省电力行业协会发电企业物资供应协作网》，由协会出资开发了包括电厂信息、供求平台、网上调剂、网上采购、产品展示、供应商、库存共享等内容的软件。目前已有27家单机容量20万千瓦以上的发电厂参加了协作网。与6家电力制造企业签订了“以厂代储”协议。这不仅保证了电厂安全生产，而且为电厂节省大批资金。

3年来，协会根据企业的实际需求先后举办了WTO知识、热电联产企业安全生产管理、热电联产企业煤质检验人员岗位培训、统计员岗位培训、物流师职业资格统考培训、采购仓储管理等各类培训班32期，共1560多人次参加培训，其中仅企业负责人就达420多人次。

中外专家参加协会举办的科技交流会

热电联企业安全生产管理工作座谈会

协会所获荣誉称号

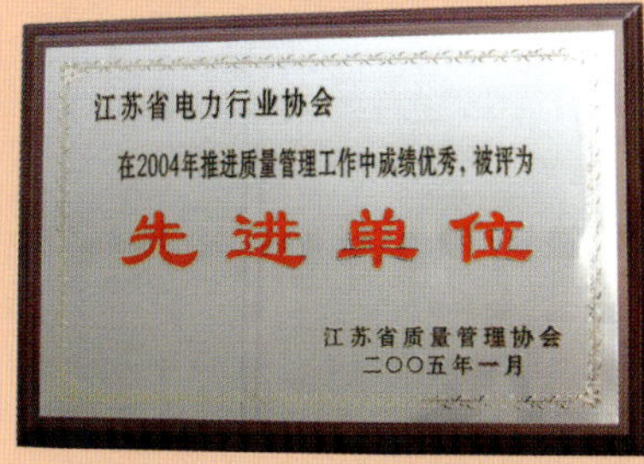

宁波经济建设促进协会

1984年8月1日，邓小平在北戴河听取谷牧汇报沿海开放城市和对外开放工作，谈到宁波工作时指示：把全世界的“宁波帮”都动员起来建设宁波。

2005年3月4日，宁波市委、市政府在北京召开宁波籍人士座谈会。

宁波经济建设促进协会是在邓小平同志发出关于“把全世界的宁波帮都动员起来建设宁波”的号召指引下，在原国务院宁波经济开发协调小组两年多工作的基础上，于1988年10月发起成立。吴学谦、谷牧、路甬祥、包玉刚、董建华等曾担任协会名誉会长，协会首任会长是原外经贸部顾问卢绪章同志，继任会长是原国家计委常务副主任陈先同志，现任会长是原财政部部长、全国政协常委、经济委员会主任刘仲藜同志。

协会成立17年来，在党和政府的关心重视下，始终坚持正确的政治方向，积极发挥桥梁纽带作用，为宁波服务、为宁波籍人士所在地城市服务、为会员服务，广泛动员海内外“宁波帮”，充分发挥他们在信息、人才、科教、文化、资金等方面资源和优势，服务祖国和家乡建设，已成为促进宁波经济建设和社会发展的重要力量，得到了各级政府和社会的一致认同。协会先后被授予“浙江省优秀社会团体”、“全国先进民间组织”等荣誉称号，为促进宁波同相关城市交流与合作、推进宁波建设与发展，作出了重要贡献。

(一)创新组织体系，加强网络建设。一是根据工作需要吸收了外地少部分具有代表性的“宁波帮”人士担任名誉会长和顾问；二是推动北京、上海、天津、杭州、深圳、武汉等13城市在当地依法成立相应组织，协会与各地组织之间采取联席会议的形式，交流会务，加强协作。这样既遵循了地方社会团体实行属地化管理的原则，同时拓展了组织网络，内外联动，为更加广泛地动员全世界“宁波帮”建设宁波和推动宁波与外地相关城市之间的合作交流创造了有利条件。

(二)改进工作方法，加强促进力度。17年来，促进工作实现了三个转变，一是由原先以经济促进为主逐步转向经济、文化、社会事业全面促进；二是由原先“引进来”为主逐步转向“引进来”与“走出去”并举；三是促进工作重点逐步转向加强城市与城市之间全方位合作与交流，取得了一定业绩。

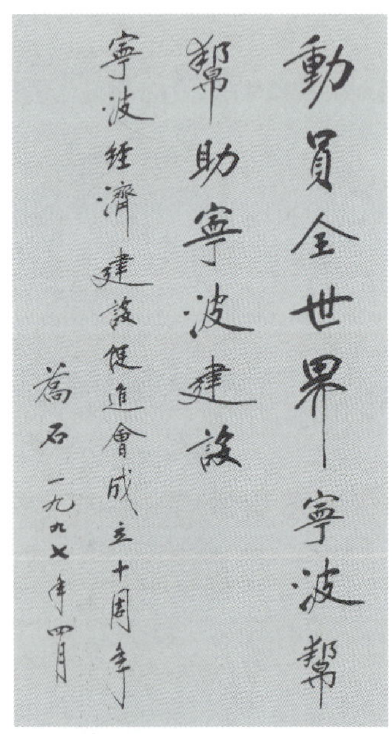

原全国人大常委会委员长乔石题词

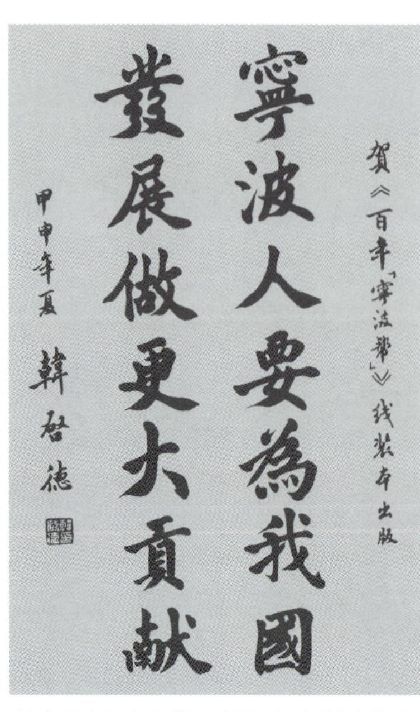

第十届全国人大常委会副委员长韩启德题词

在咨询参谋方面，组织千余人次的甬籍领导、专家、学者和两院院士，参加了50余次座谈会、恳谈会和研讨会，为宁波市实施科学决策提供有益的帮助。在推进科教发展方面，促成中科院及其所属科研机构与宁波全面合作，引进300多个高新技术项目；参与创办浙江万里学院，促成英国诺丁汉大学分校落户宁波。在服务经济文化建设方面，为宁波外引内联项目所办实事累计超过300件，引进捐投资总额达几十亿元。以甬籍文化名人为载体，促进文化交流，推动宁波文化大市建设。在促进城市合作方面，促成宁波与贵阳、成都、合肥等城市缔结友好城市，促成宁波上海两市签署全面友好合作协议，促成宁波南昌两市合作建设“无水港”项目，配合市政府赴武汉、南京、天津、合肥、南昌、西安、深圳等地举办经贸科技洽谈会、产品展销会和旅游推介会等。

(三)加强宣传，激发“宁波帮”爱国爱乡热情。与中国宁波网合作，创办了“天下宁波帮”网站，荣获2002年浙江省网络新闻奖专栏组一等奖；参与宁波市委宣传部与中央电视台联合拍摄的大型电视纪录片《宁波商帮》部分编辑工作；编写出版了《百年宁波帮》一书，展现“宁波帮”的精神和风采。2004年，协会倡议并经请示宁波市委、市政府同意，会同有关部门联合承办了“纪念邓小平同志诞辰100周年暨纪念邓小平同志发表关于‘宁波帮’指示20周年”大型活动，邀请千余名海内外“宁波帮”和宁波帮人士代表参加，进一步激发了海内外“宁波帮”爱国爱乡、报效桑梓的巨大热情。

2003年10月22日，宁波经济建设促进协会召开第四次会员代表大会。

1988年10月18日，宁波经济建设促进协会召开成立大会。

2004年8月1日，宁波市隆重举行“纪念邓小平同志诞辰100周年暨纪念邓小平同志发表关于‘宁波帮’指示20周年”大会。

宁波经济建设促进协会被授予“浙江省优秀社会团体”、“全国先进民间组织”等荣誉称号。

宁波市鄞州区慈善总会

宁波市鄞州区慈善总会于1999年9月成立，2003年7月换届，有会员332个。至2004年6月，累计募集慈善资金6437万元，其中母本基金3383万元，接受物资捐赠折价480多万元。从2000年起每年举行一次“慈善一日捐”活动，4年共募集善款3765万元，社会经常性捐赠、专项捐赠，慈善牵手结对助学等多种形式挖掘社会慈善资源，累计达857万元。

2003年7月25日，宁波市鄞州区慈善总会召开第二次会员代表大会。图为新当选的会长、副会长、秘书长与省、市慈善总会领导和鄞州区委领导合影。

遵循“安老、扶幼、济危、助困”的办会宗旨，开展助困、助医、助学、助老（寡）、助孤、助残、赈灾等救助活动，累计发放各类救助款2000多万元，有2万余贫困家庭受惠。以专项扶助活动为载体，达到救助与扩大慈善影响力双赢目的：连续4年开展“复明行动”，使252名贫困白内障患者得到免费手术治疗而重见光明；连续3年开展“精神康复行动”，对415名有监护条件的青壮年精神病贫困患者给予常年服药扶助，对初发或急需住院贫困患者给予住院扶助；连续3年开展“爱心助孤”活动，给予全区59名孤儿每人每月100元生活扶助；连续4年开展“慈善爱心献功臣”活动，先后向360人（次）特困“三老”人员（建国前老党员、老游击队员、老交通员）和老劳模、老先进发放扶助金20多万元；开展“生产自救型”扶助，帮扶有条件的贫困群众从事养殖业，服务业等逐步脱贫；开展“慈善助残系列”活动，仅在第14个全国助残日，就扶助30多万元；开展“慈善烛光工程”，扶助100名特困离退休教师。投资217万元创办实体项目“鄞州慈善康复中心”；投资470万元购置商业用房创办“慈善超市”和慈善物资募救中心；投入100多万元扶助全区的敬老院、福利院、特殊教育中心、慈善康复

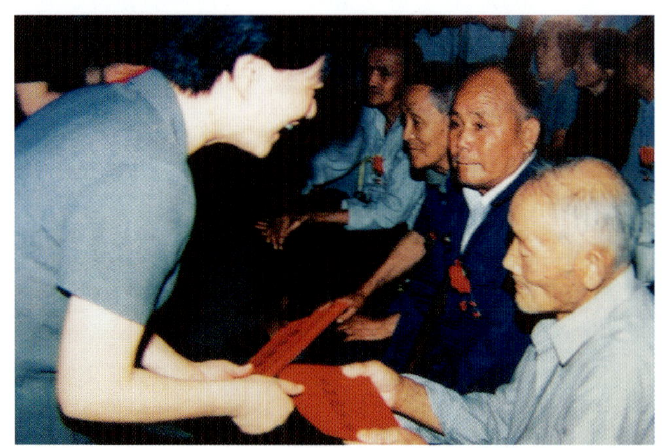
每年“七一”前夕，开展“慈善爱心献功臣”活动，或举行革命遗址“火炬传递接力”，或召开慰问座谈会，或上门走访慰问。图为区委副书记张南芬（左）向困难“三老”人员和老劳模、老先进代表发放慰问扶助金。

每年春节前，举行一次“爱心助孤温暖大家庭团圆活动”，全区孤儿欢聚一起游园、参观、吃团圆饭。图为区政协主席、慈善总会会长朱禹宝（右）在给孤儿们分发“压岁钱”和节日礼物

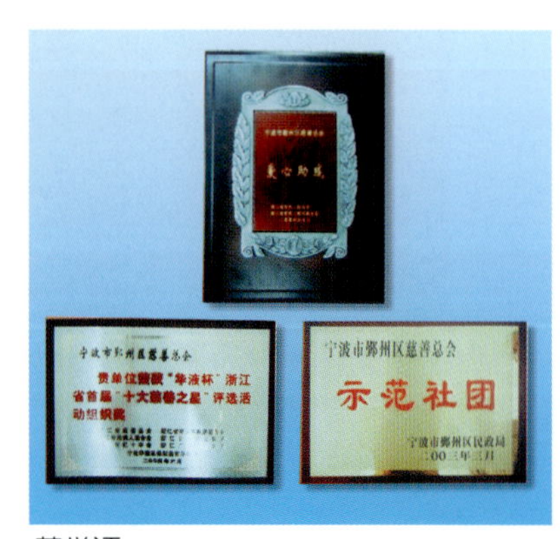

荣誉证

宁波雅戈尔集团公司于2003年11月建立了500万元“雅戈尔爱心助医基金”，这是目前该区最大的企业留本冠名基金（图为区长徐立毅（左）向雅戈尔公司负责人颁发荣誉证书）。

中心、爱国主义教育基地等公益项目，还在边远、山区学校建立9个“爱心书库”。

积极发挥会员代表大会、理事会、常务理事会的作用，并建立22个慈善工作联络站，形成以总会为“一级法人”、总会和联络站“两级管理”的工作网络，聘请1300多名基层慈善工作义务联络员，推进了慈善进基层、进社区。严格依照法律法规和本会《章程》、《慈善资金募集使用管理办法》及一整套自律制度行善，实行内部监督，自觉接受行政监督和社会监督，赢得社会广泛赞誉，树立起良好社会公信形象。

区慈善总会在实践中逐步探索出一种相对稳定和长效的救募机制，主要形式有：

鄞州区塘溪镇党委、政府组织开展第四次“慈善一日捐”活动，建立了“塘溪镇慈善扶贫基金”（图为总会领导与该镇慈善工作联络站站长在签订基金协议）。

浙江温岭市遭遇“云娜”台风袭击，部分地区损失严重，鄞州区慈善总会赶忙赈灾，送去了500条“博洋”家纺棉被和5万元资金（图为赈灾车到达温岭）。

投资217万元创办慈善实体项目——“鄞州慈善康复中心”。

（一）海外捐资建立专项“冠名基金”。基金本金全额捐给慈善总会，每年增益按捐赠人意愿用于定向扶助，为扩大扶助效果，总会配套部分资金，基金以捐赠人或其亲属姓名冠名；目前已建有“性海助学基金”、“李世民福利基金”、“杨美云慈善帮困基金”等7个，总额140万元。

（二）“企业留本冠名基金”是一种相对稳定的机制。基金本金仍留在企业运作管理，企业承诺若干年内每年捐出基金总额百分之几的增值部分；总会承诺用这笔捐赠按企业意愿搞好救助；基金以企业冠名，救助以企业名义，弘扬企业善举美德，树立企业公信形象。目前已建有51家，总额4670万元。

（三）“镇乡街道慈善扶贫基金”是一种长效机制。在总会统一组织下，一个镇乡（街道）募集到的一笔较大数额善款，进入总会母本基金，又作为该镇乡（街道）“慈善扶贫基金”，基金可由镇乡（街道）自行运作管理，也可委托总会运作管理，基金可逐年增加，其每年的增值部分，用于该镇乡（街道）扶贫帮困。目前，全区已建8个，总额1710万元。

安徽省慈善协会

安徽省慈善协会成立于1994年3月，2001年9月完成首次换届。现有常务理事23人，理事66人，会员83人；理事会下设办公室，为理事会办事机构，现有工作人员9人，负责处理协会日常事务。

省慈善协会是经省政府批准的非营利性公益社会团体，具有独立法人资格，其财产和收益不为任何个人牟取私利。

省慈善协会以施善济世、扶危解困、实行人道主义为宗旨，帮助困难群众和弱势群众开展多种形式的社会救助工作。到2003年底，慈善协会筹募下拨价值1亿多元人民币的慈善款物，在赈灾济困、安老助孤、助学助医等项目活动中，为社会困难群众解决了一些实际困难，受助人数400多万人次。为社会保障工作做出了积极的努力，收到了良好的社会效益。

民政部副部长罗平飞（右二）在安徽省民政厅厅长、省慈善协会会长李宏塔（右三），省民政厅副厅长、省慈善协会副会长丁四金（右一），省民政厅副厅长陈文华（左一）陪同下检查城镇社区的慈善救助情况。

安徽省民政厅厅长、省慈善协会会长李宏塔（左二），安徽省民政厅副厅长陈文华（左三）与驻皖部队商谈赈灾事项。

安徽省是具有6400多万人口的大省，也是水、旱自然灾害频发的农业省份之一，经济欠发达，目前，农村和城镇人均年收入625元以下贫困人口占有280多万，农村敬老院孤寡老人5万多人，孤儿福利院1万多人，需要社会救助的面比较大，省慈善协会热切地期望海内外慈善组织和负有慈爱之心的社会各界人士，与省慈善协会合作开展慈善项目，或者需要省慈善协会负责执行的独资扶贫济困等项目，省慈善协会会按办会的宗旨、忠实地履行自己的义务，为慈善事业的发展贡献力量。

安徽省民政厅厅长、省慈善协会会长李宏塔（右三）接受"慈善工程"邮资明信片捐赠仪式。

安徽省民政厅副厅长、省慈善协会副会长任伯鹏（右三）看望农村特困户。

安徽省民政厅副厅长叶如强（左一）慰问五保户。

安徽省执行“微笑列车”项目工作会议。

安徽省民政厅副厅长王佛生（前排右二）参加书画捐赠活动。

安徽省民政厅纪检书记、省慈善协会副会长杨一心，安徽省慈善协会副会长陈义明参加慈善助学款发放仪式留影。

安徽省民政厅副厅长、省慈善协会副会长丁四金与《慈善》杂志总编李玉林看望城镇特困职工。

江西省公路学会

中国科学院院士谢光选（前右）与江西省交通厅副厅长、省公路学会理事长席芳柏（前左）亲切交谈。

江西省公路学会是中国共产党领导下的公路科技工作者群众性的学术团体，是党和政府联系广大公路科技工作者的桥梁和纽带，是推动公路科技进步的重要社会力量。学会成立于1979年，挂靠江西省交通厅，业务主管单位是江西省科学技术协会，登记管理机关是江西省民政厅民间组织管理局。

学会有团体会员66个，个人会员2500名，下设秘书处，专业（工作）委员会11个，会员小组83个。创办了江西科力咨询监理有限公司、江西省科技咨询服务中心公路技术部和公路技术四新成果推广站等三个经济实体。全省11个设区市均已成立市公路学会，在全省公路交通行业形成了比较完善的学会工作网络。

首届江西青年科学家学术年会省公路学会专题会场

学会坚持以邓小平理论和“三个代表”重要思想为指导，以经济建设为中心，团结广大公路科技工作者，贯彻“经济建设必须依靠科学技术、科学技术工作必须面向经济”和“百花齐放、百家争鸣”的方针，弘扬科学精神，普及科学知识，传播科学思想，捍卫科学尊严，反对迷信愚昧和伪科学，提倡“献身、创新、求实、协作”的精神，为社会主义物质文明和精神文明建设服务，为加速江西省公路现代化建设做贡献，努力把学会办成学术交流主渠道，科普工作主力军，国际民间科技交流主要代表，公路科技工作者之家。

学会坚持“面向公路，服务交通；以人为本，培育人才；经营学会，办好实体；打造精品，争创一流”的办会

硕果累累

方向，广泛开展学术交流、科普宣传、科技咨询、科技培训、组织建设活动。25年来，召开年会及学术交流会217次，交流论文2232篇，其中参加国际交流43篇，参加国内交流405篇，出版论文集等刊物31本，科技培训156期，培训6236人次，科普宣传102次，科技咨询127项。

庆祝车宇琳同志获全国工程设计大师荣誉称号大会

学会坚持深化学会改革，制定了《江西省公路学会改革方案》，认真探索适应社会主义市场经济、符合科学技术和科技团体发展规律的组织体制、运行机制和活动方式方法，树立市场经济和经营学会观念，办好经济实体，逐步走上“工作自主、人员自聘、经费自筹”的轨道，逐步实现“自主活动、自我发展、自我约束”的改革目标。

美籍华裔专家徐和生学术报告会

学会为发展江西省公路事业作出了贡献，得到各级领导机关的充分肯定，连续荣获中国科协学会部授予全国“学会之星”称号12次，获中国公路学会授予“学会工作先进集体”称号3次，连续15年被省科协评为“省级先进学会”，获省民政厅、省人事厅、省社团促进会授予“先进社团”和“先进学会”、“全省先进民间组织”称号，1998年被省人事厅授予“江西省继续教育培训工作先进教学点”。2001年国家经贸委、中国科协授予全国“千厂千会协作行动先进组织单位奖”。自2001年起被省科协列为全省109个学会中5个精品学会的试点单位之一。2004年，民政部授予学会“全国先进民间组织”称号。

江西省浙江企业联合会

会长陈志胜

江西省浙江企业联合会经江西省民政厅登记，于2002年8月在南昌成立。两年多来，坚持依法建会、按章办事、服务会员，得到众多浙江企业鼎力支持，会员企业已由建会时的42家发展到近700家，涉及工业制造、中高等学校、建筑、房地产、建材、园林工程、纺织、拍卖、医药、服装、食品加工、宾馆、餐饮、娱乐等行业；并先后在鹰潭、上饶、吉安、抚州、九江成立了代表机构办事处。各单位会员发扬“浙江精神”以“浙江速度”发展壮大，为江西的经济和社会发展作出了贡献。

两年多来，在江西实施中部崛起的发展战略中，协会发挥桥梁、纽带作用，参与招商引资，穿针引线，开展经济技术合作洽谈活动，为江西招商引入300多家浙江企业，投资近400亿元。坚持以服务为宗旨，维护浙商合法权益，先后受理会员企业和浙商维权投诉300多件，为他们挽回经济损失1000多万元，使会员企业和浙商深感“娘家”的温暖。积极参与社会公益活动，回报社会：会长陈志胜所创办的华东交大理工学院，2004年11月资助革命老区兴国茶园小学人民币11万元，帮助拆危房，修校舍，添置教学设备，并不定期

2003年8月2日联合会隆重举行成立周年庆典活动，同时召开一届二次会员代表大会（图为会场一角）。

免费接收小学老师到学院进修，提高教学业务素质；去年春节协会赞助南昌市举办2004年春节“送温暖、心连心”慰问会，宴请南昌市200名下岗困难职工共进小年夜晚餐，并向他们赠送了节日礼物，产生了很好的社会反响；去年，鹰潭、抚州、吉安等办事处会员企业助学、助残、扶贫、帮困，为社会捐助资金达150万元，鹰潭市还设立了浙江企业家希望之星助学基金，第一批共为24名贫困生圆了大学梦。

联合会的工作，在会长陈志胜的领导下，在全体会员企业共同努力下，各项工作有了突破性的发展，取得了可喜的成绩。2004年，被国家民政部、江西省民政厅授予“全国先进民间组织”和“全省先进民间组织”的荣誉称号。

会长陈志胜在2004年12月10日全国先进民间组织表彰会上接受奖牌

联合会南昌部分企业老总春节走访慰问南昌市社会福利院

2002年8月2日，在赣浙两省经济技术合作项目签约仪式上，举行了江西省浙江企业联合会揭牌仪式。

山东出入境检验检疫协会

协会组织检贸座谈会（右二：山东检验检疫局局长于桦）。

山东出入境检验检疫协会成立于1991年12月20日，由山东地区从事出入境检验检疫的有关机构、企事业单位、社会团体及关心检验检疫事业发展的有关组织及人士自愿组成的具有独立社团法人资格，按其章程开展活动的非营利性的社会团体。协会组织机构健全，现设有3个业务部门和3个中心，即秘书部、业务部、财务部，青岛鲁检卫生科技服务中心、山东鲁检认证咨询中心和青岛茂华科技卫生服务中心。

协会的宗旨是：遵守国家宪法、法律、法规和国家政策，遵守社会道德风尚。14年来，协会在山东检验检疫局的领导下和山东省民间组织管理局的指导和监督下，开展国内外行业间的技术交流与合作，在检验检疫局和会员之间发挥桥梁和纽带的作用，努力保护出入境人员的健康和山东工农业生产的安全，促进对外贸易的发展，为山东省的外向型经济服务做贡献。

协会始终坚持以邓小平理论和“三个代表”重要思想为指导，坚持服务的宗旨，围绕中心，服务大局、解放思想、与时俱进，积极发挥桥梁纽带作用。一是每年投资10多万元为会员单位订阅报刊杂志，免费送给会员单位，受到会员单位的普遍好评；二是在青岛、潍坊等地多次为外经贸企业宣讲检验检疫政策、法规。与此同时，协会与山东省国际经贸联合会共同组织召开了由山东检验检疫局与外经贸公司和出口企业的检贸座谈会，山东检验检疫局的于桦局长亲自到会，宣讲了检验检疫局出台的政策、措施，取得良好效果；三是培训并组织山东省15000多名报检员参加全国报检员统考，合格率高出全国平均水平5个百分点；四是积极开展ISO9000、14000体系等认证咨询工作，现已为青啤等20多家企业进行认证咨询，使企业获得了出口的通行证。为14家出口企业办理了美国FAD的注册，为扩大对美出口创造条件。同时，为众多的企业办理了数百份3c免办证明，配合山东省的对外招商引资工作。

近几年，协会得到长足的发展，主要是以绩效管理考核为总抓手，使各项工作不断上新台阶。2003年，在山东检验检疫系统绩效评估考核动员大会之后，协会高度重视，在组织全体职工认真学习了于桦局长的动员讲话、深入领会会议精神之后，大家一致认为，开展绩效评估是山东局党组顺应时代发展要求，适应检验检疫面临的新形势，开拓进取，强化管理，狠抓工作落实的具体措施，体现了山东局党组在管理的理念、制度、机制上的创新。检验检疫协会应当也必须以此为契机，努力提升工作质量，促进协会全面发展，树立良好的对外形象。

协会三届一次常务理事会

全体干部职工学习

协会党支部会议

俗话说，好的开始是成功的一半。山东检验检疫协会从领导到职工在统一了思想，提高了对绩效评估的认识后，便积极行动起来。根据山东局下达的6大项重点目标，协会结合自己的工作实际，将其进一步细化、量化为22个小项，明确了分管的领导、责任部门、岗位、完成的时限和应达到的标准。围绕这些工作目标，协会提炼出坚持“促进、自律、服务”的宗旨，发挥好桥梁纽带作用；围绕中心工作，干事创业，拓宽服务领域，促进发展，抓基础，强管理，抓班子、带队伍，树立协会良好形象3个方面的重点内容。一时间，全体干部职工精神振奋、扎实工作，争先恐后、争创一流的浓厚氛围在全协会建立起来，求真务实、真抓实干的好作风发扬光大。

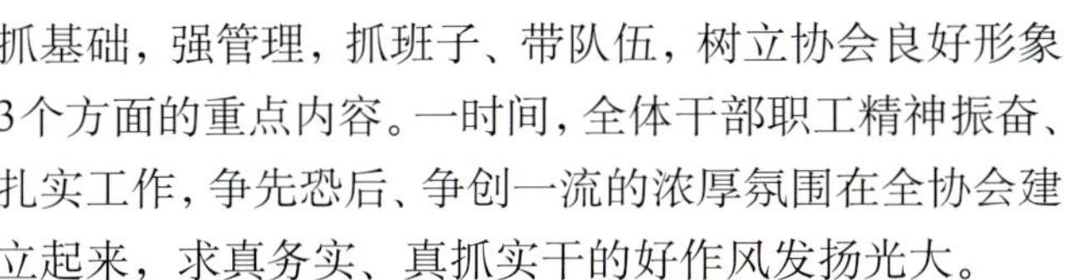

由于协会工作成绩突出连续3年被山东省民间组织管理局命名为“优秀社团”，2003年、2004年连续荣获“山东检验检疫系统先进集体”，2004年被民政部授予“全国先进民间组织”的光荣称号。

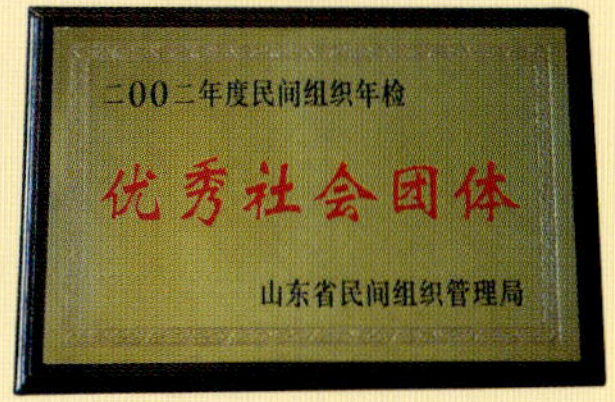

河南省慈善总会

河南省慈善总会自2000年5月开始筹备，2001年9月26日正式成立。总会第一届理事会由97名理事组成，其中常务理事36名。总会下设办公室、项目部、捐赠部、宣传策划部、宣传促进工作委员会、慈善书画院、对外交流协作工作委员会（筹）。

全省慈善网络建设初见成效，洛阳市、周口市、新乡市、郑州市、驻马店市、安阳市、济源市7个省辖市级慈善协会，南阳市方城县、西峡县、平顶山市汝州市、周口市扶沟县、郸城县、沈丘县、西华县、项城市、商水县等县级慈善协会相继成立；商水县慈善协会还在全县各局委、乡镇建立了慈善工作联络站。

省慈善总会部分名誉会长、副会长与总会会长、副会长合影。

省慈善总会在省委、省人大、省政府、省政协的高度重视和大力支持下，通过多种形式募集慈善资金和物资，累计发放款物6000多万元，10多万名特困人员及家庭受益。

省慈善总会坚持慈善宗旨，充分发挥桥梁纽带作用，积极开展慈善救助的活动：

赈　灾

香港华光功德会向新乡市延津县1500户灾民发放了价值60万元的面粉、大米、棉被、净水器等赈灾物资，并向总会捐赠了价值2万元的药品；

中华慈善总会荣誉会长阎明复、河南省慈善总会会长李志斌参加由台湾慈济会援建的信阳固始慈济高中落成典礼。

省人大外事委主任、省慈善总会常务副会长杨德恭（右）与省慈善总会名誉副会长、中国少林寺方丈释永信（左）签署“千名孤儿救助”项目协议书后亲切握手。

世界宣明会向漯河市舞阳县灾民发放了价值150万元的面粉；台湾慈济会先后两次向驻马店市平舆县发放了价值500万元的面粉和衣物。

助　学

（一）向汝阳县捐赠图书6万多册，电视机、VCD各11台，在全县建立了37所“烛光图书室”，资助了汝阳县210位特困且爱岗敬业的教师每人500元现金。

（二）总会与吉林天山奇药业集团联合，对河南省500多名患肠胃、风湿、类风湿疾病而辍学的大、中、小学生实施救助，直到康复上学为止。

（三）经总会与台湾慈济会联系，并作为见证方，向信阳市固始县第一高中捐赠建校款1100万元。

（四）定向资助郑州大学10万元，救助45名贫困大学生。资助河南大学20万元，对100名家庭困难、品学兼优的在校大学生进行资助。连续两年与北京京桥大学联合招收贫困学生，减免学费、住宿费。

“微笑列车”

2000年12月，总会与“微笑列车”合作，对河南省没有得到矫治的贫困唇腭裂患者进行免费矫治。

慈善情暖万家

包括助老、助残、助学、助孤、扶贫济困等内容的慈善送温暖活动，资助单位30多家，资助人数近1万名，资助款物260多万元。

沙河爱心地市行活动

河南省慈善总会、河南电视台、漯河卷烟厂共同组织实施，以“伸出您的双手，奉献一片爱心”的活动宗旨，救助特困群众400多人，资助金额40多万元。

助　医

资助90名困难残疾人安装假肢，资助费用27万元；与韩国世界慈善会联合资助周口市两名患先天性心脏病

省慈善总会名誉会长钟力生（左二）、副会长李金台（右一）、常务副秘书长邹敏庆（左一）在慈善情暖万家活动中慰问福利幼儿园。

孤儿实施手术；协助中华慈善总会开展“格列卫”项目，免费救助了河南省20名慢性粒细胞性白血病患者；与德国商会联合对父母因患艾滋病去世的孤儿免费培训。

关爱困难劳模阳光行动

通过宣传劳模事迹，对困难老劳模进行物质帮扶和精神慰济，在社会上形成关心爱护困难劳模的良好风尚。

千名孤儿救助

总会与中国嵩山少林寺签订救助孤儿协议，由嵩山少林寺负责筹集救助资金，总会提供拟救助孤儿名单，双方共同实施。在全省范围内，救助1039名父母双亡的孤儿。

“慈善爱心亭”

为帮助特困下岗职工、特困优扶对象、特困残疾人、特困民政对象等社会困难群众再就业，总会与省民政厅、省建设厅、省公安厅、省劳动和社会保障厅、省新闻出版局联合出台了《关于实施“慈善爱心亭”项目的通知》（豫慈总字[2003]11号），起草了项目实施的有关文件和协议，并督促该项目在全省范围内逐步实施。

省慈善总会副会长刘蔚峰（前排左二）参加赈灾物资发放。

省慈善总会副会长赵云雨（左二）、常务副秘书长邹敏庆（左三）“非典”期间慰问“抗非”医务工作者。

长沙市教育基金会

长沙市教育基金会是经政府同意，由热心公益事业的著名人士和教育部门的相关人员志愿参加、经湖南省民政厅注册登记，以从事教育事业为目的的面向公众募捐的基金会。以邓小平理论和“三个代表”重要思想为指导，认真贯彻落实“十六”大和十六大三中、四中全会精神，自觉遵守宪法、教育法、教师法等法律、法规和国家有关政策，严格按章程开展各项活动，其财产和收益不为任何个人谋取私利。以服务教育为原则，以资金募集为基础，以基金有效使用为内容，推动全社会关心和支持教育，争取各单位、团体、个人和社会各方面力量的捐助，开展“奖优励先”、“济困助学”、“改善办学条件”等活动，弘扬尊师重教的社会风尚和“助人为乐、乐善好施”的传统美德，致力于推动全社会进一步关心和支持教育，关心青少年学生的健康成长，为促进教育事业的发展作出积极的贡献。

基金会自成立之日起，社会各界关怀的暖流即开始流动，边募集、边奖优、边扶助、边济困、满怀爱心的人走到一起，无数双温暖的手握到了一起，无数颗炽热的心连到了一起，手牵手、心连心，尊师重教献真情；济困助学奉上自己挚诚的爱；基金会活动不断得到扩展壮大。

（一）已先后由“华天”、“友谊”、“商银”等多家公司捐资设置了“优秀教育奖”、“优秀班主任奖”、“教育科研奖”、“教育改革奖”等8种“奖优奖教奖励基金”，奖励在教书育人等方面有突出贡献的优秀老师。

河北新奥集团捐资设立“新奥扶困助学基金”，基金会原副理事长彭景坤（右）在接受全国工商联副主席、新奥集团董事局主席王玉锁（左）的捐赠。

（二）由“远大空调有限公司”捐资设立“远大高中生扶助金；由河北新奥集团捐资设立“新奥扶困助学金”；由社会各界广大群众捐资设立“省会中学扶困助学金”、“同升湖扶困助学基金”；由80多岁老人将毕生积蓄捐出设立“助残助学金”等6种扶助贫困家庭学生完成学业的“助学专项基金”。

（三）由企事业单位捐资设置的“麓山”、“远大”、“扶助困难教师基金”，帮助遭受天灾人祸或疑难病症久治不愈造成经济困难的教师缓解困难度过难关；到2004年底，全市教育基金总额达1.2亿元，本级基金超

在新奥集团捐资设立“新奥扶困助学基金”仪式会上基金会理事长刘湘皋（站立者）致谢词、新奥集团主席王玉锁（座左一）、湖南省副省长郑茂清（左二）、长沙市市长谭仲池（左三）、长沙市委副书记余合泉（左四）、长沙市副市长赵小明（左五）在主席台就座。

长沙市教育基金会秘书长孟繁腾（中）在人民大会堂参加“全国先进民间组织”代表大会时，与湖南省民政厅副厅长杨明波（左）、湖南省民间组织管理局局长李佩玮（右）留影。

长沙远大空调有限公司捐资基金会设立“远大高中生扶助金”。2001 年至 2004 年已有 14150 名高中贫困学生获得远大扶助金 1114.48 万元。图为：雷锋的母校—雷锋学校的 36 名贫困学生每人获 1000 元扶助金后合影。

过2000万元。扶助家庭贫困学生14910人，扶助金额1195万元；奖励有突出贡献的优秀教师2486人，提供奖励经费379万元，帮助困难教师396人。基金会先后被评为“湖南省教育基金会工作先进单位”、“湖南先进社会团体”、“全国先进民间组织”。

在今后的工作中，基金会将继续按基金会《宗旨》，努力联合社会各界企事业单位和个人共同参与到“扶困助学、尊师重教”行列中来，集众之力，为中国的教育事业发展贡献新的力量。

2004 年 9 月 8 日，基金会庆祝第 20 个教师节，隆重举行优秀教师表彰大会。

广东省注册税务师协会

协会会长吴荣芳

协会副会长黎宇同

协会副会长兼秘书长高峰

协会由广东省注册税务师组成的独立、民间、自律的全省性社会团体，于2002年9月成立。

协会宗旨：遵守国家法律法规，遵守职业道德；维护会员的合法权益；加强会员的联系与合作，协调税务师事务所与委托代理人之间的关系，在政府及有关部门与注册税务师行业工作者之间架起桥梁纽带作用；实施行业自律管理，促进注册税务师行业健康的有效发展。

协会成立大会暨第一届理事会

协会主要职责：对注册税务师执业的税务代理机构、会员实行“批导、监管、服务、协调”；办理会员入会登记和备案管理；制定会员职业道德规范、执业准则、工作规程；对会员开展后续教育培训，对会员违规惩戒处理；开展国内外交流活动等。

目前颁布在全省各地（不含深圳市）有200多家税务师事务所为团体会员，有注册税务师4300多人。国家有严格的注册税务师考试制度，每年举行一次考试，凡参考人员考试合格，即可取得注册税务师资格。

注册税务师行业主要从事涉税鉴证和涉税服务两类业务。

会长吴荣芳接受省民政厅民间组织管理局王嘉岐主任代表省民政厅颁发的社会团体证书

协会一届二次理事会

协会在韩国税务士会馆

协会在日本考察合影留念

亲切交谈

培训一角

上级领导莅临指导

广东省青少年发展基金会

广东省青少年发展基金会是1994年由团省委、省青联、省学联、省少工委共同创立的、具有独立法人资格的社会团体。现有23名理事组成，聘请全国人大华侨委员会副主任、原省人大主任张帼英和原深圳市人大主任李海东任名誉会长，聘请团省委书记邓海光任名誉理事长，选举团省委副书记王晓任理事长，林万松任常务副理事长，郑传烈、卓定华、李思廉、黄继豪、廖宇波、林春贺任副理事长，谭小莲任秘书长。广东青基会成立了由15名监事组成的监事会，选举原省纪委副书记朱树屏任监事长，李心、林晓明、李昭淳、李少群任副监事长。

其宗旨是：争取海内外关心青少年事业的团体和个人的支持、捐助，推动青少年教育、科技、文化、体育、卫生、社会福利和环境保护事业的发展。

目前，广东青基会设有希望工程助学基金、民营企业助学基金、公安英烈子女助学基金、培英工程基金、绿色希望工程基金、优秀少先队辅导员奖励基金、中华文化慈善基金、志愿者行动基金等专项基金，并根据捐赠人的意愿对捐赠100万元以上的捐赠设置专项命名基金实施专项管理和资助。到2004年底止，广东青基会累计筹资2.8亿元，资助困难学生11万名，援建希望小学465所，开展了各种有益于青少年成长成才的活动，在推进希望工程和青少年事业的发展中做出了积极贡献。1994年荣获全国首届希望工程建设奖，1999年再获全国希望工程攻坚奖，2004年度被评为广东省“全省先进民间组织”。

中共中央政治局委员、广东省委书记张德江（前排右五）接见向希望工程民营企业助学基金捐赠的民营企业家。

广东省委副书记、省长黄华华接见第六届希望工程（富力地产）羊城会亲活动的受资助学生。

全国人大华侨委员会副主任、原广东省人大主任张帼英（前排右七）与出席广东省青少年发展基金会第三届理事会第一次全体会议的理事、监事合影留念。

一年一度的苗圃行动行路上广州活动，深受香港同胞的拥护和支持。

由省公安厅、团省委和广东青基会发起创建的“希望工程广东公安英烈子女助学基金”已于2003年9月正式成立，目前资助63名公安英烈子女上学，并与省公安厅等单位联合举办“广东公安英烈子女夏令营”等活动。图为2004年夏令营开营仪式现场。

全国人大华侨委员会副主任、原广东省委副书记、原省长卢瑞华在办公室亲切接见受希望工程资助的孩子们。

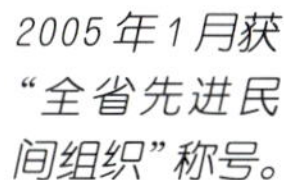
2005年1月获“全省先进民间组织”称号。

广东实施希望工程13年来援建希望小学465所（图为广东省龙川县居仁培智希望小学落成典礼现场）。

1999年12月获“希望工程攻坚奖”。

“希望工程——金龙鱼农民工子女助学基金”在广东已资助3400名外来工子女读书（图为启动仪式暨公开课现场）。

广东省税务学会

广东省税务学会于1985年6月成立，后经省民政厅注册登记。现有单位会员21个，个人会员102人。本届（第四届）名誉会长由现任广东省委常委、人民政府常务副省长钟阳胜同志担任，会长曹凤檀。

省税务学会自成立以来，始终坚持正确的办会方向和办会宗旨，始终把开展税收学术研究摆在首要位置。学会每年根据广东的经济和税收工作形势及要求，拟定全省群众性税收学术研究课题，采用以题编组等各种形式，组织21个地级以上市税务学会开展税收学术调研活动；同时，学会还重视学术交流，重视走出去、请进来的办法，不定期地与加拿大、澳大利亚、法国等国家和港、澳、台地区的同行以及兄弟省市同行进行学术交流。2004年，组织21个单位会员对3大课题开展调研，收到论文或调查报告48篇；收到学术委员会的学术委员研究成果17篇。此外，全省21个地级以上市单位会员结合当地实际自行布置调研课题246个，共收到论文或调研报告1619篇。在全省税务学会形成了重调查研究，重理论探索的良好氛围，有力地促进了各项税收工作的发展。

2002年，省税务学会成立了学术委员会。现有学术委员39人，由省国税局、部分市国税局对税收理论较有研究的骨干和院校财税专业的教授组成。成立学术委员会的目的，是为了在广泛开展群众性税收学术研究的基础上，充分发挥学术委员的骨干攻坚作用，组织他们就我国税收理论研究与实践中的热点、难点和重大课题，开展学术攻关研究。3年来，学术委员共有71人次对20多个课题进行了调研，提交了56份质量较高的论文。今年，又有16位学术委员选择七大课题开展研究。

《广东税务》作为广东省税务学会的会刊，自1985年创刊到2004年因故休刊，20年来，始终坚持其办刊宗旨，坚持为促进和繁荣广东省的税收理论研究事业服务，坚持为提高基层税务队伍的税收理论和业务素质、培养税收理论写作人才服务。创刊以来，共收到来自基层税务人员的文稿约1.2万篇，约4800万字；共奉献《广东税务》200多期，刊登来稿近5000篇，约1700万字。此外，还编辑出版《广东税务·文摘专辑》近100期，提供税收、经济文摘1.5万条，约600万字。

省税务学会在自身建设方面，坚持从实际出发，在

中国税务学会会长杨崇春（中）视察学会与学会会长曹凤檀（左二），副会长梁品荣（右一）、黄福洪（右二），秘书长赵伟（左一）合影。

1997年10月15－30日，应加拿大税务学会的邀请，由曹凤檀率领广东国税代表团赴加拿大进行税务考察交流，曹凤檀团长与加拿大税务学会互赠礼品。

福建省税务学会来粤考察时与学会会长曹凤檀，副会长梁品荣、余荣渊、秘书长赵伟进行座谈与交流。

2001年8月5－8日，台湾“中国财金赋税研究会”访粤与广税学领导交流合影。

学会第四届会员代表大会代表合影

99全国税收科学研究工作会议

2000年税收科研成果汇报会

加强组织建设的同时，还建立健全了各项工作制度。在日常工作中，经常组织学会工作人员学习，不断提高学会工作人员的政治、业务素质和工作效率。

20年，学会的工作和所取得的成绩，受到了中国税务学会、民政部以及广东省有关部门的肯定和表彰。在1999年、2004年，先后被中国税务学会评为“先进税务学会”；2004年还获得了国家民政部授予的“全国先进民间组织”的称号。2001年和2004年被广东省民政厅先后评为“省级社会团体先进单位”和“全省先进民间组织”。省税务学会工作人员以及各市税务学会、学会工作者有不少被省社科联，当地社科联以及有关部门评为先进单位和工作积极分子的称号。

成绩只能说明过去，一切从零开始。今后，省税务学会将继续坚持学会的办会宗旨和方向，做好税务学会的各项工作，使实现税务学会工作再上新台阶。

1995年5月16—19日，以费朗西斯科·阿尔巴蒙特为团长的意大利税务考察团一行5人来粤考察访问。

所获荣誉

广东潮人海外联谊会

广东潮人海外联谊会于1988年11月成立，后经广东省民政厅登记注册，是具有法人资格的非营利性社会团体。其宗旨是遵照中华人民共和国宪法、法律、法规和政策，遵守社会道德风尚，密切与海外及香港、澳门、台湾潮籍人士和潮籍社团的联系，开展友好活动，增进友谊，加强相互间的交流与合作，协助引进国外先进科学技术、设备和资金，为促进潮汕地区和祖国的社会经济建设，促进祖国和平统一服务。

1996年中央政治局常委、国家副主席胡锦涛与联谊会会长郭荣昌亲切握手。

联谊会实行理事制，由居住广州地区的潮籍归侨、侨眷为主和各界知名人士自愿组成，同时聘请海内外潮人的侨领、社会贤达、各界俊彦担任名誉会长、名誉副会长、顾问、名誉理事等。现有理事600多人；名誉会长、名誉副会长、顾问、名誉理事200多人。

1992年邓小平同志南巡时在广州亲切接见本会原会长蚁美厚。

联谊会成立17年来，广泛做好海内外潮人的联谊工作，积极参加历届国际潮团联谊年会和历届国际潮青联谊年会活动，先后与泰国、美国、加拿大、法国、澳大利亚、新西兰、南非、新加坡、马来西亚和香港、澳门、台湾等40多个国家和地区的潮人、潮籍社团开展联谊、交流等活动。做好接待、出访工作，广交朋友，增进友谊。同时，配合政府和有关部门，引进国外先进技术、设备和资金，介绍国内先进科学技术、经贸项目到海外。开展献爱心、做好事、办实事、为家乡、为社会多做贡献活动。如协同广东省政协举办“潮汕地区经济发展研讨会”、支持协助办好潮汕学院和部份民办中学、小学、幼儿园。多年来，理事共捐助资数千万元和捐助书5万多册，帮助家乡贫困地区兴办中学、希望小学；选派医疗专家到潮汕地区开展义诊、讲学活动、组织科技项目下乡等。不少理事还捐资支持家乡建医院、修桥、筑路、水改等；还积极参与社会的救灾助困活动，多次捐款赠物支持灾区。2003年积极投入抗击非典行动，捐款慰问广东侨界医务工作者。联谊会名誉长会陈凯旋兴办的立白集团捐赠价值200多万元的除菌类产品和款项。去年，在印度洋沿岸各国人民遭受海啸灾难后，理事们纷纷献爱心，共捐出人民币40多万元。2004年，成立扶贫助学金管理委员会，对汕头、潮州、揭阳3市和丰顺县考入广州地区高等院校读书的110名品学兼优而家庭经济特别困难的学生发放扶贫助学金，完成大学阶段的学业。联谊会青年委员会还设立潮汕特困大学生助学金，几年来共颁发助学金50多万元，资助特困大学生近200名。2000年还捐款140多万元，帮助惠来县建设一所潮青学校，捐资兴办潮安凤凰山潮青希望小学。

会长郭荣昌和原广东省委书记、联谊会名誉会长林若、原广东省政协主席、联谊会名誉会长吴南生在理事大会主席台上。

2002年乘第二届世界广东同乡联谊大会在广州召开之际，联谊会邀请20多个国家和地区的侨胞、知名人士、潮籍乡亲130多人举行联欢晚宴，在主宾席就坐的有联谊会郭会长、北京市潮联会会长蔡诚、香港饶宗颐博士、林百欣先生等。

联谊会第五届常务理事会会长、副会长、常务理事成员合影。

2003年联谊会邀请在广州出席“世界越棉寮华人团体联合会第十一届会员代表大会”和“全球越柬老华侨、华人恳亲大会”的部分潮籍乡亲举行欢迎宴会，全国侨联副主席唐闻生在主宾台与郭会长亲切交谈。

为了广泛开展会务活动，联谊会分别设立秘书处、《广州潮讯》编辑部、经济贸易促进会、科技教育卫生委员会、文化艺术交流委员会、法律咨询委员会、青年委员会、妇女委员会、扶贫助学金管理委员会以及潮乐社。分别与各国、各地区和国内各省、市的潮籍社团开展多项联谊交流活动，会务活跃，富有成效。先后被广东省民政厅、广东省民间组织管理局评为2001年“广东省省级先进社会团体”、2004年评为“全省先进民间组织”、省侨联系统“先进集体”、《广州潮讯》2003年被广东省侨务办公室评为“广东省优秀侨刊乡讯”。

会长郭荣昌、常委副会长王善荣向联谊会原常务副会长、现名誉会长李雪光颁发荣誉证。

会长郭荣昌向联谊会名誉会长、广州光孝寺释新成大和尚颁发聘书和荣誉证书。

联谊会代表团团长王善荣、秘书长陈著扬向第12届国际潮团联谊大会赠送会旗和纪念品。

名誉会长林若向郭荣昌会长颁发任职书

郭荣昌会长向联谊会名誉会长、香港四洲集团董事长戴德丰博士颁发荣誉证和纪念品。

联谊会原会长罗天向香港潮籍社团总会会长陈伟南赠送会旗

四川省教育基金会

四川省教育基金会于1992年经四川省人民政府同意，中国人民银行四川省分行批准成立，是四川省民政厅注册登记的非营利性法人，是以“尊师重教、奖教助学、发展教育”为宗旨的公募基金会。现任理事长、法人代表为徐世群。办公室是日常工作机构。

基金会成立以来，坚持“依法建会、按章管理、规范运作”，大力开展奖教助学工作，弘扬尊师重教风尚，努力为教育改革发展服务，取得了突出成效，2004年12月被民政部授予“全国先进民间组织”称号。

(一)基金规模显著壮大。基金会建会之初，基金仅有500万元；通过10多年的发展，目前基金总量已增加到了1.22亿元。基金会财务管理工作受到了中国中小学幼儿教师奖励基金会表彰。同时，积极推进市(州)、县教育基金会发展，全省教育基金会基金总量超过2亿元。

(二)扶困助学工作快速发展。近几年来，特别是2001年6月，广州市人民政府捐赠1亿元设立“广州资助四川省民族地区‘扶困助学’专项基金”以来，基金会的“扶困助学”类专项基金总量达到了1.02亿元。同时，其它“扶困助学”资金的筹集也在逐年增加。几年来，共资助贫困学生11600名，助学经费达到860余万元，发挥了很好的社会效益和经济效益，得到了捐资者、受助学生、学生家长和各级领导的很好评价，特别是“广州助学基金”实施4年来，社会经济效益十分显著，广东省委常委、广州市委书记、市人大主任林树森表示：四川在“广州助学基金”方面的工作做得非常好。

(三)基金会成立以来，利用基金增值收益和募集资

1992年11月26日，四川省教育基金会成立大会在四川省人民政府会议室召开。

2001年6月14日，四川省委副书记、省长张中伟，广东省委副书记、广州市委书记、市人大主任黄华华和四川省、广州市有关领导出席“广州助学基金”捐赠仪式。四川省人大副主任、省教育基金会理事长徐世群和广州市人民政府副市长林元和代表双方签署捐赠协议。

广州市人大副主任陈传誉一行在四川省教育基金会副理事长、秘书长颜振陪同下考察四川民族地区和受助贫困学生家庭。

广州市领导与四川省领导，四川省教育厅、教育基金会领导一起与受助贫困大学生代表合影。

四川省边远山区优秀教师赴日本研修考察

四川省乡村优秀教师赴北京观光考察

金600多万元，开展了丰富多彩的尊师重教活动。一是连续10年举办四川省乡村优秀教师夏令营，组织1000名乡村优秀教师到北京、上海等发达地区学习考察；二是组织24名乡村优秀教师赴日本学习考察；三是连续7年举办四川省优秀青年教师夏令营；四是开展表彰奖励四川省优秀教师和优秀教育工作者、庆祝教师节、慰问教师活动；五是开展四川省优秀乡村教师“怡和烛光奖”、四川省优秀教育科研成果奖评奖活动；六是举办四川省“园丁杯”教师演讲比赛、全国师德论坛四川分论坛。这些活动受到了广大教师、社会各界和各级领导的充分肯定与好评，特别是乡村优秀教师夏令营活动，在全省以至全国都有很好反响。

四川省教育基金会慰问优秀教师。

此外，基金会还广泛动员社会各方面力量，筹集资金400多万元，支持贫困地区学校建设和帮助灾区学校重建工作。

在此，基金会衷心感谢各级党委、政府和社会各界长期以来对基金会工作的重视、关心和支持，衷心感谢广大有识之士的爱心奉献。今后将继续以“集社会之力、兴四川教育”为己任，努力做好各项工作，积极为构建社会主义和谐社会贡献力量。

四川省委书记、省人大主任张学忠，省委副书记、省长张中伟，省政协主席秦玉琴等领导亲切接见受表彰奖励的全国和省优秀教师代表。

贵州省慈善总会

贵州省慈善总会成立大会

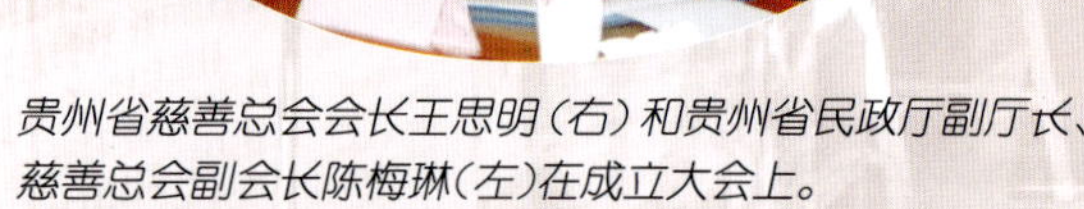

贵州省慈善总会会长王思明（右）和贵州省民政厅副厅长、慈善总会副会长陈梅琳（左）在成立大会上。

贵州省民政厅厅长、慈善总会副会长郭猛（左二），贵州省民政厅副厅长、慈善总会副会长陈梅琳（右二）在金花企业集团捐赠药品发放仪式上。

贵州省慈善总会，成立于2003年12月18日；由贵州省热心慈善事业的社会各界人士、法人及其他社会组织自愿参加的全省性非营利公益社会团体，依法登记注册，具有独立法人资格，接受贵州省民政厅的业务指导。总会宗旨是：遵守宪法、法律、法规和国家政策，遵守社会道德风尚，发扬人道主义精神，弘扬中华民族乐善好施、扶贫济困的传统美德，开展多种形式的社会救助工作，帮助社会上最困难的群体，协助政府发展社会慈善公益事业，促进社会公平、文明与进步。总会现有团体会员19家，个人会员260余人，是贵州省目前层次较高，覆盖全省，组织完善，制度健全，最具影响力的社会团体之一。

总会成立以来，以“安老、扶孤、助学、济困”为宗旨，围绕“扩大宣传、广交朋友、筹募善款”的工作目标，从社会、政府、企业、海外慈善组织等渠道募集款物折合人民币1025余万元；结合贵州实际开展了“微笑列车”项目、助医、助学、济困等多种形式慈善救助项目。

“微笑列车”

自2001年在贵州开展以来，截止2004年11月，已治愈贫困唇腭裂患者2370例。

助医活动

接收陕西金花企业集团和天津天士力公司捐赠的价值人民币共计249万元的转移因子胶囊、藿香正气滴丸等药品及时下发到9个市、州、地，使部分贫困患者得到救助；完成格列卫物资援助价值61.2万元，有2名贫困患者得到救助；开展向贫困患者进行募捐活动，使一名患者得到及时医疗救助。

助学活动

落实中华慈善总会“许季楣助学项目”；设立了“贵州省慈善总会荣生助学专项资金”和世界宣明会“贵州高等教育资助项目”；2004年与台湾佛教慈济会在罗甸县、紫云县两次向贫困学生发放助学金，截止9月，省慈善总会共计资助贫困大学生94名，中、小学生达到1000多名。

济困活动

积极组织配合台湾佛教慈济慈善事业基金会等慈善组织在我省开展的赈灾、助学、移民搬迁等活动，累计投入1000多万元，使1万多贫困农户，近10万贫困农村人口受益；开展向敬老院和贫困低保户贡献爱心等活动，截止2004年12月底，向敬老院和低保户等弱势群体捐赠和发放物资价值近30万元。

贵州省慈善总会、世界宣明会“贵州高等教育资助项目”发放仪式现场。

贵州省慈善总会周末在广场上进行宣传劝募活动

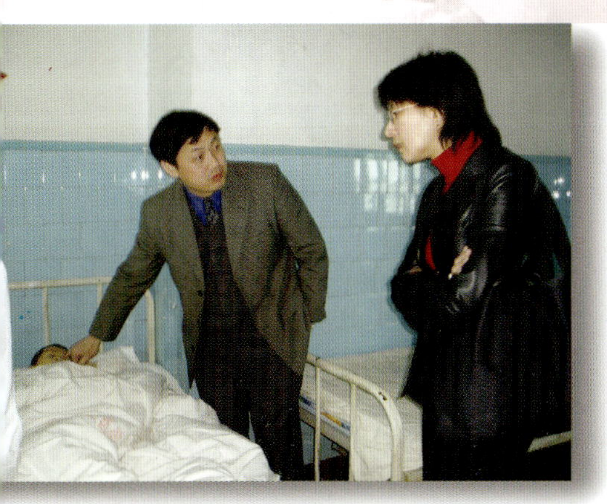

“微笑列车”中国总部梅竹音女士（右）到贵州省调研“微笑列车”项目实施情况 。

西藏慈善总会

西藏慈善总会自1998年成立以来，在自治区党委、政府的关怀下，在自治区民政厅的正确指导下，在社会各界的大力支持下，做了大量的工作，取得了较好的成绩，得到了社会各界的好评，为西藏的改革、发展和稳定发挥了稳定机制的作用。

2004年西藏慈善总会重点做了以下几方面的工作：

区政府副主席土登才旺（右二），区民政厅党组书记刘巨元（右三），区民政厅厅长单增卓扎（左二）参加农牧区特困群众生活保障兑现大会。

（一）发扬人道主义精神，弘扬中华民族扶贫济困的传统美德，帮助社会上不幸的和困难的人群，开展了多种形式的社会救助工作。利用“三大节日”和助残日期间，由自治区人民政府和民政厅等相关部门组成“送温暖”慰问团，认真了解群众的所思所想，所喜所忧，所爱所恶，所期所盼，深入自治区7地（市）农牧区，走村串户，及时向全区7地（市）共安排资金365万元，共慰问困难群众2.76万人，敬老院24个、五保户243人，送物折款82.6万元，把党的温暖及时送到了真正需要帮助的困难群体。

（二）2004年4月25日至5月15日，在全区开展了集中性扶贫济困社会捐赠活动，截止5月25日，全区各级民政部门共接受捐款200.17万元、衣物2.7972万件、粮食2790斤、药品20箱（折价15万元）。

（三）“微笑列车”唇腭裂矫治手术工作顺利开展。经中华慈善总会批准，根据西藏自治区民政厅《关于做好组织“微笑列车”唇腭裂患者进行矫治手术工作的通知》要求，“微笑列车”唇腭裂矫治手术工作自启动到截止日前，全区266名患者接受了唇腭裂矫治手术，手术成功率达100%。

（四）“残疾孤儿手术康复明天计划”项目前期工作进展顺利。“明天计划”是为残疾孤儿办的一件好事，为把这件好事办好，民政厅领导非常重视，把“明天计划”看作是践行“三个代表”，造福残疾孤儿的民心工程、德政工程，专门成立了厅党组书记刘巨元为组长的“明天

民政部部长李学举（前排中）视察西藏儿童福利院，向儿童福利院捐赠人民币30万，并合影留念。

2004年6月1日，西藏儿童福利院与西藏移动通信公司联合举办“援助孤儿我们在行动”的活动，该活动接收社会捐赠6000多元。

拉萨市社会养老院的老人们幸福安渡晚年

计划”领导小组；对全区城乡各类社会福利机构及其它收养性福利单位中0至18岁具有手术适应症的残疾孤儿进行了普查和筛选，全区共筛选出符合条件的孤儿284名，指定自治区人民医院和西藏军区总医院等医疗机构作为“明天计划”实施的定点医院，2004年10月底开展手术康复工作。

在新的一年里，总会将不断总结经验，以邓小平理论和“三个代表”重要思想为指导，与时俱进，从西藏的实际出发，确定慈善工作的重心，以全新的思路开拓西藏慈善事业新领域，为自治区的改革发展和稳定服务。

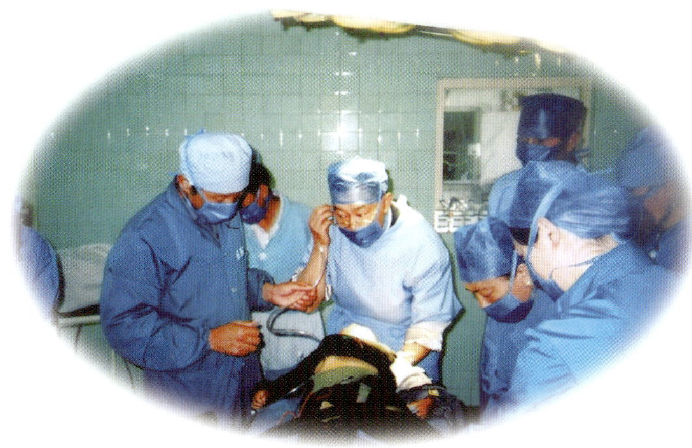

2002年7月1日，“微笑列车”项目在西藏正式启动，迄今已为农牧区困难患儿矫治唇腭裂手术266例。

西藏孤儿院共建点95662部队向儿童捐赠学习用品

北京大学教育基金会

北京大学教育基金会成立于1995年，是经国家教育委员会（现称教育部）同意，中国人民银行总行批准，国家民政部登记的非营利性组织。设立的目的是加强北京大学与海内外各界的联系与合作，拓宽学校筹资渠道，接受和管理海内外各界捐赠给北京大学教育的基金，促进北京大学教学、科研、人才培养等各项事业的发展。

2004年，基金会在北京大学领导的关心和大力支持下，积极进取，开拓创新，密切联系社会各界人士，共为学校教学、科研及基础设施建设等方面募集资金7112万元人民币，在一定程度上弥补了北京大学办学经费的不足。这一年，由基金会积极参与筹资兴建的北京大学国际关系学院大楼胜利落成竣工，极大改善了国际关系学院的教学科研条件；由基金会募集、接受和管理的奖励和助学金项目达到128项，全校共有4100余名教师和学生获得奖励和资助。基金会一直重视校友工作，一方面为校友提供服务，给校友建立免费邮箱，发送校友期刊，另一方面在校友中倡导“回馈母校，捐资助学”的新风尚，启动“我爱母校”捐款项目，并初见成效。为动员社会各界支持2008年奥运会，支持北京大学，基金会还适时启动了北京大学2008年奥运会乒乓球比赛场馆筹款项目。在积极开展筹款活动的同时，基金会重视加强和社会各界的联系，通过举办“北京大学建校106周年庆祝酒会”，发起成立“北京大学企业家俱乐部”等方式，感谢社会各界对北京大学的支持和厚爱，密切学校社会的联系。与此同时，基金会注重加强内部制度建设，加强理事会，新增设监事会，进一步严格财务制度。组织结构的调整和完善，为今后开展筹款工作奠定了更加良好的基础。

今后，北京大学教育基金会将更加努力地发挥北京大学与社会各界联系沟通的纽带作用，争取为北京大学创建世界一流大学的事业做出更大贡献。

北京大学党委书记闵维方教授（左）与北京大学桐山奖教金捐赠者，日本阿含宗管长桐山靖雄先生（右）亲切交谈。

新落成的北京大学国际关系学院大楼

“我爱母校”捐赠纪念卡。

长江技术经济学会

长江技术经济学会是1993年经民政部登记的跨地区、跨部门、跨学科的全国性学术团体。业务主管部门是科技部。目前有167个会员，其中有国务院有关部、委、办的司、局、所，长江流域内各省市计划、经济、水利、电力、交通、环保等部门，有关科研机构、大专院校和企业等单位。学会还成立了综合治理开发、综合交通、能源、环境保护等专业委员会。常设办事机构为在秘书长主持下的学会秘书处。

名誉理事长、全国政协副主席钱正英（左）和理事长郭树言商谈工作。

学会的宗旨是：通过理论研究、学术交流和技术开发等活动，进行长江流域经济建设的研究。

学会成立10多年来，为贯彻可持续发展战略、西部大开发战略和全面建设小康社会的目标，紧密结合国家和流域内的建设计划，综合治理开发长江、发展流域经济和建设繁荣的长江经济带，加快内陆开发开放和西部大开发的步伐，按照科学发展观进行全方位、有重点、多层次、理论联系实际的技术经济科学研究，向有关部门及有关地区积极提出建议或专题研究报告。学会与有关学术科研部门组织或共同举办的大型研讨活动有：长江流域高新技术产业带战略研讨会，长江流域基础设施国内国际研讨会，长江经济带产业结构调整及优化产业布局专题研究，中日长江水环境经济技术国际研讨会，1998年长江洪水和三峡工程研讨会，上海国际航运中心深水港方案研究，西部大开发与长江流域水土资源可持续发展研讨会，抓住西部大开发的机遇加快贵州省经济发展研讨会和贯彻实施《水法》与长江治理开发战略研讨会等等。

学会出版的学术论文集

主持编撰或协编的学术著作有：《长江的水与可持续发展》、《迈向21世纪的东方大港——上海国际航运深水港方案研究》、《武汉地区可持续发展研究》丛书（共8册）、《长江经济带统筹发展研究》丛书（共3册）。

学会成立大会会场

学会第二届代表大会学术研讨会会场

全国政协副主席钱正英与中国工程院院士文伏波（左二）、设计大师洪庆余（右二）、学会常务顾问魏廷（右一）亲切交谈。

大连海事大学校友总会

领导班子

1993年8月22日，江泽民同志视察大连海事大学。

大连海事大学校友总会于1994年经民政部登记注册，校友包括在南洋公学船政科、吴淞商船专科学校、重庆商船专科学校、上海航务学院、辽海商船专科学校、东北航海学院、福建航海专科学校、大连海运学院、大连海运学校等院校的毕业生和工作、学习过的人员。到目前为止，校友总会已经在北京、上海、天津、广州、等地区设立分校友会21个。

大连海事大学校友总会理事会换届会议

校友总会按照“搭台交流，加深情谊，同舟共济，共同发展”的宗旨，充分发挥广大校友的积极性，充分发挥各地校友会的作用，一直不断地举办丰富多彩的校友交流、联谊活动，开展了许多卓有成效的工作：为了让广大校友及时了解学校的发展情况与校友的信息，校友总会在校园网主页上设立了“校友总会”网站；学校领导结合各地校友工作变动比较频繁、集中等情况，及时调整各地校友会负责人，建立校友会；校友总会每年都向各地校友会通报学校建设情况，并征集对学校教学、科研、管理、学生就业、发展规划等方面的意见和建议；为激励在校学生刻苦学习，校友总会邀请全国各地各行杰出的校友回校，举办了百场校友报告会；每年的“五一”、“十一”，校友总会都组织各专业校友的入学式毕业10周年、20周年母校聚会活动，进一步拓宽了校友联系的渠道；许多校友热情捐款，建立校友基金，用于学校标志项目建设，开展校友活动；为宣传广大校友的工作业绩、奋斗历程及学校的发展变化情况，校友总会先后编辑出版了《海大之光》和《大连海事大学校友回忆录》。

2004年7月8日，大连海事大学校友总会澳洲分会成立。

大连海事大学77、78级校友毕业20周年纪念大会。

国际粉体检测与控制联合会

1988年9月由东北大学倡议，联合英国、美国、日本、意大利和前苏联等国的有关学术组织共同发起，在中国沈阳召开了第一届“国际粉体检测与控制学术会议”（MCGM’88），同时成立了国际粉体检测与控制学术会议常设委员会（PCICONMCGM），共有15个国家的学者参加。随后国际会议常设委员会和IFMCGM又于1991年8月至2003年8月先后在中国的承德、沈阳、西安、上海等地召开了第二届至第六届国际粉体检测与控制学术会议（MCGM’91~ MCGM’2003）。六届会议的成功召开，在国际上产生了良好的影响，促进了粉体检测与控制领域的学术交流和科学研究的发展。

MCGM 1997年沈阳学术会议学术报告会

1995年5月国务院批准组建“国际粉体检测与控制联合会”，并于1996年6月在国家民政部登记注册，直属中国科协。1997年9月在中国沈阳召开了“国际粉体检测与控制联合会”（IFMCGM）第一届理事会，通过了联合会章程，宣布“国际粉体检测与控制联合会”（IFMCGM）正式成立。同时召开了第四届“国际粉体检测与控制学术会议”（MCGM’97）。联合会第一届理事会由美国、英国、法国、德国、俄罗斯、意大利、荷兰、波兰、中国、日本、韩国、澳大利亚、埃及、突尼斯、尼日利亚、智利、阿塞拜疆等17个国家18名委员组成，集中了诸多国际上粉体检测与控制领域著名的专家学者。联合会秘书处设在东北大学，东北大学张宏勋教授任理事长，东北大学王师教授任秘书长。

联合会除了定期组织粉体检测与控制领域的国际学术交流外，还将创办粉体检测与控制国际学术期刊，作为联合会的会刊，促进国际粉体检测与控制学术交流与增进各国学者友好往来。

MCGM 2000年西安学术会议部分代表留影

华侨茶业发展研究基金会

华侨茶业发展研究基金会是由香港爱国华侨关奋发老先生及其长孙关博文先生倡议并捐款，在国务院侨务办公室和对外贸易部支持下，报经时任国务院副总理姚依林同志批准，在民政部登记注册，于1981年9月8日在北京人民大会堂福建厅成立的，姚依林、王岐山等领导出席了成立大会。它是我国茶叶界唯一的一个基金会，也是中国成立最早的基金会。

关奋发老先生13岁开始在武夷山搞茶，后到东南亚经营茶叶，抗战期间出口茶叶中断，转向房地产行业，发家后，饮水思源，愿对祖国茶叶作出贡献，特别是看到我国茶叶存在一、二、三、四等问题，即：论茶园面积我国位居全世界第一，产量则居世界第二，出口数量居世界第三，收取外汇居世界第四。这说明我国茶叶单产低、品质差、售价不高，急需改进。关老先生愿出巨资，成立茶科所，加以研究改进，后在时任副总理姚依林等领导的关心支持下，成立了华侨茶业发展研究基金会，对茶叶生产、加工、出口等方面作出贡献者，进行奖励和资助；以便促进全国各地在提高单产、改进品质、改善包装、做好出口工作等方面进一步提高和发展。

25年间，基金会理事历经4次换届，但其为中国茶产业发展研究的宗旨始终如一。它为资助茶文化活动，举办“茶话新说·季度论坛”，为茶人聚会、讨论、研究茶事，提供了理想的场所；与台湾茶人举办了“茶人雅集”，为两岸茶人提供了品茗、踏青、联谊等活动的良好机会；联合侨联经济文化基金会，成立了“绿色希望再就业茶嫂培训班”，为爱茶下岗妇女职工传授第二技能进行培训，提供再就业机会，为茶馆、茶艺馆和茶叶店储备了合格从业人员。资助茶书出版，奖励优秀学子，援助茶区小学希望工程，建设茶城，培育茶树优良品种，创建茶人之家，为德高望重的茶界老寿星林海云、郭献瑞庆祝九秩华诞，在京城举办历届国际国内大型茶会等项公益茶事活动做出了卓越贡献。

基金会第四届理事会成员

左一：关博文（理事长）；左二：郭献瑞（原北京市副市长）；右一：吴甲选（原外交部驻外大使）；右二：陈浑（中国日报社常务副总编）；中间：刘崇礼（副理事长）。

陇海兰新经济促进会

陇海兰新经济促进会理事长崔林涛

陇海兰新经济促进会于1986年12月在西安成立。它是以陇海兰新铁路为纽带，以沿线中心城市为骨干，以东西海陆口岸为对外开放“窗口”，依托新亚欧大陆桥，由陇海兰新地带各市地州、各铁路部门、各口岸自愿组成的跨省区、政府间、非营利性社会团体。促进会在国家民政部登记注册，由国家民委业务主管，秘书处办事机构设在西安市政府研究室。促进会现有会员理事单位 62个，由沿线各市、地、州政府和铁路局、分局担任。理事会由21名理事、29名常务理事、11名副理事长、1名理事长组成。促进会分支机构2个，即：陇海兰新城市建设联合会和陇海兰新旅游局长联席会。

促进会成立以来的主要做了以下工作：一是组织开展了一系列区域发展战略和重大课题研究，为国家决策和地方政府决策提供咨询依据；二是组织进行重大政策调研，向国家有关部门提出建议；三是组织协助铁路规划、改造、运营管理方面的研究，促进陇海兰新铁路和“两端”口岸建设；四是组织开展开发利用新亚欧大陆桥的研讨，积极促进和协助新亚欧大陆桥国际研讨会的召开；五是积极推进本地带联合协作，形成多层次、多领域的联合网络，在促进会倡导和促进下，先后建立了“陇海兰新旅游局长联席会”、“城市建设联合会”等协作组织，对整个经济带的发展起了积极促进作用；六是组织举办多种形式的区域展销会和洽谈会；七是积极协助国家建设部、计委圆满地完成了陇海兰新地带城镇体系规划编制工作；八是广泛深入地进行舆论宣传，组织和协助国家及地方新闻单位，通过媒体向国内外宣传新亚欧大陆桥、陇海兰新地带，为对外开放和招商引资进行舆论宣传，不断扩大本地带和促进会的社会影响。

陇海兰新经济促进会召开理事会议

陇海兰新经济促进会秘书长梁锦奎

陇海兰新经济促进会参加国际研讨会

全国预算会计研究会

全国预算会计研究会是经中华人民共和国财政部党组批准，在中华人民共和国民政部注册登记的、具有法人资格的全国性专业学术团体，成立于1990年9月，研究会的宗旨是："以马列主义毛泽东思想、邓小平理论和三个代表为指导方针，坚持党的基本路线，研究探讨预算管理与预算会计的基本理论与方法，为振兴国家财政服务，为社会主义现代化建设服务"。

建会10多年来，研究会会同地方预算会计研究会组织，在各级财政部门的指导下，坚持贯彻"为中心、为现实服务"的方针，团结和组织预算管理与预算会计界的专家、学者和实际工作者，积极配合业务主管部门，围绕各个阶段的中心工作，深入调查研究，对疑难问题反复探索求证，在参与财会改革和推行国库管理制度改革中，积极主动，无私奉献，取得了丰盛的硕果。

（一）先后成功地组织了4次大型理论研讨会，开展了4次优秀论文评选，编辑出版了3本专著，4本论文集，开展了有关知识竞赛和业务培训。

（二）主办了按月出版的《预算管理与会计》会刊，它紧密结合预算、国库等业务部门推行的部门预算编制、国库管理制度、非税收入、政府采购等项目改革做了大量的宣传、服务工作，发挥了桥梁和纽带作用。

（三）每年还选题组织预算和会计方面的课题研究，其研究成果受到业务部门领导和读者的重视和好评，同时，研究会还注重组织、推动支持地方省、市、区研究会做好理论研究和学术、经验交流等工作，如华东、中南、华北等地区定期开展理论研讨会，有的地区坚持了10多年，对发展预算与会计方面的理论和提高工作管理水平发挥了积极作用。

今后，研究会将联系实际，贴近基层，增强时代感，围绕财政预算管理改革和政府会计改革等重点方面的问题深入探讨，调查研究，充分发挥社团作用，献策献计，为领导决策服务，为提高基础工作水平服务，为促进建立一套具有中国特色的预算会计体系和制度贡献力量。

全国预算会计研究会成立10周年大会

清华大学教育基金会

清华大学教育基金会是经中国人民银行总行批准、国家民政部注册登记成立的全国性非公募基金会，1994年1月在北京正式成立。

基金会的宗旨是：为推动清华大学教育事业的发展，提高教育质量和学术水平，加强学校与社会的联系，争取国内外团体和个人的支持与捐助。

基金会接受国内外企业、社会团体和个人的自愿捐赠。

基金会的基金主要用于：支持清华大学教育事业，用于改善教学设施，包括建筑物、仪器设备、图书资料；奖励优秀学生，奖励优秀教师；资助基础研究、教学研究和著作出版；资助教师出国深造及参加国际学术合作和国际学术会议。对特定项目捐赠，可以按捐赠者的愿望和意见定向使用。现已设立各类基金项目300余项。

今后，基金会将力求成为捐赠者与清华大学之间的“桥梁”，通过信息交流、捐赠项目的运作，广泛地吸纳社会资源，为我国的科教事业发展做出更大的贡献！

2003年11月10日，在主楼后厅召开清华大学AIDS与SARS国际研讨会，美国前总统克林顿先生，教育部副部长章新胜，卫生部副部长黄洁夫，国家计生委副主任赵白鸽，教授何大一，清华大学校长顾秉林、基金会理事长贺美英教授、副校长胡东成教授等300余人参加了大会。

2004年9月14日上午，邓锋学长向母校捐赠1000万元人民币。学校81级电子系校友邓锋、党委书记陈希教授、校务委员会副主任、基金会理事长贺美英教授以及教育基金会、校友总会、信息技术学院的有关领导出席了捐赠仪式。

由清华1941届熊知行学长代表杏范教育基金会捐赠60万美元和学校注资共同兴建的清华大学老年学研究中心——熊知行楼落成典礼于2004年9月1日在清华园里隆重举行。

2004年7月13日，清华大学教育基金会第八次理事会在基金会会议室举行。会议由校务委员会副主任、教育基金会理事长贺美英教授主持。基金会秘书长黄建华同志作了题为“开拓进取 在规范建设中求发展”的工作报告。选举产生白永毅等23位为新一届理事会理事。会议选举贺美英为理事长，岑章志、杨振斌、杨家庆为副理事长，黄建华为秘书长，郭樑为副秘书长。

援助西藏发展基金会

援助西藏发展基金会由已故的第十世班禅大师和时任全国人大副委员长阿沛·阿旺晋美倡议创建，于1992年4月在北京正式成立。原全国政协副主任阿沛·阿旺晋美担任基金会的理事长，原全国政协副主席帕巴拉·格烈朗杰担任基金会的副理事长。基金会在国家民政部登记注册，挂靠西藏自治区人民政府，是西藏自治区目前唯一的一个全国性的基金会。

基金会的宗旨是：联络国内各方面和港澳台胞、海外侨胞和旅外爱国藏胞，联络国际友好人士、友好组织和团体，争取他们对西藏经济社会各项事业发展和扶贫济困提供帮助，奉献爱心。

10多年来，在党和政府的关心支持下，基金会开展的项目主要有以扶贫救灾济困为内容的“公益工程”、以治愈白内障失明为主的医疗卫生援助为内容的“光明工程”和以文化教育援助为内容的“育人工程”，截止2004年底，三大工程共落实各类援助项目620多个，筹集落实援藏资金两亿多元，援助项目遍布西藏自治区；其中光明工程立项201个，筹集落实资金1.2亿多元；育人工程立项219个，筹集落实资金3000多万元；扶贫公益工程立项200个，筹集落实资金5500多万元。

基金会开展的援藏项目中最具代表性的项目是开展了10年的治愈白内障失明的《光明工程》。共有西藏、青海、四川和云南的藏族地区近两万名农牧区的白内障失明患者重见光明，生产力得到解放，其创造的价值无法用金钱来计算。基金会的光明工程成功启动后，“视觉第一，中国行动”等大型复明手术也在西藏自治区普遍开展。

在过去10多年中，基金会积极开展对外友好往来，邀请荷兰、意大利、尼泊尔、美国、奥地利、法国、英国、德国和香港等国家和地区的友人访问西藏，人数达400多人次，同时派出100多人次应邀出访英国、美国、奥地利、蒙古人民共和国、印度尼西亚、意大利、瑞士、比利时、荷兰、德国和香港、台湾等国家和地区，进行友好访问、学习、考察和文化交流，有力地推动了各项援助项目的建立。

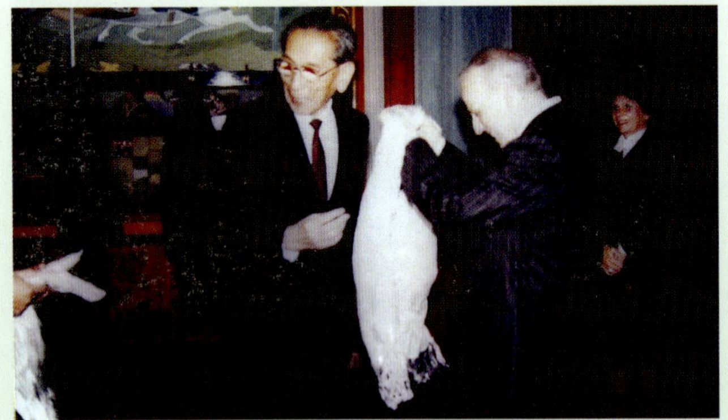

援藏基金会阿沛理事长亲切会见瑞士驻华大使舒爱文夫妇

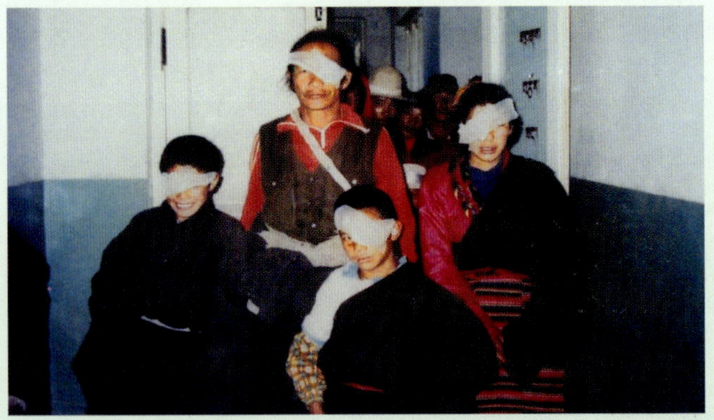

“光明工程”在西藏自治区持久广泛的开展，重见光明的一家高兴地走出手术室。

“育人工程”——援藏基金会资助的山南地区桑日县白堆乡里龙村小学。

援藏基金会资助的“公益工程”——杰素·丹珍保育院过走了10个春秋。

中国国际交流协会

中国国际交流协会成立于1981年9月。由中国相关团体、政党以及各界知名人士、社会活动家和学者发起组成，以增进中国人民同世界各国人民之间的相互了解与友好合作，维护世界和平，促进共同发展为宗旨，本着“让世界了解中国，让中国了解世界”为目的，对外积极而广泛地开展民间交流与对话活动。协会最高权力机构为理事会。

协会成立以来，已经先后同世界上110多个国家的250多个各种团体、政党组织和研究机构以及国际组织建立了联系和交往，同这些国家各界人士有广泛的接触。

2001年6月，全国政协副主席、中国国际交流协会现任会长李贵鲜（右二）和常务副会长李成仁（右一）率代表团访问波兰时参观著名音乐家肖邦故居。

1983年9月，中国国际交流协会第一任会长李一氓（前中）率代表团访问日本。

1995年4月，全国政协副主席、中国国际交流协会第二任会长吴学谦（右一）会见德国艾伯特基金会会长伯尔纳。

协会的交流形式灵活多样，主要有：相互访问和考察，举办各领域的国际研讨会和报告会，主办或参与双边和多边的国际活动，与外国团体和组织就共同关心的领域和相关问题联合举办专题研讨会和报告会，交流协会还为国外民间机构向中国提供发展援助和扶贫项目给予协助。

协会与中央和地方有关部门、机构、组织和一些企业有经常性的联系，旨在为外国朋友同中国发展各种形式的交往、经济交流与合作，促进贫困地区发展牵线搭桥。

2003年5月起，交流协会享有联合国经社理事会特别咨商地位。交流协会出版英文《国际交流》（季刊）会刊。

2000年11月，中国国际交流协会和法国天主教反对饥饿争取发展委员会（简称CCFD）共同举办的“全球化背景下的可持续发展与团结”国际研讨会在北京召开。

中国国际跨国公司研究会

中国企业高峰会

全国人大法律委员会副主任委员、研究会会长王茂林。

世界经济发展组委会副总指挥兼副秘书长张笑宇在新闻发布会上介绍大会情况

中国国际跨国公司研究会成立于1993年。系民政部登记注册的全国性社团组织。

其宗旨：政府为依托，企业为主体，服务为使命，促进中外企业交流合作，推动跨国公司成长和发展。

主要业务范围：国际合作与交流、展览展示、企业策划、编辑出版、专业培训、咨询服务学术交流。

跨研会成立10多年来，联合国内有关部委、省市、国际机构组织、跨国公司、中外媒体共同举办了“中国名牌产品企业质量战略研讨会”、“中美大型企业经贸洽谈会”、“中日经济交流洽谈会”、“WTO与中国”、“信息产业与全球经济”、“世界经济发展宣言大会”、“联合国千年发展目标国际会议”等一系列大型交流促进活动。

在联合国安南秘书长，我国胡锦涛主席、吴邦国委员长、温家宝总理等党和国家领导人的关怀下，于2003年11月6日—7日在我国珠海举办的《世界经济发展宣言》大会上，发表的《世界经济发展宣言》是迄今为止世界上第一个全球性的经济发展宣言。联合国已将《世界经济发展宣言》作为第58届联大议题下文件，散发到191个成员国家。

中外企业信用联盟成立

《世界经济发展宣言》大会后，跨研会遵循“平等、诚信、合作、发展”的基本准则，为推动落实《世界经济发展宣言》9项内容的贯彻实施，目前正在开展“中国经济形势报告会”等一系列促进我国经济发展的活动；跨研会将以此为使命，进一步促进国内外企业的合作与交流，为我国乃至世界经济发展做贡献。

中国国际文化传播中心

中国国际文化传播中心于1984年经国务院批准成立，是我国民间对外文化交流与传播的重要窗口。

宗旨：团结海内外热爱祖国、热爱和平的文学、艺术、教育、科技界人士，致力于传播先进文化，增进国际文化交流，传播世界优秀文化艺术成果，为弘扬中华民族优秀文化，加深各国人民的传统友谊，为推动世界文化艺术的繁荣与发展，为促进祖国统一大业、争取世界和平贡献力量。

原则：坚持党的基本路线，坚持四项基本原则，坚持国家对外文化宣传工作的方针政策，相互尊重，相互学习，诚信互助，资源共享，推陈出新，团结协作，共同发展。

中心领导在中心主办的高占祥同志艺术摄影展上合影

捐赠爱心小学奠基仪式

欢乐总动员－全国大型巡回活动

业务范围：

（一）出席国际重大会议，如联合国每年举办的“国际体育高峰会”、“华商会议”等，发表重要演讲。

（二）与欧洲、亚洲及美国的知名学府和教育机构建立联系，组织理论学术研讨，开展教育交流；开办各种文化艺术学院、培训班、研讨班，培养音乐、舞蹈、表演等艺术人才。

首届中国小姐风采大赛

（三）组织国际国内大型文艺巡回演出活动，举办大型书画、摄影、艺术展览展示等。

（四）编辑、出版、发行图书和刊物，组织编纂各种专著和辞典；开展影视文化创作，拍摄电影、电视剧和电视专题片；创办文化传播专业网站。

（五）与国际著名的文化机构加强交流，取得了多项国际大型活动的主办权；与美国NBA、棒球、橄榄球和欧洲顶级足球俱乐部联系，组织大型体育赛事，增进国际体育交流。

（六）加强与世界华人和海峡两岸在各个领域的广泛交流，增进世界华人的凝聚力，促进祖国和平统一。

中国文艺演出物资协会

中国文艺演出物资协会成立于1991年，由中华人民共和国文化部主管，是具有法人资格的全国性社会团体，是中国演艺设备与器材行业的权威代表。她主导协调全国演艺设备与器材行业经济技术的发展。协会现有600多家会员单位，遍布全国各地，会员单位均为演艺设备与器材领域从事科研、生产、经销、工程的单位，不少是专业音响、专业灯光、中西乐器、舞台机械等专业的著名企业，形成了覆盖全国的市场网络。

中国国际专业音响·灯光·乐器及技术展览会

中国国际专业音响·灯光·乐器及技术展览会开幕式晚会。

每年5月在北京主办“中国国际专业音响·灯光·乐器及技术展览会”，此项展会是亚太地区专业领域中规模最大、最具权威和最有影响力的盛会。

全国文艺演出物资信息交流、贸易洽谈会

共举办38届信息交流、贸易洽谈会，是业内供需双方联系沟通的重要渠道。

中国国际演艺设备与科技论坛

国内外专家学者纵论演艺设备领域国际最新科技成果和优秀工程实例。

《演出设备与科技》杂志

2004年1月起面向国内外公开发行，是国内演艺设备领域惟一的综合性科技期刊。

中国工合国际委员会

1994年5月，国务院总理朱镕基接见工合国际委员，鼓励探讨合作经济发展的道路。

2003年10月，工合国际在北京举行“试验合作社促进与发展交流研讨会”。

2001年5月，工合国际执委会与加拿大合作社协会代表签定合作项目协议书。

中国工合国际委员会是在中华人民共和国民政部登记注册的国际民间非营利性社团组织。主管单位是中国人民对外友好合作协会，工合国际的办事机构为秘书处，委员会出版季刊《工合国际通讯》。是一个有促进和支持中国合作社发展光荣传统的国际性民间组织，享有在中国推动国际合作联盟（ICA）标准合作社的盛誉。1939年始建于香港，1952年终止活动，1987年恢复。

工合国际的委员通过推荐、协调并征得本人同意产生。现有中、澳、比、加、德、日、墨、新、英、美等10国的100名个人委员。工合国际的最高权力机构是每5年一次的委员全体大会。

工合国际的宗旨是在新的历史时期促进中国合作社事业的发展，为中国的社会主义现代化建设作出贡献。它的任务随着中国的改革开放和本身实践经验的积累而不断调整和充实，主要由初期以“兴办”合作试验区、点为重点，扩大为1998年以后的“指导和促进以工业合作社为主的各种类型合作社的建立和发展”。

1998年，工合国际恢复后的第二届全委会选出了新一届执委会，至今，主要进行了以下几方面的工作：

（一）在新西兰新中友协支持下，资助成立了河北保定下岗女工“小天使运输合作社”，河北满城农村妇女“工合春来毛衫厂”和河北曲阳北宋家庄“何明清工合诊所”等。

（二）2001年至今，在新西兰大使馆支持下，持续开展了河北曲阳北宋家庄地区“农村妇女卫生健康支持”项目。

（三）2003年10月工合国际为遭受地震灾害袭击的甘肃山丹培黎学校和霍城刘庄小学开展筹款援助活动。同时在加拿大合作社协会支持下，开展了“山丹合作社培训项目”。

（四）工合国际与加拿大合作社协会合作开展了“中加合作社促进与发展项目”。

1995年世妇会后，工合国际资助保定市几位下岗女工成立了“小天使运输合作社”，现已发展成为小天使运输公司。图为接送上学、放学儿童（2002年）。

中国太平洋学会

1984年，以周谷城、陈翰笙、于光远、贾兰坡、宦乡、罗钰如等为代表的一大批中国权威学者和社会活动家敏锐地认识到，整个世界的中心正由大西洋地区逐渐向太平洋地区转移，改革开放的中国需要加强对太平洋地区政治、经济、文化、历史、军事安全等各项事务的研究，以迎接“太平洋世纪”的到来。为此，他们在党和国家有关部门和领导同志的支持下，发起成立全国性民间学术团体——中国太平洋学会。全国人大常委会副委员长、著名历史学家周谷城先生担任第一任会长。著名经济学家于光远自1989年起担任学会第二任会长。目前学会已成为拥有12个专业委员会和多个地方分会的综合性学术研究机构，并与环太平洋主要国家和地区的众多学研文化机构建立起广泛的合作互动关系。

标志图解释：
1、两个大圆，红黄色代表中华文明，蓝色代表西方文明；
2、两大文明对话交融，形成绿色共生区域；
3、此绿色共生区域正好在环亚太圈内，且侧重西太平洋；
4、三色和三圈，符合学会所倡导的三元论哲学观，这也是东西方哲学共有之精髓；
5、红黄、绿、蓝三色，象征多元文明、多种文化的共融、共存、共生。

主要成绩：

（一）1984年、1985年、1987年、1988年、1989年在北京、青岛、大连、长三角等地多次召开大型国际学术会议，讨论世界中心东移与中国面向21世纪的国家战略问题，提出“太平洋学”。

（二）1990年发起并与中国社会科学院共同举办鸦片战争150周年研究纪念活动，受到李瑞环等党和国家领导人的高度重视。

（三）1991年在厦门召开首次海峡两岸三通问题研讨会，台湾政、军、学界来了50多位重要代表，此次会议对于促进两岸关系起到重要作用。

（四）1991年召开人类起源与板块文化问题研究。

（五）1992年在北京召开世界知识经济与中国国际研讨会。

（六）1992年召开亚太经济合作研讨会，澳大利亚总理霍克等众多国家的重要人士与会。

（七）1992年中韩建交前夕，召开东北亚及中韩经济合作研讨会，韩国有众多重要人士和专家出席。

（八）1994年与韩国新千年民主党共同在北京举办中韩海洋文化交流与经济合作会议；金大中主席与于光远会长共同主持会议。

（九）1995年在海南召开亚洲及太平洋各国发展趋势研讨会，于光远会长在会上提出“世界正处于大调整周期”的重要观点。

（十）1997年香港回归前夕，在深圳举办研讨会讨论香港与珠三角经济互动问题，起到重要影响。

（十一）1999年召开研讨会专门研究太平洋经济发展和我国海洋发展战略问题；同年开始独家与中共中央党校合作开办民营企业家培训班，迄今为止已选拔培训优秀民营企业家5000人。

（十二）2003年以来大力开展和推动以奥运文化与经济、创意产业为主线的一系列重大战略问题研究；2004年5月在北京科博会期间，联合其它多家单位共同举办“创意中国行动成果”展览，发起“创意中国行动”。

中华慈善总会

中华慈善总会是1994年在民政部注册登记，具有独立法人资格的全国性社会团体，由热心慈善事业的公民、法人及其他社会组织志愿参加的全国性非营利公益组织。其宗旨是：发扬人道主义精神，弘扬中华民族扶贫济困的传统美德，帮助社会上不幸的个人和困难群体，开展多种形式的社会救助工作。

中华慈善总会成立至今，始终坚持恪守总会宗旨，积极倡导慈善意识，努力开拓慈善工作的服务领域，为中国的慈善公益事业奉献爱心和真诚，以实际行动赢得了各级政府的亲切关怀和有力支持，也赢得了全社会的广泛理解、信任和参与。10年来，总会特别注意发挥慈善总会本身所特有的涵盖面较为宽泛的特点，尝试性地开展了多种形式的筹募活动，截止到2001年底，总会共募集慈善款物9亿8千多万元，慈善援助项目也逐步形成了规模。首先确定以贫困地区和特困群体为资助对象，优先选择可持续发展项目为直接援助目标，同时确保尊重捐赠者的意愿，并且不以善小而不为，全力拓展慈善援助范围，10年来，慈善总会的救灾扶贫工作、慈善雨水工程、慈爱孤儿工程、烛光工程、贫困唇腭裂患儿手术矫治工程、助学工程、医疗救助、新疆少数民族地区阳光住宅工程、贫困地区学校和福利设施改造等一大批项目进展顺利，并且已经取得了良好的社会效益。

随着总会的不断发展，中华慈善总会与港澳台及海外许多公益慈善机构建立了良好的合作关系，并共同实施了多项合作项目；1998年加入了国际联合劝募协会，成为该组织中唯一的中国会员；可以说，慈善事业已经开始成为联系和团结海内外华人和国际友人，共同促进我国公益福利事业发展的一个新媒介、一条新纽带。

会长范宝俊

中华民族的慈善传统源远流长，乐善好施、扶贫济困、尊老爱幼、守望相助、出入相扶持、温良恭俭让、仁义理智信，这些劳动人民的优良品德作为一种慈善文化，在中华大地上世代传扬，历久不衰；而中华慈善总会正是在继承中华民族历史传统的基础上，吸收和借鉴国内外的成功经验，从我国的国情出发来确立自己的结构模式，确定慈善工作的重心，以全新的思路开拓中华慈善领域，在为社会主义的三个文明服务中不断前进。2004年中华慈善总会被民政部评为“全国先进民间组织”。

中华慈善总会第二届理事会第一次会议

中华慈善总会第二次会员代表大会

中国社会工作协会

中国社会工作协会成立于 1991 年 7 月，是经过中国社会团体登记机关注册登记的全国性专业社会团体，是中国唯一代表从事社会工作的单位和社会工作专业人士的权威组织；协会于 1992 年 7 月加入国际社会工作者联合会。

协会会员分为单位会员和个人会员。单位会员为各省、自治区、直辖市及计划单列市、省会城市的社会工作协会（民政协会），社会福利协会、城区发展促进会、婚姻家庭协会等属社会工作性质的协会和社会福利企业、社会福利事业单位以及关心和支持社会工作的单位和社会志愿者组织。个人会员为从事、关心和支持社会工作的实际工作者，或从事社会工作教育和理论研究者。对在社会工作专业理论研究上有重大突破或对本会有重大贡献的海内外单位及个人、授予荣誉职务或称号。协会的最高权利机构是会员代表大会，最高决策为理事会。常务理事会是协会的常设领导机构。协会下辖中国社会工作协会学术理论专业委员会、中国社会工作协会社会公益工作委员会、中国社会工作协会城区工作委员会、中国社会工作协会乡镇工作委员会、中国社会工作协会福利事业工作委员会、中国社会工作协会福利企业工作委员会、中国社会工作协会婚姻家庭工作委员会、中国社会工作协会孤残儿童救助基金管理委员会、中国社会工作协会社会名人工作委员会、中国社会工作协会驻深圳办事处 10 个分支机构。

协会宗旨：

高举邓小平理论伟大旗帜，遵守宪法、法律、法规和国家政策，发挥与基层社会工作机构和基层群众之间的桥梁纽带作用，积极推进社会福利事业、优抚事业和社会公益事业的发展，弘扬社会主义道德，促进社会互助，维护社会稳定，推动社会全面进步。

“为了孤残儿童的明天”活动捐赠书画现场。

民政部部长李学举（右四）、协会会长徐瑞新（左五）出席协会举办的“为了孤残儿童的明天”活动。

协会任务：

（一）宣传党和国家有关社会工作的方针、政策和法律、法规，团结和组织社会工作理论研究工作者，开展社会工作理论及有关社会政策研究，促进社会工作改革，推动社会工作专业化、职业化、行业化的建设。承办社会工作者职业资格认证的具体工作。表彰先进社会工作集体和先进社会工作者。

（二）宣传公益事业，传播公益文化，弘扬公益精神，组织公益活动，表彰公益先进典型，开展公益志愿者的注册和志愿者服务活动。团结和组织各界社会名人推动社会福利和社会公益事业的发展。

（三）承办婚姻中介机构的行业管理，组织对社区服务、婚姻中介行业和婚姻服务人员岗前培训，推广文明、和睦、友爱的家庭，开展婚姻家庭领域的服务活动。拟定社区服务业的行为规范，开展社区志愿者的注册和社区志愿者服务活动；承办有关基层表彰事宜。

（四）按照民政部制定的标准和政策，组织检查各种社会福利机构的落实情况，承办等级福利院评审的具体工作。开展社会福利企事业单位、优抚事业单位服务工作经验交流人员培训及行业评比表彰工作。开展社会孤残儿童“助养”、“助学”、“助医”项目合作，推进社会福利社会化。承办与国际 SOS 儿童村组织的合作事宜，负责中国 SOS 儿童村的管理、培训工作。

（五）开展同港、澳特别行政区、台湾省同胞、海外侨胞及世界各国民间组织、社会团体的学术交流、培训及项目合作。

中国自行车协会

中国轻工业联合会会长陈士能与上海市领导为第十四届中国国际自行车展览会剪彩

中国自行车协会成立于1985年，是中国自行车行业的全国性组织。协会的宗旨是：集行业之力，办行业之事，为行业服务，促行业发展。

协会致力于发挥桥梁纽带作用，通过做好行业调研，制定、完善行业技术、职业标准，提供国内外信息，维护会员合法权益，向政府反映问题等，为行业发展创造良好的外部环境。

协会努力为企业搭建有利的专业市场平台，组织企业参加国内外专业展览会，提高信息服务水平，促进行业健康规范发展。

由协会主办的中国国际自行车展览会从1990年至今已连续举办十四届。第十四届展览会于2004年4月在上海举行，展出面积达6.5万平方米，参展企业903家，吸引了来自86个国家和地区的12万名观众。第十五届中国国际自行车展览会将于2005年5月4—7日在上海新国际博览中心举行，展览面积将达7万平方米。

协会不断加强与其它国家行业协会的对话与交流，宣传行业形象，保障行业利益，及时进行反倾销等贸易壁垒预警服务，参与组织协调企业积极应对，化解国际贸易纠纷。如，组织企业应诉美国指控我自行车倾销一案，最终获得胜诉；通过有效工作促使欧盟撤消对我国自行车零部件的反倾销指控；通过与日本自行车协会谈判促使对方撤回向政府提出自行车紧急限制进口措施的申请。

协会在今后的工作中将与时俱进，开辟新思路，研究新方法，继续为会员服务，为行业服务，促进中国自行车行业做大做强。

中国轻工业联合会会长陈士能在中国自行车协会理事长王凤和的陪同下视察展览会，并向企业了解情况。

第十四届中国国际自行车展览会现场

中国糖业协会

2004跨2005制糖期食糖展销座谈会

中国糖业协会是1992年3月经原轻工业部批准，1992年6月在民政部注册登记的全国性社团法人组织。1992年10月8日正式成立。是全国糖业横向联系面最广泛的组织，会员单位包括了工、农、商、外贸、科学研究、教育、设计安装、设备制造等与糖业有关的企事业单位，其中包括458家甘蔗和甜菜糖厂、25家制糖科研机构、9家设计院、15所设有制糖专业的大专院校、19家糖机制造厂。

协会最高权利机构是会员代表大会，理事长领导下的理事会对代表大会负责；秘书处是协会的常设机构，负责协会的日常工作。秘书处内设有办公室、技术咨询部、调研信息部、销售协调部等部门。编辑出版《食糖产销情况简报》、《专报信息》和《情况反映》。

协会会员单位拥有较高水平的各类专业人员队伍和较强的科学研究、技术开发、勘察设计、设备制造、建设安装、质量检测监督、人才培养等实力，可以承揽糖业从原料种植、糖机制造、糖厂建设、制糖生产到科研开发、人才培养等全部任务。

协会以促进行业健康，稳定发展为已任，以做好协调，服务工作为根本宗旨。成立12年来，协会紧紧跟踪世界及中国糖业发展的动态，准确把握行业发展脉搏，在打击食糖走私，促进产销体制改革，建立产销衔接机制，加强食糖市场宏观调控，推动糖业结构调整，实施糖业扭亏解困，限产限销化学合成甜味剂生产，促进糖业技术进步，规范行业生产和经营行为，推进糖业依法管理，扩大食糖消费等方面做了大量卓有成效的工作，得到了会员单位和国家有关部门的好评。

协会会员单位拥有日加工糖料能力76万吨，年产糖能力约850万吨，产品品种主要有白砂糖、绵白糖、赤砂糖、精炼糖；此外，每年还产副产品糖蜜300万吨，以糖蜜为原料，生产酒精60万吨、酵母3万吨、味精2万吨；以副产品蔗渣为原料生产各种纸张、纸浆、纸板70万吨，中密度纤维板、碎粕板50万立方米；用副产品甜菜粕生产颗粒粕60万吨；除此之外，其他综合利用产品还有冰醋酸、醋酸乙脂和糠醛等。今后，协会愿与国内外有志发展中国糖业的各界朋友共同携手，开创甜蜜事业的辉煌明天。

中国糖业协会以促进行业健康，稳定发展为己任，以做好协调，服务工作为根本宗旨。成立12年来，中国糖业协会紧紧跟踪世界及中国糖业发展的动态，准确把握行业发展脉搏，在打击食糖走私，促进产销体制改革，建立产销衔接机制，加强食糖市场宏观调控，推动糖业结构调整，实施糖业扭亏解困，限产限销化学合成甜味剂生产，促进糖业技术进步，规范行业生产和经营行为，推进糖业依法管理，扩大食糖消费等方面做了大量卓有成效的工作，得到了会员单位和国务院有关部门的好评。

中国糖业协会的《食糖产销情况简报》、《专报信息》和《情况反映》以成为国务院有关部门和有关部委对糖业实施调控与管理的重要参考。国务院领导朱镕基，温家宝，李岚清，邹家华，吴仪曾多次在中国糖业协会的《食糖产销情况简报》和《情况反映》上作出明确批示，使我国糖业得以健康，稳定地发展。原国务院秘书长王忠禹曾表扬中国糖业协会说："中国糖业协会作用很大，生产多少糖，进口多少糖，价格协调，限产压产，结构调整等，先由糖业协会拿出意见，然后报经贸委。经贸委要充分依靠行业协会，可以把一部分工作授权给协会来做，就好开展工作了。"

理　事　长：贾志忍
副理事长兼秘书长：焦念民

中国钨业协会

2002年7月12日，中国钨协召开全国钨矿企业行业自律大会。

2001年10月9日，原国际钨协主席、中国钨业协会会长周菊秋（右二），协会常务副会长兼秘书长孔昭庆（左一），株洲硬质合金厂厂长、协会副会长杨伯华（右一）与国际钨协秘书长梅比（左二）在国际钨协第十四届年会上。

中国钨业协会成立于1985年12月，是我国成立较早的跨部门、跨地区的行业协会之一。现有钨生产、应用贸易和科研设计、地质、教育等会员单位192个；有我国钨业界著名企业家、专家、学者等组成的理事54人；下设地质矿山、硬质合金、钨材、钨钼钢铁、经贸研究6个分会。常设工作部门有：秘书处、总部办公室。

协会的宗旨是：推动中国钨业深化改革，扩大开放，加速结构的调整，提高科技水平，改善企业管理，讲求质量效益，为振兴钨业，使我国由钨原料大国发展成现代化的钨工业大国而团结奋斗。

协会的主要任务是：积极反映会员单位的合理要求，协调会员单位关系，维护会员的合法权益，在政府和企事业单位之间起桥梁和纽带作用，不断建立、完善行业自律机制，规范行业行为，维护公平竞争，维护国家的全行业的利益；开展行业调查，研究制定我国钨业发展的战略和策略，积极向有关部门提出建议；开展信息、技术咨询服务，提供行业的国内外经济基础技术情报和有关信息，组织经济技术交流等。

协会作为政府与全国钨企业间的桥梁和纽带，遵循“为政府服务、为钨业服务、为振兴钨业服务”宗旨，努力发挥其社会中介组织特有的作用，按着“圆梦、搭桥、干事”的工作方针，努力做到“不辱使命、尽职尽责、甘于奉献、无怨无悔、奋斗不息”；在改革和发展方面，较早地实现了民间化逐步走向“自强、自立、自养”，协会通过了我国矿业第一部行业自律公约，较早地进行行业自律的探索与实践；协会第四次会员代表大会暨四届一次理事会上一致通过试行主席团制度改革，引入企业家联合办会、联合决策、联合出资的运作机制，逐步向企业家办会过渡，这在全国的行业协会中也是较早的。

钨协会成立20年来，在国家有关部门重视和支持下，在广大会员单位的共同努力下，为国家提供了大量的钨行业调查报告，协助政府制定出台了许多法规和文件，维护了会员单位和行业的合法权益，促进了钨业的全面、稳定、健康、持续发展。20年的工作得到了党和国家的肯定，于1998年－2003年连续6年被原国家经贸委、中国工业经济联合会评为全国先进工业行业协会。

中国模具工业协会

协会常务副理事长兼秘书长曹延安，在2004年6月2日第三届APEC中小企业技术交流会演讲（青岛）。

第十届中国国际模具技术和设备展览会开幕式

中国模具工业协会成立于1984年10月，是模具行业全国性社会团体。以为会员、行业和政府服务为宗旨，以行业服务、行业管理、行业代表、行业协调为基本职能，维护会员的合法权益，促进我国模具工业的发展和技术进步，在模具企业与政府之间发挥桥梁纽带作用。协会现有团体会员1500多个。省、自治区、直辖市、计划单列市及重要工业城市的50多个地方模具协会，是中国模协的社会团体会员。协会下设9个专业委员会：技术委员会、经营管理委员会、模具材料委员会、模具标准件委员会、汽车车身模具及装备委员会、橡胶模具委员会、拉丝模具委员会、经济技术信息委员会、兵器模具委员会；还设有人才培训部、《中国模具信息》编辑部、《模具工业》编辑部、经济技术咨询部、中国模具工业信息网（WWW.cdmia.com.cn）。常设办事机构是秘书处。

协会是亚洲模具协会联合会（FADMA）的发起成员单位，是国际模协（ISTMA）的成员单位。该协会与许多国家或地区的模具界有着广泛的联系与合作。协会成立以来，就把协助政府编制模具行业发展规划作为一项重要工作，承担了从“七五”到“十一五”模具行业的发展规划和专项规划的起草任务，得到了政府有关部门的肯定，规划中的许多项目和建议已得到实施。协会根据模具行业、企业的实际情况，在认真调查研究的基础上，向政府有关部门提出扶持模具工业发展的政策性建议，得到了政府有关部门的采纳。有关政策的实施，增强了模具企业的活力，促进了模具工业的发展。协会努力开展技术交流、人才培训、信息发布、国际交流和合作等多种服务性工作，为促进我国模具工业的发展，推动我国模具工业的技术进步，提高模具企业的核心竞争力做出了积极贡献。

协会成立20周年座谈会

中国注册税务师协会

2004年10月23日，中国注册税务师协会召开第三届全国会员代表大会。图为协会三届常务理事会会场。

2004年9月23日，以金子秀夫为团长的日本东京都税理士会代表团访问中国注册税务师协会。

中国注册税务师协会的前身为中国税务咨询协会，于1995年2月在北京成立。2003年8月，经国务院领导同意，民政部正式登记更名为中国注册税务师协会，属于全国性社会团体，业务主管部门是国家税务总局。

协会与各省、自治区、直辖市和计划单列市的注册税务师协会及执业机构（税务师事务所），形成了上下贯通的全国注册税务师行业管理网络。协会通过会员登记注册管理、职业道德与业务培训、制定各项管理制度、规范执业行为、开展调查研究、加强宣传和国际交流与合作，不断提高行业认知度，充分发挥协会职能作用，在广大会员与政府之间起到桥梁纽带作用，在维护纳税人和会员合法权益，维护国家税收利益方面做出了重要贡献。协会在开展国际交往中，积极发展与韩国税务士会、日本税理士会以及亚洲—大洋洲税务师协会（AOTCA）等国家和地区的交流与合作，并与韩国签署了《友好协议》，与日本签署了《合作协议》。

2004年10月召开的中税协第三届全国会员代表大会，选举产生了新一届领导成员。协会现拥有2600多家团体会员（税务师事务所），个人执业会员（注册税务师）近2万人，从业人员近10万人。协会章程规定，注册税务师为个人会员，税务师事务所为团体会员。

2004年2月，协会会长李永贵（右一），率中税协代表团参加在韩国汉城举行的亚洲—大洋洲税务师协会第十一届理事会及特别会议时与主办方领导合影。

协会更名挂牌仪式

中国建筑业协会

协会领导和会员单位负责同志共同探讨协会工作新思路会场一瞥

中国建筑业协会于1986年10月成立，是全国各地区、各产业部门从事土木工程建筑，线路、管道设备安装，建筑装修、装饰和有关科研、院校等企事业单位自愿参加组成的全国性行业组织；之初称中国建筑业联合会，自1993年第二届理事会改为现在的名称，后经民政部注册登记具有法人资格的非营利性社会团体。

其宗旨是：坚持党的基本路线，贯彻改革开放的总方针，以经济建设为中心，在建立社会主义的市场经济体制下，促进会员单位适应市场经济，转换体制，为繁荣建筑业服务发展成为国民经济的支柱产业做出贡献。

主要任务：

(一)研究探讨我国建筑业改革和发展的方向、理论、方针政策。

(二)协助政府建筑业主管部门制定和实施行业发展规划和有关法规。

(三)引导和推动企业面向市场，转换经营机制，不断提高工程质量、经营管理水平和企业的竞争力。

(四)协助企业培训技术人才和管理人才，提高企业素质。

(五)组织国内外信息交流和推广先进经验，开展咨询服务，编辑、整理行业有关资料、文献。

(六)发展同海外民间社团组织的联系，开展经济技术、经营管理等方面的合作与交流。

(七)维护会员单位的合法权益。

(八)组织发展建筑业的公益事业，开展其他有益于行业发展的活动。

(九)承办政府部门、社会团体或会员委托事项。

(十)其他依据法律、法规应办理的事项。

协会在建设部和民政部的指导下，按章程规定的任务和政府的委托，扎实工作，开拓创新，协助政府实施行业管理，开展企业资质审查、国家级工法评审、行业规范编制、建筑业新技术应用示范工程的管理，开展行业调研、行业评优表彰、行业展览、信息交流、科技推广、人才培训、咨询服务、内外交流，推进行业自律，代表企业一方参加“建设系统协调劳动关系三方会议”制度，维护会员的合法权益，取得一定成果，得到会员单位的拥护和政府的认可。在新的形势下，协会按照《中共中央关于完善社会主义市场经济体制若干问题的决定》提出的“按市场化原则规范和发展各类行业协会、商会等自律性组织”的要求，探索行业协会建设与发展的新思路，努力开创行业协会建设的新局面。

中国水利电力医学科学技术学会

中共中央政治局委员、国务院副总理吴仪视察中国水利电力医学科学技术学会会员单位吉林电建公司职工医院。

中国水利电力医学科学技术学会成立于1984年10月，1992年经国家卫生部批准、民政部登记注册的具有鲜明水利电力行业特色的跨地域的全国性学术团体，本部设办公室、学术交流部和报刊管理与发展部3个办事机构；下设电损伤医学、电磁场人体医学、触电与院前急救医学、水利水电工程环境医学、工业卫生与职业病、临床医学、医学影像与检验技术、医学工程技术、传统医药学、医院管理工作、社会医学与老年保健、临床医药等12个专业委员会和《中国水电医学》编辑委员会。

宗旨是：坚持实事求是的科学态度，发扬学术民主，团结广大医药卫生人员，根据水利电力行业特点，进行医学科学研究；总结交流水利（水电工程）系统、电力系统医药卫生事业成果，面向全社会服务卫生、医疗、保健科学研究事业。主要任务是：面向全社会团结广大医务卫生工作者，积极开展医学学术交流活动，组织重点水电行业职业病等课题研究；加强同各兄弟单位和学术团体的紧密联系；组织会员单位对电力建设和生产过程中的高低压、电磁场、电损伤、触电等对人体健康影响的研究和防护措施；组织大型水利枢纽，水电建设工程环境医学评估；职业损害，各种特殊因素以及生态变化对建设者、居住人群健康的影响；积极为会员单位培训人才，举办各类医护专业技术培训班和管理提高班；沟通系统内边远地区的卫生信息；推动社区卫生服务和卫生保健教育的开展，完成卫生部委托的各项工作任务；出版《中国水电医学》期刊及相关学术交流资料。

国际电损伤学术会议

理事长肖世友

20年来，学会不断地完善自身建设，积极开展各项活动。一是在水电系统评审高级技术职称达1212人次；二是开展继续医学教育培训班（提高班、普通班）近200期；三是现场成功救治了159人次；四是学会为推广电损伤救治技术，在上海、北京、河南等电力医院设立了电烧伤专科，率先在全国范围内成立了电损伤急救网络；五是开展了16次国内外的学术会议，培训了3000人次；六是撰写了《急性电损伤学》、《电损伤的治疗与研究》等著作和论文96篇；七是承担了电损伤医学科研项目，并成为司法鉴定电损伤的重点指定部门；八是在水电系统内广泛开展社区全科医生的培训与普及讲座，组织各医疗机构深入社区，为居民的健康保健做出了积极的工作。20年来，学会为促进水利电力系统医药卫生事业繁荣，提高卫生队伍素质，为保障水利和电力战线职工及家属乃至人民大众的健康做出应有的贡献；在基础理论研讨和实用新技术开发等方面进行了广泛的国际性学术交流。

学会工作人员

中国农村财政研究会

中国农村财政研究会是1987年经财政部党组同意，后经民政部注册登记的全国性社团组织。下设秘书处(包括财务室、秘书室)、课题信息部、会刊编辑部、广告发行部4个办事机构。为便于工作联系，各省、自治区、直辖市、计划单列市均有直接挂靠财政厅(局)且经民政部门注册登记的农村财政研究会。

中国《农村财政与财务》编辑委员工作会议。

为了更好地服务“三农”，研究会依据章程规定职能，2004年主要做了以下工作：

(一) 调整领导机构，组织工作新班子。4月，在广西北海市召开了第四届会员代表大会，选举产生了第四届理事会理事135名，常务理事会理事60名。

中国农村财政研究会工作会议代表留影

(二) 开展课题研究，谋划财政支农之策。组织指导各地农研会联系财政中心工作和“三农”热点，围绕农村发展、农业增效、农民增收、财政扶贫等方面列出了18个选题进行调研，同陕西省、黑龙江省、安徽省、吉林省农研会分别就退耕还林和粮食直补两个专题进行联合调研，形成的调研报告分送相关部委。组织以落实“三农”为主题的优秀论文和优秀调查报告的评选活动。

(三) 组织教育培训，提高基层农财干部的理财能力。自9月起分别与浙江省、陕西省农研会联合举办了基层财经干部培训班，来自全国各地的县、乡(镇)农财、农发、农税干部1082名参加了培训。

(四) 努力办好《农村财政与财务》会刊，为会员单位服好务。

全国农村基层财经干部杭州第二期培训班留影

中国土工合成材料工程协会

1996年，全国第四届土工合成材料学开幕式。

理事长、秘书长参观土工合成材料公路试验场后合影留念。

秘书长与常务理事长参观天津港土工合成材料围埝封顶施工

土工合成材料防渗专业研讨会

中国土工合成材料工程协会是一个全国多学科性跨行业、跨部门的社会团体，1984年10月成立土工合成材料技术协作网，1994年7月2日由水利部批准正式成立为中国土工合成材料工程协会，并在民政部登记注册，现拥有各行各业会员约600多个。

协会以推广土工合成材料在我国的应用，提高土工合成材料工程的科学技术水平为宗旨。主要任务是：一是普及土工合成材料工程技术知识，传播先进的科学技术经验；二是编辑出版科技通讯和有关的书刊资料；三是开展技术咨询活动，促进土工合成材料在我国的推广应用；四是开展培训教育工作，组织各种培训班。支持大专院校设置土工合成材料工程专门课程和试验研究工作；五是组织全国性的学术会议和各科专题讨论会；六是开展国际学术交流活动，组织参加国际会议，加强与国外的科学技术团体和科技工作者的联系；七是组织和加强国内各有关行业间的横向联系，交流各科研与生产之间的成果和经验；八是接受国家部门的委托，组织或协助制订相关技术标准和规范。

20年来，全国大约有6万多项特大、大、中、小型工程使用过土工合成材料，对国家经济建设发挥了一定积极的作用。

中国石油企业协会

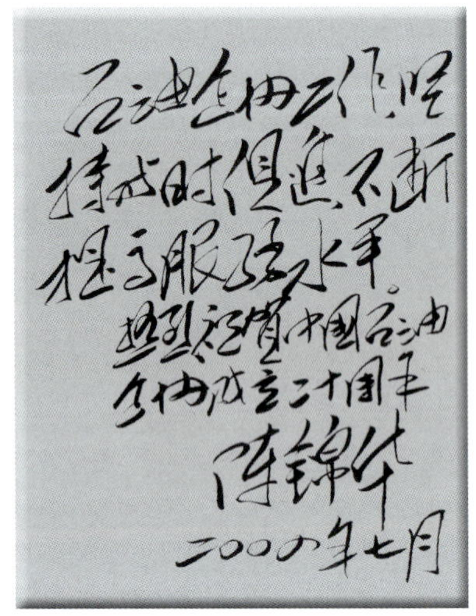

原全国政协副主席、中国企业联合会会长陈锦华为协会题词。

中国石油企业协会是经国家民政部注册登记的全国性石油企业社会团体法人，是中国企业联合会和中国工业经济联合会的单位会员。于1984年8月16日由原石油工业部批准成立，原名为中国石油企业管理协会，2004年10月正式更名。

作为一个全国性、行业性的社团组织，已建成了一个涵盖中国石油天然气集团公司、中国石油化工集团公司、中国海洋石油总公司及所属企业的比较完整的协会组织体系。目前拥有各类石油石化企业团体会员单位281家，并成立了海洋石油、公路运输、装备企业、设备管理、矿区管理等5个专业分会；设办公室、咨询研究部、企业工作部、会员联络部、培训部、财务部、中国石油企业杂志社等；在会长和常务副会长的领导下，由专职副会长全面负责协会的日常工作。

20年来，协会配合企业主管部门，大力推进石油企业管理现代化，基本建立起一套适合中国国情，具有石油特色的企业管理体系；为企业改革与发展提供咨询、培训服务，帮助企业解决各个时期改革、管理与发展中的重点、热点、难点问题；通过研讨与交流等方式，在三大石油公司之间、企业与政府部门之间、行业内外构建了一个沟通与交流的渠道和平台；20年来比较好地发挥了各项功能作用，受到石油石化企业领导和广大管理工作者的好评，多次被中国企业联合会评为全国先进行业协会，并被原国家经济贸易委员会授予先进行业协会。

当前，协会已进入一个加快发展、规范发展的新时期。协会确定：争取经过3—5年的努力，使协会真正成为能够适应社会主义市场经济要求和行业发展需要，在政府和石油石化企业间起桥梁纽带作用，在全国石油石化企业中发挥行业服务、协调、自律功能的全国知名的行业协会。

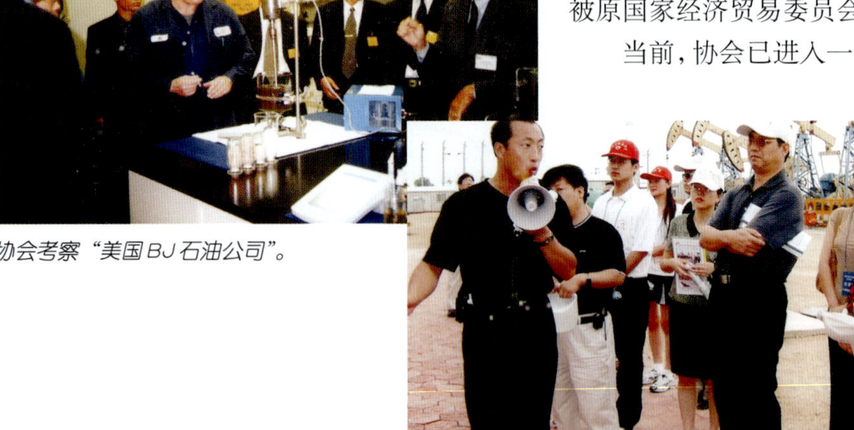

协会考察“美国BJ石油公司”。

协会组织全国各油田到辽河油田学习考察企业文化

协会会刊《石油企业管理》（现改为《中国石油企业》）创刊200期座谈会。

专题研讨会和管理成果发布会

中国石化审计学会

中国石化审计学会成立于1995年10月，是经民政部注册登记、审计署业务主管的全国性社会团体，具体负责中国石化内部审计的学术研究和业务培训工作。

10年来，学会在民政部、审计署的关怀下，在中国石化集团公司、中国内审协会的正确指导下，在各单位会员的大力支持配合下，按照学会章程宗旨，积极履行服务职能，主要取得了以下成绩：

（一）学会紧密协助中国石化审计局（部）加强内部审计制度建设，修订完善了《中国石化内部审计工作规定》等15个内部审计规定办法。此外，学会参与承办了中国内审协会内部审计准则的起草修订工作。

（二）学会积极配合中国石化审计局（部）加强审计人员业务培训，组织承办了中国石化审计处长培训班等20多个，培训近1500人次。此外，学会还指导各单位会员在本单位内大力开展审计人员业务培训。

（三）学会指导各单位会员积极开展内部审计理论研讨和工作创新，认真组织了每年的中国石化优秀审计项目和优秀审计论文评选活动。近4年来，学会共评选出优秀审计论文178篇，优秀审计项目143个。

（四）学会协助中国石化审计局（部）积极开展内部审计工作研讨，组织召开了10多次部分企业审计处长座谈会。学会围绕“谋划审计工作新思路、研究审计工作新举措、推进审计工作新发展、开创审计工作新局面”进行认真研讨，提出了内部审计体制等8个方面创新思路。

目前，学会正积极探索发展新思路，认真履行服务职能，争取为提高整个中国石化内部审计工作质量和水平做出更大贡献。

中国力学学会

2004年12月10日，学会被民政部评为“全国先进民间组织”。

中国力学学会成立于1957年2月。学会现有会员2万余人，学会下设固体力学、流体力学和一般力学等22个专业委员会和直属专业组，同时设有科普、教育、力学名词和青年6个工作委员会。现任第七届学会理事会由151名理事组成。

2004年9月，北京饭店，第六届世界计算力学大会暨第二届亚太计算力学大会。

学会主办的学术期刊有15个，全部为核心期刊，其中有6个被EI检索，2个被SCI检索，其中《Acta Mechanica Sinica》被SCI核心检索（CDE）收录（中国共14 个刊物）。《力学学报》中文版1999年获首届国家期刊奖，2000年获中国科学院特别奖，2002年第二届国家期刊奖；《力学学报》,《固体力学学报》,《力学与实践》获2002年中国科协期刊奖。2003年《力学学报》获得国家期刊奖和中国科协重点资助，《Acta Mechanica Sinica 》获中国科学院一等奖和国家自然基金委重点支持。编辑出版了近百本专业书籍和科普书籍。每年还编印《中国力学学会会讯》（内部刊物）若干期。

学会每年举办各种类型的学术会议、讲座（累计超过400个），多次举办全国青年力学竞赛、全国中学生力学知识竞赛和全国少数民族中学生力学知识竞赛。

自1983年学会被纳入国际理论与应用力学联盟（IUTAM），同时也是国际计算力学协会(IACM)，亚洲流体力学委员会(AFMC)，国际断裂学会(ICF)的成员组织，除不定期地承办IUTAM的专题研讨会和暑期学校外，还与国际上其它学术组织共同主办了一系列的学术会议，如2004年9月在北京成功举办的第六届世界计算力学大会暨第二届亚太计算力学大会，参加会议的各国代表共1249人，来自五大洲的53个国家，打破了世界计算力学大会历届参会人数的记录，成为我国力学界历史上规模最大的盛会。上述活动的开展，有力地推动了我国力学界与国际力学界之间的交往和联系。

2004年海峡两岸力学交流

学会在中国科协的领导下，团结全国力学工作者开展学术交流，在推动力学为国民经济建设服务，在促进学科繁荣，普及力学知识，开展力学教育，发现优秀力学人才等方面起了重要作用。2001年和2003年中国力学学会被中国科协评为先进学会，2004年被民政部评为“全国先进民间组织”。

第三届全国周培源大学生力学竞赛

中国惯性技术学会

中国惯性技术学会的前身是1964年由中国从事惯性技术研究、生产、试验、教育、应用的广大科技人员组成的惯性导航与惯性仪表技术专业组。1987年在民政部登记注册的学术性群众团体，业务上属中国科协指导的全国性学会。其办事机构挂靠中国航天科工集团公司。学会领导机构是理事会和常务理事会。工作机构有秘书处、办公室、学术交流部、科普工作部、基金办公室；设有系统、仪表、光电、测试、工艺与材料等5个专业委员会。在上海、南京、重庆、哈尔滨、洛阳、西安等设有6个地方惯性技术学会。

学会理事长丁衡高院士在惯性技术与智能交通国际学术交流会上作专题报告

学会活动的宗旨是：团结和组织全国从事惯性技术及其相关学科的科技工作者贯彻实施科教兴国战略和改革开放方针，积极开展国内外学术技术交流和科学普及活动，促进惯性技术发展、人才成长和提高；坚持民主办会，反映惯性技术科技工作者的呼声和要求，维护惯性技术科技工作者的合法权益。

惯性技术与智能交通国际学术交流会全体代表合影

学会的主要活动：一是组织开展惯性导航、惯性制导、惯性测量和惯性仪表与装置等国内外学术交流、人才交流与合作；二是接受委托，在惯性技术发展战略研究、技术途径和研制方案、科研、生产、使用、维修等方面开展技术咨询；在科技成果评定、技术鉴定、推广应用、技术职务资格认定等方面提供技术服务；三是开展惯性技术科学普及，组织各种培训活动，开展青少年科普教育，促进人才成长；四是编辑出版《中国惯性技术学报》和《海陆空天惯性世界》科普刊物。

惯性技术与智能交通国际学术交流会开幕式

亲切交谈

中国民(私)营经济研究会

中国民（私）营经济研究会是研究改革开放后新出现的民、私营经济发展规律的全国性学术团体，成立于1993年。业务范围包括：学术研究、业务培训、书刊编辑、专业展览、国际合作、咨询服务6个方面。研究会设有法律维权中心，为民营企业提供法律咨询和维权服务；并设产业集群委员会，以研究产业集群发展为重点，建立以市（区）、县、镇为主要服务对象的工作网络，为区域经济组织提供咨询、评估、规划以及技术、投资等服务。

研究会依靠全国知名经济学家、社会学家和民营企业家，于2000年创办了“中国民营经济论坛”，先后在全国各大城市和西部地区，以多种形式展开了内容广泛的研讨。

2001年11月研究会在广东南海举行年会，交流对私营企业主是社会主义建设者的认识，探讨社会主义劳动和劳动价值学说。

2003年2月，中国民私营经济信息网（www.acsper.org.cn）正式开通以来，依托具有国际化水准的中、英文信息平台，为中小企业提供信息化服务、融资咨询服务、培训服务和国际贸易服务等，为中国民营企业走向世界搭起了桥梁。

2003年12月，研究会在浙江台州举行年会暨首届中国（台州）民营经济发展论坛。

2004年2月研究会与郑州市委、市政府共同举办了非公有制经济发展高层论坛，为协助各级政府扶持当地中小企业的发展，研究会于2004年成立了中国民（私）营经济研究会（富阳）教育培训中心，并已开展工作。

10多年来，研究会配合中央统战部、全国工商联进行过6次全国性私营企业抽样调查，编辑出版《中国私营经济年鉴》4卷；编印的《民营经济内参》，及时向政府反映私营企业家的要求，成为企业家和政府之间的桥梁。

会长保育钧主持2003年年会暨首届中国（台州）民营经济发展论坛。

第五次私营企业抽样调查、中国私营经济第四卷首发式、中国民（私）营经济信息网开通仪式新闻发布会于2003年2月18日在京举行。全国人大副委员长王光英，全国政协副主席孙孚凌，中共中央统战部部长刘延东，中共中央统战部副部长、全国工商联党组书记、第一副主席胡德平，全国工商联副主席孙晓华、程路，研究会会长保育钧等出席会议。

2003年12月13—14日举办的2003年年会暨首届中国（台州）民营经济发展论坛领导与会员及理事合影。

中国海关学会

中国海关学会成立于1985年6月，是海关总署指导下的研究海关理论与实践问题的全国性学术团体。目前，中国海关学会已历时四届，下设广州、上海、天津、大连、昆明5个代表处，有基层学会和学会中心组47个，会员近13000人。

20年来，伴随中国海关前进的历史步伐，学会认真贯彻“围绕中心、发挥优势、深化改革、促进发展”的方针和“理论研究、建言献策、情况反映、人才培养”的职能定位，积极开展内容丰富、形式多样的学术理论研究和专题研讨活动，为领导决策、海关改革和经济建设服务。学会工作在巩固中发展，在继承中创新；征集论文的数量逐年增加、质量不断提高，2004年达到1万余篇，其中许多有价值的观点、对策、建议为行政采纳，引起国务院领导的重视和受到总署领导的好评；出版《海关研究》双月刊109期、《依法行政论文选集》、《海关法论文集》、《WTO与海关工作》、《赫德与旧中国海关论文选》等专著20余部。并与中国大百科全书出版社合作，组织编撰了《中国海关百科全书》一书，于2004年出版发行。该书是中国历史上第一部海关专业工具书，也是世界海关第一部介绍海关基本知识的专著，具有很高的学术价值和权威性。

此外，学会还受行政委托，组织各基层学会做好编修海关志工作，经过10多年的努力，先后编修直属海关志和隶属海关志42本、近1400万字，其中有14部志书被国家和地方评为优秀志书。

中国海关学会会长会议

中国海关学会“海关学”研讨会。

海关现代化与反腐倡廉专题理论研讨会

中国海关学会出版刊物

中国监察学会

中国监察学会是1990年11月21日经民政部注册登记，1991年1月在北京正式成立的。由监察及相关学科学术组织和监察理论工作者、实际工作者，以及其他有志于监察理论研究并有学术成果的公民自愿结成的全国性社会团体；学会现有18个分支机构，1650个单位会员，2279个个人会员，接受业务主管单位国家监察部的指导和社会团体登记管理机关民政部的监督管理。

学会的宗旨是：以马克思列宁主义、毛泽东思想、邓小平理论和“三个代表”重要思想为指导，坚持中国共产党在社会主义初级阶段的基本路线，坚持理论联系实际的原则，遵循“百花齐放、百家争鸣”的方针，坚持与时俱进，为创建具有中国特色行政监察学和为完善我国行政监察制度提供理论依据。主要任务是：开展监察学及相关学科理论与实践的研究；开展国内、国际间的学术交流与合作；编印出版理论研究书刊、资料；开展与本会宗旨相关的理论培训、信息服务、业务咨询等活动。

学会的最高权力机构是会员代表大会；每5年召开一次，现已召开三次。1991年1月召开的第一次会员代表大会选举徐青同志为会长。1998年11月召开的第二次会员代表大会选举彭吉龙同志为会长。2003年12月召开的第三次会员代表大会选举陈昌智同志为会长。中国监察学会会员代表大会闭会期间由理事会领导本会的工作。第三届理事会现有理事86人，常务理事25人，由各分支机构、省区市监察学会、部分经济特区和沿海开放城市监察学会主要领导或监察机关主要负责人，相关学科专家学者、特邀监察员及中央纪委、监察部综合部门的领导和有代表性的退休老同志组成。

学会及各分支机构和会员认真贯彻党中央、国务院关于反腐倡廉的重大决策和部署，紧紧围绕中央纪委监察部的中心工作，依靠广大会员和有关专家学者开展反腐倡廉理论研究和政策研究，取得了明显成效。据近6年来的统计，学会系统开展研究课题6600多项，其中重点课题400多项；撰写理论文章39000多篇，评选出优秀论文近3000篇，在省级和省级以上报刊杂志上发表论文600多篇；召开各类理论研讨会728次；编辑出版反腐倡廉论著、文献资料选编85种、反腐倡廉论文集68种。

学会编辑出版理论刊物《研究参考》115期，刊载文章700余篇。各分支机构和单位会员编辑出版各种刊物40余种，出刊1300多期。

学会经费的主要来源是会费收入和业务主管单位的资助。在经费使用上量入为出，基本能够做到收支平衡。在经费管理上比较规范，设有专职会计和出纳并自觉接受财务和审计部门的监督。没有发现违规操作的现象。

存在的主要问题是，理论和政策研究工作还不适应反腐倡廉工作的需要；分支机构工作开展不平衡；学会秘书处的组织协调作用发挥得不够；学会在组织建设、制度建设方面也有待加强。在今后的工作中要采取有效措施，认真解决上述问题。

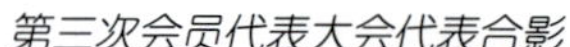
第三次会员代表大会代表合影

中国劳动学会

2002年8月13日，劳动部副部长步正发到中国劳动学会秘书处看望大家，与夏积智会长、韩兵秘书长亲切交谈。

劳动保障部副部长、中国劳动学会名誉会长王东进出席学会成立20周年大会并致辞。

中国劳动学会成立于1982年1月，是我国专门从事劳动科学研究、咨询、宣传和信息交流的群众性学术团体，为非营利性的全国性社团法人，业务主管部门为国家劳动和社会保障部。现拥有48个团体会员，94个企业团体会员，并设有核工、船舶、化工、建材、冶金、轻工、机械、航空、劳动科学教学9个行业分会及劳动就业服务、劳动标准、工资、人力资源管理与开发、劳动争议处理、外商投资企业、劳动法7个专业委员会。办事机构为秘书局，下设两个处。

学会最高权力机构为理事会，理事会拥有理事339人，常务理事163人。

学会自成立至今，始终围绕劳动保障中心工作，团结广大会员，积极开展各项业务活动。一是在学术研究方面，学会举办了“我国劳动力市场问题”、“工资管理”、“西部大开发与人力资源管理”、“中国妇女就业论坛”、“新时期劳动关系问题”等一批有影响的学术研讨会，组织劳动保障部科学技术进步奖（社会科学类）评审活动；二是在培训咨询方面，学会承办人了“人力资源管理师”岗位证书培训，举办了“薪酬管理”、“劳动争议处理”等一系列专业培训班；三是在国际与港、台地区学术交流方面，学会已与日本、美国、台湾、香港等一些国家和地区建立了广泛的联系与合作，组织劳动保障专业人员出国培训和考察；四是学会还编辑发行《中国劳动》、《中国劳动学会通讯》杂志，及时宣传劳动保障政策法规、普及业务知识。

学会网址：http://www.cals.net.cn

劳动保障部领导为中国劳动学会系统先进集体和先进个人颁奖

2004年10月23日，学会2004年年会暨新时期劳动关系问题学术研讨会在湖北省武汉市召开。

中国棉纺织行业协会

中国棉纺织行业协会成立于1995年，现有会员单位300余家；由棉纺织行业的企事业、相关企事业单位和社会团体自愿组成的、非营利性的全国性社会经济团体，是经中华人民共和国民政部登记注册的社团法人；协会会址设在北京，最高权利机构为会员（代表）大会，秘书处负责协会的日常工作。

协会的宗旨是：服务与自律，在会员单位和政府部门之间起桥梁和纽带作用，维护行业的整体利益和会员的合法权益，为会员服务，协助政府业务主管部门，贯彻执行国家的政策、法令，促进技术进步，提高管理水平，推动全行业的发展。

协会的任务是：

(一)研究分析棉纺织行业国内外发展趋势，搜集、整理并传递有关生产技术，组织制定行业发展规划、产品质量、经营管理等信息。

(二)承担行业管理职能并在行业内部竖典型学先进，促进全行业的发展，协助政府做好行业技术进步工作，定期公布团体会员间的经济效益排序。

(三)组织开展各种企业管理经验技术交流，专题研讨会和学习班。

(四)与国内外的纺织行业、纺机行业及相关行业广泛联系，组织会员单位参加各种展览会和研讨会，促进出口的发展。

(五)咨询服务。

协会在1999年－2002年连续4年被原国家经贸委、中国工业经济联合会评为国家级先进行业协会。

第三届中国国际棉纺（色）织大会于2003年11月3-5日在贵州省贵阳市隆重召开。图为中国棉纺织行业协会理事长徐文英在大会开幕式上做专题报告。

中国棉纺织行业协会注重从实际出发，深入调查研究。图为中国棉纺织行业协会理事长徐文英在浙江某企业调研时、与专家讨论纱的质量问题。

首届中国（杭州）纺织新概念论坛会于2004年5月10-11日在浙江杭州召开。

"经纬杯"2003年全国棉纺织行业细纱操作工职业技能决赛于2003年9月16-23日在陕西咸阳举行。

中国肉类协会

中国肉类协会是经国家民政部注册登记的、具有法人资格的全国性社会团体。总部及常设机构秘书处设在北京，下设肉禽蛋流通、肉类冷藏加工、畜禽屠宰、肉类科技与标准化、肉类市场信息5个专业委员会；在上海、沈阳、天津、武汉、成都、西安设6大区办事处。

协会是由中国肉类（禽蛋）生产、经营、屠宰、加工、冷藏、冷冻、批发、配送、机械制造等企业及相关科研、设计、大专院校、新闻单位、地方社团自愿结成的跨地区、跨部门、不受所有制限制的非营利性的全国性肉类生产流通行业社团组织；现有近600家团体会员；是世界肉类组织秘书处理事和执委会委员。

工作职责：一是宣传贯彻国家政策法规，规范行业行为，反映企业意见与要求，维护企业合法权益不受侵犯；二是接受政府委托加强行业管理；三是举办全国性肉类食品及加工设备交易会、展示会、信息发布会、研讨会和技术交流会；积极推动优秀科技成果的普及和应用；四是积极为行业企业生产经营、市场营销、信息交流、企业管理、科学技术、政策法规、经营决策、人才培训方面提供全方位服务；办好协会主办或联办的刊物、杂志、年鉴及信息网络；五是开展国际交往活动，组织中国企业与国外同行业的经济、贸易及技术交流；六是发挥行业整体优势，协调指导各分会、专业委员会、大区办事处及地方肉类协会开展工作。

中国肉类协会会长李水龙先生(右一)、前任世界肉类组织主席菲利浦.森先生（右二)、现任世界肉类组织主席帕屈克·摩尔先生（左二)、湖南唐人神集团股份有限公司董事长陶一山(左一)在2004中国肉类工业展览会上。

中国肉类协会常务副会长兼秘书长邓富江先生与世界肉类组织前任主席菲利浦·森先生在2004中国肉类工业峰会上。

中国肉类协会会长李水龙先生给参展企业题词

近几年主要做了几项工作：一是在新形势下，为适应自律管理，按照行业现状，对企业进行梳理，排序了50强规模企业；二是为扶优扶强，彰显示范，适时推出行业“十大功勋企业家”和“十大科技人物”表彰；三是按照主流和专业化构思，与世界肉类组织联合举办了中国国际肉类高峰研讨会和中国国际肉类工业展览会；四是受政府有关部门委托，开展国家重点工程科研项目咨询和课题研究；五是受委托承担行业技术标准制修订；六是受政府有关部门委托，加强行业自律，承担肉类行业食品安全信用体系建设试点；七是适时举办专业性技术培训班。

中国化工情报信息协会

中国化工情报信息协会是全国化工企事业单位，部门和从事化工科技、经济等信息工作的单位和个人自愿参加的专业性社会团体。主要业务范围是对化工系统专业、地区和企业信息机构及化工期刊进行管理、协调和服务；开展化工经济统计信息收集、调研与发布，组织行业信息交流和学术研讨等。协会前身是1983年成立的中国化工统计学会，1995年经民政部登记更名为中国化工情报信息协会。

近几年来，协会大力加强了原由政府部门管理的化工信息机构和期刊的管理，连续组织了几次考评活动，促进了化工信息事业和产业的发展。2001年，协会参加了国家新闻出版总署组织的国家期刊展，参展期刊达61家，位居行业第二位。2002年组织了第五届全国石油和化工行业优秀期刊评比，参评期刊达130家。2003年对全国化工专业信息机构进行考评，评出了18家优秀专业信息机构。2004年组织了石油和化工行业优秀信息成果和优秀信息人员的评选，评出优秀信息成果188项，各类优秀信息人才624名，优秀统计论文155篇，优秀统计工作者281名。

2004年，在专家论证下，遵循可持续发展要求，采用了多指标综合评价企业的方法，在人民大会堂发布了“中国化工500强”、“中国化工500大”、“世界化工企业500强”以及化工各行业、各经济类型企业排序等大量信息，受到企业和有关方面的重视与欢迎。

此外，协会在资料交流与咨询、学术研讨、专业培训、出国考察等方面也广泛开展了工作。

在牡丹江召开二届四次常务理事扩大会

赴欧考察团与德国柏林FIZ公司职员合影

第六次全国石油和化工统计科学讨论会

在海口召开第五届全国石油和化工行业优秀期刊颁奖大会

中国拍卖行业协会

商务部副部长张志刚在中国拍卖行业协会第三次会员大会上讲话

中国拍卖行业协会会长张延华在协会第三次会员大会上做主题报告

拍卖，在我国最早出现于19世纪70年代，在国家实行计划经济体制后中断了30年。随着我国的改革开放和社会主义市场经济体制的确立和完善，自20世纪80年代中后期我国拍卖业重新恢复并得到了迅速的发展。拍卖这种公开、公平、公正的交易方式，已逐渐为广大群众所认识。

中国拍卖行业协会于1995年6月22日，经国家民政部注册登记的全国性社团组织。现有1165个会员单位，其中理事单位171家，常务理事40人，会长、副会长共13人。

协会以贯彻执行《中华人民共和国拍卖法》、为会员单位和政府双向服务为宗旨，发挥桥梁、纽带、协调、服务的功能，维护拍卖行业的合法权益，增强拍卖行业的凝聚力和自我保护、自我发展的能力，促进全行业经济效益和社会效益的提高。

协会业务范围包括：

（一）贯彻执行国家的方针、政策和法令，开展行业管理工作，制定行规、会约，促进拍卖企业依法经营，规范运作。

（二）整理全行业的基础资料，研究本行业发展历史、现状及发展趋势，为企业开展经营活动和政府部门制定法规政策提供依据。

（三）反映会员单位的愿望和要求，协助政府部门协调解决行业发展中出现的政策问题，保护会员单位合法权益。

（四）组织拍卖师执业资格的考试、授证，负责执业拍卖师的年检注册和监督管理。

（五）组织会员单位开展各类信息和业务交流，为会员单位提供业务和法律咨询，促进企业之间的协作。

（六）积极开展国际交往，扩大与国外同行业的交流与合作，并接受委托组织对外考察、培训和接待外宾等外事活动。

中国拍卖行业协会第三次会员大会选举产生新一届领导成员

中国拍卖行业协会第三次会员大会

中国电工技术学会

中国电工技术学会成立于1981年，是全国电工科学技术工作者和全国电工界的企事业单位自愿组成，后经国家民政部登记注册的非营利性的全国性、学术性社会团体。学会工作总部设在北京，接受业务主管部门中国科学技术协会的业务指导，挂靠在中国机械工业联合会。

学会第六次全国会员代表大会

现有单位会员1574余个，高级会员1350余人，个人会员5万余人，第六届理事会由171名理事组成，常务理事54名。下设学会工作总部、7个工作委员会、45个专业委员会、23个地方学会。参加国际组织5个，为国际电气电子工程师协会（IEEE）、英国电气电子工程师学会（IEE）、世界电动车协会（WEVA）、亚太电动车协会（EVAAP）和国际电磁场计算学会（ICS），并与日本、韩国等国家的电工技术学会建立了联系。

主要业务活动：

（一）国内外学术交流

定期举办“国际电力电子与运动控制学术会议（IPEMC）”、“中国国际电机会议（CICEM）”、“国际船舶电工学术会议（IMECE）”、“国际工程电介质会议”、“国际电磁场会议”、“国际电工产品可靠性与电接触会议”等国际学术会议。1999年与亚太电动车协会、中国汽车工程学会联合主办“第16届国际电动车会议（EVS－16）”。总会和专业委员会、地方学会每年举办100余次国内学术年会、专题研讨会和高新技术报告会等科技交流活动。

学会第八届学术会议暨电工科技发展论坛

（二）国际科技展览会

自1988年开始，已经举办将近40次国际展览会。

1998年国家对外贸易经济合作部授予学会“举办境内对外经济技术展览会主办单位资格”，1999年国家科学技术部授予学会“举办境内国际科学技术展览主办单位资格”。

（三）编辑出版和继续教育

学会编辑出版了《电工技术学报》、《电气技术》和《综合经济信息》、《企业管理研究》等刊物。

1985年创办电气工程师进修学院，以在职科技人员为主要对象，实施继续教育；开办的“机电一体化”专业自学高考专科班得到国家教委承认的大学专科学历。

（四）其他

学会设有咨询服务机构，接受政府部门和企业的委托，承担技术发展和工程项目咨询，提出论证方案和决策建议。

中国电工科学技术基金会负责学会的集资、融资、奖励与赞助等活动。已开展电工新产品开发奖、学会元老杯奖、学会工作先进集体奖、学会先进工作者奖等奖励项目。

1997年、1999年、2001年及2003年连续四届学会被中国科协评为先进学会。

中国电子音响工业协会

2001年召开的音响协会第六次会员代表大会照片，图为在主席台就座的信息产业部领导，协会正、副会长，正、副秘书长。

中国电子音响工业协会成立于1983年，是经原国家经贸委批准，受信息产业部业务指导、后经民政部登记注册的全国性工业协会。协会曾多次荣获全国先进行业协会和电子系统先进行业协会。现有会员企业350多家，下设影碟机分会，家庭影院及专业音响分会，整机分会，关键件分会，汽车音响分会等5个分会。

近几年协会主要开展了以下几项工作：

（一）受企业委托，协会与DVD专利权人3C（飞利浦、索尼、先锋）、bc（东芝、日立、松下、JVC、三菱、IBM、时代华纳）、IC（汤姆逊）、MPEG-LA进行了长达4年的艰苦谈判，为企业产品出口减轻了负担，使我国逐渐形成了全球影碟机制造中心和出口大国。2003年出口DVD影碟机7270万台，金额37.9亿美元，同比增长85%和40%。

（二）积极推进光盘产业核心技术及关键部件的国产化，如新一代光盘产品EVD已批量生产，CD、VCD光学头已能大批生产，DVD光学头和解码芯片已攻关成功，开始批量生产。

（三）每年举办大型国际技术交流会，引导企业开发适合我国国情的产品。

（四）协会和中山小榄及恩平市合力构建行业音响及麦克风产业基地。

协会召开DVD 论坛中国会议

全国电子工业先进行业协会
NATIONAL AWARD FOR THE ADVANCED
ASSOCIATIONS OF THE ELECTRONICS INDUSTRY
中华人民共和国电子工业部
一九九五年二月

1995年被电子工业部评为“全国电子工业先进行业协会”。

协会自1993年起连续举办“国际音响影视展览会”。

中国化学与物理电源行业协会

理事长陈景贵

中国化学与物理电源行业协会是经国家民政部注册的全国性行业协会，成立于1989年，学会下设碱性蓄电池与新型化学电源、酸性蓄电池、物理电源、锂电池、电源配件、干电池等6个工作委员分会。现有350多个会员单位，涵盖我国所有的电池系列和领域。

15年来，协会以“协助政府进行行业管理，为会员单位服务，维护会员单位和本行业的合法权益，促进本行业发展”为宗旨，以“团结、友谊、竞争、发展”为会风，积极发挥桥梁与纽带作用。 协会于1992年在中国天津举办了首届“中国国际电池技术交流会／展览会(CIBF)”。此后，又于1995、1997、1999 、2001年和2004年相继在北京举办了五届规模更大的“中国国际电池技术交流会／展览会”。为保护“CIBF”这一无形资产，维护协会的合法权益，协会已于1999年1月经国家工商行政管理局正式批准了商标注册。

参 观

自1995年开始，每年对国内电池行业骨干企业进行年度生产经营数据统计，并排出本年度中国电池行业百强企业。

协会从1999年6月注册并建设了中国电池行业的门户网站—“中国电池在线”(www.Chinabatteryonline.com www.cbo.com.cn)，于2004年10月建设了“协会会员网站”(www.ciaps.org.cn)，并创办了《电池世界》会刊。

CIAPS
会 标

协会发挥其网络功能与组织起来的优势，配合国家质量监督部门先后对中国的碱性电池、密封铅蓄电池，以及手机用电池等进行检测及行业评比，对确立国产品牌、维护民族利益、规范电池市场起到了一定的促进作用。

开展学术交流是协会工作重要的组成部分，近几年来协会先后召开金属氢化物镍电池发展研讨会、太阳电池发展讨论会、移动通讯电池国内外市场与技术发展对策研讨会、锂电池研讨会、电池材料研讨会、铅酸电池研讨会等。

组织会员单位先后参加俄罗斯国际电池展览会、韩国国际电池展览会、法国国际电池讨论会、美国一次二次电池讨论会／展览会、第十二届国际锂电池讨论会（日本)、承办第二十届国际温差电会议、组织多次“海峡两岸电池界交流与合作座谈会”，并将于2008年承办“第十四届国际锂电池讨论会”。

协会负责中国电池行业发展规划的编制、积极参与中国电动汽车及燃料电池发展计划的讨论与制定、参加电池行业标准的制定，为改善中国电池产业生存环境做出积极的贡献。

第六届中国国际电池技术交流会

中国工业气体工业协会

中国工业气体工业协会于1987年成立，后经民政部注册登记的全国性社会团体，是工业气体工业的民间行业组织。协会下设二氧化碳、氢气、焊割气、气瓶4个专业委员会及气体产品质量监督检验中心、协会培训中心（职业技能鉴定站）、专家委员会，并有由200余名全国工业气体行业著名科技人员组成的专家网，现有400多家会员单位，并在云南、广东、浙江、山东、黑龙江、辽宁、新疆、湖北、苏州、牡丹江等省市设有省、市级协会。近几年协会主要开展了以下工作：

秘书长孙国民在印度工业制造商协会年会上发表演讲

（一）协助原化工部制定“国家级企业标准”，并受化工部委托验收气体行业国家级企业。

第六届理事会议

（二）倡议并筹组亚太地区气体制造商协会。

（三）组织编撰《中国工业气体大全》（500万字）。

（四）每年举办一届“中国国际气体技术、设备与应用展览会”（已举办6届）。

（五）创办了《中国气体》杂志、《中国气协报》、《中国气体网站》。

（六）举办了海峡两岸气体行业发展研讨会。

（七）举办了3次中国气体行业发展战略研讨会。

（八）研发了“气瓶管理软件及气瓶用电子标签”。

（九）组建分支机构及协会工作网络。

（十）组织了5次出境考察访问。

（十一）召开了14次会员交流大会，编辑出版了14本年会论文集。

（十二）培训了技师等各类人员2000多名。

协会成立以来，在“开拓、进步、团结、交流、服务”的协会精神指导下，团结广大会员，为繁荣和振兴中国工业气体工业做出了重要贡献。

协会访美代表团成员与世界氧气协会秘书长大卫·桑德尔斯（左三）美国压缩气体协会主席卡尔·约翰逊（左四）的合影。

海峡两岸工业气体发展交流研讨会

第六届中国国际气体技术设备与应用展览会

中国热处理行业协会

中国热处理行业协会于1991年8月经民政部登记注册，现有会员单位600余家。其宗旨是协助政府进行行业管理，在政府和企业间起桥梁和纽带作用，帮助企业开拓市场、提高生产技术水平和管理水平，推动行业技术进步，是全国热处理行业活动的组织者。

理事长李新亚

协会的主要任务和活动内容有：制定了“八五”、“九五”、“十五”和“十一五”行业发展规划；组织制定、宣传和贯彻热处理标准；打造行业间信息交流平台，举办国内和国际热处理新技术、新产品、新材料展览；公开和内部发行的刊物有《国外金属热处理》（双月刊）、《金属热处理》（月刊）、《中国热处理技术通讯》（双月刊）；多次组团赴美国、日本、韩国、马来西亚、新加坡、泰国、德国、英国、法国、澳大利亚、波兰、荷兰、瑞典、瑞士、奥地利等国家参加会议和考察，促进国内外技术交流、贸易和合作，推动我国热处理企业的技术进步和管理水平的提高。

秘书长佟晓辉在会员大会上做工作报告

荣誉理事长陆燕荪为北京国际热处理展览会剪彩

副理事长冯泽舟（右一）带领中国热协代表团访日期间与日本海斯公司技术交流。

2004年会员大会暨厂长经理会议代表合影

中国耐火材料行业协会

中国耐火材料行业协会于1990年经民政部注册登记，同年10月7日正式成立，成为由国务院国有资产监督管理委员会主管，中国钢铁工业协会代管，具有社团法人资格的全国耐火材料行业中介性民间团体。

协会现有团体会员单位207个，分布于东北、华北、华东、中南、西南、西北地区，囊括了钢铁、建材、有色、化工、轻工等部门内的主要耐火材料企、事业单位。此外，在河南、辽宁、湖南、山东、山西、江苏6省还成立有省级耐材协会，受本协会的指导。

协会的最高权力机构是会员代表大会，理事会为会员代表大会的执行机构，常务理事会行使理事会闭会期间的协会日常领导职权。协会理事、常务理事、秘书长、副会长、会长均经会员民主选举产生，任期4年。协会本届理事会是于2003年9月25日经协会第四次会员代表大会选举产生的。第四届理事会和常务理事会，分别由76名理事和41名常务理事组成。

协会设秘书处，下设规划及生产协调部、经济协调部、企业管理部、国际合作部、信息部、技术质量标准部、原料部及协会办公室，分别挂靠在一些会员单位，各业务部工作由协会秘书长统一协调。

协会成立以来，坚持为企业服务、为政府和社会服务，积极向企业宣传国家有关方针政策，进行行业调查，向政府反映行业成员的建议和要求，协助政府制订耐材行业发展规划、政策、建议，组织会员制订行规公约；针对当前企业间存在的恶性价格竞争，积极组织开展行业价格自律，组织优质耐材产需衔接活动，努力规范耐材市场秩序，举办各种培训班、企业改革经验交流会和技术研讨会、新产品推广会、展览会，组织开展国内外经济技术交流与合作。成立了中国耐火材料行业网站，努力为企业提供快捷的信息服务。每年召开全国行业工作会议，及时将中央对当年经济工作的方针、政策传达给企业，结合行业特点制定出全行业当年工作思路及要点。

协会会长陶若璋先生

针对我国耐材进出口贸易逐年大幅度增强，国际间贸易摩擦时有发生的客观事实，协会成立了行业反倾销领导小组，初步建立了行业反倾销预警机制，并及时组织行业应对国外对我反倾销立案，引导涉案企业积极应诉，坚决维护企业的合法权益。

服务、协调、自律、监督、协助政府实施行业管理和维护行业、企业的合法权益，是行业协会的天职。协会成立14年来，努力发挥了政府和企业间的“桥梁”、“纽带”作用，并于1998年荣获中国工业经济联合会颁发的“全国先进工业行业协会”称号。

与印度耐材协会作技术交流

中国物资再生协会

会旗

会长刘坚民先生

中国物资再生协会是经过中华人民共和国民政部批准登记注册的社会团体法人，成立于1993年，是由从事废旧物资再生利用的专业性公司（集团）、工矿企业，以及相关的科研、教育、社会团体和个体等成员自愿组成的全国性物资再生行业的经济团体组织。协会现有会员单位600多个。协会总部设在北京。协会会长、副会长均由全国各地从事废旧物资再生利用事业、并具有经营实力、有声望的企业家担任，常设机构为协会秘书处。

其宗旨是：遵守国家政策法令；坚持以市场为导向，热心为社会服务，积极发挥组织协调作用，维护会员的合法权益；对物资再生资源的开发利用进行指导；宣传物资再生利用事业对节约资源、节约能源、保护生态环境的重要意义；坚持科教兴业，开发推广新技术、新工艺；推动物资再生事业的发展；促进我国在世界范围内再生资源的利用。

中国物资再生行业是朝阳事业，有着广阔的市场发展前景。中国政府对这项事业给予了高度重视，明确规定“将资源节约和再生资源回收利用列为一项重大经济政策”、“制定和实施有关的经济优惠措施，鼓励废旧物资的资源化”。废旧物资回收利用，对于节约原生资源、改善环境、提高经济效益、促进经济增长、实现资源配置和可持续发展都具有特别重要的意义。

协会将联合国内外从事废旧物资再生的友人，为中国的物资再生市场，为中国的可持续发展做出新的贡献。

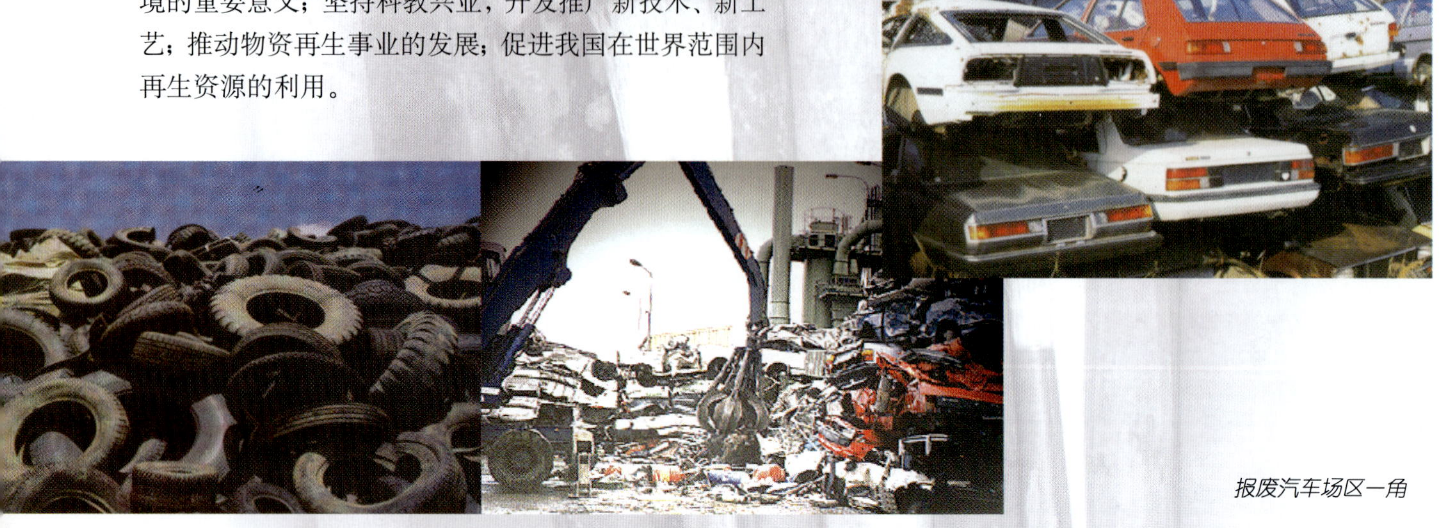
报废汽车场区一角

中国轮胎翻修利用协会

中国轮胎翻修利用协会是由国资委主管，国家发改委业务指导，于1987年4月成立，后经国家民政部注册登记的具有社团法人资格的全国性行业组织，是全国唯一一家从事旧轮胎翻修和废轮胎资源综合利用的全国性行业协会。现有会员单位200多家，联系单位200多家，是中国工业经济联合会团体会员单位。

国家发改委环境和资源综合利用司副司长李静（中）、冯良处长（右二）和协会秘书长徐桂芬（左三）、杂志社主编陈立柱（右一）参加北京金运通轮胎翻修厂与公交公司合作承包签字仪式。左一为金运通厂长孙玉和同志。

其宗旨是：遵守国家宪法，各项法律法规，宣传和贯彻党和国家的方针政策，遵守社会道德规范；促进本会会员间、本行业与其它相关行业间的交流与协作，并沟通信息，协调企业与政府间的关系；协助政府对本行业的调查研究、政策立法和行业自律，指导行业工作，维护公平竞争和会员的合法权益。

协会会长姜治云在2003年中国国际再生资源利用产业博览会暨首届国际轮胎资源综合利用展览会剪彩

协会成立18年来，在政府有关部门的大力支持与会员单位的配合下，为本行业做了大量的工作，如积极向政府反映会员单位的意见和建议，争取国家优惠政策的扶持，帮助重点企业进行融资、技术改造、组织原材料，促进行业的整体发展。进行全行业产品质量自检、互检与国家统检；开展了技术咨询、培训、交流；组织国内外考察、参加展览以帮助企业拓展市场；开通了国际互联网站，(网址为：www.ctra.org.cn)。协会受国家发展和改革委员会的委托，进行行业政策调研并协助起草《废旧轮胎回收利用管理条例》，为适应我国加入WTO的新形势，受国家质量监督总局的委托，起草《旧轮胎进口标准》并协助进行进口试点工作。根据轮胎翻修企业和国际接轨的要求，协会组织起草了《轿车翻新轮胎安全技术条件》和《载重汽车翻修轮胎安全技术条件》等国家标准；为扩大对外宣传和信息交流，促进了废旧轮胎资源综合利用事业的发展，创办国内外公开发行的《中国轮胎资源综合利用》杂志，全方位的为企业和行业服务。

常务理事会

中国公路勘察设计协会

中国公路勘察设计协会成立于1990年4月，是由全国公路勘察设计、咨询、科研单位以及业内资深人士自愿组成的具有社团法人资格的非营利性社会团体，是经交通部同意、民政部注册登记的公路工程勘察设计咨询行业的全国性社会团体。目前共有会员单位186个。

协会的宗旨是：坚持党的基本路线，遵守宪法、法律和国家政策，遵守社会公德，立足于为政府和会员服务；维护国家、行业和会员单位的合法权益；围绕公路交通行业发展的中心任务，积极发挥政府与会员单位之间的桥梁纽带作用，努力促进公路勘察设计、咨询行业的发展，不断提高我国公路勘察设计、咨询业的技术水平、科学管理水平和职工队伍的整体素质。

协会的主要业务范围包括：

（一）结合交通行业发展各阶段的中心任务，组织会员单位对全国公路勘察设计、咨询单位的体制改革、市场培育和管理、技术进步和质量管理、提高投资效益等，开展调查研究，为政府制定有关方针、政策提供建设性意见，为会员单位提供服务。

（二）协助政府主管部门规范公路勘察设计、咨询市场、制定、实施公路勘察设计、咨询单位资质标准和准入与清除制度。受政府主管部门委托，承担公路勘察设计、咨询行业的日常管理工作，负责公路勘察设计、咨询单位资质申报的评审、年检、资信登记工作和从业人员执业资格考试、注册及继续教育等具体工作。

（三）开展公路勘察设计、咨询行业管理工作，制定、贯彻实施公路勘察设计、咨询单位执业行为准则和从业人员道德行为准则等行规、行约，建立和完善行业自律机制。按照“客观、公正”和“诚信为本、操守为重”的原则，对行业进行监督检查，协调行业内部关系，维护行业平等竞争。

（四）受政府部门委托转移，承担行业内企业资质评审和从业人员从业资格管理工作；负责组织交通部公路工程“优秀勘察、优秀设计”奖的评审工作。

（五）受交通部委托，协助部专家委员会组织国内知名专家，对国家重点工程项目的规划、立项、方案研究及关键技术问题提供技术咨询和技术服务。

（六）受交通部或业主委托，履行社会中介机构职能，开展公路工程初步设计、技术设计和施工图设计审查的具体工作以及公路勘察设计招标文件和公路建设项目招标文件咨询、审查的具体工作。

（七）受交通部委托，开展公路工程各项计价依据、计价办法的研究，承担公路工程定额（工程定额、费用定额及工期定额等）调查、修编和公路工程造价咨询（管理）的具体工作。

（八）受交通部委托，承担部分公路工程勘察设计规范、规程修编的具体工作。

（九）组织行业培训，开展业务交流，推广新技术、新工艺、新材料。办好协会网站，定期出版或发布有关刊物和信息，组织编写和出版从业人员培训教育等参考资料，提高行业的技术水平和管理水平。

（十）维护会员的合法权利，倾听会员呼声，协调会员和行业内外的关系，向政府部门和有关方面反映会员的意见和建议发挥好政府与企业的桥梁与纽带作用。

（十一）建立和完善公路勘察设计、咨询单位的诚信和质量评价体系，受理公路勘察设计、咨询行业中执业违规和质量的投诉，对违规者实行惩戒或提请政府主管部门进行行政处罚。

（十二）对外合作与交流。

（十三）完成政府主管部门委托和授权的其他工作。

协会成员单位主要从事公路交通基础设施建设。多年来，他们的足迹遍布全国山山水水，为祖国大地勾绘出公路、隧道、桥梁构成的宏伟高速公路网络。截止2004年底，全国已建成高速公路3.43万公里，居世界第二位。我国的特大桥梁设计已达到国际先进水平。

中国道路交通安全协会

中国道路交通安全协会以邓小平理论和“三个代表”重要思想为根本指导思想，在公安部党委和部交管局的领导下，围绕全国交通管理工作的中心任务，遵循协会《章程》，发挥职能，在推进交通安全社会化和协会自身建设的工作中，取得了新的进展。

（一）配合全国创建平安大道，实施畅通工程和预防交通事故等中心工作，先后开办了3期业务培训班和一期中小城市交通管理研讨班，举办了《西部开发与交通管理研讨会》等，来自全国交警的基层领导、业务骨干及专家学者近千人参加了上述培训和研讨。

（二）成功举办《2004年中国国际交通安全产品博览会暨智能交通论坛》，并选编出版了70余万字的论文集。2000年以来，协会与有关单位联合在北京及深圳、陕西、上海、新疆等地主办了8次交通安全产品展览会，每次展览会都推出一批技术先进的交通安全设施和警用装备，有力的推动了全国道路交通管理装备的现代化建设。

（三）采取多种形式开展交通安全宣传，不断扩大交通安全科普知识的覆盖面。协会主办了《道路交通管理》杂志，从报道内容、栏目设计、版面制作等方面都有许多改进和提高，使杂志紧密配合中心，宣传更贴近实际，贴近交警，贴近交通参与者；为了配合《道路交通安全法》的颁布与实施，协会组织专家、学者编辑出版了《道路交通违章记分实用手册》、《道路交通安全法读本》、拍摄了《交通与安全》、《保护生命　拒绝违章》等宣传专题片。

（四）发挥社团的优势，加强与台湾同行的交流，扩大民间对外交往与合作。近年来，协会先后4次接待了台湾地区交通事故鉴定研究学会大陆访问团，通过组织参观，业务交流，使台湾同胞看到了大陆日新月异的建设新貌，增进了两岸同行的了解和友谊。协会作为国际道路交通安全协会（PRI）的成员国，积极参加该组织每年召开的年会和学术交流会，既向西方国家介绍了我国交通管理的发展现状和前景，又认真学习和了解西方国家交通管理的新技术、新成就，为改善我国交通管理提供了借鉴。

我国道路交通管理工作进入了一个新的历史时期。社会深刻的变革，经济日新月异的发展，促进交通事业以更快的速度发展；另一方面，国务院对交通安全工作做出新的部署，提出更高的要求，特别是《道路交通安全法》的颁布实施开启了道路交通安全事业走向以人为本，依法治理的新阶段，交通安全管理工作面临更加复杂的形势。交通安全协会作为一个行业性的社会团体，积极摆正位置，明确责任，努力工作，为交通管理的有序、安全、畅通做出贡献。

中国工作犬管理协会

中国工作犬管理协会第一届理事会第二次会议合影

中国工作犬管理协会成立于2002年6月6日，是经民政部登记注册、公安部主管的全国性社团组织。协会作为行业的自律组织，是由从事工作犬事业与工作犬行业有关的个人和单位自愿结成的全国性、联合性、非营利性的社会团体。协会常设机构为办公室、犬资源管理部、竞赛培训部、信息联络部。非常设机构设有学术委员会和繁育、教学训练、竞赛、犬病防治等若干个专业委员会。协会现有团体会员205个，个人会员316个。

协会的宗旨是：遵守国家宪法、法律、法规和国家政策，遵守社会道德风尚；团结和组织全国从事工作犬事业的单位和个人以及其他有志于工作犬事业的社会各界，共同开展工作犬技术的研究，促进行业的交流与合作，提高全行业的科学技术水平；规范工作犬的繁育、训练、使用；建立和完善同业自律管理机制，当好行政管理部门的参谋助手；促进工作犬技术的繁荣和发展，为国民经济建设和维护社会稳定服务。

协会主要开展以下10项业务：

（一）制定行业发展规划，向行政管理部门提出政策建议，提供决策参考。

（二）赛事。

（三）促进国际间的交流与合作，吸收、引进先进技术、装备和管理经验；组织人员出国学习、考察、培训；组织参加或承办国际性赛事和国际学术活动等。

（四）制定科研项目指南，组织科研攻关；参与或承担科技项目、技术产品的评估、论证、鉴定、奖励和推广。

（五）制定有关标准、规则、开展行业资质考核、认证、加强行业指导，规范行业运动管理机制。

（六）制定行业培训计划，建立规范的培训机制，推行从业人员认证制度；承办相关部门委托的技术职业资格评定工作。

（七）接受委托，进行有关技术检验、复核，提供技术支持和咨询服务。

（八）编辑出版有关信息资料、刊物、书籍以及相关的音像制品，建立中国工作犬网站。

（九）维护会员的合法权益，表彰奖励工作成绩优异的团体、个人，举荐管理人才和科技人才。

（十）推动动物保护工作。

除上述业务，协会还办了“中国工作犬管理协会网站”，编辑出版《中国工作犬业》杂志，开办了8期国际技术培训班，先后多次组团出国考察访问，举办了“2004年世界名犬展评暨训练比赛”，开展了犬只血统登记、犬籍注册管理等工作。

2004世界名犬展评暨训练比赛现场

2004世界名犬展评暨训练比赛主席台

中国有色金属工业协会钛业分会

2004 年锆铪年会

2004 年钛业分会年会

中国有色金属工业协会钛业分会是中国有色金属工业协会的分支机构，成立于2002年5月28日，是从事钛锆金属材料科研、生产、设计、应用及商贸的企业或个人为会员对象的行业协会，是以有关法律法规自愿组织的自律性、非营利性的经济类社会团体法人分支机构。

分会宗旨：以党的基本路线为指针，遵守国家宪法、法律、法规和国家政策，遵守社会道德风尚，坚持为政府宏观调控、为我国钛行业和钛应用事业的持续、稳定、健康发展进行双向服务的根本宗旨，做政府与企事业单位之间的桥梁、纽带。

钛业分会成立以来，主要做了以下几个方面的工作：

(一)健全组织，建立秘书处和网站，加强会刊《钛工业进展》编委会，建立6个专业委员会。

(二)发展会员，2002年有会员94家，现在已发展到126家。

(三)召开一年一次的年会，进行科技和管理方面的经验交流，并研讨行业的发展战略。

(四)召开专业性的“钛在汽车工业中的应用”和“中国锆铪工业发展”研讨会。

(五)开展了行业统计工作，定期发布统计结果。

(六)开展“十五”期间我国主要民用重点工程用钛量调查，编写调研报告，在全行业发布。

(七)编写行业年评，总结成绩，指明奋斗目标。

(八)与有关部门合作，组织编制本行业的标准。

(九)开展国际交流与合作活动，2002年组织行业会员单位访问日本，接待了近10起美国、日本、英国等企业代表团，双方进行交流信息，洽谈贸易和合作。

(十)开展了行业自律工作。

2003 年组团考察日本

中国延安精神研究会

1956年，马文瑞同志（前排左三）陪同毛泽东、刘少奇、周恩来、邓小平、彭真等领导同志接见全国工资会议代表的合影。

1996年春节团拜会上江泽民同志与马文瑞同志在一起

中国延安精神研究会编辑出版的部分书籍、画册。

中国延安精神研究会是顺应时代需要，于1990年5月由一批革命战争年代在延安工作过的老同志倡议成立的，是一个专门从事延安精神的研究和宣传的群众性学术团体。

近15年来，研究会主要做了以下工作：

（一）加强延安精神的理论研究。1990年至今，先后召开学术研讨会11次，组织专家学者编辑出版有关理论专著38本；对延安精神的基本内容、精神实质、时代意义等作了比较深入的探讨和研究；其中：《延安精神永放光芒》系列丛书一套5册，经国务院领导同志批示，教育部列入全国中小学图书馆必备书目。

（二）开展延安精神的宣传工作。15年来，结合党的中心工作，围绕重大纪念日召开各种座谈会、纪念会、研讨会、交流会等47次，广泛宣传了延安精神和党的方针政策；并充分发挥会刊《中华魂》的特有作用，积极宣传党的路线、方针、政策和延安精神。

（三）开展和促进“延安精神进校园、进课堂”活动。青年是祖国的未来和希望，加强青年工作，是研究会工作的着重点。

（四）积极慎重发展会员，加强组织建设。研究会由成立时的200多名会员发展到目前700多名会员，还有团体会员26个。

在中国延安精神研究会的影响下，目前已有16个省、区、市成立了延安精神研究会，河北、山西、黑龙江等省也在筹备成立精神研究会。另据不完全统计，全国70多个地（市）、60多所大学有延安精神研究会或相关组织。2004年研究会被民政部授予“全国先进民间组织”称号。

宋平同志和马文瑞同志在中国延安精神研究会成立10周年大会上

会长李铁映同志（左五）与洪虎、郑幼枚、逄先知、杨波、于明涛、伍绍祖、刘忠德、令狐安、杨伟光同志合影（从左至右）。

中国食文化研究会

中国食文化研究会二届二次理事会

万里同志亲切接见参加成立大会的代表

《中国首届伊尹奖中华烹饪技术创新大赛》最高奖项颁奖大会于2003年12月2日在人民大会堂举行，原全国人大副委员长铁木尔，全国政协副主席周铁农出席并颁奖。

中国食文化研究会于1993年经国家文化部批准、民政部注册登记成立的全国性社团。其宗旨是以邓小平理论和“三个代表”重要思想为指导，遵守宪法、法律、法规和国家政策，团结国内热心于中国食文化研究的各界人士和一些国外专家学者，研究和弘扬中华民族优秀食文化，振兴民族精神，促进食品经济发展和中国先进食文化建设，基本任务是组织海内外专家，系统研究中国食文化的历史、现状和发展趋势，致力于中国食文化学的建设和研究成果的应用。业务范围是：学术交流、专业展览、国际合作、咨询服务。

研究会拥有数百名全国一流的食文化、食科技专家，研究领域广泛，从食源、食加工到餐饮食品终端产品，有酒、茶、盐、糖、烟、饮品、调味品及烹饪文化等。成立10年来，举办国内外学术、专业研讨会及论坛10余次，出版《世界食品经济文化通览》等专著，并出版期刊4种、“论文集”10余册。设咨询策划，帮助企业创品牌、上水平，认定贵州仁怀为“中国酒都”；举办“中国首届伊尹奖中华烹饪技术创新大赛”，认定“中国餐饮文化大师”，为餐饮企业提升文化品位；组织企业高层领导到欧洲、英国、瑞士、日本以及香港、台湾进行食文化考察交流近10次，广泛进行国际交流活动。

2004年主要做了以下工作：

（一）2004年1月，由中国食文化研究会会长杜子端和著名出版家阮波等同志倡导，编辑一部《中国名菜大典》。

（二）2004年3月7日至12日，组织全国餐饮企业高层管理人员赴台湾进行饮食文化考察交流活动。

（三）2004年7月18日，“中国酒都——仁怀”誉中认定暨《中国酒都仁怀》大型图书首发式在北京钓鱼台国宾馆举行。

（四）2004年12月4日，首批认定“中国餐饮文化大师”大会在京召开。

中国餐饮文化大师认证会

中国煤炭职工
思想政治工作研究会

研究会会长马德庆
在第十届年会上讲话

中国煤炭职工思想政治工作研究会于1984年11月成立。1994年2月经民政部批准注册登记，成为具有独立法人资格的社团组织。机构下设秘书处、调查研究部、咨询服务部。现有团体会员单位210家，理事101名，其中常务理事53名。成立了党委书记研究学组、纪检监察研究学组、企业文化研究学组、老龄思想政治工作研究学组等，每个研究学组每年至少举办一次研讨会，形成了立体交叉的研究网络，与40多个部、省级研究会建立了联系，交换资料，互通信息；并创办了《煤炭政工通讯》和《开采》两种刊物。

党委书记第三学组召开专题研讨会

研究会成立来，先后组织召开了50余次专题研讨会；编写了20多本专著和书籍；组织研究了一批重点课题，召开了12次年会，100多个文明煤矿和100多名优秀政工干部、130多项优秀政研成果受到了表彰。自1995年以来，还设立了“中国煤炭工业石圪节精神奖”（即煤炭系统优秀思想政治工作者），每一到二年表彰一次，已表彰七届，共125人。

研究会2004年工作会议会场

20年来，研究会发挥了参谋助手、咨询服务、指导实践和桥梁纽带作用，积极推进煤炭行业两个文明建设，在加强和改进企业思想政治工作和用企业文化打造文明煤矿等方面取得了丰硕成果。

中国煤炭工业第七届石圪节精神奖获得者在领奖台上

中国文化艺术发展促进会

“和平与进步·中日当代书法艺术大展”交流笔会现场。

中国文化艺术发展促进会是由国家文化部主管，经国家民政部登记注册的全国性社会团体，成立于1994年，设文艺部、信息部、演出部、青少年艺术中心、通联部、培训部、影视中心等部门，以组织文化交流、国际合作、书刊编辑等文化活动为工作核心，其宗旨是：在中国共产党的领导下，遵守国家的宪法和法律、法规和有关政策，团结中国文化界的先进力量，弘扬中华民族文化，加强我国文化领域与国际间的交流与合作，促进中国文化艺术的繁荣和发展。业务范围：文化交流、书刊编辑、国际合作、咨询服务。

近几年重大活动：

（一）2002年主办新加坡·中国摄影艺术展。

（二）2002年主办新加坡·中国书画艺术展。

（三）2002年主办在香港和上海举办的“纪念香港回归五周年——二十世纪中国绘画精华展”。

（四）2003年主办汉城·中国书画艺术展。

（五）2003年主办在浙江安吉举办的“和平与进步中日当代书法艺术大展”。

（六）2004年主办在江苏苏州世界遗产大会中的“周剑世界遗产摄影展”。

（七）2004年主办北京——旅日画家王子江绘画作品展。

（八）2004年主办在江苏南京举办的首届“中国画·画中国”全国系列艺术活动。

（九）2004年主办在江苏无锡举办的“中日书法绘画交流大展”。

通过以上活动的成功举办，提高了协会在国内文化的知名度和信誉度，对推动中国文化事业的发展做出了积极贡献。

会长侯恩余在“新加坡·中国书画艺术展”开幕式讲话。

“中日书法绘画交流大展”书画家联欢晚会现场。

中国东方文化研究会

2002 年在新疆乌鲁木齐举办“丝绸之路文化开发战略研讨会”。

為弘扬和发展東方文化做出貢献
為中国東方文化研究会題
薄一波
一九九三年十一月十二日

薄一波为研究会题词

2004 年10 月，在第六届世界漫画大会开幕式上，欧洲漫画联盟主席向会长游琪赠送纪念雕像。

2003 年 10 月在北京举办中日茶文化活动。图为对日本学生培训考试后颁发证书。

中国东方文化研究会（文化部主管）是由有志于东方文化事业的专家、学者和实际文化工作者自愿结合的全国性民间高级文化学术团体。

研究会的宗旨是发掘和整理东方文化遗产，特别是中国文化遗产，继承和发扬东方文化的优秀传统，为促进国际文化交流和海峡两岸的团结统一，为加强各国人民之间的友好和人类的和平事业服务。

研究会的活动内容及形式：

(一)组织发掘、整理、研究东方文化遗产、开发文化资源。

(二)组织并推进与现代化建设事业相关的文化研究活动。

(三)组织有关的文化问题研究，承接各方面委托的有关课题，进行研究，提供咨询。

(四) 组织举办各种学术讨论会以及各种文化活动。

(五) 邀请港澳台学者来内地和外国学者来华讲学或参加学术会议和文化活动。

(六)编辑出版本会通讯、学术资料和书刊。

(七) 组织文化、教育、培训活动和文化咨询服务。

2004 年 8 月，“东方国际动漫艺术原创大赛”新闻发布会。

中国诗酒文化协会

首席顾问程思远与会长于行前合影

在“非典”期间，协会参与北京市精神文明办、市残疾人联合会举办的有关活动后，市残联领导向会长于行前、副会长邹为瑞敬送锦旗。

中国诗酒文化协会隶属于中华人民共和国文化部，是由党和国家原领导人与文化艺术、科技、酿酒界知名人士共同倡导成立的。在国家民政部注册登记，系全国性专业社会团体，有独立法人资格。

1990年，中国《诗刊》众多诗人邀请艾青、贺敬之等著名诗人组建全国性的诗酒联谊组织，即“中国诗酒联谊会”，于行前任会长。1993年更名为“中国诗酒文化协会”，艾青任会长，于行前任常务副会长。2000年，文化部对全国性社团进行整顿和重新登记，于行前任会长，娄德平任常务副会长，王振宇任副会长兼秘书长。

协会成立至今，主要做了以下工作：

（一）1991年10月，中国诗酒联谊会与中国国际文化交流中心共同举办“第一届中国国际诗酒节”。

（二）1991年秋季，中国诗酒联谊会从初创时有限的经费中拿出4万元为国家救助水灾，受到民政部大力表扬。

在全国上下关心重视流动人口及其子女读书就学的活动中，副会长邹为瑞先后走访北京市郊希望小学、自强小学等打工娃学校6所，赠送书画作品和自己编著纪念一代伟人毛泽东的《不尽的思念》一书，受到师生们的赞誉。

（三）1997年，协会历时3年编辑出版了《中国酒文化大观》。

（四）2000年4月，经文化部批准，协会与美国东西方艺术家协会在北京联合举办“世界华人艺术家书画精品大展”。

（五）2000年6月，经文化部、北京市新闻出版局批准，《中国诗酒》正式出版，2003年更名为《中国酒文化》。

（六）2000年8月，经文化部批准，协会编辑出版《中国老年书画艺术》（月刊）。

（七）2002年，协会与中央机关书法协会在山西太原联合主办“神州书画西部采风行”活动。

（八）2002年11月，协会同中国国际友好研究会在中国历史博物馆举办“中日邦交正常化30周年中日书画展”。

（九）2003年5月“非典”期间，协会向北京市残疾人联合会捐赠著名书画家作品。

（十）2004年5月，协会在人民大会堂举办“首届中华文化名酒推介会”。

由中国诗酒文化协会主办的“文化名酒”推介活动受到专家学者和企业界的好评，图为杜康、兰陵、酒鬼等名企领导在大会堂领取证书。

中国小说学会

小说排行榜评委会全体成员

小说学会第五届年会全体与会代表合影

中国小说学会是以研究中国小说为宗旨的民间学术团体。1985年成立于天津，召开了第一届年会，通过了学会章程，选举了学会领导机构——学会理事会。上级主管部门为中国社会科学院。后来，由于种种原因，学会由天津迁至陕西西安，挂靠在陕西省作家协会。

1995年10月在天津召开了中国小说学会第二届年会。在此届年会理事会上，修改了原学会章程，作出了以后学会每两年召开一次年会的决定。学会于1997年、1999年、2000年、2001年、2003年分别召开了第三届、第四届、第五届、第六届、第七届年会，平均每届年会都有百名以上会员参加。学会现已有会员近700人。

第四届小说学会年会期间召开的理事会上学会决定把中国小说学会会址从西安迁回天津。从1999年9月至2000年8月，学会在国家民政部和中国作家协会的指导下，基本上完成了学会会址由陕西西安迁回天津的工作，学会挂靠在天津师范大学。

2000年8月14—15日，学会在天津召开了会长会议，会长冯骥才主持了会议，确定了学会有关上网、建立小说论坛、小说评奖等具体工作方案，并研讨了其他有关事宜。同年9月初中国小说学会建成自己的网页。

小说排行榜

2001年3月、2002年3月、2003年3月中国小说学会在天津连续三次举行了“中国小说排行榜”的评议工作，并向社会公布。2004年3月，由《齐鲁晚报》资助在济南完成了第四届“中国小说排行榜”的评议。此项“排行榜”已引起社会关注，以后将继续进行下去。

2003年8月，由天津天士力集团赞助，中国小说学会首届学会奖在天津揭晓。红柯、毕飞宇、杨显惠成为首届学会奖的得主。

中国朝鲜语学会

学会理事长全学锡

中国朝鲜语学会于1981年8月在辽宁省沈阳市成立，在国家民族事务委员会的指导下，在东北三省民族事务委员会和东北三省朝鲜语文工作协作领导小组的大力支持下，认真贯彻落实党的民族语文政策，广泛团结朝鲜语文工作者，积极开展朝鲜语文学术活动，为朝鲜语文在中国的正确使用和健康发展做出了应有的贡献。

学会宗旨：积极学习贯彻党的民族语文政策，团结和组织朝鲜语文工作者进行朝鲜语文调研、咨询、研究工作，促进朝鲜语文工作的发展、为提高朝鲜民族的语言文化素质服务，为中国两个文明建设服务。

学会作为全国性社会团体，现有170多名会员，分布在吉林省、黑龙江省、辽宁省、北京市、上海市、山东省、河南省等地。

学会每两年在东北三省范围内循环召开全国性学术讨论会议，已召开了12次全国性讨论会议。参加人数达900多人次，在学术会议上交流的论文达500多篇，编辑出版了5册学会论文集。

近几年还多次召开了“中国朝鲜语使用现状及发展前景”、“21世纪中国朝鲜语前景”、“朝、汉文字混用问题学术讨论会”等重要专题学术研讨会。

中国朝鲜语学会召开的外来语使用问题专题讨论会

中国朝鲜语学会第一次优秀专著奖获奖学者会影

中国朝鲜语学会第13次学术讨论会开幕式

中华医学会

1980年4月，法国医学代表团应中华医学会邀请访华并在北京和上海举行第一次中法医学日活动，邓小平同志接见代表团成员。

中华医学会是中国医学科学技术工作者自愿组成并依法登记的学术性、公益性、非营利性法人社团，是发展中国医学科学技术事业的重要社会力量。

学会成立于1915年。现有78个专科分会及321个专业学组，430277名会员，主办有103种医学学术类期刊，1种医学学术信息期刊，1种医学科普类期刊。学会设有办事机构16个，建有医学图书馆1个，法人实体机构2个。

学会的宗旨是：团结、组织广大医学科学技术工作者遵守国家宪法，法律和法规，执行国家发展医学科技事业的方针和政策；崇尚医学道德，弘扬社会正气；坚持民主办会原则，充分发扬学术民主，提高医学科技工作者的业务水平，促进医学科学技术的繁荣和发展，促进医学科技的普及和推广，促进医学科学技术队伍的成长和提高，促进医学科技与经济建设相结合，为中国人民的健康服务，为社会主义现代化建设服务；依法维护医学科学技术工作者的合法权益，为医学科学技术工作者服务。

学会的主要业务包括：开展医学科技学术交流；编辑出版医学、科普等各类期刊及音像制品；开展继续医学教育；开展国际间学术交流；开展医学科学技术决策论证；评选和奖励优秀的医学科技成果、学术论文和科普作品；发现、推荐和培养优秀医学科技人才，承担政府委托职能及承办委托任务；推动医学科研成果的转化和应用；向政府反映医学科技工作者的意见和要求。

中华医学会

来函收悉。

祝贺中华医学会成立七十周年。

希望学会进一步团结广大医学科技工作者，为发展我国的医学科学事业做出新的贡献。

李先念

1985年6月，国家主席李先念为中华医学会致词。

1962年12月，国务院总理周恩来、副总理陆定一、全国人大常委会副委员长彭真等领导参加中华医学会新年联欢会。

学会第22届理事会名誉会长为吴阶平、会长为张文康，副会长为巴德年、王海燕、刘海林、汤献猷、吴孟超、吴咸中、李超林、杨镜、肖梓仁、陆道培、宗淑杰、胡亚美、曹泽毅、黄洁夫。学会法人代表、秘书长为宗淑杰，副秘书长为赵书贵、韩晓明、罗玲。

中国假肢协会

中国假肢协会成立于1986年11月。是在民政部指导下，由假肢矫形器行业的企事业单位和社会团体以及从事和热心于假肢事业的假肢工作者、专家、学者、各界知名人士等自愿组成的、不以盈利为目的的全国性社会团体，是受民政部委托承担管理全国假肢矫形器行业的具有独立法人资格的行业组织。协会设理事会、常务理事会和秘书处，目前拥有团体会员79个，个人会员3400人；协会成立后，和德国、日本、美国、加拿大等国及台湾、香港等地建立了广泛的联系，并以中国国家会员协会的资格加入了国际假肢矫形器协会。

2003年中国假肢矫形器、轮椅车暨康复器具展览会开幕式。

协会的宗旨：坚持为残疾人和本会会员服务，发挥协会的桥梁和纽带作用；加强我国政府同国际国内同行业机构及本会服务对象的横向联系，团结和依靠国内外社会力量，开展技术交流与合作；维护国内市场秩序，促进公平竞争；提高行业整体效益，依法维护广大残疾人和消费者的权益。

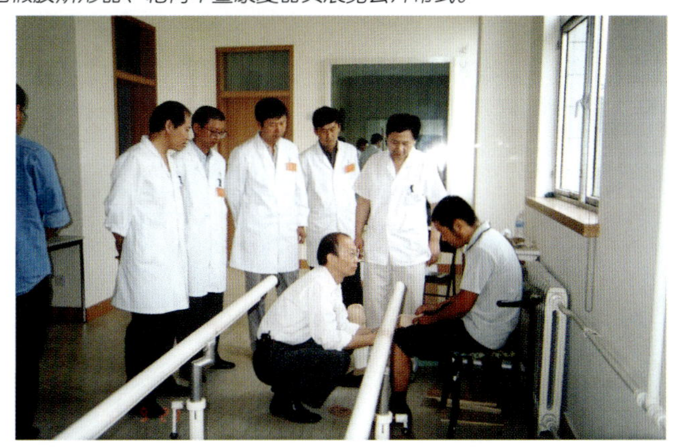

假肢下肢技术培训

主要工作任务是：协助政府制定、实施有关政策、法规、制度和管理规范，进行产品质量和标准化管理；对在华开办的国内外假肢矫形器企、事业单位进行执业资格检验、评估工作；协调市场秩序、价格和行业内部、行业之间的关系；编辑出版会刊、书籍、科普读物和科技资料，收集国内外信息，提供咨询服务；组织业务技术培训，开展经验和学术交流活动，推广先进技术和管理方法，表彰对行业有突出贡献的集体和个人；多渠道筹措资金，为行业发展提供资助，办理本行业社会福利有奖募捐资助和其他捐助项目的具体落实工作；组织发展本行业的公益事业，开展国际间的友好交流与合作。

外商参展

协会成立以来，得到了民政部领导的亲切关怀和大力支持，特别是在1998年民政部党组作出调整加强部管社团决定之后，协会集行业管理、技术管理、信息服务等多项职能为一体，业务范围更加广泛，工作职能更加完备，充满着生机与活力。目前，各项工作正朝着服务于残疾人，造福于全社会的轨道健康发展。

中国殡葬协会

中国殡葬协会是经中华人民共和国民政部注册登记的全国殡葬行业的社会法人组织，成立于1989年9月25日。1990年加入国际殡葬协会，成为该组织的国家成员，目前是该组织的执委会成员之一。协会内设综合部、业务部、培训部、科技部、中国国运尸网络服务中心等办事机构；设殡葬服务工作委员会、公墓管理工作委员会、科学技术工作委员会等3个分支机构。协会在国家民政部的领导下，在社会福利和社会事务司的直接领导下，独立开展与殡葬事业相关的活动。

协会的宗旨：

以邓小平理论为指导，遵循以经济建设为中心，坚持四项基本原则，坚持改革开放的基本路线，遵守国家法律、法规和政策，遵守社会公德，面向殡葬企事业，为政府殡葬管理服务，为殡葬事业发展服务，为丧户服务，为殡葬职工服务。

协会的主要任务：

(一)研究殡葬行业管理规范。

(二)承办等级殡仪馆的检验、评估工作，提出评定意见。

(三)对殡葬单位的管理，服务和殡葬设备、用品的生产、销售、使用提出意见，举办殡葬用品展销活动。

(四)负责殡葬行业从业人员的培训、考核、资格认定及培训教材编辑。

(五)研究殡葬行业的发展方向，开展理论研讨，向政府主管部门提出殡葬行业发展规划的建议。

(六)研究反映殡葬单位的意见和要求，提供信息交流、技术及合资合作经营等咨询和协调服务。

(七)负责中国国际运尸网络服务中心的工作。

(八)组织和开展国际交往活动。

(九)承办政府部门委托的其他工作。

理事会是会员代表大会的执行机构，领导和监督完成协会的各项工作任务，决定重大事项。每届理事会任期4年。本届理事会为第四届，现有团体会员单位142个，理事78名，其中常务理事25人。协会有名誉会长4人、会长1人，副会长1人，秘书长1人（副会长兼任），副秘书长5人。常务理事会议每年召开一次。理事会每两年召开一次，会员代表会议，每4年举行一次。

凡从事殡葬服务、殡葬设备、用品、科研与生产、殡葬管理等单位，集体申请入会的，经理事讨论通过，吸收为团体会员；凡从事殡葬工作的人员以及热心殡葬工作的各界人士申请入会证，经常务理事会审批，吸收为个人会员。

目前，全国31个省、自治区、直辖市中，绝大部分建立了地方协会，这些地方协会对推动本地区的殡葬改革和殡葬事业发展起了积极作用。

中国老年学学会

中国老年学学会，是由从事老年学研究的专家、学者和从事老龄工作的单位及个人组成，依据国家有关法律、法规成立，经民政部注册登记的非盈利性的全国性社团组织，是从事老年学研究、咨询服务的全国性群众学术团体，是国际老年学学会的团体会员，是亚太地区老年学学会的会员国。接受业务主管单位中国老龄协会、社团登记管理机关民政部的业务指导和监督管理。学会现有70多个团体会员单位（其中有23个省市的老年学学会），设13个专业委员会。

学会的研究领域是老年学，主要学科有老年生物学、老年医学、老年心理学和社会老年学（包括老年人口学、老年经济学、老年社会学、老年教育学、老年体育学等）。主要业务范围是：制定学会学术研究、咨询服务工作规划；组织和指导会员进行老龄问题的社会调查；组织老年学学术研究、咨询服务，开展国内外老年学学术交流活动；开展老龄问题与老年学知识的宣传与专业培训工作；发展会员组织，组成一支专职与兼职结合、具有较高水平的老年学研究队伍；对团体会员和直属专业委员会进行业务指导，并为会员提供信息交流和推广研究成果；总结、交流学术研究的成果和工作经验，评选和表彰先进单位及个人，宣传优秀科研成果；编辑出版本学会会刊、简讯及有关书刊；接受政府交付的任务，开展有关方面的业务咨询，并就老龄事业的重大问题向政府反映情况、提出建议；承担国际老年组织委托的、符合我国宪法和法律规定的科研任务。

学会成立15年，开展了大量的学术活动：

(一)组织了11次全国性的学术研讨会。研讨会的主题有“中国人口老龄化现状、趋势和对策”、“中国老年学学科体系”、“中国老年社会保障”、“中国老年医疗保健问题”、“家庭养老与社会化养老服务”、“老年人的社会价值与社会共享”、“21世纪老年学论坛”等等，涵盖了我国老年学发展过程中大家普遍关心的问题。

(二)学会的各专业委员会和各团体会员单位，根据本身情况，召开了研讨会100多次，并编辑出版了论文集、老年学专著近百部；中国老年学学会还领导所属骨质疏松委员会在国内召开了3次骨质疏松国际会议，仅外国专家、学者参加的就达850余人，会议专门出版了英文论文集。

(三)帮助和组织会员单位开展科研工作。曾组织中国科学院和北京理工大学、中日友好医院等单位的专家开发的HA100前列腺消融仪，被列入国家重点新产品推广项目。

(四）重视老年学的宣传培训工作。先后举办了10期培训班，1800余人参加学习，与中央电视台联合举办《老年科学知识讲座》，参与了百集《老年课堂》光盘的摄制和发行工作，创办了《中国老年学杂志》。

(五）积极开展国际学术交流活动。曾派出代表团参加了3次国际老年学大会和3次亚太地区老年学大会。

中国性学会

学会10周年庆典会场

名誉理事长吴阶平院士（右）与理事长徐天民教授亲切交谈。

中国性学会为卫生部主管的全国性学会，于1994年在民政部注册成立，挂靠于北京大学医学部。学会下设性医学、中医性学、性传播疾病防治、性教育、青少年性健康教育、性心理、性人文科学、性法学、性传媒、性医疗健品10个专业委员会。学会现有会员5000人。学会学术刊物为《中国性科学》杂志，国内外公开发行。

学会成立以来，本着发展性科学，普及性教育，提倡性文明促进性健康的宗旨，坚持以开展学术活动为根本任务，至今已举办过五届（每两年一次）全国学术年会，各个专业委员会也每两年举办一次学术会议。学术会议主题突出，以文会友，与会代表的踊跃参与和积极交流，对于促进我国的性科学事业发展起到了有力的推动作用。学会在发展性医学，研究古代中医性学和发掘古代性文化遗产等方面开展了大量学术研究活动。学会非常重视性知识的普及教育，特别是青少年性健康教育，为此专门设立有青少年性健康教育专业委员会，旨在促进下一代身心的健康成长。与此同时，面对良莠不齐的性保健品市场，学会以学术研究为基础，从提高科学含量的角度积极介入，做了许多有益的工作。10年来，学会以披荆斩棘，开拓进取的精神，积极为发展性科学和保护广大群众的性健康做出了应有的贡献。

王府井活动

中德医学协会

中德医学协会系我国全国性民间学术团体，协会是我国著名外科学家，中国科学院院士裘法祖教授，我国著名病理学家武忠弼教授等发起，于1984年11月20日正式成立，于1991年8月31日经国家民政部注册登记。

右一：德中医学协会主Helmut K.Seitz 右二：中德医学协会理事长龚非力。

协会办事机构设在华中科技大学同济医学院（原同济医科大学），其宗旨是在促进中德医学科学的交流与发展。业务范围即学术交流和友好往来。德国也成立了相对应的学术团体，即德中医学协会。

协会主要是以学术交流为主，每年召开一次学术年会，两国轮流承办，会议开幕时，我国卫生部部长、副部长、有关省（市）长等政府部门的领导以及德国驻华使、领馆的大使、公使等有关代表均分别出席过会议，并作了有关讲话或专题报告。

通过中-德医学协会的牵线搭桥，取得了以下主要成绩：一是德国大众汽车基金会已先后向我国提了3批共36名博士生奖学金，供我国青年医生和教师赴德国攻读博士学位，先后已有32人回国工作，已成为我国医疗卫生事业中德重要骨干和学科带头人；同时从80年代开始，我国每年接受由德中医学协会派遣来华的医学生12人左右，在部份大学附属医院进行临床见习；二是通过该协会的努力，获得了德国最大出版社之一的Springer出版社对协会的资助，办起了德文版的《德国医学》杂志和《放射学实践》杂志，现根据杂志的影响，改版为《临床肿瘤》杂志，这是全世界发行的英文版杂志，正在为收入至SCI作准备；三是为我国医务人员与德国的科技工作者的科研项目合作提供了良好的渠道和途径；四是通过该协会为三所大学医院与德国的医院建立了院际合作的伙伴医院，促进了人员与科技的交流。

协会成立以来，在两国医学科学交流和科技人员的交流与合作方面作了大量具有意义的工作，为我国医学科学研究工作奠定了良好的基础；为我国与德国的全方位的交流与合作起了特殊的促进作用。

2002年10月在我国杭州举行第17届中德、德中医学学术年会

中国人类工效学学会

中国人类工效学学会成立于1989年9月。下设工效学标准化专业委员会、认知工效学专业委员会、生物力学专业委员会、人机工程专业委员会、管理工效学专业委员会、安全与环境工效学专业委员会、交通工效专业委员会，目前有会员1000多人。近几年来，随着社会发展和科学技术进步，学会发展十分迅速。学会办公地点及挂靠单位为北京大学医学部，业务主管单位为教育部。

理事长王生教授参加国际工效学代表大会

学会及各个专业委员会定期举行学术交流活动，举办全国性学术会议。先后两次成功地举办泛太平洋职业工效学学术交流大会，多次举办海峡两岸的学术活动，既推动了学会的发展，也提高了国际地位；学会是国际工效学学会（IEA）的会员单位。由于我国工效学工作者的努力，学会赢得了第十七届国际工效学代表大会（2009年）的主办权。

国际学术交流活动

学会办有期刊《人类工效学》，并按国家有关规定，在全国范围内开展继续教育、技术咨询和技术服务等工作。

今后，学会将继续坚持实事求是的科学态度，贯彻“百花齐放、百家争鸣”的方针，充分发扬学术民主，团结广大人类工效学及其相关学科的工作者，开展学术活动，进行学术交流及科研合作，不断促进我国人类工效学的繁荣和发展，促进工效学知识的推广和普及，为社会服务，为经济建设服务。

工效学会理事

海峡两岸学术交流活动

中国畜牧业协会

首届中国牧业展览会开幕式

中国畜牧业协会成立大会

第二届中国苜蓿发展大会暨牧草种子机械产品展示会

百家骨干企业畜产品安全承诺发布会现场

中国畜牧业协会是由从事畜牧业及相关行业的企业、事业单位和个人组成的全国性行业联合组织，在行业中发挥管理、服务、协调、自律、监督、维权、咨询、指导作用。由中华人民共和国农业部主管，在中华人民共和国民政部注册登记。其宗旨是：整合行业资源、规范行业行为、开展行业活动、交流行业信息、维护行业利益、推动行业发展。

协会下设10个分会（禽业分会、猪业分会、羊业分会、牛业分会、兔业分会、犬业分会、蜂业分会、特养分会、兽医分会、草业分会），6个办事机构（综合部、会员部、国际部、市场部、宣传策划部、信息中心）；有1200个单位会员、850余位个人会员。

协会成立后，在农业部、民政部各有关部门的正确指导下，在协会理事会组成人员、广大会员及秘书处工作人员的共同努力下，通过健全组织机构，加强秘书处自身建设，规范管理，提高效率，紧紧围绕行业发展的热点、难点、重点问题，以服务企业、服务行业、服务政府为宗旨，以维护会员和行业的合法权益，推动行业健康、稳定、可持续发展为目的，积极开展各项工作。

北京市旅游行业协会

会长主持旅游推介

北京市旅游行业协会成立于1993年7月，是经北京市社会团体行政主管机关注册登记的社团组织，是北京地区旅游行业的专业协会，具有独立的法人资格。

协会的宗旨是：遵守国家及北京市法律法规，代表广大旅游企业的利益，维护会员的合法权益，倡导诚信经营，引导行业自律，规范市场秩序。

协会根据旅游行业的特点成立了饭店、旅行社、餐饮、景区景点、商业、书画研究等专业专业委员会，到目前为止共有协会会员768家。各专业委员会的领导经选举均由本行业中有影响、有代表性的企业领导担任。

12年来，协会以“自我服务、自我弘扬、自我保护、自我提高、自我约束”的工作方针，以“行业服务、行业自律、行业代表、行业协调”为基本职能，广泛联系、紧密团结北京地区旅游企业，积极维护旅游经营者的利益，如为星级饭店与中国音乐著作权协会协调音乐作品使用费标准，为旅行社与景区景点协调因提高公园门票所产生的矛盾，与卫生局协调取消对饭店销售月饼的限制等；加强行业自律，组织北京地区旅行社、景区景点、商店等单位签订诚信公约；发挥桥梁纽带作用，加强国内外交流与合作，接待国内外旅游单位来京促销；宣传北京旅游新线路，宣传会员单位；积极创办并组织十届中国北方旅游交易会，连续几年举办北京旅游夜市活动，为繁荣和发展北京地区的旅游事业做出了贡献。

2004年被国家民政部和北京市社团办分别授予“全国先进民间组织”和“先进社团组织”的光荣称号。

旅游休闲论坛

女总经理联谊会

行业自律

吉林省旅游宣传周活动剪彩

八达岭长城文化艺术协会

协会第一届六次理事会

国际文化艺术节上

八达岭长城文化艺术协会在八达岭特区机关党委和市县社会团体管理机关的监督指导下，牢牢把握“弘扬长城文化，服务旅游事业”的宗旨，团结和带领全体会员，开拓进取，扎实工作，为景区文化建设和长城文化研究贡献力量。

关注文化建设　打造黄金品牌

(一)组织会员撰写并发表各类宣传景区的文章累计500余篇，文字达10万字。

(二)组织会员撰写完成各类调研报告、学术论文，挖掘整理长城文化研究资料累计80余篇，文字达20余万字。

(三)组织会员创作完成宣传景区的文学艺术作品数百件，出版各类画册、书籍、歌曲集、报刊、杂志等累计10余种，发行近20万册（集）。

弘扬长城文化　促进旅游发展

(一)参与“舞台战略”，组织策划或参与策划组织各类文化活动10余次。

(二)关注“元首文化”，参与景区外事接待工作，累计成功完成各类外事接待任务近千次，其中成功接待世界各国元首和政府首脑近300位；建议并促成了景区“元首接待厅”的落成。

(三)重视“品牌塑造”，在协会的建议和具体动作下，成功申获“接待世界各国元首、政府首脑最多的风景区和接待世界各国旅游人最多的风景区”两项上海大世界基尼斯之最。

发挥协会优势　推动景区发展

(一)累计成功完成重要外联任务16次，协助党委推进或促成景区战略性发展的重大工作10余项。

(二)通过调研的基础，为景区发展提出合理化建议60余项。

(三) 为提高景区经营管理工作重大决策的科学性，组织召开各类主题研讨会和专家论证会。

明确工作思路　增强自身活力

从景区实际出发，坚持以“为”换“位”的主导思想，探索和落实了 “坚持‘弘扬长城文化，服务旅游事业’的宗旨，贯彻‘谋其欲为、助其所为、为其未为’三个方针，实施‘人才立会战略、学术平台战略、成果转化器战略’三个战略”的工作思路，围绕景区发展的中心工作开展协会工作。

1998年6月10日，意大利总统奥斯卡·斯卡尔法罗（语）到长城签名留念。

1998年9月16日，爱尔兰总理伯蒂·埃亨参观八达岭长城留影。

重视自身建设　提升服务职能

建立和完善科学的运行机制，不断加强自身建设：一是积极主动地争取主管单位党委的领导和社团管理机关的监督；二是强化学习制度，提高会员素质；三是依法进行管理，建立会议制度；四是摆正自身位置，办好自身角色。

天津市保险行业协会

天津市保险行业协会成立于1995年3月10日，是由天津市各商业保险机构自愿组成的非营利社会组织。协会成立时仅有4家保险公司会员，随着保险业的发展，截止到2004年底，已有团体会员公司39家，其中包括人寿险保险公司7家，财产险保险公司7家，保险代理公司15家，保险经纪公司7家，保险公估公司3家。协会的日常办事机构为秘书处。

天津市保险同业协会自律公约签字仪式

协会以“三个代表”重要思想为指导，遵守宪法、法律、法规和国家政策，遵守社会道德风尚。本着自愿、平等、公益、协商及市场化、规范化原则，对行业进行自律性管理和协调，维护保险行业的合法权益，研究探索保险事业发展的途径和方法，创造和维护公平合理的竞争环境和市场秩序，成为行业间交流、合作的平台和保险经营者与政府沟通的桥梁，及宣传的窗口，促进了行业团结及天津市保险事业的健康、快速发展。

天津市保险界应对入世高峰研讨会

协会的宗旨是：为会员提供服务，维护行业利益，促进行业发展。其基本职责是：自律、维权、协调、交流、宣传。

为加强行业交流创办了内部刊物《天津保险通讯》和《保险行业信息》，建立了“天津保险”网站，与有关媒体共同开办保险专栏，加大保险宣传力度，提高公众保险意识。为防范行业整体的经营风险，协会组织并分别建立了机动车保险和人寿险《风险客户资料库》，成立定点医院管理委员会共同管理定点医院。在行业自律方面，为制止恶性竞争创造良好的发展环境，行业共同签署了各种自律公约共同遵守，为行业的共同发展做了一些基础工作。协会还开通了个人保险代理人电话免费查询系统，为客户查询保险代理人提供方便，加强了对代理人的社会监督。

会员代表大会会场

天津市华夏未来文化艺术基金会

天津市华夏未来文化艺术基金会于1993年成立。11年来，在市委、市政府的领导下，在社会各界的支持下，坚持“一切为了孩子”的宗旨，使这一新生的民间组织得到迅猛发展，现拥有幼儿园7座、完全小学1座、培训中心1座、经市编委批准的实体华夏未来少儿艺术中心以及华夏未来少儿艺术团。

11年来为丰富少年儿童的校外文化生活，奉献爱心、回报社会，先后举办了“除夕与孤儿共度”、“还孩子一个心愿”、“老师您好”音乐会、百场免费音乐会、艺术精品进百校、双周免费音乐会、“夏日文化广场”公益演出、农村中、小学艺术教师免费培训班、“温暖献爱婴”健康活力宝宝大赛、“献爱心、手拉手”走进西部、残疾儿童艺术节等一系列公益活动，受到社会的广泛赞誉和好评。华夏未来的艺术培训规模从1993年培训学员300多人次，增加到2004年超4万人资助。启动“环球之旅”演出活动，截止到2004年，已访演51个国家和地区，行程60万公里，足迹踏遍五洲四海。为促进中外文化交流，基金会还承办了4届以“和平·友谊·未来”为主题的天津国际少儿艺术节。累计70余个国家和地区的85个少儿艺术团5000余名外国儿童与国内各省（市）、自治区的90个少儿艺术团6000余名小演员欢聚天津，创中外儿童文化节交流史之最。年年为孩子办8件实事，累计有21件被列为天津市政府20件实事的项目。两次被评为天津市先进社团，华夏未来少儿艺术中心被国家文化部授予“全国文化单位先进集体”，并被天津市委、市政府命名为“天津市爱国主义教育基地”；被中央精神文明办等6部委授予“全国青少年校外活动示范基地”；国家民政部授予华夏未来基金会和华夏未来少儿艺术团为“全国先进民间组织”。

中共中央政治局委员、市委书记张立昌出席由华夏未来文化艺术基金会主办的第八届“老师·您好”音乐会。

新世纪伊始，天津市华夏未来文化艺术基金会制定了“环球之旅”百国千场演出计划。图为基金会出访巴布亚新几内亚，艺术团小演员与当地小朋友联欢交流。

天津市华夏未来文化艺术基金会鸟瞰

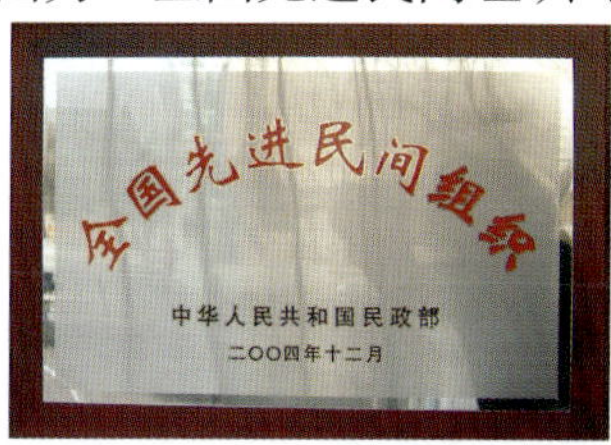

由全国友协、天津市人民政府主办，天津市华夏未来文化艺术基金会承办的2000天津国际少年儿童文化艺术节开幕式盛况。

天津市自行车行业协会

天津市自行车行业协会成立于1995年，是由众多企业发起成立、并依法登记注册的行业协会组织。协会下设电动自行车专业委员会、行业生产力促进中心和中国北方国际自行车展览会组委会，同国内业界和世界各地自行车商会组织建立了广泛联系。

成立10年来，协会始终遵循“集行业之力、办行业之事、促行业之兴”的基本宗旨，把振兴天津自行车产业作为崇高使命，坚持自主、自立、自律办会，为企业生产服务，主要体现在：一是积极引导广大中小企业在较短时间内完成了产业重建和制度创新，形成民营为主体各种性质企业竞相发展的良好局面；二是坚持改革创新精神，协会2001年自主创办了中国北方国际自行车展览会，目前展会已连续举办了四届，已成为亚洲地区三大自行车专业会展之一；三是为了提升产业整体实力和水平，协会利用自己在国内外的广泛联系，努力做好招商引资工作；四是进入新世纪以来，协会紧跟世界自行车产业发展前沿水平，制定了产业发展战略规划，为天津自行车产业持续发展打开了一个新局面。

天津是最有发展潜力的自行车产业基地。10年来，协会以不平凡业绩赢得国内外业界的普遍尊重，多次受到政府表彰，先后被天津市评为“优秀社团”和“示范行业协会”，2004年又荣获“全国先进民间组织”称号。

市长戴相龙（左一）参观中国北方国际自行车展览会。

天津市自行车行业协会出口工作会议

学术交流

中国北方国际自行车展览会高层峰会暨开幕式

2005中国北方国际自行车展览会一角

河北省信息协会

副省长付双建视察省信息协会

2003 中国 · 河北企业信息化高层论坛。

河北省信息协会组建于 1990 年 12 月，由河北省发展和改革委员会主管，挂靠在河北省经济信息中心。协会会员分布在全省经济管理部门、工商企业、新闻机构、科研院所、大专院校等诸多企事业单位。

协会主要业务为信息的学术研究、应用开发、展览展示、交流推广、咨询服务、业务培训。

10 多年来，协会在社团管理部门和主管部门的指导下，围绕党和政府的中心工作，结合挂靠省经济信息中心的“信息”优势，组织了信息法规标准研究、信息资源开发、电子政务、电子商务、信息扶贫、信息人才培训等大量有意义的活动。

（一）信息扶贫活动。1996 年 6 月在协会会同省经济信息中心，经报请省政府领导批准，以省政府名义主办了信息扶贫活动。

（二）组织了石家庄首届冷饮冷食暨防暑用品展览会。2002 年 4 月 30 日至 5 月 4 日，协会会同市冷饮冷食卫生管理协会等单位，联合在河北会堂举办了石家庄首届冷饮冷食暨防暑用品展览。

（三）组织了“2003 中国 · 河北企业信息化高层论坛”。2003 年 12 月 26 日至 27 日，组织了由省信息协会、省经济信息中心主办，省发展和改革委员会、省信息产业厅、省公安厅、省科学技术厅、省保密局、省通信管理局支持，80 多家企业参加的企业信息化高层论坛，与会人数近 200 人。

（四）组织开发了多项信息产品。协会发挥挂靠省经济信息中心信息优势，利用因特网平台，在中国经济信息网河北分网（即河北经济信息网）加大了网络产品开发力度。一是协会会同京、津信息协会及京、津、冀经济信息中心、食品工业办公室，共同创建了“食品商情信息网”，并创办了《食品商情》网刊；二是与有关方面合作创建了河北钢材信息网，并创办了《钢材市场信息》网刊；三是与有关方面合作创建了中华人材信息网。

会长孟庆瑞

会长孟庆瑞培同中国信息协会电子政务专业委员会领导在河北视察工作

河北省民用品维修行业协会

河北省民间品维修行业协会的前身是河北省家电维修行业协会，成立于1994年12月。1996年8月经河北省民政厅批准更为现名；是由全省民用品生产、经销、维修企业，有关科研、教育、培训单位和学者自愿组成的非营利性社会团体。现有民用品生产、经销、维修企业会员单位近10万家。根据工作需要设立了基层部、宣教部、维权工作部、信息部、财务部、行政事务部6个工作部，负责协会的具体工作。

几年来，在省委、省人大、省政府、省政协的亲切关怀及有关部门的大力支持下，协会各项工作取得显著成效，为河北省维修业的健康发展作出了积极的贡献。

（一）协助省政府于1997年12月29日出台了207号令《河北省民用品维修业监督管理暂行规定》。

（二）编写了《河北省民用品维修业监督管理暂行规定辅导材料》。

（三）在《燕赵都市报》、《北方消费报》上举办各种法律法规知识竞赛及讲座。

（四）与河北省电视台、河北有线电视台联合录制《跨越地平线》、《现代消费大观园》等专题节目。

（五）在家电生产企业中开展了争创产品质量、售后服务“双十佳”单位活动。

（六）在民用品生产企业中开展了争创产品质量、售后服务“双优”单位活动。

（七）在全省维修行业开展“文明经营、优质服务，争创先进单位和先进个人”活动。

（八）在民用品生产企业开展了“争创产品质量、售后服务双满意”单位活动。

（九）开展了河北省家用电器维修单位等级评定工作。

上级领导观看协会组织活动录像

上级领导观看协会几年来获得的荣誉

上级领导视察协会办公自动化

（十）在省会石家庄开展了“周周3.15”咨询服务活动。

（十一）会同有关部门组织开展了“河北市场空调十大品牌售后服务守信承诺活动”。

（十二）在民用品生产、经销、维修单位开展了“公开服务承诺、公开收费标准、公开咨询投诉电话、公开监督管理单位”的公示工作。

（十三）处理了大量维修争议事项。

（十四）2004年10月，成立了“会员企业法律咨询中心”和“会员企业服务中心”。

（十五）2004年省维协开展了向全省会员企业发放调查问卷活动。

（十六）积极开展省内外及国际间民用品维修行业的交流。

2000年至2001年被河北省省直工委命名为“文明单位”；2002年至2003年被河北省委、河北省人民政府命名为“文明单位”；2004年被河北省民政厅授予“优秀社会团体”称号；2004年被国家民政部授予“全国先进民间组织”称号。

承德市电影电视艺术家协会

承德市电影电视艺术家协会成立于1993年，经民政部门登记，具有独立法人的民间组织，现有会员120多人，团体会员8个。

近年来，协会通过组织开展各种活动以及抓精品创作，不断增强协会的凝聚力，在社会上树立了良好的形象。一是争取社会支持，筹措资金，组织节目，利用会员所在单位的设备，举办全市性的春节文艺晚会，编制录象带，在省、市台播出；二是与中国视协联合举办电视剧本交易会，有20多个省市电视台、电视剧制作单位和电视剧作家参与；三是举办“庆祝建国50周年电视专题节目展播评比”活动及颁奖晚会；四是组织中外名片观摩会及电视剧《女人当家》研讨会；五是与市音协、电台、电视台联合主办庆祝避暑山庄肇建300周年大型演唱会《山庄颂》；六是与市广播电视局联合开展庆祝第四个中国记者节咨询服务活动；七是与市广电学会联合举办广播电视主持人大赛；八是举办纪念毛泽东同志在延安文艺座谈会上讲话发表62周年“乡音乡情——刘俭作品演唱会”；九是举办了两届承德市“十佳”电视工作者评选活动；十是承办第十届全国推文艺新人大赛承德赛区初赛，并组织优秀选手参加河北赛区复赛、全国决赛，取得好成绩，获优秀组织奖。

近些年来，由承德市影视剧作家编剧，以各种形式制作的作品，分别在央视、省、市电视台及有线网络播放。多部电视作品获国家、省部级大奖。协会2004年被民政部授予“全国先进民间组织”称号，协会主席刘俭被中国电视艺术家协会授予“全国百佳电视艺术工作者”称号。

2001年11月，在第19届中国电视金鹰奖颁奖会上，中国视协主席杨伟光先生接见协会主席刘俭。

2002年11月，举办了中国电视金鹰奖作品表彰座谈会。

2002年6月与承德电视台共同举办了“露露杯”《2002聚焦承德》电视异地采访活动。

电视音乐片《承德音画》获第18届中国电视金鹰奖最佳摄影奖和优秀作品奖。电视公益广告片《乌鸦喝水》获第19届中国电视金鹰奖广告类最佳作品奖和最佳制作奖。

2004年5月与河北音协、承德音协、承德人民广播电台、承德电视台、承德广播电视报社共同举办了“乡音乡情”刘俭作品演唱会。

山西省电力行业协会

山西省电力行业协会现有团体会员单位144家，其中理事单位41家，常务理事单位30家。会员单位由省内电力行业不同所有制、不同隶属关系、不同规模的电力企事业单位，大型电力用户和相关单位组成。协会常设理事会工作部、会员管理部、行业管理部、调研信息部。下设发电、供电、经营、质量、物资、燃料、规划、小火电、基建、节能、勘测设计等11个专业工作委员会。

几年来，协会以服务功能为导向，以职能建设为重点，以建设自律型协会为目标，积极探索“自律、监督、协调、服务”职能在协会中的体现，各项工作逐步走向规范；多次受到省政府及有关部门和中国电力企业联合会的表扬，得到了省内大多数电力企业的认可和信赖。主要工作体现在：

（一）以山西电力发展为主题，开展调查研究。向省政府及有关部门报送山西电网发展规划建议报告；协助政府有关部门制定《电力调度“三公”规约》；2004年度完成调研报告15篇。

（二）针对严重缺电局面，积极向政府进言献策。提出缓解山西电力供需矛盾的八条建议；就电煤价格问题向国家和山西省政府及有关部门报送了《关于山西电煤价格问题的紧急报告》。

（三）开展全省电力行业优秀企业、优秀企业家评选活动；组织电力工程勘测设计优秀项目评选和电力工程勘测设计资质初审；推进全面质量管理和企业管理创新。

（四）发挥协会优势，为企业提供多方面服务。组织制订《山西电力行业诚信公约》；编辑出版《山西电力统览》；积极推广新技术、新产品，为企业牵线搭桥；建设山西电力行业专家库；创办了具有专业特点的《发电厂管理与交流》、《供用电交流》、《基建信息》、《用电与节电》刊物。

（五）努力完成政府经济部门委托的相关工作。

社团法人登记证

2003年获山西省省直社会团体“先进单位”荣誉称号。

山西省电力行业协会第二届理事会第四次会议

内蒙古自治区财政学会

2004年8月，学会组织了“影响边境地区经济发展的特殊因素分析”和“深化省以下财政体制改革研究”全国科研课题协作会。

内蒙古自治区人大常委、内蒙古财政学会第五届理事会会长游恺。

内蒙古自治区财政科研所所长、内蒙古财政学会第五届理事会秘书长姜华。

内蒙古财政学会是依法登记成立的群众性学术团体，是发展区财政事业的重要社会力量。学会以马列主义、毛泽东思想为指导，高举邓小平理论的伟大旗帜，全面贯彻“三个代表”的重要思想，以经济建设为中心，坚持“百花齐放、百家争鸣”的方针，大力加强调查研究，发扬理论联系实际的学风，坚持“为党的中心工作服务，为财政现实服务，为内蒙古现代化建设服务。学会接受中国财政学会、自治区财政厅、民政厅社团登记管理机关以及内蒙古社会科学联合会的业务指导和监督管理。其常设办事机构为学会秘书处。

近几年来，学会积极组织广大会员，开展了形式多样、丰富多彩的学术活动，为促进和繁荣财政科研事业，进行了有益的尝试和探索。特别是自治区各级财政学会围绕财政体制改革中的重点、难点问题做了大量的研究，如近几年针对国家实施西部大开发战略、积极的财政政策，加入WTO的形势，就如何加强财政管理，积极发挥财政职能作用进行了深入地调查研究，为推进财政体制改革提出了及时有效的对策措施，直接或间接地为领导和有关部门决策提供了有力的参考。学会卓有成效的工作，从1997年以来连续7年均被内蒙古社会科学联合会评为优秀学会。

2004年1月14日学会成功召开了第五届理事会会员代表大会。大会一致通过了学会第四届理事会工作报告和新的学会章程，选举产生了新一届学会理事会、常务理事会和学会领导班子组成人员，明确了新一届学会工作的指导思想和主要任务。财政学会各项工作又迈出了新的步伐。

学会第五届会员代表大会

内蒙古国际公共关系协会

名誉会长（原会长）金海如在欢迎“世界彩虹组织”大会上讲话。

内蒙古国际公共关系协会成立于1994年10月，“让内蒙古走向世界，让世界了解内蒙古”是协会的宗旨，现有会员近百名，聚积了自治区各行业的知名人士和热心国际公关事业乐于奉献的同志积极参与。几年来，协会积极开展民间国际合作与交流，巩固和扩大多种形式的国际公关活动，做了大量有益的工作，取得了显著的社会效益，为内蒙古的经济建设和社会文明进步做出了积极贡献。

协会会长格日勒图

协会常务副会长、法人代表郝存柱。

（一）协会从日本国引进300万日元，在内蒙古蒙文专科学院设立奖学金，奖励优秀的蒙古族学生。

（二）河北省张北地区地震波及内蒙古乌盟等地区，协会联系联合国亚洲医学联合会将价值50多万元人民币的毛毡、棉大衣、取暖炉及药品送到兴和县灾民手中。

（三）经协会邀请日本国会报社社长五味武先生率“世界彩虹组织”在呼和浩特和海拉尔两市义演，给两市的孤儿院、敬老院及蒙古族学校捐赠了现金、衣物和文体等用品。

（四）协会邀请著名反核老人昭田玲子来访，并将《原子弹下的广岛》一书翻译成汉语出版。

（五）几年来，协会将冈松庆久先生资助出版的几万册图书捐赠给内蒙古图书馆及内蒙古各高校图书馆。

（六）协会多次组织日本朋友植树造林，绿化沙漠。日本广岛亚细亚大学和阿拉善盟签订治沙合同，并每年由日方出资为阿盟选派学生去日本深造培养人才。

（七）协会为内蒙古的招商引资牵线搭桥，多次接待了日、美、德、加、蒙古和韩等国来访人员近300人次，协会领导也分别多次出访国外参加国际文化学术交流和友好访问活动，广泛结交了海内外国际公关组织和人士，为开创国际公关活动奠定了良好的基础。

2004年年会

内蒙古自治区儿童基金会

内蒙古自治区儿童基金会成立于1986年9月，属于公募基金会。建会18年来，儿基会认真执行《章程》宗旨，努力募集资金，并结合民族地区特点，为培养教育儿童健康成长，开展了一系列公益活动、做出了应有的贡献。

（一）儿基会成立以来，始终注重与媒体广泛合作，并通过设立“育童奖”活动，向全社会倡导“儿童优先”公民意识，积极表彰树立先进典型集体和个人，努力营造全社会共同关心儿童健康成长的良好环境。

（二）儿基会将有限的资金资助水灾、雪灾、地震等自然灾害的地区学校，组织社会爱心力量深入基层慰问，给处境困难儿童和家庭及时送去关爱和温暖。1994年以来，儿基会通过“春蕾计划”和“助学助困”活动，积极帮助失辍学的儿童完成9年义务教育。

（三）认真开展社区家庭教育工作，帮助家长提高家教水平。近年来，儿基会联合有关部门，充分挖掘社区资源，在全区进行了社区家庭教育试点培育工作。

在新形势、新任务下，儿基会将为培养“四有”新人，加强和改进未成年人思想道德建设做出新的成绩。

2003年2月25日内蒙古自治区儿童基金会召开第五次理事会议

1996年10月4日，香港周洁冰女士向内蒙古贫困学生捐款20万元人民币。图为捐款仪式。

2004年5月28日内蒙古自治区儿童基金会举办“助学助困”书画笔会

2001年10月28日，内蒙古自治区儿童基金会与内蒙古电视台共同举办纪念内蒙古儿童基金会建会15周年文艺晚会。

大连市建筑行业协会

副市长宋增彬（左一）、人大副主任傅明德（右一）陪同建设部办公厅主任朱中一（中）参观大连市建筑行业协会承办的首届中国国际建筑艺术双年展大连分展会。

大连市建筑行业协会是经市建委批准，在民政部门注册登记的行业自律性社团组织，于2000年10月26日成立。

协会会长张宏安，驻会副会长于文华、王凤翔，秘书长于文华（兼）。协会秘书处下设：办公室、财务部、会员部、培训部、工程部、信息部、推广部。分支机构有：工程质量专业委员会、建筑安全专业委员会、建筑机构专业委员会和“四新”技术专业委员会等，会员企业728家。

大连市建筑行业协会会长张宏安

协会成立以来，在市建委的指导下，积极发挥政府和企业之间的桥梁和纽带作用，始终坚持为企业服务的办会宗旨，开展了各项评先评优活动，对各种专业技术人员进行培训，咨询服务，交流各类信息，组织新技术、新产品、新材料、新工艺的鉴定认证和推广应用，组织境内外考察学习等，并开展了大量的调查研究工作，为企业排忧解难，为政府提供决策依据，还建立了协会电子服务系统和建筑行业人才市场，创办了《大连建筑行业科技》会刊，受到了各方面好评，曾被评为辽宁省及大连市先进建筑业协会。

长春市见义勇为基金会

长春市见义勇为基金会于1990年末开始筹建、工作，1992年4月20日经吉林省人民银行批准，同年7月2日在吉林省民政厅登记注册取得社会团体法人资格，1996年3月21日正式成立。

多年来，基金会坚决贯彻执行党的路线方针和政策，紧紧围绕党在各个时期的中心工作，围绕和依靠广大人民群众和社会各界人士，大力弘扬见义勇为精神，充分调动广大人民群众同违法犯罪及灾害事故作斗争的积极性，为社会主义精神文明建设、维护社会稳定充分发挥了基金会作为人民群众见义勇为行为坚强后盾的作用，几年来做了以下工作：

（一）组织召开全市表彰大会12次，各种形式的表彰仪式35次，表彰见义勇为先进集体5个，见义勇为先进个人1254人。被表彰的见义勇为先进人物中，有22人为见义勇为事业献出了生命，其中6人被授予“全国见义勇为先进分子”荣誉称号，7人被授予吉林省“见义勇为模范”荣誉称号，13人被授予“吉林省见义勇为先进个人”荣誉称号，8人被授予“吉林省见义勇为积极分子”荣誉称号。

（二）加强舆论宣传，弘扬见义勇为精神。一是基金会与吉林电视台，长春电视台、长春人民广播电台、长春公安报等多家省、市级新闻单位建立了有力的宣传网络；二是与长春“交通之声”广播电台联办“人间正气”专栏，

基金会会长袁长华在秘书长张宝琛陪同下接见“见义勇为”先进个人代表。

三是主办反映见义勇为工作情况的简报；四是2001年，编著出版《正义之歌》一书；五是同长春报业集团在长春的公共场所建立“公益无人售报亭”。

（三）为见义勇为者服务。基金会一是坚持每年走访慰问为见义勇为牺牲人员的家属和致残者；二是基金会除每年支付慰问费、医疗费、生活补助等经费外，从2002年开始对为见义勇为牺牲人员的子女开展助学活动；三是对一些见义勇为人员的特殊困难，及时给予帮助和资助，外地在长打工人员见义勇为光荣负伤，不仅为其救治，还为了能使他评残，派专人到其家乡联系，取得很好效果；四是尽所能的为见义勇为牺牲的烈士家属和致残人员全心全意服务。

2001、2002、2003、2004年基金会被吉林省评为“先进社会团体”和“见义勇为先进工作单位”。2004年被国家民政部评为“全国先进民间组织”。

长春市第12次见义勇为表彰大会合影

辽宁省抚顺市供热协会

抚顺市供热协会成立于1995年6月，现有供热行业单位会员68家，占全市108家供热企业的63%，供热面积占全市供热面积的78.5%。该协会是全国大中型城市成立较早、规模较大、有一定社会影响的市级供热行业协会。现挂靠在抚顺市供热管理办公室。业务主管部门为抚顺市城乡建设委员会，社团登记主管部门为抚顺市民政局。

协会成立10年来，组织68家会员单位和100余家供热企业，积极开展了一系列卓有成效的协会活动。参与了城市供热规划的制定，组织了供热改革调研论证活动；举办了业务培训班和技术研讨会，推广了供热新技术、新产品、新工艺；及时反映了供热行业单位的希望和要求，为政府供热政策的出台提供了依据。同时，协会加强供热行业自律和行业秩序规范，健全各项管理制度和规范，协助供热企业搞好内部改革和管理，热情为供热企业提供技术咨询和业务服务。还主动与国家供热协会和省行业单位进行交流与协作，全力解决城市困难群体冬季供热问题，主动参与社会公益活动，确保了城市供热事业发展和冬季供热工作顺利进行，得到了各级政府和社会各界的广泛好评。连续多年被抚顺市民政局评为“先进民间组织”。2004年被民政部评为“全国先进民间组织”。

2005年元旦前，市委书记周忠轩（左四）、常务副市长孟凌斌（左三），前往抚顺矿业集团暖气厂视察供热工作。矿业集团总经理尹亮（左二），协会副理事长、暖气厂厂长安喜林（左一）汇报供热运行和收费情况。

市建委副主任、协会名誉理事长张国恒和协会秘书长宋东辉与理事会成员，在新东供热公司热电厂检查运行参数。

协会理事长、热力总公司总经理吕兰军深入小区走访用户、组织测温，研究解决住户低温不热问题。

供热运行工监控管网供热参数，千方百计提高供热质量。

协会副理事长、天利供暖有限公司经理葛长兴主持董事会会议，研究企业供热改革和管理工作。

辽阳市保险行业协会

辽阳市保险行业协会第一届理事长曹庆玲

辽阳市保险行业协会第二届理事长陈红旭

辽阳市保险行业协会秘书长王庆元

辽阳市保险行业协会成立于2002年3月27日。现有理事81人，常务理事12人，专业委员会5个，秘书处专职工作人员7人，单位会员213家。

协会成立以来，在常务理事会的正确领导下，通过全体会员单位的共同努力和协会秘书处的积极工作，使辽阳保险业的行业自律显现出新局面，组织信息交流不断增添新内容，开展行业经验交流有了新起色，处理客户投诉案件逐步积累了新经验，加强保险代理人和兼业代理机构管理不断采取新举措，协会桥梁纽带作用越来越明显，使辽阳保险市场依法合规经营的良好局面逐步形成，具体做了以下几方面的工作：

(一)建立组织，制定规章，明确责任，规范发展。

(二)强化自律职能，规范保险市场，创造宽松的竞争环境。

(三)加大协调力度，解决行业纠纷，维护保险当事人的合法权益。一是协调内部纠纷，及时化解矛盾；二是受理客户投诉，保护合法权益；三是处理好政府与相关部门的关系，为保险业发展创造良好环境。

(四)心系会员公司，开拓创新，竭诚服务。协会是保险企业自己的家，要以服务为宗旨，寻找合适的载体，加强会员间的沟通，经验交流和业务探讨，促进会员单位的共同发展。一是编印学习材料，提高员工素质；二是整合宣传资源，做好保险宣传；三是办好《保险信息》，寻求资源共享；四是认真调研，提供客观依据，引领行业发展；五是注重法律法规宣传，促进依法合规诚实守信经营；六是完成保监局交办的工作。

协会坚持以市场为导向，创新为动力，以为会员单位服务为目标，找准位置，明确责任，充分发挥协会的职能作用，为会员公司实实在在的办好事。2004年被国家民政部评为“全国先进民间组织”荣誉称号。

辽阳市保险行业协会二届常务理事会成员

辽阳市保险行业协会全体工作人员合影

普兰店市特种粮研究会

全国农业科技大会上谢辉被评为“全国农业科技先进工作者”。

辽宁省农村专业技术协会经验交流会

普兰店市特种粮研究会，前身是莲山镇农民组建的“普兰店市特种稻研究协会”，成立于1994年10月，经过近10年的发展、壮大，现已发展成为拥有业务联系农民会员10400户，31000人，辐射2个县级市，共27个乡镇，扶贫帮困1160户的实力雄厚的农村协会。

协会从成立伊始就确立了“以科技为先导，以市场为导向，以协会为纽带，以公司为载体，以强镇富农为目的”的发展模式，确定了“以销定产，以产促销”的经营战略，建立“协会风险基金”，对会员实行“五优化”的服务原则，努力为农民会员服好务。

（一）以市场的需求为出发点，以农民增收为目的，带领农民发展高效农业，为广大农民提供产供销全方位服务。

（二）组织产前的技术培训，物资供应；产中的技术指导；产后的收购、加工、销售一条龙服务，密切了协会与会员、技术与生产、销售与市场之间的联系，推动了特种粮的规模生产，实现了规模效益。

（三）不断为农民拓宽经济领域，引进中国农科院培育的鲜食糯玉米“中糯1号”、推广种植绿色食用豆、高油大豆、紫色地瓜等新品种。1996年，协会在国家工商总局注册“莲花山牌”特种粮，加大科研力度，开发培育出拥有自主产权的优质稻新品种“莲粳1号”，举办了“香火展评会”，积极推广特种粮品牌。

通过近10年的努力，研究会为增加农民收入、实现脱贫致富，推动农业经济的可持续发展，繁荣地方经济，做出了重要贡献，先后获得了“全国星级农村专业技术研究会”、“全国星火计划先进集体”、“全国先进民间组织”等荣誉称号。

原农业部常务副部长王连铮等视察高油大豆基地

原全国人大副委员长、中国科协主席周光召为研究会题字“以农为本”。

所获荣誉

吉林省慈善总会

吉林省慈善总会是1993年1月在全国率先成立的省级慈善组织。成立11年来，伴随着改革开放和现代化建设步伐，总会始终坚持办会宗旨，发挥自身优势，努力开展工作，较好地发挥了党和政府联系人民群众的桥梁纽带作用，为吉林经济发展和社会稳定做出了应有贡献。

省慈善总会成立伊始，按照国家法律、法规和有关政策，制定了《章程》，明确了"立足民政，服务社会"的宗旨，在省民政厅和民间组织管理局的指导下，强化内部管理，建立健全各项规章制度，使捐赠活动和救助项目都有严格的资金管理、使用、审批办法，真正把社会群众的"爱心钱"用在为最困难的人解决切实困难上。在重大问题的决策上，总会都要反复论证，提交会长办公会、常务理事会集体讨论决定，保证了善款的使用方向，维护了广大人民群众，特别是困难群众的根本利益。2002年，《吉林省社会慈善捐赠款使用管理办法》和《吉林省社会慈善捐赠款使用审批办法》相继实施，确保了全省慈善活动规范运作，持续发展。

多年来总会开展了"千人微笑，万人站起来"，"关爱孤儿，助学成才"等专项慈善募捐活动，为患唇腭裂孤儿、贫困户、特困户子女和需要安装假肢的肢残人员以及革命烈士子女生活、助学、就医等方面实施救助。1995、1998两年，吉林省部分地区遭受特大水灾，总会均承担了省政府交办的向社会募集款物的任务；仅1998年，总会向社会募集款物1.05亿多元。自2002年起，吉林省委办公厅、省政府办公厅下发了《关于全省开展社会慈善捐赠活动的实施意见》，这是全国第一个关于规范开展社会慈善捐赠活动的地方性文件。根据意见精神，总会连续3年在全省开展了"慈善救助双日捐"活动，共募集社会善款近2亿元人民币。近几年，共组织实施的10万元以上的慈善救助项目近40项，其范围遍及赈灾救济、安老助学、助残康复、扶贫济困、公共突发事件方面，为维护社会稳定起到了有力的保障作用。

在新形势下，省慈善总会在省委、省政府的重视支持和社会各界的广泛参与下，发奋工作，努力进取，加快发展步伐，努力为振兴老工业基地建设和谐社会贡献新的力量。

瑞典国慈善组织"希望之星"总裁雷那特先生与该组织资助兴建的吉林省洮南市四海村"希望小学"部分学生合影。

2003年非典型肺炎疫情发生后，吉林省慈善总会向全省60个县（市、区）捐赠了价值近400万元的120台"防非"专用车。

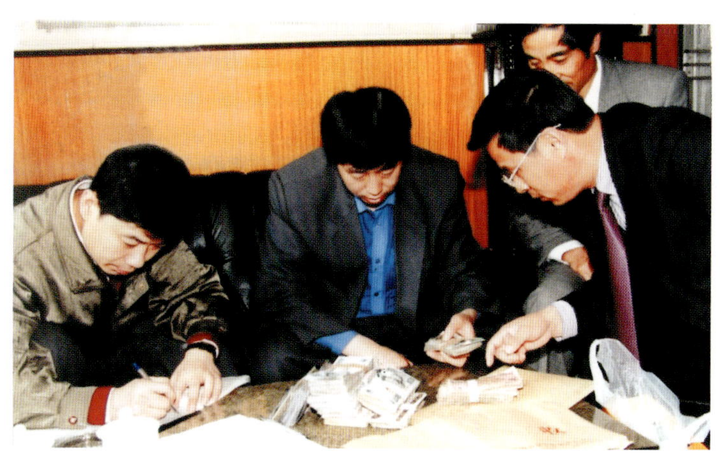

1998年，吉林省西部地区发生百年不遇特大洪涝灾害，省慈善总会及时组织社会募捐1.05亿元救灾款物支持灾区。

黑龙江省银行业协会

黑龙江省银行业协会秘书长、法定代表人杨宪民。

黑龙江省银行业协会2001年6月成立，现有19家会员单位。常设办事机构为秘书处，内设综合、维权、协调3个职能部门，下设金融产品价格、银行卡业务、法律事务协调3个专业委员会。几年来，按照协会《章程》，有效的开展工作，充分发挥了协会的作用。

（一）组织建设规范。协会在理事大会的基础上，设立了常务理事会，并建立有12名党员组成的基层党支部，参加省银监局机关党委组织的各项党内活动。

（二）制度建设全面。在制度建设上有整体工作规划，有年度工作计划，各部门、各岗位都建立了相应的制度，制定了“黑龙江省银行业协会秘书处文明服务公约”，制定下发了《黑龙江省银行业协会议案报告书》制度。

黑龙江省银行业协会举办“三法”知识竞赛，图为获得前三名及优胜奖的4个代表队合影。

（三）维权功能突出。充分发挥自律职能，组织制定了《黑龙江省银行业维护金融债权公约》、《黑龙江省银行业评选诚实守信先进企业实施办法》；组织开展了改制企业拖欠各金融机构贷款的调查、全省贷款企业欠息情况的调查、建立了企业逃废银行债务及不良贷款“黑名单”监测制度；参与黑龙江省信用体系“诚信龙江”建设工作；举办“维权法律培训研讨班”；制定《在企业改制中维护银行债权的指导意见》。

（四）协调功能到位。组织制定了《黑龙江省银行业依法合规经营　自律管理　公平竞争公约》、《黑龙江省银行业个人外汇买卖公约》；受理、调解客户投诉案件14例，均使问题得到了圆满解决；不定期的召开常务理事、理事会议，讨论通过各项议案、公约、办法、工作规则。

黑龙江省银行业协会秘书处全体同志合影

（五）服务功能完善。一是努力办好《黑龙江银行业通讯》月刊；二是组织参加各项培训、咨询会议11期；三是组织对哈尔滨市辖区内银行机构高级管理人员共1300多人进行了考试；四是举办各类研讨班、培训班、各项工作会议16次；五是出版发行研讨论文集3次，1600册；六是各项中心工作简报23期；七是组织全省性的学习“三法”有奖征文和知识竞赛活动等。

协会在组织建设、制度建设、规范化建设上做的到位，在开展维权、协调、服务工作中，做到了按计划实施，有声、有色、有实效。在决策民主公开、社会公信度、严格自律方面有很强的凝聚力，在全省银行业树立了良好的信誉。

会议研究讨论四项议案，通过“三个公约”、“两个办法”。

黑龙江省地方石油协会

黑龙江省地方石油协会，经黑龙江省经贸委批准，黑龙江省民政厅登记，于1999年10月16日正式成立。原名黑龙江省地方石油成品油经营企业协会，2003年5月22日更名为现名，现有单位会员110家。协会下设秘书处、业务部、维权部、协调部4个工作部门。

主要业务范围：行业自律、行业服务、行业协调、行业管理、行业维权和行业监督这6个方面，通过行规、行约规范行业行为，贯彻行业质量标准和服务标准；耐心倾听会员企业的意见，及时向政府有关部门反映本行业具有前瞻性、倾向性、普遍性的问题，并及时提出经济政策和立法的意见和建议；组织会员企业进行互访，开展国内外交流与合作；协调本行业的价格争议、维护本行业的公平竞争；代表行业进行反垄断、反倾销、反补贴和保障措施；对行业准入进行资格资质审核，对重大技术改造、技术引进、投资与开发项目，进行项目前期论证等。

协会在指导、帮助会员企业改善经营管理，争创企业品牌过程中，正在寻求国内外交流与合作。一是招商引资，为会员企业寻求合作伙伴和融资渠道；二是与同行建立友谊关系，交流经验、互通信息；三是引进油源，建立成品油或原油供油渠道。

协会成立5年来，以邓小平理论和“三个代表”为指导，认真贯彻“十六大精神”，坚持“服务、桥梁、维权、自律、发展”的10字办会方针，勇闯新路，不断开拓协会工作的新局面，2004年12月10日，被民政部评为“全国先进民间组织”称号。

2004年12月12日，赵友山会长参加全国油汽产业座谈会，会后国家发改委能源局局长徐锭明与赵友山及各企业代表合影。

协会会长赵友山向全国政协白立忱副主席介绍石油协会近年来的成就。

协会会长赵友山向全国政协副主席周铁农汇报协会情况。

协会会长赵友山与新加坡ASTROSTAR PTE LTD公司代表商谈合作项目。

会长赵友山率领民营企业与马来西亚马吉大使为代表的商贸公司进行项目洽谈，为民营企业对外交流搭建了平台。

黑龙江省企业联合会
黑龙江省企业家协会
黑龙江省工业经济联合会

省“三会”常务副会长、秘书长王重华。

省“三会”副秘书长郭涛。

黑龙江省企业联合会、黑龙江省企业家协会、黑龙江省工业经济联合会(简称黑龙江省“三会”)，是黑龙江省委、省政府批准由省编委核定编制和职能的行政事业性单位，并经省民政厅注册登记的全省性企业、行业及企业所有者和经营者的联合社团法人组织。

目前，省“三会”拥有团体会员1000多户，覆盖全省30多个行业，全省大中型以上企业均是该会会员；会员单位职工人数达300多万，占全省产业工人的80%以上；同时，省“三会”的组织机构设置和服务功能齐全，是能够认真贯彻黑龙江省委的各项战略方针并履行使命的优秀社会组织，同时也是黑龙江省经济、企业界网络覆盖面最广、机构设置最齐全、工作基础最好的综合性社会团体。

省“三会”工作以党的十六大、十六届四中全会和十届全国人大三次会议精神为指针，紧紧围绕省委、省政府和省经委发展经济工作的中心，以“三个服务”为宗旨，努力拼搏、勇于创新，为振兴东北老工业基地、构建“和谐龙江”、“努力快发展、全面建小康”而不懈努力。几年来，省“三会”主要开展了以下工作：

开展了黑龙江省雇主组织建设工作，促进了全省三方会议制度的建立和完善；开展了全省企业信用体系建设工作，促进了全省社会信用体系的建立和发展；为进一步营造黑龙江省经济发展的良好环境，更好地维护企业和企业家的合法权益，黑龙江省“三会”着手筹备成立了黑龙江省维护企业和企业家合法权益工作委员会；开展了21世纪首届省优秀企业和优秀企业家表彰宣传工作；开展了黑龙江省企业家健康工程工作；开展了全省企业管理现代化成果的评审工作；推进企业管理现代化方法的普及和应用，促进了企业管理创新；创建并开通了“黑龙江省企业网”；组建了黑龙江省企业管理咨询专业委员会，深入开展调研咨询活动，帮助企业解决实际问题；开展了企业信用安全、职业经理人资格、企业信息化工程师技术水平等认证管理工作；开展了名牌培育和中国工业大奖培育指导工作；开展了省际间协会以及与台湾商会组织间的横向交流与合作；认真完成了《现代经济信息》杂志的编辑和出版发行任务；加强了协会的组织建设和会员管理工作。

黑龙江省“三会”时刻坚持以人为本理念，努力实践科学发展观，全心全意为政府、为行业、为企业和企业家提供中介服务。为了进一步完善自身职能，更好地服务于社会，黑龙江省“三会”愿与全国经济界、企业界人士通力合作，加速发展，建设小康，为振兴龙江经济和繁荣全国经济贡献力量！

黑龙江省政府、省经委对省“三会”工作十分支持和关心，图为省长张左己与王重华合影。

中国企业联合会、中国企业家协会、中国工业经济联合会领导对黑龙江省“三会”工作十分重视，图为中国工业经济联合会会长徐匡迪与王重华合影。

上海市注册税务师协会

上海市注册税务师协会成立于2002年11月。是由上海市税务师事务所和注册税务师自愿组成的行业性、自律的非营利性社团法人。现有团体会员39家（含2家分支机构），个人会员641名。

协会宗旨是遵守宪法、法律、法规和国家政策，遵守社会道德风尚，依法维护会员合法权益，实施对注册税务师行业的自律管理，充分发挥注册税务师在社会主义市场经济发展中的重要作用。

协会受上海市注册税务师管理中心的委托，对通过每年一次的全国注册税务师执业资格考试者进行备案登记，自1998年实行考试至2004年底，全市共有2004人通过考试；对税务师事务所和执业注册税务师进行年检，截止2004年底，上海市共有493名执业注册税务师通过年检。

协会每年按会员要求制定后续教育培训计划，邀请专家、学者对会员进行培训，2003-2004年根据会员要求和行业发展需求，对从业人员进行税收政策、财务管理、专业业务工作、税收筹划等培训外，还对从业人员进行了法律知识、职业道德、诚信教育等培训，协会组织脱产培训分别达40课时和32课时。特别是协会注重培养自己的师资队伍的做法，得到中国注册税务师协会的首肯，并在2004年首次全国注册税务师教育培训会议上作了交流发言。

2004年10月19日上海市注册税务师协会召开了一届理事会二次会议，会议在总结工作、报告会费收支情况的同时，上海众瑞、上海青瑞、上海久业三个事务所的代表在会上分别作了交流发言，会议根据工作需要，增补了理事、常务理事、副会长人选、重新聘任了秘书长、副秘书长人选。

协会第一届理事会第二次会议

中心领导和税务师事务所负责人召开座谈会

工作交流

上海市银行同业公会

2003年10月公会举行“上海市中外资金融机构联合维权协议”签署仪式。

上海市银行同业公会的前身是上海市银行（外汇）同业协会，成立于1992年底，是我国内地成立最早的地方性银行同业公会，1998年更改为现名。

公会是经中国人民银行上海市分行审查同意、上海市民政局注册登记，依法成立的、由设在上海市行政区内的银行及银行卡国际组织和货币经纪商等金融机构代表处组成的社会团体法人。系中国银行业协会的团体会员。设有业务规范协调、信息培训协调、银行卡业务协调、债权维护部等4个工作部门。现有102家会员单位，其中正式会员73家、准会员29家；其中包括中资会员行23家、外资及中外合资会员行50家和准会员29家。

近10多年来，公会不断加强自身组织建设、强化行业服务、严格行业自律、建立行业规范、推进行业协调、维护会员权益、发挥银行与政府部门之间的桥梁作用、密切与海内外同业之间的交流与合作等方面，做了大量工作，取得了积极效果。

（一）大力强抓规章制度建设，相继出台了《上海市银行同业公会章程》、《上海市银行同业公会自律守则》、《上海市银行同业公会理事会议事规程和程序》、《上海市银行同业公会秘书长工作条例》等制度。

（二）每月发行一期内部刊物《上海银行同业通讯》。

（三）公会不断探索行业自律的有效手段，并行之有效地开展了一些工作，于2003年，制定了《上海市银行同业公会维权公约》；2004年12月，制定了《上海市银行业自律公约》。

（四）为提高会员行员工业务素质，公会每年都要组织各种类型的、多层次的专题讲座、业务研讨和培训班。公会一直把维护会员行的合法权益当作一项重要工作来抓，充分发挥了公会的“自律、维权、协调、交流、宣传”的职能作用，为上海银行业的发展和上海国际金融中心建设发挥了行业协会特有作用。

2003年10月公会举办“银团贷款”培训班。

2003年11月公会与杭州银行业协会和第一财经传媒有限公司联合举办“接轨长三角 共同谋发展”银行行长论坛。

上海市青少年发展基金会

坐落在上海市卢湾区一条不起眼的小路——进贤路上的上海市青少年发展基金会为让希望之花开遍全国，10年来在实施希望工程过程中，宣传动员社会力量600万人次参与捐资，共为全国援建希望小学1226所、求助失学儿童52842人，培训希望小学教师10838名、捐赠希望书库、三辰影库1426套，接受捐款总计达3.4亿元，占全国青基会系统实施希望工程工作总量的七分之一，在服务全国、服务西部、服务对口帮扶地区的工作中走在了全国的前列，在全国国家级贫困县几乎都留下了上海希望工程的足迹，曾连续3年被评为上海市对口支援先进集体。

动真情办实事求实效服务全国

上个世纪90年代以来，上海确定对口帮扶云南、西藏、新疆和三峡库区。青基会热烈响应，在社会各界人士的广泛参与下，援助上述地区的工作业绩得到了飞速发展；据统计，援助对口地区的资金总理达到了8717万元，占上海希望工程援助全国总量的25.64%，占上海援助西部地区总量的55.52%。

1998年6月，上海市党政代表团访问云南，提出了“动真情、办实事、求实效”帮扶云南的工作要求后，上海青基会为云南援建希望小学462所、救助失学儿童4515名、培训希望小学教师8513人，捐款总计达4961.5万元，位列上海援助其他各省市之首，占上海青基会资助全国资金总量的14.59%。

参与西部大开发

1999年11月，党中央、国务院召开了中央经济工作会议，明确提出“抓住时机，着手实施西部地区大开发战略”。为配合这一战略的实施，上海青基会相继开展了“上海希望工程西部万名教师培训行动”、“上海百万青少年献爱心大行动”、“希望书、西部情”活动，创办“希望工程教师上海培训基地”，实施了上海希望工程挺进西部战略。截止目前，为西部地区援建希望小学832所、救助西部失学儿童32005人，培训西部希望小学教师10312名、援建希望网校42所、捐助希望书库、三辰影库1176套，捐款总计达1.57亿元，占上海青基会援助全国资金总量的46%。

“西部万名教师培训行动”

1998年，上海青基会投资3800万元在上海市松江区创建了全国“希望工程教师培训基地”。2000年7月，上海青基会联合上海市文明办、上海市协作办、上海市教委、上海团市委和上海市慈善基金会启动了“上海希望工程西部万名教师培训行动计划”。截止目前，通过来上海实地培训和结合白玉兰远程教育网进行的网上远程培训，已为西部地区培训希望小学教师10312名。“上海希望工程西部万名教师培训计划”被评为“2000年年度上海市精神文明建设十佳好事”。

“身边的希望工程”

1999年，上海市青少年发展基金会与新民晚报群工部合作，联手推出了旨在资助上海市困难学生完成其学业的“爱心助学”活动；1999年2月11日刊登出第一期资助学生名单至今，新民晚报已刊登了63批共计1260名学生名单，所登学生名单全部被社会好心人认助。“爱心助学”活动是上海同类助学活动中资助困难学生规模最大，参加人数最多，影响最广泛的助学活动，认助方式也由报刊认助、上门认助，电话委托认助发展到利用高科技手段，实现了网上认助；据统计，有10余万人次的企事业单位和市民上门认助，资助本市困难学生达29073人次，发放助学金1476万元。

“希望工程助学进城行动”

2004年3月，在“上海希望工程实施10周年纪念表彰会”上，上海市青基会向全市宣布，正式实施“上海希望工程助学进城行动”。在得到中国青少年发展基金会和众多捐款单位的支持下，助学进城行动如火如荼地在上海开展起来，截止目前已资助民工子弟3002人，发放助学金近200万元。2004年9月，上海青基会利用“希望工程教师上海培训基地”，创建了上海首个“民工子弟希望学校”，为困难民工家庭的子女提供免费义务教育，目前已有4个班级200名民工子女在该校就读，原上海市委老领导胡立教同志专门为学校题写了校名。

上海市茶叶学会

学会荣获中科协颁发的“省级学会之星三连冠”殊荣。

被上海市科协评为“星级学会”。

小茶人演出“中国娃娃爱喝中国茶”。

小茶人识茶具

上海市茶叶学会成立于1983年7月29日，目前学会拥有个人会员500余人，团体会员100多个。20余年来学会坚持章程宗旨，团结组织全市茶经济、茶文化、茶科技、茶保健、茶教育等各方面专业人员，坚持四项基本原则，坚定不移地服务于经济建设、服务于社会、服务于广大会员、茶人、爱茶人，广泛开展学术交流，研究茶科技、普及茶知识、弘扬茶文化、发展茶经济。学会倡导默默地无私奉献的茶人精神，献身茶叶事业。学会联合社会各方面连续举办了11届上海国际茶文化节；在上海、全国率先培育推广少儿茶艺12年；为造就茶业人才积极开展职业培训。协助政府规范茶市场，服务诚信，让消费者放心；努力倡导饮茶讲科学、品茶讲艺术的健康生活情趣和以茶养生之道。

现任（五届）名誉理事长谈家桢、杨堤；高级顾问夏征农、胡立教；理事长黄汉庆；副理事长刘启贵、刘修明、徐永成、蒋智慧、蔡东联。

学会连续9年三届被中国科协评为“全国省级学会之星”，连续二届被上海市科协评为“星级学会”。

上海市计算机用户协会

协会理事长王寿根

上海市计算机用户协会成立于1981年3月，成立之初是中国计算机用户协会的一个地方分会。1991年在社团的整顿中，经上海市民政局登记成为上海地区的社会团体法人。现有会员数4000多家，协会下属14个专业委员会，包括：IBM、惠普、Intel、第二代因特网、数据库、医药卫生、工业自动化、电子商务与物流、四班、SAP、Linux、组织人事、教育培训、微机与网络等专业委员会。

协会宗旨：维护国家和用户的正当权益；加强用户间，用户和国内外厂商之间，用户和政府部门之间的联系和合作；发挥桥梁和纽带作用，做好政府部门的参谋和助手，提高计算机资源的经济效益和社会效益。

业务范围：计算机及网络通讯咨询；项目管理及监理；计算机网络、工程、软件评估；技术交流、会展服务；技术协作、维修服务；技术培训、成果推广；对计算机厂商产品信誉评议。

20多年来，上海市计算机用户协会遵循社团的有关法规，积极有序地开展协会工作，主要体现在以下几个方面：

（一）立足应用，与时俱进。一是以应用促发展；二是努力推动上海地区企业信息化的发展；三是组织用户进行应用经验的总结和推广；四是为了全面及时反映用户协会的活动，组建了自己的网站，网址为：www.shcua.com。目前网站点击率已达5万多人次。

（二）面向用户，服务用户。一是为保护用户的合法权益，自1999年起，每年的3·15消费者权益日，和上海市消费者协会、IT媒体共同举办大型的咨询活动；二是为用户牵线搭桥，排忧解难；三是举办各类培训班，提高用户应用水平；四是协办各类展览会、展示会。

（三）加强组织建设，使协会充满活力。

（四）做好政府部门的参谋和助手。

上海市计算机用户协会的出色表现，在2003年获得了中国计算机用户协会授予的先进集体荣誉称号；2004年12月，被民政部评为“全国先进民间组织”。

3·15维权活动。

2004年3·15小型机服务交流会。

首届长三角制造业信息化论坛2003上海市计算机用户协会年会

江苏省保险行业协会

江苏省保险行业协会于1997年成立。协会以党的十六大精神为指引，坚持以服务为中心，以自律、维权、协调、宣传、交流为基本点，积极为江苏实现“两个率先”服务。

协会自成立开始，组织会员公司制定了各专业委员会工作职责，签订了行业的非寿险自律公约、寿险自律公约、机动车辆保险自律公约、保险代理人管理公约、防止对保险代理人恶性增员的公约。近年来又修订形成了机动车辆险、银邮代理业务、团体分红保险业务等自律公约。

江苏省保监局局长李劲夫（左三）在江苏省首届财产保险峰会上做重要讲话。

协会致力于加强信用体系建设，提升行业形象。江苏保监局在全国率先提出建设保险信用体系，并就信用体系建设向社会做出了公开承诺，得到了省委省政府大力支持、江苏保险业的热烈响应。

对保险热点问题，协会从专业和保障客户利益的角度积极促进对新闻媒体、社会大众进行宣传和报导。创办了内部刊物《江苏保险动态》，为各公司之间的交流构筑了一个平台、创造了良好的氛围。

江苏省保险行业协会电子化考试中心正在进行保险代理资格考试。

协会坚持服务为宗旨，积极加强与政府有关部门沟通协调，为保险代理人、保险当事人争取合法权益。

为了促进保险代理人管理工作的规范化，提升保险个人代理人整体素质，协会分别于2000年11月15日、2002年11月28日、2004年10月15日成功召开了三届优秀保险个人代理人表彰大会。

为了推动全省保险个人代理人的电子化考试工作。2003年4月协会建立电子化考试中心，2004年8月又在苏州、徐州、淮安建立了3个考试分中心。

协会坚持每季度的全省保险行业协会秘书长联席会议制度。

协会多次组织了面向各公司管理人员的业务培训和交流活动，高管人员的出国考察交流活动，促进了各会员公司的友谊，提供了保险业前瞻性的资料和实例。协会还举办不同类型的培训讲座和座谈会，邀请社保医疗专家授课。2004年多次召开产、寿总经理峰会，促进各保险公司充分发挥竞合的精神，加强同业间的交流沟通。

2002年11月在江苏省省级社会团体先进单位的颁奖大会上，秘书长王通（前排左一）在台上领奖。

江苏省建筑行业协会

江苏省建筑行业协会创建于1986年12月，后经江苏省民政厅注册登记的社会团体法人，是江苏建筑业唯一的跨地区、跨部门的综合性行业协会，现有会员1350余家，全省所有特级、一级资质施工企业均为协会会员。坚持“协调、服务、指导、维权”的办会宗旨，较好地发挥了行业协会的桥梁纽带作用和参谋助手作用，为推动江苏建筑业的改革发展作了积极贡献。

(一)注重调查研究，着力构筑行业发展动力。2002年初，通过调研形成了《关于江苏省建筑业改革与发展的研究报告》，并代拟了《中共江苏省委、江苏省人民政府关于加快全省建筑业改革与发展的决定》，使行业和企业的意愿得到了充分体现；形成了《中小建筑业企业产权制度改革中有关问题的思考》、《应当重视对国有建筑企业改革与发展扶持》、《钱从哪里来，人往哪里去》等可操作性强的研究成果。

(二)增强服务功能，致力提升行业竞争能力。一是近3年，全省共有1500多名工程管理、技术人员参加了创优申报培训；举办了多期《建设工程工程量清单计价规范》培训班；二是注重QC小组活动的开展；三是先后获“鲁班奖”工程116项，获国优工程17项，评选 “扬子杯”工程361项；四是关注“建筑之乡”现象研究。

(三)适应市场要求，努力提高行业自律水平。为了更好制定并实施了《江苏省建筑行业自律规约》，颁发了《江苏省建筑业企业信用等级管理办法》。

2003年度，协会被评为江苏省优秀社团；2004年度被民政部评为“全国先进民间组织”。

2004年度江苏省“扬子杯”优质工程奖评选会。

江苏省建筑行业协会2004年年会

企业发展研讨会

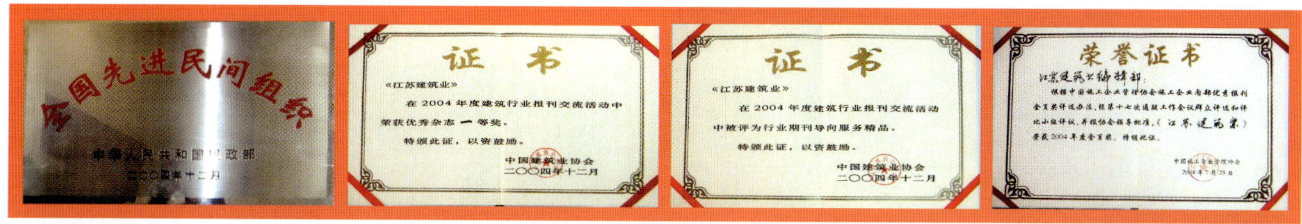

多次荣获各种荣誉

江苏正德职业技术学院

正德职业技术学院是1998年江苏省人民政府批准建立、教育部备案的一所全日制民办普通高校，由南京航空航天大学校友会和南京江宁经济技术开发总公司共同出资。1999年起面向江苏省招生，2004年始招生范围扩大到安徽、浙江、福建、山西、山东等省份。学院实行董事会领导下的校长负责制，南京航空航天大学副校长、博士生导师伍贻兆教授任董事长，原南京航空航天大学教务长、博士生导师张焕春教授任院长。学院坚持“以人为本，质量第一、服务社会”办学宗旨，努力为生产、建设、管理、服务第一线培养高等应用性专门技术人才。学院瞄准创建一流民办高校目标，至今已投入2亿多元，建成现代化新型校园，现在校舍面积15万平方米；投入2500万元高起点、高水平地建设以8个实验中心30多个实验室为主体的校内实验、实训基地。现有教职工300多人，其中专任教师216人，教授、副教授占51.85%，另有外聘教师104人。办学6年共招学生8000多名，前三届3000多名毕业生受到社会欢迎，年内就业率均在96%以上。作为一所民办高校，学院认真贯彻《民办教育促进法》及其实施条例，依法办学，规范运作，按教育规律严格管理，各项工作争一流，办学质量得到社会的普遍认同。2002年8月时任国务院副总理李岚清、教育部长陈至立来院视察。学校先后被评为“江苏省普通高校招生工作先进集体”、“南京市内部安全保卫工作立功单位”、“江苏省高等学校先进基层党组织”。2004年12月民政部授予学院“全国先进民间组织”荣誉称号。

2002年8月，时任国务院副总理李岚清（左二）、教育部部长陈至立（左一）在省市领导陪同下到学院视察。

2002年7月南京航空航天大学党委书记谭振亚（左四）、校长胡海岩（左二）和南京市委常委、江宁区委书记王建华（左三）、南京江宁经济技术开发总公司总经理郗同福（左一）认真听取院董事会汇报工作。

2003年4月，学院电工电子实验室通过省级评估，是全省民办高校中唯一通过省级评估的实验室。

2001年8月中国银行江苏省分行向学院提供了2亿元授信贷款。

布局合理、功能完善的现代化新型校园。

江苏省连云港市法院离退休工作者协会

江苏省连云港市法院离退休工作者协会是在省协会、市民政局和市中级人民法院党组指导下的一个民间社团组织。1999年初组建以来，协会会员由28人发展到167人。协会组织机构健全，设有会长、副会长、秘书长，常务理事7人，理事13人，在市管辖的6个县、区设立了办事处。

协会高举邓小平理论的伟大旗帜，以“三个代表”的重要思想为指导方针，以为民服务为宗旨，坚持“服务第一，社会效益第一，健康第一”的原则，贯彻“老有所为，老有所学，老有所乐”的精神，团结和组织全市法院离退休工作者积极为人民群众进行法律服务，自觉维护人民法院和人民法官的良好形象，积极进行老干部的人才开发，为连云港市的法制建设和经济发展做出了一定成绩，2004年度被国家民政部评选为“全国先进民间组织”。

协会依法治会，坚持与时俱进。认真落实学习制度，以党和国家重要会议精神，方针政策，新颁布的法律法规，司法解释为主要学习内容。用共产党员的先进性和“三个代表”的重要思想指导全体会员发挥余热，为社会多作贡献。

协会以人为本，坚持把理解人、关心人、爱护人、体贴人作为自己的工作方针。把探望病人、生日慰问作为一种制度予以落实。经常开展读书活动和各项娱乐活动，使协会与会员之间，会员与会员之间充满着关爱和感情，充分调动了全体会员为社会服务的积极性。

协会以服务为宗旨，坚持为社会服务，为人民群众服务。组建5年多来，无偿接待群众法律咨询1万1千余人次；帮助人民群众书写法律文书5000余份，到街头进行法制宣传15次，编印并散发普法宣传材料3000余份；有3名会员担任大专院校的法律课程聘用教员；为新浦区负责人，局、委、办负责人和全市110个乡镇法律服务所负责人进行《合同法》专题讲座6次；先后担任企、事业单位法律顾问50余人；优惠或者免费代理非诉讼案件178件、代理诉讼案件903件；法律服务进社区联系点3个。在开展案件代理的业务工作中，协会强调：奉公守法，尽心尽责，慎之又慎。5年多来，已得到公正代理的社会好评，曾为多起案件纠正了错误，并得到法院的改判，取得了良好的社会效果。2003年，协会会员李钦道、乙乃树二人代理的李元昌申诉案，他们用调查、收集的大量事实证据，公布予法庭的质证之中，推翻了持续8年，经过一审、二审、再审六次判决的一起错案，最终得到了市中级人民法院申诉人“李元昌承担10万元赔偿责任”的公证判决。李元昌老泪纵横，感谢协会、感谢法院、感谢共产党！

浙江省农业技术推广基金会

浙江省农业技术推广基金会于1995年建立的。其宗旨是根据国家和省农业技术推广的法律、法规、方针、政策，坚持科技兴农，试验示范推广农业先进适用技术，促进农业增效、农民增收。现有23个市、县、区执行部。至2004年末，省本级基金3500多万元，包括下属和杭州市基金会共1.1亿元，初步形成省、市、县三级农技推广基金会网络。9年来，省基金会通过基金增值，总计下拨资金1400多万元，市、县、区基金会执行部下拨800多万元，用于业务范围内的公益活动。

(一)立项资助基层农技新成果、新技术的试验示范推广。9年来，省级累计资助项目625个，投入资金886.9万元，遍及农、林、牧、渔等多个部门和行业。试验示范项目投入产出比为1：20左右，基本达到资助一个项目，普及一项技术，发展一门产业，惠及一方农民。

(二)表彰奖励基层先进农技站和农技人员。9年来，先后表彰奖励有突出贡献农技员43名，优秀农技员1218名，先进农技站189个，发放奖金299万元，并通过项目资助，支持农技站创办经济实体、参与产业化经营，促进农技队伍稳定和农技体制改革。

(三)支持欠发达乡镇农技站建设。省资助214.5万元，地方配套投入808.2万元，先后改善88个农技站的各种工作、设施用房2.3万多平方米。

(四)开展技术培训和经验传播，着力普及农业先进适用技术。通过召开现场会、研讨会、经验交流会，采用典型示范、经验介绍、专家讲课等多种形式，加强农技培训，提高基层农技员和农民的技术水平。9年来，编印出刊《年度资料》9期，《效益农业新技术新经验》6期，《农业科技专辑》4期，出版《多熟高效种植模式180例》、《论现代集约持续农业》两书，出版《新世纪浙江特色农业丛书》一套6册。总计编印出版资料、书藉11.7万册，受到广大农民和农技人员的欢迎。

1995年8月浙江省农业技术推广基金会成立大会。

浙江省农业技术推广基金会召开基层先进农技站和先进个人表彰奖励大会

浙江省农业技术推广基金会资助的“余杭稻鸭共育农业生态园”项目。

浙江省建筑业行业协会

建筑业是浙江的传统产业，能工巧匠辈出，著名建筑荟萃。特别是改革开放以来，浙江建筑业得到了史无前例的快速发展，全省现有建筑企业4200多家，其中特级资质企业11家，一级资质企业232家。并有6家企业股票上市。自1998年以来，完成建筑业产值和实现利税居全国前茅。

浙江省建筑业行业协会于1987年成立，现有团体会员395个，2004年被评为全国先进民间组织。

协会开展人才培训，提升企业素质。已培训企业经理4026名，项目经理72658名。组织工程创优，提高企业竞争能力。1993年以来，共创省级优质工程763项，中国建筑工程鲁班奖59项，获奖数连续6年居全国前列。国优工程银质奖28项。

举办法律讲座，帮助开拓市场，为企业排忧解难，改善企业经营环境。

组织内外交流，扩大企业视野。

办好会刊《浙江建筑业》，建立信息平台，为企业提供信息服务。

浙江省建筑业行业协会地址：杭州市莫干山路425号瑞祺大厦5楼；邮编：310005

联系电话：0571－81956211；传真：81956226

杭州市企业法律工作协会

杭州市企业法律工作协会成立于1990年，属专业性社会团体。主要任务是：为企事业单位和企业法律顾问服务，为政府服务，为社会服务，宣传企业法制，促进企业法律顾问建设，推进企业依法经营管理，维护企业合法权益。协会研究方向是：进行企业法制工作理论的研究、应用，总结推广企业的依法经营管理经验。

近几年，协会先后举办培训班及讲座20余次，参加人员3000多名，此外发表专著、论文、调研报告100多篇。如：1997年，企业三产问题的法律思考，市场经济条件下的银企关系，企业经济纠纷的处理和预防；1998年，企业催讨帐务的技巧与手段，国有企业经营者的激励、约束机制；1999年，律师与企业法律顾问的工作协同；2000年，企业改制中的法律问题；2001年，加强和改进企业法制工作是私营企业的立业之根、发展之源；2002年，入世与企业法律顾问工作发展，厚德明法是打造信用经济的"牛鼻子"；2003年，非公经济的法制环境调研；2004年，青少年犯罪严重，应予以高度重视。

协会成立以来，荣获了多次荣誉。1993年，被浙江省民政厅评为先进社团；1995年，杭州市民政局社团业绩全市第一；1997年，杭州市社科联先进协会；1999年，杭州市社科联先进协会，杭州市市民间组织先进社会团体；2000年，全国大中城市社科联第11次会议评为全国先进协会，杭州市社科联先进协会；2004年，杭州市第十一届社会科学优秀成果三等奖。

省委书记张德江、市委书记王国平、市长茅林生到协会视察调研并与协会工作人员合影。

市场经济条件下银企关系研讨会

知识产权保护交流会

讨债手段与技巧交流会

杭州市食品工业协会

协会副会长兼秘书长陈国光在中国贸易合作洽谈会上讲话

杭州市食品工业协会，成立于1983年11月。20多年来，一直以“完美”的服务、完善的管理，推动食品行业科学、持续、健康发展为己任，努力为“食品的放心工程建设”和实现市委、市政府提出的“建经济强市、创文化名城”的战略任务而工作。

自2003年贯彻落实市经委《关于建立杭州市食品工业协会技术中心》和《关于授权杭州市食品工业协会有关职能并委托开展有关工作》的两个通知后，理顺了责权利间的关系，有力促进协会各项工作的进一步深入展开，重点做了以下事情：

协会副会长兼秘书长陈国光在大会上讲话

(一)切实把食品的质量安全工作落实到位。一是抓宣传教育，每年都举办各种形式的学习班，研讨班，力求把产品标准、质量意识、职业道德、诚信经营、现代管理等教学内容有机结合，持之以恒；二是抓实整改整顿，发挥相对比较有专业知识的优势，开展经常性的质量检查，确保商品生活质量的源头过硬；三是抓好市场领域，平时多次组织力量明察暗访，收集第一手信息；同时总结推广协会在酱油食醋专项整顿管理中的经验，亦有收益；四是抓紧建章立规，加强行业自律机制建设，在治本上下功夫，通过行规行约的逐步完善成熟，实现长治久安。

(二)探索食品工业发展新路子。一是参与打造先进制造业基地建设，在杭州市现有206家上规模的企业中，选择出30家具有成长潜力的拟培育单位和52支具有一定知名度的杭城特色产品来加以倾斜扶持。协会经常与既定的全市食品工业五大发展行业（饮料、方便食品、牛乳食品、旅游休闲传统食品、出口创汇食品）一起、共同商讨破解制约发展的瓶颈；二是参与品牌战略的实施。根据授权与委托，作为市级申报审核食品名牌产品的组织单位，参与深入现场考评，组织开展“三比”，进行专家会诊，寻找差距，限期整改的创优全过程工作；三是参与新产品的评审和企业技术中心的认定，为企业的发展增添后劲。同时开展科技服务信息服务，身体力行地带头走产学研有机结合联合发展的道路；四是开展调研，当好参谋，发挥出桥梁纽带的作用。

(三)加强自身建设。协会竭力保持和发扬“凡是讲实事求是，讲尽责尽力，讲与时俱进”的工作特色，从4个方面着力加强。一是着力加强各专业委员会的建设，现有啤酒、酿造调味品、豆制品、饮料、黄白酒和蜜饯等6个。正筹建营养保健食品和焙烤食品2个专业委员会，开展丰富多彩、内容切题的活动，增加号召力和凝聚力；二是继续办好《杭州食品科技》刊物，作为季刊已出版75期，发表论文千余篇；并与全国50多家科研单位建立起长期的资料交换、信息共享的互赢关系；三是每年举办“食品展销会”到今年已是20届了；四是编撰“年鉴”和“工业志”中有关食品的篇幅章目。

杭州市食品工业协会2003年被评为“杭州市先进社团”，2004年被民政部授予“全国先进民间组织”光荣称号。

市委领导到协会组织的展会上视察

宁波市教育学会

宁波市教育学会成立于1979年10月，现有团体会员34个，个人会员8000余人，是宁波市成立最早、会员人数最多的学术团体之一。学会会长是宁波市教育局副局长陈大申，副会长（按姓氏笔画排列）王伯康、庄允吉、任中达、沈兆良、沈海驯、汪维民、祝国强、徐万茂、袁国自，秘书长庄允吉（兼），副秘书长高祖祥、史耀芳、许军国。学会聘请陈继武、陈旭、陈守义、刘光奎、华长慧为名誉会长，岑申、夏明华为顾问。

学会成立以来，高举邓小平理论伟大旗帜，以“三个代表”重要思想为指针，认真贯彻中央关于教育改革的一系列指示，紧密围绕宁波教育改革和发展中的理论和实际问题，重视引进先进的教育理念，为全面实施教育现代化出谋划策；积极组织各种群众性学术活动，如每年举办多次宁波教育论坛，开展教育科普宣传和咨询服务活动；坚持实行“学会搭台，群众唱戏，行政拍板”三结合的策略，为推进教育现代化，全面实施素质教育，全面推进基础教育的均衡发展，作出了显著成绩。学会连续11次被宁波市社科联评为先进学会，连续5次被浙江省教育学会、连续3次被中国教育学会评为先进学会，1998年获全国大中城市社科联先进学会，2004年被国家民政部评为“全国先进民间组织”。

近年来，学会共编辑出版2套《素质教育研究丛书》共21册。撰写的调研报告《普通高中实施素质教育现状的调查座谈会纪要》，被中国教育学会和浙江省教育学会的简报全文转载。由学会名誉会长华长慧任主编的《点击教学创新丛书》共16册，在2004年12月被评为“中国教育会优秀科研成果二等奖”。

学会第五届理事会全体常务理事合影

学会第六届常务理事会第二次会议

安徽省医学会

省卫生厅厅长高开焰（右）到学会视察，学会秘书长、省医学情报研究所所长丁杉介绍省医学会医疗事故技术鉴定的有关情况。

安徽省医学会成立于1947年，历经八届，截止目前已发展有58个专科学会，会员10325名，是卫生厅直接联络卫生专业技术人员的主要“桥梁”和“纽带”。

2004年10月9日至12日在安徽省黄山市成功召开了国际耳鼻咽喉——头颈外科新进展学术研讨会。共有来自全国12个省市103名代表参加会议。此次会议得到了国家卫生部，省卫生厅的关心和大力支持，开幕式由省卫生厅严中亚副厅长主持，国家卫生部蒋作君副部长，省卫生厅高开焰厅长，省医学会许占山会长，黄山市程永宁副市长参加会议并在开幕式上作出重要讲话。当晚黄山市电视台新闻播出。

此次会议邀请了来自瑞典、新加坡等国家的11名世界知名中耳、内耳疾病、内耳遗传、听力学、头颈肿瘤专家和世界著名的老年病学外国专家分别作了学术报告。

会议自始至终洋溢着浓厚的学术气氛，会议内容精彩丰富，代表们对临床科研上的有关问题展开了热烈的讨论、发言踊跃，专家认真解答。此次大会起点高、水平高、收益大，对今后工作的开展和科研水平的提高都将有极大推动作用。大会圆满结束，闭幕式由省医学会许占山会长主持，医学会丁杉秘书长作大会总结报告。

2004年，在安徽省卫生厅、安徽省科协及安徽省民政厅的亲切关怀下，学会全面落实贯彻邓小平“科学技术是第一生产力”的论述，努力实践“三个代表”重要思想，深化学会改革，紧密团结广大医务科技工作者，求实创新，在组织管理工作、学术交流、继续医学教育、人才培养、医疗事故技术鉴定工作、大型医疗器械上岗培训工作、科学普及、编辑出版等方面做了大量卓有成效的工作，为安徽省的医学科技事业发展做出了积极贡献。2004年11月由安徽省民政厅、安徽省科协推荐，被民政部评为“全国先进民间组织”；2004年中华医学会授予学会“先进团体会员单位”。

2004年，省卫生厅在学会会议室召开年终总结大会。

2004年，民政部授予学会“全国先进民间组织”称号。

学会专科分会主委秘书工作联谊会主会场

福建省税务学会

学会领导赴北京，向中国税务学会领导汇报工作。

中国税务学会会长来学会指导并与学会领导班子合影

福建省税务学会经民政部门注册登记，于1985年3月成立。现有单位会员83个，个人会员13181人。本届（第五届）名誉会长由福建省人大副主任张家坤，福建省人民政府副省长陈芸，厦门大学教授（博士生导师）邓子基担任，会长为原福建省国家税务局局长李力军。

学会每年都承接中国税务学会、福建省社科联、福建省国家税务局、福建省地方税务局许多重点调研课题，密切结合我国的税收理论和税收实际及福建省经济建设中的热点、难点问题，组织会员，开展群众性调研，宣传调研成果，促进成果转化。积极开展闽台学术交流也是学会学术活动的一个特色，多年来，先后6次组织赴台开展税收学术交流。

为了交流税收调研成果，2003年会刊《福建税务》按通知停刊后，学会秘书处与省地税局科研所合办内刊，保留原刊名，把内刊办成辅导纳税、指导工作、研究理论的综合性经济类刊物，在税务系统内和会员中免费赠送。

在历届领导的支持下，通过秘书处精心运作，到2000年第四届理事会成立时，就实现了《社会团体登记管理条例》规定的"六有"和"三自"要求。为了提高学会的管理水平，学会认真贯彻《福建省社科联关于开展创建标准化学会工作的决定》，2002年7月，省社科联授予学会为标准化学会。2002年6月，省社科联党组发出《关于在福建省社科联所属学会成立党的工作联络小组的试行意见》，学会在征得省国、地税局党组同意后，按照规定程序，于2002年11月学会成立了党工作组。

为充分发挥会员中税务界、理论界、教育界、工商企业界专家学者的作用，积极开展群众性与专业性相结合的税收科学研究，实施精品战略，撰写出更多有理论价值、有实践意义的税收科学论文，为税收工作服务，学会于2005年成立了税收学术研究委员会，现有学术委员15人。

2001年被福建省民政厅评为"先进社团"，2002年被福建省社科联授予"标准化学会"、2003年被中国税务学会评为"全国先进税务学会"，2004年被民政部评为"全国先进民间组织"。

福建省社科联标准化学会考核验收现场会在学会召开

广西壮族自治区税务学会与福建省税务学会召开工作交流会

泉州市电力行业协会

泉州市电力行业协会会员大会

泉州市廖副市长和福建电力行业协会杨常务副会长为泉州电力行业协会成立揭牌

泉州市电力行业协会成立于2003年11月26日，是由泉州地区境内的电力相关企业，及大电力客户自愿组成的，对全市电力行业进行自律监督与行业服务的跨部门、跨所有制、跨隶属关系的非营利性的社会团体。协会目前有51个会员，其中团体会员46个，个人会员5个；下设发电、供电、客户关系、电力工程建设4个专业委员会。

会长李天友带领有关部门走访大客户征求意见，现场办公、服务到户。

协会始终致力于自律、协调、代表服务等方面作出努力，自协会成立以来，在协会集体领导的带领下，依靠政府的支持和全体会员的共同努力，为泉州电力事业的迅速发展作贡献。一是协助政府协调发、供、用电等方面的关系；二是认真做好“四个服务”即：服务于泉州市委市政府的工作大局，服务于会员企业，服务于电力客户，服务于社会发展；以品牌建设为载体，努力建设一支廉洁、高效、和谐的电力职工队伍，做到服务理念追求真诚，服务内容追求务实，服务品质追求一流，服务形象追求品牌，以真诚、快捷、周到的服务赢得社会的好评；市电力行业已连续7年获得全市民主行风评议第一名，被泉州市委市政府评为创建文明行业工作先进行业；三是组织国内外先进企业的体制创新、管理创新和技术创新策略的研究、交流，推广应用电力行业先进管理经验和技术成果。2004年协会“推行‘e路通’营销服务新模式，推进营销服务现代化工程”管理创新成果不仅获中国电力企业联合会组办的全国电力行业企业管理创新成果奖一等奖，同时还获得了全国企业联合会管理创新成果二等奖。

目前，协会还处于成长期，还有广阔的成长空间，在今后的工作中协会将在各级政府的关心指导下和全体市民的支持下，依靠广大会员单位的共同努力更好地为企业、社会和政府服务，为侨乡的经济发展作出更大的贡献。

江西省房地产业协会

江西省房地产业协会是由全省各市、县房地产管理部门和从事房地产开发经营、物业管理、市场交易、中介服务、房屋拆迁、白蚁防治等企事业单位和个人自愿参加组成的行业性组织，于1993年在省民政厅登记。业务主管部门为江西省建设厅。11年来，协会恪守协会宗旨，坚持为政府服务，为行业、会员单位服务的方针，在政府与会员间积极发挥好桥梁和纽带作用，受到了政府行业主管部门和会员单位的肯定和好评，荣获了全国、全省先进民间组织称号。

近年来取得的成绩：

(一)当好政府参谋，推进房地产行业管理工作的健康发展。一是参与制定了全省住宅与房地产业的中长期发展规划，开展了开放住房二级市场调研，房屋拆迁技术估价规范调研，物业管理公共服务分等定级课题调研；通过调研，为政府出台相关政策提供依据；二是受省建设厅委托，完成了全省2000多家房地产开发、评估、拆迁企业年检工作；三是配合主管部门做好房地产价格评估机构脱钩改制工作和房地产开发、房产测绘体制改革，积极推进房地产交易与权属登记一体化。

(二)加强舆论宣传，营造良好环境。一是与多家媒体联合办刊办报，为房地产业的发展推波助澜，营造了良好的氛围；二是多次举办了规模大、层次高的研讨会，为借鉴学习外省房地产发展的先进经验，促进房地产发展起到了积极的作用。

(三)为会员服务，加强会员单位的联系和交流。一是开展培训，提高房地产行业从员人员素质；二是召开年会，研究部署协会工作，加强会员单位的联系、交流；三是多次组织会员单位赴外地学习考察，促进了会员单位与省外同行之间的交流。

江西省建设厅党组书记、厅长胡柏龄视察省房协工作。

江西省协会领导、秘书处人员视察工地。

江西省房协组织召开房地产市场形势分析会

江西省房地产协会秘书处视察住宅小区

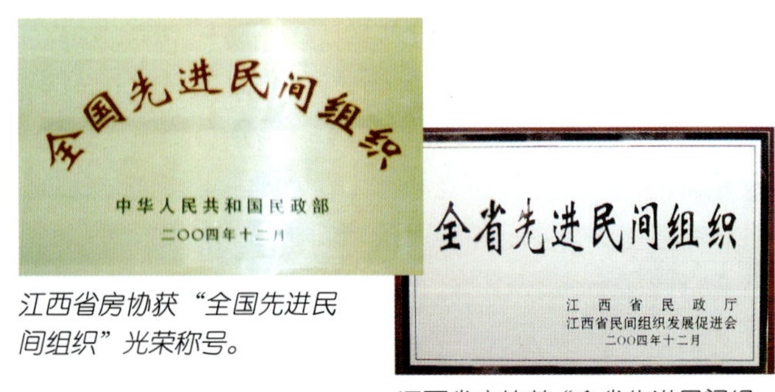

江西省房协获“全国先进民间组织”光荣称号。

江西省房协获“全省先进民间组织”光荣称号。

江西省企业联合会
江西省企业家协会

协会组织的厂长、经理座谈会。

协会2004年年会暨表彰会

2004年12月，协会被民政部授予“全国先进民间组织”称号。

江西省企业联合会、江西省企业家协会是江西省企业、企业家（雇主）和企业团体的联合组织，于1980年7月成立，目前已形成11个设区市、15个省直企业团体、600余家团体会员单位的全省性组织网络体系，下设车间管理，总经济师和企业管理现代化等专业工作委员会，日常工作机构为组织联络部、培训咨询部、办公室等。

省企联按照“自立、自治、自养”的发展方针，加强工作机制自身的思想建设、组织建设、业务建设和作风建设；以邓小平理论和“三个代表”重要思想为指导，以为企业、企业家服务为宗旨、遵守国家法律、法规，维护企业、企业家的合法权益，促进企业、企业家守法、自律；发挥桥梁纽带作用，协调企业与政府、企业与企业、企业与社会、经营者与劳动者的关系。

省企联围绕维权、自律、服务等方面的功能开展工作，作为江西省雇主组织的代表，参加中国雇主组织及国际劳工组织和国际雇主组织的有关活动，参加省“三方机制”活动，反映企业、企业家的意见和要求，为政府制定与企业相关政策提供建设，承担政府及其有关部门委托的工作；开展企业改革和现代企业管理的理论研究，总结推广先进管理经验，促进企业体制创新、管理创新、技术创新，增强企业的市场竞争能力；为企业、企业家提供培训、咨询、信息、出版等服务，组织开展评价企业活动、宣传、表彰省优秀企业、优秀企业家；开展与组织参加省外、境外、国外企业和企业团体的交流与合作；指导与协调各设区市、县（市）企业联合会、企业家协会、省直企业团体工作，健全组织体系，促进相互合作，发挥联合优势。

协会被中国企业联合会、中国企业家协会授予“全国企联系统先进集体”称号。

企业联合会年会

江西省建设工程勘察设计协会

江西省人民政府副省长赵智勇同志出席成立大会作重要讲话

江西省建设厅党组书记、厅长胡柏龄同志出席成立大会并讲话

江西省建设厅副厅长、协会筹备组组长叶澄中同志出席大会，并作协会筹备工作报告。

全省先进民间组织

江西省民政厅
江西省民间组织发展促进会
二〇〇四年十二月

江西省建设工程勘察设计协会被省民政厅、省民间组织发展促进会授予全省先进民间组织。

江西省建设工程勘察设计协会于2002年11月6日经江西省民政厅注册登记，业务主管单位江西省建设厅。现有团体会员325家，设建筑设计、园林设计、建设结构设计、市政工程设计、工程勘察与岩土、建设项目管理和工程总承包、公路桥隧设计等7个专业委员会。

在省建设厅、省民政厅和中国勘察设计协会指导下，协会按照《章程》，团结和依靠会员单位及全省工程勘察设计工作者，以党的“十六大”和十六届三中、四中全会精神为指针，围绕省建设厅中心工作，按照社团管理规定和协会业务范围开展活动，如：配合贯彻执行国家方针政策，规范市场行为，强化行业管理与自律；协助推进勘察设计体制改革与发展、技术进步、质量管理，开展勘察设计评优活动，提高工程勘察设计水平；协助抓好勘察设计人员培训，提高队伍素质；组织经验交流活动，加强与全省（市、区）勘察设计协会联系，定期出版《江西建设工程勘察设计》会刊；热心为会员单位服务，向政府主管部门反映他们的意见、建议和合理要求，维护会员单位的合法权益等许多方面都做了大量工作，并取得可喜成绩，为促进江西国民经济的快速、健康发展和社会事业的进步作出了贡献。协会自身的思想、组织、作风建设不断加强，规章制度健全，较好地发挥了桥梁、纽带和参谋助手作用，具有较强的号召力、凝聚力和亲和力，受到协会团体会员、勘察设计工作者的好评与政府主管部门的肯定。2004年12月被省民政厅、省民间组织发展促进会授予“全省先进民间组织”光荣称号。

江西省建设工程勘察设计协会暨第一次会员代表大会会场

江西省福建商会

江西省福建商会是2002年经省民政厅登记的具有法人资格的省级异地商会，由来赣投资兴业的闽籍企业家组建，现有会员1020名，分布全省各地，在8个设区市成立了代表机构。会员投资涉及房地产、公路桥梁建设、采矿、酒店经营、印刷、建材、计算机技术等10几个行业和部门，投入资金数百亿元，每年上交税金数亿元。

近几年，商会以依法办会、团结办会、服务会员、发展经济为宗旨，发挥联系会员的纽带作用、优化企业投资环境的服务作用、引导企业投资的咨询作用、塑造企业形象的宣传作用和与政府沟通的代表作用，成为闽籍资本进入江西的金桥，为江西省经济发展作出贡献。一是会员比商会成立时增加3倍多，每年向赣引进了几十亿元资金，热心为会员服务，积极维护会员合法权益；二是组织会员助残、助学、扶贫；三是在“非典”期间该会会员捐款、捐物100多万元，还建希望小学5所；四是去年组织会员个人及各设区市代表机构积极参与各种形式的公益活动，并捐资10万元支持江西省百村万户文明示范村启动仪式；筹集资金5万元，组织啦啦队，参加第五届全国农运会；拨款3万元赞助社会公益事业。

商会内部制度健全，管理有序，以出色的工作，赢得了社会好评，分别被国家民政部、江西省民政厅授予“全国先进民间组织”和“全省先进民间组织”。

2002年12月21日江西省副省长蒋仲平、香港融侨集团董事长林文镜在江西省福建商会成立大会上为商会揭牌。

会长黄祖渊代表商会走访南昌SOS儿童村。

第五届全国农运会期间，商会组织啦啦队为运动员鼓劲、助威。

江西省福建商会捐款10万元支持江西省百村万户青年文明示范村启动仪式。

山东省慈善总会

在2003年山东省慈善总会成立大会上，中共山东省委书记、山东省人大常委会主任张高丽，中共山东省委副书记、山东省省长韩寓群为山东省慈善总会揭牌。

山东省慈善总会于2003年12月18日正式成立。总会是由热心慈善事业的公民、法人及其他社会组织自愿参加的全省性非营利公益社会团体。其宗旨是发扬人道主义精神，弘扬中华民族传统美德，动员社会力量，筹募慈善资金，扶助弱势群体，发展慈善事业，促进社会文明。

省慈善总会现有团体会员54个，个人会员119个，理事108个，常务理事65个。总会的最高权力机构是会员代表大会，执行机构为理事会，办事机构为慈善总会办公室，下设综合部、筹募部、项目部、宣传部。

省慈善总会的业务范围是筹募善款、赈灾救助、扶贫济困、慈善救助、公益援助、与国内外慈善组织的合作交流、指导会员单位的工作，推动全省慈善事业的发展。

省慈善总会自成立以来，开展了一系列募捐救助活动。2004年5月10日在全省开展的“慈心一日捐”活动共募集善款2.3亿元。正在实施的“朝阳助学”、“夕阳扶老”、“情暖万家”、“爱心复明”、“微笑列车”、“爱心助残”、“康复助医”、“烛光工程”、“明天计划”、“心系红丝带”等十大救助项目，共投入救助资金1.3亿多元。2004年8、9月份组织的“朝阳助学”全省慈善救助特困高考新生项目，共救助特困高考新生12000人，在校生1000人，共用善款2200万元，得到了社会广泛赞誉。

在今后的工作中，慈善总会愿于社会各界人士、港澳台同胞、海外侨胞、世界各国慈善团体精诚合作、关注弱势群体、挖掘慈善资源、开发慈善项目，共同为发展慈善事业、推动社会文明进步做出更大的贡献。

2004年8月，山东省慈善总会在全省实施了“朝阳助学工程”全省慈善救助特困高考新生项目，全省共救助特困高考新生12000名，共用善款2200万元。

2004年5月山东省慈善总会在全省开展了“慈心一日捐”活动，共募集善款2.3亿元。这是在泉城广场举行的“慈心一日捐”现场捐赠仪式。

山东省社会工作协会

山东省社会工作协会的前身是山东省民政学会，2004年更改为现名。

省社会工作协会成立暨民政理论研讨会

协会是由从事热心社会工作的单位和个人自愿组成的全省性社团组织。宗旨是：以邓小平理论和“三个代表”重要思想为指导，遵守宪法、法律、法规和国家政策，坚持以人为本、服务社会、不断求实创新，积极探讨新时期社会工作理论与实践的重要问题，在政府与基层社会工作机构和人民群众之间发挥桥梁纽带作用，积极推进民政事业和社会公益事业发展。主要任务：宣传党和国家有关社会工作的方针政策和法律、法规，促进社会互助，化解社会矛盾，维护社会稳定；团结和组织基层社会工作协会以及有关民政业务的社会团体，积极开展社会工作调查和理论研究，努力探索建立社区志愿者队伍和开展社区志愿者活动的新路子，积极开展同国内外有关社会团体的交流与合作，参加全国社会工作协会组织的重大活动，组织评选和推荐本会会员优秀学术论文和科研成果；坚持做好《当代社会》杂志的编辑出版发行工作；做好收集、编印本会会员及国内外有关社会工作的研究资料工作等。坚持民主集中制组织原则，会员代表大会为本会的最高权力机构，会员代表大会每5年召开一次。

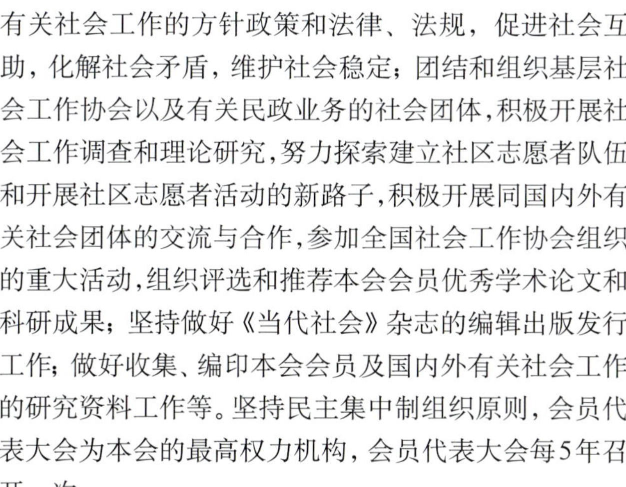

民政理论研讨会上与会代表在认真听讲

协会成立以来，在省民政厅的指导下，坚持办会宗旨，较好地发挥参谋助手作用：

（一）围绕民政工作重点，开展调查研究工作。17年来，学会理事会组织全省广大会员拟定调研规划，确定调研课题，深入基层调查研究，针对调查写出了150余篇有观点、有思路、有分析的调查报告；其中有20篇被民政部评为优秀论文，有5篇被省社科联评为二、三等奖，有10篇被省政府评为优秀调研报告。这些高质量的调查报告为各级领导进行科学决策提供了可靠的依据，对民政事业的改革与发展发挥了巨大的作用。

（二）坚持为民政服务，开展宣传报道工作。省民政厅和协会联合举办的综合性刊物《当代社会》杂志，紧紧围绕各个时期民政工作的重点，对全省各地在改革实践中取得的经验、成就以及民政战线上涌现出的先模人物及时予以宣传、报道；对群众关心的社会热点、难点问题，及时予以反映，深受各级民政部门和广大读者的关注和喜爱，成为全省民政系统影响最大的一份刊物。

（三）适应改革开放新形势，积极开展对外交流与合作。为开阔理论研究视野，拓宽理论研究思路，学习国外的先进理论和工作经验，17年来，协会多次联系并组织会员出国考察学习。

山东省烹饪协会

山东省烹饪协会，成立于2003年7月，是经山东省民政厅登记由山东省烹饪学会更名成立的全省性社会团体，系全省烹饪餐饮行业协会组织。协会现有理事280人，其中常务理事180人。副会长35人，团体会员756家，个人会员2000多人。

会长为日本友人颁发证书

2004年协会秉承“继承、发扬、开拓、创新”的发展方针，坚持“团结、维权、自律、服务、发展”的指导思想，为政府服务、为行业、会员服务、为企业服务。一是协会主办的首届趵突泉亲情杯“济南人最喜爱的餐饮企业”评选于2004年元月揭晓；二是5月份协会与省旅游局、省贸易办公室联合举办了，“中国鲁菜烹饪大师厨艺展示”活动；三是8月份，省烹饪协会会同中国烹饪协会、烟台市人民政府等单位在烟台举办了“2004中国国际美食节暨中华鲁菜技艺大赛”，海内外代表计2000余人参展、参赛，同时举办了鲁菜发展论坛、厨艺表演、月饼认定会、齐鲁美食风情等多项活动；四是为贯彻落实国家食品法及国家食品药品监督管理局等八部门《关于加快食品安全信用体系建设的若干指导意见》精神，推动山东省烹饪餐饮食品行业更加健康有序地发展，提高山东省烹饪餐饮业食品安全卫生水平，协会举办了“细微服务”高层论坛，近百家餐饮企业及政府部门领导签名向全省的烹饪餐饮生产经营企业发出了《山东省烹饪餐饮业食品安全诚信倡议书》；五是首次组织餐饮业职业经理人考试工作，全省有618人报名参加考试，占全国报名考试人数七分之一，12月初，举办了厨师长培训班，30多家餐饮企业的厨师长参加了培训；六是加强协会的自身建设，坚持“自力、自强、自律、自养”的办会方针，积极支持市、县协会的工作，当好政府联系企业的桥梁纽带，加强对外交流，大力弘扬鲁菜文化，积极推动山东省烹饪餐饮事业的发展。

论坛合影

展示作品

青岛市慈善总会

2002年12月8日，青岛市慈善总会胡延森会长（右）向青岛市市长杜世成（左一）颁发名誉会长证书。

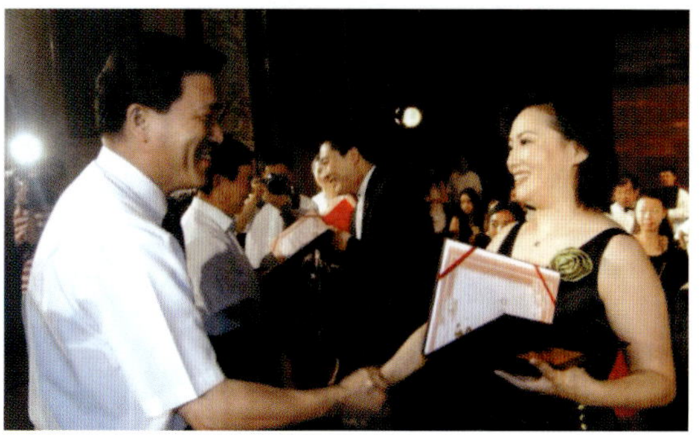

2004年8月6日，青岛市市长夏耕（左一）、市慈善总会会长胡延森（左二），为著名钢琴演奏家高婕、小提琴演奏家吕思清颁发“慈善大使”证书。

青岛市慈善总会于2001年12月8日成立。首届理事会由138名理事84名常务理事组成，每届任期五年。理事大会为总会的最高权力机构，办公及执行机构为秘书处。其宗旨是发扬人道主义精神，弘扬中华民族扶危济困的传统美德，开展多种形式的社会募捐和救助工作，帮助社会上的特困群体，促进社会的文明进步。

市慈善会成立以来，不断拓展和深化募捐渠道。“慈善一日捐”活动是慈善总会募集善款的主要手段，连续开展了4次活动，累计募集善款6857万元，其中，市慈善总会接收2045万元。另外，采取开展主题活动、义卖活动、典型事例推动和设置募捐箱等措施募集善款。

重点实施慈善救助项目有：至今已支出200余万元为4466户特困家庭提供医疗救助。投入114.4万元资助563名特困大学生和850名特困小学生。引进“微笑列车”，免费为195名困难家庭的唇腭裂患者免费实施矫治手术。扶持市内四区26个慈善超市和互助站为5000多户特困家庭发送救助卡。实施汇丰中华慈善教育再就业项目，投入40万元为700名下岗失业人员进行技能培训。并随时进行临时性救助，施惠于一批弱者，为政府分忧，为百姓解难。

逐渐加大慈善宣传力度。注重与媒体合作，通过报纸、电视、广播、网络等多形式宣扬青岛市慈善事业，为发展慈善事业营造了良好的氛围。

通过建立健全各种规章制度，切实加强总会组织、思想和业务建设。严格执行财务制度，自觉接受社会各界的监督。

市慈善总会努力打造“爱心飞扬、为民送暖”服务品牌，被列为2003年度青岛市精神文明建设十大亮点之一。2003年，市慈善总会被市委、市政府评为“市防治非典工作先进集体”。被市文明办和市民政局评为“2003年度青岛市诚信民间组织”，被市民政局评为“局级文明单位”。

青岛市慈善总会副会长周迪颐（左一）、副秘书长李庆年（左二）带着生活用品走访特困家庭。

市慈善总会副会长兼秘书长刘光享（右）将2万元医疗费送到市中心医院，用于对患白血病的王玉的救治。

青岛市慈善总会副会长王新春（左二）向青岛市残疾人福利基金会捐赠50万元，用以农村残疾人的安居工程。

青岛市保险行业协会

学员参加保险代理人考试

青岛市保险行业协会是依法于1996年在青岛市民政局登记注册的社团法人，业务主管单位中国保险监督管理委员会青岛监督局。

协会理事会下设秘书处和机动车险、航意险、银行代理保险、专业中介和个人代理人保险5个专门工作委员会，秘书处作为协会的日常办事机构。协会现有会员单位26家，其中保险公司15家、保险中介机构11家。

协会宗旨：遵守宪法、法律、法规、规章和国家金融保险方针政策，遵守社会道德风尚，维护保险市场秩序，推动保险市场健康稳定发展，为繁荣青岛经济和安定人民生活服务。

协会的职责和业务范围：

（一）制定青岛市保险行业自律公约。

（二）贯彻执行国家有关法律、法规和保险监督机关颁行的规章、政策。

（三）根据国家有关法律、法规和保险监督管理机关颁行的规章、政策及行业自律公约、规定，规范保险市场竞争行为和维护保险市场正常秩序；调解会员之间、保险合同当事人之间因保险业务发生的争议；依照行业自律公约对会员的违约行为进行处理。

（四）维护会员与被保险人的合法权益，代表保险业向保险监督管理机关和其它政府部门反映共同愿望与建议。

（五）组织会员之间的交流与合作，增进行业协作与团结，开展与国内外保险业的友好交往与技术交流合作。

（六）开展市场调研工作，宣传保险法律法规、规章政策与保险业成就，普及保险知识，编印保险刊物，向会员单位、保险当事人提供咨询服务，向保险从业人员提供培训服务。

（七）依照保险监督机关授权对全省保险代理人实施包括资格认证、执业管理、流动管理、违规处理在内的行业管理。

（八）接受保险监督管理机关授权或委托办理的符合协会宗旨的事项。

几年来，随着我国市场经济体制的建立完善和政府职能的转变，协会的职能定位逐步清晰，组织机构不断完善，在日常工作中较好地发挥了自律、维权、协调、交流和宣传的职能作用。

保户正在新车保险超市营业大厅踊跃办理购买新车保险手续

新车保险超市外景

济南市保险行业协会

济南市保险行业协会成立10年来，坚持以服务为宗旨，围绕自律、维权、协调、交流、宣传等职能，积极工作，率先进行保险行业诚信建设，开拓创新，与时俱进，有力地促进了全行业的健康快速发展。

（一）协会成立10年来，不断加强自身建设，努力提倡诚信服务，先后建立了9个专业自律协调工作委员会，统一规范经营行为。

（二）在协会的积极协调下，航意险共保机制持续多年稳定运行，近百次保险投诉和合同纠纷得到公正合理的调解或仲裁；协会不断加强与政府和社会各界的沟通，创造了良好的保险发展环境。

（三）协会主动向监管机关和政府汇报工作、反映会员呼声、提出建议需求，不断为会员争取良好的政策环境和社会环境。

（四）协会自办的《保险同业信息》和《每周信息参考》向会员累计编发190余期，与30多个保险协会建立了信息交流制度。

（五）协会通过保险咨询宣传和“保险知识有奖竞答”巡展、座谈会等活动，并通过报纸、电视台大力宣传普及保险知识。

2004年3月，山东省暨济南市保险行业协会在泉城广场隆重举行保险从业人员“诚信、服务签名”仪式。图为市协会马素安秘书长主持仪式。

济南市保险行业协会召开“诚信保险在济南”新闻座谈会。分管市长、山东保监局和各保险公司领导以及十余家新闻媒体记者出席会议。

协会组织保险代理人基本资格电子化考试现场

（六）根据监管机关委托，建立了济南市保险中介电子化考试中心，一年多共组织了7000余人次的考务工作。

多年来，协会积极开展各项工作和活动，有效维护了良好的保险市场秩序，营造了浓厚的保险发展氛围，树立了良好的行业形象，有力地促进了保险业的健康快速发展。目前全市年保费规模已达40亿元，比协会成立之初增长了15倍。近年来协会连续被评为优秀社团组织、首批“全市社会团体规范化建设示范单位”，2004年又被评为全省和全国先进民间组织。

2003年年底，协会被授予首批“全市社会团体规范化建设示范单位”。

协会秘书处全体人员合影

潍坊市建筑业协会

潍坊市建筑业协会是由潍坊市民政局登记注册的具有法人资格的社会团体组织，现有会员单位365家，设有分支机构14个。

近几年来，潍坊市建筑业协会在市民政局、建设局双重指导和全体会员单位的支持配合下，以邓小平理论和“三个代表”重要思想为指针，以发展壮大建筑业为己任，积极履行“双向服务”宗旨，紧紧围绕推动科技进步，提高工程质量，搞好安全生产，维护企业合法权益等工作重点，做了大量富有成效的工作，有利的促进了全市建筑行业快速、健康、稳定发展。2004年全市完成企业总产值150亿元，其中建筑业总产值137亿；实现利税11亿元；施工面积2130万平方米；万人因工死亡率控制在0.1以内，实现了安全生产。为潍坊市建筑业发展做出了应有贡献。潍坊市建筑业协会先后被评为“市级优秀社团组织”、“全省先进社团组织”、“全国先进民间组织”。

参加首届全国行业协会成就汇报展览会，会长宋喜朋接受北京电视台采访。

全国先进民间组织

中华人民共和国民政部

二〇〇四年十二月

获得“全国先进民间组织”荣誉称号。

潍坊市建筑业协

优美的办公场所

泰安市企业联合会

泰安市企业联合会是在原泰安市企业管理协会（成立于1986年）和市企业家协会(成立于1988年)的基础上，于2003年3月经市民政局重新注册登记的。泰安市企联成立3年来，紧紧围绕"发挥桥梁纽带作用，更好地为企业和企业家服务"的宗旨，为推进企业改革、管理、发展做了大量工作，2004年12月被国家民政部表彰为"全国先进民间组织"。

2003年8月25日召开泰安市企业家座谈会，领导与"新世纪首届泰安市优秀企业家"合影（前排左起：泰安企联副会长、山东泰山玻纤公司董事长、全国第十届人大代表张志法；泰安企联秘书长、注册法人代表张运十；泰安企联原常务副会长、泰安国资委副主任胡庆升；泰安企联会长、泰安经贸委主任闫新建；泰安市人大副主任王尹成；泰安企联名誉会长、中共泰安市委副书记、市长贾学英；泰安企联名誉会长、泰安市政协原主席宋广吉；泰安市政协副主席张庆明；泰安企联顾问、泰安经贸委原主任杨胜谦；泰安企联顾问、泰安经贸委原调研员史兆斌；泰安企联副会长、山东泰开电气公司总经理刘学敏）。

（一）参加建立三方机制，维护雇主合法权益。遵照国家和省的要求，代表企业方审议通过了《泰安市协调劳动关系三方会议制度》，制定了《泰安企业和谐劳动关系指引》，从而为协调劳动关系，维护雇主权益，建立了规范的工作体制。

（二）宣传企业家创业事迹，促进企业家队伍建设。3年来共组织评选"新世纪首届泰安市优秀企业家"，"泰安市改革创业优秀企业家"和"泰安市优秀创业企业家"91名；与市总工会评选表彰了两届优秀企业家"贤内助"共36名；积极推荐了8名"山东省优秀企业家"和1名"首届全国十大优秀民营企业家"。

（三）多次召开泰安市企业家座谈会，市委、市政府、人大、政协的领导亲自出席与企业家对话、座谈，沟通了企业与政府及社会各界的联系，充分发挥桥梁纽带作用，为企业和企业家提供服务。

2004年4月30日，召开"庆五一、话发展、企业家座谈会"，市企联名誉会长贾学英市长（右三）齐承芳副市长（右四）出席会议并讲话。

泰安企联代表企业方参加泰安市协调劳动关系三方会议第二次会议

2004年11月30日，泰安企联召开《2004年泰安市企业文化建设座谈会》。

湖北省道路运输协会

2004 中国武汉国际交通建设展览会开幕式

湖北省道路运输协会成立于1993年11月，下设出租汽车、汽车维修救援与检测、汽车驾驶员培训3个专业委员会。目前共有会员单位300多个。

协会自成立以来，认真贯彻国家有关道路运输方针、政策，沟通企业和政府交通行政主管部门的联系，反映企业的意见和要求，承办政府主管部门和有关单位委托的工作事项；开展全行业经济技术资料的调查、收集 、研究和整理工作，向政府主管部门提出行业发展规划；推动横向经济联系，协调企业之间生产经营、技术合作的关系，促进行业协调发展；开展咨询服务，提供国内外技术经济情报和市场信息，为企业和有关方面服务；组织开展内部技术培训，推广新技术、新工艺，促进行业技术进步，帮助企业提高经营管理水平；沟通省内外相关行业组织的联系，采取多种形式，交流公路运输行业管理和企业管理的先进经验，不断提高行业和企业的整体素质，提高运输服务质量；组织道路运输从业者商定有关道路运输的行规行约，并监督实施，建立行业自律机制；组织发展行业公益事业，组建汽车维修救援网，组织开展承运人责任险等。

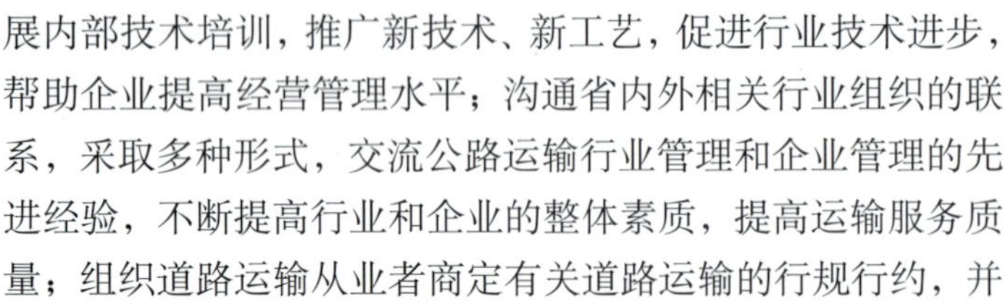

世界银行贷款项目国道项目IV2004年度道路安全研讨会

协会近几年组织的主要活动：

(一)配合主管部门理顺出租车管理体制，制定《全省汽车客运服务规范细则》《全省出租汽车行业会员自律公约》。

(二) 组织召开2002年春运价格听证会。

(三) 受省运管局委托，组织完成了《湖北省道路运输行业“十五”规划》。

(四) 采取走出去请近来的办法，组织理论研讨、各类培训和国内外考察，推广新技术，新经验。

(五)组建湖北省汽车维修救援网络，为全省道路运输发展提供安全保障。

(六) 编辑出版《湖北道路运输》杂志，为道路运输经营者提供各种信息服务。

(七) 组织承运人险的统保工作，提高企业的抗风险能力，降低企业的经营风险。

(八) 举办2004中国武汉交通建设展览会。

(九) 组织召开省级道路运输协会第一次秘书长联谊会和全国部分省市机动车救援网座谈会，交流经验，探讨研究，共同提高。

(十) 承办世界银行贷款项目的安全课题研究，组织召开安全研讨会。

全国省级道路运输协会秘书长联谊会

湖北省道路客运承运人责任险实施动员大会

湖北省襄樊市机动车驾驶员协会

为提高驾协基层组织活动小组长的整体素质，2003年6月对市区65个活动小组长举办了政治，业务培训班（图为活动小组长培训班的开学典礼）。

协会2003年8月以三天时间举办了会员汽车操作技能大比武活动（图为开幕式）。

湖北省襄樊市机动车驾驶员协会创建于1998年6月，现有会员25000余名，团体会员单位6个。6年多来，在市公安局、市民政局的监督管理下，在主管单位市公安局交警支队的大力支持下，紧密围绕驾协章程和道路交通安全管理工作中心，突出进行交通安全法律宣传，重点开展多种丰富多彩、健康有益的公益活动，努力为会员办实事、办好事，较好地发挥了桥梁纽带作用，主要体现在：

（一）以宣传为龙头，让会员自觉遵守政策、法规。一是加强政治教育；二是加强交通安全法律的学习教育，用法律、法规来潜移默化会员。先后投入经费20余万元将国家及省、市有关条例、规章、规定等汇集印制成《会员手册》，免费发给会员，并汇集编撰了3本约40余万字的《学习资料》免费供会员学习使用，以提高大家的政治、业务素质。

（二）坚持开展多种健康有益的活动。一是先后开展了争创100名红旗车驾驶员，100名红旗车活动；二是汽车驾驶技能大比武活动及道路交通法规知识竞赛，1000余人参加的100万公里无交通事故驾驶员在大型经验报告会；三是对每年参与评选的“五好”、“十佳”会员给予通报表彰及物资奖励，共支出经费达30余万元。

（三）坚持以服务为宗旨，使会员体会到协会的温暖。一是在每年的新春佳节即将来临之际，通过调查了解，普遍对困难会员进行慰问；二是在平时当得知会员因公负伤、生病住院，都主动进行慰问，仅此一项，每年要支付10余万元；三是每年春节前夕，组织一台文艺节目慰问会员及家属，并向会员发送《驾年卡片》表示节日祝贺；四是为了替会员提供法律援助，协会聘请有两名常年法律顾问，两位律师除平时为活动小组长及会员讲授法律知识外，还为其提供法律援助20余人次。

协会严格按照会员代表大会通过的财务管理规定，坚持财务自收自支，独立核算的原则，每年主动邀请上级领导机关进行财务监督检查，从没有发生过违法违纪问题。由于驾协工作成绩突出，年年被上级评为先进单位，2003年被评为全市“示范性民间组织”。2004年被民政部授予“全国先进民间组织”称号。

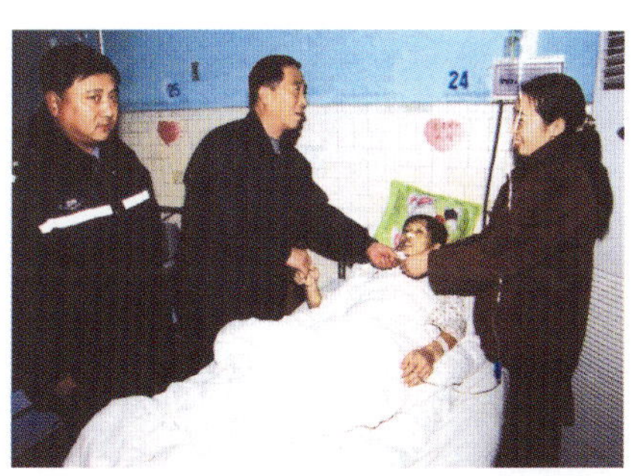
会员是协会的主人，为体现协会大家庭的温暖，协会平时得知会员因公受伤、生病住院后都及时主动前往医院进行探视和慰问（图为协会领导前往医院看望生病住院的会员并送慰问金1000元）。

每年元旦、春节期间，协会通过调查、摸底对困难会员进行慰问（图为协会领导慰问特困会员家庭时送米、送油、生活必需品及现金）。

湖南省电力行业协会

湖南省电力行业协会于2001年10月26日成立，是湖南省境内的电力企事业单位及与电力相关单位自愿参加的、跨部门、跨所有制、跨隶属关系的自律性的行业协会组织，是经湖南省民政厅登记的非营利性的社会团体组织。协会内部机构设“三部二中心”，即理事会工作部，企业工作部，调研咨询部，生产科技服务中心，教育培训服务中心，并设立各地市分会（工作站）、专业委员会和专家委员会。

2004年12月9日至11日，协会参加国家发改委、国资委和民政部在北京主办的“行业协会成就展览”。全国人大副委员长顾秀莲（左一）、民政部民间组织服务中心副主任乔申乾（左二）在湖南省民政厅副厅长杨明波（左三）、湖南省电力行业协会秘书长朱泌生（左四）的陪同下参观湖南省电力行业协会展厅。

协会成立后，以发展为目标，以创新为动力，以服务为宗旨，坚持从全省电力行业的实际出发，把握大局，找准定位，围绕中心，潜心服务，取得了一些新成绩。2003年被湖南省民政厅授予“先进社会团体”称号，2004年被国家民政部、中国电力企业联合会分别授予“全国先进民间组织”、“先进省级电力行业协会”等荣誉称号。

近年来，为了帮助湖南基建企业树立自己的品牌，协会和省经委将三项工程的设计、施工、安装、监理、调试等8家参建单位正式命名为“电建湘军”，在《中国电力报》上推出了解读“电建湘军”的系列报道，扩大了“电建湘军”的知名度，树立了“电建湘军”的品牌。为了强化供电所管理，提升服务水平，加强诚信建设，提高供电企业的经济效益和社会效益，与省机械行业管理办公室共同制订、由省质量技术监督局批准发布《高压／低压预装式变电站生产资质条件》标准；编写出《湖南省供电所规范化管理》和《带电作业工具、装置和设备预防性试验规程》；开展了湖南电力行业协会发展战略课题的研究和“反窃电”、“延伸服务”及“电力建设工程外部环境分析对策”等课题的研究。为了规范行业行为，参与行业许可证的管理和负责承装（修、试）电力设施企业申报许可证的资格审查和专业人员培训。到目前为止，全省已有202家电力施工企业获省经委颁发的《许可证》。参入进网作业电工换证、培训，到目前为止，全省进网作业电工换证为IC卡证的已达3万多人。为了更好地为企业、为行业、为政府和为社会服务，加强与各会员单位和兄弟省市行协的联系与沟通，加速了电力信息的传递与交流，主办和管理的《湖南电力行业信息》、《电力经济研究选编》和《大众用电》杂志，深受广大读者的好评。

2001年10月26日湖南省电力行业协会成立暨第一次会员大会会场

协会坚持以服务为宗旨，接受政府委托，为政府和社会服务；根据行业约规，实行行业管理，为电力行业服务；按照会员要求，为电力企事业单位服务；沟通企业与政府部门间的联系，维护公平竞争，促进了湖南省电力行业的发展。

湖南涉外经济学院

国务委员陈至立（左二）、省委书记杨正午（右一）在校长、博士生导师张楚廷教授（中）的陪同下视察学院。

世纪讲坛

湖南涉外经济学院是一所在民政部门登记注册的民办普通本科院校，创办于1997年。现有全日制在校生14825人，校园占地面积1700亩，校舍建筑面积46万平方米，图书馆有纸版藏书102万册，电子版本60万册，教学仪器设备总值达5423万元，学校固定资产总值超过8亿元。

学校设有外语、经济、管理、计算机、电子与通信工程、机械工程、法律、中文、音乐、艺术设计、高尔夫、五年制大专等12个系（部），开设了英语语言文学、计算机科学与技术、工商管理、国际经济与贸易、音乐教育、艺术设计等6个本科专业以及34个专科专业，涵盖文学、教育学、经济学、法学、管理学、工学等6个学科门类。

学校拥有一支以专任教师为主体、正副教授为龙头的稳定的师资队伍。在1102名教师中，有专任教师683人（含外籍教师18人），教授70人，副教授163人。

学校坚持学历教育与技能教育相结合，根据社会人才需求设置专业，根据岗位能力设置课程，推行"外语＋专业＋技能＋创业素质"的人才培养模式，基本形成了以涉外经济、涉外管理类专业为主要特色，计算机、电子、通信等工科专业重点建设，文、法、艺术专业协调发展的格局。

学校重视国际合作与交流，2002年6月，张剑波董事长先后出访加拿大、美国，考察了多伦多大学、华盛顿大学等10余所北美学府，聘请了国外大学教授为管理顾问，并与美国俄亥俄州劳伦学院、英国兰德里洛大学等多所大学签订了合作办学协议。

湖南涉外经济学院先后获得"湖南省优秀民办学校"、"长沙市文明标兵单位"、"中国十大万人著名民办高校"、"首届中国民办高校综合实力10强"、"湖南省十大民营诚信单位"、"全国先进民间组织"等称号。

体育馆

新生入学军训

学院与美国俄亥俄州劳伦学院建立姊妹友好合作关系

图书馆

广东省内部审计协会

广东省内部审计协会成立于1993年12月，其前身是“广东省内部审计学会”，1999年3月正式更名为现名。协会现有团体会员265个，个人会员1206人，有240人经过申请，成为国际内部审计师协会会员。

近几年，主要做了以下一些工作：

（一）2000年7月建立了全国第一家内部审计网——广东内部审计网。网站建立至今，来自全国各省、市及台湾、香港地区，以及东南亚、美国、加拿大、西欧等世界各国的来访者累计总访问量已经超过7000万人次，网站已成为国内外了解广东省和中国内部审计发展的重要窗口。

（二）作为国际注册内部审计师资格考试点，从1998年11月到2004年11月，已经举办了9次考试，报考人数累计达10413人次，已有1412人，取得了国际注册内部审计师资格。

（三）1994年、1997年、2000年、2004年分别开展了评选内部审计先进单位和先进工作者活动。4次评先活动，全省共评选出内部审计工作先进单位260个、先进工作者394个及“十佳”先进工作者和“十佳”先进单位；有33个单位、38名个人荣获全国内部审计先进单位和先进工作。

（四）举办各种培训班、研讨班32期，培训近5000人次以上。

（五）编辑发行《内部信息》，现已编辑发行98期。

2004年省内审协会被中国内审协会和广东省民政厅评为“全国省级内部审计协会先进单位”和“广东省先进民间组织”。

2003年2月24日—28日，中国内部审计协会会长郑力（中）在惠州等地考察内部审计。

2002年6月，国家审计署副审计长、中国内部审计协会副会长刘鹤章在广东省审计厅厅长曾寿喜，广东省审计厅副厅长、广东省内部审计协会会长吴清泉的陪同下，在深圳、中山、佛山、江门顺德等地考察民营企业内部审计工作。

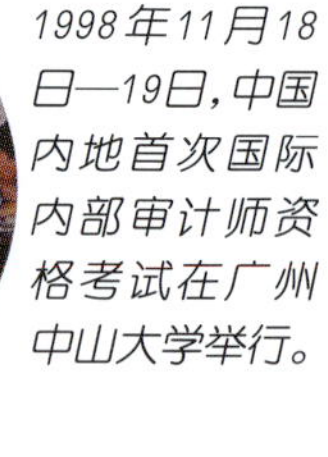

1998年11月18日—19日，中国内地首次国际内部审计师资格考试在广州中山大学举行。

学会第二届理事会会场

省内部审计协会CIA人员联

2003年2月22日—23日，广东省内部审计协会在广州举办CIA人员联谊会。

广东保险学会

中南各省保险学会工作交流会

广东保险学会于1985年6月成立，目前已历时4届。有单位会员80个，个人会员近500人，现任会长是中国人寿保险公司广东省分公司总经理陈冬圣先生，学会是广东全省群众性开展保险科学理论研究的地方性学术团体。

学会宗旨：遵守国家法律法规和国家政策，遵守社会道德风尚，发扬理论联系实际的学风，组织和推动保障科学理论和研究，为探索有中国特色的社会主义保险事业的发展道路，推动保险体制改革，提高广东省保险理论和业务工作水平，加速建设社会主义现代化贡献力量。

学会每年都组织会员单位开展多种活动，包括：学术报告会，优秀论文评选活动，与兄弟省市和境外保险学会、保险组织开展交流互访等。近年，又承担了广东保监局交办的编撰《中国保险年鉴》（广东版）和《广东省志·保险志》的工作。

《广东保险》杂志是学会主办的全省性唯一的保险刊物，一直以来为广大会员提供了发表作品的园地，其发表的文章，及时反映保险市场动态与趋向，反映问题，研究问题，为解决问题提供思路和办法。

多年来，学会组织撰写的保险研究课题论文和文章参加全国性和全省性金融系统和保险系统的学术交流，多次获得奖励和好评。

学会近年主要组织了下列活动：

（一）华南片保险学会首届工作交流会2002年11月在广州召开。通过交流经验，相互学习，对促进学会工作大有裨益，并商定以后每年召开一次学会工作交流会。

（二）2002年12月6日，学会根据广州保监办的布署要求，组织广东保险界专家、学者就学习、宣传、贯彻《保险法》问题举行座谈会。

（三）为推动广东省群众性保险理论研究活动的开展，促进保险理论水平的提高，学会近年来每年都开展保险学术论文征文和优秀论文评选活动，2004年还编印了《广东优秀保险论文选集》一书。

（四）应澳大利亚和新西兰保险及金融学会会长的邀请，学会于2004年10月组织各会员单位的领导到澳大利亚和新西兰两国进行了考察交流活动。

（五）为了进一步促进粤港两地保险业的繁荣和发展，加强两地的保险文化信息交流，学会于2004年11月2日主办了《第一届粤港保险界文化交流演讲会》。

广东保险界专家学习贯彻《保险法》座谈会。

广东省地方税收研究会

研究会成立大会合影留念

广东省地方税收研究会是经省地方税务局同意，省民政厅登记，于1996年8月23日成立。由广东省税务界、财经界、学术界、教育界和企业界的有关人士自愿结成的研究地方税收理论，服务地方税收工作的群众性学术团体。

研究会宗旨是遵守宪法、法律、法规和国家政策，遵守社会道德风尚，以建设中国特色社会主义理论为指针，解放思想、实事求是，按照理论联系实际的要求，积极开展地方税收研究，服务地方税收工作，促进广东经济和地方税收事业的发展。

研究会调研骨干培训班合影

研究会现有正副会长（含秘书长）5人，理事91人，常务理事15人，单位会员23个，省会个人会员178人，单位会员中个人会员6488人。原广东省常务副省长张高丽，原省政协副主席刘维明等历任名誉会长；法人代表、会长林文铎。

研究会秘书长座谈会参会人员合影

研究会把税收调研工作作为主要任务，以加强学术研究和交流作为提高学术水平的主要途径，将组织和制度建设作为日常性的基础工作，使研究会组织不断发展壮大。调研成果与学术交流工作都取得较好的成绩：一是9年共安排课题调研46个，撰写523篇论文或调研报告，分3次共评选奖励175篇优秀论文或调研报告；二是在开展学术交流活动方面建立了地方税收研讨会制度和地方税收区域协调研讨会制度，为地方区域经济发展出谋献策。先后被广东省民政厅授予“广东省省级社会团体先进单位”、“全省先进民间组织”称号。

广东省国际税收研究会

广东省国际税收研究会成立于2001年4月。由税务界、财经界、学术界、教育界和企业界有关热爱国际税收研究人士自愿参加，研究国际税收理论，服务国际税收工作，依法在民政部门登记注册的学术性、非营利性社会团体。

省政府秘书长陈坚（前排右二）、中国国际税收研究会副会长陈景新（前排中）、省地税局局长吴升文（前排左二）、省国税局局长陈流明（前排右一）出席成立大会。

研究会于2001年4月召开了成立大会暨第一届会员代表大会，经选举产生理事86人，常务理事23人，首任会长黄炎光，秘书长梁友平。现有团体会员22个，个人会员86个。会员主要由税务系统的部分领导和业务骨干，省属有关单位和一些高校、政研机构的专家、学者组成。

其宗旨是：以马克思列宁主义、毛泽东思想、邓小平理论为指针，按照理论联系实际和外为中用的原则，积极开展国际税收研究，促进广东经济和税收事业的发展。

业务范围：一是组织学习、宣传、贯彻党和国家的路线、方针、政策、法律、法规及有关规章，开展对国际税收学术理论的研究，国际税收动向及其发展趋势的研究，各国税收制度、政策的研究，国家间税收关系和区域性税收协调及其发展前景的研究和在国际经济活动中运用税收维护国家权益的对策研究；二是根据国际和国内政治、经济、财政、税收的发展情况，组织专题研究和交流，及时将研究成果向决策部门和有关单位推荐；三是宣传我国税收制度和对外税收政策，介绍国外税收动态，促进国际间税收协调与合作，为发展国际经济交往服务；四是组织各种形式的国际税收学术和实务交流；五是开展有关国际税收方面的社会服务工作；六是组织国际税收资料交流，提供国际经济、税收信息，编辑出版有关国际税务杂志和国际税收书刊；七是组织评选国际税收学术研究成果，进行学术奖励，协助和指导有关市国际税收研究会工作。

近年来，研究会下属的翻译中心定期收集国际税收信息资料，经翻译整理后，刊登在研究会出版的《国际税收资料选译》上，至目前止，《国际税收资料选译》一共出了22期，为系统内广大税务工作者和国际税收研究爱好者提供了解国外税收信息的一个重要窗口，也为政府作决策参考贡献了一份有价值的新鲜文献资料。2004年研究会组织翻译整理了20万字的《澳大利亚税制及收入概要》，2005年又将启动近35万字的奥地利、葡萄牙、乌兹别克斯坦等国家的税制及收入概要的翻译工作。

研究会成立以来，以其所处沿海发达地区及毗邻港澳台的地域优势，大力开展国际税收、涉外税收理论研究、积极参与国际税收交流与合作，为促进广东经济和税收事业的发展，构筑和谐社会做出了应有贡献。

研究会会长黄炎光在成立大会上致开幕词

广东省拍卖业协会

协会第三届理事会全体常务理事合影

中国拍卖行业协会会长张延华在广东省拍协视察工作时接受广东电视台记者采访

广东省拍卖业协会是由广东拍卖企业、事业单位及个人自愿组成的社会团体，是跨部门、地方性、行业性、非营利性的社团组织。1995年经省民政厅登记成立的全省性社会团体。协会现有单位和个人会员252个。协会在广东省经贸委直接指导下，并接受广东省经贸委的委托，负责对行业进行有关管理工作。

协会成立10年来，认真贯彻政府有关政策法规，密切与政府和企业沟通，立足为会员服务、为行业服务、为政府服务。协会在增强行业凝聚力、维护行业合法权益、推动行业健康发展等方面，发挥了积极的作用。

广东拍卖业的发展，走过一条光辉的历程。1986年11月广东率先恢复成立全国第一个拍卖行；1987年12月，深圳市在全国率先举行第一次土地使用权拍卖会，让土地使用权转让首次写进《中华人民共和国宪法》；1991年6月广东省出台全国第一部拍卖法规《广东拍卖业管理暂行条例》，1992年11月广东举办了全国第一期拍卖从业人员培训班；1993年10月广东省拍卖业培训中心成立，先后举办42期培训，共培训学员6000多人；1994年5月全国第一批注册拍卖师在广东培训中心诞生……

广东拍卖业的迅速发展，得益于成熟的市场机制和良好的法制环境及专业人才队伍的建设。目前，广东有拍卖企业417家，拍卖从业人员5300多人，拍卖师872名，2004年全省拍卖成交总额突破300亿元，拍卖作为一种“公开、公平、公正”的交易方式，已进入各种流通领域，并在全省经济建设中发挥着越来越重要的作用。2004年广东省拍卖业协会喜获“全国先进民间组织”和“广东省先进民间组织”双奖。

协会荣誉牌匾

协会雷敏会长（右）代表全省拍卖业向广东省慈善总会递交33.796万元的支票为印度洋海啸捐款。

广东省见义勇为基金会

为弘扬社会正气，倡导时代精神，告慰英雄，激励和调动全省人民群众维护社会治安和见义勇为的积极性。1993年1月28日“广东省维护社会治安基金会”正式宣告成立（2002年1月更名为“广东省见义勇为基金会”）。10年来，基金会在省委、省政府的领导和省政法委、省公安厅、省民政厅的指导下，认真贯彻《基金会管理办法》和国家的有关法律、法规和基金会章程，紧紧围绕省社会治安综合治理和公安工作的中心任务积极开展各项活动，为维护广东省社会稳定和构筑和谐社会作出了积极贡献。

(一)广泛宣传办会宗旨，争取社会各界人士的大力支持。

通过各种新闻媒体迅速地向海内外，港澳地区和社会各界发布消息，广泛宣传基金会的章程、宗旨和任务，旨在引起全社会的关注和重视。在广大人民群众和社会各界人士的支持下，在各级领导和全体理事会成员的共同努力下，基金会已筹集到基金1.08亿元。

(二)大张旗鼓地宣传表彰见义勇为的先进事迹，弘扬社会正气。

充分运用和发挥新闻媒体的作用，大力宣传表彰见义勇为的先进事迹，弘扬社会正气，在全省营造见义勇为的良好氛围，以推动全省见义勇为的事业深入发展。据不完全统计，基金会成立10年来，通过电视广播、报刊等新闻媒体对全省700多名事迹突出的维护社会治安见义勇为人员进行了大力宣传表彰；先后向中华见义勇为基金会推荐了21名见义勇为先进分子参加了第一至第七次全国见义勇为先进分子表彰大会，被中宣部、中央综治委、公安部、中华见义勇为基金会授予“全国见义勇为先进分子”荣誉称号，其中1名被评为“首届全国见义勇为十大英雄”，一个基金会被授予“全国见义勇为工作先进单位”，2名同志被授予“全国见义勇为先进工作者”。2005年1月，国家民政部授予基金会“全国先进民间组织”称号，广东省民政厅授予基金会“全省先进民间组织”称号。

(三)积极做好抚恤、慰问和奖励工作，充分发挥见义勇为基金会在维护社会稳定中的作用。

10年来，基金会紧密围绕全省社会治安综合治理的目标和公安工作的中心任务，严格按照章程和奖励、慰问金发放办法的规定，遵循基金取之于社会，造福于社会的原则积极开展各项活动。基金会抚恤牺牲人员的亲属581户，慰问负伤人员1066人，奖励有功单位779个，有功个人1606人，共发放抚恤、慰问和奖励金2773万元。

(四)以高度的责任心管好用好基金。

基金会从成立至今，共筹集基金1.08亿元，基金利息收入5628万元。基金利息的使用，严格执行基金会制定的慰问、奖励金发放办法和内部管理规定，按规范的程序和审批权限逐级报批。严格财务手续，严把报销审批关，保证专款专用。同时，接受业务主管单位、民政、审计、税务部门的监督管理，按有关规定每月向业务主管单位，税务部门，每季向省民政厅社团管理局报送基金活动报表，每年向理事大会报告一次基金运作情况。

10年来的实践证明，省见义勇为基金会顺应民心，合乎民意，各项工作不辱使命，得到各级党委、政府和广大人民群众的肯定。今后基金会将更加努力，遵循基金会章程，再接再厉，为弘扬社会正气，为广东的社会治安稳定和见义勇为事业做出更大的贡献。

广东省律师协会

以规范化管理促进律师队伍建设工作座谈会

广东省律师协会成立于1980年12月，是广东律师的自律性行业组织。近年来，协会高举邓小平理论的伟大旗帜，坚持以“三个代表”重要思想为指导，严格履行《律师法》和《律师协会章程》所赋予的职责，不断探索和完善“两结合”(即司法行政机关管理与律师协会行业管理相结合)的律师管理体制，加速行业自律管理进程，在强化律师职业道德和执业纪律建设等方面开展多层次、全方位的工作，取得了优异的成绩。曾荣获司法部集体二等功，省司法厅集体三等功，并多次获得全国律协表彰和奖励，于2001、2004年被评为“全省先进社团单位”。

协会的宗旨是：维护宪法和法律的尊严，忠实于律师事业，恪守律师职业道德和执业纪律；提高会员的执业素质；维护律师和律师事务所的合法权益；加强行业自律，促进律师事业的健康发展，促进社会的文明和进步。

协会的职责是：

(一)支持会员依法执业，维护会员的合法权益。

(二)配合司法行政机关制定律师工作的发展规划、方针，制定及完善律师执业规范、规则和律师行业管理制度。

(三)指导、检查和督促律师事务所规范化工作。

(四)总结、交流律师工作经验，提高整体执业水准和社会形象。

(五)负责律师职业道德和执业纪律的教育、检查和监督。

(六)组织实施、监督律师的执业宣誓。

(七)受司法行政机关委托进行律师事务所、律师的年检注册工作。

(八)开展律师执业前培训和执业后的继续教育。

(九)处理对会员的投诉。

(十)调处会员在执业活动中发生的纠纷。

(十一)制定并监督实施会员奖励与处分办法。

(十二)宣传律师工作，出版律师刊物。

(十三)组织律师和律师事务所开展对外交流。

(十四)组织律师和律师事务所开展社会公益活动。

(十五)开展律师福利事业。

(十六)建立并完善律师执业责任保险制度，保障律师依法执业。

(十七)协调与相关国家机关的关系，提出立法和司法建议。

(十八)指导下级律师协会工作。

(十九)司法行政部门及上级律师协会委托行使的其他职责。

(二十)法律法规规定的其他职责。

律师代表大会为律师协会最高权力机构，理事会是律师代表大会的常设权力机构，在理事会闭会期间常务理事会行使理事会职权。理事会下设秘书处和若干工作委员会，秘书处为律师协会的执行机构。

省律师队伍建设工作会议

WTO法律规则培训班

民营企业法律服务座谈会

广东渔船船东互保协会

广东渔船船东互保协会是在广东省海洋与渔业局的指导和省民政厅的监督、管理下，依法登记注册的非营利性的全省性社会团体组织，会址设在广州，下设97个代办处（办事处），业务网点遍布广东省沿海市县各重要渔业港口，每天24小时为渔民群众提供全天候的渔业互助保险服务。

协会的宗旨是把广东的渔船船东组织起来，引导和组织渔船船东参加互助保险，将个体船东无法抗御的、无法解决的灾害风险转由所有参加互保协会的船东集体承担，从而大大提高了渔民抗御自然灾害的能力，促进渔业生产发展，稳定渔区的社会经济秩序，促进渔业和谐社会的建设。

协会成立以来，共有50.9万人（次）渔民、4212艘（次）渔船参加互保协会；共有2285人获得互助补偿金共1243万元，平均每人约得5440元；其中死亡人数298名，个人最高互助补偿金额12万元；共有736艘渔船获得补偿金共848万元。在协助地方政府处理重大海事、为受灾渔民排忧解难等方面发挥了积极作用，对稳定渔区经济、建设渔业和谐社会做出了应有的贡献。

12年的实践证明，渔船船东互保是有效地改变当前广大个体渔民在自然灾害面前势单力薄的状况的一个有力举措，切实减轻了各级地方政府的负担，受到了广东渔民群众的好评和支持，也得到了国家和省有关部门对互保工作的肯定和认同。2004年被国家民政部评为“全国先进民间组织”；被广东省民政厅评为“全省先进民间组织”。

协会会长和雷州市委等领导一起送补偿慰问金给雷州“1、25”海难事故遇难渔民家属。

协会三届常务理事会成员

协会领导陪同中国渔船船东互保协会领导考察远洋渔船

送补偿款到渔民手中

协会组团访问日本水产会

深圳建筑业协会

协会坚持每季度召开一次常务理事会

协会领导班子（会长李宇明（左二）、副会长兼秘书长肖兴朴（右二）、副秘书长林小丛（左一）、副秘书长闫秋英（右一）。

会员单位给协会送“会员之家”牌匾。

深圳建筑业协会成立于 1988 年 12 月 28 日。业务主管部门为深圳市建设局，注册登记机关是深圳市民政局。协会秘书处为办事机构，下设办公室、企业管理部、工程技术管理部、执业资格管理部、建筑培训中心三部一室一中心，所有的部门负责人，实行岗位轮换，以利于全面了解协会工作，提高人员综合素质。

2002 年元月 24 日，协会第四届会员大会，选举产生了新一届领导集体，新一届领导集体确定依靠会员办会，实施专家治会的工作新思路，在行业自律，行业服务，行业协调，行业代表及行业管理等职能范围内，充分发挥政府与企业桥梁和纽带作用。

(一)依靠会员办会，按照协会章程的规定，分别由会员大会、理事会、常务理事会决定协会的重大事项，目前，协会理事 70 名，常务理事 17 名。常务理事会每季度召开一次，理事会半年召开一次。形成的会议决议，在全体会员中公开，在深圳建设信息网上公告、公示。

(二)实施专家治会，建立协会的专家库，目前在库专家 333 名，各项业务工作由专家承担，专家对业务决策的结果负责，秘书处工作人员起组织作用。通过实施专家评审制度，协会的工作质量和效率明显提高，权威性得到增强。

(三) 新一届协会在政府有关部门的支持下，在广大会员单位的努力下，把握发展的历史机遇，高举邓小平理论的伟大旗帜，按照三个代表的要求，参照世界先进国家或地区行业协会发展的历史经验，开创具有深圳特色的建筑行业协会新局面：一是实现由单纯服务向为行业整体利益服务的转变；二是实现向综合的行业评优评奖转变；三是实现向多层次的行业培训转变；四是实现向全方位的咨询服务转变。

协会实行民间化管理，评估评奖公平公正。图为向获奖单位颁发“金牛奖”。

广州市建筑业联合会

广州市建筑业联合会是广州市政府批准建立的社会团体组织。其会员是广州地区从事土木工程建筑、市政路桥、线路、管道、设备安装、建筑装饰、工程勘测设计、房地产开发；工程质量安全监督、工程造价、工程监理、工程总承包、建筑材料生产、经营的企、事业单位；以及以建筑为对象的科研、大中专院校。

联合会坚持以国家的经济建设为中心和改革开放方针作指导，在建设社会主义的市场经济体制中，促进会员单位适应市场经济的要求，深化改革、转换机制、提高效益，为把建筑业建成国民经济的支柱产业发挥积极作用。

基本任务是：研究探讨我国建筑业改革和发展的方向、理论、方针与政策；承担政府委托的行业管理的各项工作，协助建筑业主管部门制定和实施行业发展规划和行业法规；引导和推动企业面向市场，开拓经营、发展横向经济联合，推进行业的经济合作与技术进步，不断提高工程质量、经营管理水平和企业竞争能力；承担会员单位委托的工作任务；帮助企业培训技术人才和管理人才，提高企业素质，组织国内外信息交流和推广先进经验，开展咨询服务，传播行业信息、发展兄弟省市同行及海外民间社团组织的联系，开展经济技术、经营管理等方面的合作与交流；积极的向政府反映行业社会现状和发展趋势，企业意愿和要求；组织发展行业公益事业，维护会员单位的合法权益。

近几年，广州市建筑业联合会坚持服务宗旨，在发挥桥梁纽带作用，促进企业改革发展，履行现有职能和深化自身建设等方面取得较大成绩，被评为2002—2003年度精神文明建设先进单位，荣获广州市委、市政府授予的“文明窗口单位”称号。广东省民政厅授予广州市建筑业联合会2004年度“全省先进民间组织”的称号，会员企业把联合会誉为“真正企业之家”。

荣誉证书

广州市建筑业联合会

被评为全省先进民间组织，

特颁此证。

广东省民政厅

二○○五年一月

广东省民政厅授予联合会全省“先进民间组织”荣誉称号。

常务副会长、秘书长李万年在系列讲座上作开班动员讲话。

专题讲座

联合会每年一次的会员大会

佛山市地方税收研究会

佛山市地方税收研究会成立于2002年7月18日，现有个人会员100人，理事72人，常务理事17人，秘书处专职工作人员3人。

研究会以“学术研究交流，宣传税务法律法规，编印资料，业务咨询培训，提供地方税收社会服务”为业务范围，以“为税收中心工作服务、为地方经济建设服务、为领导决策服务”的办会宗旨，积极开展各项工作。一是树立科学发展观，围绕佛山市经济和社会发展，针对各个时期税收的热点、难点问题，积极开展税收理论调查研究，努力拓展地方税收科、调研层面，加强与兄弟单位的学术交流活动，为各级税务部门和税收工作献计献策；二是在加强地税部门与社会各界的沟通联系，强化地方税收征管，推进地方税制改革等方面发挥了应有的作用；三是在广东省地方税务局、广东省地方税收研究会以及佛山市地方税务局的直接指导下，研究会先后承办、参加了全省地方税收专题研讨会6次，组织会员撰写地方税收调研论文182篇，开展了一系列的税收征管改革科研活动，并取得优异成绩，多次荣获广东省地方税务局、广东省地方税收研究会颁发的优秀税收科研成果奖。获优秀组织奖2次，论文、调查报告获特等奖1次，一等奖2次，二等奖1次，三等奖4次；有10篇论文入选2003—2004广东地税调研成果汇编。市地税局的科研成果《佛山市“税银库企一体化”电子政务应用系统》还荣获全国办公自动化国际学术研讨会“OA 2003典型应用系统”称号，并获颁推荐证书。

研究会召开第一届理事会年会

研究会牵头召开2004年地方税收调研课题研讨会

佛山市税务局获得广东省地税系统税收科研成果评选工作优秀组织奖

向获得优秀论文奖的单位和个人颁奖

研究会全体理事、顾问在成立大会上的合影。

广东省清远市税务学会

学会第二届会员代表大会于2001年8月29日召开

广东省清远市税务学会成立于1992年4月，2001年8月进行了换届，至今已13年，学会有单位会员8个，个人会员177人，现任会长冯庙烘。自成立以来，清远市税务学会坚持正确的办会宗旨，以邓小平理论和“三个代表”重要思想为指引，以经济建设为中心，紧扣清远税收工作的实际和各时期的税收中心工作，联合税务界及社会各界热心税收科学的人士，积极组织开展税收科学研究，促进了全市税收事业的发展，学会工作取得了良好的成绩。2004年6月被评为广东省税务学会(第三届)先进学会，2004年度被广东省民政厅评为“全省先进民间组织”。

多年来，学会紧紧围绕税收工作中心，深入开展务实性的税收理论研究活动，为上级、为领导决策提供了参考。

(一)按时保质完成了上级分配的课题调研任务。每年承担2个以上上级布置的调研课题任务，为此，学会每年组织力量成立专门的课题组，对上级布置的课题进行深入、全面、扎实的调查研究，较好地完成了调研任务，在广东省税务学会组织的1994年—2001年度优秀税收科研成果评比活动中，共有8篇调研文章获奖。

学会第一届学会工作积极分子

(二)组织开展广泛的群众性学术研究活动。学会联系税收工作实际，先后拟定了48个调研课题，发动各县(市、区)税务学会和全市国税系统大专以上学历者、股级以上干部开展调研活动，共撰写出有情况、有分析、有对策的调研文章1820篇，有186篇文章获得市级奖励，从而在全市掀起了开展税收调研活动的热潮，尤其是各级领导干部带头进行税收调查研究、撰写调研论文，在社会上引起了较大的反响。

(三)开展经常性的学术交流活动。学会先后举办了专题培训班8期，共有455人参加了培训；邀请大专院校的学者、教授进行学术讲座8次，1100多人次听取了讲座；召开各类研讨会56次，参加研讨会人数468人次，既提高了会员的综合素质，又加强了会员之间的联系和交流。

(四)制定了《清远市税收科研成果评奖办法》，进一步完善了税收学术研究的激励机制，每年开展优秀税收科研成果评比活动，共对215篇优秀税收调研文章进行了奖励，极大地推动了群众性税收科研活动的开展。

学会邀请中国人民大学校长助理、博士生导师高培勇教授(左二)作学术报告，会长冯庙烘(左一)在主席台就座。

清远日报 | 要闻

英德海螺集团对我市招商引资工作的启示

学会积极开展调研活动，学会调研组的调查报告刊载在《清远日报》。

广西玉林市林业产业协会

广西玉林市林业产业协会成立于2002年10月18日。目前有会员单位2120个，协会设秘书处、财务部、法律与行业政策咨询部、产品贸易与市场开发部、产品与技术开发咨询部、产品工业原料开发部。在玉林市的玉州区、福绵管理区、兴业县、北流市、容县、陆川县、博白县分别设立办事处，共有管理人员30人。为会员单位提供产业政策、行业法律法规、产品贸易和市场信息以及生产技术和行业技术标准等各项服务。与广西林业产业行业协会联合出版《广西林产信息》期刊，内容涉及到各个领域，对会员企业经营管理及决策有极大的参考作用。聘请了2位律师作为协会的常年法律顾问，为会员提供法律法规咨询及援助服务，维护协会会员的合法权益。

协会第一届会员代表会第三次会议

协会成立以来，会员企业形成了以人造板、木竹浆造纸、家具、木竹藤工艺、林产化工、锯材加工为主体的林产工业体系，产品畅销国内外市场。会员企业林产工业产值由2003年的9.7亿元增至2004年的13.2亿元，部分企业产值实现超亿元，成为当地的龙头企业。

协会参加泛珠三角省会城市市长论坛——2004广州博览会。

协会领导到会员企业调研

积极推广新技术、新项目，为会员企业的持续发展做好带头作用。协会正在玉林市城区筹建一个集木材加工、家具制造、木材集散、产品展销于一体的占地1000多亩的大型林产品综合市场。此外，协会与有关单位营造速生丰产示范林，推动协会成员企业建立自己的工业原料林基地，现营造了速丰桉示范林3160亩，在全市推广营造工业原料林面积达110万亩。

积极组织会员企业参加中国——东盟博览会、泛珠三角省会城市市长论坛——2004年广州博览会、中小企业商机博览（中国·玉林）以及到发达地区学习先进的经营管理经验、推介产品、寻求合作伙伴等项目上都取得了很大的收获。

由于协会社会责任感强，关注会员利益，努力为会员服务，会员参与度和满意度高，社会信誉高。2004年协会被国家民政部授予“全国先进民间组织”荣誉称号。

协会被民政部评为“全国先进民间组织”。

海南省公路学会

中国公路学会第四届理事会理事长（原交通部部长）王展意同志在海南省公路学会成立大会上作指示。

学会成立５年来，每年正常召开全体理事会暨学术交流会。

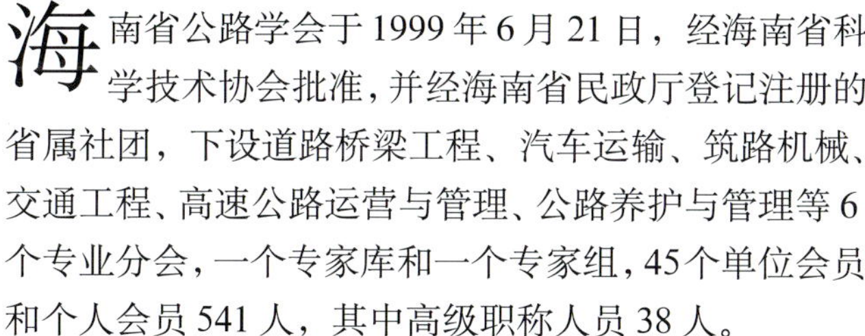

海南省公路学会于1999年6月21日，经海南省科学技术协会批准，并经海南省民政厅登记注册的省属社团，下设道路桥梁工程、汽车运输、筑路机械、交通工程、高速公路运营与管理、公路养护与管理等6个专业分会，一个专家库和一个专家组，45个单位会员和个人会员541人，其中高级职称人员38人。

海南省公路学会建有自己的网站，网址为：http://www.hnglxh.com；并拥有10万元以上的科技藏书；学会有定期的内部科技刊物《海南公路工程》和不定期的“通讯与信息”资料发给全体会员，并与国内同行交流。

海南省公路学会具备组织各种学术会议、培训班、技术鉴定、技术评估和专业技术资格认证的能力和经验，是海南省较有活力，以自力更生为典型的学会。从2000年起，每年均评为海南省科协系统先进学会；2004年被中国公路学会评为“省级先进学会”，并被民政部评为“全国先进民间组织”。

学会与国内外专家共同组织各种技术研讨会

学会经常性根据会员单位和社会要求，举办各种类型的专题培训班。

学会经常组织专家亲临施工现场，帮助施工单位解决施工中的技术难题。

海南省经济发展联合会

海南省政协副主席李明天（左）十分高兴地从会长罗相龙手接过名誉会长证书。

在2003年首届儋州市调声节上儋州市市长邱宏民（左）接受会长罗相龙（中）赠送锦旗。

海南省经济发展联合会创办于1996年，是海南省首家以联合各界企事业单位和有识之士的全行业、多元化、综合性社团组织。现有会员单位、定点消费网络单位500余家。联合会拥有精干、高层次的大型专家顾问团，各行各业人才十分丰富，人才优秀凸显，为加盟的企事业单位和个人提供全面的服务。

服务宗旨：联盟百家、互通信息、互惠互利、优势互补、资源共享、共同发展。发展方向：联合产销、服务等多种行业，建设多元化综合性社团，加强国内外各经济界行业的合作和社团联盟，形成更广泛的网络管道，促进海南经济蓬勃发展。经营战略：通过联盟、互惠、高效整合各种资源，尽心打造海南全新形象的社团品牌，为加盟的企事业单位和个人提供全方位的优质服务。经营理念：服务、沟通、务实、创新、发展；社团文化：以人为本，精诚联动。

联合会成立以来，多次组织了较大规模的促销、招商、策划、会展等活动，连续7年组织会员单位及相关企业参加国内大型旅游交易会，1999年两次成功地举办了“中国热带生态旅游研讨会”，同年策划组织环岛旅游西部线路大推介，2002年成功举办了“中国海南岛欢乐节旅游商品贸易展览会”，2003年3月成立了由71名专家顾问组成的大型专家顾问团，3月18日推出5000枚“联发金卡”，发展网络定点消费单位300余家，为了更好地为会员单位服务，联合会聘请了常年法律顾问，现有资深律师顾问10名。

联合会以联合促发展，为联发塑品牌，广泛联结，积极联动，为广大会员打造广阔平台，提供优质服务，引领发展之路。

海南省经济发展联合会2003年年会暨专家顾问团成立大会全体合影

重庆市建筑业协会

重庆市建筑业协会成立于1999年1月，2004年4月换届产生了新一届理事会和协会领导班子，协会成立6年来，坚持为政府服务，为企业服务，为市场服务的宗旨，积极开展各项工作：

（一）积极参与建筑业宏观发展战略研究和地方法规制定。先后牵头完成了《重庆市建筑业十年发展战略研究》、《加入WTO后重庆市建筑业发展对策研究》和《重庆市建筑管理条件（修正案草案）》的研究和起草工作。

（二）围绕行业发展，开展多种服务。一是积极组织开展ISO9000质量管理体系、ISO14000环境管理体系和OHSMS18000职业健康安全管理体系认证；二是搞好业务技术培训，提高行业队伍素质；三是引导企业深化改革，加快发展；四是帮助企业追讨“拖欠”，维护企业合法权益。

（三）开展创优争先活动，树立行业样板和典型。在全市建筑业开展评优评先活动，6年来，全市已评选出“重庆市巴渝杯优质工程”212项，其中有11项工程荣获中国建筑工程鲁班奖，同时评选出大批先进企业、优秀经理和优秀项目经理。

（四）注重协会自身的思想建设、组织建设、作风建设和制度建设。

6年来，协会通过大量扎实有效的服务工作，促进了重庆市建筑业健康发展，使得重庆市建筑业的整体素质，企业管理水平和技术装备水平有了明显提高，2004年11月、12月分别被重庆市民政局和国家民政部授予“重庆市优秀社会团体”和“全国先进民间组织”称号。

建设部部长汪光焘与协会会长刘法淇在2002年度“鲁班奖”颁奖会议休息时合影。

协会会长刘法淇、副会长兼秘书长陈在贵及工作班子成员。

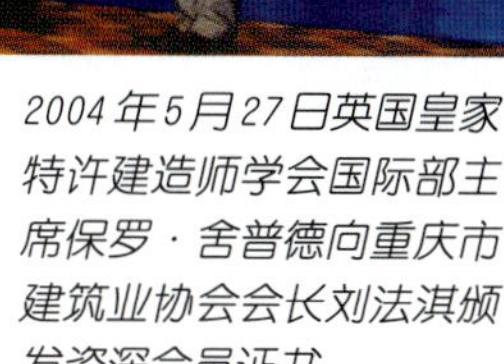

2004年5月27日英国皇家特许建造师学会国际部主席保罗·舍普德向重庆市建筑业协会会长刘法淇颁发资深会员证书。

重庆市建协为企业作“三个体系”认证的技术服务工作的合影。

协会二届二次常务理事会暨正副会长会议实况

重庆市福建商会

重庆市福建商会是由重庆市经济委员会主管，经重庆市民政局登记注册成立的、具有法人资格的省级异地商会。是由来渝投资兴办实业的闽籍企业和闽籍工商界人士自愿结合组建而成。其前身是重庆闽南经贸促进会，于2001年8月更为现名。现有会员企业近500家（登记在册的），涉及的行业主要有房地产、建材、阀门、水暖、汽摩配件、印刷、市场开发与管理、通信、厨卫、家具、食品、广告、会展、机械制造、冶金等数10个行业，累计在渝投资约数百亿元。

商会严格按照“社团管理条件”要求和“商会章程”依法开展活动。以发展经济、服务会员为宗旨。团结会员及在渝闽商并引导会员企业遵循社会主义市场经济发展要求，倡导、发扬“善观时变，顺势有为；敢冒风险，爱拼会赢；合群团结，豪爽侠义；恋祖爱乡，回馈桑梓”的闽商精神，积极参与西部大开发；为会员（企业）提供信息和咨询，为会员（企业）排忧解难，维护闽商的合法权益；同时为闽渝两地的经济技术交流，招商引资牵扯线搭桥；组织会员（企业）参加各种参观考察和招商活动；组织会员参与公益事业回馈社会等。

4年来，商会坚持民主办会，苦练内功，不断探索，会务工作规范并逐年有所进步和提高，商会动作有序，内部制度健全，受到上级领导和广大会员的肯定和赞扬，赢得了社会各界的好评。荣获国家民政部“全国先进民间组织”和重庆市民政局“市级先进社会团体”的光荣称号。

原福建省人大主任，名誉会长袁启彤同志应邀为商会题词。

重庆市副市长余远牧与会长陈悦霖亲切交谈，了解在渝闽籍企业情况。

福建省委统战部副部长、省工商联党组书记、省总商会副会长陈大明同志到商会考察、指导工作。

组织会员（企业）参加招商项目对接会，闽籍企业家与有关部门签订投资协议。

重庆中华食文化研究会

《食在中国》摄制组在云南大理现场。

重庆市中华食文化研究会成立于2000年12月。研究会成立以来，致力于数千年中华食文化以及世界饮食文化比较的研究，力图通过研究会的努力，描绘一幅中华食文化发展全图，并为世界各民族提供借鉴。

因此，研究会搭建了电视专栏《食在中国》作为创作平台，以电视手法来实现研究会的目标，研究会立志：用摄像机撰写一部《中华民族饮食史记》。

数年来，研究会参与、组织成立了重庆市饮食行业协会、重庆市火锅协会、重庆市餐饮商会、重庆市文化传媒商会；还策划了数十家大型餐饮企业品牌文化，及其运营推广；目前，研究会正筹划实施大型饮食文化主题杂志《食海》，为渝菜系的建立打下坚实的理论基础。

研究会所属重庆沙波文化传播有限公司，主要从事各类电视广告片、专题片、资料片以及电视节目的制作；组织策划主题餐饮、品牌文化、形象设计、装饰设计、技术人员输出、项目运作推广等。

策划成立重庆美食家联谊会，为重庆美食文化的研究和推广，为厨坛烹饪技艺的提高、刺激市场消费略尽绵薄之力。

研究会愿意和重庆食品业、餐饮界以及相关行业一道，共同铸造21世纪中华食文化研究的光辉前景！

重庆中华食文化研究会会长唐沙波：

中国餐饮文化大师

中国餐饮文化国家一级认定评审师

第四、五届中国美食节火锅专业评委

重庆中华食文化研究会会长

重庆电视台【食在中国】栏目制片人、总编导

中国电视纪录片学术委员会理事

重庆烹饪饮食行业协会副会长

重庆火锅协会高级文化顾问

重庆文化传媒商会副会长

国际东方药膳食疗保健学会（重庆）会长

重庆沙波文化传播有限公司总经理

认定证书

唐沙波（女士/先生）：

经中国食文化研究会餐饮文化认定工作组织委员会对您的经历业绩考察审核，您符合《中国餐饮文化认定标准IC01002-5》的条款规定，认定您为：

中国餐饮文化大师

孫学凌

特发此证

认定发证机构：中国食文化研究会

注册编号：中食认CY-2004-023

二00四年十二月三日

重庆中华食文化研究会会长、中国餐饮文化大师唐沙波。

认定证书

资格证书

证书编号：中食认证CY-Z-021

姓名：唐沙波

性别：男

职称：高级编辑

称号：中国餐饮文化大师

经对您的工作业绩和学术成果进行考核，您已经具备了中国餐饮文化认定评审师的资格，认定您为中国餐饮文化国家 壹 级认定评审师。

特发此证

中国食文化研究会

二00四年十二月三日

资格证书

四川省注册税务师协会

四川省注册税务师协会会长谢永政

四川省注册税务师协会于1995年5月成立，是中国注册税务师协会下属的地区协会之一，归口由省国税局、省地税局监督、管理和指导。

协会设秘书处，负责办理团体会员和个人会员的登记管理、承担对注册税务师行业的监管、指导和服务工作，组织注册税务师后续教育和从业人员培训工作，负责办理协会文秘、编印协会内刊和处理日常事务等。现有团体会员104个，个人会员2498人，其中执业会员800余名，非执业会员1650余人；从业人员4000余人。

协会成立以来，确定以建好队伍，依法代理、规范管理、优质服务、积极发展的工作思路。按办会宗旨，确定了抓住三个重点（即：建设一支文明、高效、业务熟练的注册税务师队伍；建设分工明确、岗责分明、纪律严明，相互监督、环环相扣的工作制度体系；信息化、规范化建设）；做到三个到位（即：行业自律管理到位，监督、指导、协调到位，对注册税务师行业的宣传到位）；实现四个突破（即：实现税务代理体制、税务代理工作机制、税务代理业务、税务代理人才市场化的突破；追求两个效益（即：社会效益和经济效益）的工作目标。通过多种形式，采取多种措施，加强了对注册税务师行业的宣传，强化了对从业人员的教育培训，狠抓制度建设、信息化建设、规范管理、诚信执业和优质服务工作，开展了评选优秀税务师事务所和优秀税务代理工作者的争先创优活动。在维护国家税收利益，维护代理客户合法权益等起桥梁和纽带作用。

四川省注册税务师协会二届三次常务理事会

四川省税务师事务所所长会

西南地区第五次理论研讨及经验交流会

四川省注册税务师协会第二届会员代表大会

四川省卫生协会
四川省医院管理协会

2002年3月药事管理委员会主任培训班

四川省卫生协会成立于1987年3月，2000年12月根据各医院的要求，经省卫生厅同意，省民政厅批准，成立了四川省医院管理协会，两个协会实行一套班子，两块牌子。协会是全省医院卫生机构和卫生工作者自愿组成的群众性、行业性的社团组织。协会内设有城市医院、县级医院、农村卫生院和民营医疗机构等4个管理委员会，药事、自律与维权2个工作委员会，以及《四川医院管理》杂志。此外，各管理委员会还分别办有每月一期或两月一期的《管理信息》。截至2004年9月，协会共有单位会员1186个，个人会员6万余人。

协会的主要任务是：开展医疗卫生机构管理经验交流、管理人员培训、新技术推广、对外交流、调查研究、推荐评选、表彰奖励先进单位和先进个人、对会员进行自律教育、依法维护医疗机构及医务人员合法权益等。

四川省卫协、医协钟道友会长。

协会成立以来，在四川省卫生厅和民政厅的指导下，认真贯彻党的改革开放政策，团结了一大批学术上有造诣、技术上有专长、管理上有经验、社会上有影响的知名人士，积极协助卫生行政部门推进卫生改革，加强对医疗卫生机构的管理与建设，充分发挥了社团组织的参谋助手与桥梁纽带作用，先后召开学术年会40次，参加的人员达1.5万人次，推广典型医院、卫生院50余个，培训管理干部3800余人，表彰优秀院长200余名，引进资金100多万美元，支持了卫生院和医院的建设，支援民族地区卫生院八所改变了缺医少药的状况。深受协会全省会员的信任、支持和厚爱，被誉为“会员之家”，并多次受到卫生部、中国农村卫生协会和中华医院管理学会的表彰，2004年被中国农村卫生协会授予“全国先进卫协会”称号。

2000年底召开四川省医院管理协会成立暨四川省卫生协会第三届会员代表大会

四川省闽南商业联合会

四川省闽南商业联合会1995年筹备，1996年经四川省民政厅登记注册。业务主管部门是四川省政府侨办。商会在省侨办和省民政厅的指导和监督下，坚持以“爱国、守法、敬业”为宗旨，以“团结、务实、创新”的精神，带领会员依法经营，文明经商，鼓励闽籍企业和侨资企业来川投资和开展商务活动，热情为企业牵线搭桥，促进川闽的交流合作，热心为会员服务和为社会服务。积极参与西部大开发和川闽两省的经济建设。在省侨办的具体指导下，共邀请150名海内外客商来川参加省政府举办的西博会、高新技术洽谈会、夏交会。

会员企业在川已有数10亿元的投资，完税在千万元以上。商会在坚持以经济建设为中心的同时，率先建立异地商会党组织，有效地发挥党员先进性和党支部的战斗堡垒作用。商会成立的10年来，热心为会员排忧解难，协助调解经济纠纷和民事纠纷80多起，避免造成经济损失数千万元，促进了社会安定团结。商会努力当好政府职能部门的助手，积极配合工商、技术监督等有关部门开展反侵权、反假冒、反伪劣产品和反不正当竞争的宣传工作，在规范市场秩序和树立良好的商业形象发挥作用。为加强会员的法律观念和提高法律意识，商会还聘请了常年法律顾问进行指导。

为使会员享有福利条件，商会与成都及其他地区的部分宾馆酒店签订了优惠协议，并且在每年春节期间为会员签定包机业务。倡导广大会员为各地灾区捐助18万元，捐助社会综合治理事业5万余元，慈善捐资10万元，为邓小平家乡建卫生院捐助30万元，为朱德故乡打井捐助1万元，为贫困地区学生捐赠衣物10万元，每年组织会员对达县10名孤儿进行一帮一的长期学费资助，热心地为公益事业和赈灾助学等社会慈善活动作出应有的贡献。

四川省政协副主席陈杰先生在闽南商会庆典大会上讲话

商会负责人出席第五届中国西部国际博览会开幕式留影

在纪念建党80周年座谈会上商会负责人与党支部党员合影

在捐建邓小平故里卫生院住院楼落成剪彩仪式留影

在迎新春、献爱心联欢会上与爱心乐园负责人及部分小朋友合影。

乐山市教育基金会

乐山市教育基金会是经中国人民银行总行批准，在四川省民政厅登记注册，1995年1月成立的市级公募性基金会，具有非营利性法人资格。基金会的宗旨是从事教育公益事业，以“三个代表”重要思想为指导，自觉遵守和执行国家的各项法律、法规和方针政策，面向社会公众，广泛接受国内外各界团体、个人和港澳台同胞、海外侨胞、国家机关各级部门和企事业单位的捐赠。奖教奖学，组织优秀教师学习、考察，弘扬尊师重教风尚；爱心助学，扶贫济困，开展各种支教活动，资助贫困地区教育事业发展，为促进乐山教育事业的发展作贡献。

基金会理事长（法人）曾曲铭。

基金会开展百名乡村优秀教师夏令营活动

基金会“智瑾教育奖学金”首届颁奖大会隆重召开。

10年来，基金会在各级党政和社会各界的关心支持下，严格按章程和宗旨，奖教奖学，扶贫济困，开展各种教育公益活动；用60多万元，奖励表彰各级各类劳动模范、特级教师、优秀教师等共813人；用“智谨教育奖学金”75万元，奖励598名优秀师生；开展“奉献爱心，扶困助学”募捐活动，用188万元救助了1160名失学儿童和特困大学新生入学；开展“为了灾区的孩子”献爱心募捐活动，用54.6万元、衣物1158件救助了受灾学校和孩子，并资助湖北石首市修建了“星乐”希望小学；用30多万元，组织了205名乡村优秀教师到日本、香港、澳门、北京、上海等地考察学习；用28.5万元奖励教育教学优秀科研成果；用19万元帮助民族地区和边远山区中小学解决师生收看电视难和吃水难的问题；用8万多元开展“春节送温暖慰问山区特困教师”活动，慰问了325名长期辛勤耕耘在高寒山区的乡村优秀教师和特困教师；出资3万多元，组织特级教师和优秀教师到民族地区和边远山区开展“献课活动”；修建了“田家炳实验中学”，用中国人寿和扬子江药业集团的捐款30万元，修建了两所希望小学；用北京海洋出版社捐赠给基金会的价值45.5万元的图书，资助了马边彝族自治县普及9年义务教育；千方百计为发展乐山教育牵线搭桥，全市接受全国各地、海内外捐赠资金1295万元，用于学校硬件建设和改善办学条件。10年来共为教育事业的发展筹集资金达3071万元。其中，为开展各种公益活动直接支付资金就达1325多万元。10年来，基金会在社会上树立了公众信誉度，建立健全了各项规章制度，强化管理，为教育公益事业的发展作出了贡献，先后被评为市级“先进单位”、“全省先进民间组织”。

“中国人寿希望小学”竣工庆典。

基金会为救助贫困学生入学开展“爱心奉献，扶困助学”募捐活动。

乐山市电力行业协会

协会第二届二次会员大会暨二届二次理事会

联络员、信息员工作会。

乐山市电力行业协会成立于1999年10月，系工业经济类别的专业性行业协会组织，拥有会员单位36个。2000年－2002年被评为市级先进社会团体，2004年被国家民政部评为“全国先进民间组织”。

协会自成立以来，坚持“民主办会”方针和“民主协商”方法，恪守章程，健全组织机构，完善内部制度，狠抓规范化运作，目前已凝聚汇集了一大批专家和专业技术骨干。

积极参与地方经济建设和社会事业工作，狠抓业务技能培训，为地方培养和输送人才。协助政府主管部门培训执法人员178名、为会员单位和用电企业上门培训进网作业电工近800余人；广泛开展“反窃电、反破坏电力设施”宣传和节约用电、安全用电知识宣传、咨询以及创优质服务品牌等活动，为维护电网安全，规范电力市场秩序、促进优质服务做出了积极努力。

始终把服务好、维护好会员利益作为义不容辞的职责。坚持在生产上支持、技术上指导、信息上服务，努力营造行业之家的浓厚氛围，经多次协调，顺利促成了小水电联网送电；为会员、企业和电力用户提供电站（厂）上网、并网、技术改造、用户用电增容等技术服务，编写可行性报告30余份，有力促进了企业发展；针对企业生产、经营中的难点问题，组织各专委会开展研讨交流活动12次、交流论文56篇；为会员企业提供政策、法规支持，挽回经济损失约100余万元。强化信息服务，积极开展信息交流、共编发协业信息61期，树立了协会的良好形象，获得了较高的公信度，增强了协会的凝聚力和感召力。

随着电力体制改革的深化，乐山市电力行业协会将以此为契机，坚持与时俱进，开拓创新、在服务中求发展的思路，将为电力事业的进步和推进乐山发展新跨越，全面建设小康社会做出新的更大的贡献。

研讨会

供电用专委员、农网改造工程管理研讨会。

绵阳市电力行业协会

绵阳市电力行业协会于2000年9月经绵阳市民政局登记注册。属工业经济类别的专业性行业协会组织，现有会员单位30个。2001年—2004年均被评为绵阳市先进社团组织，2005年3月被四川省人民政府评为“全省先进民间组织”。

协会始终坚持“民主办会”方针和“民主协商”方法，严格执行章程，机构健全，制度完善，接受监督，运作规范，积极发挥“服务、代表、自律、协调”四大功能和桥梁、纽带作用，满意度高，具有较强的凝聚力。

接受委托　当好助手

（一）协会积极开展电力法律、法规、条例宣传和安全用电、科技用电、节约用电知识宣传、咨询。

（二）深入学习贯彻“三个代表”重要思想，切实开展党员实践“三个代表”示范窗口、示范岗活动。

（三）协助政府主管部门培训电力行政协助执法人员275名。

（四）负责组织全市进网作业电工培训工作，现已培训1700人。

（五）协办电力设施承装（修、试）企业电工和农村电工1367人。

调查研究　协调服务

（一）针对小水（火）电及热电电价低的问题，协会进行走访、座谈、调研，形成书面专题报告，向政府反映了会员单位的呼声。

（二）开展电力供需调研和丰水期高峰用电及枯水期严重缺电应对措施调研，写出了调研情况报告，提出了绵阳电力供需可操作性建议，为政府部门制定解决电力供需矛盾的措施和决策提供了可靠依据。

（三）组织召开了7次“关注热点、难点”研讨会，交流论文、经验68篇。

（四）编印《绵阳市电力行业信息》21期，刊登信息368条，为会员单位宣传、转达了国家、省、市有关电力改革精神，通报了电力行业信息，进行了经验交流。

（五）上门为会员单位提供人员培训、政策法规和技术咨询等服务，为会员单位排忧解难。为加强联系，相互学习，取长补短，不断提高工作水平，协会先后组织了五批计85人次到兄弟电力行协学习交流；同时，也接待了兄弟行协来绵传经送宝，收效明显。

在电力改革和发展的新时期，绵阳电力行业协会将抓住机遇，开拓进取，认真履行职责，竭诚搞好服务，让会员满意、社会公认、政府放心，为绵阳电力全面协调发展和中国科技城建设作出新贡献。

四川省广元市药学会

四川省广元市药学会于1989年成立，于1997年、2001年组织换届工作。现有理事96人，常务理事30人，理事会成员7人，个人会员258人，团体会员45个；咨询服务部1个，咨询师24名。2001年换届以来，学会以“服务基层、服务企业、服务群众”的宗旨，依托药学技术力量，积极配合全市药品监督管理工作，以促进全市药学技术水平、药品质量管理工作的提高和地方医药经济的发展为己任，在学术交流、专业培训、科技咨询、科普宣传、药学调研方面做了大量卓有成效的工作。

学会理事长李伦

(一)学术交流。一是2002年5月创刊《广元药学通讯》；二是2004年创办了《广元药事》；三是组织开展学术交流4次；四是组织专题学术讲座11次。

(二)培训工作。组织开展麻醉药品处方权医生培训班4期，参训589人；药监法律、法规培训班8期，参训756人；GSP认证培训班4期，参训392人；药品分类管理培训班2期，参训148人。

川陕甘毗邻地区医院药学学术报告会

(三)药学咨询。组织开展GMP认证咨询立项6项，GSP认证咨询37项，为企业节省技改资金100余万元，接受咨询的全市6家药品生产企业全部通过国家GMP认证，15家药品批发企业、12家药品零售连锁企业、10家药品零售企业通过国家GSP认证。

(四)科普宣传。先后组织科普宣传8次，展出宣传展板128张，展出假劣药品、不合格医疗器械样品490余种，散发宣传资料24000余份，制作宣传标语96幅，播放药学科普知识讲座4次，参加咨询人员达21500余人。

(五)调研工作。《对加强边远山区农村药品监管的探讨》已被《中国药事》2004年第1期刊用。

“加强临床合理用药，促进医院可持续发展”会议。

广元市药学会三届四次理事代表会议

贵州省注册税务师协会

协会第一届会员代表大会会场一瞥

执业注册税务师后续教育培训

贵州省注册税务师协会成立于2001年4月28日，是经民政部门登记的民间社团组织，负责行使全省注册税务师行业的自律管理。现有41个团体会员及300余名个人会员；协会秘书处负责其日常工作。

协会宗旨：遵守国家法律、法规及政策，遵守职业道德，维护会员的合法权益；加强会员的联系与合作，实施行业自律管理，协调税务师事务所与委托代理人及有关部门之间的关系，努力提高税务代理人员素质和税务代理工作水平，促进注册税务师行业的健康发展。

协会的主要职能：对税务代理机构及执业会员进行指导、监督、服务、协调；办理会员入会登记和备案管理；制定会员执业道德规范、执业准则、工作规程；对会员开展后续教育培训；对会员违规惩戒处理；开展学习交流活动等。

贵州省税务代理理论研讨暨经验交流会

协会成立几年来，行业自律管理体制逐步规范，会员人数逐年增加，执业会员素质及税务代理工作水平不断提高，税务代理收入稳步增长，为推进贵州税务代理事业健康向前发展做出了积极贡献。

贵州省注册税务师协会第一届会员代表大会代表合影

贵州省建筑业协会暨建设监理协会

贵州省建筑业协会暨建设监理协会会长罗醒民

协会领导商量工作。图为建筑业协会秘书长邵迪东(左)、建筑业协会暨建设监理协会会长罗醒民(中)、建设监理协会秘书长唐东成（右)。

贵州省建筑业协会前身为1983年12月7日成立的“贵州省集体建筑企业协会”和1987年4月1日成立的“贵州省建筑业联合会”，于1997年5月8日召开贵州省建筑业协会第四届会员代表大会将两协会合并成为“贵州省建筑业协会”。2001年8月8日召开贵州省建筑业协会第五届会员代表大会，修改了协会章程，选举产生了协会第五届理事会理事、常务理事和领导机构成员。协会坚持“双向服务”的宗旨，积极开展建筑业政策调研、技术交流、职业培训、咨询服务、评先创优和行业管理等活动，有团体会员和单位会员171家，成为贵州建设系统较有活力的行业协会。

贵州省建设监理协会于2001年8月成立。其宗旨是：遵守国家法律、法规和政策，贯彻执行政府的有关方针政策，维护会员的合法权益，热情为会员服务，引导会员遵循“守法、诚信、公正、科学”的职业准则，为发展工程建设咨询监理事业和提高工程建设水平而努力工作。已有会员单位84家，从业人员5000多人，有国家注册监理工程师600多人。协会创办有《贵州建设监理》会刊。协会经常组织学术研究，开展业务交流、职业培训和咨询服务等活动。协会具有较强的凝聚力，已成为贵州建设监理企业之家。

给贵州省优质施工工程单位颁奖（后排左四为贵州省人大环资委主任江厥中，左五为贵州省建筑业协会暨建设监理协会会长罗醒民)。

安顺市建筑装饰协会

安顺市建筑装饰协会2000年登记成立以来，以市场经济为导向，以规范行业管理、推进行业自律为目标，以全心全意为企业谋划发展为宗旨，遵守宪法、法律法规，执行国家有关政策，严格按《章程》规定的业务范围开展活动，为推进全市建筑装饰行业健康有序发展作出了积极的贡献。

（一）率先建立党支部，确保党对协会工作的领导。按照“十六大”提出的加强社团党组织建设力度的精神，于2003年3月成立了安顺市第一个社团党支部。

（二）健全协会内部机构，不断提高协会的组织能力和管理能力。注重协会领导机构的建设和领导成员素质的提高，建立健全了以《章程》为核心的各种规章制度，坚持民主办会、制度管会，制定了会议、工作、财务、档案管理等制度，重要事项和重大问题由协会理事会集体研究决定的工作准则。

（三）发挥行业协会非营利特点，强化服务意识，把协会真正办成了“会员之家”。一是为方便会员和群众，将办公地点设在建材市场内，达到了“五个方便”；二是为帮助政府推进机构改革，主动承担了一些政府行政审批制度改革分化出来的社会事务；三是协助政府管理部门对装饰装修行业和装饰材料市场进行管理，宣传企业、服务企业、增强企业活力；四是装饰公司承接工程时，协会统一提供国家工商总局制定的《施工合同》示范文本；五是在材料市场悬挂“投诉箱”，方便群众；六是制定《装饰行业自律公约》和“装协会员单位”匾牌发到会员单位悬挂，接受群众和社会监督；七是协助相关部分对装修从业人员进行技术职称评定；八是利用新闻媒体，宣传有关装饰装修知识和法规，推介优秀企业和名优产品，引导科学消费，提高了会员企业的知名度。

安顺市民政局副局长黄凤林（前排左五）、建设局副局长李卫平（前排左六）、纪检组长张文鼎（前排左四）等领导同志，与市装协会长刘朝梁（前排左七）、秘书长杨通奎等理事会成员合影。

在“3.15”国际消费者权益日期间，市装饰协会组织会员单位在市区开展宣传咨询活动。

（四）开展各种宣传咨询和社会救助活动。每年都组织会员参与“3.15”消费者权益日、9月“质量月”宣传咨询、春节团拜，国庆游行展示和省、市政府组织的“黄果树瀑布节”、“油菜花旅游节”等大型活动。组织会员开展“解救倒闭企业、资助贫困学生、帮扶下岗工人和残疾人”等公益活动，通过这些活动的开展，大大提高了协会信誉度不断提高。2001—2002年度被评为“贵州省优秀民间组织”。

协会2004年成立党支部暨优秀企业表彰大会

云南省慈善总会

云南省慈善总会成立于1996年12月25日，是云南省历史上第一家全省性慈善团体，具有协调和指导省内各地慈善组织，与国内外及港澳台地区慈善机构开展广泛合作与交流的职能。

总会成立8年来，以扶贫济困，安老助孤为宗旨，在各级领导，中华慈善总会和社会各界人士的关心支持下，主要开展了3个方面的工作：

（一）开展了广泛的慈善宣传活动。在11家新闻媒体的支持下，把宣传工作贯穿于各阶段慈善活动的始终。

总会现任领导班子（从左至右，总会副会长兼副秘书长孙守仁、总会常务副会长刘江明、总会副会长兼秘书长杨贵源）。

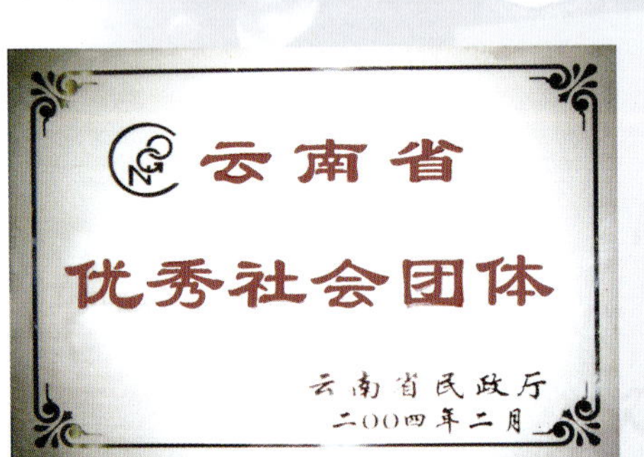

2004年总会获“云南省优秀社会团体”荣誉称号。

（二）积极募集慈善资金。总会采取普遍劝募和以项目引资金相结合，分别从社会、企业、政府、国外慈善组织等4个渠道，共募集慈善资金2320万元，所捐资金全额用于慈善项目，并每年由中介审计机构审计一次。

（三）大力开展社会救助。到目前为止，总会共开展了13个社会救助项目，从1997年开始，为2911名唇腭裂患者免费进行了手术矫治；从1998年开始，通过实施《雨露助孤计划》在36个县助养孤儿1307名；2000年以来，通过“献爱心送光明”活动，为355名患白内障失明的特困户免费进行了手术复明，资助永胜县地震灾区恢复重建了新村小学，资助贫困的禄劝县修建了残疾儿童康复中心，资助泸水、丽江、大理县修建了3所敬老院，资助师宗县葵山镇贫困户修建了168口沼气池，大大改变了贫困面貌。此外，总会积极参与了“抗洪救灾”、“抗震救灾”、“烛光工程”、“爱心献功臣”活动，以及4次有一定规模的对贫困户的走访送温暖活动，使一大批弱势群体得到了有效的社会救助，使云南省的慈善事业有了长足的发展。

云南省金融系统职工助孤行动

云南省农村致富技术函授大学

省农函大董事长黄峻

省农函大校长吴家仁

云南省农村致富技术函授大学是一所以服务“三农”为办学宗旨，为全省农村普及推广先进实用技术，培养农村技术人才的函授学校。

在党和政府的关心及社会各界的支持下，经过十几年的努力，已在全省16个州（市）114个县（市、区）1，266个乡（镇）建立办学网络；开设了种植、养殖、农产品加工、经营管理四大类，53个专业（单科）；编写了60种教材，学制为一年，聘请2400名辅导教师，2，000多名教学管理人员；为方便农民就近入学，每年有2，600个教学班办在村民委员会所在地；教学紧密结合学员生产实际，坚持“实用、实际、实效”的培训原则，实行函授自学、面授辅导、实作指导相结合，技术培训，技术推广、技术服务相结合，以办学质量为主攻方向；办学14年来已有82万名学员经考试考核合格，取得了结业证书。近几年在已结业的学员中，农村党员和基层干部、少数民族、女学员各占三分之一。经过农函大培训的学员，绝大部分成了农村生产技术骨干，致富能手和带头人，有力地推动农村产业发展和农民增收。

云南省农函大已成为全省提高农民科技素质、覆盖面广、影响力大、效果显著的农村实用技术培训学校和农村科普重要阵地，办学成效受到各级党委、政府的充分肯定和广大农村基层干部、农民群众的公认。被中国科协授予“全国农村科普工作先进集体”，云南省政府3次授予“云南省科普工作先进集体”，民政部授予“全国先进民间组织”称号。

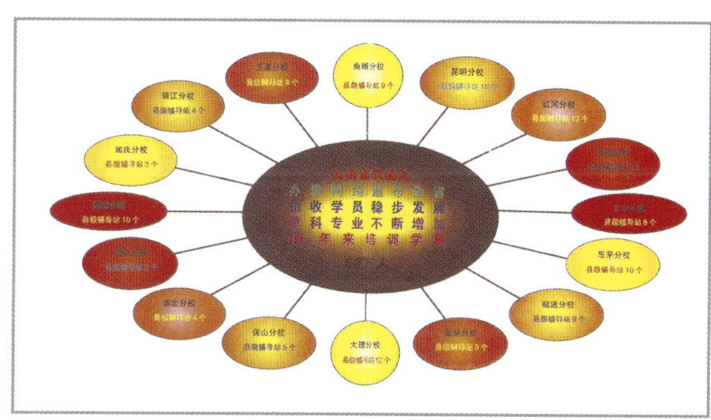

办学网络示意图

农函大学学员种植的洋芋、蔬菜、水稻大丰收。

培训一瞥

云南省大众流域管理研究及推广中心

绿色流域(云南省大众流域管理研究及推广中心)图标。

水资源调查

"照片之声:大河旁的人家",主任于晓刚正在指导参加照片之声的农民如何使用相机。

参与社区资源评估的妇女

云南省大众流域管理研究及推广中心成立于2002年6月,是一个在中国西部致力于推广可持续综合流域管理的民间环保组织。中心秉承参与式流域管理的理念,以社区为基础,通过能力建设使大众成为流域管理的主体,增进流域地区人民的福祉。中心的目标是在政府与民间推广综合流域管理的理念并促进在中国西部实现可持续的流域管理;通过倡导各级政府实施参与式流域管理的政策,提升社区流域管理的能力,使社区有效地参与到流域管理中,最终建立一个成本共担、利益共享、可持续的流域生态经济机制。

从成立至今,中心本着流域保护和可持续发展的原则,实施和开展了一系列的活动和项目。在研究领域,中心完成了漫湾电站参与式社会影响评价,从经济、社会性别、社会参与、社会文化和生态等多方面就漫湾电站建设对库区人民的影响进行了全方位的评估,并以漫湾案例为基础,对国家水电开发移民从政策和措施方面提出了建议;除此以外,中心还在福特基金会的支持下,对中国流域综合治理方面的法律法规进行了系统的研究,提出制定"流域治理法"的思路和建议。在进行流域管理研究的同时,中心致力于把研究的结果运用于实践,在实践中检验研究的成果,并把实践的经验向更多的人推广。与此同时,中心还在流域上游的山区村寨开展了以扶贫、环保和能力建设为主的综合管理领域的合作,这些研究及推广工作受到了业内各界人士的认可和好评,对推动综合流域管理方面做出了重大贡献。

云南大地跨境民族文化研究交流中心

云南大地跨境民族文化研究交流中心是依法进行登记的从事非营利性社会服务活动的民间组织，由长期从事云南民族和周边国家跨境民族的知名专家学者、新闻工作者、影视人等担任主要领导和兼职。他们曾参与多项国家、省、国际社会重大课题研究和策划。有为相关部门提供建议、咨询和设计，举办大型国际学术交流会议的经验和成果。中心下设办公室、学术部、项目部、交流部。

中心宗旨是：发挥民间思想库的作用，对重大的课题进行科学调查研究，为有关部门和单位提供战略层面和技术层面的建议咨询和设计，进行民间国际交流（包括海峡两岸文化交流），增进国际联谊与交往。

中心业务：

（一）从事跨境民族文化艺术的发掘、整理、研究、保护、承传及规划、设计、论证等咨询服务。

（二）从事跨境民族的文化传播，出版跨境民族研究交流丛书及云南跨境民族交流年鉴，不定期向省有关部门提供“跨境民族研究与交流简报”。拍摄跨境民族音像资料、建立跨境民族图片资料库、文化信息资料库和网站。举办跨境民族的图片展览、影视作品展出和学术讲座。

（三）从事跨境民族文物的宣传、保护、展览等活动。

（四）开展跨境民族文化艺术考察、培训、辅导等交流活动（包括海峡两岸）。

（五）接受或申请国内外政府和非政府组织有关云南民族和跨境民族的课题、项目研究、策划咨询等业务，并接受相关的资金捐助和与之进行合作。

中心的目标是：把中国云南四江流域傣族文化比较研究国际学术研讨会发展列为国家和云南省民族英雄文化建设的重点课题。

中心的工作立足于云南有16个民族与东南亚周边国家跨境而居，做好这16个跨境民族的文化研究交流工作，对稳定周边睦邻友好的对外政策及中国与东盟自由贸易区的建立有着重要意义。

中心理事长石安达先生1998年6月应中央电视台的邀请作为嘉宾与国家禁毒委领导共同介绍中国与邻国合作开展“绿色禁毒工程”的情况。

中心的专家、学者深入民族地区调查研究。

中外学者参加新平花腰傣族文化国际学术研讨会时受到当地傣族民众的热烈欢迎

云南省税务学会

云南省税务学会成立于1986年9月。第三届（即本届）于2000年1月换届。本届理事会有理事87人，常务理事17人。会长段捷庆；副会长倪宗瑜、李鸿文；秘书长房方金；副秘书长钟明。

学会是由省内税务工作者及社会各界热心税收理论研究的人士组成的专门研究税收科学的非营利性群众性学术团体，接受业务主管单位云南省社会科学界联合会和登记机关云南省民政厅的业务指导和监督管理，挂靠在云南省国家税务局、云南省地方税务局。

学会会长段捷庆与台湾中华工商税务协会理事长黄云焕互赠礼品

学会始终以邓小平理论和“三个代表”的重要思想为指导，坚持贯彻党的“十六大”精神，广泛联结云南省关心税收理论研究的各方面人士，紧密结合我国和云南社会、经济发展实际，大力组织开展税收调研活动，在完善税制、强化税收征管、坚持依法治税、加强税收信息化建设等方面进行了积极的探索，并广泛与全国兄弟省、市、区税务学会和税收科研机构以及台湾中华工商税务协会开展学术交流研讨活动，并取得了丰硕成果。其中《新税制征纳实务》、《提高认识，搞好服务，促进云南非公有制经济发展》和《试论加入WTO的税收政策思考》等21篇（部）论著荣获中国税务学会“优秀税收研究成果奖”，为推动和繁荣云南省税收科学研究，为云南省税收事业的不断前进发挥了积极的作用。

学会与台湾中华工商税务协会赴滇交流团交流研讨会场

西藏登山协会

协会会标

西藏登山协会是1981年经自治区党委、自治区人民政府批准成立，后经自治区民政厅注册登记，隶属于自治区体育局领导的唯一合法的登山专业协会。

协会的主要职责是：在自治区党委、政府及体育局的领导下，按照国家和自治区的方针政策，以山峰资源为依托，努力增进与国内外登山界的交流与合作，大力开展各类登山活动，促进登山事业的发展，积极参与地方经济建设，为体育工作服务。

几十年来，在各级党委、政府的指导下，在自治区民政厅等部门的大力支持下，协会充分发挥行业协会的应有作用，为西藏登山事业的发展作出了积极贡献。一是积极配合业务主管部门开展了登山工作的法制建设，在西藏形成了以《西藏自治区对外国人来藏登山管理条件》、《国内人员来藏登山管理办法（试行）》为主的登山工作管理规定和措施，规范了登山者的行为，保障了登山业的健康发展；二是依法开展业务活动，服务意识和服务技能不断增强，与国内外登山组织建立了业务交流和友好关系，率先开展吸引外国人来藏登山，先后接待了来自世界40多个国家和地区的登山探险队900余支15000多人；三是潜心致力于登山综合人才的培养，在国家和自治区的支持下，已建成了国内第一所登山学校——西藏登山学校；四是在业务活动中始终坚持协调、可持续发展原则，高度重视山峰资源和山区环境保护，推行了切实可行的环保措施和办法，开展了垃圾清理工作，保持了山峰地区的清洁。

西藏登山协会是连接国内外登山者来藏登山的桥梁和纽带，是宣传西藏的窗口。

自治区登山管理中心书记、协会副秘书长索南措姆（图右）给山友颁发登山证书。

2004年6月协会秘书长、自治区登山运动管理中心主任张明兴（右二）随协会代表团参加美国高山救援大会，给美国高山救援协会代表赠送会旗及礼品。

2004年10月协会主席、自治区体育局党组书记群增（左二）在唐拉昂曲峰前进营地看望山友。

2003年协会与韩国汉城特别市山岳协会共同组成联合登山队攀登珠穆朗玛峰。图为双方队员在大本营合影。

陕西省宏观经济学会

陕西省宏观经济学会是研究社会主义市场体制下国民经济和社会发展理论与实践问题的群众性学术团体，经陕西省民政厅批准登记成立的学术性、公益性、非营利性法人社团组织。学会现有单位会员120个。

加快推进陕西农业产业化研讨会

学会宗旨：高举邓小平理论伟大旗帜，坚持改革、开放，发挥理论联系实际的学风，贯彻党的基本路线和方针政策，遵纪守法，遵守社会道德风尚，团结全省从事经济研究工作的同志，为振兴陕西经济服务。

主要任务：组织和推动会员积极开展社会主义市场经济条件下理论研究，开展经济理论、方法与实践问题的调查研究，不断探索市场经济发展规律；组织和推动会员对全省国民经济和社会发展战略中的重大问题进行调查研究，为领导和有关部门提供咨询和建议；加强与实际工作部门和科研、教学单位之间的联系，促进科研成果的推广应用；举办学术报告和专题讨论会，交流经济理论和实践的研究成果和经验；加强与省内有关的专业学会和地（市）、县计委的联系，及时提供信息，互相交流资料和情况；宣传经济理论和业务知识，总结推广经济体制改革的先进经验；编辑和出版有关国民经济研究的书刊和资料，为陕西省的经济建设做出了应有的贡献。

“加快推进陕西农业产业化研讨会”全体代表合影。

陕西延安育英中学

校长许彦政（左）陪同副市长冯继红（右）视察学校。

学校领导班子

陕西延安育英中学是一所现代化民办寄宿制完全中学，由延安王家坪实业发展集团总经理王西林先生投资1.55亿元（RMB）修建，学校地处延安市南十里铺，远离闹市区，依山傍水，地理位置优越，交通十分便利。学校现有3个年级。教学班30个，高中部12个，初中部18个，学生1746人，现有教职工166人，其中专任教师和管理人员86人。

学校实行监事会领导下的校长负责制和任期目标责任制。监事会主席是延安王家坪实业发展集团总经理，全国劳动模范、市政协常委、省政协委员王西林，监事会副主席刘向东；校长许彦政，教学副校长张毛帝。学校设办公室、教务处、政教处、教育教学研究室、总务处。

学校2004年6月全部竣工，2004年8月开始招生；占地110亩，总建筑面积69200平方米；学校总体布局合理，校园环境优雅，有环形教学楼一栋（内设数字化图书阅览室2个、计算机教室2个、数字化语音实验室2个、电子备课室2个、教室54个、教师办公室46个），实验楼一栋（物理、化学、生物实验室共9个），办公楼一栋，多功能阶梯教室一个，体育馆一个。师生餐厅一栋，学生公寓楼3栋，教师住宅楼五栋。所有教室都配有计算机、多媒体投影仪和实物展示台。校园拥有先进的广播网、通讯网、宽带信息网和有线电视设施，是清华大学附属中学数字化教育合作学校。

学校落实“创立名校，扶助成功”的办学宗旨，坚持“以人为本，勤俭敬业，协调灵活，精细到位，学习创新”的办学理念，注重以“培育英才，英我中华”的训导和“尊道贵德，博学笃志”的校训等核心文化建设，突出“重双语、重思维、重体质、重实践”的办学特色，遵循“高起点、高水平、高质量”的要求，贯彻“依法治校，科研兴校，特色立校，质量强校”的发展思路，用一流的设施、一流的师资、一流的管理和一流的服务，确保一流的质量。学校以奖优帮困的优惠政策，以先进的办学思想、手段和方法，保障教育教学工作质量，赢得了家长和广大学生的认可。学校先后荣获“全国先进民间组织”、延安市“先进民办中学”等称号。

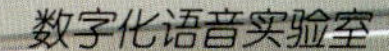
数字化语音实验室

课堂教学

民政部授予学校“全国先进民间组织”称号。

延安市教育局授予学校“2004年度民办教育先进单位”称号。

甘肃省建筑业联合会

2003年7月，甘肃省建筑业联合会会长续墉（右一）在连城电厂二期工程现场，检查飞天奖工程施工情况。

2004年11月，在贯彻落实《建筑法》、《安生生产法》和国务院《安全生产管理条例》及全省建筑业年度安全教育培训工作会议上，省建设厅领导出席会议并讲话。

甘肃省建筑业联合会成立于1995年，现有单位会员254个，个人会员96名。秘书处设4部，下属混凝土、试验室、建设材料、项目管理4个专业委员会，主办《甘肃建筑业》月刊。

联合会成立以来，坚持服务宗旨，开展行业自律，维护企业合法权益，做了大量工作。在为政府服务方面，除完成交办的工作外，主要是通过调查研究，提出行业改革发展的建议，曾先后起草《关于加快建筑业改革与发展若干问题的意见》和《关于进一步加快国有建筑企业改革步伐的意见》，经厅领导研究后以政府文件出台，对行业的改革发展起到了促进作用。在为企业服务方面，主要有技术业务培训、工程质量评优、推广新技术、开展创“三优一文明”（优秀企业、优秀经营者、优秀项目经理、文明工地）活动、组织企业学习考察等11个方面。1997年以来，先后培训企业领导及有关专业人员32927人（次）；表彰优秀企业302个（次），优秀经营者289人（次），优秀项目经理1667人（次），文明工地599个，技术业务能手143名；评出飞天奖工程（省优工程）296个，创鲁班奖工程（国优工程）12个。在行业自律方面，经组织企业反复讨论与市（州）建筑业协会一道共同制定了《甘肃省建筑施工行业自律公约》及《实施办法》，既突出了行业自律，也体现了维护企业合法权益，受到广大企业的拥护和支持。

联合会曾多次受到建设行政主管部门的表扬，并于2003年被中国工业经济联合会评为先进地方行业协会，2004年被国家民政部评为“全国先进民间组织”。

2000年6月21日—23日由中国建筑业协会、甘肃省建设厅、甘肃省建筑业联合会在兰州举办西北地区建筑新技术推广应用会。

2001年11月29日甘肃省建筑业联合会召开第三次全省建筑业“三优一文明”表彰大会。

1998年9月25日—28日捷克建筑工程协会代表团一行28人访问甘肃，与省建筑业联合会进行了友好会谈。

青海省注册税务师协会

青海省注册税务师协会成立于1996年4月，是全国最早成立，独立、自主办会的税协民间组织之一。9年来，认真贯彻国家各项方针政策，千方百计发挥理事会的集体决策作用，规范自身运作，积极拓展税务代理业务，发挥了行业协会服务、沟通、监督、管理职能。

青海税协以服务会员、服务社会为主要任务。寓行业管理于服务之中。注重行业宣传理论研究和注册税务师后续教育；20多次集中地向社会各界讲解税法知识；30多次向来询、来访的近百人（次）群众，提供无偿税法咨询；创编《青税咨讯》，已编印199期，14.9万多份；编印《税收法规汇编》、《税收优惠最新规定》等5种书籍49册（集）、630多万字、38.7多万册，积极推进税收服务和以法治税。9年来两次被评为“青海省先进社团”，2004年荣获“全国先进民间组织”称号。

青税协会长、法人代表张德川在换届会议上讲话。

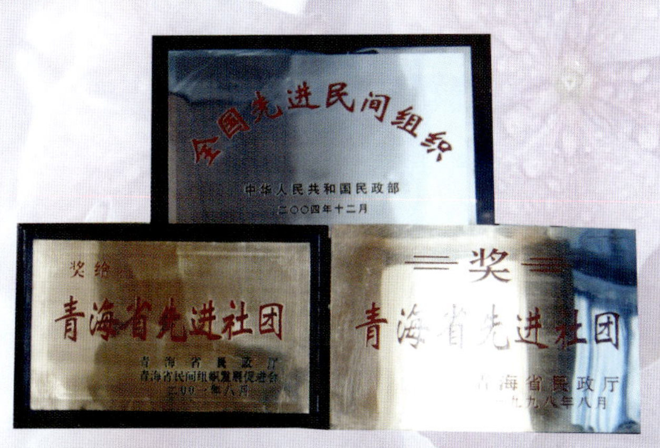

协会两次获得“青海省先进社团”称号，2004年又荣获“全国先进民间组织”荣誉。

省税协工作人员崔元勋为省公安系统举办的培训班学员讲解税法

服务社会，青海省税协9年来编印的各种税法书籍49集，630万字，共印发38.7万册。

青海省国际税收研究会

青海省国际税收研究会会长王志忠

青海省国际税收研究会成立于2003年9月8日，是中国国际税收研究会的下属分会，是在青海民政部门注册登记的研究国内外税收理论与实践问题的群众性学术团体。现有会员500余人。

研究会的宗旨是：以邓小平理论、“三个代表”和“十六大”精神为指针，以开展税收学术研究、服务工作实践为中心，按照理论联系实际和外为中用的要求，开展国际税收研究，促进青海经济和税收事业的发展。

研究会的主要任务是：

(一)联系和组织税务界、财经界、学术界、教育界、企业界等有关方面热心国际税收研究的人士，开展国际税收学术与理论的研究，国际税收动向及其发展趋势的研究，各国税收政策、原则、制度、管理的研究，各国涉外税收政策、制度的研究，国家间税收关系的研究，区域性税收协调及其发展前景的研究和在国际经济活动中运用税收维护国家权益的对策研究。

(二)根据国际和国内政治、经济、财政、税收的发展情况，组织专题研究和交流，及时将研究成果向决策部门和有关单位推荐。

(三)宣传我国税收制度和对外税收政策，介绍外国税收动态，促进国际间税收协调与合作，为发展国际经济交往服务。

(四)组织各种形式的税收学术和实务交流，有计划地同国外经济、财政、税收研究机构建立联系，广泛开展国际间的税收交流活动。

(五)开展有关税收方面的社会服务工作。接受税务部门、有关部门、纳税单位、个人和国外有关方面委托，承担有关国际税收问题的调查研究、税务咨询、人员培训、学习考察和政策法规的查证、论证以及财务管理等项业务。

(六)组织税收资料交流，提供国际经济、税收信息，编辑出版研究会会刊和有关国际税收的书刊。

(七)组织税收资料交流，提供相关经济、税收信息、编辑出版本会会刊及相关资料、总结交流经验、组织评论税收学术研究成果，加强与有关学会的联系、协作等。

召开理事会

新疆注册税务师协会

新疆注册税务师协会成立于2002年4月，是新疆维吾尔自治区全区性社会团体组织，接受自治区国家税务局、地方税务局、民政厅的业务指导、监督、管理，业务主管部门为自治区国家税务局。全疆39个税务师事务所为团体会员，现有个人会员1015人，理事114人，常务理事31人，内设办公室、培训部等办事机构。建立“新疆注册税务师网”，http://www.xjtax.com.cn

其宗旨是：遵守宪法、法律、法规和国家政策，遵守社会公德和职业道德；团结、教育和引导注册税务师行业以经济建设为中心，维护税收法律、法规的正确实施，维护纳税人的合法权益和国家的税收利益，维护会员的合法利益；加强行业的自律建设，在政府有关部门与注册税务师行业之间发挥桥梁和纽带作用；加强会员管理，交流工作经验，沟通业务信息；增强兄弟注册税务师协会同行间的交流、联系和协作，共同促进注册税务师行业的规范健康发展。

几年来，新税协按照章程认真履行职能，做好对注册税务师行业的服务、指导、协调、监督工作。一是制定了税务师事务所管理规范、职业守则、财务管理、质量控制、三级审核、业务档案等6个自律管理制度；二是推进税务代理依法执业、诚信服务，经常开展税务代理回访活动；三是坚持三级培训格局，加大对执业人员的培训力度，选派203名事务所所长或执业人员参加了中税协的培训，新税协举办各类培训共6期，培训执业人员500多人次；四是2004年在全疆开展先进税务师事务所考评活动，有5个税务师事务所被评为先进税务师事务所；五是积极为注册税务师行业提供相关信息，维护会员权益，努力营造良好的税务代理执业环境，为注册税务师行业的发展发挥了积极的作用，被自治区民政厅评为“先进社会团体”。

2002年8月，协会承办西北地区税务代理研讨会，中税协会长李永贵、秘书长李树名，新疆地税局党组书记吴琪林，国税局副局长佟伟，甘肃省地税局副局长郝发中，新税协会长荆鸿儒，宁夏税协会长屠占卫，陕西省税协秘书长张新等领导在主席台就座。

2004年8月9日，南疆片区税务代理业务培训班开班典礼。

2003年8月12日，协会第一届二次理事会。

自治区税务机关和民政厅领导为2004年先进税务师事务所颁发奖牌和证书。

新疆维吾尔自治区建筑业协会

新疆建筑业协会是建筑施工企业、工程监理企业、有关事业单位自愿组成的行业性社会组织，经区建设厅批准、区民政厅注册登记，于1992年10月成立的非盈利性社会团体。

协会的宗旨是：在“邓小平理论”和“三个代表”重要思想指导下，坚持以经济建设为中心、坚持四项基本原则和改革开放；遵守宪法、法律和国家政策、遵守社会主义道德风尚；面向建筑行业，竭诚为政府服务、为企业服务，为加快自治区建设事业发展，实现社会主义现代化目标作出积极贡献。

协会的业务范围：开展对建筑业的调查研究，向政府有关部门提出有关经济政策和立法方面的意见和建议；参与建筑业有关法规、规章以及行业的研究论证；经建设行政主管部门授权进行行业调查，搜集、整理、分析、发布行业信息、资料；编辑、出版刊物；制定行约、行规、职业道德规范；规范行业行为，维护行业的公平竞争；组织开展建筑行业检查、评比和创优活动；开展建筑行业的职业技术培训；开展建筑行业咨询活动；组织信息网络、搜集、整理国内外有关科技、经济、管理等信息资料；加强同国内外同行的联系、组织建筑行业在国内、国外的考察、交流、合作等活动；组织举办建筑行业的各种展览会、展销会、博览会、招商会等活动；组织对建筑行业科技成果的推广应用；协调会员单位在建筑市场中的行为和利益关系，维护其合法权益；承担建设厅委托的对建筑企业资质的预审、年检，施工项目经理资格、注册建造师资格等具体工作。

多年来，全体工作人员努力工作、认真学习、热情服务，协会工作取得了一定的成绩，2004年被评为自治区的“先进学术团体”、被中国建筑装饰协会评为“优秀协会”，并获得了“全国先进民间组织”的荣誉。

全国政协委员、新疆建筑业协会会长张国文出席全国政协十届三次会议在天安门广场。

新疆建筑业协会三届一次常务理事会（左起：新疆建筑业协会副会长兼秘书长曹永清，新疆建设厅副厅长肖徽，新疆民政厅副厅长周俊林，新疆建筑业协会会长张国文，新疆建筑业协会副会长、新疆建工集团董事长、党委书记郑三辰）。

多次荣获各种荣誉称号

新疆生产建设兵团农十二师三坪家园敬老院

新疆生产建设兵团农十二师三坪家园敬老院全院共有维、回、汉族组成的服务人员9人，他们团结一致，热爱公益事业，用爱心关怀尊敬入住的每一位老人。克服种种困难，为老人排忧解难。他们自己动手积极改善居住环境，为各民族老人变着样改善伙食。前院种花、种菜，后院备两台锅炉，养鸡、鸭、鹅近百只，饮食上基本达到自给自足。每星期为老人或偏瘫老人洗澡、剪手、脚指甲、换洗衣服。并用自己的歌声、爱好培养老人热爱生活的情趣，带领他们一起树立起对生活、健康的信心。上级领导、部队、学校、青年志愿者前去慰问达20余次。为老人们带来了物质、精神上的欢乐。在做好临终关怀方面，全院每一位同志不怕苦、不怕累、不怕脏、不计任何报酬，让老人有病得到及时救治，临终走的安祥，让子女满意、放心。通过几年的努力，三坪家园敬老院得到了社会上的认可和有关部门的好评。2004年被民政部评为“全国先进民间组织”。

新疆兵团民政局领导在党员先进性教育活动中带领全体党员干部到敬老院慰问老人并与工作人员进行交谈

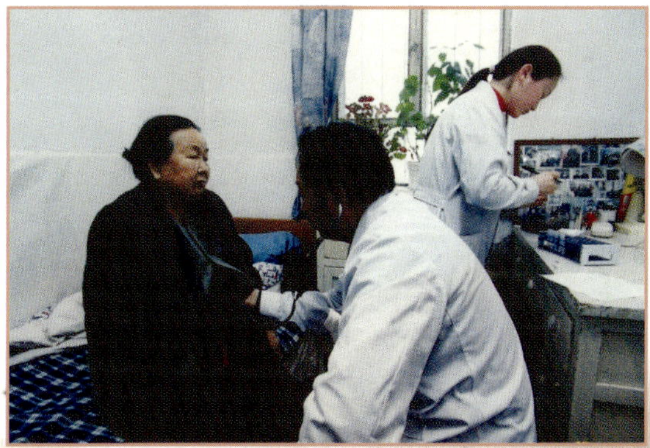

农十二师三坪医院，学雷锋活动给老人检查身体。

新疆教育电视台在联欢中胡淑芬老人高歌解放军军歌《三大纪律八项注意》。

敬老院自种自给的菜园、花园。

老人在敬老院幸福的度过每一天

新疆生产建设兵团工程咨询协会

新疆生产建设兵团工程咨询协会于2000年12月25日成立，属社团组织，业务主管单位为兵团发展和改革委员会（原兵团计划委员会），接受中国工程咨询协会指导和兵团民政局的监督管理。兵团胡兆璋副司令员担任协会名誉会长，兵团计委主任陈献政担任协会会长，兵团计委副主任朱新祥担任协会常务副会长（法人代表），兵团工程咨询中心主任李东风担任副会长兼秘书长。常设办事机构为秘书处，秘书处设在兵团工程咨询中心。目前单位会员数25个，单位个人会员14个，理事38名，常务理事16名。

协会在兵团发改委的领导下和中国工程咨询协会及兵团民政局的指导下，在规范工程咨询行为、加强行业管理、维护会员单位权益、积极为会员单位服务等方面取得了较好的成绩。

（一）制定兵团工程咨询单位资格认定实施评审办法和组成评审委员会，严格按照资格认定实施办法对兵团工程咨询单位按程序进行资格申报、审查、认定。每年开展兵团工程咨询单位执业年检和3年资格复评工作。

（二）进行注册咨询工程师（投资）执业资格认定和考前培训及考试教材征订、发行工作。

2004年8月，全国十六城市工程咨询协会网第十五届会议在乌鲁木齐市召开。

（三）举办“申报工程咨询优秀成果”工作等专题讲座。

（四）为及时传达中国工程咨询协会有关文件规定及会议精神，为每个会员单位赠订2份《中国工程咨询》刊物，每年给相关单位赠寄贺年片等，促进工程咨询业的信息交流。

（五）加强与中国工程咨询协会、兄弟省市咨询单位及会员单位的联系，先后承办了全国工程咨询会议、全国十六城市工程咨询协作网第十五届工程咨询会议，并邀请台湾、宁波、桂林、福建省工程咨询中心等工程咨询单位组成代表到兵团考察、交流。同时学习国外先进管理经验，提高咨询水平和咨询质量，由兵团工程咨询协会组团，重点对欧洲的德国、法国、意大利的城市发展与规划工作进行考察。

2004年，协会被民政部授予“全国先进民间组织”称号。

2003年4月，由协会组团，对德国柏林、慕尼黑城市规划局进行城市发展历程、建筑特点与风格的考察，对兵团工程咨询业开展城市建设工作起到很大的推动作用。

新疆生产建设兵团护理学会

医学会常务理事合影

2004年学会组织的《天使杯》三优护理竞赛总结表彰大会。

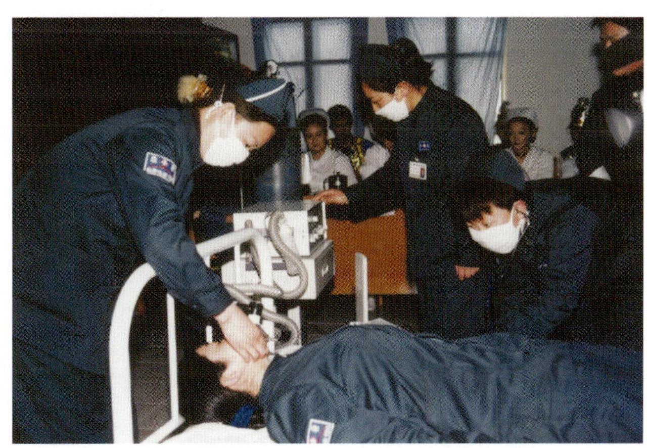

2003年学会在农六师奇台医院举办护理急救技术大练兵

"抗击非典，我们必胜"。2003年，学会组织会员举行"抗击非典型肺炎"誓师大会。

新疆生产建设兵团护理学会于2000年11月经兵团民政局社团处登记注册。成立5年来，会员已发展为2900人。学会成立后，以"积极开展学术研究，提高护理队伍素质为工作方向"，以"遵纪守法，积极开展各项活动，增强学会凝聚力"为学会工作宗旨，以"努力为会员提供新知识学习和学术交流条件，繁荣学术领域"为学会导向，开展了一系列培训、练兵比武、相互学习等工作。学会3次被兵团民政局评为年审先进社团，2003年被评为兵团先进学术团体，2004年被评为"全国先进民间组织"。

积极配合兵团行政部门工作，开展各项活动，旨在增强护理队伍的凝聚力。2001年为激发广大护理人员的工作积极性，举办了"《天使的爱》——华士丹杯"个人演讲比赛，兵团护理系统64名优秀选手获奖12名，并组织了大型的文娱庆祝活动；2002年，在护士节中表彰了10年无差错护士32名，3年值夜班超过115天者224名和优秀护理院长6名；2003年表彰突出业绩的责任护士和优秀健康知识宣传员30名，2004年，学会开展防止传染病，开展了有效防护技能比赛活动。

学会不仅重视本范围内的学习与培训，同时也重视国内各省区的学习与交流，分别与北京、上海、四川、山西、海南等省区联系，进行学术交流、考察与学习，参加区外学习班6次，培训护理管理干部210人次，开阔了护理管理干部的眼界，更新了护理管理干部的理念。

5年来学会交流学术论文324篇，获一等奖论文40篇。为能使基层更多护理人员学习与交流护理服务中的经验，学会创办了《护理论文集》，每年一集，为护理人员提供学习与交流的机会。

以继续教育培训为主导，积极提高护理队伍素质为宗旨，到兄弟省区学习新知识、新理论、新技术、先后举办了34期培训班，培训护理人员7000人。

新疆生产建设兵团农八师石河子焊接学会

新疆生产建设兵团农八师石河子焊接学会成立于1986年4月22日。现有个人会员143名，其中具有高级、中级专业职称和焊工技师人数占53%。学会共召开过6次会员代表大会，第一任理事长田庆璋，第二任理事长王维新，第一任秘书长贾国桢，第二任秘书长孔繁荣，第三任秘书长梅卫江，这是一支活跃在新疆生产建设兵团石河子垦区焊接技术领域的专业队伍。

学会理事召开工作会议

学会成立10年来，充分发挥专家优势，深入工矿企业解难题，办实事。承接大型焊接项目98项，焊接工艺评定20项，解决技术难题100余件；在全国、自治区、兵团的专业学术会议及刊物上发表论文50多篇；多次参加国家、内地省（市）的技术交流。学会共举办培训班19期，达800多人，组织科普知识活动3期，参加全国、自治区、兵团技术比赛获个人、集体奖10次；现已拥有资金达50万元。

学会成立以来，围绕焊接技术领域在学术研究、技术交流、新技术的推广应用，技术培训与服务，为企业排忧解难等方面开展了有效的工作，赢得了社会信誉，取得了企业的信任，也求得了自身发展，连续5年被评为农八师石河子先进学会。2004年，民政部授予学会“全国先进民间组织”称号。

部分理事认真考评焊件质量

焊工技能操作培训现场

新疆生产建设兵团农二师二十四团养猪协会

2004年3月，新疆维吾尔自治区党委副书记常委副主席、兵团司令员张庆黎同志与协会会长雷勇同志亲切交谈。

协会成立大会及协会负责人合影

新疆生产建设兵团农二师二十四团养猪协会成立以来，本着民间组织民间管的宗旨，共吸收会员68名，分布在各连队47户，集中联片的养殖区21户。协会成立以来，坚持以“三个代表”重要思想为指导，在建设兵团民管局的指导下，认真开展各项工作。首先，协会建立完善了内部机构和自律机制，组织原料购进、销售、防疫、科技、调节、财务、员工、组织协调和日常工作等8个工作组，围绕市场供需与会员利益相结合进行运作，充分发挥协会的优势，开展养殖技术的交流；其次，请二师科协、团畜牧专家授课培训，现场解决难题，通过协会的努力工作，协会的“桥梁”和“纽带”作用得以体现；其三，协会可为市场提供育肥生猪3万头，年产值达2700万元，协会会员年纯收入均在10万元以上。协会的会员还在发展，组织还在壮大，协会决心让大部分职工富起来。这样一来，为师、团的行业协会起到了带头示范作用，为二十四团非公有制经济发展注入了新的活力，增添了新的光彩。

2004年，协会被民政部授予“全国先进民间组织”荣誉称号。

2004年协会举办先进个人演讲会

协会养猪基地

中国马克思主义哲学史学会

学会会长庄福龄教授

中国马克思主义哲学史学会是依法在民政部登记注册的，于1979年10月正式成立的全国性学术团体。现届（第六届）学会理事会理事108人，常务理事48人。现任会长是庄福龄教授；法定代表人是唐源昌教授；秘书长是副会长梁树发教授兼任。

学会宗旨是：以马克思列宁主义、毛泽东思想，邓小平理论和“三个代表”重要思想为指导，坚持党的“一个中心，两个基本点”的基本路线，解放思想、实事求是、与时俱进、贯彻理论联系实际和百家争鸣、百花齐放的方针，正确运用马克思主义的立场、观点和方法。从历史、理论和现实三者的结合上研究和发展马克思主义哲学，促进社会主义三个文明的建设，更好的为中国特色社会主义现代化建设事业做出贡献。

学会成立20多年来，相继成立了下属7个研究分会（专业委员会），即：马克思、恩格斯哲学思想研究分会；列宁思想研究分会；毛泽东思想研究分会；邓小平理论研究专业委员会；“三个代表”重要思想研究分会；当代国外马克思主义研究分会；马克思主义应用哲学研究分会。学会和各研究分会经常召开学术研讨会和开展多种形式的学术活动，培养和组织在国内外有较高水平的学术队伍，促进学科的建设与发展，同国内外各种有关的学术团体和学者进行交流和合作，出版各种学术论文集和有关学术著作，均在国内外学术界产生了重要影响。以学会的骨干队伍为基础，由原3位会长黄枬森、庄福龄、林利为主编，撰写和出版的国家重点项目《马克思主义哲学史》8卷本；由现会长庄福龄为主编，撰写和出版的《马克思主义史》4卷本均获国家奖。

中国老年保健医学研究会

中国老年保健医学研究会的前身是由卫生部北京老年医学研究所与中国卫生信息报北京记者站联合报请卫生部批准于1988年6月1日成立的中国老年医学研究信息编委会。于1994年成立中国老年保健医学研究会、是卫生部主管的全国性学会。现有理事150名，常务理事50名。

研究会的宗旨是：遵守宪法、法律和国家有关政策，团结全国广大老年医学研究、临床和老年保健管理工作者，维护本会会员的合法权益，开展国内和国际学术交流活动，进行老年保健医学研究，促进我国老年保健医学水平提高、科技和管理人才成长，推动我国老年保健医学事业健康发展，为我国老年人的健康长寿和社会主义建设服务。

研究会成立后，召开全国性学术会议12次，参加会议的专家、教授及从事保健医疗工作的各方面代表最多时达300多位。会议采取专家教授与中青年学者交流，科研与临床相结合，科研、教学与管理人员相结合，普及与提高相结合的方式，以促进老年保健医学发展和向我国老年人群提供医疗保健服务为目的，以当前国际、国内老年医学的主要发展方向和重点课题为内容，开展学术讨论和交流。

2002年经国家科技部、国家出版署批准，由卫生部主管，研究会出版、发行季刊《中国老年保健医学研究杂志》，现已出版了两年，为广大从事老年保健医学研究工作者的专家、教授、从事保健医疗工作的专业人员撰写文章，进行学术研究和交流，学习提高，提供了良好的条件。

中国老年保健医学研究会
为老年医疗保健作出新贡献
二〇〇一年十一月二日 吴阶平

中国朝鲜族音乐研究会

中国朝鲜族音乐研究会成立于1989年3月，1993年5月经国家民政部注册登记为中国文联所属全国性社团。崔顺德，崔三明历任会长，朴长寿继任常务副会长，秘书长，法人代表。从1980年，经中国音协批准、北京和东三省音协同意，中国音乐家协延边分会在全国各地吸收朝鲜族会员以来，同中国音乐家协会在延吉举办郑律成作品音乐会和音乐作品研讨会，李焕之等20多位著名音乐家到会，并对此次活动给予较高评价。研究会成立后同中国音乐家协会举办了中国朝鲜族声乐比赛、中国朝鲜族少儿器乐比赛、中国朝鲜族优秀歌曲评奖，在北京、沈阳、大连、哈尔滨、延吉等地举办《朝鲜族国际国内获奖者独唱独奏音乐会》；国际声乐比赛2次一等获得者金永哲，多次国际国内声乐比赛获一、二等奖者宋一、林晶、金辉（美国留学生）、金焰（澳大利亚留学生）等5名朝鲜族中青年歌唱家、演奏家的音乐会，得到中国文联领导等文艺界的高度评价。研究会同中国音协延边分会组织延边交响乐团，赴汉城参加韩国等十届交响乐艺术节，具有中国朝鲜族特色的以自创节目为主的交响音乐会得到韩国音乐界的关注，其中随想曲《我的故乡》，韩国KBS交响乐团、中国交响乐团（国庆五十周年）、哈萨克斯坦交响乐团等3国国家级交响乐团演奏等在国内外产生较大的影响。研究会成立以来组织20多次创作活动，举办《中国朝鲜族音乐研讨会》等12次理论研讨会，16次各种音乐会，8次各种评奖，还从郑律成、张千一等全国各地朝鲜族音乐家创作的歌曲中精选300首编辑出版的《中国朝鲜族歌曲选》，编辑出版记载我国朝鲜族百年音乐史的《20世纪中国朝鲜族音乐文化》（65万字）等开展200多次各项活动，为我国朝鲜族音乐发展做了大量的工作，为中华民族文化事业的发展做出积极贡献。

中华诗词学会

中华诗词学会成立于1987年5月31日，以弘扬中华诗词事业为宗旨。第一任会长为全国政协原副主席钱昌照，第二任会长为全国人大原副委员长周谷城，第三任会长孙轶青（全国政协原副秘书长）。现有个人会员一万多，团体会员202个，全国除西藏、青海外，各省、市、区均有诗词学会组织。17年来，共开中华诗词研讨会18次，大型诗词大赛13次，发表论文3000篇，应征作品100万首（篇），参加人数10万；深入开展诗词走进大、中、小学，建立诗词之乡11个，诗词之市2个，诗词之县1个，诗教走进单位10个，全国诗教交流会2次。《中华诗词》杂志创刊10周年，从季刊、双月刊到月刊上了三个台阶，发表优秀诗词3万多首，评论文章200多万字。

今后学会将进一步实施精品战略，繁荣诗词创作，加强诗词理论研究和作品评论，进一步开展诗教工作，培养诗词后备人才，积极推进诗词声韵改革，办好《中华诗词》、《中华诗词网站》，加强海峡和国际诗词交流与合作，努力推动中华诗词文化的发展。

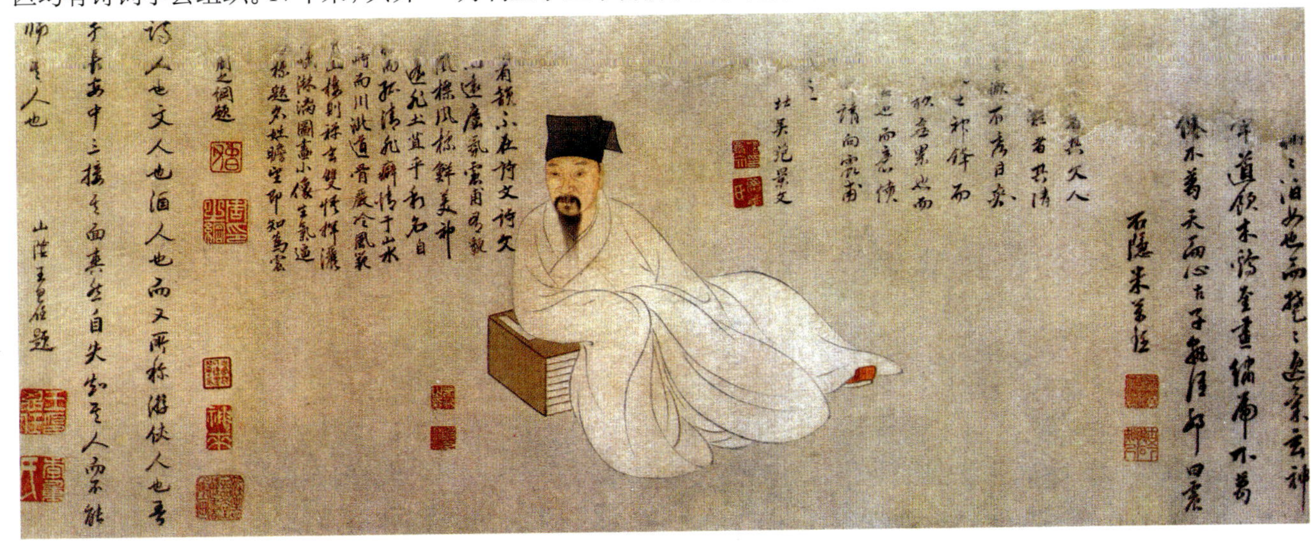

中国收藏家协会

中国收藏家协会是经国家文物局审查同意，民政部注册登记，于1996年6月正式成立，由中国广大收藏家、收藏组织、收藏爱好者自愿组成的非营利性的全国性社团组织。

（一）遵纪守法，认真贯彻执行国家有关法律、法规，严格按照章程开展工作，自觉接受业务主管单位和登记管理机关的领导和监督。一是积极组织广大会员认真学习贯彻国家有关法律、法规，2003年以来，通过会刊《收藏界》等新闻媒体，学习贯彻新《文物保护法》；二是严格按照协会章程和有关规定开展各项工作，包括协会的思想建设、组织建设、制度建设、业务建设等都按业务主管单位和登记管理机关核准的协会章程，以及有关规定办理。为协会科学有序地开展各项业务活动，提供了组织保证。

（二）组织机构健全，领导班子团结，内部制度完善，运作程序规范，事业不断发展。一是领导班子团结一致，特别是协会会长、常务副会长、副会长、秘书长等组成的领导集体，都以“团结、发展、服务、弘扬”八个字为指导思想，共同抓好各项工作；二是加强了协会内部的各项制度建设，先后建立了《关于中国收藏家协会领导成员、内设机构的职责分工和加强内部建设的有关规定》等11个内部制度、规定性文件。建立健全了协会必要的规章制度。使协会的一切管理和业务活动程序化、规范化、制度化，促进了协会各项工作的顺利开展。

（三）积极开展各项收藏活动，努力为广大会员服务，严格自律，坚持非营利组织性质，在社会上有良好的声誉。一是开展了多种多样的收藏展示活动，增强了协会的活力；二是树立为广大会员服务意识，完善服务机制，通过各种渠道，各种形式，主动地为广大会员做好各项服务工作；三是决策民主公开，严格自律，坚持非营利性组织性质，与广大会员、兄弟收藏组织密切关系。

周信芳艺术研究会

周信芳艺术研究会是1985年4月，在纪念周信芳诞生90周年、逝世10周年时成立，是以继承周信芳创立的麒派艺术，发扬周信芳大师勇于革新的精神，通过结合教学传承、演出实践和理论探讨，系统地研究麒派艺术，扩大麒派艺术的影响，推进麒派艺术和海派京剧的繁荣发展为宗旨的全国性民间学术研究团体。

2003年7月，召开了第二届理事会，推举刘厚生、袁雪芬为名誉会长；黎中城为会长，朱文相、陈少云、周公谨、裴永杰为副会长。

1990年，与上海市文化局、上海文化发展基金会、上海剧协、上海京剧院等6个单位联合主办了“周信芳诞辰95周年纪念会"，举行纪念演出，举办艺术研讨会，以及周信芳铜像落成典礼等活动；还组织了由来自各地麒派演员参加的巡回演出队，赴京、津、鲁、宁、青岛等地，与当地京剧院团共同举行纪念演出约两个月。1995年参与了梅兰芳、周信芳100岁诞辰纪念活动，筹办了“周信芳艺术研讨会"。

成立以来，出版了《周信芳艺术研究会会讯》(季刊)56期、《麒艺丛编》论文集1——4辑、《周信芳艺术评论集(续编)》和《一代宗师周信芳》邮票，开通了《麒学探微》网页。

出版周信芳邮票

出版麒艺丛编1–4辑